DISTEL VERLAG

Aus der Geschichte lernen

Brot ist Freiheit, Freiheit Brot

Dokumente zur Geschichte
der Arbeiterbewegung in Südbaden
1832 - 1952

Erster Band: 1832 - 1933

Herausgegeben von der
Industriegewerkschaft Metall
Verwaltungsstelle Offenburg

Bearbeitet von
Anna Merklin

DISTEL VERLAG

Sonnengasse 11, 7100 Heilbronn.

Satz (Times New Roman): Fotosatzservice Feldhoffer GmbH, Heilbronn.
Druck und Bindung: Wilhelm Röck GmbH, Weinsberg.
Umschlagentwurf: Jürgen Knauer, Heilbronn.
ISBN 3-923208-27-8

Inhalt

Vorwort

»Brot ist Freiheit, Freiheit Brot« - unter diesem Buchtitel spiegelt sich die wechselvolle Geschichte der Arbeiterbewegung Südbadens wider. Auch heute, am Ende des 20. Jahrhunderts, hat diese Forderung nach Freiheit und menschenwürdigen Lebensbedingungen nichts von ihrer Aktualität verloren.

Die Geschichte der Arbeiterbewegung und der demokratischen Entwicklung Badens ist die Geschichte einer Region. Die vorliegenden Dokumente beschreiben den Kampf der Menschen um ein besseres Morgen in den Tälern des Schwarzwaldes, im Breisgau, im Markgräflerland und in der Rheinebene, den Kampf von Menschen, die aufgrund ihrer geographischen Lage von Ereignissen und Bewegungen in den Nachbarländern geprägt wurden.

Bewußt wurde darauf verzichtet, die Geschichte der Arbeiterbewegung nur für den Bereich der seit 1949 bestehenden Verwaltungsstelle Offenburg darzustellen. Es war für uns unstrittig, die Verwaltungsstellen Freiburg und Lörrach mit in das geplante Geschichtsprojekt einzubeziehen.

Ziel dieses gemeinsamen Geschichtsprojektes, das 1987 von der Ortsverwaltung beschlossen wurde, war, für nachfolgende Generationen zu dokumentieren, was Kolleginnen und Kollegen erkämpft und geschaffen haben, die Ereignisse, Kämpfe, Erfolge darzustellen, aber auch die Niederlagen festzuhalten.

Die Durchführung dieses Geschichtsprojektes wäre für die Verwaltungsstelle Offenburg ohne die Förderung durch ABM-Mittel des Arbeitsamtes in dieser Form nicht möglich gewesen. Für die Bewilligung dieser Mittel sei deshalb dem Arbeitsamt an dieser Stelle gedankt. Zu danken haben wir aber auch Anna Merklin, die mit sehr viel Einsatz nicht nur Quellen studiert und Dokumente gesammelt, sondern auch sehr viele Gespräche mit noch lebenden Kolleginnen und Kollegen geführt hat. Mit in den Dank einschließen müssen wir auch die Kollegin Claudia Peter, die teilweise mit zur Erstellung dieses Buches beigetragen hat, und Anne Erb, die das Manuskript auszeichnete und die Registererstellung übernahm. Für die Unterstützung sowie Anregungen, die wir von der Planung bis zum Ende des Projektes von dem Kollegen Dr. Peter Scherer erhalten haben, möchten wir uns recht herzlich bedanken. Er war es, der uns motivierte, unsere Geschichte zu schreiben.

Ganz besonders freuen wir uns, daß zum 100. Geburtstag unserer IG Metall das Projekt abgeschlossen werden konnte.

Wir wünschen uns, daß die Dokumentation »Brot ist Freiheit, Freiheit Brot« nicht nur einen Platz in den Bücherregalen findet, sondern unserer Generation sowie kommenden Generationen dazu dient, sich an das Erreichte zu erinnern und für die vor uns liegenden Aufgaben zu motivieren.

So stellt uns nicht nur die Entwicklung in den neuen Bundesländern vor große soziale und wirtschaftliche Probleme. Nach wie vor werden Krieg und Gewalt als Mittel der Politik und Lösung für soziale Probleme angewandt. Brot und Freiheit wird noch Millionen von Menschen vorenthalten.

Die französische Revolution, die mit ihrer Forderung nach »Freiheit, Gleichheit, Brüderlichkeit« die demokratische Entwicklung Südbadens beeinflußte, war nicht in der Lage, die sozialen und ökonomischen Widersprüche zu beseitigen. Deshalb werden sich weiterhin Menschen wie unsere Vorfahren für bessere soziale Verhältnisse einsetzen - gestern für mehr Brot und besseren Schutz vor Krankheit, heute für eine bessere und gesunde Umwelt, gegen Krieg und Gewalt.

Möge dieses Buch dazu dienen, aus der Geschichte zu lernen.

Offenburg, im Juni 1991

IGM Verwaltungsstelle Offenburg
Gustel Stockmayer
1. Bevollmächtigter

Kapitel I

Von der Herausbildung der organisierten Arbeiterbewegung bis zum Fall des Sozialistengesetzes

27. Mai 1832 – 30. September 1890

Die politische, wirtschaftliche und soziale Struktur des Großherzogtums Baden

Das Großherzogtum Baden erhielt seine Gestalt in den ersten Jahren des 19. Jahrhunderts im Zuge der napoleonischen Neugliederung des deutschen Südwestens. Die badische Verfassung vom 22. August 1818, die erste deutsche Verfassung überhaupt, kam unter den deutschen Verfassungen den bürgerlich-liberalen Vorstellungen dieser Zeit am nächsten. Sie verdankte ihre Entstehung jedoch nicht einem Druck von unten, sondern dem Interesse des Großherzogs, »die Bevölkerung enger an das Fürstenhaus zu ketten«.

Die Verfassung sah zwei Kammern vor, ohne deren Zustimmung keine Steuern erhoben oder Gesetze erlassen werden durften. Allerdings wurden diese Kammern nicht nach einer allgemeinen Wahl zusammengesetzt. Die Wahlberechtigung hing von einem je nach Vermögen und Stand gestaffelten Wahlzensus ab. Die badische Verfassung beruhte, in ihren Grundzügen bis 1918 unverändert, zwar auf dem monarchischen Prinzip: Der Fürst war der Träger der Staatsgewalt; die Verfassung bedeutete allerdings eine – wenngleich freiwillige – Beschränkung seiner Souveränität zugunsten bürgerlicher Freiheits- und Mitwirkungsrechte. Gleichwohl blieb die vorkapitalistische, feudale Gesellschaftsordnung auch im Rahmen dieser Neuordnung weitgehend unangetastet. Ihre wichtigsten Pfeiler, die grundherrschaftliche Agrarverfassung und das Zunftwesen, wurden erst in der Revolution von 1848 und durch die spätere Reformgesetzgebung beseitigt.

Die blutig niedergeschlagene Revolution von 1848/49 traf – wie weiter unten noch zu zeigen sein wird – Baden wie kein anderes deutsches Land. Ökonomisch unterbrach sie vorübergehend eine stetige Aufwärtsentwicklung, die mit dem Anschluß an den Zollverein im Jahre 1835 ihren entscheidenden Impuls erhalten hatte. Der wirtschaftliche Einbruch wurde verstärkt durch eine jahrelange, katastrophale Krise der landwirtschaftlichen Produktion, die bis in die Mitte der 50er Jahre nachwirkte.

Nach der Revolution vollzog sich allmählich eine wirtschaftliche Entwicklung, die alle Gebiete des ökonomischen und sozialen Lebens betraf. Im Bereich der gewerblichen Produktion kam es, vor allem seit der Einführung der Gewerbefreiheit im Jahr 1862, zu einer verstärkten Auseinandersetzung zwischen Kleingewerbe und Fabrikindustrie. Im Verkehrswesen setzte sich die Eisenbahn endgültig durch, und der Ausbau eines Grund-

Entwicklung des Eisenbahnnetzes in Mitteleuropa, 1835–1866

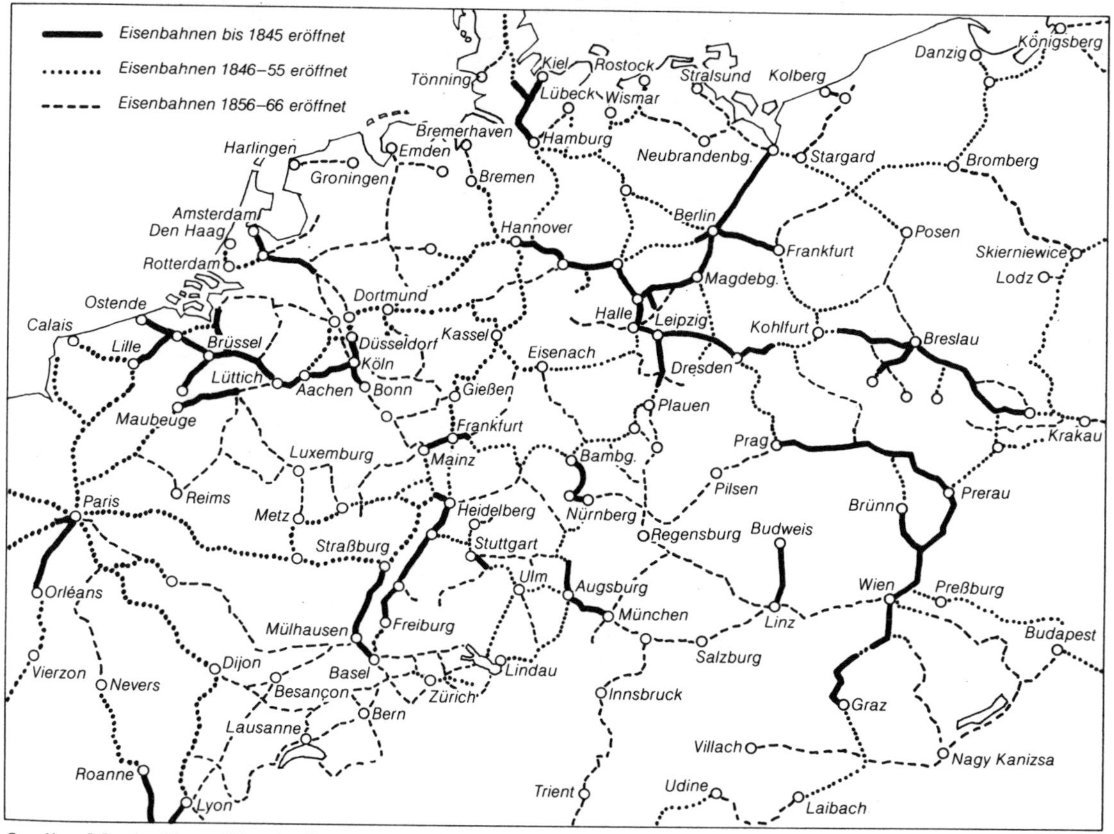

Quelle: Martin Vogt (Hrsg.): Deutsche Geschichte, Stuttgart 1987, S. 307.

netzes zur Erschließung des Landes und zum Anschluß an die entstehenden europäischen Durchgangsstrecken wirkte nachhaltig auf die wirtschaftlichen Verhältnisse.

Baden war damals im wesentlichen ein Agrarland. Noch im Jahr 1858 lebten 42 Prozent aller Familien Badens ausschließlich von der Land- und Forstwirtschaft, 37 Prozent vom Gewerbe, 14 Prozent arbeiteten in anderen Erwerbszweigen und 7 Prozent waren Tagelöhner.

Die nach der Revolution von 1848/49 in Deutschland einsetzende allgemeine Tendenz zur Bildung von industriellen Großbetrieben traf in Baden auf ungünstige Bedingungen: Zum einen wurde die Entwicklung durch die Gliederung des Landes, die Bindung der Bevölkerung an ein noch so kleines, selber zu bebauendes Stück Land, den Mangel an großen Städten und Verkehrszentren und eine alte handwerkliche Tradition, die bis zum Beginn der 60er Jahre in einer zunftmäßigen Bindung stand, erheblich behindert. Vor allem aber fehlte es am nötigen Kapital und an einheimischen Rohstoffen. Der Aufbau von großen Fabriken konnte nach 1849 daher nur von außerbadischen Kapitalbesitzern in Angriff genommen werden oder sich langsam aus den bereits vorhandenen handwerklichen Betrieben heraus vollziehen.

Eine Erhebung des Jahres 1849 zählte in Baden 335 Fabriken mit 17 105 Beschäftigten. In dieser Zahl waren allerdings auch 1382 Männer, 5556 Frauen und 601 Kinder, die in der Hausindustrie tätig waren, eingerechnet, so daß die eigentlichen Fabrikbetriebe eine durchschnittliche Beschäftigtenzahl von nur je 37 aufzuweisen hatten.

Mit 112 Fabrikbetrieben und einer Arbeiterzahl von 8226 stand die Baumwollindustrie an der Spitze aller Fabrikindustrien im Lande. Diese Fabrikgründungen waren vorwiegend von kapitalkräftigen Industriellen aus der nahen Schweiz ausgegangen. Als Standort wählten sie Oberbaden, speziell das Wiesental, das obere Rheintal und den südlichen Schwarzwald. Dort fanden sie quasi vor ihrer Haustür Wasserkraft als Energiequelle und billige, durch eine frühere entsprechende hausindustrielle Tätigkeit in der Textilproduktion bewanderte Arbeitskräfte.

Im Jahr 1869 gab es in Baden bereits 60 Baumwollfabriken mit je mehr als 20 Arbeitskräften und insgesamt 9940 Arbeiterinnen und Arbeitern. In den 14 größten Baumwollbetrieben waren 1869 zusammen 6614 Personen beschäftigt, d. h. 66 Prozent aller in Betrieben mit mehr als 20 Arbeitskräften Beschäftigten arbeiteten in der Baumwollindustrie in Großbetrieben mit mehr als 200 Arbeitskräften.

Die Seidenindustrie nahm nach der Jahrhundertmitte einen ähnlich starken Aufschwung wie die Baumwollindustrie. Sie konzentrierte sich auf das Gebiet der oberbadischen Schweizer Grenze sowie auf Freiburg und Waldkirch. Zählte sie im Jahr 1849 nur 1303 Arbeiter, so waren es im Jahr 1869 in 23 Betrieben mit mehr als 20 Arbeitern zusammen bereits 3511 Personen. Davon beschäftigte allein die Freiburger Firma MEZ mit 9 Betrieben in der Region zusammen 1198 Personen.

Eine vergleichbare Entwicklung nahm die badische Zigarrenindustrie in der ersten Hälfte der 60er Jahre. Ihre Standorte hatte sie sich in der Rheinebene zwischen Freiburg und Offenburg, mit Lahr als Zentrum, bereits in den 50er Jahren ausgesucht. Die badische Tabak- und Zigarrenindustrie zählte 1849 24 fabrikmäßig eingerichtete Betriebe mit 990 Beschäftigten, die ihren Sitz hauptsächlich in Lahr, Mannheim, Heidelberg und Leimen hatten. In den 1869 gezählten 72 Fabriken mit mehr als 20 Arbeitern waren bereits 5203 Personen beschäftigt. Die einzigen Betriebe dieser Branche mit mehr als 100 Beschäftigten waren im Amtsbereich Lahr die Firma Bader mit 240 Arbeitern und die Gebrüder Lotzbeck mit 174 Arbeitern.

Die Maschinen-, Eisen- und Stahlindustrie suchte ihre Standorte auch außerhalb Südbadens; im Raum Lörrach, Freiburg und Offenburg* gab es damals nur einen größeren Betrieb, die Draht- und Schraubenfabrik Falkau, die 1869 insgesamt 91 Arbeiter beschäftigte.

Darüber hinaus entwickelten sich in dieser Periode in Südbaden weitere Industrien, wie die Papier-, Tapeten- und Kartonageindustrie, Steingut- und Porzellanfabriken, die Zichorieindustrie, die Lederindustrie, die Uhrenindustrie und andere kleinere Industriezweige.

Kennzeichnend für die Entwicklung der Industrie nach der 48er Revolution ist wachsende Mechanisierung. Im Jahr 1847 waren in Baden 24 Dampfmaschinen mit insgesamt 361 PS eingesetzt, im Jahr 1869 waren es bereits 489 Dampfmaschinen mit zusammen 6462 PS. Davon waren allein in der Textilindustrie 99 Dampfmaschinen mit 2186 PS im Einsatz, was auf die Rolle der badischen Textilindustrie als des bedeutendsten Industriezweiges Badens verweist.

Der Anteil der im Gewerbe tätigen Personen der badischen Gesamtbevölkerung nahm in den beiden Jahrzehnten nach der Revolution von 37 auf 43,1 Prozent zu, und zwar im wesentlichen auf Kosten der Landwirtschaft, deren Anteil von 42 auf 39,3 Prozent zurückging.

Einer Vermehrung der Gesamtbevölkerung zwischen 1852 und 1871 um 7,7 Prozent stand in der gleichen Zeit eine solche der städtischen Bevölkerung von 24,5 Prozent gegenüber. Eine vergleichende Betrachtung der Bevölkerungsveränderung mit den sich entwickelnden Fabrikstandorten in den einzelnen Amtsbezirken zeigt deutlich, daß die Industrialisierung maßgeblich an dieser Bevölkerungsverschiebung beteiligt war. Ab 1862 erleichterte zudem die Einführung der Freizügigkeit den Zuzug in die Industrieorte und die Ansammlung von Arbeitskräften für Großbetriebe in den Städten. Diese Erscheinung erfuhr jedoch in Südbaden nie die Intensität, mit der sie in manchen anderen deutschen Regionen zu dieser Zeit vor sich ging. Die Fabrikarbeiterschaft in Südbaden blieb auch in den folgenden Jahrzehnten noch weitgehend mit der Landwirtschaft verbunden, wohnte zum großen Teil weiterhin auf dem Land und ging täglich als Fuß-

---

* Umfaßt (auch im folgenden) den Bereich der heutigen IG Metall Verwaltungsstellen Lörrach, Freiburg und Offenburg.

pendler in die Stadt, oder es entwickelten sich die für Südbaden charakteristischen Industriedörfer wie z.B. im Wiesental.

Eine Erhebung der Arbeitszeit in den Textilfabriken im Wiesental um 1850 gibt Aufschluß, daß damals die durchschnittliche Arbeitszeit bei 13 bis 15 Stunden lag. In Höllstein war es keine Seltenheit, daß bei starkem Geschäftsgang selbst Kinder bis zu 18 Stunden in den Fabriken zubrachten. Erst ein Gesetz des Jahres 1870 regelte die Kinderarbeit, wobei es jedoch die Schädlichkeit von Kinderarbeit grundsätzlich verneinte und nur Einzelfragen wie Sonntags- und Feiertagsarbeit regelte. Um 1870 wurde in den Fabriken 12 bis 13 Stunden täglich, einschließlich Samstag, gearbeitet.

Weder in der Hausindustrie noch in der Fabrikindustrie noch als Tagelöhner war es dem einzelnen Arbeiter möglich, mehr als gerade den Lebensunterhalt einer Familie zu verdienen. Meistens war das Existenzminimum nur gesichert, wenn alle Familienmitglieder einem Verdienst nachgingen, und vor allem dadurch, daß die meisten Familien auf ein wenn auch noch so kleines Stück Land zurückgreifen konnten.

Den seit 1865 im Auftrag des Großherzogs erstellten Berichten über die Situation in den Amtsbezirken ist zu entnehmen, daß in städtischen bzw. industriellen Gegenden sich die Zustände langsam besserten. Auf dem Lande dagegen waren die Verhältnisse weiter sehr schlecht, der Bettel nahm eher zu als ab. Die Versteigerung Ortsarmer, vor allem von Kindern, an den Wenigstnehmenden - das heißt an den, der von der Gemeinde für den Unterhalt am wenigsten verlangte - hatte zwar offiziell ein Ende genommen, kam aber doch noch in vielen Gegenden vor.

Daß Notstände, wie die miserablen Entlohnungen und Arbeitsbedingungen, zunächst weitgehend ohne Widerstand hingenommen wurden, hing einerseits mit dem nicht hoch genug zu bewertenden Einfluß der katholischen Kirche auf die Bewußtseinslage der Bevölkerung zusammen; der Einfluß reichte bis in die entlegensten Gegenden - circa 60 Prozent der Bevölkerung war in Baden katholisch, in Südbaden war der Anteil der Katholiken noch höher -, und er wurde von der katholischen Kirche genutzt, die Bevölkerung Genügsamkeit zu lehren. Andererseits entschärfte die in Südbaden stark ausgeprägte Verankerung der Arbeiterschaft in der Landwirtschaft viele soziale Mißstände und war so der Bewußtwerdung der südbadischen Arbeiterschaft als Klasse eher hinderlich.

Die bürgerlich-demokratische Revolution von 1848/49

Als im Jahre 1848 die Revolution in den deutschen Staaten begann, hatte die Arbeiterklasse keinen bestimmenden Einfluß. Zusammen mit den Bauern und arbeitslosen Handwerksgesellen bildete sie eine große Masse armer, unterdrückter und ausgebeuteter Menschen, die mit ihrem armseligen Dasein unzufrieden waren.

Bereits zu Beginn der 30er Jahre hatten die deutschen Staaten eine bürgerlich-demokratische Volksbewegung erlebt. Sie hatte ihren Anstoß durch die französische Julirevolution der Jahres 1830 bekommen, als das französische Volk das absolutistische Regime stürzte. Damit wurde zwar keine Republik, aber immerhin eine konstitutionelle Monarchie durchgesetzt.

Im April 1832 fanden sich in Badenweiler viele Liberale zu einer Feier zusammen, auf der sie die Notwendigkeit eines deutschen Nationalstaates beschworen und ihre demokratischen Forderungen formulierten. Ihren Höhepunkt fand diese Bewegung in den deutschen Staaten mit dem Hambacher Fest vom 27. bis 30. Mai 1832 (Dok. 1), an dem auch viele Badener teilnahmen. Hier ist besonders Philipp Jacob Siebenpfeiffer, 1789 in Lahr geboren, als Verfasser der Einladung und mit Georg August Wirth Organisator des Festes zu nennen.

Innerhalb dieser bürgerlich-demokratischen Volksbewegung zeigten sich

1 Der Zug zum Hambacher Schloß, Mai 1832

sehr frühzeitig Unterschiede in den Vorstellungen über die zukünftige Entwicklung. Die Liberalen begnügten sich mit der Forderung nach mehr bürgerlichen Freiheitsrechten und konnten sich die Einheit Deutschlands auch unter einer Monarchie vorstellen. Die Demokraten forderten hingegen eine föderative deutsche Republik, wirkliche Volkssouveränität und die Abschaffung jeder feudalen Unterdrückung. Da jedoch damals sowohl das Bürgertum als auch die Arbeiterklasse noch unzureichend entwickelt

2 Philipp Jacob Siebenpfeiffer

waren und die Oppositionsbewegung auf einzelne deutsche Staaten beschränkt blieb, war es den Herrschenden möglich, diese Oppositionsbewegung zu zerschlagen und ihre Reste die ganzen 30er Jahre hindurch weitgehend zu unterdrücken. Viele Demokraten mußten im Ausland, vor allem in der Schweiz und in Frankreich, Zuflucht suchen.

Bis 1848 hatte sich aber einiges verändert. Das ökonomische Kräfteverhältnis hatte sich zugunsten des Bürgertums verschoben, und in der sich entwickelnden Arbeiterklasse hatte eine bürgerlich-demokratische Bewegung eine breitere Massenbasis als 1832.

Am 12. September 1847 fand in Offenburg eine große Zusammenkunft der »entschiedenen Freunde der Verfassung« statt. Die von dieser Versammlung aufgestellten Forderungen (Dok. 3) kann man als das erste geschlossene republikanische Programm bezeichnen.

Wiederum ausgehend von Frankreich, wo am 25. Februar 1848 die Pariser Arbeiter die Republik erkämpft hatten, sprang der Revolutionsfunke Ende Februar auf die deutschen Staaten über. Bereits am 1. März mußte die badische Regierung, an der seit 1846 auch die Liberalen maßgeblich beteiligt waren, den Forderungen des Volkes nach Pressefreiheit, Schwurgerichten und sofortiger Einberufung des Parlaments nachgeben.

Auch in den anderen Staaten konnten derartige »Märzerrungenschaften« durchgesetzt werden, und bereits im April des Jahres 1848 fanden Wahlen zur Deutschen Nationalversammlung statt. Die Nationalversammlung trat am 18. Mai zusammen. Allerdings zeigten sich auch hier schon sehr bald Differenzen. Von den über 500 Abgeordneten der Paulskirche stellten die Liberalen 400. Ihnen schwebte eine konstitutionelle Monarchie vor, und die zu erarbeitende Verfassung sollte nur in Übereinstimmung mit den Fürsten verabschiedet werden. Die rund 100 Abgeordneten der Demokraten spalteten sich in eine gemäßigte, auch eine »demokratische«, die Monarchie akzeptierende Fraktion und in eine radikale, die die Republik forderte. Nur in Baden und Sachsen waren mehr Demokraten als Liberale in die Nationalversammlung gewählt worden.

Die Liberalen aus Baden wurden durch Welcker, Mittermaier und Soiron vertreten, die gemäßigten Demokraten durch Brentano und Itzstein und die radikalen durch Hecker und Peter.

Einige der radikalen Demokraten wollten sich mit der gemäßigten Politik der Nationalversammlung, die sich schon im Vorparlament Anfang April angedeutet hatte, nicht zufrieden gegen. Sie glaubten, revolutionäre Fakten schaffen zu können. Hatten doch die Badener am 19. März 1848 in einer von etwa 20 000 Teilnehmern besuchten Volksversammlung in Offenburg ihrem Willen nach radikaler demokratischer Veränderung scharfen Ausdruck verliehen (Dok. 5 b). Diese Volksversammlung bildete außerdem den Auftakt für eine große Versammlungswelle in ganz Baden. Ausgehend von Baden sollte die Revolution über ganz Deutschland verbreitet werden. Gerade die Grenzlage zur Schweiz und zu Frankreich, wo demokratische Verhältnisse herrschten und viele der in den 30er Jahren aus Deutschland geflüchteten Demokraten Zuflucht gefunden hatten, und die revolutionäre Bereitschaft der Massen boten in Baden relativ gute Voraussetzungen für ein solches Unternehmen.

Friedrich Hecker, der Führer der badischen Radikaldemokraten, setzte am 13. April von Konstanz aus den revolutionären bewaffneten »Heckerzug« in Bewegung, der allerdings im April an der Überlegenheit der Regierungstruppen scheiterte. Die Verhängung des Kriegszustandes über das Gebiet südlich der Linie Lahr–Haslach–Hausach und die damit verbundene Besetzung Südbadens durch Regierungstruppen sollte weitere mögliche Aufstandsversuche im Keim ersticken. Als flankierende Maßnahme ordnete der Großherzog von Baden am 22. Juli 1848 die Auflösung sämtlicher demokratischer Vereine an (Dok. 5c).

Erneut traten badische revolutionäre Demokraten den Kampf an. Am 21. September kehrte Gustav Struve, der sich an deren Spitze stellte, aus dem Schweizer Exil zurück und rief in Lörrach die Republik aus. Mit seinen Truppen brach er noch am selben Tag nach Freiburg auf. Jedoch schon vier Tage später fiel das von ihm besetzte Staufen in die Hände der Regierungstruppen, die seine Freischar aufrieben.

Auch in anderen Teilen Deutschlands kam es im September 1848 zu Aufständen gegen die wiedererstarkte Reaktion. Sie wurden genauso blutig niedergeschlagen. Die Nationalversammlung mit ihrer liberalen Mehrheit verhielt sich abwartend, und unter den Demokraten machte sich Resignation breit.

In Baden waren die Betätigungsmöglichkeiten für die Demokraten aber noch relativ günstig. Nach der Verkündigung der »Grundrechte des deutschen Volkes« durch die Frankfurter Nationalversammlung Ende Dezember 1848 wurde das Vereinsrecht wieder eingeführt. Am 26. Dezember 1848 berief der damals 28jährige Amand Goegg, der später in Offenburg für den Anschluß der radikaldemokratischen Kräfte an die Sozialdemokratie sorgte, eine große Versammlung von demokratisch gesinnten Bürgern in Renchen ein. Diese Versammlung setzte einen starken Impuls, die republikanischen Kräfte erneut zu organisieren (Dok. 5f). Innerhalb kurzer Zeit entstand in Baden ein dichtes Netz von 400 republikanisch gesinnten Volksvereinen mit mehr als 35 000 Mitgliedern. Daneben entwickelten sich vor allem viele Turnvereine, aber auch sonstige Vereine zu Diskussionszirkeln, die demokratisch-republikanische Forderungen aufstellten und sie öffentlich zum Ausdruck brachten. Die liberale Opposition gegen die Feudalherrschaft war vor allem in den sogenannten vaterländischen Vereinen organisiert.

Und auch die Arbeiterklasse hatte begonnen, sich eine eigene Organisation zu schaffen (Dok. 5a und 5d). Bereits im April 1848 war in Berlin die Arbeiterverbrüderung Stephan Borns gegründet worden, und in vielen Städten waren Arbeitervereine entstanden. In Südbaden allerdings konnte die Arbeiterverbrüderung nicht Fuß fassen.

Die endgültige Entscheidung über Sieg oder Niederlage der Revolution fiel im Jahr 1849 im Kampf um die Durchsetzung der Reichsverfassung. Die von der Frankfurter Nationalversammlung angenommene Reichsverfassung (267 gegen 263 Stimmen) war in ihrem Grundcharakter bürgerlich-liberal und enthielt sowohl eine Anzahl demokratischer Errungenschaften als auch einige antidemokratische Positionen. Als Gegenleistung für das Akzeptieren der Verfassung wurde dem herrschenden Feudaladel die Beibehaltung der Monarchie angeboten. Der preußische König lehnte jedoch die ihm angetragene deutsche Kaiserkrone und damit auch die Reichsverfassung am 3. April 1849 ab.

Die Haltung des preußischen Königs löste die Reichsverfassungskampagne aus, in der sich alle antifeudalen Kräfte noch einmal im Kampf gegen die Konterrevolution vereinigten. Die Liberalen und die gemäßigten Demokraten glaubten, die Reichsverfassung durch verstärkten politischen Druck, ohne bewaffnete Auseinandersetzung durchsetzen zu können. Die radikalen Demokraten sahen im Kampf um die Reichsverfassung die Möglichkeit, eine zweite Revolution auslösen zu können. In Sachsen und im Rheinland hatten bereits Anfang Mai vereinzelte bewaffnete Auseinandersetzungen stattgefunden, bei denen die Konterrevolution die Oberhand behalten hatte. Das liberale Bürgertum hatte sich dabei unentschlossen verhalten oder sich sogar auf die Seite der Konterrevolution gestellt.

In der Pfalz und in Baden weiteten sich die Auseinandersetzungen zu einem Bürgerkrieg aus. Ausgangspunkt war die Rebellion der Soldaten in der Bundesfestung Rastatt am 11. Mai 1849 gegen ihre Offiziere. Sie forderten die Demokratisierung der Armee. Soldaten anderer Garnisonen schlossen sich an, zum ersten Mal in der deutschen Geschichte stellten sich große Teile der Armee auf die Seite des Volkes. Fast gleichzeitig mit den Soldatenrevolten fand am 13. Mai 1849 in Offenburg ein Landeskongreß der republikanischen Volksvereine statt, zu dem über 30 000 Menschen aus ganz Baden zusammenströmten. Hier wurde die entscheidende Frage gestellt: Radikale Republik oder parlamentarische Demokratie. Es setzten sich die gemäßigten Liberalen durch. Dennoch gingen die Forderungen dieser Offenburger Volksversammlung weit über den Rahmen der Reichsverfassung hinaus (Dok. 5 g). Der Großherzog floh daraufhin noch am 13. Mai aus Karlsruhe, und der aus der Offenburger Versammlung hervorgegangene Landesausschuß bildete eine provisorische Regierung unter der Führung von Lorenz Brentano.

In der Hoffnung, eine gütliche Regelung mit dem Großherzog erreichen zu können, versuchte der gemäßigte Demokrat Brentano die Volksbewegung einzudämmen. Doch die Konterrevolution zog bereits Streitkräfte gegen Baden und die Pfalz zusammen. Am 12. Juni drangen preußische und Reichstruppen in die Pfalz ein, und der größte Teil der pfälzischen Revolutionstruppen zog sich nach einigen blutigen Gefechten über den Rhein nach Baden zurück.

Die vereinigte badisch-pfälzische Revolutionsarmee bestand nun aus circa 30 000 Mann, davon etwa die Hälfte reguläre badische Linientruppen,

Kampfhandlungen in Baden und der Pfalz während der Reichsverfassungskampagne, 1849

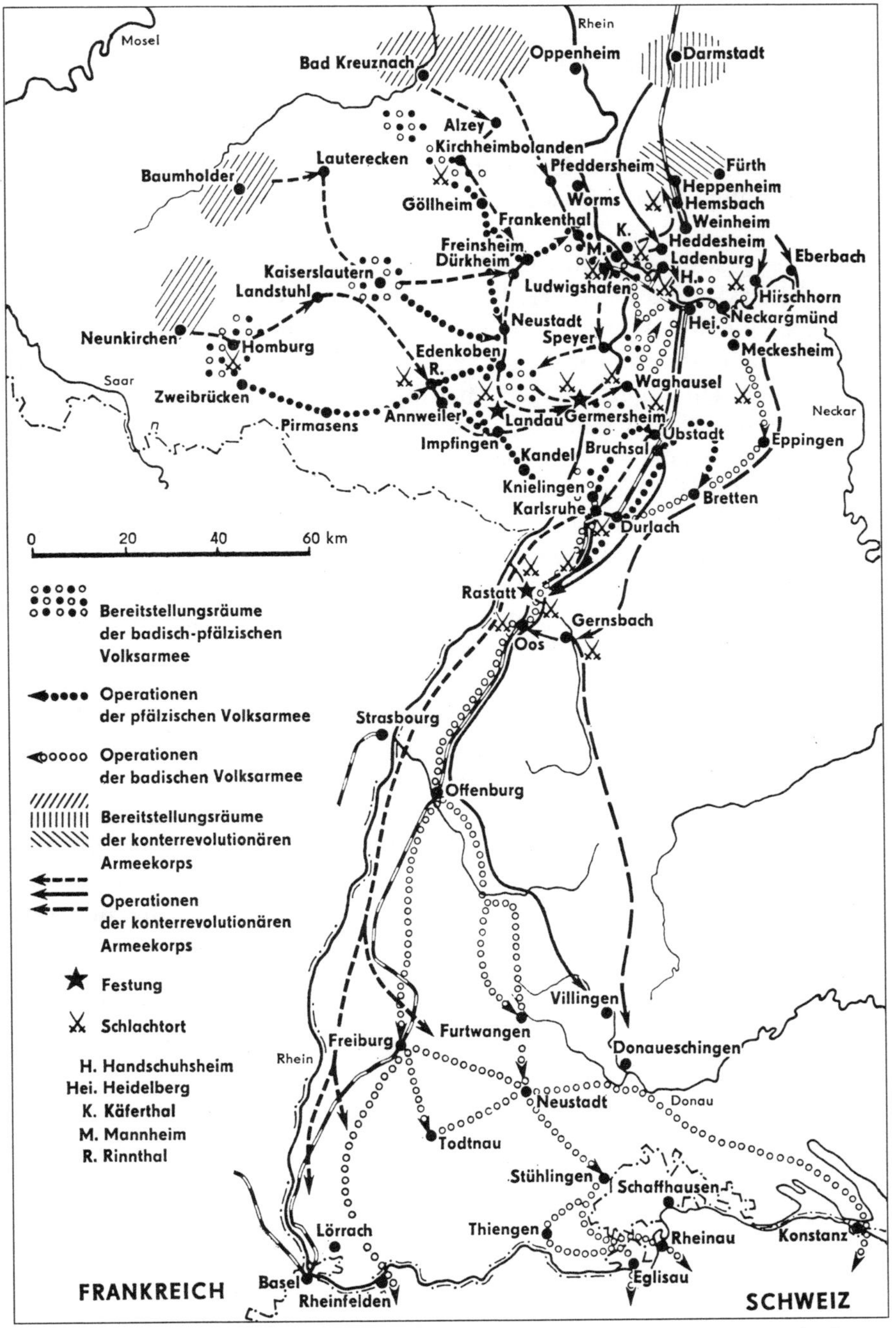

Quelle: Sachwörterbuch der Geschichte Deutschlands und der deutschen Arbeiterbewegung, Bd. 1, Berlin 1969, S. 220.

gut 10 000 Mann in Volkswehrbataillonen und etwa 6 000 Freiwillige aus anderen deutschen Staaten und dem Ausland. Vor allem in diesen Freischaren kämpften viele Arbeiter und Handwerksgesellen. Der badisch-pfälzischen Revolutionsarmee standen etwa 55 000 Mann preußische und Reichstruppen gegenüber. Dieses Kräfteverhältnis führte bald zur Niederlage der Revolutionstruppen. Mit der Kapitulation der Truppen am 23. Juli in Rastatt war die Reichsverfassungskampagne und mit ihr die gesamte demokratisch-bürgerliche Revolution gescheitert. Die preußischen Sieger nahmen blutige Rache. Es wurden viele standrechtliche Todesurteile vollstreckt.

Aus der gescheiterten Revolution waren sowohl das Bürgertum als auch die Arbeiterklasse als Verlierer hervorgegangen. Nicht nur das demokratische Ziel einer bürgerlich-demokratischen Republik, auch die von den Liberalen angestrebte konstitutionelle Monarchie konnte nicht verwirklicht werden. Die politische Herrschaft blieb weiterhin in den Händen des Adels, wenn auch mit einigen Zugeständnissen an das Bürgertum. Unangetastet blieb die ökonomische Grundlage dieser Macht, der Großgrundbesitz des Adels. Der Weg von der feudalen in die bürgerliche Gesellschaft blieb vorerst versperrt.

Das folgende Jahrzehnt war in allen deutschen Staaten von schärfster Reaktion gekennzeichnet. Nach der blutigen Niederschlagung des Aufstandes und der rigorosen Verfolgung und Bestrafung der Aufständischen blieb von den republikanischen Volks- und Arbeitervereinen nichts mehr übrig. Sie lösten sich selber auf, die Reste wurden ab August 1850 aufgrund des alten Vereinsgesetzes vom 26. Oktober 1830 unterdrückt, etwa 80 000 Mitglieder und ihre Angehörigen verließen bei der nun einsetzenden Massenflucht Baden für immer und emigrierten, insbesondere in die USA.

Nach der gescheiterten Revolution trat die Bundesversammlung wieder zusammen und faßte am 13. Juli 1854 den Beschluß »Maßregeln zur Aufrechterhaltung der gesetzlichen Ordnung und Ruhe im Deutschen Bunde, insbesondere das Vereinswesen betreffend« (Dok. 6b). Dieser Beschluß war das Instrument der badischen Reaktion, mit der ihr die völlige Unterdrückung der Arbeiterbewegung in Südbaden gelang – zumindest vorläufig.

Die Entstehung von Arbeiterbildungsvereinen

Die Zeit der Reaktion ging 1858/59 zu Ende. Die »Neue Ära« in Preußen, der Ausbruch des italienisch-österreichischen Krieges, die Feiern zum 100. Geburtstag von Friedrich Schiller brachten die deutsche Politik in Bewegung. Mit dem »Nationalverein« entstand eine gesamtdeutsche Organisation des liberalen Bürgertums. 1861 wurde in Preußen die Fortschrittspartei gegründet, in der sich Demokraten und Liberale zusammenfanden. Dies gab auch den südbadischen liberalen und demokratischen Kräften Aufschwung. Zugleich begann im Großherzogtum der Kampf um die Einführung der Gewerbefreiheit, d. h. die endgültige Aufhebung der einschränkenden Zunftverfassung im Handwerk. Vor diesem Hintergrund ist die Entstehung der ersten neuen Arbeitervereine, nun Arbeiterbildungsvereine genannt, zu sehen (Dok. 7).

Weil ihnen der katholische Gesellenverein zu eng geworden war, gründeten vier Handwerksgesellen 1860 in Konstanz den ersten Arbeiterbildungsverein in Südbaden. Bereits im Februar 1861 entstand der Arbeiterfortbildungsverein in Freiburg, dem der seit 1858 bestehende evangelische Gesellenverein geschlossen beitrat; aus dem katholischen Gesellenverein kamen einzelne Mitglieder. Indem er in seinen Statuten (Dok. 7 b) die Erörterung von politischen und konfessionellen Gegensätzen aus dem Verein ausgrenzte, machte er eindeutige Zugeständnisse an den Bundesbeschluß vom 13. Juli 1854.

Nun nahmen die Arbeitervereine in Südbaden raschen Aufschwung, es folgten Gründungen in Neustadt, Lörrach, Waldshut, Lahr und anderen Orten. Bereits 1862 gründeten diese Vereine auf ihrem Treffen in St. Märgen/Schwarzwald den Gauverband »Badisches Oberland«. Antrieb zur Gründung dieses Gauverbandes war vor allem die Einrichtung und der Ausbau einer Unterstützungskasse für die wandernden Mitglieder. Von hier aus bemühte man sich um einen überregionalen Zusammenschluß der Arbeiterbildungsvereine. Bei der Fahnenweihe des Arbeiterbildungsvereins Mannheim am 29. September 1862 waren Vertreter von sechs badischen und vier außerbadischen Vereinen anwesend, über zwanzig weitere Vereine sandten Grußadressen nach Mannheim.

Unterdessen hatte in Norddeutschland Ferdinand Lassalle mit seiner Agitation zur Gründung einer Arbeiterpartei begonnen. Am 23. Mai 1963 wurde in Leipzig der Allgemeine Deutsche Arbeiterverein (ADAV) als erste deutsche Arbeiterpartei gegründet. Die Hauptziele, für die die »Lassalleaner« eintraten, waren allgemeines Wahlrecht und Staatshilfe für Produktionsgenossenschaften der Arbeiter. Bei den südbadischen Arbeitervereinen hatte Lassalle keinen Erfolg. Auf ihrem Gauverbandstag im Oktober 1863 in Riegel schlossen sich die oberbadischen Arbeitervereine dem Ver-

Erster

Vierteljahrsbericht

der

Arbeiter-Bildungs-Vereine

des

oberbadischen Gauverbandes.

Vom 1. Januar bis 1. April 1865.

Freiburg i. Br.
Universitätsbuchdruckerei von H. M. Poppen u. Sohn.

3 Erster Vierteljahresbericht der Arbeiterbildungsvereine Oberbadens, Juni 1865.

einstag deutscher Arbeitervereine (VDAV) an, der am 7./8. Juni 1863 in Frankfurt a. M. ins Leben gerufen worden war. Aus Südbaden waren in Frankfurt die Vereine aus Lörrach, Müllheim, Freiburg, Neustadt und Lahr vertreten gewesen. Dieser Vereinstag war ganz unter dem Einfluß der Lehren von Hermann Schulze-Delitzsch, des Gründers der Genossenschaften auf Selbsthilfebasis, gestanden. Er war primär im liberalen Sinne auf die wirtschaftlichen Interessen der Arbeiter bzw. der Handwerksgesellen ausgerichtet. Jedoch wurde auf diesem Vereinstag deutlich formuliert, daß Arbeiterbildung zwangsläufig die Erörterung von Politik und Religion mit sich bringen werde. Damit war die Frage der künftigen politischen Haltung der deutschen Arbeiter bereits gestellt. Der oberbadische Gau gab sich im Dezember 1864 eine festere Organisation und Statuten, im Juli 1865 wurde er bei einer Versammlung in Karlsruhe auf ganz Baden ausgedehnt.

In ihrer Anfangszeit war die wichtigste Aktivität der Vereine die Bildungsarbeit, die jedoch mit der Verbesserung der Volksschulbildung allmählich an Bedeutung verlor. Sie bauten systematisch die Wanderunterstützungskassen aus, sie entwickelten Aktivitäten zur Verbesserung der materiellen Lage ihrer Mitglieder, indem sie Konsumgenossenschaften, Kranken- und Armenunterstützungskassen einrichteten oder wie der Freiburger Verein 1865 die erste Speisegenossenschaft in Deutschland gründeten. In den 80er Jahren übten sie Einfluß auf die öffentliche Sozialarbeit aus, indem ihre Vertreter bei den Beratungen der badischen Regierung über die Sozialgesetze teilnahmen.

Die südbadischen Arbeitervereine waren stark mit den badischen Liberalen verbunden. Häufig waren die Gründungsinitiativen von bürgerlichen Kräften ausgegangen. Der Vorsitzende des Freiburger Vereins zum Beispiel war ein Universitätsprofessor, sein Stellvertreter ein Hofgerichtsrat. Zusammenfassend läßt sich festhalten, daß das Ziel der Bildungsarbeit der südbadischen Arbeiterbildungsvereine nicht die Herausbildung eines proletarischen Bewußtseins war, sondern daß Bildung als Schlüssel zum sozialen Aufstieg begriffen wurde, der der Integration ins Bürgertum dienen sollte.

Als nun 1867 in Gera der Sozialdemokrat August Bebel Vorsitzender des Vereinstages wurde, zeichnete sich die Loslösung der von den Libaralen dominierten südbadischen Arbeitervereine vom Vereinstag bereits ab. Vollzogen wurde sie ein Jahr später, beim 5. Vereinstag in Nürnberg im September 1868. Dort lehnte der badische Gauverband das von Bebel vorgelegte neue Programm ab, das auf die Schaffung einer politischen Arbeiterpartei zielte.

Übersicht über die Arbeitervereine in Baden, 1860–1868

Ort und Name	Gegründet am	Gautag 1868	Mitglieder 1865		Bemerkungen
			Januar	April	
Bruchsal		·	·	·	erwähnt 1863
Donaueschingen Abv	1861	·	·	·	–
Emmendingen	1864	x	·	·	–
Freiburg	17. 2. 1861	x	102	118	–
Furtwangen Abv	1862	x	54	46	–
Heidelberg Abv	1863	·	·	·	Mitarbeit von Wundt und anderen Professoren
Karlsruhe	10. 2. 1862	x	·	·	–
Konstanz	1860	(x)	·	·	–
Lahr Abv	1. 2. 1863	x	180	145	–
Lörrach Abv	Febr. 1862	·	25	25	–
Mannheim Abv	1862	x	·	·	1868: 219 Mitglieder
Müllheim	2. 3. 1864	x	27	34	–
Neustadt Abv	1861	(x)	50	50	–
Oberkirch	März 1865	x	25	25	–
Offenburg Abv	·	x	·	·	–
Pforzheim Abv	1862	x	·	·	Mitarbeit mehrerer Professoren
Schopfheim	16. 7. 1862	(x)	40	40	–
Staufen	15. 11. 1863	x	50	45	–
Sulzburg Abv	1. 1. 1864	·	17	25	–
Überlingen	16. 4. 1861	·	·	·	–
Waldshut	15. 10. 1862	x	14	20	–
Wiesloch	1862	·	·	·	–
Zell i.W.	26. 12. 1862	(x)	30	34	–

(x) = Schriftliche Zustimmung.
Abv = Arbeiterbildungsverein.

Quelle: Karl Birker: Die deutschen Arbeiterbildungsvereine 1840–1870. Mit einem Vorwort von Ernst Schraepler. Einzelveröffentlichungen der Historischen Kommission zu Berlin, Band 10. Publikationen zur Geschichte der Arbeiterbewegung, Berlin 1973, S. 131.

Die Anfänge der südbadischen Sozialdemokratie

Im Februar 1869 erlebte Baden die erste große Agitationswelle, da auf Geheiß des Präsidenten des ADAV die Agitatoren von Bonhorst, Kölsch und Haustein Süddeutschland bereisten (Dok. 9). Sie erhoben die traditionellen lassalleanischen Forderungen nach demokratischem Wahlrecht und Produktivassoziationen durch Staatshilfe. Alle von ihnen während dieser Agitationstour gegründeten südbadischen Mitgliedschaften in Freiburg, Konstanz und Lörrach zerfielen jedoch wieder während des deutsch-französischen Krieges 1870/71.

Ebensowenig konnte die im Septemer 1869 in Eisenach durch den Zusammenschluß von oppositionellen Lassalleanern mit den Arbeitervereinen des Vereinstages entstandene Sozialdemokratische Arbeiterpartei (SDAP) in Südbaden Fuß fassen. Auf dem Gründungstreffen der SDAP waren die südbadischen Vereine durch keinen einzigen Delegierten vertreten, und nur der Lörracher Zweigverein der Internationalen Arbeiterassoziation entschloß sich zunächst als einziger südbadischer Arbeiterverein zur Mitgliedschaft in der SDAP.

Die Internationale Arbeiterassoziation (IAA) mit Sitz in Genf hatte bereits 1864 die Schaffung einer Gruppe im deutschen Sprachraum beschlossen. Dieser Beschluß war der Beginn der Ausbreitung der IAA in Deutschland. Im Sommer 1868 wurde in Lörrach ein Zweigverein der IAA gegründet, der einzige in Südbaden. Seine Gründung ist vor allem durch die Nähe Lörrachs zu Basel, wo ein sehr aktiver Zweigverein der IAA tätig war, und durch die Existenz eines großen Potentials von schlecht bezahlten Arbeitern zu erklären. Die IAA Lörrach wurde geleitet von dem Arbeiter Joseph Frey; im Dezember 1868 betrieb sie in Lörrach und im Wiesental Agitationen mit der Zielrichtung, Lohnerhöhung und Arbeitszeitverkürzung durchzusetzen. Im Zuge massiver Unterdrückungsmaßnahmen gegen die Lohnbewegung verfügte das Bezirksamt die Schließung dieses Vereins, und die Arbeiter ließen sich das gefallen. Zwar wurde der Verein 1869 neu gegründet, doch nur wenige ließen sich wieder organisieren. Im Januar 1872 beschloß die Generalversammlung der IAA Lörrach, die Verbindung zur Internationalen in Genf aufzugeben, den Namen »Sozialdemokratischer Arbeiterverein« zu führen und sich der Eisenacher SDAP anzuschließen.

In den folgenden Jahren kam es im deutschen Südwesten zu einer Reihe von Gewerkschaftsgründungen, von denen Südbaden jedoch weitgehend unberührt blieb. Sie waren von Bewegungen für höheren Lohn oder Arbeitszeitverkürzung begleitet. Viele dieser lokalen Organisationen waren nur sehr kurzlebig. Die ersten Arbeitskämpfe blieben erfolglos. Die Streikenden hatten keine Erfahrung. Wenn ein Erfolg nicht sofort greifbar war,

Reglements-Entwurf

der

Internationalen Arbeiter-Association

Sektion Basel.

§ I. Zweck.

Art. 1. Der Zweck der internationalen Association ist: durch Vereinigung der Arbeiter aller Berufsarten, die Verbesserung der Lage sowohl des einzelnen Arbeiters, als der gesammten Arbeiterklasse, ohne Rücksicht auf Race und Religion, zu erstreben.

Art. 2. Alle hiermit einverstandenen Arbeiter und Arbeiterkorporationen erkennen als Grundlage ihrer Aufgabe die Wahrheit, Gerechtigkeit und Sittlichkeit.

Art. 3. Sie machen es sich zur Aufgabe, nicht nur für Alle die Rechte des Menschen und des Bürgers zu fordern, sondern auch die hieraus entspringenden Pflichten zu erfüllen. Keine Rechte ohne Pflichten, keine Pflichten ohne Rechte!

§ II. Aufnahme.

Art. 4. Jeder Arbeiter von gutem Rufe kann als Mitglied in die Association aufgenommen werden.

Art. 5. Die Mitglieder von den in der Internationalen Arbeiterassociation durch Delegirte vertretene Gesellschaften, können nach Vorweisung ihres

4 Statuten der Internationalen Arbeiter-Assoziation, Sektion Basel [1868].

wurde der Streik abgebrochen. Die Solidaritätsbereitschaft war noch nicht genügend ausgebildet, da die Arbeiterschaft zu dieser Zeit noch keine einheitliche Gruppe darstellte und ein proletarisches Bewußtsein im nach wie vor agrarisch strukturierten und katholischen Südbaden kaum vorhanden war. Zwei solcher Streiks sind in Südbaden aus dieser Zeit dokumentiert. Der eine in Freiburg ging von den Bauschreinern und Zimmerleuten aus. Als die Meister ihrem Verlangen nach Lohnerhöhung nicht nachgaben, errichteten die Gesellen im Juni 1869 eine Produktivgenossenschaft. Der zweite wurde erfolglos von 40 Hutmachern 1871 in Lahr geführt.

Der deutsch-französische Krieg 1870/71 und die Gründung des deutschen Reiches im Januar 1871 zeitigten schlagartig eine völlig veränderte politische Lage. Die bisherige Selbständigkeit der deutschen Staaten war dahin. Für die nächsten Jahrzehnte wurde der preußische Ministerpräsident und nunmehrige Reichskanzler Bismarck die beherrschende Figur der deutschen Politik. In Baden war nun der Nationalliberalismus, der Bismarck stützte, die führende politische Kraft. Die Sozialdemokratie wurde in Deutschland zum Haßobjekt des Reichkanzlers, der konservativen Kräfte, des nationalen Bürgertums, der christlichen Konfessionen und der von diesen allen finanzierten Presse.

Zwei politische Vorgänge leisteten diesem Haß besonderen Vorschub: zum einen die Verweigerung der Kriegskredite für den deutsch-französischen Krieg durch August Bebel und Wilhelm Liebknecht sowie andere Vertreter der SDAP im norddeutschen Reichstag, zum anderen das Eintreten der Sozialdemokraten für die in Deutschland zur kommunistischen Greuelherrschaft hochstilisierten Pariser Kommune, die sich nur von März bis Mai 1871 halten konnte (Dok. 10). Aus diesem Zusammenhang stammen sowohl die Bezeichnungen »Reichsfeinde« und »vaterlandslose Gesellen« für die Sozialdemokraten, wie die hysterischen Spießerängste vor den »Roten«, die angeblich Ehe, Familie, Staat, Besitz und alles andere, was dem Bürgertum heilig war, zerstören wollten. In ganz Südbaden konnten die Lassalleaner in den folgenden Jahren keine Fortschritte mehr erzielen. Den Eisenachern gelang es in Südbaden nur, in Freiburg eine kleine Lokalorganisation aufzubauen, die etwa 20 Mitglieder zu verzeichnen hatte. Wie wenig Chancen die SDAP in Südbaden hatte, verdeutlicht auch das Reichstagswahlergebnis von 1874. Dort wurden in Baden 3516 Stimmen für die Sozialdemokratie abgegeben. Davon kamen allein 1056 Stimmen aus Mannheim, die anderen Stimmen kamen aus den Wahlkreisen Karlsruhe und Pforzheim. Erst der Zusammenschluß der rivalisierenden Lassalleaner und Eisenacher bei einem Kongreß vom 22. bis 27. Mai 1875 in Gotha zur Sozialistischen Arbeiterpartei (SAP) gab der sozialdemokratischen Bewegung in Südbaden neue Impulse.

Eine Delegiertenkonferenz der SAP am 17. April 1876 in Neustadt/Weinstraße, die aus der Pfalz und Nordbaden, nicht aus Südbaden, beschickt war, setzte den Schreinermeister August Dreesbach als ständigen, besoldeten Agitator für Baden, die Pfalz, Hessen und das Saargebiet ein. In

Südbaden gelang es dann 1877, die Partei in Lörrach wieder zu festigen und einen kleinen Stützpunkt in Lahr aufzubauen. In Baden erhielt die SAP 1877 rund 1,5 Prozent der Stimmen, davon allerdings 92 Prozent in den nordbadischen Wahlkreisen Mannheim, Pforzheim und Karlsruhe.

In Baden wurde das Vereinsgesetz vom November 1867 im Vergleich zu Preußen oder Bayern noch relativ milde gehandhabt. Die demokratische Tradition war in Baden stark genug, um Auswüchse wie in Preußen und Bayern zu verhindern. Nach den Attentaten des Gelegenheitsarbeiters Max Hödel und des vermutlich geistesverwirrten Dr. Karl Nobiling auf Kaiser Wilhelm I. im Mai und Juni 1878 erlebten die Sozialdemokraten in Baden erstmals Verfolgungen als Vorspiel der folgenden Unterdrückung durch das Sozialistengesetz. Reichskanzler Bismarck und seine Soldschreiber, alle reaktionären und zahlreiche nationalliberale Kreise brachten die Sozialdemokratie mit den Attentaten in Zusammenhang, obwohl ein solcher nicht bestand: weder Hödel noch Nobiling gehörten der SAP an. Bismarck benutzte die von ihm selbst angeheizte Stimmung, um endlich ein seit 1874 geplantes Ausnahmegesetz gegen die Sozialdemokratie im Reichstag durchzusetzen, um ihre Organisation zu zerschlagen und ihre weitere politische Agitation zu vereiteln. Nachdem der Gesetzentwurf im Reichstag mit großer Mehrheit abgelehnt worden war, wurde dieser aufgelöst und für den 30. Juli 1878 eine Neuwahl anberaumt.

Durch die Polizeimaßnahmen und die in der aufgehetzten Bevölkerung aufbrechende Sozialistenhatz erlahmte die Vereins- und Versammlungstätigkeit der kleineren SAP-Gruppen sehr rasch. In Freiburg löste sich die Mitgliedschaft schon Anfang Juli auf.

Auch die einzige zu dieser Zeit in Südbaden bekannte Metallarbeitergewerksgenossenschaft in Freiburg, die Ende 1876 mehr als 40 Mitglieder hatte, bekam die aufgeheizte Stimmung zu spüren. Der Wirt ihres bisherigen Verkehrslokals »Restauration Belfort« warf sie und die Schumachergewerksgenossenschaft hinaus und nahm das Bild Lassalles von der Wand des Versammlungsraumes.

Verfolgung der Arbeiterorganisationen unter dem Sozialistengesetz

Am 21. Oktober 1878 trat das »Gesetz gegen die gemeingefährlichen Bestrebungen der Sozialdemokratie« (Dok. 12a) in Kraft. Am Tage der Annahme des Gesetzes durch den Reichstag erklärte das Zentralkomitee der SAP sich und die Parteiorganisation für aufgelöst. Die Mitglieder der SAP nahmen die ersten Schläge des Sozialistengesetzes in den nächsten Wochen passiv hin. So gründete z.B. der für Südbaden zuständige Agitator Dreesbach im Spätjahr 1878 ein Lebensmittelgeschäft in Mannheim und widmete sich seiner kaufmännischen Tätigkeit. In der Hoffnung, daß das Gesetz, wie in §3 vorgesehen, am 31. Oktober 1881 wieder außer Kraft treten würde, vermieden die Sozialdemokraten nicht ohne Resignation und Niedergeschlagenheit zunächst alles, was zu einer Verlängerung des Gesetzes Anlaß geben konnte. Als die Polizei Mitte November 1878 die Verbote gegen Parteiorganisationen und Gewerkschaften zu verwirklichen suchte, stellte sie zumeist fest, daß diese aufgelöst, ihre Mitgliederlisten vernichtet und ihre Gelder verteilt oder an die Zentralkassen verschickt waren.

Den Auftakt der Unterdrückungsmaßnahmen bildete eine Verbotswelle, die die Partei- und Gewerkschaftsorganisationen, die regionale Parteipresse und die Arbeitersängerbünde und viele Arbeiterbildungsvereine erfaßte. Ende November 1878 waren nur noch einige Hilfskassen verschont geblieben, die jedoch ständig bespitzelt und überwacht wurden (Dok. 12h). Es kam wiederholt vor, daß badische Bezirksämter bei den Landespolizeibehörden um Schließung der Zentralen Hilfskassen ersuchten, wenn sie bei ihren Zahlstellen sozialdemokratische Umtriebe feststellten.

Vorgänge in Mannheim, Karlsruhe und Pforzheim lassen darauf schließen, daß der »Rückzug« der Parteimitglieder nur wenige Wochen gedauert haben dürfte. Dort versuchten vor allem die Metall-, Holz- und Tabakarbeiter die noch bestehenden Hilfskassen von Arbeitervereinen zu Zirkeln sozialdemokratischer Agitation umzumünzen. Ab 1883 kam auch in Baden die öffentliche mündliche Agitation der Tarnorganisationen der sich zaghaft bildenden gewerkschaftlichen Organisationen und Wahlvereine wieder stärker in Gang, obwohl den Behörden deren Charakter bekannt war.

Eine erneute Verschärfung der Verfolgung trat ein, als die badische Regierung bei den Wahlen 1887 eine regierungsfreundliche Mehrheit zu erreichen suchte, die die Annahme der von Bismarck gewünschten Festlegung der Heeresstärke auf sieben Jahre (Septennat) sicherstellen sollte. Der badische Innenminister ordnete an, alle Veranstaltungen, die sich kritisch mit der von Bismarck beabsichtigten Vergrößerung des Heeres auseinandersetzten, unverzüglich aufzulösen und Versammlungen, in denen

Redner auftreten sollten, die schon einmal Anlaß zu einer Versammlungsauflösung gegeben hatten, erst gar nicht zu genehmigen. Ausdrücklich warnte er sämtliche Amtsvorstände vor dem Offenburger Redakteur Adolf Geck, der gegen die Septennatspolitik der Reichsregierung scharf Stellung genommen hatte. Außerdem rief er den Bezirksämtern noch einmal die Möglichkeit in Erinnerung, nach der gegen sozialdemokratische Flugschriften eingeschritten werden konnte. Adolf Gecks »Volksfreund« und die überwiegende Zahl der zumeist erst kurz zuvor entstandenen sozialdemokratischen Wahlvereine wurden verboten (Dok. 17).

Erst im Oktober 1889 setzte mit einem Erlaß des badischen Innenministers Turban eine Milderung in der Handhabung des Sozialistengesetzes ein. Aus Rücksicht auf die bevorstehenden Verhandlungen des Reichstages über eine Verlängerung des Sozialistengesetzes warnte er die Amtsvorstände davor, die zu erwartende Beteiligung bekannter Anhänger der Sozialdemokratie an öffentlichen Versammlungen zum Anlaß für ein Verbot zu nehmen. Diese Maßnahme leitete, da eine Verlängerung des Gesetzes nicht mehr zustande kam, den Abbau der Verfolgung ein.

Die sozialdemokratische Organisation und Agitation unter dem Sozialistengesetz

Die Wiederaufnahme der Agitation erforderte den Aufbau von Organisationen, für die wegen der ausnahmerechtlichen Situation neue Formen gesucht werden mußten, um den Kontakt unter den Parteigenossen aufrechtzuerhalten und nach außen wirken zu können. Auf die Initiative Bebels und Liebknechts im Sommer 1879, ein Zentralorgan herauszugeben, erschien vom Oktober 1879 an wöchentlich »Der Sozialdemokrat«, Erscheinungsort war Zürich. »Der Sozialdemokrat« wurde in Deutschland bald zu einem wichtigen Kampforgan der unterdrückten Sozialdemokratie. Die Aufgabe, die Zeitschriften von Zürich nach Deutschland zu schmuggeln und für ihre Verteilung zu sorgen, übernahm eine hierzu eigens geschaffene Organisation, die »Rote Feldpost«. Sie wurde von Julius Motteler, dem »Roten Postmeister« geleitet. Aufgrund seiner Grenzlage zur Schweiz kam dabei Südbaden eine besondere Bedeutung für den Schmuggel zu.

Während Motteler hauptsächlich in Zürich wirkte und von dort Anweisungen gab, überwachte sein Vertrauensmann Joseph Belli den Schmuggel über die Grenze und die Verteilung in Südbaden.

Belli, 1849 geboren, war der Sohn katholischer Bauern aus dem Dorf Rammersweier bei Offenburg. Er wurde während seiner Schuhmacherlehre in Offenburg durch den katholischen Gesellenverein Offenburgs zum ersten Mal mit Lassalle und der Sozialdemokratie bekannt gemacht. Aufgrund seiner guten Kontakte zu Offenburger Demokraten, dem Glasfabrikanten Karl Geck und seinem jüngeren Bruder und späteren Herausgeber des »Volksfreund« Adolf Geck, dem Kaufmann Jakob Autenrieth und anderen, konnte in Offenburg eine gut funktionierende »Rote Feldpost«-Station aufgebaut werden.

Offenburg entwickelte sich neben Mannheim zum »Hauptumschlagsplatz« innerhalb des geheimen Versendenetzes der »Roten Feldpost«. Als Stapellager diente die Offenburger Spedition Ferdinand Hauger, welche die Kisten unter Tarndeklaration an Empfängerorte im Reich transportierte. Drei angesehene Offenburger Kaufleute standen im August 1884 vor Gericht und wurden wegen Verbreitung verbotener Schriften zu zwischen 3 und 7 Monaten Gefängnis verurteilt. Die Verurteilung der Offenburger Demokraten wirkte aber keineswegs abschreckend, sie bewirkte im Gegenteil, daß viele der Offenburger Demokraten und Mitglieder der Volkspartei endgültig den Weg zur Sozialdemokratie fanden. So legte die erfolgreiche und effektive Widerstandsarbeit in der Illegalität den Grundstein dafür, daß Offenburg wie auch Mannheim sich zu den Führungszentren der badischen Sozialdemokratie entwickelten.

Neben den örtlichen Vertriebsorganisationen des »Sozialdemokrat« waren andere Tarn- und Geheimorganisationen eine Möglichkeit, die Verbindung zwischen den Genossen aufrechtzuerhalten und auszubauen. In Freiburg entstand ein Rauch- und Pfeifenklub; der Offenburger Gesangverein »Germania«, den Adolf Geck selbst dirigierte, war ebenfalls eine sozialdemokratische Ersatzorganisation. Da die Polizei zu den Mitgliedersitzungen nach dem Vereinsgesetz keinen Zutritt hatte, erhielt sie nur schwer Einblick in das Treiben dieser Ersatzvereine. Deshalb setzte sie gerne Spitzel ein, so daß selbst diese kleinen Zirkel oft durch die Furcht vor Bespitzelung in ihrer Agitation gehemmt wurden.

Ebenso boten die eingeschriebenen Hilfskassen der früheren Arbeiterorganisationen den Parteimitgliedern die Möglichkeit des Zusammenhalts und geheimer Agitation. Mit dem Inkrafttreten des Krankenversicherungsgesetzes vom 15. Juni 1883 setzte unter den Arbeitern eine intensive öffentliche sozialdemokratische Kampagne für den Eintritt in die Hilfskassen ein. Die Zahl der der Polizei bekannten Sozialdemokraten in den Hilfskassen war zuweilen gering. Das Bezirksamt Freiburg zum Beispiel zählte im März 1888 in seinem Bereich 13 Hilfskassen mit insgesamt 787 Mitgliedern, von denen der Polizei nur 64 als Sozialdemokraten bekannt waren. Da die Sozialdemokratie bei der Reichstagswahl 1887 im Wahlkreis Freiburg jedoch 956 Stimmen erhielt, kann angenommen werden, daß diese Zahl in Wirklichkeit viel höher war.

Seit 1883 lebte die Gewerkschaftsbewegung in Deutschland in Form

Die Verbreitung des »Sozialdemokrat« im 1. Halbjahr 1888 im Deutschen Reich

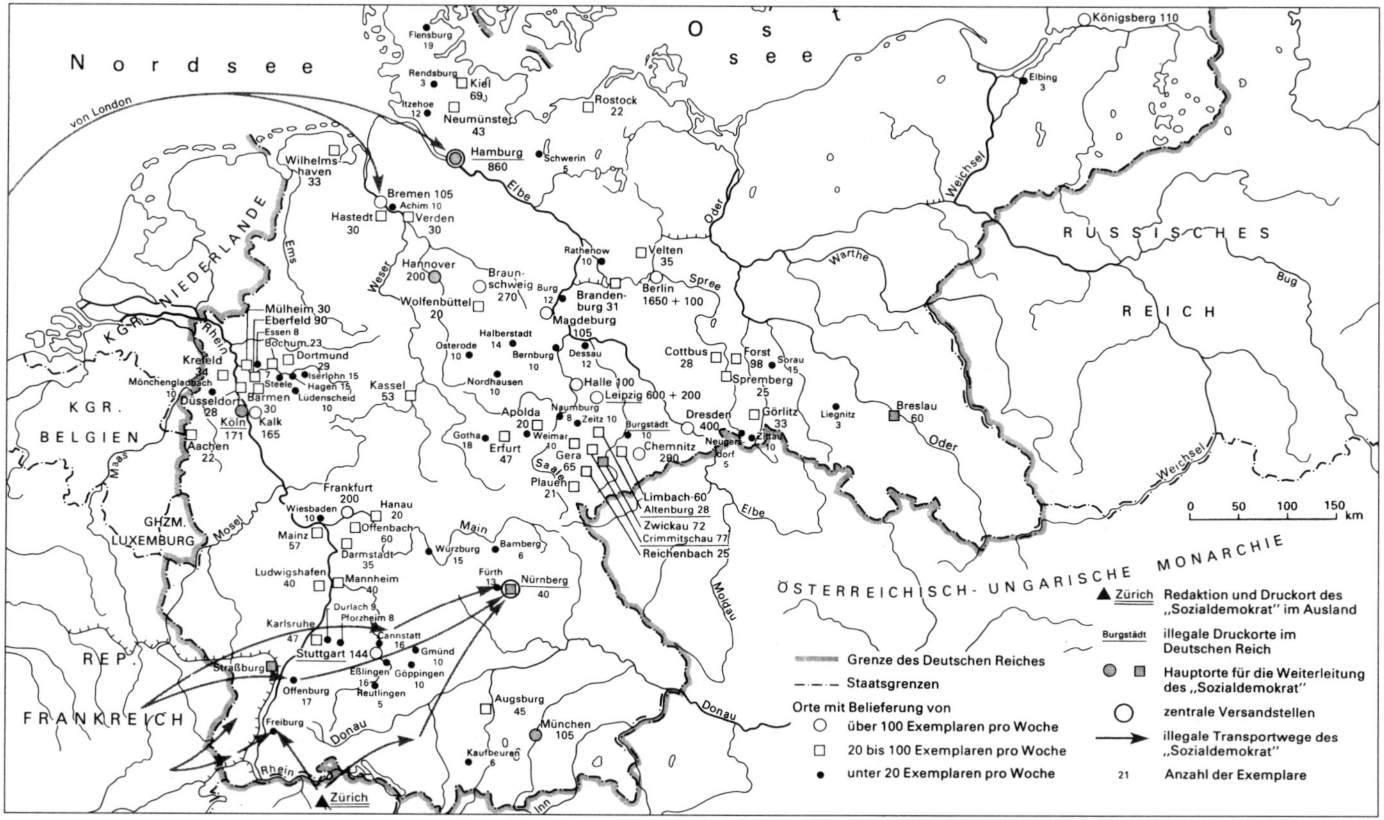

Quelle: Deutsche Geschichte in zwölf Bänden, Bd. 5, Köln 1988, S. 314.

lokal organisierter »Fachvereine« neu auf. Die Fachvereine konnten an die Mitgliedschaften der Hilfskassen anknüpfen, doch dürfte die Zahl der Fachvereinsmitglieder weit hinter der Zahl der Hilfskassenmitglieder zurückgeblieben sein. In Südbaden konnte sich diese Entwicklung zunächst nur in Freiburg durchsetzen. Im Jahr 1886 bestanden in Freiburg bereits 5 solcher Fachvereine: der Fachverein der Schreiner mit 130, der Fachverein der Gipser mit 68, der Fachverein der Zimmerer mit 58, der Fachverein der Steinhauer mit 46 und der Fachverein der Glaser mit 11 Mitgliedern. Es waren vor allem die Schreiner, die sich in Freiburg um die Erneuerung der Sozialdemokratie verdient machten. Der Schreinergeselle Ludwig Popp hatte schon 1883 einen Schreinerfachverein ins Leben gerufen und gründete 1884 einen Parteiverein, von dessen 40 Mitgliedern 10 Schreiner waren.

Die Tätigkeit der Fachvereine lag während des Sozialistengesetzes auf dem Gebiet der Mitgliederwerbung und der Organisation sowie der Diskussion über die ökonomische, soziale und politische Lage der Arbeiter. Die politische Bedeutung dieser Vereine für die Partei bestand darin, daß sie eine Möglichkeit des Kontaktes mit dem klassenbewußteren Teil der Arbeiterschaft boten. Zweifellos wurde in ihnen geheime politische Agitation betrieben. Sie mieden jedoch alles, was sie einem Verbot ausliefern konnte. Ihre Bemühungen um eine Verbesserung der Lage der Arbeiterschaft konzentrierten sich vor allem auf die Errichtung von Gewerbeschiedsgerichten. Der Einsatz der Freiburger Gewerkschaftsführer bei der Stadtverwaltung führte dazu, daß ein solches in Freiburg 1888 eingeführt wurde.

In Offenburg war schon im Spätjahr 1877 eine Hauptfiliale des Deutschen Hutmacher Zentralvereins gegründet worden, in dem jedoch bis zum Sommer 1878 nur neun Hutmacher, die zu der damals gut bezahlten Arbeiterelite gehörten, organisiert waren. Auch in den folgenden Jahren erlangte er keine größere Bedeutung. Der Führer der Offenburger Hutmachergewerkschaft, Ludwig Dotter, entwickelte sich hingegen zu einem der führenden Sozialdemokraten Offenburgs.

Infolge der seit 1883 weiter herrschenden wirtschaftlichen Depression kam es in Baden nur zu wenigen, vereinzelten Streiks. Bei der geringen Mitgliedschaft scheuten sich die Fachvereine, Streiks durchzuführen, wenngleich sie Streiksituationen immer dazu benutzten, ihre Organisation zu vergrößern. In Südbaden ist nur der Streik der Freiburger Schreiner bekannt. Der Freiburger Schreinerfachverein führte ihn im Sommer 1886 aus eigener Initiative durch und erkämpfte mit ihm die Herabsetzung der täglichen Arbeitszeit in Freiburg von 11 auf 10 Stunden (Dok. 14 und 16).

Obwohl der »Reiseunterstüzungsverein für deutsche Tabakarbeiter« mit Sitz in Bremen die südbadischen Tabakarbeiter wiederholt schriftlich zum Beitritt aufforderte, ließen sie sich nicht organisieren (Dok. 12 h). Ähnlich schwer ließen sich die südbadischen Textilarbeiter für gewerkschaftliche Organisationen gewinnen. Die gegen Ende 1889 in Lahr und in Offenburg

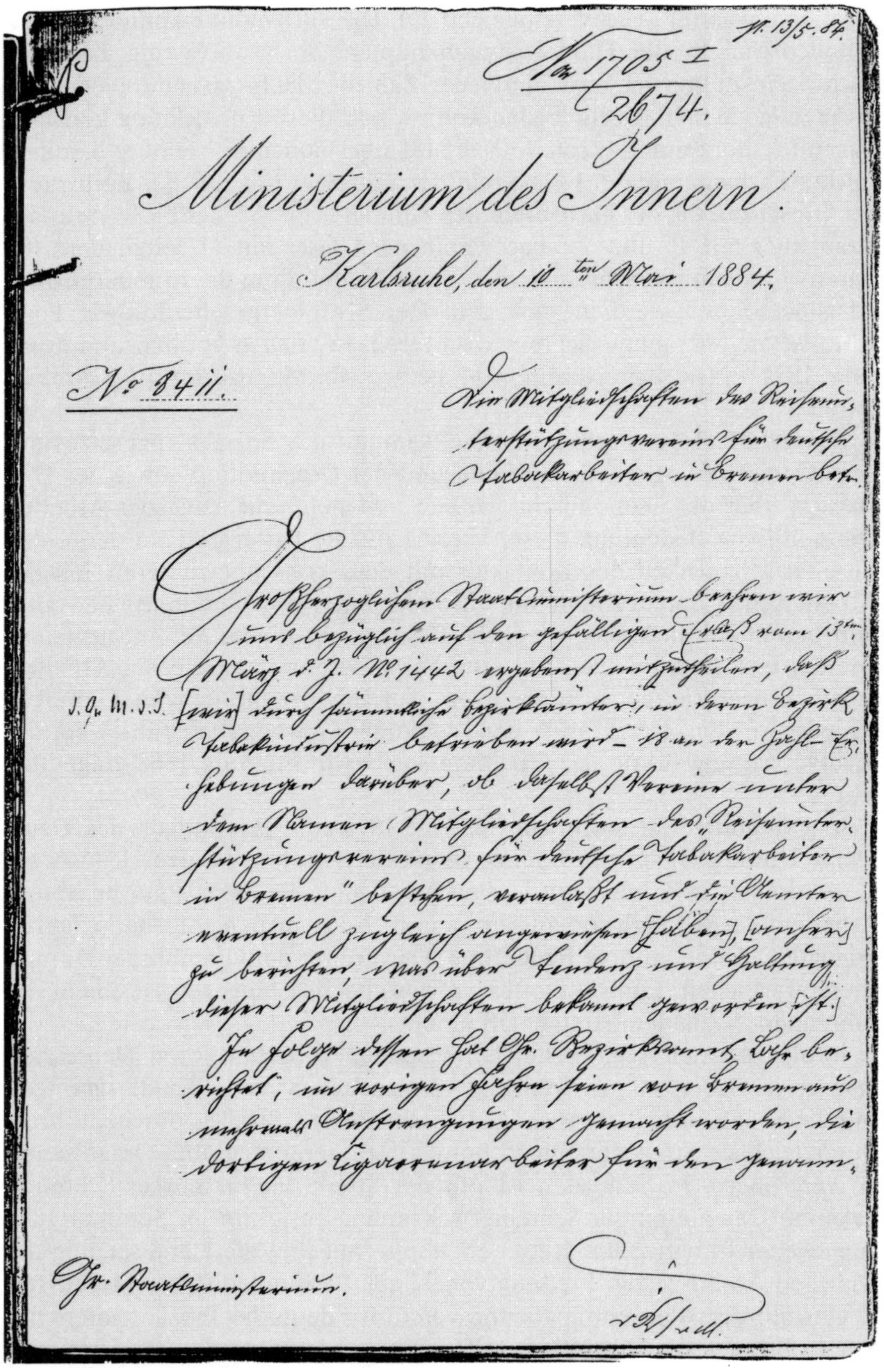
№ 1705 I
2674.
Ministerium des Innern.
Karlsruhe, den 10ten Mai 1884.
№ 8411.

5 *Bericht des Badischen Innenministeriums an das Badische Staatsministerium über badische Mitgliedschaften des »Reiseunterstützungsvereins für deutsche Tabakarbeiter«, 10. Mai 1884.*

und im Juni 1890 in Lörrach gegründeten Textilarbeiterfachvereine konnten bei der auf dem Lande lebenden Arbeiterschaft nur vorübergehend Fuß fassen (Dok. 19).

Dem Beispiel der Gewerkschaften folgend, machte die Partei den Schritt in die Legalität durch die Gründung von örtlichen »Arbeiterwahlvereinen«. Um die Gefahr des Verbots zu vermeiden, mußten diese Wahlvereine in ihren Statuten auf eine genauere parteimäßige Bezeichnung und ideologische Ausführungen verzichten. Ihre Aufgabe sahen die Wahlvereine in der politischen Bildungsarbeit, die sich an den aktuellen praktisch-politischen Fragen der Gegenwart zu orientieren hatte. Sie befaßten sich mit den organisatorischen Vorbereitungen der Wahlen und verlegten die Nominierung der sozialdemokratischen Kandidaten, die bis dahin oft in geheimen Versammlungen durchgeführt wurden, in die Wahlvereinsversammlungen. Zwei solcher Wahlvereine sind in Südbaden bekannt (Dok. 13 und 17). Der erste wurde vom Schreinergesellen Ludwig Popp im September 1884 in Freiburg gegründet, der zweite dank der Agitation von Adolf Geck im September 1886 in Offenburg. Beide überstanden die verschärfte Verfolgungswelle, die Anfang 1887 einsetzte, jedoch nicht. Der Freiburger Wahlverein hatte bei seinem Verbot im Februar 1887 26 Mitglieder, der Offenburger konnte bei seinem Verbot Anfang 1889 sogar 75 Mitglieder aufweisen. Beide Wahlvereine entstanden aber wieder, als die scharfe Verfolgung nach dem Oktober 1889 abflaute.

Mit der Lockerung des Sozialistengesetzes begann der organisatorische Aufbau der badischen Sozialdemokratie. Dem Vorbild der Pfälzer und Württemberger folgend, versammelten sich am 27. Oktober 1889 in Offenburg 256 Delegierte aus allen badischen Wahlkreisen zum ersten »badischen Arbeitertag«, der in Wirklichkeit der erste Landesparteitag war. Briefe, die von der Polizei bei Postsendungen und Haussuchungen beschlagnahmt wurden, beweisen, daß Adolf Geck, der in der »Roten Feldpost« eine Schlüsselstellung einnahm, bereits Mitte der 80er Jahre als der eigentliche Führer der Sozialdemokratie in Südbaden betrachtet wurde. Geck hatte auch die fünfköpfige badische Delegation auf dem Internationalen Sozialistenkongreß in Paris im Juli 1889 angeführt (Dok. 18). Der Kontakt mit der Parteileitung wurde durch Bebels Besuche in Offenburg hergestellt. Da Bebel mit Geck eng befreundet war, nutzte er seine Reisen zwischen Berlin und Zürich, um Geck und die Offenburger Sozialdemokraten immer wieder zu besuchen.

Auf diesem ersten sozialdemokratischen Landesparteitag ergriffen die Delegierten eindeutig Position für die Beteiligung an den Reichstagswahlen und das Aufstellen eigener Kandidaten in allen Wahlkreisen. Nun begann die Partei wieder stärker in der Öffentlichkeit zu wirken. Die Agitation erreichte während des Wahlkampfes zu den Reichstagswahlen 1890 einen Höhepunkt (Dok. 20). Diese Wahlen endeten mit einer schweren Niederlage für die Nationalliberalen. Die sozialdemokratischen Stimmen hingegen stiegen in Baden von 13 088 (1887) auf 30 094 (1890). Zum ersten

Mal waren in allen Wahlkreisen sozialdemokratische Kandidaten aufgestellt. Überall schnellten die sozialdemokratischen Stimmen in die Höhe. Mit 11,4 Prozent aller gültigen Stimmen in Baden (im Reich 19,7 Prozent) war die Sozialdemokratie nach den Nationalliberalen und dem Zentrum zur drittstärksten Partei herangewachsen.

Noch in der Illegalität des Sozialistengesetzes fanden zum 1. Mai 1890 auch in Südbaden die ersten Arbeiterfeiern statt (Dok. 22). Das Erstarken der Arbeiterbewegung und die Wahlerfolge der Sozialdemokratie machten deutlich, daß das Sozialistengesetz seinen Zweck verfehlt hatte. Der Reichstag lehnte im März 1890 seine neuerliche Verlängerung ab, so daß es im September 1890 endgültig auslief.

Reichstagswahlergebnisse der sozialdemokratischen Partei in den sieben südbadischen Wahlkreisen, 1881-1890 (absolute Stimmen)

	1881	1884	1887	1890
(1) Konstanz, Überlingen	-	127	136	366
(2) Donaueschingen, Villingen	-	77	273	1175
(3) Schopfheim, Waldshut	-	-	-	57
(4) Lörrach, Müllheim	124	-	76	822
(5) Freiburg	128	890	956	2387
(6) Lahr, Wolfach	-	166	770	1586
(7) Kehl, Offenburg	-	-	139	880

Quelle: Jörg Schadt: Die Sozialdemokratische Partei in Baden. Von den Anfängen bis zur Jahrhundertwende (1868-1900), Hannover 1971, S. 102-104.

Das Hambacher Fest

a) Einladung zum Hambacher Fest, 20. April 1832

Wilhelm Herzberg: Das Hambacher Fest, Köln 1982, S. 91 (Nachdruck der Ausgabe: Ludwigshafen am Rhein 1908). – Die Einladung ist unterzeichnet von 32 Bürgern aus Neustadt an der Haardt. Der Verfasser der Einladung, Philipp Jacob Siebenpfeiffer, 1789 in Lahr geboren, war königlich-bayrischer Beamter, bis er 1832 vorzeitig in den Ruhestand versetzt wurde und aufgrund seines demokratischen Engagements 1833 in die Schweiz fliehen mußte.

Der Deutschen Mai

Völker bereiten Feste des Dankes und der Freude beim Eintritt heilvoller großer Ereignisse. Darauf mußte das deutsche Volk seit Jahrhunderten verzichten. Zu solcher Feier ist auch jetzt kein Anlaß vorhanden, für den Deutschen liegen die großen Ereignisse noch im Keim; will er ein Fest begehen, so ist es ein Fest der Hoffnung; nicht gilt es dem Errungenen, sondern dem zu Erringenden, nicht dem ruhmvollen Sieg, sondern dem mannhaften Kampf, dem Kampfe für Abschüttelung innerer und äußerer Gewalt, für Erstrebung gesetzlicher Freiheit und deutscher Nationalwürde.

Alle deutschen Stämme sehen wir an diesem heiligen Kampfe teilnehmen; alle seien darum geladen zu dem großen Bürgerverein, der am Sonntag, dem 27. Mai, auf dem Schlosse zu Hambach bei Neustadt am Haardtgebirge stattfinden wird.

Im Mai hielten, nach germanischer Sitte, die Franken, unsre ruhmbekränzten Väter, ihre Nationalversammlungen; im Mai empfing das heldenmütige Polen seine Verfassung; im Mai regt sich die ganze physische und geistige Natur: wie sollte, wo die Erde mit Blüten sich schmückt, wo alle keimenden Kräfte zur Entwicklung streben, wie sollte die Empfindung des freien Daseins, der Menschenwürde, starren unter der Decke kalter Selbstsucht, verächtlicher Furcht, strafbarer Gleichgültigkeit?

Auf, ihr deutschen Männer und Jünglinge jedes Standes, welchen der heilige Funke des Vaterlands und der Freiheit die Brust durchglüht, strömet herbei! Deutsche Frauen und Jungfrauen, deren politische Mißachtung in der europäischen Ordnung ein Fehler und ein Flecken ist, schmükket und belebet die Versammlung durch eure Gegenwart! Kommet alle herbei zu friedlicher Besprechung, inniger Erkennung, entschlossener Verbrüderung für die großen Interessen, denen ihr eure Liebe, denen ihr eure Kraft geweiht.

b) Rede von Philipp Jacob Siebenpfeiffer auf dem Hambacher Fest (Auszug), 27. Mai 1832

Wilhelm Herzberg: Das Hambacher Fest, Köln 1982, S. 113ff.

Und es wird kommen der Tag, der Tag des edelsten Siegstolzes, wo der Deutsche vom Alpengebirg und der Nordsee, vom Rhein, der Donau und der Elbe den Bruder im Bruder umarmt, wo die Zollstöcke und die Schlagbäume, wo alle Hoheitszeichen der Trennung und Hemmung und Bedrükkung verschwinden, samt den Konstitutiönchen, die man etlichen mürrischen Kindern der großen Familie als Spielzeug verlieh; wo freie Straßen und freie Ströme den freien Umschwung aller Nationalkräfte und -säfte bezeugen; wo die Fürsten die bunten Hermeline feudalistischer Gottstatthalterschaft mit der männlichen Toga deutscher Nationalwürde vertauschen und der Beamte, der Krieger, statt mit der Bedientenjacke des Herrn und Meisters, mit der Volksbinde sich schmückt; wo nicht 34 Städte und Städtlein, von 34 Höfen das Almosen empfangend, um den Preis hündischer Unterwerfung, sondern wo alle Städte, frei emporblühend aus eigenem Saft, um den Preis patriotischer Gesinnung, patriotischer Tat ringen; wo jeder Stamm, im Innern frei und selbständig, zu bürgerlicher Freiheit sich entwickelt und ein starkes selbstgewobenes Bruderband alle umschließt zu politischer Einheit und Kraft; wo die deutsche Flagge, statt Tribut an Barbaren zu bringen, die Erzeugnisse unseres Gewerbefleißes in fremde Weltteile geleitet und nicht mehr unschuldige Patrioten für das Henkerbeil auffängt, sondern allen freien Völkern den Bruderkuß bringt.

Es wird kommen der Tag, wo deutsche Knaben, statt durch tote Spielereien mit toten Sprachen sich abzustumpfen, und die Jünglinge, statt auf mittelalterlichen Hochschulen durch Gelage, schnöde Tändelei und Klopffechterei zu verkrüppeln, durch lebendigen Nationalunterricht und würdige Leibesübung sich zu deutschen Männern heranbilden und zu jenem Vaterlandssinn sich stählen, von dem alle politische Tugend, alle Großtat ausströmt; wo das deutsche Weib, nicht mehr dienstpflichtige Magd des herrschenden Mannes, sondern die freie Genossin des freien Bürgers, unseren Söhnen und Töchtern schon als stammelnden Säuglingen die Freiheit einflößt und im Samen des erziehenden Wortes den Sinn echten Bürgertums nährt; und wo die deutsche Jungfrau den Jüngling als den würdigsten erkennt, der am reinsten für das Vaterland erglüht; wo, abschüttelnd das Joch des Gewissens, der Priester Trug und den eigenen Irrwahn, der Deutsche zu seinem Schöpfer die unverfälschte Sprache des Kindes zum Vater redet; wo der Bürger nicht in höriger Untertänigkeit den Launen des Herrschers und seiner knechtischen Diener, sondern dem Gesetze gehorcht und auf den Tafeln des Gesetzes den eigenen Willen liest und im Richter den freierwählten Mann seines Vertrauens erblickt; wo die Wissenschaft das Nationalleben befruchtet und die würdige Kunst als dessen Blüte glänzt.

Ja, er wird kommen, der Tag, wo ein gemeinsames deutsches Vaterland sich erhebt, das alle Söhne als Bürger begrüßt, und alle Bürger mit gleicher Liebe, mit gleichem Schutz umfaßt; wo die erhabene Germania dasteht auf dem erzenen Piedestal* der Freiheit und des Rechts, in der einen Hand die Fackel der Aufklärung, welche zivilisierend hinausleuchtet in die fernsten Winkel der Erde, in der andern die Waage des Schiedsrichteramts, streitenden Völkern das selbsterbetene Gesetz des Friedens spendend, jenen Völkern, von welchen wir jetzt das Gesetz der Gewalt und den Fußtritt höhnender Verachtung empfangen.

Seit das Joch abgeschüttelt des fremden Eroberers, erwartete das deutsche Volk, lammfromm, von seinen Fürsten die verheißene Wiedergeburt; es sieht sich getäuscht, darum schüttelt es zürnend die Locken und drohet dem Meineid. Die Natur der Herrschenden ist Unterdrückung, der Völker Streben ist Freiheit. Das deutsche Volk, wenn die Fürsten nicht ihren Wolkenthron verlassen und Bürger werden, wird in einem Moment erhabener Begeisterung allein vollenden das Werk, wovor der siechkranke Dünkel erschrickt, wovor die auszehrende Selbstsucht erbebt und wogegen die hinsterbende Gewalt vergebens die Streiche des Wahnsinns in die Luft führt; das deutsche Volk wird vollbringen das heilige Werk durch einen jener allmächtigen Entschlüsse, wodurch die Völker, wenn die Fürsten sie an den Abgrund geführt, sich einzig zu retten vermögen.

Dies der Gedanke des heutigen Festes, des herrlichsten, bedeutungsvollsten, das seit Jahrhunderten in Deutschland gefeiert ward. Der Gedanke, der Tausende von ausgezeichneten deutschen Bürgern auf dieser Höhe versammelt und den Millionen andere Deutsche mitempfinden, der Gedanke der Wiedergeburt des Vaterlandes. Und solcher Gedanke schallt von dieser Burgruine, an deren starren Felswänden so mancher Schädel verzweifelter Bauern sich verblutete; von diesem bischöflich-adeligen Raubnest, an welchem deutsche Volkskraft sich übte, die heiße Rache durch Zerstörung kühlend, schallt die Forderung deutscher Freiheit, deutscher Wiedergeburt, bedeutungsvoll mahnend, in alle Gauen des zerissenen, des zertretenen Gesamt-Vaterlandes hinüber!

---

* Sockel.

Beschluß des Deutschen Bundes über Maßregeln gegen die Organisation der Handwerksgesellen

GLA Karlsruhe, 339/1287. - Der Bundesbeschluß wurde in Baden am 8. Januar 1841 durch das Ministerium des Großherzoglichen Hauses und der Auswärtigen Angelegenheiten öffentlich verkündet.

Sämtliche Regierungen vereinigen sich, übereinstimmende Maßregeln hinsichtlich derjenigen Handwerksgesellen zu treffen, welche durch Teilnahme an unerlaubten Gesellenverbindungen, Gesellengerichten, Verrufserklärungen und dergleichen Mißbräuchen gegen die Landesgesetze sich vergangen haben; und zwar sollen

1. den Handwerksgesellen, welche sich in einem Bundesstaate, dem sie nicht durch Heimat angehören, derlei Vergehen zuschulden kommen lassen, nach deren Untersuchung und Bestrafung, ihre Wanderbücher oder Reisepässe abgenommen, in denselben die begangene und genau zu bezeichnende Übertretung der Gesetze nebst der verhängten Strafe bemerkt und diese Wanderbücher oder Reisepässe an die Behörde der Heimat des betreffenden Gesellen gesendet werden.
2. Solche Handwerksgesellen sollen nach überstandener Strafe mit gebundener Reiseroute in den Staat, woselbst sie ihre Heimat haben, gewiesen und dort unter geeigneter Aufsicht gehalten, sonach in keinem anderen Bundesstaat zur Arbeit zugelassen werden. Ausnahmen von dieser Bestimmung werden nur dann stattfinden, wenn die Regierung der Heimat eines solchen Handwerksgesellen sich durch dauerndes Wohlverhalten desselben zur Erteilung eines neuen Wanderbuchs oder Reisepasses nach anderen Bundesstaaten veranlaßt finden sollte.
3. Die Regierungen behalten sich vor, Verzeichnisse der wegen jener Vergehen abgestraften und in die Heimat zurückgewiesenen sowie der ausnahmsweise zur Wanderung wieder zugelassenen Handwerksgesellen sich gegenseitig mitzuteilen.
4. Jedem Handwerksgesellen sind beim Antritte seiner Wanderschaft die vorstehenden Bestimmungen vor Aushändigung seines Wanderbuches oder Reisepasses ausdrücklich bekannt zu machen, und, daß dies geschehen, in der Reiseurkunde amtlich zu bemerken.
5. Die Bekanntmachung des gegenwärtigen Beschlusses soll in allen Bundesstaaten im landesverfassungsmäßigen Wege geschehen und binnen zwei Monaten hiervon bei der Bundesversammlung die Anzeige gemacht werden.

Die Forderungen der badischen Demokraten (»Offenburger Programm«)

Freiheitsmuseum Rastatt, ständige Ausstellung, Katalognummer 198. Die Forderungen wurden auf der 1. Volksversammlung in Offenburg aufgestellt.

Art. 1 Wir verlangen, daß sich unsere Staatsregierung lossage von den Karlsbader Beschlüssen vom Jahre 1819, von den Frankfurter Beschlüssen von 1831 und 1832 und von den Wiener Beschlüssen von 1834.* Diese Beschlüsse verletzten gleichmäßig unsere unveräußerlichen Menschenrechte wie die deutsche Bundesakte unsere Landesverfassung.

Art. 2 Wir verlangen Preßfreiheit: Das unveräußerliche Recht des menschlichen Geistes, seine Gedanken unverstümmelt mitzuteilen, darf uns nicht länger vorenthalten werden.

Art. 3 Wir verlangen Gewissens- und Lehrfreiheit. Die Beziehungen des Menschen zu seinem Gott gehören seinem innersten Wesen an, und keine äußere Gewalt darf sich anmaßen, sie nach ihrem Gutdünken zu bestimmen. Jedes Glaubensbekenntnis hat daher Anspruch auf gleiche Berechtigung im Staat. Keine Gewalt dränge sich mehr zwischen Lehrer und Lernende. Den Unterricht scheide keine Konfession.

Art. 4 Wir verlangen Beeidigung des Militärs auf die Verfassung. Der Bürger, welchem der Staat Waffen in die Hand gibt, bekräftige gleich den übrigen Bürgern durch einen Eid seine Verfassungstreue.

Art. 5 Wir verlangen persönliche Freiheit. Die Polizei höre auf, den Bürger zu bevormunden und zu quälen. Das Vereinsrecht, ein frisches Gemeindeleben, das Recht des Volks, sich zu versammeln und zu reden, das Recht des einzelnen, sich zu ernähren, sich zu bewegen und auf dem Boden des deutschen Vaterlandes frei zu verkehren, seien hierfür ungestört.

Art. 6 Wir verlangen Vertretung des Volks beim deutschen Bund. Dem Deutschen werde ein Vaterland und eine Stimme in dessen Angelegenheiten. Gerechtigkeit und Freiheit im Innern, eine feste Stellung dem Ausland gegenüber gebühren uns als Nation.

Art. 7 Wir verlangen eine volkstümliche Wehrverfassung. Der waffengeübte und bewaffnete Bürger kann allein den Staat schützen. Man gebe dem Volk Waffen und nehme von ihm die unerschwingliche Last, welche die stehenden Heere ihm auferlegen.

---

* Die Beschlüsse zielten auf die Unterdrückung oppositioneller Bewegungen in den deutschen Staaten, insbesondere durch Verschärfung der Zensur und der Überwachung sowie durch Einschränkung der Freiheit von Forschung und Lehre.

Art. 8 Wir verlangen eine gerechte Besteuerung. Jeder trage zu den Lasten des Staats nach Kräften bei. An die Stelle der bisherigen Besteuerung trete eine progressive Einkommensteuer.

Art. 9 Wir verlangen, daß die Bildung durch Unterricht allen gleich zugänglich werde. Die Mittel dazu hat die Gesamtheit in gerechter Verteilung aufzubringen.

Art. 10 Wir verlangen Ausgleichung des Mißverhältnisses zwischen Arbeit und Kapital. Die Gesellschaft ist schuldig, die Arbeit zu heben und zu schützen.

Art. 11 Wir verlangen Gesetze, welche freier Bürger würdig sind, und deren Anwendung durch Geschworenengerichte. Der Bürger werde von dem Bürger gerichtet. Die Gerechtigkeitspflege sei die Sache des Volks.

Art. 12 Wir verlangen eine volkstümliche Staatsverwaltung. Das frische Leben eines Volks bedarf freier Organe. Nicht aus der Schreibstube lassen sich seine Kräfte regeln und bestimmen. An die Stelle der Vielregierung der Beamten trete die Selbstregierung des Volks.

Art. 13 Wir verlangen Abschaffung aller Vorrechte. Jedem sei die Achtung freier Mitbürger einziger Vorzug und Lohn.

Aufruf an die deutschen Proletarier

Karl Obermann: Flugblätter der Revolution. Eine Flugblattsammlung zur Geschichte der Revolution von 1848/49 in Deutschland, Berlin 1970, S. 49 ff. – Dieses Flugblatt, vermutlich in der Schweiz gedruckt, ist zum Jahresbeginn 1848 überall in Süddeutschland aufgetaucht.

Gruß zum neuen Jahr!

An unsere Brüder, die deutschen Proletarier.
Geschrieben in der ersten Stunde des Jahres.

Ihr Männer der Arbeit! Die Glockenschläge des alten Jahres sind verhallt. Es war wieder ein Jahr vergeblicher Hoffnung. Der Ruf des Wächters trifft unser Ohr: »Zwölf Stund' hat ein jeder Tag; Mensch bedenk', daß sterben magst!« ...

Ja, es ist wahr: schnell verfliegt die Zeit; und wir sollen schon sterben, die wir noch nicht gelebt. – Im Jahre 1525, wo das arme Volk der Bauern gegen die Aristokratie auf den Schlössern und in den Städten aufstand, da hat einer der Tyrannen, deren heillose Brut noch jetzt von unserem Werke lebt, unter vielen andern Opfern einen jungen Bauern hinrichten lassen. Der hat laut geschrien, daß sich die Steine von Würzburg hätten erbarmen mögen: »Ich soll schon sterben, und hab mich noch nicht ein einzigmal an Brot satt gegessen!« So können auch wir nach 300 Jahren rufen: soll mancher von uns schon sterben, und hat noch nicht gelebt!

Oder ist das ein Leben, was Millionen unserer Brüder führen? Heißt Kummer, Hunger, Mißhandlung, Unterdrückung – Leben? Freilich, freilich. Es heißt auch Leben! »Leben im Jammertale«, wie die Pfaffen uns sagen, auf das ein herrliches ewiges Leben folgen soll. Oh, hinweg mit dem höhnischen Troste, womit diese Pfaffen uns um den Genuß des Lebens bisher betrogen! Verflucht sei jene christliche Erhebung, mit der wir die lachenden Tyrannen auf uns treten ließen. Vermaledeit der Glaube, der dieses Höllenregiment für ein göttliches erklärt!

Mitternacht ist vorüber. Ein wilder Jubel dringt in unsre Gasse. »Das ist der rohe Pöbel«!, bemerkt lauschend der reiche Herr Gesandte hinter den seidenen Vorhängen. »Es ist die Canaille«!, lispelt beschämt das Fräulein. Und in dem sanft erleuchteten Gemach, auf den samtnen elastischen Stühlen und Betten wird so still und anständig gefressen, gesoffen und gehurt, daß sich die Canaille draußen billig ein wenig genieren sollte.

Und dieser »rohe Pöbel«? – Das sind unsere Brüder, die in wildem Lärm von einem Jahr der Not und Sklaverei ins andere hineintaumeln wollen; die glauben, es sei besser, wenn sie nur ihre Schande und Knechtschaft auf eine Stunde vergessen. Ja, es sind unsre gedankenlosen Brüder, die nicht bedenken, daß Sittenrohheit und Unbildung der beste Kappzaum sind, an dem uns der lächelnde Diplomat gängelt und leitet. Doch selbst unter den Lärmenden ist mancher Denkende; viele sitzen auch zu Hause im einsamen Stübchen bei der bleichen kummervollen Frau und sehen mit beklemmter Brust dem neuen Jahre entgegen.

Was hoffen sie vom neuen Jahre? Die Volksbedrücker in ihrer Verblendung geben uns selbst das nächste Ziel an, nach dem wir arbeiten müssen. Jede freie Regung des Volksgeistes unterdrücken sie mit russischer Barbarei, jede Gesellschaft von freier Haltung jagen sie auseinander; jede Zeitung, die fürs Volk spricht, verbieten sie; den gemäßigtsten Menschen weisen sie aus, kerkern ihn ein; ein selbständiges Wort betrachten sie als Aufruhr; sie, die Hochverräter an der Verfassung, peinigen die gutmütigsten, verfassungsbewußten Männer als Hochverräter mit allen erdenklichen Qualen; sie brechen ihr eigenes, beschworenes Gesetz und üben Gewalt; sie geben dem Volke statt des Rechtes den Hohn der Willkür, statt Brot – Steine!

Der gesetzliche Kampf ist unmöglich! Es ist also der heimliche, verdeckte Kampf das letzte Mittel, das uns geblieben. In diesen heimlichen, verdeckten Kampf werfen wir uns mit aller Macht; seine Einrichtung und Verbreitung ist die Aufgabe dieses Jahres. Das ist nicht eine Verschwörung wie die polnische, wo etliche Häupter festgenommen und die ganze Vereinigung zersprengt werden könnte. Das ist vielmehr eine Verschwörung des ganzen Volkes, zu der selbst die gemäßigtsten Naturen getrieben werden müssen, weil uns allen der Rechtsboden unter den Füßen hinweggenommen ist. Denn heutigentags hat nur Recht, wer Gewalt und Besitz hat! Wo daher zwei von uns zusammensitzen, sie sprechen von Revolution. Wo fünfundzwanzig sich treffen, sie reden über Revolution. Jede Fabrik ist ein Herd der Revolution. Jeder wandernde Proletarier ist ein Emissär der Revolution. Ja, in die Kasernen ist schon der Geist der Revolution gedrungen; und die Herren werden sich wundern, wenn nicht manches wackere Regiment, statt Feuer zu geben, »Gewehr bei Fuß« macht oder gar noch etwas Besseres. Der Kurfürst von Hessen, so roh und dumm er ist, weiß doch, wenn's heute einen Aufruhr zu dämpfen gäbe, daß er unter seinen Regimentern wählen müßte. Umsonst setzt er seine bravsten und tüchtigsten Offiziere nicht ab; und in einem Jahre soll ihm die Wahl unter seinen Regimentern noch schwerer werden. So muß durchs ganze Volk diese großartige Verständigung verbreitet werden! Die Häupter der Verschwörung sind die Tyrannen selbst; sie treiben den Gemäßigtsten wie den Heißesten dazu; und wollen sie diese Vereinigung zersprengen, so müßten sie wenigstens zwei Drittel des Volkes in die Gefängnisse stecken. Das hätte doch seine Schwierigkeit!

Überall nun für diesen großen Volksbund zu werben, überall die Notwendigkeit der Revolution zu predigen, auf allen Landstraßen, auf der Eisenbahn, in den Schenken, in den Kasernen: Das ist die Hauptaufgabe für dieses Jahr, ihr Proletarier, ihr Brüder! Wir sind so viele, wir können es so leicht; wir dürfen nur zusammenhalten. Die Flugschriften sind uns dabei von dem größten Wert; sie werden geschrieben und gedruckt, wohin die Arme der Tyrannen nicht wohl reichen, und daß ihr sie verbreitet, das kann kein Gott und kein Teufel wehren. Gegen Ende dieses Jahres muß ein Feuer im Volke glühn; und kommt eine schlimme Ernte hinzu, so soll es auflodern, daß es einen lustigen Brand gibt, an dem wir uns wärmen können. – Doch übereilen wir nichts. Wir haben uns so lange wie Hunde treten lassen; wir wollen nun den Tiger machen. Man wird uns noch einige Zeit mit Ruten hauen, das Maul aufreißen, das Fleisch aus den Zähnen zerren, man wird uns auf den Takt unserer Peiniger im Käfig tanzen, an den eisernen Stäben hinaufspringen lassen; und wir werden diese Schmach mit funkelndem Auge dulden. Wenn es aber allüberall im Volke glüht und glimmt, wenn der zündende Funke fällt: – dann heraus ihr wilden Schmiedegesellen, ihr rußigen Gießer, ihr bleichen Weber! Dann reckt Brust und Arme, ihr gequälten Fabrikarbeiter! Dann ihr Setzer, gießt die Lettern in Kugeln!

Doch nicht umsonst hat unser neues Jahr eine doppelt geschlungene doppelte Acht: 1848.

Doppelt schlingt vorher den Bund, doppelt habt acht! Oh, pocht nur noch ein Jahr, ihr Brüder in der Eisenhütte, und füllt noch mehr die Säcke eurer reichen Treiber! Webt noch ein Jährlein an dem Leichentuch Alt-Deutschlands, ihr armen Weber! Stehlt, treibt alles – nur daß ihr bis dahin nicht verhungert! Flechtet, ihr Seiler, flechtet und dreht! Eure ersten Stricke gelten dem Otterngezücht der Diplomaten, besonders den Schuften am Bundestage. Sie sollen an dem Tore in der Eschenheimer Gasse aufgehängt werden, ohne daß sich was »wegplaudern« läßt. Für ihre Herren, die etliche und dreißig Landesväter, arbeiten unsere Brüder, die Grobschmiede; die machen solide Arbeit, gleich gut für kurze und lange Hälse.

Das ist doch eine erbarmungslose Sprache, nicht wahr? Aber muß nicht die sanfteste Natur durch fortgesetzte Quälereien zur Wut gereizt werden? »In Gift und Drachenblut habt ihr die Milch der frommen Denkart uns verwandelt.«

Ihr verfluchten Tyrannen, ihr Henker des Rechts, ihr schonungslosen Volksschinder, ihr Fürsten, Aristokraten, Pfaffen und Geldsäcke! Das Gericht komme über euch! – Die mißhandelten Männer des Volkes werden schwere Klagen wider euch richten; die halbverhungerten Weber strenge Rechenschaft über ihre niedergeschossenen Brüder verlangen; die eingekerkerten Söhne Deutschlands mit heißen Worten ihr gestohlenes Leben, ihre vernichtete Gesundheit zurückfordern!

So voran nun, du doppeltverschlungenes, doppelachtiges Jahr! Vielleicht zerhaut ein Ereignis in diesem Jahr die Fesseln, die uns ins Fleisch schneiden.

»Zwölf Stund' hat ein jeder Tag; Mensch bedenk', daß sterben magst!« Und wir haben noch gar nicht gelebt! ...

Die bürgerlich-demokratische Revolution

a) Forderungen des Bundes der Kommunisten, März 1848

Karl Obermann: Flugblätter der Revolution. Eine Flugblattsammlung zur Geschichte der Revolution von 1848/49 in Deutschland, Berlin 1970, S. 128f.

Forderungen der kommunistischen Partei in Deutschland
Motto: »Proletarier aller Länder vereinigt Euch«

1. Ganz Deutschland wird zu einer einigen, unteilbaren Republik erklärt.

2. Jeder Deutsche, der 21 Jahre alt, ist Wähler und wählbar, vorausgesetzt, daß er keine Kriminalstrafe erlitten hat.

3. Die Volksvertreter werden besoldet, damit auch der Arbeiter im Parlament des deutschen Volkes sitzen könne.

4. Allgemeine Volksbewaffnung. Die Armeen sind in Zukunft zugleich Arbeiter-Armeen, so daß das Heer nicht bloß, wie früher, verzehrt, sondern noch mehr produziert, als seine Unterhaltungskosten betragen. Dies ist außerdem ein Mittel zur Organisation der Arbeit.

5. Die Gerechtigkeitspflege ist unentgeltlich.

6. Alle Feudallasten, alle Abgaben, Frohnden, Zehnten usw., die bisher auf dem Landvolke lasteten, werden ohne irgendeine Entschädigung abgeschafft.

7. Die fürstlichen und anderen feudalen Landgüter, alle Bergwerke, Gruben usw. werden in Staatseigentum umgewandelt. Auf diesen Landgütern wird der Ackerbau im großen und mit den modernsten Hilfsmitteln der Wissenschaft zum Vorteil der Gesamtheit betrieben.

8. Die Hypotheken auf den Bauerngütern werden für Staatseigentum erklärt. Die Interessen* für jene Hypotheken werden von den Bauern an den Staat gezahlt.

9. In den Gegenden, wo das Pachtwesen entwickelt ist, wird die Grundrente oder der Pachtschilling als Steuer an den Staat gezahlt.

Alle diese unter 6, 7, 8 und 9 angegebenen Maßregeln werden gefaßt, um öffentliche und andere Lasten der Bauern und kleinen Pächter zu vermindern, ohne die zur Bestreitung der Staatskosten nötigen Mittel zu schmälern und ohne die Produktion selbst zu gefährden.

---

* Zinsen.

Der eigentliche Grundeigentümer, der weder Bauer noch Pächter ist, hat an der Produktion gar keinen Anteil. Seine Konsumtion ist daher ein bloßer Mißbrauch.

10. An die Stelle aller Privatbanken tritt eine Staatsbank, deren Papier gesetzlichen Kurs hat. Diese Maßregel macht es möglich, das Kreditwesen im Interesse des ganzen Volkes zu regeln, und untergräbt damit die Herrschaft der großen Geldmänner. Indem sie nach und nach Papiergeld an die Stelle von Gold und Silber setzt, verwohlfeilert sie das unentbehrliche Instrument des bürgerlichen Verkehrs, das allgemeine Tauschmittel, und erlaubt, das Gold und Silber nach außen hin wirken zu lassen. Diese Maßregel ist schließlich notwendig, um die Interessen der konservativen Bourgeois an die Regierung festzuschmieden.

11. Alle Transportmittel: Eisenbahnen, Kanäle, Dampfschiffe, Wege, Posten usw. nimmt der Staat in seine Hand. Sie werden in Staatseigentum umgewandelt und der unbemittelten Klasse zur unentgeltlichen Verfügung gestellt.

12. In der Besoldung sämtlicher Staatsbeamten findet kein anderer Unterschied statt, als der, daß diejenigen mit Familie, also mit mehr Bedürfnissen, auch ein höheres Gehalt beziehen als die übrigen.

13. Völlige Trennung der Kirche vom Staat. Die Geistlichen aller Konfessionen werden lediglich von ihrer freiwilligen Gemeinde besoldet.

14. Beschränkung des Erbrechts.

15. Einführung von starken Progressivsteuern und Abschaffung der Konsumtionssteuern.

16. Errichtung von Nationalwerkstätten. Der Staat garantiert allen Arbeitern ihre Existenz und versorgt die zur Arbeit Unfähigen.

17. Allgemeine, unentgeltliche Volkserziehung.

Es liegt im Interesse des deutschen Proletariats, des kleinen Bürger- und Bauernstandes, mit aller Energie an der Durchsetzung obiger Maßregeln zu arbeiten. Denn nur durch Verwirklichung derselben können die Millionen, die bisher in Deutschland von einer kleinen Zahl ausgebeutet wurden und die man weiter in der Unterdrückung zu erhalten suchen wird, zu ihrem Recht und zu derjenigen Macht gelangen, die ihnen als den Hervorbringern alles Reichtums gebührt.

Das Komitee:
Karl Marx, Karl Schapper, H. Bauer,
F. Engels, J. Moll, W. Wolff.

b) Beschlüsse der Offenburger Volksversammlung, 19. März 1848

Karl Obermann: Flugblätter der Revolution, Berlin 1970, S. 119ff.

Bereits unterm 12. September v. J. stellte die Versammlung zu Offenburg die Forderungen des Volkes fest. Sie verlangte damals schon unter andern namentlich eine volkstümliche Wehrverfassung, eine gerechte Besteuerung, Ausgleichung des Mißverhältnisses zwischen Arbeit und Kapital und Abschaffung aller Vorrechte. Die Regierung hat diesen Forderungen mit Hochverratsprozessen geantwortet, allein das Volk hat sie beim Zusammentritt des Landtages erneuert und nach dem gewaltigen Umsturz im Westen mit gesteigerter Kraft auf deren Erfüllung gedrungen. Diesem unwiderstehlichen Drange nachgebend, haben dieselben Regierungsmänner, welche die Redner der Offenburger Versammlung vom 12. September mit Hochverratsprozessen verfolgt hatten, Zugeständnisse gemacht, deren Halbheit nur schlecht den Hintergedanken verhüllte, bei günstiger Gelegenheit, wie in den dreißiger Jahren, die abgedrungenen Zugeständnisse zurückzunehmen und in ihr Gegenteil zu verkehren.

Das Volk hat erkannt, daß die ihm zuteil gewordenen Zugeständnisse nicht der staatsmännischen Einsicht und dem guten Willen der Machthaber, sondern den gewaltigen Bewegungen des Volkes, der äußeren Anregung der französischen Revolution und den Kundgebungen vom 1. und 2. März d.J. zuzuschreiben seien.

Jeder denkende Freund des Vaterlandes erkennt klar und deutlich, daß in den Pariser Februartagen nur der Anfang einer Völkerbewegung gemacht worden sei, welcher mit unabweisbarer Notwendigkeit seine Fortsetzung in allen Staaten Europas erlangen müsse.

Der Kampf der Volksherrschaft und der Einherrschaft hat begonnen. Deutschland, seit Jahrhunderten das große Schlachtfeld aller staatlichen und kirchlichen Kämpfe, wird auch jetzt wiederum den Zusammenstoß zwischen dem despotischen Nordosten und dem freigesinnten Südwesten Europas am schwersten empfinden. Darum tut es not, daß unser Vaterland beizeiten eine feste Stellung seinen auswärtigen und inneren Feinden gegenüber einnehme. Es verlangt daher vor allen Dingen: Ein deutsches Parlament, welches im großen seine Verhältnisse nach innen und außen kräftig ordne und frei gestalte, und dessen erste Aufgabe sein wird, der deutschen Nationalität und Selbständigkeit Anerkennung zu verschaffen.

Was insbesondere unsere badenschen Angelegenheiten betrifft, so erklärt die Volksversammlung von Offenburg:

I. Mehrere Mitglieder der Regierung und der größte Teil der Beamten besitzen das Vertrauen des Volkes nicht, weil einzelnen der gute Wille, anderen die erforderliche Kraft fehlt. Das Volk kann kein Vertrauen in Männer setzen, welche vor wenigen Wochen noch als revolutionär bekämpften, was sie teilweise jetzt selbst zugestanden haben. Es läßt sich nicht täuschen durch das Vorschieben liberaler Persönlichkeiten.

Anstößig ist dem Volke namentlich der Einfluß, welchen der Markgraf Wilhelm seit langer Zeit auf die Staatsgeschäfte überhaupt und das Militärwesen insbesondere ausgeübt hat. Nicht minder anstößig ist ihm der Einfluß einiger Personen aus der nächsten Umgebung des Großherzogs, welche man mit dem Namen Kamarilla zu bezeichnen pflegt.

II. Das Volk hat kein Vertrauen zu der ersten Kammer der Ständeversammlung, da dieselbe aus Privilegierten besteht, welche ihren Sonderinteressen das Wohl des Volkes stets geopfert haben. – Das Volk verlangt Abhilfe gegen diesen Übelstand vermittels einer Revision der Verfassung.

III. Das Volk hat kein Vertrauen zu einer großen Anzahl der Mitglieder der zweiten Kammer, da dieselben durch Wahlbeherrschung und Wahlverfälschung unter dem Einfluß der Zensur und der Polizei gewählt wurden und sich als blinde Werkzeuge in den Händen jeden Ministeriums erwiesen haben. – Das Volk verlangt den Rücktritt der reaktionären und gesinnungslosen Partei der zweiten Kammer.

IV. Das Volk besitzt durchaus keine Bürgschaften für die Verwirklichung seiner Forderungen und die Begründung eines dauerhaften Zustandes der Freiheit. Es muß sich diese Bürgschaften selbst verschaffen. Demzufolge bilden sich:

1. In jeder Gemeinde des badenschen Landes ein vaterländischer Verein, dessen Aufgabe es ist, für die Bewaffnung, die politische und soziale Bildung des Volkes sowie für die Verwirklichung aller seiner Rechte Sorge zu tragen.

2. Sämtliche Vereine eines Wahlbezirks bilden einen Bezirksverein, sämtliche Bezirksvereine einen Kreisverein, die vier Kreisvereine einen Landesverein.

3. An der Spitze jedes dieser Vereine steht ein leitender Ausschuß.

4. Für jeden dieser Vereine bildet sich sofort eine Vereinskasse zur Bestreitung der notwendigen Auslagen.

5. Alle Provinzen Deutschlands sollen aufgefordert werden, ähnliche Vereine zu bilden und mit dem badenschen Landesverein in freundschaftlichen Verkehr zu treten.

V. Das Volk verlangt von der Ständeversammlung, daß sie die entschiedensten Maßregeln treffe, um zu bewirken, daß die Regierung:

1. sofort eine Verschmelzung der Bürgerwehr und des stehenden Heeres durchführe zum Behufe der Bildung einer wahren, alle waffenfähigen Männer umfassenden Volkswehr;

2. alsbald alle Abgaben abschaffe, außer den Zollvereins-Abgaben und etwa der direkten Steuern, und ihre Ausgabe decke durch eine progressive Einkommen- und Vermögenssteuer;

3. daß sofort alle Vorrechte, welchen Namen sie tragen, abgeschafft werden;

4. daß ungesäumt die Schule von der Kirche getrennt werde.

Vorstehende Anträge wurden der Volksversammlung vorgelegt und von derselben mit nachfolgenden Abänderungen und Zusätzen mit überwältigender Stimmenmehrheit angenommen:

Zu I. wurde beschlossen, statt »Mehrere Mitglieder der Regierung« zu setzen: »Der Präsident des Kriegsministeriums«.

Zu II. wurde angenommen mit dem Zusatze: »Das Volk will nur eine Kammer«.

Zu V. 1. wurde angenommen mit der Abänderung, statt »sofort«: »unverzüglich« oder »auf der Stelle«.

Zu V. 2. wurde angenommen mit dem Zusatze: »Wir wollen eine wohlfeile Regierung, Abschaffung der Apanagen und unverdienter Pensionen«.

Zu V. 4. wurde angenommen, mit dem Zusatze: »Die Pfaffen haben zu viel, die Lehrer zu wenig. Wir wollen gerechte Ausgleichung dieses Mißverhältnisses«.

Nachdem diese Beschlüsse gefaßt worden waren, wurden folgende Männer zu Mitgliedern des Zentralauschusses gewählt:

1. Unterrheinkreis: G. Struve von Mannheim; Bürgermeister Winter von Heidelberg; Heinrich Hoff von Mannheim; Junghans von Mosbach.

2. Mittelrheinkreis: Brentano von Bruchsal; Rehmann von Offenburg; Bürgermeister Rée von Offenburg; Schubert von Lahr.

3. Oberrheinkreis: Kiefer von Emmendingen; Torret von Waldshut; Rotteck von Freiburg; Weißhaar von Lottstetten.

4. Seekreis: Würth von Konstanz; Bürgermeister Emmert von Möskirch; Vanotti, prakt. Arzt von Konstanz; Grüninger von Donaueschingen.

Als Obmann: Friedrich Hecker von Mannheim.

c) Begründung für die Auflösung demokratischer Vereine von Großherzog Leopold von Baden, 22. Juli 1848

GLA Karlsruhe, 233/32106.

Unter dem Namen »demokratische Vereine« haben sich an mehreren Orten des Großherzogtums Verbindungen gebildet, die anfänglich nur die Erstrebung verschiedener demokratischer Einrichtungen sich zur Aufgabe machten, später aber die Beschlüsse sich aneigneten, welche ein vom 14. bis zum 17. v. M. in Frankfurt versammelt gewesener sogenannter »Kongreß von Abgeordneten demokratischer Vereine« gefaßt und veröffentlicht hat.

Danach ist die Erringung einer »demokratischen Republik« als Zweck aufgestellt, und wie es mit den Mitteln gemeint sei, durch welche dieser Zweck erreicht werden soll, geht unter anderem aus den in jenen Beschlüssen ausgedrückten Sympathien für die Aufrührer hervor, so wie auch daraus, daß der Zentralausschuß dieser Vereine in einer Bekanntmachung vom 28. Juni d. J. sogar der deutschen Nationalversammlung die fernere Anerkennung versagte, ihre Meinung als eine volksfeindliche Macht erklärte, und zur Bewirkung einer förmlichen Losreißung der Minderheit behufs* der Bildung einer neuen Versammlung auf ungesetzlichem Wege auffordert.

Zugleich wurde in den Beschlüssen vom 14. bis 17. v. M. eine vollständige Organisation dieser Vereine durch ganz Deutschland und ein gegenseitiger Verkehr derselben durch die Vermittlung von Kreisausschüssen und eines Zentralausschusses verabredet, um durch vereinte Kraft für den aufgestellten Zweck der Republikanisierung Deutschlands desto wirksamer zu sein.

Leider haben nun auch in unserem Großherzogtume solche Vereine diesem Organismus und überhaupt den Beschlüssen des Frankfurter Kongresses vom 14. bis 17. v. M. sich angeschlossen, namentlich ein solcher in Mannheim, wo der Kreisausschuß für Baden und die Rheinpfalz gebildet ist, sodann ein solcher in Karlsruhe, einer in Heidelberg und einer in Lörrach für die Bezirke Lörrach, Schopfheim und Schönau.

Wie hoch Wir die Freiheit jedes Staatsbürgers achten und so ungehindert Wir die politischen Bewegungen und die Bestrebungen nach Verbesserungen auf dem verfassungsmäßigen Boden walten lassen, so unzulässig und verderblich erscheint es doch, wenn die Grundlage der Verfassung selbst unterwühlt und so das ganze Staatsgebäude durch die Kraft der Assoziationen erschüttert wird.

Sind solche Versuche gegen die verfassungsmäßige Staatsordnung in gewöhnlichen Zeiten von geringerer Bedeutung, so tritt doch in Zeiten der Erregtheit der Gemüter, wie jetzt, das Gefahrvolle derselben klar hervor, zumal in einem Lande, das so betrübende Störungen erlebte und wo in Folge derselben die einen geängstigt und die anderen wegen erlittener Niederlage nur um so leidenschaftlicher tätig sind.

Je länger die Angriffe auf die Grundlage der Staatsordnung dauern, desto länger dauert die aus dem Mangel an Vertrauen auf die Sicherheit der öffentlichen Zustände entspringende Not und Erwerbslosigkeit der Staatsangehörigen. In mehrfacher Beziehung sind also die oben erwähnten demokratischen Vereine, die jene Unsicherheit der öffentlichen Zustände nur unterhalten und vermehren, dem Staatswohle nachteilig, und Wir finden Uns durch die Pflichten, die Uns für des Landes Wohl obliegen, gedrungen, dieselben hiermit auf den Grund des Gesetzes vom 26. Oktober 1833 aufzulösen und die fernere Teilnahme daran unter Androhung der in diesem Gesetze bestimmten Strafe zu verbieten.

---

* zwecks

d) Manifest des Berliner Arbeiterkongresses an die Nationalversammlung zu Frankfurt am Main, 2. September 1848

Deutsche Metallarbeiter-Zeitung vom 6. Mai 1893. – Eingeladen zu diesem Kongreß hatte das Zentralkomitee der »Arbeiterverbrüderung« Stefan Borns.

Hohe Nationalversammlung!

Indem der unterzeichnete Kongreß der Arbeiter für sich sowie im Namen und Auftrag seiner Kommittenten, eines großen Teils der Arbeiter Deutschlands, einer hohen deutschen Nationalversammlung die von ihm durch einmütige Beratung festgestellten Grundzüge einer den Anforderungen der Zeit entsprechenden Organisation der Arbeiter überreicht und zu geneigter Berücksichtigung bei der Beratung der Grundrechte des deutschen Volkes angelegentlichst empfiehlt, übernimmt er zugleich die Verpflichtung, seine Anträge durch die nachfolgenden Erläuterungen zu unterstützen.

Mit der gespanntesten Aufmerksamkeit und mit hingebender Erwartung haben die Arbeiter, nachdem die politische Bewegung Europas auch sie in Anspruch genommen, sie zur Mitwirkung und nach langer Zeit wieder zum Hoffen erweckt hat, die Maßregeln, welche die deutschen Staaten zur Begründung besserer Staatseinrichtungen ergriffen haben, namentlich den Entwurf betreffend die Grundrechte des deutschen Volkes und die davon ausgehenden Beratungen der hohen deutschen Nationalversammlung, verfolgt.

Sie haben nunmehr leider die Überzeugung erlangt, daß auch in der Verfassungsurkunde für Deutschland die soziale Frage ebensowenig wie in anderen Verfassungsarbeiten eine Stelle finden könne.

Wir wollen der Besorgnis nicht Raum geben, daß eine hohe Nationalversammlung bei Nennung der sozialen Frage sich unwillig abwenden oder uns bloß mit einer trockenen Erwähnung der französischen »Nationalwerkstätten« zur Ruhe verweisen werde. Wir würden in solchem Einwurfe nichts anderes als eine, uns freilich überraschende, Unkunde des Gegenstandes erblicken und der Kürze halber nur antworten: Wenn eine edelmütige Nation in ihrem ersten Aufwallen für einen guten Zweck eine ganz falsche Maßregel ergreift, so liegt darin keine Widerlegung der Sache und kaum ein Vorwurf für jene Nation; wer aber beide Momente in dieser Tatsache hervorhebt, beweist entweder sein Unvermögen oder seine Abgeneigtheit, auf dieselbe weiter einzugehen.

Da uns aber ein solches Nichtanstehen oder Nichteingehen auf die Lebensfrage eines großen Teiles der europäischen Bevölkerung seitens der Staatsmänner und Volksvertreter fast allenthalben entgegentritt, so müssen wir uns wohl fragen, was die Augen einsichtsvoller Männer in diesem

Stücke verdunkle und ihre Einsicht beschränke? Die Antwort auf diese Frage liegt uns nahe, sie lautet: Wir Arbeiter und unsere Angelegenheiten stehen den Augen der Staatsmänner, wie diese bisher durch das Staatsleben gebildet wurden, zu fern, ja für die meisten waren die Arbeiter gar nicht als Staatsbürger da und sichtbar, sondern nur als Ziffern in den Bevölkerungslisten und in den Berechnungen der Volksmacht.

Der Staat kennt nur den Besitz als etwas Bleibendes und die Besitzenden als bereits verschiedentlich organisierte und leiblich vorhandene Staatsbürger-Kasten; diese Massen liegen dem Staatsmanne, der über eine neue Konstitution verhandelt, lebendig vor Augen, sind durch spezielle Gesetze organisiert, und seine neue Arbeit hat es nun bloß damit zu tun, den Umständen gemäß da und dort einige Umgestaltungen anzubringen.

Die Gesamtheit der Arbeiter steht dagegen nicht als eine bestimmte Staatsbürgermasse, welche einen Besitz habe und in diesem geschützt oder besser geordnet werden müsse, vor den Augen der Gesetzgeber. Die Gesetzgebung ist gegen sie nur beschränkend und maßgebend gewesen: an die Stelle des Schutzes stellt sie bei ihnen den Grundsatz: »Dem Arbeiter ist erlaubt, in aller Freiheit und aus allen Kräften zu arbeiten und von dem Lohne der Arbeit zu leben.«

Der Staat verfährt in diesem Stücke gewissermaßen richtig; denn solange der Arbeiter nur als eine zerstreute Menschenmenge zu betrachten ist, läßt sich auch nichts gesetzlich Bestimmtes für ihn als Ganzes oder für Glieder desselben als Ganze zur Beschützung von Rechten begründen.

Es ist vor allem erforderlich, daß die Arbeiter, um ihr Arbeiten als einen bestimmten Besitz in das Grundgesetz des Staates einzuführen, sich selbst als lebendige Gemeinschaften, gleichsam als politisch beseelte Körperschaften unter die übrigen Bürger hinstellen und den Staatsmännern bemerklich machen.

Dieses konnte nur von den Arbeitern selbst ausgehen. Es war bisher versäumt worden, ist aber von uns, soweit es der Augenblick zuläßt, nachgeholt worden, und die Organisation der Arbeiter Deutschlands, wie sie jetzt im Leben steht, liegt in den Grundzügen ihres Verfassungsstaates einer hohen Nationalversammlung vor Augen. Mit ihr steht in engster Verbindung das Statut über die Assoziation der Arbeit, welches als zweiter Teil beigelegt ist.

So organisiert, in dem festen Vorsatze, an der weiteren Ausbildung unseres Organismus mit aller Macht fortzuarbeiten, und in dem uns hiermit wiedergeborenen Bewußtsein unserer Persönlichkeit und unserer Berechtigung im Staatsleben treten wir jetzt unter unsere Mitbürger und vor den gesetzgebenden Körper unserer Wahl, mit der Bitte: In der künftigen Gesetzgebung auch uns als Besitzer der Arbeit anzuerkennen und solche gesetzliche Bestimmungen eintreten zu lassen, durch welche die Existenz und Fortdauer unserer Organisation und Assoziation für alle Zeiten geschützt und ihre weitere gedeihliche Ausbildung von seiten des Staates begünstigt werden möge.

Unsere Anträge für diesen Zweck liegen im dritten und vierten Teile vor; sie beziehen sich teils auf das Verhältnis der Arbeiter zu den Gemeinden und auf die Rücksichten, welche sie von deren Verfassungen in ihrem Interesse erwarten, teils auf diejenigen allgemeinen Maßregeln, durch welche die Sache der Arbeiter in der Grundverfassung Deutschlands ihre Stütze und ihre Wurzel finden wird.

Aus dem Vorgetragenen wolle eine hohe deutsche Nationalversammlung ersehen, daß wir frei von chimärischen* Ansprüchen sind, wohl aber die Logik der Zeit und unsere eigene hinlänglich auf Erfahrungswegen kennengelernt haben, um einerseits unsere Erwartungen zu beschränken, andererseits aber auch nicht vor scheinbaren oder vorgespiegelten Schwierigkeiten und Hindernissen zu erschrecken, wo wir deutlich erkannt haben, daß da oder dort tief und radikal eingegriffen werden müsse, wenn nicht alle Mühe vergeblich sein und das etwa zur Beruhigung Vermittelte bei näherer Betrachtung nur als eine Täuschung der Einbildungskraft erfunden werden solle.

Das eine nämlich, worauf es bei allen Neugestaltungen im jetzigen Staatsleben wesentlich ankommt, ist dieses, daß die Staaten aus dem früheren rohen Naturzustande des Krieges, des Prunkes und der List, in welchem sich jeder ganz nach außen gegen die anderen Staaten wenden muß, um sich gegen sie entweder zu schützen oder sie durch sein Auftreten nach Art wilder Streiter, die sich wie Kinder putzen und bemalen, zu blenden oder sie durch seine Diplomatie zu betrügen, daß sie aus diesem rohen, mittelalterlichen Naturzustande der Staaten, oder richtiger: der regierenden Autokraten, nunmehr auf sich selbst zurückkehren und das Wohl der Staatsbürger im Innern als die Hauptaufgabe ihres Daseins zu betrachten anfangen, welchem sie ihre ganze Aufmerksamkeit widmen, und von dem alten absolutistischen Prunk sowie von der endlosen Streitigkeit des Heeres und von der Verschwendung der Bürokratie möglichst viel ersparen müssen, um den edleren und besseren Zwecken der Menschheit obliegen zu können.

Wir, die Arbeiter, sind von Natur die Stützen der Ruhe und der Ordnung, denn wir wissen sehr wohl, daß wir zum Leben vor allem der Ruhe und Ordnung bedürfen. Wir reichen unseren Mitbürgern und unseren Gesetzgebern die Hand und die Verheißung unseres Wortes! Ja, wir wollen die Ruhe und Ordnung der Staaten aufrechterhalten – wir können es verheißen, denn wir haben die Kraft dazu und sind uns unserer politischen Bedeutung bewußt.

Nur notgedrungen würden wir, wenn wir abgewiesen würden, wenn der alte Wahn aufrechterhalten und unserer Rechte auch fernerhin, wie früher, von keinem der Machthaber auf humane Weise gedacht würde, der Geißel

* Chimäre: Ungeheuer in der griechischen Mythologie, in übertragener Bedeutung: Hirngespinst.

des Schicksals gehorchen und unter der Macht der finsteren Not aus den wärmsten Freunden der bestehenden Ordnung zu den bittersten Feinden derselben werden müssen.

e) Aufruf von Gustav Struve zum bewaffneten Kampf für die Republik, 21. September 1848

Franz X. Vollmer: Vormärz und Revolution 1848/49 in Baden, Frankfurt a. M. 1979, S. 120 f.

Aufruf an das deutsche Volk

Der Kampf des Volkes mit seinen Unterdrückern hat begonnen. Selbst in den Straßen der Stadt Frankfurt a. M., dem Sitz der ohnmächtigen Zentralgewalt und der geschwätzigen konstituierenden Versammlung, ist auf das Volk mit Kartätschen geschossen worden. Nur das Schwert kann das deutsche Volk noch retten. Siegt die Reaktion in Frankfurt, so wird Deutschland auf dem sogenannten gesetzlichen Wege furchtbarer ausgesogen und geknechtet werden, als dies in den blutigsten Kriegen geschehen kann. Zu den Waffen, deutsches Volk! Nur die Republik führt uns zum Ziele, nach dem wir streben. Hoch lebe die deutsche Republik!

Lörrach, den 21. September 1848

Im Namen der provisorischen Regierung:
Gustav Struve.

f) Aufruf des Landesausschusses der Volksvereine an das badische Volk zur Mitwirkung beim Aufbau der Organisation, 7. Januar 1849

Karl Obermann: Flugblätter der Revolution, Berlin 1970, S. 365ff.

An das Volk in Baden!

Bürger! Die mit jedem Tage kecker hervortretenden reaktionären Bestrebungen enthalten an das Volk die dringende Aufforderung, wachsam und tätig zu sein. Bereits ist es der Reaktion durch ihre zahlreichen und in jeder Beziehung, namentlich durch Vereine, wohlorganisierten Werkzeuge gelungen, die Hoffnungen und Errungenschaften unserer Revolution teils zu verkümmern, teils vollständig zu vernichten. Sie wird bei diesen Erfolgen nicht stehenbleiben, sie wird beständig Versuche machen, dem Volke den Genuß der vorhandenen und verbürgten Rechte zu entziehen, vorzuenthalten und zu erschweren. Bei dem Volke steht beides, diese Versuche zu vereiteln und zugleich der vollständigen Verwirklichung der freien Volksherrschaft die Bahn zu brechen. Durch Einigung und Organisation der Kräfte wird das Volk eine Achtung gebietende Macht bilden, die es in den Stand setzt, allen volksfeindlichen Bestrebungen und Gelüsten ein wirksames Gegengewicht zu halten; es findet auf demselben Wege die Gelegenheit zur gemeinsamen Verständigung über seine wichtigsten Interessen, seine Wünsche und Bedürfnisse und die Mittel zu deren Erfüllung.

Mitbürger! Der Volksverein in Mannheim ist seit seinem Bestehen für die Organisation des Volkes tätig gewesen. Er hat über diesen Gegenstand die Ansichten der kürzlich in Renchen versammelt gewesenen Vertreter einer großen Anzahl Vereine des badischen Oberlandes vernommen und auf den Grund der dortigen Verhandlungen hin die Wahl eines provisorischen Landesausschusses ins Werk gesetzt, dessen Bestätigung einem in Kürze zu haltenden Kongresse sämtlicher Volksvereine in Baden überlassen bleibt. Der Mannheimer Volksverein hat als Mitglieder dieses Ausschusses ernannt die Bürger: L. Brentano, H. Happel, A. Goegg, L. Reichard, M. Rickert, W. Soencker, H. Roes, F. Barth, L. Degen.

Der provisorische Landesausschuß hat sofort über die Organisationen der Vereine in Baden Beratung gepflogen. Er glaubt die Erfahrung gemacht zu haben, daß für diese Organisation die bestehende Landeseinteilung in 4 Kreise keinen passenden Anhaltspunkt biete und ist der Ansicht, daß durch Vermehrung der Kreise eine Erleichterung der Kommunikation und Zentralisierung der einzelnen Vereine bezweckt werde. Er hat deshalb eine Einteilung in 8 Kreise aufgestellt, für jeden Kreis, mit Berücksichtigung der Lage und besonderen Verhältnisse der einzelnen Orte einen Kreisort ernannt und jedem Kreisort eine entsprechende Anzahl Bezirksorte untergeordnet. Den nähern Ausweis über diese Einteilung gibt der anliegende

Entwurf, welcher den einzelnen Vereinen zur Prüfung und Begutachtung empfohlen wird.

Mitbürger! Der provisorische Landesausschuß erwartet die kräftige Mitwirkung aller Volksfreunde zu dem großen und wichtigen Werke der Organisation des Volkes - die deutschen Grundrechte, deren Einführung wir entgegensehen, sichern uns neben der Preßfreiheit das Recht der freien Vereinigung. Die badische Regierung wird es nicht wagen, dieses Recht fernerhin anzutasten. Benutzen wir also mit aller Tätigkeit in ihrem ganzen Umfange die Mittel, die uns das Gesetz selber zur vollständigen Erringung unserer Freiheit in die Hand gibt.

Der provisorische Landesausschuß:
L. Brentano, erster Vorsitzender; Goegg, zweiter Vorsitzender;
F. Carl Barth; W. Soencker; H. Roes; H. Happel;
Melchior Rickert; L. Reichard; L. Degen, Schriftführer.

g) Beschlüsse der Offenburger Volksversammlung, 13. Mai 1849

W. Dreßen: 1848-1849, Bürgerkrieg in Baden, Berlin 1975, S. 121ff.

Die Landesversammlung in Offenburg erklärt: Deutschland befindet sich fortwährend im Zustande voller Revolution, aufs neue hervorgerufen durch die Angriffe der größeren deutschen Fürsten auf die von der deutschen Nationalversammlung endgültig beschlossene Reichsverfassung und die Freiheit überhaupt. Die deutschen Fürsten haben sich zur Unterdrükkung der Freiheit verschworen und verbunden, der Hochverrat an Volk und Vaterland liegt offen zutage; es ist klar, daß sie sogar Rußlands sämtliche Armeen zur Unterdrückung der Freiheit zu Hilfe rufen. - Die Deutschen befinden sich also im Stande der Notwehr, sie müssen sich verbünden, um die Freiheit zu retten; sie müssen dem Angriff der fürstlichen Rebellen den bewaffneten Widerstand entgegensetzen.

Die deutschen Stämme haben die Verpflichtung, sich gegenseitig die Freiheit zu gewährleisten, um den Grundsatz der Volkssouveränität vollkommen durchzuführen; sie müssen sich daher unterstützen überall, wo sie angegriffen werden.

Das badische Volk wird daher die Volksbewegung in der Pfalz mit allen ihm zu Gebote stehenden Mitteln unterstützen.

Die Landesversammlung des badischen Volkes in Offenburg hat nach vorhergegangener Beratung der gestellten Anträge in dem Landeskongresse der Volksvereine, nach ferner stattgefundener öffentlicher Beratung, wobei Abgeordnete aus allen Landesteilen vertreten waren, nach fernerer ausführlicher Diskussion in der Versammlung des Volkes beschlossen:

1. Die Regierung muß die Reichsverfassung, wie sie nun nach der durch die Ereignisse beseitigten Oberhauptsfrage feststeht, unbedingt anerkennen und mit der ganzen bewaffneten Macht deren Durchführung in anderen deutschen Staaten zunächst in der bayerischen Pfalz unterstützen.

2. Das gegenwärtige Ministerium ist sofort zu entlassen und Bürger Brentano, Obergerichtsadvokat zu Mannheim, und Bürger Peter, Reichstagsabgeordneter von Konstanz, mit der Bildung eines neuen Ministeriums zu beauftragen.

3. Es muß alsbald unter sofortiger Auflösung der jetzigen Ständekammer eine Verfassung gebende Landesversammlung berufen werden, welche in sich die gesamte Rechts- und Machtvollkommenheit des badischen Volkes vereinigt; diese Landesversammlung soll gewählt werden von und aus den sämtlichen volljährigen Staatsbürgern des Landes, und zwar unter Beibehaltung der für die bisherige zweite Kammer bestandenen Wahlbezirke.

4. Es muß ohne allen Verzug die Volksbewaffnung auf Staatskosten ins Leben gerufen werden, und es sind alle ledigen Männer von 18–30 Jahren als erstes Aufgebot sofort mobil zu machen. – Alle diejenigen Gemeindebehörden, welche nicht alsbald die Bewaffnung ihrer Bürger anordnen, sind augenblicklich abzusetzen.

5. Die politischen Flüchtlinge sind sofort zurückzurufen, die politischen Militär- und Zivilgefangenen zu entlassen und alle politischen Prozesse niederzuschlagen; namentlich verlangen wir aber auch die Entlassung derjenigen Militärgefangenen, welche infolge der politischen Bewegungen wegen sogenannter Disziplinar- und Insubordinationsvergehen bestraft wurden.

6. Die Militärgerichtsbarkeit muß aufgehoben werden.

7. Bei dem Heer soll eine freie Wahl der Offiziere stattfinden.

8. Wir verlangen alsbaldige Verschmelzung des stehenden Heeres mit der Volkswehr.

9. Es müssen sämtliche Grundlasten unentgeltlich aufgehoben werden.

10. Es müssen die Gemeinden unbedingt selbständig erklärt werden, sowohl was die Verwaltung des Gemeindevermögens als die Wahl der Gemeindevertreter betrifft; es müssen alsbald im ganzen Lande neue Wahlen für die Gemeindevertretung stattfinden.

11. Es werden sämtliche von den sogenannten Kammern in Karlsruhe seit dem 17. Januar d. J. gefaßte Beschlüsse für null und nichtig erklärt und darunter namentlich das sogenannte Wahlgesetz vom 10. v. M., welches einen förmlichen Angriff auf die in den Reichsgesetzen gegebenen Bestimmungen enthält.

12. Die Geschworenengerichte sind für alle Kriminalfälle ohne Unterschied augenblicklich einzuführen, und kein einziger Kriminalprozeß darf mehr von Strafrichtern entschieden werden.

13. Die alte Verwaltungsbürokratie muß abgeschafft werden und an ihre

Stelle die freie Verwaltung der Gemeinden oder anderer Körperschaften treten.

14. Einrichtung einer Nationalbank für Gewerbe, Handel und Ackerbau zum Schutze gegen das Übergewicht der großen Kapitalisten.

15. Abschaffung des alten Steuerwesens, hierfür Einführung einer progressiven Einkommensteuer nebst Beibehaltung der Zölle.

16. Einrichtung eines großen Landespensionsfonds, aus dem jeder arbeitsunfähig gewordene Bürger unterstützt werden kann. Hierdurch fällt der besondere Pensionsfonds für Staatsdiener von selbst weg.

h) Aufruf des Oberbefehlshabers der badischen Revolutionstruppen, F. Sigel, das badische Volk in seinem Kampf gegen die Reaktion tatkräftig zu unterstützen, 26. Mai 1849

Karl Obermann: Flugblätter der Revolution, Berlin 1970, S. 425 ff.

An das deutsche Volk!

Die Erhebung des badischen und pfälzischen Volkes für die deutsche Reichsverfassung gegenüber dem offenen und versteckten Verrat der Kabinette kann ihrem Charakter nach nicht auf die engen Grenzen dieser Staaten beschränkt bleiben. Eben weil sie eine deutsche ist, weil ihr alle deutschen Herzen im Norden und Süden des großen Gesamt-Vaterlandes entgegenschlagen, muß sie den Drang und die Verpflichtung fühlen, sich über dasselbe auszubreiten. Die blutige Unterdrückung der Volkserhebungen in Sachsen und Rheinpreußen, welche lediglich derselben großen Sache galten, die Rüstungen der Konterrevolution an unsern Grenzen, die besonders feindselige Haltung der großherzoglich-hessischen Regierung, geben diesem Drange eine bestimmte Richtung, und statt feigen Abwartens ziemt es den Streitern der deutschen Einheit und Freiheit, ihren Feinden mutig entgegenzutreten. Wir werden auf diese Weise den Kriegern, die unwilligen Herzens uns entgegenziehen würden, die Gelegenheit bieten, in treuer Verbrüderung zu beweisen, daß sie für dieselbe Sache glühen, gegen die man ihre tapferen Arme mißbrauchen möchte, daß sie sich ebensogut zu der Höhe ihres Berufes als wahre Vaterlandsverteidiger zu erheben wissen, wie ihre Kameraden in Baden und der Pfalz, wenn es gilt in der Stunde der Gefahr.

Die einzelnen Beschwerdepunkte gegen die großherzoglich-hessische Regierung bestehen in folgendem:

1. Hessen bricht die Verbindung sowohl durch die Eisenbahn als die Post ab, wodurch dem Gewerbestande unberechenbarer Schaden erwächst.

2. Die hessische Regierung hat, auf die gegen Baden und die Pfalz gerichtete Eröffnung des früheren Reichskriegsministers Peucker eingehend, zu den behufigen Rüstungen von den Kammern unter allerlei Vorwänden einen Kredit von 2 000 000 Gulden gefordert, welcher ihr indessen verweigert ist.

3. Die hessische Regierung greift in das so wesentlich durch die Reichsverfassung dem deutschen Volke verbürgte Versammlungsrecht ein, und sind deshalb hessische Bürger des Odenwaldes in Lautenbach erschossen worden.

4. Sie gestattet den Truppen solcher Regierungen, welche die Reichsverfassung nicht anerkannt haben, den Einzug.

5. Auf die am 28. d.M. durch den Reichstagsabgeordneten Löwe der hessischen Regierung gemachte Aufforderung, alle dem badischen Lande feindlichen Durchzüge zu verweigern, geht die hessische Regierung nicht ein.

6. General Schäfer erklärte durch einen Parlamentär, daß er auf jeden badischen Soldaten, der das hessische Gebiet betrete, Jagd machen lassen würde.

7. Auch badische Bürger werden auf der hessischen Grenze zurückgewiesen.

8. General Schäfer hat wiederholt gedroht, sobald die Preußen angelangt seien, in Baden und in der Pfalz einzurücken, und hat in diesem Augenblicke sogar die eigne friedliche Stadt Worms wegen ihrer der Reichsverfassung entschieden zugetanen Gesinnung bombardiert.

Im Angesichte dieser drohenden Gefahr gebietet die Pflicht sowohl als das Recht der Selbsterhaltung, daß die badische Armee diejenigen Punkte besetzt, welche der Feind als Angriffspunkte gegen Baden benützen dürfte.

Wir beabsichtigen nicht, Krieg gegen die Hessen zu führen, das liegt ebenso auf der Hand, als wir es hiermit feierlich erklären.

Wir suchen durch unsern Einmarsch in Hessen lediglich zu bewirken, daß die hessische Regierung den feindlichen Truppen den Durchmarsch nicht gestatte und ihre eigenen Truppen auf die Verfassung vereidigen lasse.

Dabei ergreifen wir die Gelegenheit, vielfach ausgestreuten Verdächtigungen der reaktionären Partei gegen das badische und pfälzische Volk sowie gegen die aus freiem Vertrauen der Bürger an dessen Spitze getretenen Behörden entgegenzutreten. Es ist die zum Ekel wiederholte Beschuldigung, daß die ganze Schilderhebung nicht die Anerkennung der deutschen Reichsverfassung, sondern die Einführung der roten Republik zum Zwecke habe. Wie auch hierüber die Ansichten einzelner beschaffen sein mögen, soviel kann mit vollster Gewißheit versichert werden, wie es denn auch offen vor den Augen aller Welt liegt:

a. daß eben nur die Feststellung und Sicherung der von der deutschen

Nationalversammlung endgültig beschlossenen Reichsverfassung und der darin gesetzlich festgestellten Rechte und Freiheiten des Volkes gegenüber den unverhohlen auftretenden, auf die russische Allianz gestützten despotischen Gelüsten der Fürsten, der Zweck der Bewegung ist;

b. daß nur teils die Untreue, ja der offene Verrat seitens der meisten Regierungen der deutschen Einzelstaaten, teils die allermindestens schwankende zweideutige Haltung derselben, die Männer, welche an der Spitze der Bewegung stehen, jenen großen ungewöhnlichen Verhältnissen gegenüber zu entschiedenen ungewöhnlichen Maßregeln gedrängt haben, wie sie allein geeignet waren, das Vaterland und die Freiheit zu retten, wozu sie sich um so mehr durch ihre Vaterlandsliebe und Pflichtgefühl gedrängt fühlen mußten, als es zugleich galt, das badische Land, welches durch verräterische Einflüsterungen des Ministeriums Bekk in solchen Tagen jeder oberen Leitung durch die Flucht der Behörden und des Fürsten beraubt war, vor Anarchie zu schützen;

c. daß niemand mehr als sie selbst den Augenblick mit Sehnsucht erwarten kann, wo sie ihr ebenso schwieriges als gefährliches Amt nach befriedigender Lösung ihrer großen Aufgabe, soweit dieselbe in ihren Kräften liegt, in die Hände des Volks zurückgeben können, aus denen sie dasselbe empfangen, worauf es Sache eben dieses Volkes sein wird, dem sie hierbei in keiner Weise vorgreifen dürfen und wollen, über die definitive Ordnung der öffentlichen Verhältnisse im Lande zu entscheiden.

Allerdings ist die Frage der deutschen Nationaleinigung, welche den Kern der ganzen Bewegung bildet, neuerdings dadurch in eine schwierigere Lage getreten, daß: 1. nicht nur das vom deutschen Reichsverweser kürzlich berufene Ministerium Grävell gleich bei seinem Amtsantritt von der Nationalversammlung mit einem wohlverdienten Mißtrauensvotum begrüßt worden ist, sondern auch 2. die Zentralgewalt selbst in ihrer jetzigen Gestalt bei der offenen pflichtwidrigen Weigerung des Reichsverwesers, die Verfassung auf jede Weise durchzuführen und überhaupt die Beschlüsse der konstituierenden Versammlung ins Werk zu setzen, von dieser letzteren, deren Geschöpf sie war, aufgehoben und ihre anderweitige Gründung beschlossen worden ist.

Demungeachtet aber bleibt uns als unverrückbarer Halt- und Mittelpunkt unserer Bestrebungen, welcher uns vor jedem Abirren nach irgendwelcher Seite hin schützt, die deutsche Nationalversammlung selbst und das von ihr vollendete Verfassungswerk.

Gereinigt von den Feigen und Verrätern, die jeden Aufschwung zu großen energischen Beschlüssen hemmten, bleibt uns in ihr ein kleiner Haufe fester getreuer Männer, auf welche das Vaterland mit Stolz und Vertrauen blickt, deren Reihen sich von Tag zu Tag durch gleich mutige Gesinnungsgenossen von nah und fern verstärken. Und ginge die Versammlung selbst zugrunde, was Gott und das deutsche Volk verhüten werden, so bleibt uns als ein unvergängliches Vermächtnis ihr Werk, die Reichsverfassung, um das sich alle deutschen Herzen in Nähe und Ferne scharen und die als ein siegreiches Schild vor ihren Kämpfern einherschreitet, das ihnen überall, selbst in den Reihen gezwungener Gegner, Bundesgenossen schafft, welche nur der Gelegenheit harren, sich mit ihnen zu vereinigen und die Waffen gegen dieselben Schergen des Despotismus zu kehren, welche sie ihnen gegen ihre Brüder aufgedrungen haben.

Darum mutig und treu! Der Worte und Schwüre sind genug. Die Zeit der Taten ist gekommen. Das Nächste gilt es ins Auge zu fassen, um nicht über die Bedenken künftiger Gestaltung die Gegenwart zu verlieren, den letzten Augenblick zu versäumen, in welchem die Errungenschaften der Märzrevolution vor der offenen Konterrevolution der Kabinette noch zu retten sind. Es gilt alles einzusetzen, weil alles zu verlieren ist. Nicht Republik oder Konstitutionalismus, sondern Freiheit oder Knechtschaft, russisch oder deutsch, das ist jetzt die Frage. Dem Bunde der Fürsten muß sich der Bund der Völker entgegenstellen. Die Streiter des Volks werden nicht ausbleiben, nehmt sie auf wie Eure Brüder!

Der Oberbefehlshaber der badischen Truppen:
Franz Sigel, Major.
Der demselben beigegebene Zivilkommissar:
Franz Raveaux, Reichstagsabgeordneter.

i) Friedrich Engels über Verlauf und Ergebnis der Reichsverfassungskampagne, Mai-Juli 1849

Friedrich Engels: Die Reichsverfassungskampagne, in: Marx/Engels: Werke, Bd. 7, Berlin 1960, S. 196f.

Die Reichsverfassungskampagne ging zugrunde an ihrer eigenen Halbheit und innern Misere. Seit der Juniniederlage 1848 steht die Frage für den zivilisierten Teil des europäischen Kontinents so: entweder Herrschaft des revolutionären Proletariats oder Herrschaft der Klassen, die vor dem Februar herrschten. Ein Mittelding ist nicht mehr möglich. In Deutschland namentlich hat sich die Bourgeoisie unfähig gezeigt zu herrschen; sie konnte ihre Herrschaft nur dadurch gegenüber dem Volk erhalten, daß sie sie an den Adel und die Bürokratie wieder abtrat. In der Reichsverfassung versuchte die Kleinbürgerschaft, verbündet mit der deutschen Ideologie, eine unmögliche Ausgleichung, die den Entscheidungskampf abschieben sollte. Der Versuch mußte scheitern: denjenigen, denen es ernst war mit der Bewegung, war es nicht ernst mit der Reichsverfassung, und denen es ernst war mit der Reichsverfassung, war es nicht ernst mit der Bewegung.

Die Reichsverfassungskampagne hat aber darum nicht minder bedeutende Resultate gehabt. Sie hat vor allem die Situation vereinfacht. Sie hat eine endlose Reihe von Vermittlungsversuchen abgeschnitten: nachdem sie verloren ist, kann nur die etwas konstitutionalisierte feudalbürokratische Monarchie siegen oder die wirkliche Revolution. Und die Revolution kann in Deutschland nicht eher mehr abgeschlossen werden als mit der vollständigen Herrschaft des Proletariats.

Die Reichsverfassungskampagne hat ferner in den deutschen Ländern, wo die Klassengegensätze noch nicht scharf entwickelt waren, zu ihrer Entwicklung bedeutend beigetragen. Namentlich in Baden. In Baden bestanden, wie wir sehen, vor der Insurrektion fast gar keine Klassengegensätze. Daher die anerkannte Herrschaft der Kleinbürger über alle Oppositionsklassen, daher die scheinbare Einstimmigkeit der Bevölkerung, daher die Raschheit, mit der die Badenser wie die Wiener von der Opposition in die Insurrektion übergehn, bei jeder Gelegenheit einen Aufstand versuchen und selbst den Kampf im offnen Feld mit einer regelmäßigen Armee nicht scheuen. Sobald aber die Insurrektion ausgebrochen war, traten die Klassen bestimmt hervor, schieden sich die Kleinbürger von den Arbeitern und Bauern. In ihrem Repräsentanten Brentano blamierten sie sich auf ewige Zeiten. Sie selbst sind durch die preußische Säbelherrschaft so zur Verzweiflung getrieben, daß sie jetzt jedes Regime, selbst das der Arbeiter, dem jetzigen Druck vorziehn; sie werden einen viel tätigeren Anteil an der nächsten Bewegung nehmen als an jeder bisherigen; aber glücklicherweise werden sie nie wieder die selbständige, herrschende Rolle spielen können wie unter der Diktatur Brentanos. Die Arbeiter und Bauern, die unter der jetzigen Säbelherrschaft ebensosehr leiden wie die Kleinbürger, haben die Erfahrung des letzten Aufstands nicht umsonst gemacht; sie, die außerdem ihre gefallenen und gemordeten Brüder zu rächen haben, werden schon dafür sorgen, daß bei der nächsten Insurrektion sie und nicht die Kleinbürger das Heft in die Hand bekommen. Und wenn auch keine insurrektionellen Erfahrungen die Klassenentwickelung ersetzen können, die nur durch einen langjährigen Betrieb der großen Industrie erreicht wird, so ist doch Baden durch seinen letzten Aufstand und dessen Folgen in die Reihe der deutschen Provinzen getreten, die bei der bevorstehenden Revolution eine der wichtigsten Stellen einnehmen werden.

Politisch betrachtet, war die Reichsverfassungskampagne von vornherein verfehlt. Militärisch betrachtet, war sie es ebenfalls. Die einzige Chance ihres Gelingens lag außerhalb Deutschlands, im Sieg der Republikaner in Paris am 13. Juni - und der 13. Juni schlug fehl. Nach diesem Ereignis konnte die Kampagne nichts mehr sein als eine mehr oder minder blutige Posse. Sie war weiter nichts. Dummheit und Verrat ruinierten sie vollends. Mit Ausnahme einiger weniger waren die militärischen Chefs Verräter oder unberufene, unwissende und feige Stellenjäger, und die wenigen Ausnahmen wurden überall von den übrigen wie von der Brentanoschen Regierung im Stich gelassen. Wer bei der bevorstehenden Erschütterung keine anderen Titel aufzuweisen hat als die, Heckerscher General oder Reichsverfassungsoffizier gewesen zu sein, verdient, sogleich die Tür gewiesen zu bekommen. Wie die Chefs, so die Soldaten. Das badische Volk hat die besten kriegerischen Elemente in sich; in der Insurrektion wurden diese Elemente von vornherein so verdorben und vernachlässigt, daß die Misere daraus entstand, die wir des breiteren geschildert haben. Die ganze »Revolution« löste sich in eine wahre Komödie auf, und es war nur der Trost dabei, daß der sechsmal stärkere Gegner selbst noch sechsmal weniger Mut hatte.

Aber diese Komödie hat ein tragisches Ende genommen, dank dem Blutdurst der Konterrevolution. Dieselben Krieger, die auf dem Marsch oder dem Schlachtfelde mehr als einmal von panischem Schrecken ergriffen wurden, sie sind in den Gräben von Rastatt gestorben wie die Helden. Kein einziger hat gebettelt, kein einziger hat gezittert. Das deutsche Volk wird die Füsilladen* und die Kasematten von Rastatt nicht vergessen; es wird die großen Herren nicht vergessen, die diese Infamien befohlen haben, aber auch nicht die Verräter, die sie durch ihre Feigheit verschuldeten: die Brentanos von Karlsruhe und von Frankfurt.

---

* Massenweise standrechtliche Erschießung.

Die Reaktion nach der Niederschlagung der Revolution

a) Gesetz betreffend das Vereins- und Versammlungsrecht in Baden (Auszug), 26. Februar 1851

Großherzoglich Badisches Regierungsblatt Nr. XIV, 1851, S. 143 ff.

Abschnitt II. Von den Vereinen

1. Von politischen Vereinen

§ 3 Vereine, welche eine Einwirkung auf politische Angelegenheiten bezwecken, haben die Verpflichtung, aus den Vereinsgliedern Vorsteher zu wählen und Statuten aufzusetzen, welche den Zweck und die Wirksamkeit des Vereins genau bezeichnen. Das Verzeichnis der Vorsteher und Mitglieder sowie die Statuten sind binnen drei Tagen nach der Gründung - und etwaige Änderungen derselben oder der Vereinsvorsteher binnen drei Tagen, nachdem sie eingetreten - der Bezirkspolizeibehörde vorzulegen; auch ist derselben jede auf den Verein bezügliche Auskunft auf Verlangen zu erteilen. Über diese Anzeige hat die Bezirkspolizeibehörde sofort eine Bescheinigung auszustellen. - Die Änderungen im Stande der Mitglieder sind jährlich zur Anzeige zu bringen, wenn dies nicht früher verlangt wird.

§ 4 Nichtdeutsche können nicht Mitglieder politischer Vereine im Großherzogtum sein.

§ 5 Minderjährige können weder Mitglieder politischer Vereine sein, noch an den Verhandlungen in den Versammlungen derselben teilnehmen.

§ 6 Politischen Vereinen ist nicht gestattet, mit anderen politischen Vereinen zu gemeinsamen Zwecken in Verbindung zu treten, insbesondere nicht in der Art, daß entweder die einen den Beschlüssen und Organen des anderen unterworfen oder mehrere solche Vereine unter einem gemeinsamen Organe zu einem gegliederten Ganzen vereinigt werden. Auch ist ihnen untersagt, Beschlüsse in der Form von Gesetzen, Verordnungen, Rechtssprüchen oder anderen Erlassen der öffentlichen Behörden zu fassen.

§ 7 Kein Staatsgebäude oder Gemeindehaus oder zum Gottesdienst bestimmtes Gebäude darf, selbst nicht vorübergehend oder für einzelne Fälle, zur Abhaltung von Versammlungen eines politischen Vereins benützt werden.

§ 8 Insoweit nicht Ort und Zeit der jeweiligen Versammlungen eines politischen Vereins durch die Statuten oder sonst der Bezirkspolizeibehörde im allgemeinen zum voraus angezeigt sind, ist jede einzelne Versammlung desselben, und andernfalls jede (unregelmäßig) zu einer anderen Zeit oder an einem anderen Orte abzuhaltende, wenigstens vierundzwanzig Stunden vorher der Bezirkspolizeibehörde zur Kenntnis zu bringen, welche darüber sofort eine Bescheinigung zu erteilen hat.

Beginnt eine Versammlung nicht spätestens eine Stunde nach der in der Anzeige angegebenen Zeit, so ist die später beginnende Versammlung als vorschriftsmäßig angezeigt nicht anzusehen. Dasselbe gilt, wenn eine Versammlung die länger als eine Stunde ausgesetzte Verhandlung wieder aufnimmt.

Die Einladungen zu den nicht regelmäßigen Versammlungen müssen immer mit den Unterschriften derjenigen, welche sie ergehen lassen, versehen sein.

§ 9 Zu solchen Versammlungen (§ 8) kann die Polizeibehörde einen oder zwei öffentliche Beamte oder andere Bevollmächtigte abordnen. Dieselben müssen, soweit sie nicht eine Dienstkleidung tragen, durch ein besonderes Abzeichen kennbar und jedenfalls mit einer Vollmachtsurkunde versehen sein. Es ist ihnen in der Versammlung der von ihnen verlangte Platz einzuräumen. - Sie können vom Vorstande verlangen, daß ihnen Name, Stand und Wohnort der aufgetretenen Redner angegeben werden.

§ 10 Den Vorsitzenden, Vorstehern und Schriftführern dieser Versammlungen liegt es ob, für Aufrechthaltung der Ordnung und des Gesetzes Sorge zu tragen. - Sie sind verpflichtet, den Rednern, welche durch ihren Vortrag die Gesetze verletzen oder zu strafbaren Handlungen auffordern oder anreizen, das Wort zu entziehen und, wenn ihren Anordnungen nicht sofort Folge geleistet wird, die Versammlung aufzulösen. - Das gleiche hat zu geschehen, wenn überhaupt durch die Fortsetzung der Versammlung in irgendeiner Weise die öffentliche Sicherheit oder das öffentliche Wohl als bedroht erscheint.

§ 11 Die Abgeordneten der Polizeibehörden können, vorbehaltlich des gegen die Beteiligten einzuleitenden Strafverfahrens, den Vorstand zur Auflösung der Versammlung auffordern oder nach Umständen diese Aufforderung selbst aussprechen, wenn 1. Vorträge gehalten, Anträge oder Vorschläge erörtert oder Äußerungen getan werden, die zu Gesetzesübertretungen auffordern oder anreizen oder überhaupt geeignet sind, die öffentliche Sicherheit oder das öffentliche Wohl zu bedrohen; 2. die Bescheinigung über die vorgeschriebene Anzeige (§ 8) nicht vorgelegt werden kann oder sonst die Anzeige nach den Bestimmungen des § 8 nicht als vorschriftsmäßig gemacht anzusehen ist; 3. Personen, welche bewaffnet erscheinen, der Aufforderung der obrigkeitlichen Personen ungeachtet, nicht entfernt werden.

§ 12 Nach ausgesprochener Auflösung (§§ 10 und 11) sind alle Anwesenden verpflichtet, sogleich sich zu entfernen. Geschieht dies auf die erste Aufforderung nicht, so kann die Auflösung durch die bewaffnete Macht zur Ausführung gebracht werden.

§ 13 Vereine, welche den Bestimmungen der §§ 3, 7 und 8 entgegenhandeln oder die Zulassung der Abgeordneten der Polizeibehörde zu ihren Versammlungen verweigern oder vereiteln (§ 9), können sogleich von der Polizeibehörde geschlossen werden.

b) Beschluß zur Aufrechterhaltung der gesetzlichen Ordnung und Ruhe im Deutschen Bunde, insbesondere das Vereinswesen betreffend (Auszug), 13. Juli 1854

Frolinde Balser: Sozial-Demokratie 1848/49-1863. Die erste deutsche Arbeiterorganisation »Allgemeine Arbeiterverbrüderung« nach der Revolution. Quellen, Stuttgart 1962, S. 597f.

Da es im Interesse der gemeinsamen Sicherheit und Ordnung geboten erscheint, allgemeine Grundsätze für das Vereinswesen in den sämtlichen deutschen Bundesstaaten aufzustellen, so haben sich die höchsten und hohen Bundesregierungen über nachstehende Bestimmungen vereinigt:

§ 1 In allen deutschen Bundesstaaten dürfen nur solche Vereine geduldet werden, die sich darüber genügend auszuweisen vermögen, daß ihre Zwecke mit der Bundes- und Landesgesetzgebung in Einklang stehen und die öffentliche Ordnung und Sicherheit nicht gefährden.

§ 2 Die einzelnen Bundesregierungen werden demnach die nötigen Anordnungen treffen, um von der Einrichtung und den Zwecken eines jeden Vereines sowohl im Beginne als im Laufe seiner Existenz und Wirksamkeit Kenntnis nehmen zu können.

§ 3 In Beziehung auf politische Vereine insbesondere muß, sofern derartige Vereine nicht nach Maßgabe der Landesgesetzgebung überhaupt untersagt sind oder doch einer für jeden Fall besonders zu erteilenden obrigkeitlichen Genehmigung bedürfen, die betreffende Staatsregierung sich in der Lage befinden, nach Maßgabe der Umstände, besondere vorübergehende Beschränkungen und Verbote erlassen zu können.

§ 4 Allgemein sind für politische Vereine noch folgende Beschränkungen zur Geltung zu bringen:

1. Minderjährige, Lehrlinge und Schüler dürfen sich an solchen Vereinen nicht beteiligen.
2. Jede Verbindung mit anderen Vereinen ist unstatthaft.

§ 5 In allen Bundesstaaten muß der Landesregierung nicht nur das Recht zustehen, die Versammlungen solcher Vereine, welche, ohne im Besitze einer besonderen staatlichen Anerkennung beziehungsweise Genehmigung zu sein, sich mit öffentlichen Angelegenheiten beschäftigen, obrigkeitlich überwachen zu lassen, sondern es muß den betreffenden obrigkeitlichen Abgeordneten auch überall die Befugnis eingeräumt werden, jede Versammlung eines solchen Vereins aufzulösen, sofern entweder die ihren Zusammentritt bedingenden Förmlichkeiten nicht beachtet worden sind oder aber der Inhalt der Verhandlungen eine in der Notwendigkeit der Aufrechterhaltung der Gesetze sowie der öffentlichen Sicherheit und Ordnung begründete Veranlassung darbietet.

§ 6 Die bewaffnete Macht darf sich nicht anders als auf Befehl versammeln und weder in noch außer dem Dienst beratschlagen; Versammlungen und Vereine jedes Teils der stehenden Heere und der Landwehr zur Beratung oder Beschlußfassung über militärische Befehle und Anordnungen sind auch dann, wenn dieselben nicht zusammenberufen sind, untersagt.

§ 7 Zuwiderhandlungen gegen die aus Anlaß vorstehender Bestimmungen in den einzelnen Bundesstaaten getroffenen Anordnungen sind mit entsprechenden Strafen zu belegen.

§ 8 Im Interesse der gemeinsamen Sicherheit verpflichten sich sämtliche Bundesregierungen ferner, die in ihren Gebieten etwa noch bestehenden Arbeitervereine und Verbrüderungen, welche politische, sozialistische oder kommunistische Zwecke verfolgen, binnen zwei Monaten aufzuheben, und die Neubildung solcher Verbindungen bei Strafe zu verbieten.

Die Arbeiterbildungsvereine

a) Bericht August Bebels über seinen Aufenthalt in Freiburg, Sommer 1858

August Bebel: Ausgewählte Reden und Schriften, hrsg. von Horst Bartel u. a., Berlin 1983, Band 6, S. 28f.

In Freiburg (Breisgau) verlebte ich einen sehr angenehmen Sommer. Freiburg ist nach seiner Lage eine der schönsten Städte Deutschlands; seine Wälder sind bezaubernd, der Schloßberg ist ein herrliches Stückchen Erde, und zu den Ausflügen in die Umgegend locken Dutzende prächtig gelegener Orte. Aber was mir fehlte, war entsprechender Anschluß an gleichgesinnte Leute. Ein Zusammenhang mit Fachgenossen bestand zu jener Zeit nicht, und in meiner Werkstatt war ich der einzige Gehilfe. Die Zunft war aufgehoben, und neue Gewerkschaftsorganisationen gab es noch nicht. Politische Vereine, denen man als Arbeiter hätte beitreten können, existierten ebenfalls nicht. Noch herrschte überall in Deutschland die Reaktion. Für reine Vergnügungsvereine hatte ich aber keinen Sinn und auch kein Geld. Da hörte ich von der Existenz des katholischen Gesellenvereins, der am Karlsplatz sein eigenes Vereinshaus hatte. Nachdem ich mich vergewisserte, daß auch Andersgläubige Aufnahme fänden, trat ich, obgleich ich damals Protestant war, demselben bei.

Während meines Aufenthaltes in Süddeutschland und in Österreich habe ich in Freiburg und Salzburg dem katholischen Gesellenverein als Mitglied angehört und habe es nicht bereut. Der Kulturkampf bestand zum Glück zu jener Zeit noch nicht. In diesen Vereinen herrschte daher auch damals gegen Andersgläubige volle Toleranz. Der Präses des Vereins war stets ein Pfarrer. Der Präses des Freiburger Vereins war der später im Kulturkampf sehr bekannt gewordene Professor Alban Stolz. Die Mitgliedschaft wurde durch den von den Mitgliedern gewählten Altgesellen repräsentiert, der nach dem Präses die wichtigste Person war. Es wurden zeitweilig Vorträge gehalten und Unterricht in verschiedenen Fächern erteilt, so zum Beispiel im Französischen. Die Vereine waren also eine Art Bildungsvereine; wie diese Gesellenvereine später sich gestaltet haben, darüber vermag ich nichts zu sagen. In dem Vereinszimmer fand man eine Anzahl allerdings nur katholischer Zeitungen, aus denen man aber doch erfahren konnte, was in der Welt vorging. Das war für mich, der schon am Ende der Schuljahre und nachher in den Lehrjahren, als der Krimkrieg entbrannt war, sich lebhaft um Politik bekümmerte, eine Hauptsache.

Auch das Bedürfnis nach Umgang mit gleichalterigen und strebsamen jungen Leuten fand hier seine Befriedigung. Ein eigenartiges Element im

Verein waren die Kapläne, die, jung und lebenslustig, froh waren, daß sie gleichalterigen Elementen sich anschließen konnten. Ich habe einige Male mit solchen jungen Kaplänen die vergnügtesten Abende verlebt. Einen solchen Abend verbrachte ich unter anderen in München, indem ich das Gesellenvereinshaus auf der Rückreise von Salzburg besuchte und darin wohnte, und zwar Anfang März 1860. Verließ das Gesellenvereinsmitglied den Ort, so bekam es ein Wanderbuch mit, das es in den Gesellenvereinen und bei den Pfarrhelfern, falls es bei diesen um Unterstützung vorsprechen wollte, legitimierte. Ich bin noch heute Besitzer eines solchen Buches, in dem auf der ersten Seite der heilige Josef mit dem Christkindlein auf dem Arme abgebildet ist. Der heilige Josef ist der Schutzpatron der Gesellenvereine. Den Gründer der Vereine, Pfarrer Kolping, damals in Köln, der, irre ich nicht, selbst in seiner Jugend Schuhmachergeselle war, lernte ich in Freiburg im Breisgau kennen, woselbst er eines Tages einen Vortrag hielt.

b) Statuten des Arbeiterbildungsvereins Freiburg (Auszug), 17. Februar 1861

Stadtarchiv Freiburg, C2, 60/13, Faszikel 1.

§ 1 Unter dem Namen »Arbeiterfortbildungsverein« hat sich eine Anzahl hiesiger Handwerksgehilfen vereinigt, um gemeinschaftlich in allen dem Handwerker unentbehrlichen Zweigen des Wissens sich auszubilden, den Gesang zu pflegen und in Erholungsstunden belehrende und anständige Unterhaltung zu finden. Ferner soll eine Kasse zu gegenseitiger Hilfeleistung in Krankheit und Not und zur Abreichung einer Unterstützung für Wandernde anderer in Verbindung tretender Vereine sowie eine Sparkasse gegründet werden.

§ 2 Die Vereinsmitglieder erhalten wöchentlich mehrmals Unterricht in Geschäftsschreiben, Geschäftsrechnungen, in der Buchhaltung, im Vortrage usw. und zweimal in der Woche gemeinschaftlichen Gesangsunterricht; die Abende an Sonn- und Feiertagen sind der geselligen und belehrenden Unterhaltung gewidmet.

Im Vereinslokal wird eine Büchersammlung teils belehrenden, teils anständig unterhaltenden Inhalts zum täglichen Gebrauch für die Vereinsmitglieder aufgestellt.

Ausgeschlossen von den Besprechungen und Vorträgen der Vereinsmitglieder bleiben Erörterungen über Politik und konfessionelle Gegensätze.

Im Interesse der Vereinszwecke stellt sich der Arbeiterfortbildungsverein unter den Schutz des hiesigen Gewerbevereins.

§ 3 Vereinsmitglieder. Der Verein besteht aus ordentlichen und Ehrenmitgliedern. - Als ordentliche Mitglieder werden alle in hiesiger Stadt befindlichen Handwerksgehilfen von unbescholtenem Rufe aufgenommen, und zwar ohne Unterschied der Konfession. - Jeder hiesige Meister oder Freund der Gewerbe kann dem Verein als Ehrenmitglied beitreten.

Jede Anmeldung zur Aufnahme wird während zweier Wochen durch Namensanschlag im Gesellschaftszimmer den Vereinsmitgliedern bekannt gemacht, während welcher Zeit der Angemeldete im Verein als Gast Zutritt hat. Erhebt sich in dieser Zeit unter den Mitgliedern kein Widerspruch gegen die Aufnahme, so ist der Angemeldete aufgenommen. Im andern Falle aber findet nach Ablauf der zwei Wochen geheime Abstimmung im Vereine über seine Aufnahme statt, wobei einfache Stimmenmehrheit entscheidet und dem Angemeldeten sofort durch den Vorstand das Ergebnis der Abstimmung (mündlich oder schriftlich) bekannt gemacht wird. - Wiederanmeldung eines Abgewiesenen ist nach Umfluß eines Vierteljahres vom Tage der Abweisung an statthaft.

§ 4 Alle Mitglieder sind verpflichtet, die angegebenen Zwecke des Vereins nach Kräften zu fördern und durch ehrbares, charaktervolles Benehmen in und außer dem Vereine das Ansehen des Arbeiterstandes aufrecht zu halten und zu mehren. Sie haben das Recht, an allen Versammlungen, Unterrichtsstunden des Vereins teilzunehmen, Stimmrecht auszuüben, Anträge zu stellen und das Eigentum des Vereins reglementarisch zu benützen.

Sie verpflichten sich ferner, die ihnen geliehenen Bücher etc. wieder in gutem, unversehrtem Zustande zurückzugeben oder Ersatz dafür zu leisten; wer mit den Beiträgen durch zwei Monate im Rückstande bleibt, soll gemahnt und im dritten Monate ausgeschlossen werden; die Wiederaufnahme findet statt, wenn alle Verbindlichkeiten wieder geordnet sind.

§ 5 Aus dem Verein wird ausgeschlossen, wer absichtlich Vereinseigentum verletzt, wer in Vereinsversammlungen sich beleidigende Handlungen zuschulden kommen läßt, wer überhaupt sich entehrender Handlungen schuldig macht oder trotz mehrfacher Ermahnung seinen Pflichten als Vereinsmitglied nicht nachkommt. - Ausschließung kann nur durch eine Mehrheit von zwei Dritteln der Vereinsmitglieder erkannt werden. - Die Abstimmung ist geheim.

§ 6 Austritt aus dem Verein ist jedem Mitglied gestattet unter der Bedingung, daß es den Beitrag für den laufenden Monat bezahlt.

§ 7 Vereinsvorstand. Derselbe besteht aus: 1. dem Vorsteher, 2. dessen Stellvertreter, 3. dem Rechner, 4. dem Schriftführer und 5. fünf Beisitzern. - Diese Beamten werden auf Jahresdauer gewählt und sind nach Ablauf dieser Dienstzeit wieder wählbar. Zu den Ämtern des Vorstehers, seines Stellvertreters und des Rechners können nur Ehrenmitglieder zugelassen werden.

Die Wahl erfolgt durch geheime Abstimmung, und es entscheidet einfache Stimmenmehrheit. Wird von einem Gewählten die Wahl nicht angenommen oder tritt er während des Amtsjahres aus, so rückt derjenige an seine Stelle, der nach ihm für das betreffende Amt bei der Wahl die meisten Stimmen hatte.

§ 8 Alle Änderungen der Statuten, welche vom Vorstande in voller Versammlung beraten sind, sollen der Generalversammlung vorgelegt und von dieser genehmigt werden.

§ 9 Die Vereinsbeamten wachen über die Beobachtung der Statuten und über das Vereinseigentum, sorgen für Lehrkräfte im wissenschaftlichen und Gesangsunterrichte, besorgen die Wahl des Lokals und dessen Instandhaltung, bestimmen die Zeit der Versammlungen und wirken durch Ermahnungen und Drohungen, wenn es erforderlich ist, auf Mitglieder ein, welche die Ehre, das Ansehen und Bestehen des Vereins gefährden.

§ 10 Der Vorsteher vertritt den Verein nach außen, führt in allen Versammlungen den Vorsitz und unterzeichnet alle vom Verein ausgehenden Ausfertigungen. In Abwesenheit desselben tritt der Stellvertreter in das Amt des Vorstehers ein.

Der Schriftführer fertigt alle vom Verein ausgehenden Schreiben und verwaltet alles Vereinseigentum mit Ausnahme der Gelder, welche unter Aufsicht des Rechners stehen; dem letztern ist aus der Zahl der ordentlichen Mitglieder, die im Vorstande sitzen, ein Gehilfe beigegeben. Der Rechner mit seinem Gehilfen besorgt den Einzug der Einnahmen und die Ausgaben des Vereins, führt genaue Buchhaltung und hat jedes Vierteljahr dem Vorstande Rechnung zu stellen. Der Generalversammlung ist jedes Jahr die Rechnung mit Belegen im Monat Januar vorzulegen, sie hat dieselbe durch drei Mitglieder, die nicht zum Vorstande gehören, prüfen zu lassen und über deren Antrag das Nötige zu beschließen.

§ 11 Der Vorstand des Vereins hat mit den übrigen Vereinen des In- und Auslandes sich ins Benehmen zu setzen, damit den hiesigen Mitgliedern überall die nötige Unterstützung und brüderliche Aufnahme zuteil werde.

§ 12 Bezüglich der Kranken-, Unterstützungs- und Sparkasse soll ein besonderes Statut mit Rücksicht auf die hier bereits bestehenden ähnlichen Kassen erarbeitet werden.

§ 13 Wissenschaftlicher Unterricht. Er findet, wo möglich, nicht im Gasthause, sondern im Gesellschaftslokale oder einem Lehrzimmer hiesiger Schulen statt. Er besteht nicht in der Erteilung länger dauernder Kurse, sondern es werden abwechselnd bald diesem, bald jenem Fache einzelne Unterrichtsabende gewidmet.

§ 14 Gesangsunterricht. Er wird im Gesellschaftslokale von einem durch den Vorstand zu bestimmenden Lehrer gegen Honorar erteilt. Die Singhefte werden aus der Vereinskasse angeschafft und bleiben Eigentum des Vereins.

§ 15 Unterhaltungen an Sonn- und Feiertagen. Sie finden von abends 7 bis 10 Uhr statt. Es darf während derselben Speise und Trank verabreicht werden sowie auch geraucht, aber nicht gespielt werden, wie überhaupt

Glücksspiele im Gesellschaftslokale jederzeit untersagt bleiben. – Die Unterhaltung besteht in Gesang, Deklamation, Vorlesung passender Schriften usw. und wo möglich auch in belehrenden Vorträgen.

§ 16 Büchersammlung. Bücher und Schriften des Vereins können jeden Abend, an Sonn- und Feiertagen den ganzen Tag über, im Gesellschaftslokale benutzt werden. Die Art und Weise der Benutzung wird eine vom Ausschusse verfaßte besondere Leseordnung bestimmen. Nachhausenehmen der Schriften wird vom Ausschusse nur in einzelnen Fällen den einzelnen Mitgliedern gestattet.

§ 17 Vereinsbeiträge. Jedes ordentliche Mitglied zahlt an die Vereinskasse einen wöchentlichen Beitrag, wie er jährlich vom Verein durch Abstimmung festgesetzt wird, der jedoch die Summe von 3 Kreuzern für die Woche nicht übersteigen darf. Vom Vereinsbeitrag kann kein Mitglied dispensiert werden. Ehrenmitgliedern bleibt es überlassen, zur so notwendigen Unterstützung des Vereins einen entsprechenden freiwilligen Beitrag zu entrichten. Die Beiträge werden je für 14 Tage voraus bezahlt. Außer dem wöchentlichen Beitrag wird von jedem Neueintretenden ein Eintrittsgeld von 12 Kreuzern erhoben.

§ 18 Schlußbestimmung. Der Verein ist aufgelöst, wenn er nur noch sechs ordentliche Mitglieder zählt. Im Fall der Auflösung geht alles Vereinseigentum für so lange in den unverzinslichen Besitze der hiesigen Gewerbeschule über, bis sich wiederum ein Arbeiterfortbildungsverein von gleichen Grundsätzen wie der jetzige bildet. Hat dieser einmal zwei Monate bestanden, so tritt er in das Eigentumsrecht des ersteren ein.

c) Erster Vierteljahresbericht der Arbeiterbildungsvereine des oberbadischen Gauverbandes für die Zeit vom 1. Januar bis 1. April 1865 (Auszug), Juni 1865

Archiv der sozialen Demokratie der Friedrich-Ebert-Stiftung, Hiko / Bestand »Frühzeit der Arbeiterbewegung«, A 6, Nr. 154.

Gemäß § 7 unseren Verbandsstatuten geben wir hiermit den ersten Vierteljahresbericht über unser Vereinsleben heraus. Es ist aber nicht wohl tunlich, nur das Leben unserer Vereine während obgenannter Daten zu veröffentlichen, sondern wir werden, weil es der erste Vierteljahresbericht ist, zugleich zurückgehen auf die Entstehung unseres Gauverbandes und speziell auf die Entstehung unserer Vereine; es sollen diese Vierteljahresberichte ein Buch fortlaufender Geschichte unseres Vereinslebens sein.

Als in den Jahren 1861–1864 und heute noch an so vielen Orten unseres Vaterlandes die Gründung von Arbeiterbildungsvereinen behufs geistiger und sittlicher Ausbildung des deutschen Arbeiters in die Hand genommen wurde, war es namentlich auch unser Baden, das sich in dieser Sache am rührigsten zeigte, so daß sich die Zahl derselben bei uns auf circa 30 beläuft, im Verhältnis die weitaus höchste in sämtlichen deutschen Staaten.

Von diesen Vereinen verbanden sich in den Jahren 1863/64 vierzehn behufs gegenseitigem freien Eintritt und gegenseitiger Unterstützung ihrer auf der Reise befindlichen Mitglieder vermittelst Abreichung einer Wanderunterstützung; es waren dies die Vereine Freiburg, Emmendingen, Lahr, Staufen, Sulzburg, Müllheim, Kandern, Lörrach, Schopfheim, Zell i.W., Waldshut, Neustadt, Vöhrenbach und Furtwangen; der Verband nannte sich im Hinblick auf seine Lage »Oberbadischer Gauverband«. Wie jedoch so manche junge Pflanze bei nicht gehöriger Pflege oder durch den Sturm eines Gewitters wieder verwelkt, so ging es auch den Vereinen Emmendingen, Kandern und Vöhrenbach, sie haben sich aufgelöst; hierfür ist jedoch ein dieses Frühjahr in Oberkirch gegründeter Verein auch unserm Verband beigetreten. Als solcher Verband sendete er im Juni 1863 Herrn Rechtsanwalt Fehrenbach von Freiburg als Abgeordneten zum ersten Vereinstag deutscher Arbeitervereine nach Frankfurt a. M. Von hier ab bis zum August 1864 fiel im Gauverband als solchem nichts Bemerkenswertes vor.

Auf den 21. August wurde endlich eine allgemeine Gauversammlung nach Müllheim einberufen, um über die Fragen sich zu verständigen, die auf der Tagesordnung zum zweiten deutschen Arbeitertag in Leipzig standen, und einen Abgeordneten dahin zu wählen; ferner das etwas lose Band unseres Gauvereins durch bestimmtere Formen mehr zu befestigen. Als Abgeordneter nach Leipzig wurde wieder Herr Rechtsanwalt Fehrenbach von Freiburg gewählt und die ihm dahin mitzugebenden Instruktionen alle einstimmig gefaßt. (Infolge Verhinderung des Herrn Fehrenbach wurde dann später Schriftsetzer Stöckler, damaliger Vorstand des Vereins Waldshut, nach Leipzig geschickt.) Auf die Frage für bessere Organisation unseres Verbandes einzutreten, blieb in Müllheim keine Zeit mehr übrig, und der Gegenstand wurde auf eine spätere Versammlung verschoben.

Nach der Rückkehr des Abgeordneten teilte er die Leipziger Beschlüsse den einzelnen Vereinen durch Rundschreiben mit; von allen gefaßten Beschlüssen bedauern wir bloß die Ablehnung der von uns so warm befürworteten Einführung der Wanderunterstützung in sämtlichen Vereinen Deutschlands.

Daraufhin wurde eine zweite Gauversammlung auf den 26. Dezember 1864 nach Freiburg einberufen. An Stoff zur Verhandlung fehlte es nicht. Dieselbe war wieder sehr zahlreich und namentlich auch von Freiburger Bürgern und Freunden des Arbeiterstandes stark besucht. Vorsitzender dieser Versammlung war Herr Kreisgerichtsrat Eimer. Nach Eröffnung derselben referierte der Leipziger Abgeordnete noch spezieller über den zweiten deutschen Arbeitertag. Dem folgte die Frage über Errichtung von Herbergen, verbunden mit Arbeitsvermittlung. Die Diskussion war äußerst lebhaft, und es beteiligten sich namentlich auch dabei die anwesenden Gäste Freiburgs. Beschluß: Die Versammlung erklärt es als ein dringendes Bedürfnis, daß von den einzelnen Vereinen je an dem betreffenden Ort für Errichtung von Herbergen für wandernde Arbeiter gesorgt werde.

Der dritte Gegenstand der Tagesordnung war die Frage über Fortführung der bisher im Verbande gereichten Wanderunterstützung, nachdem dieselbe in Leipzig verworfen worden; der Beschluß ging dahin, die Unterstützung fortzuführen und auch andere auswärtige Vereine zum Beitritt einzuladen. Vierter Gegenstand: Besprechung über bessere Organisation unseres Gauverbandes; ein hierfür ausgearbeiteter Statutenentwurf wurde einstimmig angenommen. (Dieselben folgen unten.) Fünfter Gegenstand: »Blaumontagsmachen«. Beschluß: Die Versammlung spricht sich dahin aus, daß das sogenannte »Blaumachen« entehrend für ein Mitglied eines Arbeiterbildungsvereins sei. Bei wiederholten Fällen sei ein solches Mitglied aus dem Vereine auszuschließen. Sechster Gegenstand: Die Errichtung von Sparkassen in den einzelnen Vereinen. Längere Diskussion zwischen den Ansichten, ob jedes Mitglied zu einer wöchentlichen Einlage in die Sparkasse gezwungen werden könne oder nicht. Beschluß: Es soll in jedem Verein die Errichtung von Sparkassen angeordnet und sollen Mitglieder zu Einlagen dringend ermahnt werden. – Als Vorort* für das laufende Jahr wurde Freiburg gewählt. ...**

In Betreff der Rechnungsablage über die Ausgaben an Wanderunterstützung waren einzelne Berichte so unvollkommen, daß es uns nicht möglich ist, eine allgemeine Übersicht hierüber zu geben.

Von der ausgeschriebenen Sechskreuzersteuer sind bis jetzt eingegangen: 43 Gulden 37 Kreuzer; im Rest sind noch die Vereine Lörrach mit 2 Gulden 30 Kreuzer, Furtwangen mit 4 Gulden 36 Kreuzer, Staufen mit 3 Gulden 45 Kreuzer und Müllheim mit 2 Gulden 50 Kreuzer. Wir erwarten binnen drei Wochen die Bezahlung dieser Beträge.

Der Verein Oberkirch, der sich Ende März zur Aufnahme gemeldet hat und dessen wir oben schon erwähnten, wurde einstimmig aufgenommen, und es zählte hiermit unser Gauverband am 1. April d.J. zusammen 598 Mitglieder.

Wenn wir nun noch einen Überblick über das Gesamtergebnis unserer Berichte werfen, so dürfen wir mit Recht dasselbe als ein günstiges bezeichnen. Wo vor wenigen Jahren noch der Arbeiter genötigt war, sich Unterhaltung in Kneipen und anderswo zu suchen, da findet er heute einen Verein, ein Lokal, das ihn beherbergt und ihm die Mittel bietet, nicht nur in geselligen Zusammenkünften die Feierstunden zu verkürzen

---

* Sitz des Vorstands.

** Es folgen Satzung und Berichte der einzelnen Vereine.

und sich Erholung nach angestrengter Tagesarbeit zu gönnen, sondern er findet einen Verein, in dem er sich geistig auszubilden imstande ist, der ihm die Mittel bietet, sich zum tüchtigen Meister, zum wackeren Hausvater, zum geistig und sittlich veredelten Menschen heranzubilden. Sind einmal erst unsere Vereine, die jetzt ja noch im Keimen liegen, allgemein geworden, besitzt erst jedes Städtchen, das Arbeiter zählt, einen Arbeiterbildungsverein, wie hoffnungsvoll wird sich die Zukunft gestalten!

Noch aber können wir nicht umhin, auf einige Übelstände aufmerksam zu machen, welche da und dort in einzelnen Vereinen sich zeigen; wir meinen vor allem das Vereinsschuldnerwesen. Unsere Schuldnerlisten sind gerade keine Zierde unseres Berichtes. Die Ursache scheint uns hier in der lauen Handhabung der Statuten zu liegen, deren die meisten vorschreiben, daß Mitglieder, welche mehr als zwei Monate ihre Beiträge schulden, auszuschließen seien. Nun finden sich aber Restanten mit zehn und noch mehr Monaten, welche nur wegen unvollkommener Handhabung der Statuten so lange Vereinsmitglieder geblieben sein konnten. Ebenso möchten wir dringend auf vorsichtige Wahl der Vorstandsmitglieder aufmerksam machen.

Vor allem aber, und neben den Unterrichtsstunden und der Bibliothek als dringendstes Bedürfnis, empfehlen wir nicht nur die Einführung von Sparkassen, sondern die rege Beteiligung an denselben. Ein spezieller Bericht über den Stand derselben ist uns bloß vom Verein Freiburg zugegangen. Es wird dies eines der wesentlichsten Mittel bilden, die Solidität eines Vereins zu prüfen, und wird die Sparkassenfrage auch auf dem nächsten allgemeinen Arbeitertag in Stuttgart zur Sprache kommen.

Was die Tätigkeit des Gauausschusses betrifft, so bestand dieselbe teils in Korrespondenzen mit den Lokalvereinen unseres Verbandes, teils in solchen mit auswärtigen Vereinen, mit der deutschen »Arbeiterzeitung« usw. Im ganzen haben wir über hundert Briefe, lithographische Korrespondenzen und Pakete spediert und circa sechzig Briefe und Zirkulare empfangen. Unser Hauptaugenmerk richteten wir auf die Erweiterung und Ausdehnung unseres Verbandes auf ganz Baden, wie z.B. für ganz Württemberg auch nur ein Verband existiert. Wir setzten uns ins Einvernehmen mit den größeren Vereinen Mannheim, Heidelberg, Karlsruhe, Pforzheim, Konstanz, Donaueschingen und Radolfzell und erhielten von sämtlichen zusagende Antworten, indem sie sich zur Gründung eines »allgemeinen badischen Gauverbandes« bereit erklärten. Zur näheren Besprechung über diese Frage wird am 23. Juli nächsthin in Karlsruhe eine allgemeine Versammlung badischer Arbeiterbildungsvereine stattfinden, wozu die schriftliche Einladung mit der Tagesordnung dieser Tage an sämtliche Arbeiterbildungsvereine Badens ergehen wird. Bei dieser Frage wird zugleich auch die Wanderunterstützungsfrage ihre Erledigung finden.

Am 20. Februar d.J. schickte der Verein Schopfheim nachstehenden Antrag an den Gauausschuß: »Der Gauverband wolle beschließen, ein eigenes Organ herauszugeben, und zwar monatlich einmal. Dieses Organ soll neben Berichten und Korrespondenzen aus den einzelnen Lokalvereinen des Verbandes namentlich auch zur Besprechung der vom ständigen Ausschuß gestellten Anträge dienen. Zur Deckung der Kosten sei jedes Mitglied des Verbandes verpflichtet, dieses Organ zu halten.«

Bei der Wichtigkeit dieses Gegenstandes setzte sich der Gauausschuß mit den Vorständen des Vereins Freiburg ins Vernehmen, und nach eingehenden Beratungen kam man zu dem Schluß, daß es vorerst nicht rätlich sei, ein eigenes Blatt zu gründen, indem wir einerseits an Mitgliederzahl zu schwach und dadurch der Betrag für den einzelnen zu hoch käme, andererseits und namentlich aber auf unsere »Arbeiterzeitung« Rücksicht zu nehmen sei, deren Existenz dadurch noch mehr geschmälert sein könnte; vielmehr sei darauf hinzuwirken, dieser »Arbeiterzeitung« möglichst große Verbreitung zu sichern.

Es hat sich in neuerer Zeit zwischen dem ständigen Ausschuß und dem Verleger der »Arbeiterzeitung« ein sehr bedauerlicher Zwist entsponnen, der wohl auf dem Arbeitertag in Stuttgart zur Sprache und hoffentlich zum friedlichen Ausgleich kommen wird. Je nachdem sich nun dort die Dinge gestalten, können wir obigen Antrag des Vereins Schopfheims immer wieder in Beratung ziehen.

Ehe wir unsern Bericht schließen, halten wir es noch für unsere Pflicht, den Vereinen Lahr und Schopfheim unsere Anerkennung auszusprechen für ihre immer sofortige pünktliche Besorgung aller stets an sie gestellten Anforderungen.

An alle Mitglieder unseres Verbandes aber richten wir die ernste Aufforderung, mit redlichem Streben zum Gedeihen der Vereine beizutragen, indem wir ihnen die Worte des Dichters ins Gedächtnis rufen:

»Immer strebe zum Ganzen,
Und kannst Du's nicht werden,
Schließe als dienendes Glied
Rastlos dem Ganzen Dich an.«

Mögen dadurch die Arbeiterbildungsvereine bald eine Zierde unseres Vaterlandes, der Stolz der deutschen Nation werden!

Indessen zeichnet mit Handschlag für den Ausschuß zur Leitung der Gauverbandsangelegenheiten:

Fr. Stöckler, z. Z. Vorsitzender

Die Internationale Arbeiterassoziation (IAA)

a) Beschluß des Genfer Kongresses der Internationalen Arbeiterassoziation über die Gewerkschaften, 6. September 1866.

Die I. Internationale in Deutschland, Berlin 1964, S. 142ff.

Gewerksgenossenschaften
Ihre Vergangenheit, Gegenwart und Zukunft

a. Ihre Vergangenheit

Kapital ist konzentrierte gesellschaftliche Macht, während der Arbeiter nur über seine individuelle Arbeitskraft verfügt. Der Kontrakt zwischen Kapital und Arbeit kann deshalb niemals auf gerechten Bedingungen beruhen, gerecht nicht einmal im Sinne einer Gesellschaft, die das Eigentum an den materiellen Mitteln des Lebens und der Arbeit der lebendigen Produktivkraft gegenüberstellt. Die einzige gesellschaftliche Macht der Arbeiter ist ihre Zahl. Die Macht der Zahl wird jedoch durch Uneinigkeit gebrochen. Die Uneinigkeit der Arbeiter wird erzeugt und erhalten durch ihre unvermeidliche Konkurrenz untereinander. Gewerksgenossenschaften entstanden ursprünglich durch die spontanen Versuche der Arbeiter, diese Konkurrenz zu beseitigen oder wenigstens einzuschränken, um Kontraktbedingungen zu erzwingen, die sie wenigstens über die Stellung bloßer Sklaven erheben würden. Das unmittelbare Ziel der Gewerksgenossenschaften beschränkte sich daher auf die Erfordernisse des Tages, auf Mittel zur Abwehr der ständigen Übergriffe des Kapitals, mit einem Wort, auf Fragen des Lohns und der Arbeitszeit. Diese Tätigkeit der Gewerksgenossenschaften ist nicht nur rechtmäßig, sie ist notwendig. Man kann ihrer nicht entraten, solange die heutige Produktionsweise besteht. Im Gegenteil, sie muß verallgemeinert werden durch die Gründung und Zusammenfassung von Gewerksgenossenschaften in allen Ländern. Auf der anderen Seite sind die Gewerksgenossenschaften, ohne daß sie sich dessen bewußt wurden, zu Organisationszentren der Arbeiterklasse geworden, wie es die mittelalterlichen Munizipalitäten und Gemeinden für das Bürgertum waren. Wenn die Gewerksgenossenschaften notwendig sind für den Guerillakrieg zwischen Kapital und Arbeit, so sind sie noch weit wichtiger als organisierte Kraft zur Beseitigung des Systems der Lohnarbeit selbst.

b. Ihre Gegenwart

Die Gewerksgenossenschaften haben sich bisher zu ausschließlich mit dem lokalen und unmittelbaren Kampf gegen das Kapital beschäftigt und haben noch nicht völlig begriffen, welche Kraft sie im Kampf gegen das System der Lohnsklaverei selbst darstellen. Sie haben sich deshalb zu fern von allgemeinen und politischen Bewegungen gehalten. In letzter Zeit scheinen sie jedoch zum Bewußtsein ihrer großen historischen Mission zu erwachen, wie man schließen kann zum Beispiel aus ihrer Beteiligung an der jüngsten politischen Bewegung in England, aus der höheren Auffassung ihrer Funktion in den Vereinigten Staaten und aus folgendem Beschluß der großen Konferenz der Delegierten der Trade-Unions, die kürzlich in Sheffield stattfand: »Diese Konferenz würdigt voll und ganz die Anstrengungen der Internationalen Assoziation, die Arbeiter aller Länder in einem gemeinsamen Bruderbund zu vereinen, und empfiehlt den verschiedenen, hier vertretenen Gesellschaften eindringlich, in diese Assoziation einzutreten, in der Überzeugung, daß sie notwendig ist für den Fortschritt und das Gedeihen der ganzen Arbeiterschaft«.

c. Ihre Zukunft

Abgesehen von ihren ursprünglichen Zwecken müssen sie jetzt lernen, bewußt als organisierende Zentren der Arbeiterklasse zu handeln, im großen Interesse ihrer vollständigen Emanzipation. Sie müssen jede soziale und politische Bewegung unterstützen, die diese Richtung einschlägt. Wenn sie sich selbst als Vorkämpfer und Vertreter der ganzen Arbeiterklasse betrachten und danach handeln, muß es ihnen gelingen, die Außenstehenden in ihre Reihen zu ziehen. Sie müssen sich sorgfältig um die Interessen der am schlechtesten bezahlten Gewerbe kümmern, z.B. der Landarbeiter, die durch besonders ungünstige Umstände ohnmächtig sind. Sie müssen die ganze Welt zur Überzeugung bringen, daß ihre Bestrebungen, weit entfernt, begrenzte und selbstsüchtige zu sein, auf die Emanzipation der unterdrückten Millionen gerichtet sind.

b) Statuten der Internationalen Arbeiterassoziation, Sektionen Basel und Lörrach* (Auszug)

Staatsarchiv Basel, Privatarchive 751, 01, 1868–1869, p. 98.

§ I Zweck

Art. 1 Der Zweck der internationalen Assoziation ist: durch Vereinigung der Arbeiter aller Berufsarten, die Verbesserung der Lage sowohl des einzelnen Arbeiters als der gesamten Arbeiterklasse ohne Rücksicht auf Rasse und Religion zu erstreben.

Art. 2 Alle hiermit einverstandenen Arbeiter und Arbeiterkorporationen erkennen als Grundlage ihrer Aufgabe die Wahrheit, Gerechtigkeit und Sittlichkeit.

Art. 3 Sie machen es sich zur Aufgabe, nicht nur für alle die Rechte des Menschen und des Bürgers zu fordern, sondern auch die hieraus entspringenden Pflichten zu erfüllen. Keine Rechte ohne Pflichten, keine Pflichten ohne Rechte!

§ II Aufnahme

Art. 4 Jeder Arbeiter von gutem Rufe kann als Mitglied in die Assoziation aufgenommen werden.

Art. 5 Die Mitglieder von den in der Internationalen Arbeiterassoziation durch Delegierte vertretenen Gesellschaften können nach Vorweisung ihres speziellen Gesellschaftsbüchelchens und auf Befürwortung ihres Delegierten den Generalversammlungen zwar beiwohnen, jedoch erst dann an den Verhandlungen und Beschlüssen teilnehmen, wenn sie als ordentliche Mitglieder in die Internationale Arbeiterassoziation aufgenommen sind.

Art. 6 Jedes Mitglied erhält gleich nach seiner Aufnahme gegenwärtiges Reglement, dem ein Büchelchen zur Aufzeichnung der monatlichen Beiträge beigefügt und worin zugleich Vor- und Zuname, Alter, Stand und die Nummer des Mitgliederverzeichnisses nach der Ordnung der Aufnahme vorgemerkt ist. Dieses Büchelchen ist vom Präsidenten, Sekretär und Kassier unterzeichnet und mit dem Gesellschaftssiegel versehen.

---

* Aus der Akte GLA Karlsruhe, 236/8197, ist zu entnehmen, daß die Statuten der IAA Lörrach weitgehend mit denen der Baseler IAA übereinstimmen. Vgl. auch Dok. 8d.

Art. 7 Jedes Mitglied irgendeines nicht durch einen Delegierten vertretenen Arbeitervereins kann auf einfache Vorlegung seines Vereinsbüchleins in die Assoziation aufgenommen werden, und wird es vom Komitee dem besonderen Beistand zweier Assoziationsmitglieder empfohlen.

§ III Geldbeiträge

Art. 8 Die monatlichen Geldbeiträge sind provisorisch auf 40 Centimes festgesetzt.

Art. 9 Jedes Mitglied, das mit der Zahlung seiner Geldbeiträge ohne genügende Ursache drei Monate im Rückstand ist, wird als ausgetreten betrachtet und kann, solange es den rückständigen Betrag nicht entrichtet hat, den Generalversammlungen nicht beiwohnen. Kranke und arbeitslose Mitglieder sind von Beiträgen frei.

§ IV Rechte und Pflichten

Art. 10 Jedes Mitglied verpflichtet sich durch seine Aufnahme, dieses Reglement und die Beschlüsse der Generalversammlung zu beachten und zu befolgen.

Art. 11 Im Falle ein Mitglied die übernommenen Verpflichtungen nicht erfüllen sollte, so wird es brüderlich von den zwei Mitgliedern, die es zur Aufnahme empfohlen hatten, daran ermahnt.

Art. 12 Jedes Mitglied hat das Recht und die Pflicht, den Generalversammlungen beizuwohnen, an den Beratungen über alle Fragen und die Erwählung des leitenden Komitees teilzunehmen.

Art. 13 Jedes Mitglied hat das Recht und die Pflicht, dem Komitee Auskünfte zu erteilen und Vorschläge zu machen, welche im Interesse einzelner und der Gesamtheit und mit den Grundsätzen der Assoziation in Übereinstimmung sind.

Art. 14 Jedes Mitglied soll es sich angelegen sein lassen, unter seinen Kameraden den freien Geist zu erwecken, die Grundsätze und den Zweck der Gesellschaft zu entwickeln und zu befolgen und namentlich sie aufzufordern, sich an unserem Emanzipationswerk zu beteiligen.

Art. 15 Jedes Mitglied, das verreisen will, ist gehalten, sein Büchlein vom Komitee visieren zu lassen, damit dieses zu dessen guter Aufnahme das Komitee des neuen Aufenthaltsorts davon in Kenntnis setzen kann.

Art. 16 Das Gedeihen der Assoziation ist der Hingebung und dem Eifer seiner Mitglieder anvertraut. ...

§ VI Direktion

1. Abteilung: Gesamtbestimmungen

Art. 32 Das leitende Komitee ist aus 15 Mitgliedern zusammengesetzt und wird in geheimer Abstimmung durch die Mehrheit der Stimmgeber auf die Dauer eines Jahres gewählt.

Art. 33 Das Komitee besteht im ganzen aus den in der Generalversammlung gewählten Mitgliedern und aus den Delegierten der verschiedenen Arbeitergesellschaften, welche zugestimmt haben, sich an dem Werke der Internationalen Arbeiterassoziation zu beteiligen.

Art. 34 Es hält jede Woche mindestens eine Sitzung im Vereinslokal.

Art. 35 Das Komitee wird in drei Kommissionen abgeteilt, wovon jede ihre bestimmte Aufgabe hat, nämlich: in die Verwaltungskommission, Korrespondenzkommission und endlich in die Kommission, welche die Ideen, die ihr von Mitgliedern unterbreitet und von der Generalversammlung adoptiert sind, entwickelt und beauftragt ist, dieselben dem Buch der Reformentwürfe einzuverleiben.

Art. 36 Eine Kommission, aus sieben Mitgliedern bestehend, welche die Rechnungen des leitenden Komitees zu überwachen hat, wird alle sechs Monate und auf sechs Monate durch die Generalversammlung außerhalb des Komitees gewählt.

2. Abteilung: Zusammensetzung und Aufgabe der Verwaltungskommission

Art. 37 Die Verwaltungskommission besteht aus dem Präsidenten, Sekretär, Kassier und vier zu diesem Behufe vom Komitee ernannten Komiteemitgliedern.

Art. 38 Dieselbe beruft die Versammlungen, erhält die monatlichen Geldbeiträge, übergibt jedem der in die Assoziation aufgenommenen Mitglieder die Aufnahmeurkunde.

Art. 39 Der Sekretär schreibt die monatlichen Geldbeiträge ins Rechnungsbuch, das am Sitze des Komitees aufgelegt wird.

Art. 40 Der Kassier kann keine größere Geldsumme in der Kasse behalten als die, welche ihm vom Komitee bestimmt bleibt.

Art. 41 Die Verwaltungskommission wird den Fondsüberschuß bei einer Bank niederlegen, die ihr von dem Komitee bezeichnet wird.

Art. 42 Der Präsident, Sekretär und Kassier haben, und nur in Gemeinschaft, die Vollmacht, Fonds von der Bank zurückzuziehen.

3. Abteilung: Zusammensetzung und Aufgaben der Korrespondenzkommission

Art. 43 Die Korrespondenzkommission besteht aus den zu ihrer Aufgabe ernannten Mitgliedern und ernennt unter denselben einen Präsidenten und einen Sekretär.

Art. 44 Sie erhält von den Mitgliedern der Assoziation alle Auskunft, welche dieselben zu erteilen vermögen, um an allen Orten der Schweiz und des Auslandes Verbindungen anzuknüpfen.

Art. 45 Sie erteilt ihren Korrespondenten die verlangte Auskunft, gibt ihnen alle Anleitung zur Gründung neuer und Entfaltung älterer Sektionen.

Art. 46 Sie erstattet dem Zentralkomitee jeden Monat Bericht über Entwicklung und Ausdehnung der Assoziation und über die Zustimmungen, welche sie von den verschiedenen Orten der Schweiz erhalten hat.

Art. 47 Sie korrespondiert überall hin, wo es im Interesse sowohl der Assoziation als in dem einzelner Mitglieder liegen mag.

Art. 48 Jede Monatskorrespondenz mit dem Zentralkomitee muß dem versammelten Komitee zur Genehmigung vorgelegt werden.

4. Abteilung: Zusammensetzung und Aufgaben der Kommission der Untersuchung, der Initiative usw.

Art. 49 Die Kommission der Untersuchung, Initiative und der Reform der Arbeit ist aus den vom Komitee hierzu ernannten Mitgliedern zusammengesetzt, die aus ihrer Mitte einen Präsidenten und Sekretär ernennen.

Art. 50 Sie bewerkstelligt eine Untersuchung über den Zustand aller Arbeitszweige, stellt den Tatbestand der Lohnverhältnisse sowie die Mißbräuche bei der Arbeit, welche den Arbeitern gegenüber bestehen, auf und gibt Mittel an, wodurch dieselben beseitigt werden könnten.

Art. 51 Sie unterbreitet dem Komitee die Ideen allgemeiner Reformen, um dieselben im Falle der Erheblichkeit der Generalversammlung zur Annahme vorzulegen.

Art. 52 Sie befaßt sich mit der Auseinandersetzung der Ideen und Maßregeln, welche zur Befestigung und Ausdehnung der Assoziation in Anwendung zu bringen sind.

5. Abteilung: Gemeinschaftliche Betätigung des Komitees

Art. 53 Alle von den verschiedenen Kommissionen beschlossenen Maßregeln können nur Folge haben, wenn sie vom Komitee angenommen sind.

Art. 54 Jede Kommission behandelt in ihren Berichten an das Komitee nur solche Fragen, die ihren Attributen anheimfallen.

Art. 55 Das versammelte Komitee diskutiert alle ihm von den Kommissionen übergebenen Berichte.

Art. 56 Für jede Kommission, also auch für die Überwachungskommission, sind nachträglich spezielle mit diesem Reglement organisch verknüpfte Reglemente aufzustellen.

§ VII Bedingungen der der Internationalen Arbeiterassoziation beigetretenen Arbeitergesellschaften

Art. 57 Alle Gesellschaften, Korporationen und gegenseitige Unterstützungsvereine, welche der Internationalen Arbeiterassoziation, wie es im Art. 7 ausgesprochen, beitreten, bewahren ihre in ihrem Gesellschaftsreglement ausgesprochene Autonomie.

Art. 58 Jede Gesellschaft ernennt einen Delegierten als Teilnehmer des Komitees der Assoziation.

Art. 59 Jede beigetretene Gesellschaft ist eingeladen, eine Kommission von fünf Mitgliedern, einschließlich ihres Delegierten im Komitee, zu ernennen.

Art. 60 Diese Kommission wird von dem Komitee der Assoziation über den Zustand des Geschäftszweiges und die spezielle Organisation ihrer Gesellschaft genaue Auskunft erteilen und dagegen durch Vermittlung ihres Delegierten nützliche Mitteilungen und Anleitungen zur Verbesserung deren Lage erhalten.

Art. 61 Eine Gesellschaft, welche im Laufe dreier Monate keinen Delegierten gesendet und keine Zahlungen geleistet hat, wird, nach vorausgegangener Mahnung des leitenden Komitees, als ausgetreten betrachtet – wenn keine triftigen Gründe das Ausbleiben rechtfertigen. ...

c) Verordnung des Großherzoglichen Bezirksamts Lörrach über das Verbot der IAA Lörrach, 17. Dezember 1868

GLA Karlsruhe, 236/8197.

In Lörrach hat sich ein Verein unter dem Namen »Internationale Arbeiterassoziation« gebildet und ist den Mitgliedern nach gemachten Erhebungen versprochen worden, daß eine Unterstützungskasse gebildet werde; nach den Statuten tritt aber der Verein mit auswärtigen Vereinen gleichen Namens in Verbindung, welche andere, und zwar die öffentliche Sicherheit gefährdende Zwecke verfolgen, und soll der hiesige Verein einen Bestandteil dieser auswärtigen Vereine bilden. Aus diesen Gründen und nach Ansicht des §5 des Gesetzes vom 21. November 1867, Regierungsblatt Nr. 54, wird verfügt: Der Verein »Internationale Arbeiterassoziation« in Lörrach wird geschlossen und jede fernere Teilnahme an demselben bei Strafe untersagt.

d) Bericht des Großherzoglichen Landeskommissärs in Freiburg* an das Badische Innenministerium über die Sektionen Basel und Lörrach der Internationalen Arbeiterassoziation, 22. Dezember 1868

GLA Karlsruhe 236/8197.

Nachdem ich infolge des mir am 20. zugekommenen Auftrages vom 19. d.M. mich sofort nach Basel und Lörrach begeben habe, um mich persönlich von den in Frage liegenden Verhältnissen zu unterrichten, habe ich die Ehre dem Großherzoglichen Ministerium des Innern das Ergebnis der von mir gemachten Erhebungen mit folgendem vorzutragen:

Schon seit längerer Zeit besteht unter den zahlreichen Arbeitern in Basel ein Verein der sogenannten Internationalen Arbeiterassoziation, welche von Brüssel und London aus, woselbst die dirigierenden Komitees sich befinden, geleitet wird und in der Schweiz zuerst in der Stadt Genf Eingang gefunden hat, wo der bekannte Sozialdemokrat Johann Philipp Becker die Leitung dieses Vereins übernommen hat und solche ohne Zweifel über alle Zweigvereine oder Sektionen, welche in der Schweiz gegründet wurden, ausführt.

Der Zweck dieser weitverbreiteten Assoziation ist zunächst der, durch eine enge Verbindung der Arbeiter in allen Ländern auf eine Verbesserung des Lohnes des Arbeiterstandes mit allen Mitteln hinzuarbeiten. Neben diesen sozialen Zwecken scheinen jedoch von den Gründern und Leitern der Assoziation auch politische Zwecke verfolgt zu werden, das Endziel ist offenbar die soziale Republik. Unumwunden wird in den Organen der Assoziation ausgesprochen, daß die Umgestaltung unserer sozialen Verhältnisse, welche die Arbeiterassoziation beabsichtige, von der politischen Revolution nicht getrennt werden könne und ohne solche nicht ausführbar sei. Durch die Verbindung aller Arbeiter nebst dem sonstigen Proletariate in allen Ländern soll eine Macht geschaffen werden, um damit zur rechten Zeit auch mit Gewalt diese gemeinsamen Ziele verfolgen zu können.

* Zuständig für die Kreise Freiburg, Lörrach und Offenburg.

Lange Zeit hatte sich der Verein in Basel ganz ruhig verhalten, dagegen waren alle Beteiligten bemüht, immer neue Mitglieder demselben zuzuführen. Nicht nur alle Fabrikarbeiter in den verschiedenen großen Fabriken Basels und der Umgegend, sondern auch die Hilfsarbeiter der verschiedenen anderen Gewerke wurden mit wenigen Ausnahmen für den Verein nach und nach gewonnen; und auch einzelne Bürger von Basel, welche dem eigentlichen Arbeiterstand nicht zuzuzählen sind, treten nach und nach dieser Assoziation bei, so daß dieselbe in Basel und der nächsten Umgegend mutmaßlich mehrere Tausende von Mitgliedern zählt.

Bei der letzten Ernennungswahl des großen Rats in Basel zeigte der Verein zum ersten Mal, zur Überraschung der regierenden Herren, bis zu welcher Macht er herangewachsen war. Am 29. November wurde der Präsident der Internationalen Arbeiterassoziation für die Sektion Basel, ein Fabrikarbeiter namens Frei, welcher für seine Dienstführung als solcher einen Gehalt von 1500 Franken jährlich von dem Hauptkomitee in Brüssel bezieht, zum Mitglied des großen Rats gewählt. Durch diesen Sieg ermutigt, fing der Verein an, zunächst den Fabrikbesitzern gegenüber mit seinen Forderungen aufzutreten. Sofort wurde an die Besitzer der großen Seidenbandfabriken und Seidenfärbereien - und zwar nicht im Namen der darin beschäftigten Arbeiter, sondern im Namen der allgemeinen Internationalen Arbeiterassoziation - die Anforderung auf Einführung einer neuen Fabrikordnung gestellt, deren Entwurf bereits ausgearbeitet vorgelegt wurde. Es wurde darin neben teilweiser Erhöhung des Lohnes und neben Verkürzung der Arbeitszeit und anderer minder erheblicher Punkte insbesondere die Aufstellung eines nur aus der Zahl der Arbeiter selbst gewählten Aufsichtsrates verlangt, welchem obliege, darüber zu wachen, daß die Fabrikherren gleich wie die Arbeiter ihren gegenseitigen Verbindlichkeiten und Pflichten gehörig nachkommen; eintretende Streitigkeiten unter diesen sollten den Gerichts- und Polizeibehörden entzogen werden und deren Entscheidung lediglich diesem Ausschuß der Fabrikarbeiter überlassen werden. Für den Fall der Nichtannahme dieser Vorschläge wurde mit allgemeiner Arbeitseinstellung gedroht und den Mitgliedern der Assoziation in Aussicht gestellt, daß von den Hauptkomitees der Assoziation in Brüssel und London große Summen zu erwarten seien, aus welchen die infolge dieser Schritte verdienstlos werdenden Arbeiter genügend unterstützt werden sollen.

Die betreffenden Fabrikbesitzer erklärten, daß sie sich mit einer ihnen fremden allgemeinen internationalen Assoziation in keinerlei Verhandlungen einlassen und lieber ihre Fabriken auf längere Zeit ganz schließen wollten, als solchen abnormen Forderungen nachzugeben; sie glaubten, den Stillstand ihrer Arbeiten länger und leichter ertragen zu können, als die Arbeiter das Aufhören ihres Verdienstes. Darüber wurde dann hin und her verhandelt. Die Arbeiter hielten beinahe jede Nacht an verschiedenen Orten Versammlungen, die in der Regel bis über Mitternacht fortgesetzt wurden. Und so erhitzten sich die Gemüter immer mehr. Auch andere

Leute, die dem Arbeiterstande und seiner Vereinigung bisher ferner gestanden hatten, mischten sich in die Sache aus verschiedenen Beweggründen ein. Die Polizei wagte nicht einzuschreiten; die Sache nahm einen immer erbitterteren und gefährlicheren Charakter an. Vereinzelte Arbeiterentlassungen und Arbeitseinstellungen kamen vor.

Allein, wie mir es scheint, hat die Bewegung sich zuletzt auch nicht mehr allein auf die soziale Frage des Arbeiterstandes beschränkt, sie hat einen allgemein sozialen, kommunistischen Charakter angenommen. Es wurden an die Arbeiter öffentlich Reden gehalten, in welchen die Fabriken als die Zwingburgen der Arbeiter bezeichnet und die letzteren aufgefordert wurden, die »Telle«* zu sein, welche diese Zwingburgen brechen und zerstören sollten. Ein Redner forderte die Arbeiter auf, ruhig zu warten, bis die erste Stunde zur Tat gekommen sei, dann werde man sie rufen, um mit Schwert und Brand die Fabriken zu zerstören usw. Ein Literat, welcher sich an solcher Agitation lebhaft beteiligt hatte, wurde zur Einvernahme vor die Polizeibehörde gerufen; er erklärte dort, daß er keine Landesregierung anerkenne, daß es für die Mitglieder der Internationalen Arbeiterassoziation keine Regierung gebe, als ihre eigene Vereinsregierung usw.

Die Arbeiter traten teilweise auch mit der Forderung auf, daß der Arbeitsbetrieb mit Maschinen eingestellt werden müsse, sobald nicht jeder Arbeiter beschäftigt werden könne; der Gewinn der Fabrikbesitzer wurde als ein Diebstahl an den Arbeitern bezeichnet usw. Die Vorsteher des Vereins erklärten den Baseler Behörden zuletzt selbst, daß sie auf die Vereinsmitglieder keinen beruhigenden Einfluß ausüben könnten, daß ihnen die Sache über den Kopf gewachsen sei und sie der Bewegung nicht mehr Meister wären.

Der Regierungsbehörde in Basel schien die Lage so bedrohlich, daß sie sich zu den aus ihrer Bekanntmachung vom 16. d. M. ersichtlichen Maßregeln veranlaßt sah. Ein militärischer Operationsplan für den Fall eines Aufstandes wurde entworfen, jedem Viertel wurde ein militärischer Führer vorgesetzt usw. Man befürchtete einen Angriff auf das Zeughaus von seiten der Arbeiter, um sich der darin aufbewahrten Waffen zu bemächtigen, Brandstiftung an einzelnen Fabriken und weitere Gewalttätigkeiten. Bis jetzt sind jedoch solche Gewalttaten in keiner Weise erfolgt. Die Proklamation des Bürgermeisters und des Rats bewirkte, was wohl auch damit bezweckt worden sein mochte, daß die eigentliche Bürgerschaft von Basel sich von der Arbeiterassoziation trennte und ihr, geschart um die Kantonsregierung, zum Schutz der öffentlichen Ordnung gegenübertrat. Von seiten der Bürgerschaft wurden Ergebenheitsadressen an Bürgermeister und Rat erlassen, und dadurch sahen sich die Arbeiter in ihrem Treiben mehr isoliert.

Die Arbeiter in den Seidenfabriken verstunden sich dazu, mit ihren Fabrikherrn durch Vermittlung des Handelskollegiums (einer in Basel

* Freiheitskämpfer wie Wilhelm Tell.

bestehenden Staatsbehörde) über eine entsprechende Regelung ihres gegenseitigen Verhältnisses in Unterhaltung zu treten, die überreichten Forderungen wurden aufgegeben, die Fabrikanten zeigten mehr Entgegenkommen - kurz, es ist, für jetzt wenigstens, eine gütliche Beilegung der Sache in Aussicht gestellt, wenn auch nicht so weit gesichert, daß die Regierungsbehörden sich veranlaßt finden konnten, die ergriffenen außerordentlichen Maßregeln wieder aufzuheben; immer noch ist die Bürgerschaft des Alarmzeichens gewärtig, die militärischen Kommandanten, meistens alte gediente Offiziere, begehen nachts die ihnen zugewiesenen Abteilungen der Stadt usw.

Ein Verbot oder eine Aufhebung des Vereins selbst kann nach den bestehenden Gesetzen nicht erlassen werden, aber daß gegen Reden der angeführten Art, welche öffentliche Aufforderungen zur gröbsten Gewalttat enthalten, obrigkeitlich nicht eingeschritten wurde, ist mir unbegreiflich! Die Entsendung eines eidgenössischen Kommissärs mit der erforderlichen Militärmacht wird in Basel als unzweifelhaft erwartet, sobald es zu wirklichen Gewalttaten kommen sollte. Ich habe Einleitung getroffen, daß ich von etwaigen weiteren Vorkommnissen alsbald in Kenntnis gesetzt werde.

Ich gehe erst jetzt zu den Zuständen in Lörrach über, weil die dortige Sektion des fraglichen Arbeitervereins offenbar nur zu einer Hilfsrolle für den Hauptverein in Basel bestimmt war. Erst im Anfang November d. J. wurde auf Veranlassung von Absendlingen des Baseler Vereins der Zweigverein in Lörrach gegründet; auch dort wurden den Arbeitern goldene Berge in Aussicht gestellt, namentlich die Zusendung größerer Geldsummen usw. In wenigen Wochen war die Zahl der Mitglieder von 110 auf mehr als 500 angewachsen. Gleichzeitig mit den Bewegungen in Basel fingen auch die Vereinsversammlungen in Lörrach und Umgegend an. Es wurde ein Verbrüderungsfest mit den Arbeitern in Basel in Aussicht gestellt, welches in oder bei Lörrach unter dem Titel einer Fahnenweihe abgehalten werden sollte und bei welchem alle Mitglieder des internationalen Vereins von Basel und der ganzen Umgegend sich beteiligen sollten. Unverkennbar wurde dieser Zweigverein in Lörrach nur in der Absicht gegründet, dadurch die Macht und das Gewicht des Baseler Vereins zu verstärken und möglicherweise auch einen Zuzug von Mannschaft aus dem Wiesental sich zu verschaffen.

Die Sache selbst fand trotz der raschen Zunahme der Teilnehmerzahl doch keinen rechten Anklang, eine eigentliche Tätigkeit für bestimmte Zwecke wurde noch nicht entwickelt, man beschränkte sich in allgemeinen Reden, die Gemüter für die eigentlichen Zwecke des Vereins erst vorzubereiten und empfänglich zu machen. Es wurde in den einzelnen Versammlungen wohl im allgemeinen davon gesprochen, daß die Fabrikbesitzer sich an dem Schweiß der Arbeiter ungebührlich bereichern, daß den letzteren ein Teil des Gewinns gewährt werden solle usw.; allein Aufforderungen zu Gewalttaten wie in Basel sind durchaus nicht vorgekommen und ebensowenig strafbare Handlungen irgendwelcher Art. Immerhin aber läßt sich bei solchen Dingen nie voraussehen, wie sich die Sache weiter entwickeln werde. Nachdem die Fabrikbesitzer im Amt Lörrach sich ganz entschieden gegen eine derartige Vereinigung ihrer Arbeiter unter ausländischer Leitung erklärt hatten, nachdem der Verein in Basel selbst zu für die öffentliche Sicherheit und Ordnung so bedrohlichen Zuständen geführt hatte, wie sie oben von mir geschildert und in der Proklamation vom 16. d. M. durch die höchste Staatsbehörde in Basel auch amtlich als solche konstatiert worden sind, und nachdem festgestellt war, daß der in Lörrach gegründete Verein nur ein Zweigverein dieses Vereins in Basel bilden sollte, war die polizeiliche Schließung des Vereins durch das Bezirksamt Lörrach gewiß der beste Weg, um Unordnungen zu verhüten und um die Fabrikarbeiter selbst sowie die Fabrikbesitzer von Schaden und Nachteil zu bewahren. Darüber sprachen sich die Fabrikanten wie die Fabrikarbeiter selbst ganz einmütig aus; ja, nachdem Oberamtmann von Preen den Vorstehern des fraglichen Arbeitervereins seine Verfügung über die Schließung desselben eröffnet hatte, erklärten ihm dieselben, daß sie dafür dankbar seien und selbst eine solche Maßregel erbeten haben würden, wenn ihrem Wunsche nicht durch die erlassene Verfügung zuvorgekommen worden wäre; weil sie selbst erkennen, daß eine solche Sache ihre Kräfte übersteige und weil durch den Verein die Interessen der Arbeiter mehr gefährdet als gefördert werden könnten, nachdem einzelne Fabrikbesitzer erklärt hatten, daß sie keinen Arbeiter in ihrem Geschäft dulden würden, der dem internationalen Verein angehöre.

Der Erfolg hat die polizeiliche Schließung des Vereins vollkommen gerechtfertigt, alle Beteiligten sind damit zufrieden, und jede Gefahr einer Bedrohung der öffentlichen Sicherheit und Ordnung wurde dadurch beseitigt. Die Arbeiter sehen diese polizeiliche Maßregel so an, daß damit die ganze Sache für immer erledigt sei. Sie betrachten ihren Verein als aufgelöst und sind vorerst nicht willens, solchen wieder ins Leben zu rufen, die einbehobenen Beiträge werden zurückbezahlt. Und das Bezirksamt hält es vorerst nicht für nötig, daß, nachdem die freiwillige Auflösung des Vereins erfolgt ist, noch ein obrigkeitliches Verbot des Vereins nötig falle - zumal auch die Mitglieder selbst zum größten Teil schon freiwillig ihren Austritt aus dem Verein vor der Schließung desselben angezeigt hatten.

In Basel hat natürlich die Verfügung des Bezirksamts Lörrach den besten Eindruck gemacht, sie hat auch dort unverkennbar beruhigend auf die Arbeiter gewirkt. Wenn damit vorläufig jetzt auch die Frage der Internationalen Arbeiterassoziation in Lörrach erledigt ist, so kann sie doch voraussichtlich leicht an anderen Orten oder unter anderen Verhältnissen, in anderer Weise in unserem Land wieder auftauchen. Und deshalb dürfte es wohl am Platze sein, jetzt schon darüber sich zu entscheiden, ob nicht ein zu erlassendes allgemeines Verbot gegen die Teilnahme an der Internationalen Allgemeinen Arbeiterassoziation, hauptsächlich im Interesse unserer Arbeiter selbst, geboten erscheint, welche durch Teilnahme an diesem Verein nur zu blinden Werkzeugen ihnen fremder und fernstehender Agitatoren des Vereins gemacht werden sollen, ohne die letzteren Endzwecke, zu welchen man sie brauchen will, nur zu kennen. Ich behalte mir vor, hierzu später besonderen Antrag zu stellen, nachdem noch einige weitere Erhebungen zu dessen Begründung von dem Amtsvorstand in Lörrach gemacht worden sind.

Die Statuten der Vereinssektion Basel, von welchen ich mir gleichfalls ein Exemplar verschafft habe, stimmen mit denen für Lörrach wörtlich überein. Wenn auch diese Statuten in ihrer sehr weit dehnbaren Fassung bezüglich der Zwecke des Vereins gerade keine nachweisbaren Gesetzeswidrigkeiten enthalten und sich ebensowenig aus ihnen allein eine Gefährdung der öffentlichen Sicherheit und Ordnung entnehmen läßt, so lassen doch verschiedene Aufsätze in der zum Vereinsorgan erklärten Zeitschrift »Der Arbeiter«, welche gleichfalls in der Schweiz erscheint, keinen Zweifel darüber, daß die Bestrebungen des Vereins und die Art ihrer Verfolgung durch die Mitglieder solche bedrohlichen Gefährdungen enthalten, auf welche ein allgemeines Verbot des Vereins sich begründen läßt. Das Bezirksamt hat die fragliche Zeitschrift bereits bestellt und wird seinerzeit durch meine Vermittlung seine Anträge an das Großherzogliche Ministerium des Innern richten. Für jetzt sind nach der faktischen Auflösung des Vereins keine weiteren Maßregeln nötig, zumal auch die Arbeiter seit der Schließung des Vereins sich ganz ruhig verhalten und keinerlei Aufregung oder Unzufriedenheit zu erkennen gegeben haben. Doch hält es der Amtsvorstand für nötig, zur Verstärkung der Gendarmeriemannschaft in Lörrach noch einige Tage einen Teil der im Amtsbezirk stationierten Gendarmen nach Lörrach einberufen zu lassen sowie sich für den Fall der Not des Beistandes des Grenzaufsichtspersonals zu versichern. Nachdem ein Zahltag, der darauffolgende Sonntag und Montag ganz ruhig verlaufen sind, ist die in den Amtssitz eingerufene Gendarmeriemannschaft gestern abend wieder in ihre Stationsorte zurückgekehrt.

Das Bezirksamt wird sich bemühen, durch seine Vermittlung verschiedene Mißstände zu beseitigen, welche, wie ihm bei diesem Anlaß zur Kenntnis gebracht wurde, in einzelnen Fabriken bezüglich der Behandlung der Arbeiter noch bestehen sollen. Die taktvolle feste Haltung, welche der Amtsvorstand bei dieser Gelegenheit bewiesen hat, verdient alle Anerkennung.

Bericht der »Freiburger Zeitung« über eine vom Allgemeinen Deutschen Arbeiterverein (ADAV) einberufene Arbeiterversammlung in Freiburg

Freiburger Zeitung vom 12. Februar 1869.

Die gestrige von den Lassalleschen Agitatoren berufene Volksversammlung hatte sich leider eines größeren Erfolges zu erfreuen, als wir ursprünglich erwartet hatten, und - wir sprechen aus innerster Überzeugung - es betrübt uns tief, daß die Freiburger Arbeiter, trotz der ihnen klar dargelegten, unumstößlichen Gegenbeweise, in ihrer überwiegenden Mehrzahl dem gefährlichen und geradezu verwerflichen Treiben der drei Agitatoren Beifall zollten. Über den Verlauf der Versammlung, da er im wesentlichen derselbe wie in Pforzheim und Karlsruhe war, können wir mit wenigen Worten kurz berichten.

Nachdem Herr Karl Mez, Vater, zum Präsidenten gewählt worden war, ergriff der erste und unstreitig bedeutendste der drei Agitatoren, Herr von Bonhorst, das Wort, um in gewandter, aber von Trugschlüssen strotzender Rede, seinen Antrag auf Herbeiführung des allgemeinen, unmittelbaren, geheimen Wahlrechts zu begründen - einen Antrag, gegen welchen gewiß niemand etwas einzuwenden gehabt hätte, wenn nicht mit seiner Annahme zugleich auch der § 1 der Satzungen des Lasalleschen »Allgemeinen deutschen Arbeitervereins« hätte angenommen werden sollen.

Die drei Agitatoren hatten den Boden in Freiburg - man sah das deutlich aus der von Anfang an zur Schau getragenen Haltung einer ziemlich beträchtlichen Anzahl von Mitgliedern der Versammlung - für ihre Zwecke gehörig vorbereiten lassen, und nur aus diesem Grunde ist es überhaupt erklärlich, daß verschiedene Proteste, die gegen die kecke, provozierende Redeweise der drei Agitatoren eingelegt wurden, nicht allgemeinen Anklang fanden.

Die mit der Energie des Fanatismus gehaltene Ansprache der Lassalleschen Sendlinge wortgetreu wiederzugeben, wäre teils unmöglich, teils zwecklos. Wir hörten da die alten, aber bei einer wenig denkenden Bevölkerungsklasse noch immer zündenden Phrasen von dem »ehernen Gesetze«, von der Ausnützung der Arbeiter durch die Bourgeoisie, von den in Not und Elend dahinsiechenden 89 Prozent der Bevölkerung, von der (angeblichen) Unmöglichkeit, die sich für den Arbeiter herausstelle, etwas zu sparen (an einer anderen Stelle gaben die Herren dies jedoch zu, wie sich überhaupt ihre Reden in fortwährenden Widersprüchen bewegten) - und aus alledem zogen die Agitatoren natürlich die Notwendigkeit, daß der Staat den Arbeitern mit einem Kredit auf die Beine helfen, ihnen zur Gründung von Produktivassoziationen die Mittel in die Hand geben und zugleich einen gewissen Ertrag dieser Produktivassoziationen garantieren müsse.

Das der Hauptinhalt der Reden, durch welche, wie die »Karlsruher Zeitung« ganz richtig sagt, fortwährend der Ton herausklingt: »Und bist Du nicht willig, so brauch' ich Gewalt!« - Wir sprechen hiermit unsere innigste Überzeugung aus, wenn wir sagen: Nicht die Fabrikanten und Kapitalisten, gegen welche die aufhetzenden, von wilder Energie diktierten Reden dieser Vertreter eines gemeinschädlichen Prinzips hauptsächlich gerichtet waren, sondern die armen, mißleiteten Arbeiter werden die giftigen Früchte der Saat zu ernten haben, die gestern abend mit geschäftiger Hand auch bei uns in Freiburg ausgestreut worden ist.

Als Gegenredner traten, nachdem den Agitatoren mit wahrhafter Langmut Zeit gelassen worden war, ihre Theorien zu entwickeln, die Herren Benedey, Maier von Bremen, Anwalt Fehrenbach, Kreis- und Hofgerichtsrat Eimer und zum Schluß Professor Dr. Wagner auf, der vom nationalökonomischen Standpunk aus in wahrhaft vernichtender Weise gegen die Lassallesche Irrlehre sprach. Wir werden die Deduktionen dieses geistreichen Nationalökonomen, so gut wir vermögen, in unserem morgigen Blatte wiedergeben.

Die Versammlung hatte bald einen überaus stürmischen Charakter angenommen. Minuten verstrichen mitunter, ehe wieder allgemeine Ruhe eingetreten war, und da mittlerweile der Zeiger schon längst über Mitternacht wies, so wurde in tumultuarischer Weise »Schluß!« beantragt, und fast machte es den Eindruck, als ob der Schluß der Versammlung nach der letzten leidenschaftlichen Rede des Herrn von Bonhorst mit aller Gewalt herbeigeführt werden sollte, um der Lassalleschen Partei, die bisher Gewonnenen auch zu erhalten. Lärmendes Geschrei unterbrach die Gegenredner. Der Redakteur dieses Blattes, der einen Gegenantrag stellen und begründen wollte, wurde von der erhitzten Majorität der Versammlung nicht mehr zum Wort gelassen; in gleicher Weise mußten auch noch einige andere Herren auf das Wort verzichten. Und schließlich wurde der von den Lassalleschen Agitatoren gestellte (anfangs erwähnte) Antrag mit erdrückender Mehrheit von der Versammlung angenommen.

Im Namen der Minorität, die sich von den gleißenden Phrasen der Lassalleschen Sendlinge nicht bestechen ließ, hiermit den wärmsten Dank jenen Männern, die wie Herr Anwalt Fehrenbach, sich aufopferungsfreudig den wahren Interessen des Arbeiterstandes gewidmet haben, und dies in überzeugungstreuer Weise auch gestern abend vor einer - gerade heraus - irregeleiteten, verführten Versammlung aufs neue in glänzender Weise dokumentierten! - Es ist unzweifelhaft: man hatte den Feind, der dem Arbeiterstande sich neuerdings unter der Maske der Freundschaft aufzudrängen sucht, unterschätzt; die Herren Bonhorst, Haustein, Kölsch sind keine unbedeutenden Menschen, ihre Waffe ist nicht bloß die »Zungenfertigkeit«, wie die uns bisher zugekommenen Berichte sagten, ihre Waffe ist die wilde Energie des Fanatismus; und namentlich in dem Agitator Bonhorst tritt uns ein Redner ersten Ranges entgegen. Darum heißt es doppelt wachsam sein, darum gilt es, mit ebenso großer Energie, aber mit der Energie, die uns die feste Überzeugung von der Gerechtigkeit unserer Sache einflößen muß, diesen Verführern entgegenzutreten und den Arbeiterstand mit kräftiger Faust von dem Abgrunde zurückzureißen, an welchen ihn diese betörten und betörenden Apostel eines lügnerischen Prinzipes zu führen versuchen. Und lügnerisch ist dieses Prinzip, das wir, da die Masse nicht durch Logik, sondern nur durch Not bestimmt wird, nicht theoretisch unmöglich machen können, sondern das wir durch ein System bekämpfen müssen, welches seine tatsächlichen Voraussetzungen gestört; daß die Schulze-Delitzschen Genossenschaften den Lassalleanern nicht als ein solches System erscheinen, liegt, wie eine kürzlich erschienene Broschüre ganz richtig bemerkt, nicht an Schulze, sondern an der Unmasse dürftiger Köpfe und öder Seelen, welche nichts daraus zu machen wissen, vielmehr die Zeit verstreichen lassen, welche uns noch zugemessen ist, eine zivilisatorische Lösung der Fragen einzuleiten, gegen die alle anderen Fragen Kindereien sind.

Die Lassalleaner wirken dadurch, daß sie auf die düsteren Partien unserer Zustände verweisen; die Schulzeschen Genossenschaften können nur wirken, indem sie jene dunklen Regionen tatsächlich zu erhellen trachten. Die Bedeutung des Lassalleanismus ist also agitatorisch, die des Schulzeanismus organisatorisch. Die Lassalleaner wirken durch Reden und Schreien auf der Tribüne, die Anhänger Schulze-Delitzschs antworten ihnen durch Taten, indem sie den Arbeiter sittlich heben, und ihn dadurch befähigen, sowohl sich selbst wahrhaft zu nützen, als auch ein nützliches Glied der menschlichen Gesellschaft zu werden.

Mit aufrichtiger Trauer verzeichnen wir den Beschluß der gestern dahier stattgehabten Versammlung, aber wir wissen auch, daß wir uns mit allen wahren Arbeiterfreunden in dem festen Willen begegnen, unerschütterlich auf unserem Posten auszuhalten und gegen eine Irrlehre anzukämpfen, die zu einer ernstlichen Gefahr für die ganze gesellschaftliche Ordnung werden muß, wenn sie sich, wie wir gestern gesehen haben, mit dem Fanatismus verbündet. Eine Erhebung des Arbeiterstandes in sittlicher wie materieller Beziehung kann, unter unbedingter Verwerfung des Lassalleanischen Grundsatzes der Staatshilfe, einzig und allein durch die auf Bildung fußende Selbsthilfe, volle wirtschaftliche Freiheit und genossenschaftliches Zusammenwirken herbeigeführt werden.

Soviel in kurzen Worten für heute. Die volksfreundliche Presse von Offenburg, Lahr, Lörrach, Schopfheim und Konstanz aber, wohin sich die drei Agitatoren demnächst begeben werden, bitten wir dringend, von dem traurigen Ausgang der gestern hier stattgehabten Versammlung eingehend Notiz zu nehmen und durch eigene Besprechungen ihre Leser zu der Erkenntnis zu bringen, daß die Lassallesche Irrlehre zur Vernichtung des Kapitals, zur Dürftigkeit aller und zum vollendeten Ruin der Gesellschaft führe.

Der deutsch-französische Krieg und die Pariser Kommune

a) Manifest des Ausschusses der Sozialdemokratischen Arbeiterpartei für einen ehrenvollen Frieden mit Frankreich (Auszug), 5. September 1870

Der Volksstaat vom 11. September 1870. - Anmerkung in der Vorlage.

An alle deutschen Arbeiter!

Eine neue unerwartete Wendung der Dinge ist eingetreten. Napoleon ist in deutscher Gefangenschaft, in Paris ist die Republik erklärt und eine republikanische Regierung eingesetzt worden. Nach zwanzigjährigem schmachvollem Bestehen des zweiten Kaiserreichs hat sich das französische Volk in der Stunde der größten Bedrängnis ermannt und seine Geschicke in seine Hände genommen. Es hat sich losgesagt von dem Manne, von dem es sich 20 Jahre hatte knechten lassen und der endlich diese Bedrängnis auf Frankreich herabbeschworen. Ein Hurra der französischen Republik!

Mit dieser Wendung der Dinge ist, so hoffen wir, das Ende des Krieges gewiß. So lange die napoleonischen Armeen Deutschland bedrohten, war es unsere Pflicht, als Deutsche den »Verteidigungskrieg, den Krieg um die Unabhängigkeit Deutschlands« zu führen. Ein solcher Verteidigungskrieg schließt nicht aus, daß man den Feind angreife; er schließt, wie jeder Krieg, ein, daß letzterer zum Frieden gezwungen wird. Daher mußten wir selbst dann noch den deutschen Heeren den Sieg wünschen, als die unmittelbare Bedrohung der deutschen Grenzen beseitigt und unser braves Heer mitten in Frankreich hineingedrungen war; freudig bewegten uns die unerhöhrte Tapferkeit, in großartiger Todesverachtung von unseren deutschen Brüdern errungenen glorreichen Siege. Und gewiß können wir stolz darauf sein, einem solchen Heldenvolke anzugehören. Aber mehr als je ist es jetzt in dem Bewußtsein des ruhmvollsten Sieges unsere Pflicht, uns nicht zu berauschen in dem wilden Siegestaumel, »der so leicht der Menschen Geister berückt«, sondern kühl und besonnen uns zu fragen nach dem, was wir jetzt zu tun haben. Doppelt ist dies unsere Pflicht der neuen Wendung der Dinge gegenüber.

Die neue Volksregierung muß und wird den Frieden mit Deutschland zu erreichen suchen, sie muß und wird die Kriegserklärung des Napoleoniden zurückziehen.

War es das französische Volk, das uns den Krieg erklärte? Nein! Der Napoleonide war es; von ihm hat das deutsche Schwert nunmehr Frankreich befreit und Frankreich hat mit ihm endgültig gebrochen. Lassen wir uns nicht beirren durch den Umstand, daß das siegreiche Vorschreiten der deutschen Heere dem Kriege mehr und mehr die Herzen der Franzosen gewann. Eine große Nation kann den Feind auf ihrem Boden unmöglich lange erdulden. So berechtigt die Begeisterung war, die das deutsche Volk in dem Gedanken einte, daß die Unantastbarkeit des deutschen Bodens und die Unabhängigkeit des deutschen Vaterlandes zu wahren seien, so erklärlich ist es, daß Frankreich, zeitweilig den Mann vergessend, der sein Unglück verschuldet, nur daran dachte, das Land von dem Feinde zu befreien. Dieser Gedanke wird auch heute, wo Frankreich wieder Herr seiner Geschicke geworden, die französischen Herzen beherrschen. Aber die heutige Volksregierung wird sich dessen bewußt sein, daß das französische und das deutsche Volk zwei Brudervölker sind, die beide dieselben Interessen, die beide die heilige Pflicht haben, im Geiste der Neuzeit zusammenzugehen und in den Künsten des Friedens zu wetteifern. Die heutige Volksregierung wird Frankreich von dem »Feinde« zu befreien suchen durch den Frieden.

Aber dieser Frieden muß für diese Regierung möglich sein, d. h. es muß ihr ein ehrenvoller Frieden gestattet werden. Wahrlich, Frankreich ist dafür, daß es die Schmach des zweiten Kaiserreiches so lange geduldet, genugsam gestraft, und eine Pflicht des deutschen Volkes ist es, ja in seinem eigenen Interesse liegt es, einen ehrenvollen Frieden der französischen Republik zu gewähren. Es ist die Pflicht des deutschen Volkes, denn auch das deutsche Volk wird sich dessen bewußt sein, daß es nicht seine Aufgabe sein kann, einem großen Brudervolke den Fuß auf den Nacken zu setzen, noch in gegenseitigen Kämpfen sich aufzureiben, sondern daß es dieselbe Pflicht hat, wie Frankreich gegen Deutschland, die Pflicht, gemeinsam mit Frankreich im Geiste der Neuzeit zu wirken. Im Interesse Deutschlands liegt ein ehrenvoller Frieden mit Frankreich, denn ein schimpflicher Frieden würde nichts sein, als ein Waffenstillstand, geschlossen bis dahin, wo Frankreich sich wieder stark genug fühlt, den Schimpf von sich abzuwälzen. Vor allem aber ist es die Pflicht der deutschen Arbeiter, denen die Einheit der Interessen zwischen dem deutschen und dem französischen Volke zur heiligen Überzeugung geworden ist, die in den französischen Arbeitern nur ihre Brüder sehen, mit denen gleiches Los und gleiches Streben sie einen, solchen Frieden für die französische Republik zu verlangen. An den deutschen Arbeitern ist es, auszusprechen, daß sie, im Interesse Frankreichs und Deutschlands, nicht gesonnen sind, eine Beschimpfung des französischen Volkes zu dulden, nachdem dasselbe sich endgültig von dem infamen Friedensbrecher* losgesagt.

Die deutschen Arbeiter haben daher sofort in Masse ihre Stimme zu erheben für einen ehrenvollen Frieden mit dem französischen Volke.

---

* Dieser infame Friedensbrecher ist in deutschen Händen; wenn es eine Gerechtigkeit gibt, so muß dieser Elende der französischen Republik ausgeliefert und von dieser als gemeiner Verbrecher abgeurteilt werden. Jede Handlung im Interesse Napoleons ist für Deutschland eine Schmach.

Kommt der Frieden jetzt nicht zustande, so wird entweder die französische Republik im Blute der Republikaner, im Blute des französischen Volkes erstickt werden – und vor Scham müßte in solchem Falle Deutschland vergehen –, oder aber das freie Frankreich wird wieder, wie zur Zeit der großen Revolution, »die Fremden« glorreich besiegen. Darum nochmals: »Einen ehrenvollen Frieden für Frankreich!«

Aber man sagt uns, es sei zumindest nötig, daß Frankreich Elsaß und Lothringen genommen wird.

»Die Militärkamarilla, Professorschaft, Bürgerschaft und Wirtshauspolitik« – so schreibt uns einer unserer ältesten und verdientesten Genossen in London – »gibt vor, dies sei das Mittel, Deutschland auf ewig vor Krieg mit Frankreich zu schützen. Es ist umgekehrt das probateste Mittel, diesen Krieg in eine europäische Institution zu verwandeln. Es ist in der Tat das sicherste Mittel, den Militärdespotismus in dem verjüngten Deutschland zu verewigen als eine Notwendigkeit zur Behauptung eines westlichen Polens – des Elsaß und Lothringen. Es ist das unfehlbarste Mittel, den kommenden Frieden in einen bloßen Waffenstillstand zu verwandeln, bis Frankreich so weit erholt ist, um das verlorene Terrain heraus zu verlangen. Es ist das unfehlbarste Mittel, Deutschland und Frankreich durch wechselseitige Selbstzerfleischung zu ruinieren ...«

»Der jetzige Krieg« – schreibt unser Genosse weiter – »eröffnet dadurch eine neue weltgeschichtliche Epoche, daß Deutschland bewiesen hat, daß es selbst mit Ausschluß von Deutsch-Österreich fähig ist, unabhängig vom Auslande seine eigenen Wege zu gehen. Daß es zunächst seine Einheit in der preußischen Kaserne findet, ist eine Strafe, die es reichlich verdient hat. Aber ein Resultat ist selbst so unmittelbar gewonnen. Die kleinlichen Lumpereien, wie z. B. der Konflikt zwischen nationalliberalen Norddeutschen und volksparteilichen Süddeutschen werden nicht länger nutzlos im Wege stehen. Die Verhältnisse werden sich auf großem Maßstab entwikkeln und vereinfachen. Wenn die deutsche Arbeiterklasse dann nicht die ihr zukommende historische Rolle spielt, ist es ihre Schuld. Dieser Krieg hat den Schwerpunkt der kontinentalen Arbeiterbewegung von Frankreich nach Deutschland verlegt. Damit haftet größere Verantwortlichkeit auf der deutschen Arbeiterklasse.«

Kameraden! Deutsche Arbeiter! Die Hand auf die Brust! Und dann wollen wir uns geloben, daß die deutsche Arbeiterklasse ihre historische Rolle spielen wird, auch wenn uns die Freude über das verjüngte Deutschland, das nach unserem Willen indes nicht auf lange die Einheit allein in der preußischen Kaserne finden soll, ausbrechen läßt in den Ruf: »Es lebe Deutschland!«

Die Hand auf die Brust! Und dann wollen wir uns geloben, treu mit unseren arbeitenden Brüdern in allen zivilisierten Ländern in allen Kämpfen um die gemeinsame Sache zusammenzustehen! »Es lebe der internationale Kampf des Proletariats!«

Und wenn wir jetzt sehen, wie wieder ein großes Volk seine Geschicke in seine Hände genommen, wenn wir heute die Republik nicht allein mehr sehen in der Schweiz und jenseits der Meere, sondern auch faktisch Republik in Spanien, Republik in Frankreich, so lasset uns ausbrechen in den Ruf, der, wenn es auch heute noch nicht sein kann, auch für Deutschland einst die Morgenröte der Freiheit verkünden wird, in den Jubelruf: »Es lebe die Republik!«

b) August Bebel vor dem Reichstag über die Pariser Kommune und die Annexion Elsaß-Lothringens, 25. Mai 1871

Stenographische Berichte über die Verhandlungen des Deutschen Reichstages, I. Legislaturperiode, I. Session, 2. Band, S. 921.

Meine Herren, mögen die Bestrebungen der Kommune in Ihren Augen auch noch so verwerfliche oder - wie gestern hier im Hause privatim geäußert wurde - verrückte sein, seien Sie fest überzeugt, das ganze europäische Proletariat und alles, was noch ein Gefühl für Freiheit und Unabhängigkeit in der Brust trägt, sieht auf Paris. (Große Heiterkeit) Meine Herren, und wenn auch im Augenblick Paris unterdrückt ist, dann erinnere ich Sie daran, daß der Kampf in Paris nur ein kleines Vorpostengefecht ist, daß die Hauptsache in Europa uns noch bevorsteht und daß, ehe wenige Jahrzehnte vergehen, der Schlachtenruf des Pariser Proletariats »Krieg den Palästen, Friede den Hütten, Tod der Not und dem Müßiggange!« der Schlachtruf des gesamten europäischen Proletariats werden wird. (Heiterkeit)

Der Herr Abgeordnete Treitschke hat ferner am Sonnabend ausgesprochen, es gelte vor allen Dingen, das Gefühl für die monarchistische Institution in Elsaß-Lothringen wieder wachzurufen. Der Herr Abgeordnete Treitschke ist allerdings Geschichtsprofessor; aber ich bezweifle doch, daß er das innere geistige Leben der Völker genau kennt; (Heiterkeit) denn sonst, meine Herren, könnte er unmöglich glauben, daß bei einer Bevölkerung mit solch revolutionären und republikanischen Tradtionen, wie sie die Elsässer Bevölkerung seit 80 bis 90 Jahren in Verbindung mit Frankreich durchgemacht hat, es möglich sei, das monarchische Gefühl in Elsaß-Lothringen wiederherzustellen. Täuschen Sie sich nicht, meine Herren, wenn einmal die Annexion unabänderlich ist - und wir wenige können sie ja beim besten Willen nicht rückgängig machen gegen die Macht, die uns gegenübersteht -, dann ist der einzige Vorteil, den ich in der Annexion von

Elsaß-Lothringen erblicke, der, daß gerade diese revolutionären und republikanischen Tendenzen, die meiner Überzeugung nach in einem großen Teile der Bevölkerung von Elsaß-Lothringen leben, jetzt nach Deutschland mit hinübergenommen werden und daß Elsaß-Lothringen so den Keil bildet, der es uns mit möglich machen wird, nach einiger Zeit das gesamte monarchische Deutschland aus den Fugen zu treiben. Ich von meinem Standpunkte aus protestiere entschieden gegen die Annexion, weil ich sie für ein Verbrechen gegen das Völkerrecht halte, weil ich sie für einen Schandfleck in der deutschen Geschichte halte. Ich hoffe, daß die elsässische Bevölkerung, ihrer freiheitlichen Mission sich bewußt, den freiheitlichen Kampf mit uns in Deutschland aufnehmen wird, damit endlich die Zeit komme, wo die europäischen Bevölkerungen ihr volles Selbstbestimmungsrecht erlangen können, was sie aber nur bekommen können, wenn die Völker Europas in der republikanischen Staatsform das Ziel ihrer Bestrebungen erblicken.

11 **Juni 1878**

Die behördliche Beobachtung der Arbeiterbewegung in den Bezirken Lahr und Lörrach

a) Bericht des Großherzoglichen Bezirksamtes Lahr an den Großherzoglichen Landeskommissär in Freiburg, 12. Juni 1878

GLA Karlsruhe, 236/17053.

Euer Hochwohlgeboren habe ich zufolge hochverehrlicher Zuschrift des Herrn Präsidenten des Großherzoglichen Ministeriums des Innern vom 6. d. M. zu berichten die Ehre:

Ein Verein mit ausgesprochner sozialdemokratischer Richtung besteht den eingezogenen Erkundigungen zufolge im dieseitigen Amtsbezirk nicht, wohl aber wurde im August vorigen Jahres auf Anregung des Agitators F. Weidemann aus Mannheim, des Vorsitzenden des Bundes der Tischler und der verwandten Berufsgenossen Deutschlands, in hiesiger Stadt eine Filiale dieses Bundes gegründet, der sich nach § 1 der Statuten, von welchen ich ein Exemplar anzuschließen mich beehre, die Aufgabe gestellt hat, durch einheitliche Organisation die Ehre und die materiellen Interessen der Arbeitnehmer gegenüber den Arbeitgebern zu schützen und diese Aufgabe zu erreichen sucht: durch Beschränkung der täglichen Arbeitszeit,

Einführung eines zeitgemäßen Normalarbeitstages, Beseitigung der Sonntags-, Nacht- und Akkordarbeit und entsprechende Erhöhung des Arbeitslohnes, ferner durch Veröffentlichung der auf die Arbeiterverhältnisse bezüglichen statistischen Erhebungen, Gründung von Arbeitsnachweisbüros und gemeinschaftlichen Verkehrslokalen sowie einer dem Hilfskassengesetz angepaßten nicht obligatorischen Zentralkranken- und Sterbekasse und endlich durch Errichtung eines gemeinschaftlichen den Interessen des Bundes dienenden und Bildung der Arbeiter fördernden Presseorgans.

Erörterungen politischer und religiöser Fragen in den Versammlungen sind nach §12 der Statuten untersagt. Eine Durchführung der in letztgenanntem Paragraphen vorgesehenen Reform dürfte aber im Hinblick auf das Ziel, das sich der Bund nach §1 gesteckt hat, und auch die in §5 über Arbeitseinstellungen und Arbeitsausschüsse enthaltenen Bestimmungen schwer durchzuführen sein, da die Anstrebung einer Reform der heutigen Produktionsverhältnisse, d. h. des Verhältnisses zwischen Kapital und Arbeitskraft, wie sie der Bund bezweckt, ohne Änderung unserer sozialpolitischen Verhältnisse nicht zu erreichen ist und deren Erörterung jeweils dazu führen wird, auch den zufälligen Druck der Zeitumstände dem Staat und dessen Organen zur Last zu legen, die staatlichen und gesellschaftlichen Grundlagen zu bekämpfen und den Haß der Besitzlosen gegen die Besitzenden zu steigern.

An der Spitze der hiesigen Filiale des Tischlerbundes steht ein sogenannter Bevollmächtigter, der die eingehenden Beiträge, bestehend aus einem Eintrittsgeld von 50 Pf und wöchentlichen Beisteuern von 10 Pf, vierteljährlich an den obengenannten Vorstand des Tischlerbundes (Weidemann in Mannheim) abzuliefern hat.

Als Bevollmächtigter fungiert z. Zt. ein dahier ansässiger verheirateter Schreiner namens Strahl von Pervisan, auch als Kassier der ledige, auf eigene Rechnung arbeitende Schuhmacher Kniep von Lahr. Beide hier ganz unbekannte Persönlichkeiten - von Kniep verlautet, daß er während seiner Wanderjahre der Gewerkschaft der Schuhmacher angehörte und öfters sozialdemokratische Versammlungen besuchte - verdanken ihre Berufung in den Vorstand lediglich ihrer Ortsansässigkeit. Die hiesige Filiale zählt z. Zt. 42 Mitglieder, wovon etwa 23 dem Großherzogtum Baden, die übrigen hauptsächlich den Königreichen Preußen, Sachsen und Bayern angehören.

Obgleich der §2 der Statuten als aufnahmefähige Mitglieder nur die der Holzarbeiterbranche angehörigen Arbeiter bezeichnet, so ist diese Kategorie in der hiesigen Filiale doch nur durch 8 Personen vertreten, während alle übrigen Mitglieder sich aus der Klasse der Steinbrecher, Maurer, Weber, Schuhmacher, Mechaniker und Hutmacher rekrutieren. Die Steinbrecher von Lahr, Kufberg und Reichenbach sind am zahlreichsten vertreten, und zwar nur aus dem Grund, weil sie der Vorteile der mit dem Tischlerbund verbundenen Zentralkranken- und Sterbekasse am meisten bedürftig sind. In den größeren Fabriketablissements sind wenige oder gar keine Mitglieder des Bundes beschäftigt, da der größte Teil der Fabrikbevölkerung in Lahr und Umgebung ansässig ist und einige Fabrikanten (Schauenburg und Kramer) nur solche Arbeiter aufnehmen, die keinem sozialdemokratischen Verein angehören.

Arbeiterversammlungen wurden erst im August vorigen Jahres im Amtsbezirk abgehalten. Die erste wurde veranstaltet von dem Vorsitzenden des Tischlerbundes F. Weidemann in Mannheim unterm 11. August vorigen Jahres in der Restauration »Masson« dahier; die zweite am 17. Oktober vorigen Jahres von demselben Agitator in Gemeinschaft mit dem auf einer Agitationsreise in die Schweiz begriffenen sozialdemokratischen Reichstagsabgeordneten Fritzsche (Vertreter des 4. Berliner Wahlkreises), und zwar in dem zu Lahr gehörigen Orte Burgheim; die dritte am 9. Januar dieses Jahres von dem sozialistischen Agitator Lehmann von Pforzheim in der Restauration »Masson« dahier und die letzte am 26. Mai dieses Jahres in Reichenbach von einem Mitglied des hiesigen Tischlerbundes, dem Mechaniker Friedrich Theodor Albert Görcki aus Breslau, der den Eindruck eines unzufriedenen und verbissenen, aber ziemlich redegewandten Menschen macht, und wie aus einigen mir mitgeteilten Nummern des in München erscheinenden »Zeitgeist« und einem im Dezember 1876 in Zürich erschienenen, von ihm mitunterzeichneten Aufruf »An die Schlosser der Schweiz« ersichtlich ist, bereits seit mehreren Jahren für ähnliche Zwecke, wie sie der Tischlerbund verfolgt, journalistisch tätig ist. Die drei ersten Versammlungen gingen aus der Agitation der Herren Weidemann, Fritzsche und Lehmann, die letzteren aus der des hiesigen Tischlerbundes beziehungsweise des Mechanikers Görcki hervor.

Regelmäßige Versammlungen und solche unter freiem Himmel fanden nicht statt; dagegen pflegen sich die Mitglieder des hiesigen Tischlerbundes ziemlich regelmäßig in der »Leserschen Restauration« dahier zu versammeln, wo sie bei Besprechungen von Vereinsangelegenheiten sich in ein abgesondertes Zimmer zurückziehen, auch wo zugleich die wöchentlichen Beiträge für den Tischlerbund und die Zentralkranken- und Sterbekasse eingezogen zu werden pflegen.

Mitbestimmend für die von Fritzsche und Weidemann am 17. Oktober vorigen Jahres gemeinschaftlich abgehaltene Versammlung in Burgheim waren die Angriffe, welche Fritzsche seinerzeit in der »Lahrer Zeitung« wegen angeblicher Beteiligung an schwindelhaften Unternehmungen erfuhr, und welche derselbe bei Besprechung des auf der Tagesordnung stehenden Themas: »Die Lahrer Zeitung«, als böswillige Erfindung charakterisierte.

Bei der am 11. August vorigen Jahres von Weidemann abgehaltenen Versammlung fungierte als Gegenstand der Tagesordnung ein von ihm gehaltener Vortrag über den Zweck und den Nutzen der Gewerkschaften und zentralisierten Kranken- und Sterbekasse, welches Thema auch von Görcki auf der Reichenbacher Versammlung behandelt wurde.

In den am 17. Oktober vorigen Jahres und am 9. Januar dieses Jahres stattgefundenen sozialdemokratischen Versammlungen wurden von den obengenannten Agitatoren die Endziele der Sozialdemokratie in eingehender Weise erörtert und insbesondere hervorgehoben, daß der Zukunfts-(Volks-)Staat alleiniger Inhaber aller industrieller Etablissements und alleiniger Eigentümer des Grund und Bodens werden müsse, damit die Macht des Kapitals gebrochen und eine gerechtere Verteilung des Gewinns aus dem Betrieb der Landwirtschaft und der industriellen Unternehmungen ermöglicht werde. Auch die Abschaffung des stehenden Heeres und die anderen bekannten Forderungen der Sozialdemokratie wurden einer ausführlichen Erörterung unterzogen. Während Fritzsche und Lehmann in ziemlich ruhigem Ton ihr Thema behandelten, erging sich Weidemann in leidenschaftlicher Weise gegen das Bedrückungssystem der Kapitalisten und die Charakteristik, die der »Lahrer hinkende Bote« vom Jahr 1878 von dem Gebahren der Sozialisten gibt.

Schließlich forderte derselbe zum Eintritt in den Tischlerbund und zum Abonnement auf das »Badisch-pfälzische Volksblatt« auf. Die Zahl der Zuhörer bei den einzelnen Versammlungen bewegte sich zwischen 70 und 100, worunter ein Drittel oder die Hälfte Neugierige waren.

In der Reichenbacher Versammlung waren nur etwa 15 Mitglieder des hiesigen Tischlerbundes anwesend. Zu zwei Versammlungen wurde von einigen namhaften Bürgern dahier der Versuch gemacht, die Ausführungen der Hauptredner zu widerlegen, doch hatten diese Versuche nicht den wünschenswerten Erfolg, da die sozialistischen Agitatoren eine Menge zu ihren Gunsten sprechenden statistischen Materials zur Hand hatten, dessen Unrichtigkeit nachzuweisen ihre Gegner momentan nicht imstande waren.

Die Gründung der hiesigen Filiale erfolgte am Tage nach der ersten von Weidemann dahier abgehaltenen Versammlung am 12. August vorigen Jahres; einen weiteren Zuwachs an Mitgliedern erhielt der Verein am 12. November vorigen Jahres und im Laufe des Monats April dieses Jahres, trotzdem unmittelbar vorher eine öffentliche Versammlung nicht stattgefunden hatte. Nach der Reichenbacher Versammlung traten nur zwei weitere Mitglieder dem Verein bei.

Die späteren Versammlungen waren nicht zahlreicher besucht als die erste. Von den dem hiesigen Tischlerbund angehörigen Mitgliedern gehören zwanzig der Zentralkranken- und Sterbekasse des Tischlerbundes (eingeschriebene Hilfskasse) an, welche ihren Sitz in Hamburg hat. Als Kassier derselben fungiert der Herrenschneider Ochs von hier. Von den zwanzig Mitgliedern dieser Kasse steuern sechzehn zur vierten und je zwei zur dritten und zweiten Klasse bei. Die geringe Zahl der Vereinsangehörigen, welche zugleich zu der angegebenen Hilfskasse beisteuern, dürfte einen Fingerzeig abgeben, daß es den Leitern der hiesigen Filiale des Tischlerbundes weniger darum zu tun ist, den Mitgliedern bei Arbeitsunfähigkeit eine angemessene Unterstützung zu sichern, als vielmehr darum, für die sozialistischen Tendenzen Propaganda zu machen.

Was die dem Verein zugehenden Druckschriften betrifft, welche der sozialdemokratischen Partei dienen, so wurde in Erfahrung gebracht, daß wöchentlich etwa vierzig Exemplare des »Pioniers« - Organ des Tischlerbundes - unter Kreuzband dem Kassier der hiesigen Filiale, Schuhmacher Kniep, zugehen, welche derselbe an die einzelnen Mitglieder verteilt. Einzelne besonders rührige Mitglieder des Vereins sind auch auf den »Vorwärts« und das »Badisch-pfälzische Volksblatt« abonniert. Zu den letzteren gehört der Weber Friedrich Naumann von Giengen, ein früherer Zeitungsträger bei F. H. Geiger, der aber wegen Unterschlagung aus dem genannten Geschäfte entlassen wurde. Ob andere Persönlichkeiten sich geschäftsmäßig mit Verbreitung von Zeit- oder Flugschriften sozialdemokratischer Richtung befassen, konnte nicht in Erfahrung gebracht werden. Ebenso konnte nicht festgestellt werden, ob gerade bei denjenigen Klassen der Bevölkerung, welche erfahrungsgemäß der sozialdemokratischen Agitation zumeist zugänglich sind, der Besitz von Waffen, insbesondere von Schußwaffen, ein allgemeinerer geworden ist, wohl aber glaube ich hier konstatieren zu sollen, daß im hiesigen Amtsbezirk nach Mitteilung des Großherzoglichen Herrn Bezirksarztes in den letzten fünf Jahren Körperverletzungen durch Stich- oder Schußwaffen nur in geringer Zahl vorgekommen sind.

b) Bericht des Großherzoglichen Bezirksamtes Lörrach an den Großherzoglichen Landeskommissär in Freiburg, 15. Juni 1878

GLA Karlsruhe, 236/17053.

Auf Erlaß Euer Hochwohlgeboren des Herrn Präsidenten des Großherzoglichen Badischen Ministeriums des Inneren vom 6. d.M. berichtete ich ergebenst unter Vorlage unserer Akten über den allgemeinen Arbeiterverband dahier ab 1873 ff.

I. Im hiesigen Amtsbezirk besteht nur ein Verein sozialdemokratischer Richtung, nämlich der allgemeine Arbeiterbund dahier. Über die Verhältnisse und das Bestehen des Vereins vor meinem im Januar 1873 erfolgten Amtsantritt dahier finde ich keinen Aufschluß in irgendwelchen Amtsakten, außer daß in einem Verzeichnis vom Jahr 1870 unter den im Bezirk bestehenden Vereinen auch ein »Internationaler Arbeiterverein« aufgeführt ist. Erst seit 1873 habe ich über den erwähnten Verein und die von ihm oder durch seine Vermittlung von den bekannten Arbeiteraposteln veranstalteten sogenannten Volksversammlungen jeweils Erhebungen gemacht, welche in dem angeschlossenen Fazikel niedergelegt sind.

Ich erinnere mich außerdem nur noch, daß gleich oder bald nach meiner Hierherkunft eine Volksversammlung durch den hier damals schon (aber in sehr geringer Bedeutung) bestandenen sozialdemokratischen Verein in hiesiger Stadt abgehalten werden sollte, daß ich aber durch persönliche Vorstellungen an den Vorstand des Vereins die Verlegung des Orts der Versammlung nach dem angrenzenden schweizerischen Ort Riehen veranlaßte und daß darauf in jener Versammlung weidlich über mich geschimpft wurde, welchem Schimpfen sich auch ein Teil der hiesigen Bürgerschaft anschloß, als ob ich die Volksversammlung dahier verboten habe!

Seither ließ ich die Versammlungen ungehindert gehen, machte aber jeweils Erhebungen; und die hiesige Bürgerschaft begann erst seit kürzerer Zeit, sich darüber verwundernd zu äußern, warum man solche Versammlungen dulde und ebenso das Herumziehen aufwiegelnder Agitatoren. Manche hiesigen sogenannte gebildeten Herren wollten aber auch an diesen Versammlungen wieder gar nichts Bedenkliches finden.

Der Vorstand des Vereins war im Jahr 1873 ein früherer Fabrikarbeiter und damaliger »Kränz«-Wirt namens J. G. Rens, in dessen Lokal der Verein auch seine Zusammenkünfte hielt. Dem Rens verleidete die Sache, wie er mir gelegentlich selbst mitteilte, weil die Mitglieder schlechte Zwecke verfolgten; und der Verein löste sich zeitweise auf, wurde aber zufolge der wiederholten Abhaltung von sogenannten Volksversammlungen durch die herumziehenden Agitatoren jeweils wieder neu gegründet und hat sich seit einer im Spätjahr vorigen Jahres durch den Agitator Dreesbach veranstalteten Volksversammlung wieder etwas fester gestaltet, zählt indes verhältnismäßig sehr wenige Mitglieder, wenn auch vielleicht eine mehr oder minder große Zahl Anhänger, ohne daß diese gerade förmlich dem Verein angehören.

In letzter Zeit hatte der Verein etwa 50 Mitglieder, von denen neuerlich eine größere Zahl als ausgeschlossen zu betrachten ist, weil sie seit Monaten die statutenmäßigen Beiträge nicht mehr bezahlten; zur Zeit zählt der Verein kaum noch 20 Mitglieder, teils Fabrikarbeiter, teils Taglöhner, wenige Handwerksgesellen und vielleicht einen oder zwei hiesige Wirte (darunter »Ochsen«-Wirt Schwöble, bei welchem einige Zeit - während Schwöble Pächter des »Schwanen«-Wirtshauses war - das Gesellschaftslokal sich befand), ferner ein Kolporteur (ein von Buchdrucker Gutsch wegen seiner Gesinnung entlassener junger Bursche, der jetzt von Buchhändler Rößling als Kolporteur angestellt ist), ein leichtsinniger Dienstmann und ein wegen verschiedener Dienstwidrigkeiten entlassener früherer Gerichtsvollzieher. Die 27 Mitglieder sind in der neuesten Gendarmeriemeldung aufgezählt.

Die ehemaligen Vorstandsmitglieder sind: 1. Johann Georg Bauer von Tegernau (heute Schopfheim), Taglöhner (früher Fabrikarbeiter), seit etwa 16 Jahren dahier wohnhaft, 27 Jahre alt, verheiratet, vermögenslos, ein ungebildeter, formlos aussehender Mensch, erster Vorstand oder Agent; - 2. Georg Fischer (aus dem Sigmaringischen), Taglöhner hier, vor kurzem nach Basel weggezogen und vom Verein der Unterschlagung oder Betrügereien beschuldigt, zweiter Vorstand oder Stellvertreter; – 3. Ludwig Lauberger von Tegernau, z. Zt. Kolporteur bei Buchhändler Rößling hier, ein junger vorlauter und frecher Bursche, Kassier des Vereins; – 4. Eduard Schätzle, Taglöhner, Schriftführer des Vereins (mir nicht näher bekannt).

Wer die noch zum Vorstand gehörenden drei Beisitzer sind, konnte der erste Vorstand nicht angeben, weil viele Mitglieder wieder weggezogen sind.

Die Statuten des Vereins vom Jahr 1873, zu welcher Zeit derselbe noch weniger sozialdemokratische Tendenzen verfolgte, sind den Amtsakten eingeheftet; seit dem Jahr 1875 und insbesondere seit der im Spätjahr vorigen Jahres geschehenen festeren Gliederung haben sich die Statuten des Vereins wesentlich geändert.

Hinzu gehört dann noch das sogenannte Programm der Sozialistischen Arbeiterpartei Deutschlands, die Organisation derselben und die Geschäftsordnung derselben, welche drei Druckschriften jeweils bei den Volksversammlungen ausgeteilt wurden.

Aus den Statuten und Programmen ergibt sich der Zweck des Vereins, der ja allgemein bekannt ist.

Außerhalb der Amtsstadt (in den Landorten) bestehen keine solche Vereine, doch taucht da und dort, hie und da ein einzelner Arbeiter auf, welcher in Wirtschaften sozialdemokratische Tendenzen kundgibt und die – ohnehin bereits hinreichend nichtsnutzige – ländliche Arbeiterbevölkerung damit anzustecken versucht und leider auch manchmal wirklich ansteckt. Die Bauern wollen indes von der Sozialdemokratie am allerwenigsten wissen.

II. Über die vom Verein oder durch dessen Vermittlung – fast immer nur auf Veranlassung der reisenden Agitatoren – im Bezirk, d. h. in hiesiger Stadt abgehaltenen öffentlichen Versammlungen geben die in den Amtsakten enthaltenen Gendarmeriemeldungen den nötigen Aufschluß. Es werden dabei die gewöhnlichen, allbekannten Reden von den Arbeiteraposteln gehalten, mit den Themen, wie sie in den gedruckten Programmen einzeln aufgeführt sind; von der Notwendigkeit der Unterdrückung der Herrschaft des Kapitals, Einführung des Volksheeres, vom Mastbürgertum, Ungerechtigkeit der indirekten Steuern, von den direkten Wahlen, Verbesserung des Lohns des Arbeiters, Organisation der Arbeiter, dem Klassenunterschied, der schlechten Bezahlung der »Subalternbeamten« (besonders auch Postbediensteten) gegenüber den höheren Beamten, von Notwendigkeit der Staatshilfe für die arbeitende Klasse, Gewerbsgenossenschaften, ungerechten Kriegen zwischen den Völkern und daraus resultierenden Menschenschlächtereien, Unnötigkeit der »Religion«, von Pfaffenwirtschaft usw.

Einzelne der Redner sprechen gewandt und gründend und sehr verführerisch für den untergeordneten, sich ohnedies immer angeblich gedrückt fühlenden Arbeiter. Daß durch solche Versammlungen das Wirtshaussitzen und Blaumachen der Arbeiter nach und nach immer noch mehr, als es leider ohnedies schon seit einigen Jahren war, gefördert wurde und wird, davon sagten natürlich die Apostel nichts! Diese Volksversammlungen waren früher - hier immer im Wirtshaus gehalten - sehr wenig besucht, und würden nicht die Reiseagitatoren die Redner gewesen sein, so hätte wohl kaum jemand die Versammlung besucht. Seit letztem Spätjahr insbesondere wurden diese Volksversammlungen immer zahlreicher besucht. Allerdings teilweise auch von bloß neugierigen Bürgern. Unordnungen sind indes dabei nicht vorgekommen; auch war nach bisheriger Lage der Sache kein gesetzlich genügender Anlaß vorhanden gewesen, die Versammlungen zu verbieten oder aufzulösen.

Seit dem Jahr 1873 wurden folgende Volksversammlungen dahier abgehalten (die Namen der aufgetretenen Redner sind in Klammern beigefügt): 1) 24. August 1873 (Stiftungsfest des Vereins); 2) 4. November 1875 (Uhrmacher Honkenberger von Marienburg, z.Zt. in Pforzheim, und Schuhmacher Haug von Freiburg); 3) 10. November 1875 (Uhrmacher Honkenberger aus Pforzheim); 4) 15. Dezember 1875 (derselbe Honkenberger); 5) 17. August 1877 (Dreesbach und Weidemann aus Mannheim); 6) 7. Oktober 1877 (Haug aus Freiburg, Bölli von Konstanz, Dorn von Säkkingen, Freese aus Köln, Dietz aus Mannheim); 7) 2. Dezember 1877 (Dorn von Säckingen, Frause aus Basel, Levi aus Basel); 8) 13. Januar 1878 (Lehmann aus Pforzheim, ein vergantener Bierzäpfler); 9) 10. Februar 1878 (Buchbindergeselle Stegen aus Leipzig, z.Zt. in Basel; 10) 16. April 1878 (Reichstagsabgeordneter W. Blos).

In letzter Zeit scheint der Vorstand Bauer, mit dem ich mündlich Rücksprache nahm, die Lust zu Volksversammlungen verloren zu haben, obschon das Gerücht gegangen, der Reichstagsabgeordnete Bebel wolle hier als Redner auftreten.

III. Über die Art und Weise der Vorbereitung sozialdemokratischer Druckschriften im Amtsbezirk habe ich bis jetzt nichts Näheres in Erfahrung bringen können. Der hiesige sozialdemokratische Verein hält als solcher keine Zeitungen und sonstige Druckschriften, da er zu wenig Mittel besitzt.

Jedes Mitglied zahlt monatlich 25 Pf, wovon 15 Pf an die Zentralkasse in Hamburg eingesendet werden, so daß dem hiesigen Verein kaum 3-4 M monatlich bleiben. Dagegen halten einzelne Mitglieder auf ihre Kosten derartige Blätter, die sie durch die Post beziehen und dann im Verein vorlesen oder sonst zirkulieren lassen. So bezieht der Vorstand Bauer ein Exemplar des in Leipzig erscheinenden »Vorwärts«; der Kassier Kolporteur Hauberger ein Exemplar der »Berliner freien Presse«; und außer diesen Exemplaren werden nur noch 7 Exemplare des Mannheimer »Allgemeinen Badischen Volksblatts« hier gehalten (von den Mitgliedern Hauberger, Weidemann, Schuhmacher, Schöpflin, »Ochsen«-Wirt Schwöble und Bierbrauer Munz). Offenbar werden auch noch solche Schriften in Paketen versendet, allein jedenfalls nicht in besonders zahlreicher Weise, denn es drang davon wenig in die Öffentlichkeit. Den Kolporteur Hauberger, der sich möglicherweise mit der Verbreitung abgibt, lassen wir überwachen. Viel Presselisten* können die Agitatoren bei unseren Arbeitern, denen es nicht so schlecht wie den Arbeitern in Norddeutschland geht und die im allgemeinen mit ihren Verhältnissen zufrieden sein können, überhaupt nicht machen; aber es wäre an der Zeit, diesen reisenden Agitatoren das Handwerk überhaupt zu legen, dann wird im Bezirk auch der Sozialdemokratismus keine weiteren Fortschritte machen.

IV. Von irgendwelchen auffallenden Waffenbesitzen der Arbeiter ist mir gar nichts bekannt, ebensowenig von etwaigen Waffenankäufen.

Nach meinem unmaßgeblichen Dafürhalten sind zur Zeit die Sozialdemokraten des Bezirks noch nicht gefährlich, allein es dürfte doch die höchste Zeit sein, den reisenden Agitatoren und überhaupt denjenigen, welche gewerbsmäßig oder in öffentlichen Versammlungen oder in der Presse die Arbeiter immer nur gegen die Besitzenden und gegen die bestehenden Gesetze und gegen die Staatsordnung aufhetzen, durch die Strafgesetzgebung ein Ziel** zu setzen.

Übrigens finde ich den Krebsschaden nicht bloß bei den Sozialdemokraten, sondern überhaupt in der derweiligen gesetzlichen Unmöglichkeit oder erheblichen Schwierigkeit, der Liederlichkeit und Frechheit und der Neigung zum Herumziehen und zum Nichtstun der Jugend (einschließlich der Dienstboten) von seiten der Eltern und der öffentlichen Gewalt wirksam und strafend entgegenzutreten.

---

* Abonnentenlisten
** eine Grenze

Die Verfolgung der Arbeiterorganisationen unter dem Sozialistengesetz

a) Gesetz gegen die gemeingefährlichen Bestrebungen der Sozialdemokratie (Auszug), 21. Oktober 1878

Reichsgesetzblatt 1878, S. 351 ff.

§ 1 Vereine, welche durch sozialdemokratische, sozialistische oder kommunistische Bestrebungen den Umsturz der bestehenden Staats- oder Gesellschaftsordnung bezwecken, sind zu verbieten.

Dasselbe gilt von Vereinen, in welchen sozialdemokratische, sozialistische oder kommunistische auf den Umsturz der bestehenden Staats- oder Gesellschaftsordnung gerichtete Bestrebungen in einer den öffentlichen Frieden, insbesondere die Eintracht der Bevölkerungsklassen gefährdenden Weise zutage treten. ...

§ 5 Wird durch die Generalversammlung, durch den Vorstand oder durch ein anderes leitendes Organ des Vereins den von der Kontrollbehörde innerhalb ihrer Befugnisse erlassenen Anordnungen zuwidergehandelt oder treten in dem Verein die in § 1 Absatz 2 bezeichneten Bestrebungen auch nach Einleitung der Kontrolle zutage, so kann der Verein verboten werden.

§ 6 Zuständig für das Verbot und die Anordnung der Kontrolle ist die Landespolizeibehörde. Das Verbot ausländischer Vereine steht dem Reichskanzler zu. Das Verbot ist in allen Fällen durch den Reichsanzeiger, das von der Landespolizeibehörde erlassene Verbot überdies durch das für amtliche Bekanntmachungen der Behörde bestimmte Blatt des Ortes oder des Bezirkes bekanntzumachen. Das Verbot ist für das ganze Bundesgebiet wirksam und umfaßt alle Verzweigungen des Vereins sowie jeden angeblich neuen Verein, welcher sachlich als der alte sich darstellt. ...

§ 8 Das von der Landespolizeibehörde erlassene Verbot sowie die Anordnung der Kontrolle ist dem Vereinsvorstand, sofern ein solcher im Inlande vorhanden ist, durch schriftliche, mit Gründen versehene Verfügung bekanntzumachen. Gegen dieselbe steht dem Vereinsvorstande die Beschwerde (§ 26) zu. Die Beschwerde ist innerhalb einer Woche bei der Behörde anzubringen, welche dieselbe erlassen hat. Die Beschwerde hat keine aufschiebende Wirkung.

§ 9 Versammlungen, in denen sozialdemokratische, sozialistische oder kommunistische auf den Umsturz der bestehenden Staats- oder Gesellschaftsordnung gerichtete Bestrebungen zutage treten, sind aufzulösen. Versammlungen, von denen durch Tatsachen die Annahme gerechtfertigt ist, daß sie zur Förderung der im ersten Absatz bezeichneten Bestrebungen bestimmt sind, sind zu verbieten. Den Versammlungen werden öffentliche Festlichkeiten und Aufzüge gleichgestellt. ...

§11 Druckschriften, in welchen sozialdemokratische, sozialistische oder kommunistische auf den Umsturz der bestehenden Staats- oder Gesellschaftsordnung gerichtete Bestrebungen in einer den öffentlichen Frieden, insbesondere die Eintracht der Bevölkerungsklassen gefährdenden Weise zutage treten, sind zu verbieten. Bei periodischen Druckschriften kann das Verbot sich auch auf das fernere Erscheinen erstrecken, sobald aufgrund dieses Gesetzes das Verbot einer einzelnen Nummer erfolgt. ...

§ 15 Die Polizeibehörde ist befugt, Druckschriften der im §11 bezeichneten Art sowie die zu ihrer Vervielfältigung dienenden Platten und Formen schon vor Erlaß eines Verbotes vorläufig in Beschlag zu nehmen. Die in Beschlag genommene Druckschrift ist innerhalb vierundzwanzig Stunden der Landespolizeibehörde einzureichen. Letztere hat entweder die Wiederaufhebung der Beschlagnahme sofort anzuordnen oder innerhalb einer Woche das Verbot zu erlassen. Erfolgt das Verbot nicht innerhalb dieser Frist, so erlischt die Beschlagnahme und müssen die einzelnen Stücke, Platten und Formen freigegeben werden.

§ 16 Das Einsammeln von Beiträgen zur Förderung von sozialdemokratischen, sozialistischen oder kommunistischen auf den Umsturz der bestehenden Staats- oder Gesellschaftsordnung gerichteten Bestrebungen sowie die öffentliche Aufforderung zur Leistung solcher Beiträge sind polizeilich zu verbieten. Das Verbot ist öffentlich bekannt zu machen. Die Beschwerde findet nur an die Aufsichtsbehörde statt.

§ 17 Wer an einem verbotenen Verein (§6) als Mitglied sich beteiligt oder eine Tätigkeit im Interesse eines solchen Vereins ausübt, wird mit Geldstrafe bis zu fünfhundert Mark oder mit Gefängnis bis zu drei Monaten bestraft. Eine gleiche Strafe trifft denjenigen, welcher an einer verbotenen Versammlung (§9) sich beteiligt oder welcher nach polizeilicher Auflösung einer Versammlung (§9) sich nicht sofort entfernt.

Gegen diejenigen, welche sich an dem Vereine oder an der Versammlung als Vorsteher, Leiter, Ordner, Agenten, Redner oder Kassierer beteiligen oder welche zu der Versammlung auffordern, ist auf Gefängnis von einem Monat bis zu einem Jahre zu erkennen.

§ 18 Wer für einen verbotenen Verein oder für eine verbotene Versammlung Räumlichkeiten hergibt, wird mit Gefängnis von einem Monat bis zu einem Jahr bestraft. ...

§ 19 Wer eine verbotene Druckschrift (§§11, 12) oder wer eine von der vorläufigen Beschlagnahme betroffene Druckschrift (§15) verbreitet, fortsetzt oder wieder abdruckt, wird mit Geldstrafe bis zu eintausend Mark oder mit Gefängnis bis zu sechs Monaten bestraft. ...

§ 22 Gegen Personen, welche sich die Agitation für die im § 1 Absatz 2 bezeichneten Bestrebungen zum Geschäft machen, kann im Falle einer Verurteilung wegen Zuwiderhandlungen gegen die §§ 17 bis 20 neben der Freiheitsstrafe auf die Zulässigkeit der Einschränkung ihres Aufenthaltes erkannt werden. Aufgrund dieses Erkenntnisses kann dem Verurteilten der Aufenthalt in bestimmten Bezirken oder Ortschaften durch die Landespolizeibehörde versagt werden, jedoch in seinem Wohnsitze nur dann, wenn er denselben nicht bereits seit sechs Monaten innehat. Ausländer können von der Landespolizeibehörde aus dem Bundesgebiet ausgewiesen werden. Die Beschwerde findet nur an die Aufsichtsbehörde statt. Zuwiderhandlungen werden mit Gefängnis von einem Monat bis zu einem Jahr bestraft.

§ 23 Unter den im § 22 Absatz 1 bezeichneten Voraussetzungen kann gegen Gastwirte, Schankwirte, mit Branntwein oder Spiritus Kleinhandel treibende Personen, Buchdrucker, Buchhändler, Leihbibliothekare und Inhaber von Lesekabinetten neben der Freiheitsstrafe auf Untersagung ihres Gewerbebetriebes erkannt werden.

§ 24 Personen, welche es sich zum Geschäft machen, die im § 1 Absatz 2 bezeichneten Bestrebungen zu fördern, oder welche aufgrund einer Bestimmung dieses Gesetzes rechtskräftig zu einer Strafe verurteilt worden sind, kann von der Landespolizeibehörde die Befugnis zur gewerbsmäßigen oder nicht gewerbsmäßigen öffentlichen Verbreitung von Druckschriften sowie die Befugnis zum Handel mit Druckschriften im Umherziehen entzogen werden. Die Beschwerde findet nur an die Aufsichtsbehörde statt. ...

§ 28 Für Bezirke oder Ortschaften, welche durch die im § 1 Absatz 2 bezeichneten Bestrebungen mit Gefahr für die öffentliche Sicherheit bedroht sind, können von den Zentralbehörden der Bundesstaaten die folgenden Anordnungen, soweit sie nicht bereits landesgesetzlich zulässig sind, mit Genehmigung des Bundesrates für die Dauer von längstens einem Jahr getroffen werden:

1. daß Versammlungen nur mit vorgängiger Genehmigung der Polizeibehörde stattfinden dürfen; auf Versammlungen zum Zweck einer ausgeschriebenen Wahl zum Reichstag oder zur Landesvertretung erstreckt sich diese Beschränkung nicht;
2. daß die Verbreitung von Druckschriften auf öffentlichen Wegen, Straßen, Plätzen oder an anderen öffentlichen Orten nicht stattfinden darf;
3. daß Personen, von denen eine Gefährdung der öffentlichen Sicherheit oder Ordnung zu besorgen ist, der Aufenthalt in den Bezirken oder Ortschaften untersagt werden kann;
4. daß der Besitz, das Tragen, die Einführung und der Verkauf von Waffen verboten, beschränkt oder an bestimmte Voraussetzungen geknüpft wird.

Über jede aufgrund der bevorstehenden Bestimmungen getroffene Anordnung muß dem Reichstag sofort beziehungsweise bei seinem nächsten Zusammentreten Rechenschaft gegeben werden. Die getroffenen Anordnungen sind durch den »Reichsanzeiger« und auf die für landespolizeiliche Verfügungen vorgeschriebene Weise bekanntzumachen. Wer diesen Anordnungen oder der aufgrund derselben erlassenen Verfügungen mit Kenntnis oder nach erfolgter öffentlicher Bekanntmachung zuwiderhandelt, wird mit Geldstrafe bis zu eintausend Mark oder mit Haft oder mit Gefängnis bis zu sechs Monaten bestraft. ...

b) Mitteilung des Großherzoglich Badischen Innenministeriums an sämtliche Bezirksämter betreffend die Aufsicht über die Presse, 6. Februar 1879

Staatsarchiv Freiburg, LRA Emmendingen, Nr. 646.

Nach einer durch Vermittlung Großherzoglichen Staatsministeriums anhier gelangten vertraulichen Mitteilung des Königlich Preußischen Gesandten erscheint das von dem bekannten Sozialdemokraten Most in London herausgegebene Parteiblatt, welches ursprünglich den Titel »Freiheit« führte und dessen fernere Verbreitung im Reichsgebiete durch den Herrn Reichskanzler unterm 17. Januar d. J. verboten wurde (vgl. diesseitige Bekanntmachung vom 3. d. M. in der »Karlsruher Zeitung«, Nr. 32), jetzt unter wechselnder Bezeichnung. Der für die am 1. d. M. erschienenen Nummer gewählte Name soll lauten: »Frech gewidmet dem Badischen Landeskommissär zu Mannheim«, und wird diese Nummer, wie die vom 18. Januar d. J. datierte Druckschrift »Bismarck«, welche letztere von der Polizeibehörde in Hamburg als Landespolizeibehörde unterm 20. d. M. verboten wurde (vgl. diesseitige Bekanntmachung vom 3. d. M. in der »Karlsruher Zeitung«, Nr. 32), als Fortsetzung der obengenannten verbotenen Druckschrift »Freiheit« nach Maßgabe der §§ 11 und 12 in Verbindung mit § 19 des Sozialistengesetzes zu behandeln sein. Die Großherzoglichen Bezirksämter werden hiernach zur Vorkehrung des weiteren veranlaßt.

c) Mitteilung des Großherzoglich Badischen Innenministeriums an die Bezirksämter betreffend die Behandlung verbotener Druckschriften, 13. März 1879

Staatsarchiv Freiburg, LRA Emmendingen, Nr. 646.

Durch Verfügung des Herrn Generalpostministers vom 6. Februar d. J., veröffentlicht in Nr. 9 des Amtsblattes der deutschen Reichspost- und Telegraphenverwaltung, sind die Reichspostanstalten angewiesen worden, periodische Druckschriften, welche zu den aufgrund des Reichsgesetzes gegen die gemeingefährlichen Bestrebungen der Sozialdemokratie vom 21. Oktober 1878 seitens des Herrn Reichskanzlers oder der Landespolizeibehörden verbotenen gehören, sofern sie unter Kreuzband oder in einer solchen Verpackung, daß der Inhalt äußerlich (ohne Eröffnung des Verschlusses) unzweifelhaft als in Exemplaren verbotener Zeitschriften bestehend erkennbar ist, den Postanstalten zugehen, nicht weiterzubefördern bzw. den Empfängern nicht auszuhändigen, sondern an die nächste Polizeibehörde abzuliefern. Eines vorherigen Antrags der Polizeibehörde bedarf es nicht.

Änderungen in dem Titel einer Druckschrift, welche sich im übrigen nach Form und Inhalt als bloße Fortsetzung eines verbotenen Blattes darstellt, tun, wie der Herr Generalpostminister in der eingangs erwähnten Verfügung hervorhebt, der Unzulässigkeit ihrer Beförderung mit der Post keinen Abbruch.

Hiervon werden die Großherzoglichen Bezirksämter zu ihrem Benehmen mit dem Anfügen in Kenntnis gesetzt, daß die Reichspostanstalten um eine weitergehende Mitwirkung behufs Durchführung des obigen Gesetzes, insbesondere um Mitteilungen über den Einlauf solcher Sendungen, bei welchen nur der Verdacht eines verbotenen Inhalts begründet erscheint, oder um Auslieferung derartiger Sendungen, nicht anzugehen sind.

d) Mitteilung des Großherzoglich Badischen Inneministeriums an die Bezirksämter betreffend die Verbreitung verbotener Druckschriften, 19. Juli 1879

Staatsarchiv Freiburg, LRA Emmendingen, Nr. 646.

Nach Mitteilung des Königlich Preußischen Polizeipräsidiums in Berlin lassen sozialdemokratische Reichstagsabgeordnete in der Schweiz 50 000 Exemplare einer Schrift drucken, welche wahrscheinlich den Titel »Jahrbücher« führen und Artikel und Abhandlungen über die sozialistische Bewegung enthalten wird. Sofortige Verbreitung dieser Schrift über ganz Deutschland ist beabsichtigt, und werden die desfallsigen Sendungen vermutlich unter den verschiedenartigsten Adressen in größeren Paketen aus der Schweiz kommen.

Wir veranlassen die Großherzoglichen Bezirksämter, falls eine derartige Sendung in den dortigen Bezirk gelangen oder die gedruckte Schrift im dortigen Bezirk verbreitet werden sollte, sofort gemäß § 15 des Sozialistengesetzes vorläufige Beschlagnahme zu verfügen und gemäß der gleichen Bestimmung sodann weiterzuverfahren.

Von der Beschlagnahme sowie auch wenn sonst auf die Verbreitung der fraglichen Druckschrift bezügliches zur dortigen Kenntnis kommt ist alsbald briefliche Anzeige anhier zu erstatten.

Sollte in Erfahrung gebracht werden, daß Exemplare dieser Schrift an bestimmte nicht in dem Bezirk des betreffenden Amtes gelegene badische oder außerbadische Orte zur Versendung gelangen, so ist der Polizeibehörde des Bestimmungsortes alsbald hiervon Mitteilung zu machen.

Das Polizei- und Sicherheitspersonal ist genügend zu unterweisen.

e) Schreiben des Großherzoglichen Bezirksamtes Emmendingen an die Gendarmerie-Bezirkskommandos Emmendingen und Kenzingen betreffend den Vollzug des Sozialistengesetzes, 28. Oktober 1879

Staatsarchiv Freiburg, LRA Emmendingen, Nr. 646.

Die Gendarmerie-Bezirkskommandos dahier und in Kenzingen werden benachrichtigt, daß nach Erlaß Großherzoglichen Ministeriums des Innern vom 20. letzten Monats in unserer Zeit auf den zur Verbreitung in Deutschland bestimmten, mit abwechselnden Titeln versehenen Nummern der in London erscheinenden Zeitung »Freiheit« statt des Druckorts London am Kopfe des Blattes »Berlin« eingerückt ist und dabei, um die dadurch beabsichtigte Täuschung der Behörden zu vervollständigen, die einzelnen Nummern derart zusammengelegt werden, daß der letztgenannte Name sofort in die Augen springt.

f) Bericht Joseph Bellis an den »Roten Postmeister« Julius Motteler über die illegale Verbreitung des »Sozialdemokrat« in Offenburg und Umgebung, 14. April 1880

D'Deyflsgiger, Nr. 3, 1981, S. 116f.

Lieber Freund!

Sache hat geklappt. Zettel und Preisliste in O* vorgefunden, dann Ware erhoben. Das sind prächtige Leute, auf die man sich verlassen kann. Kommerzienrats** Hausknecht holte mit dem Fabrikwagen die Ware von der Bahn.

Im Gartenpavillon ward geborgen und dann die Packerei vorgenommen. Toni, der Hausknecht, streckte seine Visage herein. Bücher und Broschüren sieht er sich in Pakete verwandeln. »Hm, hm«, meinte er, »so, dorum ist die Gschicht so schwer ufz'lade gsin.«

Den anderen Tag ging es ins Renchtal. Renchen, Oberkirch und Oppenau wurden mit unseren Paketen bedacht. Kommerzienrat ist ruhig und kühn. Mir fast zu kühn. Daß er im Bahncoupé den »Sozialdemokrat« entfaltete und las, wollte mir gar nicht einleuchten. »Wer ihn nicht sehen mag, soll d'Auge zumache«, erwiderte er auf meine Einwendung.

In Renchen statten wir auf dem Rückweg dem alten Amand Goegg einen Besuch ab. Der Mann bekennt sich mit Stolz zur Sozialdemokratie.

Kommerzienrat junior*** war aus Frankfurt auch gerade zu Besuch da. Seines Bleibens wird dort nimmer lange sein. Er und seine Freunde von der Volkspartei neigen stark zu uns herüber. Das Organ dieser Partei, »Der Rheinbote«, erscheint in Kehl. Hat nur kleine Auflage. Mit dem Drucker und Verleger Ginzel sind sie gar nicht zufrieden. Man will ihn auskaufen und das Blättle nach O. nehmen. Adolfus und ein Buchhändler H. wollen die Sache machen. Wird sie schwere Opfer kosten, und opferwillig sind sie.

---

* Offenburg.
** Deckname für Karl Geck.
*** Gemeint ist Adolf Geck.

Einen Teil sandte ich als Gepäck nach Freiburg, Zettel an Lindwurm. Dann fuhren Kommerzienrat senior und ich mit einer Anzahl Pakete nach Straßburg. Diese ließen wir sofort schwirren! Dann suchte ich Siegle und Genossen auf, um Verbindung herzustellen.

Im Garten »Zu den vier Winden« war bald ein Dutzend Genossen versammelt. Alle freuten sich, und ein jeder ist bereit, was möglich zu wagen. Auf einmal steigt der »Geheimrat« (Thies) rings um den Tisch. Jedem flüstert er etwas ins Ohr. Dann nimmt mich Siegle auf die Seite und eröffnet mir, Thies mache darauf aufmerksam, ob der »Kommerzienrat«, da doch ein Fabrikant, auch ein Genosse und nicht gar ein Spitzel sei. Ich beruhigte ihn und er die anderen.

Kommerzienrat fuhr zurück, und ich logierte im »Maison Rouge«. Morgens fünf Uhr polterte es an meiner Tür. Ich öffnete, und da steht vor mir Freund Autenrieth aus Offenburg. »Sehen Sie mal zum Fenster hinaus«, sagte er. Unten patrouillierte ein Offenburger Gendarm. »Man hat Wind von Ihnen. Der ist im gleichen Zug mit mir herüber gefahren. Hereingetraut hat er sich scheint's nicht vorläufig, aber vorn heraus können Sie nicht«. Ich dankte, zahlte unten meine Zeche, verließ hinten hinaus das Gasthaus, wanderte nach Königshofen auf die Station und fuhr über Kolmar-Breisach nach Freiburg.

Meine Ware erhob ich ohne Anstand. So bequem wie bei Kommerzienrat ist es bei Lindwurm (R. Paulus) nicht. Er wohnt hoch oben im Taubenschlag, wie er's nennt. Werkstätte und Wohnung beieinander. Nachts mußte gepackt werden, während die Frau daneben im Bette schlief. Lange nach Mitternacht wurden wir fertig, und da schlüpfte ich auch noch zu Lindwurm ins Bett vor Müdigkeit.

Herzlichen Gruß J.B.

g) Schreiben des Großherzoglich Badischen Innenministeriums an die Bezirksämter betreffend den Vollzug des Sozialistengesetzes, 21. Mai 1880

Staatsarchiv Freiburg, LRA Emmendingen, Nr. 646.

Laut einer Mitteilung des Königlichen Polizeipräsidiums in Berlin vom 7. letzten Monats ist seitens der Leiter des sozialistischen Zeitungsunternehmens »Der Sozialdemokrat« in Zürich schon vor längerer Zeit der Plan gefaßt worden, von Zeit zu Zeit Flugblätter, welche in aufreizendster Weise für die sozialdemokratische Bewegung Propaganda machen sollen, massenhaft auf verschiedenen Wegen nach Deutschland einzuschmuggeln und dieselben gratis oder doch gegen einen kaum nennenswerten oder freiwillig zu leistenden Beitrag zu verbreiten. Zur Unterstützung dieser Idee ist ein eigener »Flugschriftenfonds« gebildet worden, über dessen Einnahmen aus Zuschüssen der Parteigenossen jede Nummer des »Sozialdemokrat« Abrechnung bringt.

Das erste dieser Flugblätter - die in Zeiträumen von circa 4 Wochen erscheinen sollen - ist vor kurzem zum kleinen Teil über London, zum größten Teil - etwa 12 000 Exemplare - über Budapest nach Deutschland gebracht und bereits nach allen Richtungen hin verbreitet worden. Es ist dies das durch Verfügung des Polizeipräsidiums vom 28. April d. J. (Reichsanzeiger vom gleichen Tage) verbotene Flugblatt mit der Aufschrift »Ungeziefer-Tod« mit der - augenscheinlich pseudonymen - Druckerangabe »G. Utenberg in Mainz«; dasselbe ist in Klein-Oktav, 4 Seiten aus dünnem Papier enthaltend, hergestellt und fordert in unzweideutigster Weise alle »Proletarier« zur Vernichtung der besitzenden Klassen und der bestehenden Staatseinrichtungen auf, indem zugleich die Lektüre des »Sozialdemokrat« empfohlen wird.

Mit Rücksicht auf diesen Inhalt des fraglichen Flugblatts sowie auf den Umstand, daß es den Züricher Unternehmern einer Flugblattliteratur für Deutschland keineswegs an Mitteln fehlt und daher ein energisches und erfolgreiches Betreiben ihrer Intentionen zu erwarten ist, empfiehlt es sich mit ganz besonderer Aufmerksamkeit die Verbreitung dieser Flugblätter zu überwachen; gegebenenfalls ist sofort die Beschlagnahme herbeizuführen.

Die Großherzoglichen Bezirksämter werden hiervon unter Bezugnahme auf den diesseitigen Erlaß vom 15. Februar letzten Jahres zur geeigneten Veranlassung des weiteren mit dem Anfügen in Kenntnis gesetzt, daß das Verbot etwa weitererscheinender Flugblätter, von welchen Nr. 2 aus Zürich bereits zur Versendung fertig sein soll, seitens des Königlichen Polizeipräsidiums in Berlin sobald als möglich erfolgen wird.

h) Bericht des Großherzoglich Badischen Innenministeriums an das Badische Staatsministerium über badische Mitgliedschaften des Reiseunterstützungsvereins für deutsche Tabakarbeiter in Bremen, 10. Mai 1884

GLA Karlsruhe, 233/4869.

Großherzoglichem Staatsministerium beehren wir uns bezüglich auf den gefälligen Erlaß vom 13. März d. J. ergebenst mitzuteilen, daß durch sämtliche Bezirksämter, in deren Bezirk Tabakindustrie betrieben wird - 18 an der Zahl -, Erhebungen darüber, ob daselbst Vereine unter dem Namen Mitgliedschaften des »Reiseunterstützungsvereins für deutsche Tabakarbeiter in Bremen« bestehen, veranlaßt und die Ämter eventuell zugleich angewiesen zu berichten, was über Tendenz und Haltung dieser Mitgliedschaften bekannt geworden ist.

Infolgedessen hat Großherzogliches Bezirksamt Lahr berichtet, im vorigen Jahre seien von Bremen aus mehrere Anstrengungen gemacht worden, die dortigen Zigarrenarbeiter für den genannten Verein zu gewinnen, es sei jedoch der mittels Zirkularen verbreiteten Aufforderung zum Eintritt nirgends, und zwar vermutlich deshalb nicht Folge geleistet worden, weil in den dortigen Zigarrenfabriken fast ausschließlich im Bezirke angesessene Leute beschäftigt würden.

Das Großherzogliche Bezirksamt Mannheim hat angezeigt, es bestehe daselbst seit vorigem Jahre ein Reiseunterstützungsverein für deutsche Tabakarbeiter, welcher eine Mitgliedschaft des in Bremen domizilierten Vereins gleichen Namens sei; der Vorstand dieses Vereins, Johann Schröder, zähle zu den Hauptanhängern der sozialdemokratischen Partei, wie auch die übrigen 32 Mitglieder derselben der genannten Partei angehörten. Von seiner eigentlichen Bestimmung - Gewährung von Reiseunterstützungen - sei der Verein insofern bereits abgewichen, indem ausweislich eines Kassenbuchauszuges an Reiseunterstützungen nur 5 M 60 Pf ausbezahlt, dagegen 81 M 53 Pf zur Hauptkasse und zum Reservefonds abgeführt worden seien. Zu bemerken ist noch, daß die besondere polizeiliche Überwachung des Vereins angeordnet ist, damit geeignetenfalls sofort zum Verbot derselben geschritten werden kann.

Von den übrigen Bezirksämtern konnte ein politisches Ergebnis der stattgehabten Erhebungen nicht berichtet werden.

i) Mitteilung des Großherzoglich Badischen Innenministeriums an alle Bezirksämter betreffend den Vollzug des Sozialistengesetzes, 21. Mai 1886

GLA Karlsruhe, 355/1924, Nr. 56/14.

In den letztvergangenen Tagen haben an verschiedenen Orten des Landes allgemeine Arbeiterversammlungen stattgefunden, in welchen jeweils Dr. Bruno Schönlank aus Nürnberg als Redner auftrat und das Thema »Die Sozialreform und der deutsche Reichstag« behandelte. Nach eingelangter Gendarmeriemeldung hat der Genannte in einer derartigen, am 16. d.M. in Denzlingen abgehaltenen Versammlung durch mehrfache, eine Aufreizung zum Klassenhasse enthaltende Auslassungen sowie durch die Empfehlung der Wahl von Angehörigen der sozialdemokratischen Partei in die Vertretungskörper zur Genüge erkennen lassen, daß die in Rede stehenden Versammlungen zur Förderung der in §9 Abs. 1 des Sozialistengesetzes bezeichneten Bestrebungen bestimmt sind.

Da anzunehmen ist, daß Dr. Schönlank seine Reise durch das Land zur Abhaltung von Vorträgen in öffentlichen Versammlungen fortsetzt, nehmen wir Veranlassung, die Aufmerksamkeit der Ämter auf das Vorgekommene zu lenken, damit hiernach dem ferneren Treiben des bezeichneten Redners aufgrund des Abs. 2 des angeführten Gesetzesparagraphen begegnet werde.

j) Mitteilung des Polizeipräsidenten in Berlin an das Großherzoglich Badische Innenministerium betreffend den geplanten Kongreß der Sozialdemokraten, 16. September 1887

Staatsarchiv Freiburg, LRA Bühl, Nr. 2631.

Wie aus den Zeitungen bekannt, soll im laufenden Jahre ein Kongreß der sozialdemokratischen Partei abgehalten werden. Sicherem Vernehmen nach werden gegenwärtig die Wahlen der zur Teilnahme bestimmten Delegierten vorgenommen, und es ist sämtlichen Beteiligten möglichste Beschleunigung empfohlen worden. Es ist daher anzunehmen daß der Kongreß sofort in allernächster Zeit, und zwar, wofür verschiedene Anzeichen sprechen, in der Schweiz stattfinden wird. Ein Teil der Beratungen wird öffentlich oder wenigstens unter Zulassung von Berichterstattern, ein anderer Teil, welcher sich auf die inneren Parteiangelegenheiten, die geheime Organisation, die Parteistreitigkeiten und ähnliche Dinge erstrekken dürfte, geheim, und zwar, wie es heißt, vor der förmlichen Eröffnung des Kongresses, abgehalten werden. Um diesen Teil der Beratungen vor Störungen und die dazu Delegierten vor etwaigen strafrechtlichen Verfolgungen zu sichern, wird sowohl bei den Wahlen als auch während der Reise nach dem Kongreßort die größte Vorsicht beobachtet werden. Die Delegierten reisen, wie es heißt, nicht direkt nach dem Kongreßort, sondern zunächst einzeln nach etwa acht innerhalb Deutschlands gelegenen Sammelpunkten, von denen aus sie gruppenweise durch Vertrauensmänner nach dem ihnen bis dahin nicht genannten Kongreßort geleitet werden sollen.

Ich erlaube mir hiervon ganz ergebenst vertraulich Kenntnis zu geben.

k) Mitteilung des Großherzoglich Badischen Landeskommissärs in Karlsruhe an das Bezirksamt Bühl betreffend die Wahl des badischen Delegierten zum Kongreß der Sozialdemokraten, 4. Oktober 1887

Staatsarchiv Freiburg, LRA Bühl, Nr. 2631.

Großherzoglichem Herrn Landeskommissär haben wir die Ehre, auf Erlaß vom 23. vorigen Monats zu berichten, daß nach einer uns [bekannt] gewordenen vertraulichen Mitteilung der bekannte Kaufmann Dreesbach von Mannheim als Vertreter der badischen Sozialdemokraten zum Kongreß abgesandt werden soll. Der Vorschlag, den Genossen Geck von Offenburg zu wählen, hat keinen Anklang gefunden. Wo aber der Kongreß stattfinden soll und wann, das ist uns nicht bekannt geworden.*

* Der Kongreß fand vom 2. bis 6. Oktober 1887 in St. Gallen (Schweiz) statt.

l) Bericht des Großherzoglichen Gendarmerie-Korps Offenburg an den Gendarmerie-Distrikt Freiburg über die Auflösung einer sozialdemokratischen Wahlversammlung in Offenburg, 10. Januar 1889

GLA Karlsruhe, 236/17099.

Großherzoglichem II. Distrikte (Freiburg) melde ich gehorsamst, daß auf gestern nacht, 8 Uhr von dem Arbeiterwahlkomitee dahier, von welchem Kaufmann Karl Friedrich Autenrieth dahier Präsident ist, eine Wahlversammlung in den »Dreikönigsaal« dahier einberufen war.

Leiter dieser Versammlung war der Schriftsetzer Nikolaus Oberfäll, welcher dem hier anwesenden Sozialdemokraten und Schriftsteller Wilhelm Blos von Stuttgart zuerst das Wort erteilte, worauf dieser von 8¼ bis 9¼ Uhr über Wahlangelegenheiten gesprochen hat. Nach diesem meldete sich Redakteur Adolf Geck zum Wort, und als derselbe zu sprechen beginnen wollte, hat der anwesende Großherzogliche Amtmann, Herr Bahr, aufgrund des §9 des Sozialistengesetzes die Versammlung aufgelöst.

An der Versammlung haben etwa 500 bis 600 Personen teilgenommen, wovon etwa 180 Personen der sozialdemokratischen Partei angehören, welche bei Auflösung der Versammlung ein mehrfaches »Hoch« auf die Sozialdemokratie ausbrachten und beim Ausgang des Saales die Arbeitermarseillaise gesungen haben. Wachtmeister Marx und der Unterzeichnende [Wachtmeister Sauer] waren dem Herrn Bahr zur Unterstützung beigegeben. Störung der öffentlichen Ruhe und Ordnung kamen nicht vor.

Zu derselben Zeit hat eine Versammlung der Zentrumspartei im Gasthaus »Zum Deutschen Kaiser« stattgefunden, welcher die Gendarmerie auf speziellen Auftrag des Großherzoglichen Herrn Oberamtmann nicht anwohnte. Die weitere Meldung hat Herr Amtmann Bahr übernommen.

m) Verfügung des Großherzoglichen Bezirksamts Lörrach betreffend das Verbot einer Arbeiterversammlung, 28. März 1889

GLA Karlsruhe, 361/1924, Nr. 56/8.

In Erwägung, daß die auf morgen veranstaltete Versammlung zweifellos keinen andern Zweck hat, wie die auf 17. des Monats beabsichtigte, durch Verfügung vom 12. des Monats verbotene, was schon daraus hervorgeht, daß in der Versammlung in Riehen am 17. des Monats die Gründung eines Arbeitervereins in Lörrach und die Abhaltung einer weiteren Versammlung dahier, zur Sprache gekommen ist; in Erwägung, daß in dieser Versammlung sozialistische Bestrebungen, insbesondere auch die Anwendung von Gewalt gegen die bestehenden Einrichtungen zum Ausdruck gekommen sind, und daß Fabrikarbeiter Haas in dieser Versammlung sich beteiligt hat, wird aufgrund der §§ 1 und 9 des Gesetzes gegen die gemeingefährlichen Bestrebungen der Sozialdemokratie vom 21. Oktober 1878 verfügt:

Die von Fabrikarbeiter Gustav Haas von hier auf morgen in die »Bayerische Bierhalle« dahier einberufene Arbeiterversammlung wird verboten.

Beschluß

1. Ausfertigung dem Arbeiter Haas.
2. Nachricht dem Bürgermeisteramt dahier zur Eröffnung an den Wirt »Zur Bayerischen Bierhalle« und an die Polizeimannschaft.
3. Nachricht der Gendarmerie zur Überwachung des Verbots.
4. Großherzoglichem Ministerium haben wir ergebenst anzuzeigen, daß auf unser Verbot einer in hiesiger Stadt beabsichtigten Arbeiterversammlung am 17. des Monats eine solche in dem benachbarten Schweizerdorf Riehen abgehalten wurde, bei welcher Wollschlegel, Redakteur des »Sozialistischen Arbeitervereins« in Basel, Gustav Lutz aus Chemnitz und der bekannte Agitator Meise aus St. Ludwig als Redner auftraten und zu sozialistischen Bestrebungen aufforderten. Von hier war eine Anzahl Fabrikarbeiter anwesend, unter anderem Friedrich Nees, der die verbotene Versammlung abhalten wollte. Auf dieser Versammlung wurde ausgemacht, daß dahier ein Verein zur Wahl eines Sozialdemokraten begründet und zu diesem Zweck dahier eine Versammlung abgehalten werden sollte, was jedoch ein anderer Arbeiter anregen sollte. In der Tat wurde nun eine solche Versammlung von Fabrikarbeiter Haas, der in Riehen beteiligt gewesen, auf morgen abend in die »Bayerische Bierhalle« dahier ausgeschrieben. Wir haben dieselbe jedoch aufgrund des § 9 Absatz 2 des Sozialistengesetzes verboten.

Der Arbeiterwahlverein Freiburg

a) Statuten des Arbeiterwahlvereins Freiburg, 3. September 1884

GLA Karlsruhe, 355/13.

§ I Der Wahlverein der arbeitenden Bevölkerung Freiburgs bezweckt die gegenseitige Belehrung durch Vorträge und Besprechungen über kommunale, politische und nationalökonomische wirtschaftliche Tagesfragen, um zur Zeit der Wahlen auf dem gesetzlichen Wege den Interessen der Arbeiterschaft Geltung zu verschaffen.

§ II Mitglied kann jeder unbescholtene Mann werden, nach einmaliger Einzahlung von 20 Pfennig und eines laufenden Monatsbeitrages von 20 Pfennig.

§ III Die Mitgliedschaft erlischt, wie überhaupt alle Rechte am Verein: a) durch freiwilligen Austritt, b) wer länger als zwei Monate Beiträge im Rückstand ist, c) wer wissentlich gegen die Interessen des Vereins handelt. Reklamation an die Generalversammlung ist zulässig.

§ IV Zu den Vereinsversammlungen, ausgenommen Generalversammlungen, können Gäste durch Mitglieder eingeführt werden.

§ V Die Verwaltung und Leitung des Vereins liegt dem Vorstand ob. Derselbe besteht aus 7 Personen, und zwar: 1 Vorsitzender, 1 Stellvertreter, 1 Kassier, 1 Schriftführer, 3 Beisitzende. Die Kontrolle über das gesamte Vereinswesen wird von 2 nicht zum Vorstande gehörigen, aus dem Verein jeweils zu wählenden Kontrolleuren ausgeübt. Scheidet ein Vorstandsmitglied aus, so findet in der nächsten ordentlichen Vereinsversammlung Ersatzwahl statt.

§ VI Ordentliche Vereinsversammlungen finden alle 14 Tage an einem von den Mitglieder näher zu bestimmenden Tage statt. Der Vorstand ist berechtigt, außerordentliche Generalversammlungen jederzeit einzuberufen, ebenfalls hat jedes Mitglied das Recht, eine solche zu beantragen, sobald der Antrag von mindestens 10 Mitgliedern unterschrieben ist.

§ VII Generalversammlungen finden alle 3 Monate statt. Beschlußfähig ist eine Generalversammlung, wenn mindestens zwei Drittel der Mitglieder anwesend sind. Muß aber eine Generalversammlung wegen zu schlechter Beteiligung verlegt werden, so ist die anberaumte Versammlung an keine Mitgliederzahl gebunden.

§ VIII Ein Antrag auf Statutenänderung muß zwei Wochen vor der Generalversammlung eingebracht werden und von 15 Mitgliedern unterzeichnet sein.

§ IX Persönliche Streitigkeiten (privaten Charakters) dürfen im Wahlverein nicht zur Sprache beziehungsweise zum Austrag kommen. Streitigkeiten in Vereinsangelegenheiten werden geschlichtet durch eine Kommission von Mitgliedern. Beide streitenden Teile wählen je 3 Mitglieder, diese 6 wählen einen siebenten.

§ X Die Auflösung des Wahlvereins erfolgt, wenn zwei Drittel der Anwesenden in der Generalversammlung dafür stimmen. Löst sich der Verein auf, so beschließt die Versammlung über das Vereinsvermögen.

§ XI Die Mitglieder des Wahlvereins verpflichten sich, für die in § I gestellten Prinzipien voll und ganz einzutreten.

b) Meldung des Polizeikommissars Haeuser an das Großherzogliche Bezirksamt Freiburg über die Auflösung des Arbeiterwahlvereins, 15. Februar 1887

GLA Karlsruhe, 355/13.

Großherzoglichem Bezirksamt berichte ich in Erledigung der Weisung vom 14. des Monats gehorsamst, daß ich mich heute früh, 7 Uhr mit Sergeant Weiert in die Wohnung des Vorstandes des Arbeiterwahlvereins, Maurerpolier Amann, begeben habe und demselben zunächst die Verfügung Großherzoglichen Bezirks: »Auflösung des Vereins«, übergab. Derselbe über den Besitzer der Vereinskasse und Bücher befragt, erklärte, daß solches Rausch, der Kassier gewesen, haben müsse; er selbst habe nichts.

Großherzuglichem Bezirksamt berichte ich in Erledigung vorstehenden Auftrags, daß ich Rausch nach vorher eingeholter Erlaubnis bei Großherzoglichem Herrn Untersuchungsrichter im Gefängnis über den Verbleib der Kasse des Wahlvereins frage.

c) Meldung der Kriminalpolizei Freiburg an das Großherzogliche Bezirksamt über die Verhaftung von Mitgliedern des Arbeiterwahlvereins, 16. Februar 1887

GLA Karlsruhe, 355/13.

Großherzoglichem Bezirksamt melde ich gehorsamst: Auf Anordnung des Großherzoglichen Herrn Untersuchungsrichter dahier, wurde vorgestern, dem 14. des Monats, bei 20 Mitgliedern des Arbeiterwahlvereins und Sozialdemokraten dahier gleichzeitig Haussuchung vorgenommen und hierauf folgende Personen aufgrund der §§ 128 und 129 des RStGB verhaftet:

1. Sesselmacher Wilhelm Kramer; 2. Schneider August Fieser; 3. Glaser Heinrich Arnold; 4. Gipser Paul Weinräther; 5. Heizer N. Brandenburger; 6. Geschäftsführer Karl Sieder; 7. Schreiner August Nels; 8. Säger Ernst Kräuter; 9. Schuhmacher Jakob Haug; Schreiner Johann Ludwig Popp.

Ferner wurde heute nach vorhergegangener Haussuchung der ledige Maler Wilhelm Moser verhaftet.

14 **Mai 1885**

Erhebungen des »Volksfreund« über die wirtschaftliche und soziale Lage der Schreiner in Freiburg

Der Volksfreund (Offenburg) vom 22. Mai 1885.

Im nachfolgenden verzeichne ich das Resultat einer Erhebung, die ich über die Lage der Schreiner in Freiburg i. B. machte. Ich schicke voraus, daß hier 19 Kleinmeister, welche das Jahr hindurch ohne Gesellen arbeiten, unter die Arbeiter gezählt sind und daß unter der Rubrik »Baugeschäfte« 10 Glasermeister eingerechnet sind, welche Rahmen machen. Im ganzen sind 68 derartige Geschäfte in Freiburg, davon 7 mit Maschinenbetrieb: nämlich 4 für Bau-, 2 für Möbelschreinerei und 1 Instrumentenbau mit zusammen 130 Pferdekräften; ferner 61 Geschäfte ohne Maschinenbetrieb: nämlich 24 für Bau-, 36 für Möbelschreinerei und 1 für Instrumentenbau. Außerdem sind 7 Sesselmacher hier ansässig.

Von auswärts, zur Zeit aus Stuttgart und Berlin, wurden Möbel bezogen zu denselben Preisen wie hier. Von Elzach, St. Georgen circa 50 Prozent billiger, von Karlsruhe 20 Prozent teurer. Verheiratete sind am Ort 156 mit 402 Kindern, Ledige 158, Lehrlinge 29.

Im Durchschnitt wird über die Zeit gearbeitet. An Sonn- und Feiertagen in 10 Werkstätten wöchentlich 5 Stunden. Der Verdienst stellt sich durchschnittlich auf Halblohn täglich 75 Pfennig, auf Ganzlohn 2,50 Mark. Somit stellen sich die Einnahmen eines Arbeiters für 300 Arbeitstage à 2,50 auf 750 Mark. Die Ausgaben berechnen sich nach den hiesigen Preisen für eine Familie zu 4 Köpfen wie folgt:

	Wöchentlich in Mark	Jährlich in Mark
21 Pfd. Brot à 12 Pf	2,52	131,04
2 Pfd. Butter à 1 M	2,00	104,00
Frühstück, Milch, Zucker, Kaffee usw.	2,80	145,60
3 Pfd. Fleisch à 56 Pf	1,68	87,36
Gemüse zum Mittagessen, Gewürze usw.	1,50	78,00
Seife, Soda, Stärke usw.	0,30	15,60
Taschengeld für Mann und Familie	3,00	150,00
Summa		711,60
Dazu kommen im Jahre:		
Mietzins für eine Wohnung von nur 2 Zimmern		180,00
Steuern für Staat und Gemeinde		7,00
Krankenkassenbeiträge		25,00
Brennmaterial		40,00
Beleuchtung		13,00
Bekleidung für den Mann, inklusive Kopfbedeckung usw.		40,00
Bekleidung für die Frau		30,00
Bekleidung für die Kinder		35,00
Schuhwerk für den Mann		20,00
Schuhwerk für die Frau		15,00
Schuhwerk für die Kinder		18,00
Weißzeug, Schürzen, Strümpfe usw. insgesamt		15,00
Bettzeug, Handtücher usw.		10,00
Ersatz an Küchengeschirr, Fensterscheiben usw.		5,00
Für Herrichten der Wohnung, Weißeln, Kaminkehren usw.		4,00
Band, Faden, Garn usw.		6,00
Schulgeld für die Volksschule, Bücher, Papier usw.		30,00
Abonnement für Fachschriften und sonstige Lektüre		6,00
	Gesamtausgaben	1210,60
	Einnahmen	750,00
	Defizit	460,60

Mit wenigen Ausnahmen wird in jeder Werkstätte auf Bau und Möbel gearbeitet. Zahltag ist alle 14 Tage und wird täglich 12stündige Arbeitszeit gerechnet. Das Defizit wird durch Einschränkung (wenn noch mehr möglich) und durch Frauen- und Kinderarbeit gedeckt.

15 **Oktober/November 1885**

Die Kontroverse um die Arbeitszeitverkürzung und Sonntagsarbeit

a) Artikelserie von Wilhelm Liebkenecht im »Sozialdemokrat« über den Normalarbeitstag (Auszug), Oktober/November 1885

Sozialdemokrat, Nr. 43-46, 1885.

Der Normalarbeitstag steht mit Recht im Vordergrunde der nächsten Ziele, welche die deutsche Arbeiterklasse zu erkämpfen entschlossen ist. Wir haben keine Gelegenheit vorübergehen lassen, um der gegenwärtigen Bewegung zugunsten eines Arbeiterschutzgesetzes, in dem der Normalarbeitstag einen hervorragenden Platz einnimmt, die vollste Anerkennung zu zollen, und ihr, soweit es in unserer Macht, Vorschub zu leisten.

Wer im »Kapital« von Marx den klassischen Abschnitt gelesen hat, der von dem Werden und Sein der englischen Fabrikgesetzgebung, von dem jahrelangen Ringen um die Zehnstundenbill handelt, der weiß auch, welch hohe Bedeutung der Kampf um die Arbeitszeit hat.

Der Arbeiter kann sich von seiner »Ware« Arbeit nicht trennen. Er ist die personifizierte Arbeit; und wenn er seine einzige »Ware«, die Arbeit verkauft, verkauft er sich selbst. Er verkauft sich tageweise, um Tagelohn. Und für den Taglohn verkauft er einen Tag Arbeit.

Der Tag hat 24 Stunden. Der Mensch, um zu leben, muß essen, muß schlafen. Die ganzen 24 Stunden kann er nicht arbeiten. Das ist eine physische Unmöglichkeit. Wir könnten auch sagen, eine »moralische«, doch was hat die Nationalökonomie mit der Moral zu tun? Also die ganzen 24 Stunden, welche der Tag enthält, kann der Arbeiter nicht arbeiten. Aber wie lange? Wo die Grenzlinie ziehen? Und da entsteht denn der Grenzkrieg – so erbittert, so hartnäckig geführt, wie das die Natur aller Grenzkriege.

Der Kapitalist besteht auf seinem Schein. Er hat einen Arbeitstag, einen Tag Arbeit gekauft, der Tag ist sein, und er will so viel Arbeit herauspressen, als nur irgend möglich. Das ist sein Recht – kraft des Lohnsystems. Er hat die Arbeit gekauft, und mit der Arbeit den Arbeiter; bis auf das letzte

Atom Arbeit, das sich in den Sehnen und Muskeln des gekauften Arbeiters entlocken läßt, ist alles sein. Um jedes Atom, das ihm vorenthalten wird, ist er betrogen.

Und da das natürliche Maß für Arbeit die Zeit ist, in welcher sie verrichtet wird, so geht sein Streben auf möglichste Verlängerung des Arbeitstages. 12, 14, 16, 18 Stunden des Tages - warum nicht?

Der Arbeiter hat den Tag Arbeit verkauft, und bleiben ihm, wenn er 14 Stunden arbeitet, nicht 10, wenn 16 nicht 8, wenn 18 nicht noch 6 Stunden für sich? Ist es nicht großmütig vom Kapitalist, daß er nicht auch die 10, die 8, die 6 Stunden nimmt? Ja, wenn es nur ginge!

Sind auch die Grenzen nicht genau festzustellen, wo die menschliche Arbeitsfähigkeit aufhört, so ist eine solche Grenze doch vorhanden. Und das Überschreiten derselben macht sich bemerklich durch Verkümmerung, Verkrüppelung, Siechtum, Krankheit, Tod der »Überarbeiteten«.

Es versteht sich, daß der Arbeiter, sobald er einigermaßen zum Bewußtsein seiner Lage kommt, sich gegen diese Abrackerung zu schützen sucht. Während der Kapitalist den Arbeitstag möglichst zu verlängern sucht, sucht der Arbeiter, ihn möglichst zu verkürzen. Je mehr freie Zeit er hat, desto mehr Zeit der Freiheit hat er. Solange er arbeitet, ist er Sklave des Kapitalisten, dem er sich verkauft hat; solange er nicht arbeitet, gehört er sich selbst an, ist er ein freier Mann. Und so wird denn, seit es Lohnarbeit, Arbeiter und Kapitalisten gibt, der Kampf geführt um die Länge des Arbeitstages.

Hier zerrt der Kapitalist, dort der Arbeiter - jener versuchend, ein Stück anzuheften, dieser, eines abzureißen. Jede Verlängerung des Arbeitstages ist ein Sieg der Kapitalisten. Jede Verkürzung des Arbeitstages ein Sieg der Arbeiter. Gerade hier, am Arbeitstage, gewissermaßen im Mutterleibe der kapitalistischen Produktion, zeigt sich am handgreiflichsten, drastischsten der unversöhnbare Gegensatz zwischen Kapital und Arbeit.

In England und in anderen Ländern ist nach Kämpfen, von denen hier nicht zu reden, ein Normalarbeitstag (in England der zehn-, in der Schweiz und Österreich der elfstündige) gesetzlich festgestellt worden; und in England, welches auf wirtschaftlichem Gebiete voranmarschiert und Versuchsland für die Welt ist, ähnlich wie Frankreich auf politischem, hat die Beschränkung der Arbeitszeit und überhaupt die Fabrikgesetzgebung sich so vortrefflich bewährt, daß Marx, die gewichtigste aller berufenen Autoritäten, ihr die »physische und moralische Wiedergeburt der Fabrikarbeiter« zuschreibt. Und ein ähnliches Urteil hat Engels gefällt, der neben Marx die Materie am besten beherrscht, und in seiner »Lage der arbeitenden Klasse von England« die Vorgeschichte der Zehnstundenbill-Bewegung gibt, so daß dieses mustergültige Quellenwerk mit dem erwähnten Abschnitt des Marxschen »Kapital« ein organisches Ganzes bildet.

Die Bedeutung des Normalarbeitstages ist von unserer Partei also sicherlich niemals unterschätzt worden.

Sie darf aber nicht überschätzt werden. Und während der gegenwärtigen

Agitation für den Normalarbeitstag und das Arbeiterschutzgesetz sind, sowohl in Reden als in Zeitungsartikeln und Broschüren, Ansichten zutage getreten, die unseres Erachtens von den Grundanschauungen unserer Partei abweichen, jedenfalls irrig sind, und darum zurückgewiesen werden müssen.

In einem der verbreitesten Schriftchen über den Normalarbeitstag lesen wir: »Ein einfaches Rechenexempel beweist die Möglichkeit der vermehrten Arbeitsgelegenheit bei Einführung des Normalarbeitstages. Gesetzt ein Fabrikant beschäftigt 100 Arbeiter per Tag 11 Stunden. Wollte er nun im Normalarbeitstage von 10 Stunden dieselbe Masse Waren wie vorher zu 11 Stunden liefern, so müßte er 10 Arbeiter mehr einstellen, d. h. 10 'Vagabunden' würden von der Landstraße in die Fabrik gezogen, sich in 'ordentliche' Arbeiter verwandeln.« Derselbe Gedanke, wenn auch meist mit einigen diskreten Einschränkungen, kehrt in anderen Schriften und Aufsätzen über den Normalarbeitstag wieder und ist bei der Agitation wiederholt und mit großem Nachdruck in den Vordergrund geschoben worden.

Wäre der Gedanke richtig, das heißt: Würde durch jede Stunde Arbeit, die einem Arbeiter durch das Gesetz abgenommen wird, einem Unbeschäftigten oder nicht genügend Beschäftigten eine Stunde Arbeit verschafft, dann würde der Normalarbeitstag allerdings das Mittel sein, um allen, die arbeiten können und wollen, Arbeit zu gewähren. Die soziale Frage wäre tatsächlich gelöst. Und wie einfach!

Es wäre Sache eines Rechenexempels, das jedes Schulkind ausrechnen könnte: Die von der Gesamtheit (den Angehörigen des Staates) das Jahr hindurch zu leistende Arbeit nimmt so und so viel Millionen oder Milliarden Arbeitsstunden in Anspruch. Die Zahl der Arbeiter beträgt so und so viele Hunderttausende oder Millionen. Die Zahl der Arbeitsstunden wird mit der Zahl der Arbeiter dividiert – der Quotient ergibt die Zahl der Arbeitsstunden, die jährlich auf jeden Arbeiter kommen, und ihrerseits wieder mit 300, der Zahl der Arbeitstage, dividiert werden. Dann haben wir die tägliche Arbeitszeit eines jeden – den richtigen Normalarbeitstag.

Dieser ideale Normalarbeitstag paßt sich allen Bedürfnissen der Gesellschaft und den Fortschritten der Technik elastisch an. Und da durch Erfindungen und Vervollkommnung von Maschinen und Menschen immer mehr Arbeit abgenommen wird, so kann der Normalarbeitstag immer mehr herabgesetzt werden. Welche Länge er aber auch haben möge, er wird derartig berechnet, daß jeder Arbeiter seine Arbeit hat und gleichmäßig beschäftigt wird. Merkt man, daß in irgendeinem Industriezweig Arbeiter überflüssig werden – ein Ruck an der Schraube ohne Ende dieses wundervollen Normalarbeitstages; die Arbeitszeit wird aufgrund eines neuen Rechenexempels neu reguliert, und zwar derart, daß wieder ein jeder für seinen Normalarbeitstag volle Arbeit hat.

Schade nur, daß die Rechnung verschiedene Löcher hat und auf ganz falschen Voraussetzungen beruht.

Was die Unregelmäßigkeit in der Beschäftigung der Arbeiter herbeiführt, das ist die Unregelmäßigkeit und Ungeregeltheit der kapitalistischen Produktion. Um jeder Unregelmäßigkeit der Beschäftigung ein Ziel zu setzen, muß also dieser Unregelmäßigkeit und Ungeregeltheit ein Ende gemacht werden. Der Normalarbeitstag tut das aber nicht. Er bringt zwar, indem er der zeitlich unbegrenzten Ausbeutung des Arbeiters eine Grenze zieht, unzweifelhaft eine größere Stetigkeit in die Produktion und hat unzweifelhaft die Tendenz, einer größeren Zahl von Arbeitern Beschäftigung zu bieten; allein die größere Stetigkeit kann nur in normalen Zeiten, nicht in Zeiten der Krise und des schlechten Geschäftsganges sich manifestieren, d.h. gerade dann, wann sie am nötigsten wäre; und was die Tendenz zur Beschäftigung einer größeren Zahl von Arbeitern betrifft, so haben wir gesehen, daß ihr die Tendenz des Kapitalismus gegenübersteht, durch intensivere Ausbeutung sich für die zeitlich beschränkte Ausbeutung zu entschädigen, und aus der beschränkten Arbeitszeit dasselbe Quantum Arbeit herauszupressen wie vorher aus der unbeschränkten - ja noch mehr.

Die Summe der Arbeit, welche in die beschränkte Arbeitszeit zusammengepreßt wird, kann so groß werden, daß ähnliche Wirkungen auf das Nervensystem und die Gesundheit des Arbeiters eintreten wie die, welche zur Einführung des Normalarbeitstages geführt haben. Auf diese Weise macht sich eine fortwährende Verkürzung des Normalarbeitstages notwendig.

Gegen die Krisen und Arbeitslosigkeit ist der Normalarbeitstag ohnmächtig. Diese Hauptschrecknisse des Arbeiters haben mit der Länge des Arbeitstages gar nichts zu tun. Sie entspringen aus dem innersten Wesen der Privatproduktion und des Kapitalismus und werden bestehen, solange diese bestehen. Sie entspringen aus der Unfähigkeit der Privatproduktion, den Markt zu überschauen und Konsumtion und Produktion in Harmonie zu bringen. Selbst bei staatlicher Überwachung, wie sie Rodbertus vorschwebte, würde diese Unfähigkeit fortdauern, denn die Überwachung kann unmöglich so weit gehen, daß jedem Kapitalist vorgeschrieben wird, was und wie viel er zu produzieren hat. Eine solche Kontrolle verträgt sich nicht mit dem Bestand der Privatproduktion und wäre gleichbleibend mit deren Vernichtung.

In England haben wir den zehnstündigen Normalarbeitstag seit beinahe 40 Jahren. Haben etwa dort die Krisen und Geschäftsfluktuationen aufgehört? Nein - sie sind im Gegenteil weit schlimmer, seit einem Jahrzehnt chronisch und beinahe permanent geworden. Natürlich nicht infolge des Normalarbeitstages, sondern infolge der dem Kapitalismus innewohnenden Eigenschaft, die Konkurrenz immer mehr auf die Spitze zu treiben und auf der einen Seite die Produktion maßlos zu steigern, auf der anderen die Konsumtionsfähigkeit des Volkes zu vermindern. Und das sind wirtschaftliche Erscheinungen, deren Ursachen durch den Normalarbeitstag gar nicht berührt werden.

Das Beispiel Englands zeigt uns weiter, daß unter der Herrschaft des Normalarbeitstages auch in Zeiten normalen Geschäftsganges die »Reservearmee« der Arbeiter nicht vollständig vom Arbeitsmarkt »aufgesogen« wird. Man betrachte sich nur die englische Armenstatistik. Zwischen 1855 und 1879 betrugen in dem Vereinigten Königreich (England mit Irland und Schottland) die höchsten Gesamtzahlen der unterstützten Armen: 1269385 im Jahre 1863; 1225171 im Jahre 1869; 1235006 im Jahre 1870; 1237353 im Jahre 1871; und die niedersten Gesamtzahlen: 929128 im Jahre 1876; 897052 im Jahre 1877 und 909197 im Jahre 1878. Seitdem geht's wieder aufwärts.

Nahezu eine Million »überschüssiger« Bevölkerung, unter der sich Hunderttausende Arbeitsfähiger befinden, in den günstigsten Jahren!

Wir glauben, diese skizzenhaften und auf Vollständigkeit keinen Anspruch machenden Darlegungen werden genügen, um das Unbegründete gewisser Erwartungen, die sich an den Normalarbeitstag knüpfen, zu klarem Bewußtsein zu bringen.

Der Normalarbeitstag ist eine auf dem Boden der heutigen Produktionsweise sich bewegende Forderung; er kann darum unmöglich Übel beseitigen, welche im Wesen dieser Produktionsweise begründet sind und folglich erst aufhören können, wenn diese beseitigt ist.

Aber der Normalarbeitstag ist eine wichtige Etappe auf dem Marsche der Arbeiterbewegung. Er emanzipiert den Arbeiter für einen Teil des Tages von der Lohnsklaverei, gibt einen Rechtsboden, auf dem fußend er seinen Emanzipationskampf mit gesteigertem Nachdruck und wirksameren Waffen fortführen kann, er erzieht zum Klassenbewußtsein und verschärft den Klassenkampf, und stachelt den Arbeiter, indem er ihn wenigstens für einige Stunden des Tages zum Menschen macht, unwiderstehlich dazu an, sich seine volle Freiheit zu erkämpfen, sich zum vollen Menschentum emporzuringen und das Joch der Lohnsklaverei zu zertrümmern.

b) Resolution der Handelskammer für den Kreis Baden betreffend die Erhebungen über die Sonntagsarbeit, 22. Oktober 1885

Staatsarchiv Freiburg, LRA Bühl, 1960/15, Nr. 6

Die Handelskammer für den Kreis Baden ersucht die Großherzogliche Regierung, im Bundesrat für das gesetzliche Verbot der Sonntagsarbeit einzutreten, jedoch eine Ausnahme für nötige Reparaturen und sonstige Arbeiten zu gestatten, deren Unterbleiben die Wochenarbeit stören würde, wie z.B. Reinigung und Heizung von Glasschmelzen und Kesseln in den

Fabriken, Beschickung von Hochöfen etc., ebenso wie die für die Detailgeschäfte etwa durch die Lokalverhältnisse als notwendig sich ergebenden Ausnahmsstunden.

Motive

Über die Wichtigkeit der Sonntagsfeier für das physische und geistige Wohl der Arbeiter herrscht nur eine Stimme. Außerdem jedoch hält die Kammer das Verbot der Sonntagsarbeit für eine wesentliche Reform in wirtschaftlicher Beziehung auf gleicher Höhe mit dem Normalarbeitstag stehend. Wenn nämlich nur 6 Tage zur Verrichtung des von der Industrie zu leistenden Arbeitsquantums zur Verfügung sind, statt 7, so ist eine verhältnismäßig größere Arbeiterzahl nötig, um dieses Arbeitsquantum zu leisten. Das Angebot der Arbeit nimmt also ab, die Nachfrage steigt und damit der Lohn. Steigender Lohn und die zunehmende Zahl beschäftigter Arbeiter haben aber, abgesehen von ihrer Bedeutung für das Wohlsein des Arbeiters sowie für seine physische und geistige Gesundheit, die Wirkung, die Kaufkraft der Volksmillionen zu erhöhen und damit Konsum und Absatz zu vermehren, sind also ein Milderungsmittel unserer sogenannten Überproduktion und der damit zusammenhängenden, immer mehr chronisch werdenden wirtschaftlichen Krisen mit ihren unheilvollen Folgen.

Unter gegenwärtigen Verhältnissen ist es unmöglich, von der Privatinitiative Reformen dieser Art zu erwarten. Die eiserne Rute der Konkurrenz zwingt den Fabrikanten, Handwerker und Kaufmann, am Sonntag zu arbeiten, wenn seine Kollegen es tun. Die meisten möchten gerne feiern, wenn die Konkurrenz auch feierte, können aber nur feiern, wenn die Konkurrenz feiern muß. Wenn z. B. an einem Platze ein Spezereihändler den Sonntag über aufhält, müssen es alle tun, ohne darum mehr Geschäfte zu machen; denn das Publikum würde sich am Samstag mit seinen Bedürfnissen versehen, wenn es weiß, daß es dies am Sonntag nicht kann.

16 **August 1886**

Notiz im »Volksfreund« über die Beendigung des Schreinerstreiks in Freiburg

Der Volksfreund (Offenburg) vom 13. August 1886.

Seit Montag ist der hiesige Schreinerstreik zu Ende. Derselbe ist zugunsten der Arbeiter ausgefallen. Dieselben haben den von ihnen verlangten zehnstündigen Arbeitstag erhalten, obwohl einige Meister anfangs erklärten, eher das Geschäft zu schließen, als die von den Gehilfen gewünschte Arbeitszeit zu genehmigen. An den Gehilfen ist es nun, daß sie auch dem sich fester anschließen, was ihnen den zehnstündigen Arbeitstag errang, und das ist der Fachverein, die organisierte Arbeiterschaft!

17 **Januar 1887 - Juni 1889**

Das Arbeiterwahlkomitee Offenburg

a) Aufruf von Adolf Geck, Kandidat der Arbeiterpartei Offenburg, zu den Reichstagswahlen 1887, 18. Januar 1887

GLA Karlsruhe, 236/17099.

Wähler! Mitbürger! In vielen Orten des badischen Landes wurde mir durch die Polizei verboten, vor den Wählern zu sprechen; ferner macht es mir meine Aufstellung als Zählkandidat in vier Wahlkreisen unmöglich, allen Einladungen zu Vorträgen Folge zu leisten. Ich muß deshalb auf einem Flugblatt mein Wahlprogramm zur Kenntnis bringen.

Nachdem sich das von der nationalliberal-konservativen Presse seit 20 Tagen zum großen Schaden für die Geschäftswelt inszenierte Kriegsgeschrei auf einen Wink von oben gelegt hat, kann man sich die Arbeit sparen, den Wählern diese Verhetzung als ein elendes Wahlmanöver zu kennzeichnen.

Wir wollen den Frieden, zu dessen Erhaltung die gesetzgebenden Volksvertreter in allen Staaten, auch im deutschen Reiche, das Recht über die

Kriegserklärung in ihrer Hand haben müssen, wie es z. B. in der Republik Frankreich der Fall ist.

Das Heer zur Verteidigung des Reiches sei weder alleiniges Eigentum des Kaisers noch des Parlaments, sondern des ganzen Volkes, welches sein Gut und Blut dafür opfert. Die Heerespflicht muß tatsächlich eine allgemeine werden; keine Befreiung nach mehrjähriger Zurückstellung und durch das Los, sondern Einstellung aller gesunden jungen Männer und Beseitigung des Vorrechts der reichen Leute, als Einjährige einzutreten. Dagegen Abkürzung der Dienstzeit mindestens auf zwei Jahre oder gemäß der Fähigkeit des einzelnen auf ein Jahr. Deshalb Verbot jeder Verwendung der Soldaten als Offiziersdiener, Stallknechte, Kindsmägde, Feldwebelsköchinnen usw. Diese Arbeit den arbeitslosen Zivilisten! Um ein richtiges Volksheer zu schaffen, muß der Soldat unter das gleiche Gesetz gestellt werden mit dem Bürger. Die Mißhandlungen im Dienst werden so am besten verhindert. Handwerker im Soldatenrocke dürfen den schwer belasteten Bürgern und Arbeitern keine Konkurrenz machen.

Die Bewilligung der Friedensstärke und die Ausgaben für die Armee auf mehrere Jahre oder gar für ewig hat für die Wehrkraft keine Bedeutung, wohl aber für den Volkswohlstand, und es gehört die jährliche Prüfung der Ausgaben zu den ersten Rechten eines souveränen Volkes, eines konstitutionellen Staates. Das Volk, welches jetzt 561 Millionen jährlich für das Heer aufzubringen hat, verlangt um so mehr Rechenschaft, da ihm nach dem gegenwärtigen Steuersystem seit 8 Jahren eine Erhöhung der indirekten Steuern (auf notwendige Lebensbedürfnisse) um 80 Prozent beschert wurde, wobei für das Militär 12 M Steuern pro Kopf der Bevölkerung (also ungefähr 60 M pro Familie) jährlich aufzubringen sind.

Die Erhöhung aller Lasten, insbesondere der Militärlast, wälzt die meisten Opfer auf die Schultern der unbemittelten Volksmasse: den letzten Mann zum Kriegsdienst und den letzten Pfennig dem Militärfiskus. Der Reiche dagegen bringt seine Söhne als Einjährige, der preußische Junker die seinigen als Offiziere in den neu zu errichtenden Truppenteilen unter. Eine ganz ansehnliche Zahl Millionäre wird gar nicht zur Staatssteuer herangezogen, z. B. alle die Reichtümer, welche die Offiziersfrauen mit in die Ehe bringen, bleiben verschont von öffentlichen Lasten; die vormals reichsunmittelbaren Fürsten und Grafen, z. B. die fürstliche Familie von Fürstenberg oder jene von Leiningen, von Löwenstein-Wertheim und wie alle 40 Linien heißen, sie besitzen enormen Reichtum und bezahlen keine Militärlasten, zumeist keine Grundsteuern. Dagegen sind ihre Söhne vom Dienste mit der Waffe befreit.

Durch Herbeiziehung aller noch nicht besteuerten Reichtümer und aufgrund einer allgemeinen, aufwärtssteigenden Einkommens-(Wohlhabenheits-)Steuer, durch Abschaffung der Steuern auf Lebensmittel und durch Befreiung verschuldeter Liegenschaften von den Abgaben erzielt man eine gerechtere Besteuerungsart.

Wie zahlreiche Arbeiter durch Erfindung neuer Maschinen ihre Existenz verlieren, ohne daß die kapitalistische Gesellschaft heute dafür zur Entschädigung verantwortlich ist, so würde die Zusammenziehung des Branntwein- und Tabakgeschäftes in einer staatssozialisitischen Monopolwirtschaft für die weitesten Kreise der landwirtschaftlichen und industriellen Arbeitskräfte von schweren Folgen begleitet sein.

Gebe man dem Volke freien Unterricht zunächst in den Volksschulen und in allen Lehranstalten, welche zur gewerblichen und landwirtschaftlichen Ausbildung bestimmt sind. Mit dem Besuche dieser Schulen müßte der Anspruch auf kürzeste (einjährige) Militärdienstzeit verbunden werden. Bekanntlich entzieht die Vorbereitung zum Privilegium des Einjährigendienstes der Handwerkerschaft geeigneten Nachwuchs.

Wie die Gesetzgebung dem Volke gehören muß, soll auch die Teilnahme des Volkes an der Rechtsprechung bestehen bleiben und erweitert werden; sie sei kein Privilegium der Reichen. Zu Schöffen und Geschworenen sollen alle unbescholtenen Reichsbürger tatsächlich zugelassen werden. Das Rechtsuchen darf nicht unnötig beschränkt werden, und die Rechtspflege soll nicht als Finanzquelle für den Staat dienen.

Für unschuldig erlittene Untersuchungshaft und für diejenigen Opfer der Justiz, welche unschuldig in Strafhaft schmachteten, hat der Staat Entschädigung zu gewähren. Die Streitigkeiten über Lohn- und sonstige das Arbeitsverhältnis berührende Fragen sind vor einem volkstümlichen Schiedsgerichte zu schlichten.

Das gesetzliche Recht genossenschaftlicher Vereinigung zur Hebung der Berufsinteressen, zur Besserstellung der wirtschaftlichen Lage, sei es bei Gewerbetreibenden oder Arbeitern, ist durch Puttkamersche Erlasse* gefährdet. Diese Freiheit muß entschieden verteidigt werden. Der Arbeiterschaft die freie Selbstverwaltung ihrer Krankenkassen, ihrer Fachvereinigungen, dem Handwerker die Assoziation zur Bekämpfung der Gefahr seitens der kapitalistischen Großproduktion, dem Arbeitgeber die Fürsorge für die in seinem Dienste stehenden Arbeiter. Zuchthausarbeit und Militärhandwerkstätten schaden der ehrlichen freien Arbeit.

Beschränkungen in der freien Wahl des Gewerbes und Privilegien einzelner Zünftler sind unzeitgemäße Heilversuche. Nur durch die Herbeiführung einer genossenschaftlichen Herstellung der Arbeitsprodukte kann der gegenwärtigen regel- und zügellosen Produktion in Zukunft begegnet werden.

In der sozialpolitischen Gesetzgebung leidet die Krankenversicherung an dem polizeilichen Charakter der Zwangs-(Orts-)Kasse, welche den Arbeitgebern zu große Verantwortungen auferlegt und die freie Hilfs-

---

* Streikerlaß des Reichsinnenministers Robert von Puttkamer, sieht unter anderem vor, auch bei Streikversammlungen etc. das Sozialistengesetz zur Anwendung zu bringen, sobald sich sozialdemokratische Tendenzen oder Einflüsse innerhalb der betreffenden Streikbewegung zeigen.

kasse in ihrer Entwicklung stört, während die Kosten der Unfallversicherung in fast allen Fällen den Krankenkassen der Arbeiter aufgeladen werden.

Für die in dem Arbeiterschutzgesetze, das von der sozialdemokratischen Fraktion im Reichstage eingebracht wurde, enthaltenen Forderungen muß jeder wahre Volksmann bedingungslos eintreten. Dasselbe will dem Arbeiter ein menschenwürdiges Dasein erringen: die Feststellung des zur ehrlichen Existenz allernotwendigsten Lohnes, die Zeitbestimmungen für Arbeit und Erholung, die Schonung der Arbeitskraft und Fürsorge für gesunde Räume, entsprechend der äußersten Notwendigkeit. Die Zersetzung eines gesunden Familienlebens unter dem arbeitenden Volke hat bedenklich um sich gegriffen, das Weib sei Haushälterin und Erzieherin der Kinder, ehe es in der aufreibenden Fabrikarbeit bei Tag oder Nacht um die notdürftige Existenz ringen helfen muß. Das Recht der Verfechtung seiner Interessen in Arbeitskammern muß dem Arbeiter gewährt werden.

Die angekündigte Alters- und Invalidenversorgung läßt noch immer auf sich warten. Sie wird offenbar nicht nur auf das werktätige Volk, sondern auch auf die untere Beamtenwelt auszudehnen sein. Überhaupt haben die Arbeiter in den Schreibstuben fast überall die gleichen Interessen, wie die ländliche und industrielle Arbeiterschaft.

Obige Grundsätze sind zu verwirklichen durch die Volksvertretung, welche für alle gesetzgebenden Körper, sowie für die Gemeindeverwaltungen durch das allgemeine, direkte und geheime Wahlrecht zu erwählen ist. Dieses und das Recht jährlicher Ausgabenbewilligung (Budgetrecht) bilden gegenwärtig die wichtigsten Grundlagen der Volkssouveränität, die heilig zu halten sind.

Demnächst steht die Beseitigung jeder Ausnahmegesetzgebung, mag sie sich über religiöse oder politische Parteien erstrecken, unter den Forderungen, welcher im Namen der Gleichheit aller vor dem Gesetze und der Humanität zu erkämpfen sind. Überall da, wo das gesprochene und geschriebene Wort frei ist, wobei niemand seiner Meinung wegen verfolgt, eingesperrt und an den Bettelstab gebracht werden darf, leben die Staatsbewohner im Frieden. Und ohne Frieden gedeiht keine Arbeit, ohne Arbeit kein Wohlstand. Die Arbeiterpartei ist die einzige von allen Parteien, welche den Völkerfrieden herbeiführen wird. Durch Vereinigung der Arbeitskräfte aller zivilisierten Staaten kann eine wirtschaftliche Armee geschaffen werden, die im Besitze der Arbeitsmittel die Waffen erblickt, die dem völkermordenden Militarismus ein friedliches Ende bereiten.

b) Aufruf des Arbeiterwahlkomitees Offenburg zu den Reichstagswahlen 1887, 5. Februar 1887

Staatsarchiv Freiburg, LRA Offenburg, Nr. 408.

An die Wähler des VII. badischen Wahlkreises!

Landwirte, Handwerker, Arbeiter, Mitbürger! Motto: Die Augen auf oder den Beutel! Das jetzige Kriegsgeschrei ist nur eine traurige Erfindung der gouvernementalen, reaktionären Parteien, um den Wählern Schrecken einzujagen; daß dieser Humbug der Geschäfts- und Arbeiterwelt einen ungeheuren Schaden zufügt, das kümmert diese servile Gesellschaft natürlich nicht. Darum seid auf der Hut und laßt Euch nicht durch solche Manöver verblüffen.

Wähler paß auf! Eine Reichstagsauflösung wie jetzt ist schon einmal im Jahre 1878 dagewesen. Damals hieß es, die Auflösung gelte nur der Durchbringung des Sozialistengesetzes. Als aber die Mehrzahl aus Jasagern bestand, da kam es auch anders. Die Steuern und Zölle wurden alsbald um 100 bis 200 Millionen Mark erhöht. Gegenstände des allgemeinen Verbrauchs, Petroleum, Kaffee, Tabak, Reis wurden höher belastet, Zölle wurden eingeführt. Man denke an die dadurch entstandenen Krisen im Holzgeschäft, in der Eisenindustrie!

Jetzt heißt es, die Auflösung soll bewirken, daß die Militärvorlage sogleich für 7 Jahre statt für 3 Jahre angenommen wird. Aber auch diesmal werden ganz andere Dinge zum Vorschein kommen, wenn erst an Stelle der gegenwärtigen Reichstagsmehrheit bei den Neuwahlen eine andere (gefügigere) Mehrheit in den Reichstag gesetzt worden ist. Denn die Neuwahlen gelten für 3 Jahre, also für die lange Zeit bis zum 21. Februar 1890.

Der aufgelöste Reichstag hat im März 1886 das Branntweinmonopol abgelehnt, und das kann der Reichskanzler ihm nicht verzeihen. Denn Monopole sind nun einmal des Kanzlers »letzte Ideale«. Durch das Branntweinmonopol sollten der gesamte Branntweinhandel im Großen und im Kleinen, alle Branntweinbrennereien verstaatlicht werden. Nur vor den großen Brennern machte die Verstaatlichung respektvoll halt. Den wenigen hochadeligen Großbrennern Preußens sollte durch das Monopol der Spiritus von 60 Millionen Mark über den Marktpreis abgekauft werden. Aber 200 000 Gewerbetreibende, welche mit ihren Angehörigen eine Million Köpfe darstellen, wären durch das Monopol in bezug auf ihren Erwerb und Verdienst in Frage gestellt. Auch zu den vom Kanzler geplanten hohen Verbrauchsabgaben auf den Branntwein wollte der jetzt aufgelöste Reichstag sich nicht verstehen.

Solche Abneigung des Reichstages, die Steuerlast des Volkes derart zu erhöhen, hat den Reichskanzler schwer verstimmt. Schon in der Eröffnungsrede der letzten Reichstagssession vom 25. November 1886 wurde deshalb angekündigt, daß das Bedürfnis nach mehr indirekten Steuern »bei den Wahlen mehr als bisher Ausdruck finden« müsse.

Noch deutlicher war der preußische Finanzminister von Scholz. Derselbe sprach am 30. November 1886 ganz unverblümt davon, daß man auf die früher versagten Steuerquellen zurückkommen müsse. Denn woher das Geld nehmen, um die vielen vorhandenen und noch zu machenden Schulden zu bezahlen! Branntweinmonopol und Tabaksmonopol sind also der eigentliche Preis, der von der Auflösung erwartet wird.

Das Tabaksmonopol ist schon einmal im Jahre 1882 vom Reichstage verlangt, aber abgelehnt worden. Das Tabaksmonopol sollte an Stelle von 16000 Privatfabriken 28 große Staatsfabriken setzen. Die gesamte Tabaksfabrikation und der Tabakshandel sollten verstaatlicht werden. Tabak sollten im Detail nur die vom Reich auf Widerruf konzessionierten Verschleißer verkaufen dürfen. Das Reich sollte es dann in der Hand haben, die Tabakspreise nach Belieben zu regulieren, um, wie in Frankreich, einen Reinertrag von 200 Millionen aus dem Monopol zu gewinnen. Freilich kostet in Frankreich unter solchem Monopol das Pfund des billigsten Rauchtabaks fünf Mark, der Preisaufschlag des Monopols zu den Gestehungskosten beträgt in Frankreich 450 Prozent. Aber Deutschland ist zu arm, um selbst unter entsprechender Einschränkung des Verbrauchs solche Preise zahlen zu können.

Darum Wähler paßt auf! Wer Sicherheit haben will vor Einführung von Monopolen und vor weiterer Belastung der ärmeren Klassen durch höhere Besteuerung allgemeiner Verbrauchsgegenstände, wer Gerechtigkeit in der Verteilung der öffentlichen Lasten erstrebt, der wähle einen Mann aus dem Volke; wählt keinen General, keinen Nationalliberalen oder sonstigen Verehrer der »letzten Ideale« des Herrn Reichkanzlers.

Mitbürger! Wer also gegen das Tabaksmonopol, wer gegen das Branntweinmonopol, wer gegen die Kriegsrüstungen und den Krieg, wer gegen alle Ausnahmegesetze, wer gegen die, bloß die unteren Volksklassen treffenden, indirekten Steuern, wer gegen die übermäßigen Zölle, wer gegen eine absolutistische Regierungsform ist, der stimme für unseren Kandidaten!

Wer für den Frieden, wer für politische Freiheit, wer für das allgemeine, geheime, direkte Wahlrecht, wer für Abkürzung der Militärdienstzeit, wer für »Gleiches Recht für Alle!« ist, kann nur unseren Kandidaten wählen!

Wähler in Stadt und Land! Wer also ein Freund des Volkes ist, der betätige dies dadurch, daß er keinen Verteidiger der Verderben bringenden Kriege wählt, sondern am 21. Februar, zwischen 10 Uhr morgens und 6 Uhr abends, auf das Wahllokal seines Wohnorts geht und dort den auf unseren Kandidaten der Arbeiter lautenden Zettel abgibt. Darauf soll stehen: Adolf Geck, Buchdruckereibesitzer in Offenburg.

Sollte jemandem der auf diesen Namen lautende gedruckte Wahlzettel nicht zukommen, so nehme er einen anderen, streiche darauf stehenden

Namen aus, schreibe darauf oder auf ein anderes weißes Blatt Papier: Adolf Geck, Buchdruckereibesitzer in Offenburg, falte den Zettel zweimal zusammen und gebe ihn an der Wahlurne ab.

c) Schreiben des Großherzoglichen Bezirksamts Offenburg an das Bezirksamt Oberkirch betreffend den Wahlaufruf des Arbeiterwahlkomitees Offenburg, 8. Februar 1887

Staatsarchiv Freiburg, LRA Offenburg, Nr. 408.

Wohldemselben teilen wir mit, daß wir aufgrund des Erlasses Großherzoglichen Ministeriums des Innern vom 7. d. M. Großherzogliche Staatsanwaltschaft ersucht haben, Beschlag gegen den Aufruf: »An die Wähler des VII. badischen Wahlkeises!«, Offenburg, den 5. Februar, des Arbeiterwahlkomitees zu erwirken, weil dieses Wahlkomitee nicht aus bekanntgegebenen Personen besteht, somit der § 6 des Reichspressegesetzes nicht voll erfüllt ist.

Wir haben zugleich die Großherzogliche Staatsanwaltschaft ersucht, nach § 19, vgl. mit § 29, des Reichspressegesetzes und nach § 3 des badischen Gesetzes vom 20. Juni 1874 einzuschreiten. Sollte eine Beschlagnahme verfügt werden, werden wir weiteren Bericht erstatten.

d) Schreiben des Großherzoglichen Bezirksamts Offenburg an das Bezirksamt Oberkirch betreffend den Wahlaufruf des Arbeiterwahlkomitees Offenburg, 14. Februar 1887

Staatsarchiv Freiburg, LRA Offenburg, Nr. 408.

Wohldasselbe benachrichtigen wir ergebenst, daß die von Großherzoglicher Staatsanwaltschaft verfügte vorläufige Beschlagnahme des Wahlaufrufs des sogenannten Arbeiterwahlkomitees durch Beschluß Großherzoglichen Amtsgerichts vom 9. dieses Monats bestätigt worden ist.

e) Bericht der »Offenburger Nachrichten« über die Verurteilung Adolf Gecks, 5. April 1887

Offenburger Nachrichten vom 5. April 1887.

Am Samstag wurde Redakteur Adolf Geck vom Schwurgericht in Karlsruhe zu einer Geldstrafe von 150 Mark verurteilt wegen Vergehens gegen § 131 des Strafgesetzbuches. Nach diesem Paragraphen wird mit Geld bis zu 600 Mark oder mit Gefängnis bis zu 2 Jahren derjenige bestraft, der erdichtete oder entstellte Tatsachen behauptet, wissend daß sie unwahr sind, um damit Staatseinrichtungen öffentlich herabzusetzen.

Redakteur Geck behauptete in seinem Wahlflugblatt, daß durch die indirekte Besteuerung die neuen Militärlasten größtenteils auf die Schultern der weniger bemittelten Bevölkerung abgewälzt werden, und diese Auffassung wurde bekanntlich von vielen gelehrten Nationalökonomen aller zivilisierten Staaten schon in Wort und Schrift geäußert. Ferner empfahl Geck der Reichsregierung die ehemals reichsunmittelbaren Fürsten und Grafen noch mehr zur Staatssteuer heranzuziehen. Als solche bezeichnete der Wahlaufruf 40 Familien und nannte speziell die Löwensteinsche und Fürstenbergsche Familie. Nun sind dieselben allerdings in Baden und Württemberg zur Grundsteuer herangezogen, genießen aber für ihre Besitzungen in anderen deutschen Bundesstaaten tatsächlich Steuervergünstigungen, z. B. in Preußen (Hohenzollern) Steuerfreiheit. Ferner meinte Geck, daß sich Heiratsgüter von Offiziersfrauen noch mannigfach der Besteuerung entzögen. Gegenüber der Anklage, welche durch den Großherzoglichen Staatsanwalt Hübsch begründet wurde, erklärte der Angeschuldigte, daß es sich um einen Besteuerungsvorschlag an die Reichsregierung handelte, der, wenn auch teilweise auf unrichtigen Voraussetzungen beruhend, niemals von wissentlich falschen Behauptungen geleitet wurde oder gar die Absicht hatte, Staatseinrichtungen herabzusetzen. Es müsse im Gegenteil vielmehr eine dem Staate freundliche und entgegenkommende Absicht angenommen werden, wenn man die Regierung auf neue Steuerquellen aufmerksam machen will.

Die Geschworenenbank, die vorzugsweise mit Reserveoffizieren, Fabrikanten und sonstigen Aristokraten besetzt war, hatte sich die Prüfung der vom Herrn Vorsitzenden in halbstündiger Ausführung gemachten schwierigen Rechtsbeurteilungen im vorliegenden Falle sehr leicht gemacht. In kaum fünf Minuten waren diese Volksrichter mit der Prüfung und Verurteilung fertig. Der Herr Staatsanwalt, der hauptsächlich auf den aufrührerischen, gefährlichen Inhalt des ganzen Wahlaufrufes, einer Umsturztheorie, in langer Rede hingewiesen und Stellen aus sozialdemokratischen Schriften zu Hilfe genommen hatte, beantragte, daß man den Angeklagten ins Gefängnis sperre. Der Gerichtshof aber erklärte, daß es mit den Wahlaufrufen aller Parteien nicht so scharf zu nehmen sei und daß der Gecksche Wahlaufruf in seiner allgemeinen Ausführung ruhig gehalten, in dem größte Teile, der nicht den Gegenstand der Verhandlung bilde, gar nicht zu beanstanden sei. Der Gerichtshof entsprach deshalb nicht dem Antrag des Staatsanwaltes, sondern des Verteidigers (Herr Dr. Schlesinger) und erkannte auf eine Geldstrafe.

f) Aufruf des Arbeiterwahlkomitees Offenburg zu einer Nachwahl zum Reichstag, 11. Januar 1889

GLA Karlsruhe, 236/17099.

An die Wähler des 7. badischen Reichstagswahlkreises!

Wie vor der letzten Reichstagswahl wurde auch in der gegenwärtigen Wahlagitation der Kandidat unserer Partei, Redakteur Adolf Geck von Offenburg, durch polizeiliche Verbote daran verhindert, überall vor den Wählern sein politisches Glaubensbekenntnis zu entwickeln. Nach dem Wahlgesetz des Reiches sind Wahlversammlungen keinem wahlberechtigten Reichsbürger zu verbieten. Das von den Kartellbrüdern und Ultramontanen geschaffene Ausnahmegesetz gegen die Sozialdemokraten hebt aber das gleiche Recht für alle auf, und zwar gegen eine Partei von einer Million Wählern. Wir können wahrnehmen, wie nationalliberale und ultramontane Agitatoren unsere unterdrückte Partei verleumden, da sie wissen, daß uns zur Abwehr der Mund verschlossen ist.

Ihr wißt noch, Wähler, wie der gegenwärtige Reichstag an Fastnacht 1887 zustande kam. Die reaktionären Kartellbrüder setzten die Wähler in Angst. Sie drohten mit dem Einbruch der angeblich schon an den Grenzen stehenden Franzosen, wenn wir nicht das Septennat* bewilligen. Auch der Papst in Rom verband sich mit ihnen, indem er die Katholiken aufforderte, für Septennatskandidaten zu stimmen. Man beteuerte hoch und heilig, es handle sich nur um Genehmigung der Militärlasten auf sieben Jahre hinaus, während dem Volke sonst kein Leid mehr widerfahren werde.

Nun besteht dieser Reichstag kaum zwei Jahre und das Volk bekam seine Bescherung. Wir sind in der Reichshaushaltung soweit voran- oder besser zurückgeschritten, daß dieser Reichstag wahrscheinlich eine Mil-

* Siebenjährige Geltungsdauer des Militärbudgets.

liarde Ausgaben zu bewilligen hat. Die einstigen fünf Milliarden Reichsvermögen sind dahin und die Schulden traten an ihre Stelle.

Die Parteien des Reichstages – mit alleiniger Ausnahme der Sozialdemokraten – haben diese wachsenden Ausgaben stets bewilligt. Sie mußten nachher Umschau halten, woher das Geld zu nehmen ist. Sie holen es zum größten Teile durch Zölle und Verbrauchssteuern aus der großen, um ihre Existenz schwer kämpfenden Masse des arbeitenden Volkes. Einige Beispiele dafür: Die auch dem Ärmsten unentbehrlichen Lebensmittel, z.B. Salz muß 40 Millionen, der Zucker 45 Millionen, das Bier 20 Millionen einbringen. Wie große Lasten uns durch die Zölle erwachsen, zeigt am deutlichsten der Getreidezoll. Er nützt nur den reichen Großgrundbesitzern, die, mit dem modernsten Maschinenbetrieb ausgestattet und im Besitze von Tausenden Morgen Land, Getreide billig zu Spekulationszwecken bauen. 5 Millionen deutsche Landwirte besitzen nicht einmal je 1 Hektar Land, während 9 000 Besitzungen mit 200 bis 500 Hektar, 3 629 Besitzer mit 500 bis 1 000 Hektar und 515 »notleidende« Grundbesitzer, von denen jeder mehr als 1 000 Hektar besitzt, ihre Freude an den Getreidezöllen und der Schnapssteuer erleben. Denn auch die Schnapssteuer tut denjenigen nicht wehe, sondern wohl, welche die riesenhafte Kartoffelernte durch Maschinenbetrieb in Fuselschnaps verwandeln und siegreich gegen die Schwarzwälder Branntweine der Weinbrenner vorgehen können.

»Kein Schnäpslein mehr im Hause und teueres Brot in der Lade!« In diesen Worten kann der gewöhnliche Arbeitsmann in Stadt und Land die Wohltat der Steuergesetzgebung unseres jetzigen Reichstages zusammenfassen. Er verdankt sie der volksfreundlichen Fürsorge der brüderlich vereinigten Liberalen und Ultramontanen, welche diese Gesetze gegen die Stimmen der Sozialdemokraten und anderer Oppositionen durchdrückten. Jene sagten: »Der Branntwein sei kein Nahrungsmittel für das Volk.« Damit bewiesen diese Parteien, daß sie die Bedürfnisse des Volkes nicht kennen, daß sie keine Volksparteien sind. Oder ist es so schwer festzustellen, daß der arbeitende Mann, namentlich wenn ihm kein Wein zur Verfügung steht und er in Wind und Wetter tagwerken muß, des Branntweines nicht entbehren kann? Ist es so schwer einzusehen, daß der Landwirt bei dem schlecht rentierenden Feldertrag sein Steinobst und seine Trestern notwendig zu einem Einkommensmittel verwerten muß, wenn er seine Steuern entrichten will?

Wer es in dieser Hinsicht mit unserem Volke gut meint und diese Belastung verurteilt, kann mit gutem Gewissen weder einem Ultramontanen, noch einem Nationalliberalen seine Stimme geben, weil sonst die Regierung bei der Betrachtung des Wahlresultates mit vollem Recht annimmt: diese Wähler des 7. badischen Wahlkreises billigen jene Steuergesetze.

Wer sich nicht der Wahl enthalten will – und so etwas wäre gleichbedeutend mit Zustimmung zur Schnaps- und Brotpolitik – dem bleibt nur übrig, für den Kandidaten unserer Partei, Redakteur Adolf Geck in Offenburg, zu stimmen.

Die gegnerischen Parteien mit ihrem schlechten Gewissen fühlen das ganz genau. Darum sind sie auf den Schlich verfallen, diesen Kandidaten zu verdächtigen. Namentlich die Ultramontanen betören das Volk mit der Behauptung, dieser Mann wolle dem Volke die Religion nehmen. Es ist dies derselbe Humbug, mit dem die Kartellbrüder durch die Melinitbomben* und französischen Barackenlager den Wählern den gesunden Verstand verwirrten. Ist irgend jemand imstande, dem Redakteur Adolf Geck aus irgend einer Nummer seiner Zeitung oder seinen Vorträgen eine Stelle nachzuweisen, welche die Glaubensfreiheit einer Religionsgenossenschaft verletzt? Niemand vermag es! Dagegen ist Adolf Geck in letzter Zeit für strenge Aufrechterhaltung der Gewissensfreiheit eingetreten, die nach dem alten demokratischen Grundsatz von der Trennung staatlicher und kirchlicher Interessen und Rücksicht auf den konfessionellen Frieden namentlich im Schulunterricht erstrebt werden muß. Die sozialdemokratische Partei hat stets den Kulturkampf verdammt, die sozialdemokratische Partei war gegen die Vertreibung der Orden, wie sie die einzige Partei des jetzigen Reichstages ist, welche in Wahrheit das gleiche Recht für jedermann will. Vor allem fordert sie für die bei der jetzigen Erwerbsweise schwer gedrückte industrielle und landwirtschaftliche Bevölkerung vom Staate Gesetze, welche die fortschreitende Verarmung der Massen verhindern. Der oberste Grundsatz der Sozialdemokratie lautet: Jedem arbeitenden Menschen sein menschenwürdiges Dasein!

Die Sozialdemokraten verlangen eine Sozialreform auf gesetzlichem Wege, welche eine vernünftige und gerechte Verteilung der menschlichen Arbeitsprodukte an diejenigen ermöglicht, welche durch geistige oder körperliche Arbeit die nützlichen Werte erzeugen. Daß der durch die Fabrikation verdrängte Stand der Kleinhandwerker von uns zur arbeitenden Klasse gezählt wird, versteht sich von selbst. Seine Interessen sind dieselben: Notwehr gegen Verarmung, gegen langsamen Hungertod. Dasselbe gilt auch vom Landwirt. Kranken- und Unfallkassen helfen nur den Leidenden. Die Altersversorgung, wie sie dem Reichstag vorliegt mit ihrer kleinsten Rente von 75 Mark vom 70. Lebensjahre an, kann nicht der Schlußstein einer vernünftigen, ernsthaften Sozialgesetzgebung sein. Eine solche muß begonnen werden mit der von unserer sozialdemokratischen Partei ausgearbeiteten Abeiterschutzgesetzgebung, welche dem gesunden, arbeitsfähigen Arbeiter, Handwerker und Landwirte sein ehrliches Auskommen sichern will.

Wenn der Beamte sich im gesicherten Staatsschutze so wohl fühlt, warum sollte der übrigen schaffenden Bürgerschaft ein gleicher Schutz ihrer Existenz wie das Leben in einer Zwangsanstalt erscheinen?

Wähler! Es fehlt an Leuten im Reichstag, welche den Kampf ums tägliche Brot aus eigener Erfahrung kennen. Freiherren, sonstige reiche Leute

---

* Melinit: Sprengstoff, der noch im Ersten Weltkrieg eingesetzt wurde.

enthält er massenhaft, dagegen Leute aus den wirtschaftlich schwachen Ständen sehr wenige; diese sind meistens Sozialdemokraten. Die herrschenden Parteien wollen aber keine armen Volksvertreter. Wie können sie sonst die Mandatsdauer von 3 auf 5 Jahre erhöhen, wodurch es erst recht nur sehr reichen Leuten möglich wird, Volks»vertreter« zu werden. Diese Verkürzung eines Volksrechtes hat uns das Angstprodukt von Kartellreichstag auch beschert. Sollte der deutsche Michel sich nochmals durch Trugbilder ins Bockshorn jagen lassen?

Wähler der Ortenau! Zeigt durch Eure Abstimmung am 11. Januar, daß man Euch die Schlafmütze des Michels nicht mehr über Augen und Ohren ziehen kann. Denkt an die Milliarde Reichsausgaben, denkt an Euer mit Steuern schwer belastetes tägliches Brot, an das teuere Schnäpschen, das verpfefferte Salz, das heiße Petroleumlicht, und wenn Euch dann noch kein Licht aufgeht, so müßt Ihr in Gottes Namen den Mund halten und nicht über Bedrückung klagen. Denn Ihr wählt ja Eure nationalliberalen und ultramontanen Schnaps- und Brotverteurer selber. Im andern Fall bleibt Euch keine Wahl als einzutreten für unsern Kandidaten: Adolf Geck in Offenburg.

g) Bekanntmachung der Reichskommission betreffend die Ablehnung der Beschwerde des Vorstandes des Arbeiterwahlvereins Offenburg und Umgebung gegen das Verbot des Vereins, 28. Juni 1889

Der Ortenauer Bote vom 10. Juli 1889.

Auf die Beschwerde des Vorstandes des »Arbeiterwahlvereins für Offenburg und Umgebung«, Hutmacher Theodor Zenker zu Offenburg, über das von dem Großherzoglich Badischen Landeskommissär für die Kreise Freiburg, Lörrach und Offenburg unter dem 31. Mai 1889 erlassene Verbot des genannten Vereins hat die Reichskommission in ihrer heutigen Sitzung beschlossen: »daß die Beschwerde als unbegründet zurückzuweisen sei«.

Nach § 1 der Statuten gehört zu den Zwecken des Vereins, »durch Beteiligung an den Reichs-, Landtags- und Gemeindewahlen« zu bewirken, daß »Männer in die betreffenden Vertretungskörper gesandt werden, welche die Interessen der Arbeiterschaft zu wahren wissen«.

Dieser Zweck bzw. die auf seine Verwirklichung gerichtete Tätigkeit ist an sich nicht gesetzwidrig und wird es auch nicht dadurch, daß der Verein auf die Wahl von Mitgliedern der sozialdemokratischen Partei hinarbeitet; obwohl diese Partei notorisch und eingestandenermaßen die gewaltsame Durchsetzung ihrer Ziele, soweit letztere auf dem Wege der Reformgesetzgebung sich nicht sollten erreichen lassen, anstrebt. Denn durch die Wahl von Parteigenossen in den Reichstag und die sonstigen politischen Körperschaften wird zunächst der Weg der Reform beschritten, und man kann von einem Verein, insoweit er bezweckt, für die Partei Einfluß auf die Gesetzgebung und Verwaltung zu gewinnen, nicht sagen, daß er den Umsturz der bestehenden Staats- und Gesellschaftsordnung bezwecke; er stellt sich vielmehr geradezu auf den Boden des Gesetzes. Ausgeschlossen ist freilich nicht, daß sich hinter dem in den Statuten angegebenen offenen Zwecke ein anderer, und zwar ein gesetzeswidriger verbergen könne. Ob im vorliegenden Falle zu solcher Annahme ausreichend Gründe vorliegen, kann hier dahingestellt bleiben, da nach § 1 Abs. 2 des Sozialistengesetzes auch solche Vereine zu verbieten sind, »in welchen sozialdemokratische auf den Umsturz der bestehenden Staats- oder Gesellschaftsordnung gerichtete Bestrebungen in einer den öffentlichen Frieden, insbesondere die Eintracht der Bevölkerungsklassen gefährdenden Weise zutage getreten sind«, ohne daß man sagen könnte, daß der Verein den Umsturz geradezu bezwecke.

Diese Voraussetzung des Abs. 2 liegt nun aber ganz unzweifelhaft vor. Zu zwei verschiedenen Malen haben gelegentlich der letzten Reichstagswahlen Wahlaufrufe des vom Arbeiterwahlverein gewählten und mit Geldmitteln unterstützten »Arbeiterwahlkomitees« verboten werden müssen, weil in denselben der Tatbestand des § 11 des Sozialistengesetzes gegeben war, also Bestrebungen der in § 1 Abs. 2 als verbotsbegründend bezeichneten Art zutage getreten waren. In beiden Fällen ist das Verbot von der Reichskommission bestätigt worden. Daß der Verein die gesetzwidrige Tätigkeit seines Komitees überhaupt nur mißbilligt, geschweige denn in unzweideutiger öffentlicher Erklärung von sich abgelehnt hätte, wie er solches hätte tun können und sollen, hat seitens des Beschwerdeführers nicht einmal behauptet werden können. – Hiernach mußte die Beschwerde verworfen werden.

Der Internationale Sozialistenkongreß zu Paris

a) Notiz des »Ortenauer Boten« zur Eröffnung des Sozialistenkongresses

Der Ortenauer Bote vom 18. Juli 1889.

An dem heute eröffneten Sozialistenkongreß nehmen 81 Pariser Delegierte, 108 aus den Departements und 189 ausländische teil. Unter den ausländischen Delegierten befinden sich 82 deutsche, darunter die dem Reichstage angehörenden Sozialisten. Liebknecht sagte: Die Arbeiterschaft Deutschlands und Frankreichs vereinigt sich in dem Kongreß, der nicht ein Kongreß der Schwärmer, vielmehr ein Bundesvertrag ist, den wir schließen und der Wirkung haben wird in der ganzen Welt.

b) Beschluß des Sozialistenkongresses über den Arbeitsschutz

Staatsarchiv Ludwigsburg, Bestand F 201, Büschel 624.

In Erwägung, daß die kapitalistische Produktion in rascher Entwicklung nach und nach die ganze Welt erfaßt; in Erwägung, daß die kapitalistische Produktionsweise die steigende Ausbeutung der Arbeiterklasse durch die herrschende Klasse bedeutet; daß die immer intensivere Ausbeutung die soziale und politische Unterdrückung und Versklavung der Arbeiterklasse zur Folge hat, zu ihrer physischen und moralischen Degeneration führt; daß es deshalb Pflicht und Aufgabe der Arbeiterklasse aller Länder ist, diese sie ruinierende und die freie Entwicklung der Menschheit bedrohende Gesellschaftsorganisation mit allen ihr zu Gebote stehenden Mitteln zu bekämpfen; daß es sich aber in erster Linie darum handelt, der weiteren verheerenden Wirkung der herrschenden Wirtschaftsordnung entgegen zu arbeiten, beschließt der Kongreß:

I. Die Schaffung einer wirksamen Arbeiterschutzgesetzgebung für alle Länder mit moderner Produktion ist eine unabweisbare Notwendigkeit. Als Grundlage derselben betrachtet der Kongreß:

a. Den achtstündigen Normalarbeitstag.

b. Verbot der Arbeit von Kindern unter 14 Jahren und Beschränkung der Arbeit aller Minderjährigen von 14 bis 18 Jahren auf 6 Stunden pro Tag.

c. Verbot der Nachtarbeit mit Ausnahme für jene Betriebe, welche ihrer Natur nach ununterbrochenen Betrieb erfordern.

d. Ausschluß der Frauenarbeit in allen den weiblichen Organismus besonders schädigenden Betrieben.

e. Verbot der Nachtarbeit für Frauen und für männliche Arbeiter unter 18 Jahren.

f. Eine mindestens 36 Stunden hintereinander umfassende Ruhezeit pro Woche.

g. Verbot solcher Industrie und solcher Arbeitsmethoden, welche der Gesundheit der Arbeiter besonders schädlich sind.

h. Aufhebung des Trucksystems*.

i. Eine alle industriellen Betriebe, einschließlich der Hausindustrie, umfassende Inspektion durch staatlich besoldete Inspektoren, welche mindestens zur Hälfte von den Arbeitern selbst zu wählen ist.

II. Der Kongreß erklärt es für notwendig, alle diese Maßregeln durch Gesetze bzw. durch internationale Verträge zu sichern und fordert die Arbeiterklasse aller Länder auf, in der ihnen am geeignetsten erscheinenden Weise für die Verwirklichung dieser Forderungen einzutreten und ihre Durchführung zu überwachen.

III. Außerdem erklärt der Kongreß: Es ist Pflicht aller Arbeiter, die Arbeiterinnen als gleichberechtigte Mitkämpferinnen anzusehen und dem Grundsatz: gleicher Lohn für gleiche Leistungen - auch in bezug auf die Arbeiterinnen zur Geltung zu verhelfen. Als ein wesentliches zum Ziel führendes Mittel hierfür, wie für die Verwirklichung der Emanzipationsbestrebungen der Arbeiterklasse überhaupt, erachtet der Kongreß die Organisation der Arbeiterklasse und fordert demnach volle Koalitions- und Vereinigungsfreiheit.

* Entlohnung mit Waren.

Der Fachverein der Weber und Spinner Offenburgs

a) Bericht der Gendarmerie Offenburg an das Großherzogliche Bezirksamt Offenburg über die Gründungsversammlung des Fachvereins der Weber und Spinner Offenburgs, 15. Dezember 1889

GLA Karlsruhe, 368, 1959/2, Nr. 23.

Großherzoglichem Bezirksamt berichte ich [Wachtmeister Sauer] zufolge Weisung vom 12. des Monats gehorsamst, daß gestern nachmittag in dem hinteren Lokal der Brauerei »Mundinger« eine Versammlung der Arbeiter der hiesigen beiden Fabriken Walter Claus und Spinn- und Weberei Offenburg stattgefunden hat.

Die Versammlung hat um ½4 Uhr begonnen, war um 5 Uhr beendet und ist von 180 bis 200 Teilnehmern besucht gewesen, darunter waren mindestens ein Drittel Arbeiterinnen. Nach den von mir eingezogenen Erkundigungen war der etwa 24 Jahre alte Karl Volz von hier, welcher als Spinner in der Spinn- und Weberei Offenburg beschäftigt ist, der Einberufer dieser Versammlung.

Volz hat die Versammlung eröffnet und einem Arbeiter aus Lahr, angeblicher Name Marcus Baumann, das Wort erteilt. Es wurde sodann ein Beschluß dahingehend gefaßt, daß die Arbeiter einen Fachverein gründen, der den Zweck haben soll, arbeitslos gewordenen Arbeitern Unterstützungen aus dieser Vereinskasse zu gewähren.

Karl Volz wurde als Vorstand, Franz Kemsch, Spinner in der Spinn- und Weberei Offenburg, als Kassier und Martin Schlindwein, Weber bei Walter Claus, als Schriftführer gewählt und ernannt.

Die Statuten für diesen Verein sollen ähnlich wie jene eines solchen Vereins in Lahr verfaßt und bei der nächsten Versammlung, die wieder dahier stattfinden solle, den Mitgliedern vorgelegt werden. Es wurde sodann eine Mitgliederliste ausgelegt, in welche sich 120 als Mitglieder dieses neuen Vereins eingetragen haben.

Karl Volz und Martin Schlindwein sind Mitglieder des Arbeiterwahlvereins »Vorwärts«, ersterer gehörte auch schon dem verbotenen Wahlverein an. Von den hiesigen Sozialdemokraten waren Schriftsetzer Nicolaus Oberfäll und Glaser Eugen Geck in dieser Versammlung anwesend, haben aber keine Vorträge gehalten. Vier Personen sind mit Zug 2 Uhr 40 von Lahr hierhergekommen und von Eugen Geck am Bahnhof abgeholt worden. Die benannte Versammlung ist ohne Störung der öffentlichen Ruhe und Ordnung verlaufen.

Es sollen besonders die Weber der Aktien-Spinnerei und Weberei sein, welche über geringen Lohn klagen und welche sich bei dem Verein beteiligen. Arbeiter der Clausschen Fabrik seien weniger beteiligt.

b) Stellungnahme der Meister zur Kündigung des Vorstands des Fachvereins der Weber und Spinner Offenburgs, 8. Februar 1890

GLA Karlsruhe 368, 1959/2, Nr. 23.

Bekanntlich haben einige Arbeiter aus der Weberei einen Fachverein gegründet. Wir haben uns darüber gefreut, denn wir haben geglaubt, daß der Verein in anständiger Weise, wie andere ähnliche Vereine den Arbeitern zum Nutzen und den Meistern zur Erleichterung seien. Leider ist dem nicht so, und wir haben wiederholt die Erfahrung gemacht, daß die Arbeiter gegeneinander und gegen die Meister verhetzt werden. Wir haben deshalb Herrn Volz, welcher angibt Vorstand vom Fachverein zu sein, über seinen Verein, wie er ihn nennt, befragt. Herr Volz erklärte, daß sein Verein gerade gegen die Meister und Obermeister gerichtet sei, darauf wird nun jedem klar sein, woher die Hetzereien kommen.

Jeder vernünftige Arbeiter wird einsehen, daß eine solche Hetzerei auch zum großen Schaden der Arbeiter ist und daß wir uns so einen nicht gefallen lassen können. Darum haben wir beschlossen, dem Herrn Volz die Arbeit auf 8 Wochen zu kündigen und sind bei der Direktion um Genehmigung eingekommen.

c) Bericht im »Südwestdeutschen Volksblatt« über die Entlassung des Vorstands des Fachvereins der Weber und Spinner Offenburgs, 8. Februar 1890

Südwestdeutsches Volksblatt vom 19. Februar 1890.

Die hiesigen Arbeiter der Textilindustrie haben am 15. Dezember v. J. einen Fachverein gegründet. Letzten Samstag, 8. Februar wurde dem Vorstand und Gründer des Fachvereins, Karl Volz, Arbeiter in der Spinn- und Weberei gekündigt. Die Gründe der Kündigung waren in einem Schriftstück, welches von sämtlichen Webermeistern unterschrieben und Volz vorgelesen wurde, enthalten. Wir werden, sobald uns eine Abschrift davon zugeht, den Wortlaut desselben veröffentlichen. Welch reges Interesse die hiesige Behörde an dem Textilarbeiter-Fachverein hatte, beweist, daß nach Aussage des Direktors Schätti die Gendarmerie wegen des Vereins drei Mal bei diesem und der Direktor selbst zwei Mal beim Oberamtmann war. Herr Schätti, der sich anfangs dem Fachverein gegenüber wohlwollend zeigte, hat in dieser Beziehung in der letzten Zeit sein Verhalten vollständig geändert, wodurch auch die Entlassung von Volz erklärt wird. Wie es in der hiesigen Spinn- und Weberei seit nahezu 10 Jahren hergeht, beweist die Tatsache, daß während dieser Zeit schon 6 Weber- und 7 Spinnobermeister angestellt waren und fast sämtliche bürgermeisteramtliche oder gerichtliche Klage gegen Herrn Schätti anstrengen mußten. Wie es dann mit den Arbeitern aussieht, die während dieser Zeit klägerisch vorgingen, kann sich jeder denken. Nach diesen Vorkommnissen werden wir uns endlich eingehend mit den Verhältnissen in dieser Fabrik beschäftigen müssen.

Die verstärkte sozialdemokratische Agitation vor dem Fall des Sozialistengesetzes

a) Meldung der Gendarmerie Offenburg an den Großherzoglichen II. Gendarmerie-Distrikt Freiburg über eine sozialdemokratische Volksversammlung in Offenburg, 10. Januar 1890

GLA Karlsruhe, 236/14884.

Großherzoglichem II. Distrikte in Freiburg melde ich gehorsamst, daß gestern abend hier in dem »Dreikönigssaale« eine sozialdemokratische Volksversammlung von dem hiesigen Arbeiterwahlkomitee auf nachts, 8 Uhr einberufen war, in welcher als Referent Kaufmann Auerbach von Berlin bezeichnet worden ist.

Auf Auftrag des Großherzoglichen Bezirksamtes dahier wurde diese Versammlung von dem Großherzoglichen Referendar Dr. Cron, dem Vizewachtmeister Neckermann und dem Wachtmeister Sauer dahier überwacht.

Nachdem sich etwa 260 bis 270 Teilnehmer im benannten Saale eingefunden hatten, auch Adolf Geck mit seinen nächsten Anhängern anwesend war, hat Schriftsetzer Oberfäll diese Versammlung eröffnet und dem Auerbach das Wort erteilt. Die Versammlung dauerte von 8¼ bis 10¼ Uhr.

Auerbach setzte zuerst in seinem Vortrag auseinander, was die sozialistische Partei sei und daß sie ein mächtiger Aufbau jetzt schon im Volk geworden ist. Sodann verhandelte er über die Unfall- und Invalidenversorgungsgesetze, welche ein Erzeugnis der Sozialdemokratie seien. Im Reichstag habe Minister Herrfurth die Behauptung aufgestellt, die Sozialisten hätten ein verschleiertes Programm; dieses sei nicht richtig, indem sie hierzu keinen Grund hätten und öffentlich auftreten und sich nicht scheuen zu sagen, was sie wollen. Das Sozialistengesetz habe schon viele hinter die Mauern gebracht, dadurch sei aber die sozialistische Partei an ihrer Entwicklung nicht gehindert worden, vielmehr habe sie sich vielfach dadurch vermehrt. Der Grund hierzu sei namentlich der Großbetrieb mit den Maschinen und Fabriken, sowie das Kapital, welches eine Macht ist, die den kleinen Mann unterjocht, die Hungerlöhne geschaffen hat und den Mittelstand gänzlich unterdrückt. Wenn eine Familie nicht verhungern wolle, müssen Frau und Kinder mit in die Fabrik gehen und arbeiten, um dort Brot zum täglichen Gebrauch verdienen zu können.

Die Kapitalisten kaufen die Kleinbauern aus und machen sie zu ihren Taglöhnern und Lohnarbeitern; bei Wahlen würden dann dieselben wie Schlachtvieh zu der Urne geführt, wo sie unter dem Drucke ihrer Herrschaft nach deren Willen wählen müssen. Das Großkapital und die großen

Kaufleute machen den kleinen Kaufmann zum Proletariat, welches sein Leben im Dienste des Kapitals zubringen muß.

Derselbe kritisierte sodann das Heerwesen, seine stete, wieder neue Bewaffnung, die Einführung des rauchlosen Pulvers, die Kolonialpolitik und wer das alles bezahlen müsse. Wenn es so fortgehe, ist die soziale Revolution unvermeidlich und die gewaltige Macht des Großkapitals muß vom Stumpf und Stiel ausgerottet werden. Auf den unentbehrlichsten Lebensbedürfnissen ruhen hohe Steuern, deshalb sei auch das Proletariat gegen den Liberalismus und arbeite für die Endziele um Befreiung der Lohnarbeit.

Auf dem Sozialistenkongreß zu Paris sei beschlossen worden, daß am 1. Mai des Jahres für die Arbeiter aller Länder ein Feiertag sein werde, an welchem die allgemeine Normalarbeitszeit eingeführt, welche dann nicht mehr länger als 8 Stunden am Tag dauern werde. Deshalb seien jetzt gewerkschaftliche Organisationen zu bilden.

Ganz nachdrücklich bemerkte Auerbach, die sozialistische Partei müsse die polizeiliche Gewalt beziehungsweise Macht gegen alle anderen Parteien gewinnen, die nicht mit ihnen oder für sie sind.

Mit Stolz, bemerkte er, sehen wir darauf, daß wir Sozialisten sind, und die Arbeiter aller Länder müssen sich vereinigen in die Reihen der Sozialdemokraten. Die großen Massen des Proletariats werden sich am nächsten Wahltag zeigen und eine Million betragen.

Schriftsetzer Oberfäll proklamierte sodann den Adolf Geck als Kandidat für den 7. Wahlkreis. Adolf Geck erklärte, dieses Mandat anzunehmen, und bemerkte, daß er mit allen Kräften für seine Partei eintreten werde. Das Proletariat lasse sich nicht aus seinem Rahmen drücken, und wie mehr diese Partei gedrückt werde, desto gewaltiger müsse der Gegendruck geübt werden. Der Boden dieser Partei werde erst in einer späteren Zeit umgeändert und mit der Jugend, den jetzt 5 und 10 Jahre alten, werden wir die Schlachten schlagen. Schriftsetzer Nicolaus Oberfäll forderte sodann die Teilnehmer an der Versammlung auf, sich zu erklären, inwieweit sie sich der beim Sozialistenkongress in Paris zustande gekommenen Resolution bezüglich des Feiertags der Arbeiter am 1. Mai des Jahres anschließen wollen; diejenigen welche damit einverstanden sind, möchten sich von ihren Sitzen erheben, worauf etwa 200 Arbeiter sich dieser Resolution angeschlossen haben.

Auerbach ergriff zum Schluße noch das Wort und sagte: »Das 'Antikartell', die Sozialdemokratie, wird eine Macht werden, und die Nationalliberalen kommen dahin, wohin sie gehören.« Er brachte sodann ein dreifaches Hoch aus auf die internationale Sozialdemokratie und betonte, daß am 1. Mai der Bergmann aus dem Schacht, der Hocharbeiter vom Gerüst, der Arbeiter aus der Fabrik herauskommen werde, die Arbeit niederlege; es solle ja niemand fehlen.

Die Versammlung, welche ohne Störung der öffentlichen Ruhe und Ordnung verlaufen ist, wurde sodann geschlossen.

b) Bericht der Gendarmerie Offenburg an das Großherzogliche Bezirksamt Offenburg über zwei sozialdemokratische Volksversammlungen in Fessenbach und Ortenberg, 12. Januar 1890

GLA Karlsruhe, 236/14884.

Großherzoglichem Bezirksamt berichte ich gehorsamst, daß gestern vormittag, etwa 10 Uhr in dem »Trauben-Wirtshaus« in Fessenbach bei Wirt Imhof bzw. dessen Ehefrau durch zwei dort unbekannte Personen eine Volksversammlung auf 3 Uhr nachmittags angesagt wurde. Wer dieselbe veranstaltet oder in derselben spricht, wurde den Wirtsleuten nicht gesagt. Dieselben Personen haben am Nachmittag zwischen 4 und 5 Uhr in der Brauerei Harter in Ortenberg eine Volksversammlung auf 7 Uhr abends angesagt, in welcher Adolf Geck als Redner auftreten werde.

In den benannten Ortschaften wurden die Versammlungen durch Maueranschläge mit Plakaten bekannt gemacht. Nach gemachten Erhebungen sind Schneider Karl Berg von hier und Hutmacher Christian Reinbold von Bohlsbach, z. Zt. Hutmacher dahier, sowie noch ein Unbekannter diejenigen gewesen, welche die Versammlung angesagt und die Plakate angeflaggt haben.

Auf Weisung des Großherzoglichen Bezirksamts dahier habe ich [Wachtmeister Sauer] mit Gendarm Friedrich die Versammlung in Fessenbach überwacht, und nachdem ich erfahren konnte, daß abends, 7 Uhr in Ortenberg ebenfalls eine Versammlung stattfindet, so habe ich mich behufs Überwachung derselben auch dorthin begeben. Die Versammlung in Fessenbach hat um 3 Uhr begonnen und war gegen 6 Uhr beendet; jene in Ortenberg hat um 7 Uhr begonnen und war um ½ 10 beendet. In Fessenbach war dieselbe von ca. 40 Teilnehmern und in Ortenberg von etwa 120 solchen besucht.

In Begleitung des Geck waren zwei mir dem Namen nach unbekannte Hutmacher. Adolf Geck hat bei diesen Versammlungen bereits das nämliche Programm entwickelt, wie solches in der Versammlung vom 10. d. M. dahier im »Dreikönigssaal« vorgetragen wurde, hat sich aber dabei sehr mäßig gehalten.

Bei dem Eingang seines Vortrags erwähnte derselbe zuerst, es sei ihm bei dem früheren Wahlgang, wo es sich um den Kartell-Reichstag gehandelt hat und wo das Angstprodukt des Krieges dem Volke vor Augen geführt wurde, gleich bei Eingang der Wahlagitationen durch eine merkwürdige Rechtsverdrehung ein Schloß vor den Mund gelegt worden. Die Musersche Broschüre habe dies geändert und gelindert, so daß ihm das Schloß vom Mund abgenommen und er wieder sprechen dürfe. Er wolle nicht sagen, daß sie sich in Karlsruhe geschämt haben, aber auf die Musersche Broschüre sei ihm doch das Schloß vom Mund abgenommen worden, und die Sache habe eine andere Wendung bekommen; dieser Reichstag habe sein Ende gefunden, nachdem er dem Volke die Fittiche beschnitten und eine Legislaturperiode von 5 Jahren ins Leben gebracht hat. Auch für eine Million Staatsschulden sei im Reichstag gesorgt worden.

Sodann behandelte er Zoll, Steuer und insbesondere die Zuckersteuer, welche den Fabrikanten zurück in die Tasche vergütet wird. Die sozialistische Partei, der er angehöre, sei die einzige, die im Reichstag nicht dafür gestimmt hat. Adolf Geck kam sodann zu sprechen auf die stete Entwicklung der Großindustrie, welche die Arbeiter durch die Maschinen zum Teil aus den Fabriken gedrängt und sich mit Hungerlöhnen begnügen müssen. Der gesellschaftliche Zersetzungsprozeß habe bis jetzt kaum den Mittelpunkt erreicht. Die Sozialdemokraten wollen nicht teilen, wie man den Leuten vormache, vielmehr gehe deren Bestreben nur dahin, daß alles Gemeingut werden sollte, der zukünftige neue Staat alles in die Hand nehme und zu dem industriellen und landwirtschaftlichen Betrieb Beamte anstelle, welchen ein sorgenloses Dasein und Auskommen zugesichert ist. Er wolle ein kurzes Gleichnis anführen und ihnen verständlich machen, daß es dann keine Rebbauern mehr gebe, sondern nur Beamte vom Staat angestellt, die die Reben bebauen und ihre Gehälter beziehen. Mißjahre könne es dann keine mehr geben und die Verarmung der Bevölkerung habe aufgehört. Der Landgerichtspräsident in Offenburg und der Oberamtmann Rasina haben auch keine eigenen Häuser, aber doch schöne Wohnungen und ein sorgenloses Auskommen. Der Rebmann wäre dann Staatsbeamter, und alles würde der staatlichen Gesellschaft zugeteilt. Die Bauern brauchten dann nicht mehr so lange zu arbeiten wie jetzt und werden als Beamte nur 8–10 Stunden in ihren Reben zu arbeiten haben.

Was die Bierproduktion anbelange, so sei es ein Bierkönigreich, und es wird in Baden bald soweit sein, daß es heißt, die drei Könige des Bierregiments Sinner, Ganter etc.

Die jetzige Volksvertretung sei nicht musterhaft: im Reichstag seien nur 11 Sozialisten; es könnten aber 45 darin sein. In der Schweiz habe man die beste parlamentarische Vertretung, da sei Rede- und Pressefreiheit, in Baden aber werden die Versammlungen der Sozialisten und namentlich diese, welche er abhalte, von der bewaffneten Macht überwacht, denn wo er hinkomme, wie die Leute ja hier sehen könnten, sei der Wachtmeister. Dieses geschehe aber nur deshalb, weil man seine Partei eben fürchte. Dieses mache aber nichts, sie werden zu jeder Zeit offen auftreten und dem Gegner gerne das Wort geben. In früheren Zeiten habe man Daumenschrauben und eiserne Halsbinden für Verbrecher gehabt, bei der jetzigen zivilisierten Welt empfinde man die stete Verfolgung, den Druck von oben und das Gefängnis ebenso schwer, als wie in früherer Zeit Daumenschrauben und eiserne Halsbinde.

In Fessenbach wurde sodann die Versammlung geschlossen. In Ortenberg hat Geck in derselben Weise gesprochen und dabei betont, daß es ihm nach dreimaligem Versuch einmal gelungen ist, einmal sprechen zu dürfen, das Schloß sei ihm vom Mund abgenommen. Besonders hat er erwähnt, daß man in unserem Staat das teuerste Brot habe und die Schnapssteuer verteuere auch noch den Schnaps; die Arbeiter müßten sich vereinigen, damit die Hungerlöhne beseitigt werden. Sie seien ja in jeder Richtung die Enterbten. Geck hat am Schlusse seiner Versammlungen noch betont, er wolle keine Stimmen fangen, sie sollen aber solchen ihre Stimmen geben, die man eben fürchte. Die Versammlungen sind ohne Störung der öffentlichen Ruhe oder Ordnung verlaufen.

c) Bericht der Gendarmerie Oberkirch an den Großherzoglichen II. Gendarmerie-Distrikt Freiburg über eine sozialdemokratische Wahlversammlung in Oppenau, 8. Februar 1890

GLA Karlsruhe, 236/14884.

Großherzoglichem II. Distrikte Freiburg melde ich gehorsamst, daß am 8. d. M. im Verlaufe des Abends in der Bierbrauerei »Bruder« in Oppenau eine sozialdemokratische Wahlversammlung stattgefunden hat, bei welcher Eugen Geck aus Offenburg als Vorsitzender und der Sozialdemokrat Kaufmann Süßkind aus Mannheim als Redner aufgetreten sind.

Die Versammlung, welcher etwa 60 Personen, meistens dem Arbeiterstande angehörige, beiwohnten, wurde um 8½ Uhr eröffnet und um 10½ wieder geschlossen. Dieselbe verlief ohne Störung der öffentlichen Ruhe. Als Vertreter der Polizeibehörde war Herr Rechtspraktikant Dr. Seyb aus Kehl anwesend. Gendarm Bierhalter und ich [Wachtmeister Sulger] haben eine Nachtpatrouille nach Oppenau ausgeführt und mit dem dort stationierten Gendarmen Ries der Versammlung angewohnt.

Redner Süßkind hat in seinem Vortrage das gesetzlich Erlaubte nicht überschritten; eine Entgegnung wurde ihm von niemandem zuteil. Derselbe sprach zuerst über den letzten Reichstag, den die Regierung durch die künstlich erzeugte Kriegsgefahr aus lauter ihr willigen Werkzeugen zusammengebracht habe. Die Majorität dieses Reichstages (Kartellpartei und Zentrum) habe dann auch alsbald die von der Regierung beantragte Vermehrung des Heeres unbeanstandet bewilligt, was die Erhöhung der Getreidezölle, Zucker- und Branntweinsteuer im Gefolge hatte. Alle diese Zölle und Steuern wurden sowohl von der Kartellpartei, als auch vom Zentrum unbeanstandet bewilligt. Es werde von diesen Parteien behauptet, daß die Getreidezölle, die ja nur den Großgrundbesitzern zugute kommen, vom Auslande getragen werden und eine Verteuerung des Brotes nicht bewirken, dem sei aber nicht so, denn in Ländern, welche keine Kornzölle haben, wie z.B. die Schweiz, koste der Laib Brot 10 Pfennige weniger als in Deutschland. Ebenso verhalte es sich mit dem Zucker, so koste z.B. in London das Pfund Zucker, welcher in Deutschland fabriziert, nur dorthin gesandt wurde, 4 Pfennig weniger als bei uns. Die indirekten Steuern des deutschen Reiches betragen eine solche Summe, daß auf jede Familie jährlich 140 Mark kommen, also auch die ärmste Familie habe von dem kleinen Verdienst jährlich 140 Mark an indirekten Steuern an das Reich zu bezahlen.

Alle diese Steuern könnten erspart werden, wenn sich die alliierten Staaten Deutschland, Österreich und Italien statt für den Krieg, für den Frieden verbinden und die andern Staaten zur allgemeinen Abrüstung zwingen würden. Dies werde aber nie zustande kommen, solange wir einen Reichstag haben, der nur aus Adeligen, Großgrundbesitzern und hohen Beamten bestehe, welche im Heere eine Versorgungsanstalt für ihre Söhne finden. Dieses Ziel könnte nur dann erreicht werden, wenn Abgeordnete aus dem Arbeiter- und Bürgerstande in den Reichstag gewählt werden. Er forderte deshalb die Anwesenden auf, ihre Stimmen dem Vertreter der Arbeiterpartei Adolf Geck zu geben.

21 **März 1890**

Die Fabrikordnung der Zigarrenfabrik Franz Kratzer in Offenburg

Stadtarchiv Offenburg, Nr. 5/7253.

Fabrikordnung

§ 1 Jeder auswärtige Arbeiter hat bei seinem Dienstantritt Ausweise und Arbeitszeugnisse auf dem Kontor der Fabrik vorzuzeigen und das Arbeitsbuch zu hinterlegen und wird mit seinem Dienstantritt Mitglied der Fabrikkrankenkasse.

§ 2 Außer den Sonntagen und gebotenen Feiertagen finden in der Regel keine Ruhetage statt. Die Arbeitsstunden sind von morgens 6 Uhr bis abends 7 Uhr mit Ruhezeit von mittags 12–1 Uhr. Jugendliche Arbeiter haben außerdem vormittags zwischen 8½ und 9 und nachmittags zwischen 3½ und 4 Uhr Ruhezeit. In besonders dringenden Fällen ist jeder Arbeiter gehalten, auch nach den Feierabendstunden gegen entsprechende Vergütung zu arbeiten.

§ 3 Streitigkeiten und Klagen sind dem Fabrikherrn persönlich vorzutragen. Ernste Zänkereien unter den Arbeitern, insbesondere wenn dabei auch tätliche Mißhandlungen vorkommen, werden mit sofortiger Entlassung des Schuldigen bestraft. Die gleiche Strafe trifft unbedingt diejenigen Arbeiter, welche sich eine Unsittlichkeit zuschulden kommen lassen.

§ 4 Kein Arbeiter soll ohne Auftrag seine Lampe anzünden oder auslöschen. Ebenso ist das Tabak- oder Zigarrenrauchen, das Herumlaufen mit offenem Lichte, das Verzetteln von Zündhölzchen, das Singen und Pfeifen strengstens untersagt.

§ 5 Die spezielle Aufsicht in den Fabriklokalitäten ist dem Werkmeister übertragen, und es hat jeder Arbeiter dessen Anordnungen unbedingt Folge zu leisten. Etwaige Klagen sind dem Fabrikherrn vorzutragen.

§ 6 Es ist alle 14 Tage, jeweils samstags, Zahltag. Derselbe wird mit inklusive Donnerstag abgeschlossen und zählen die zwei nächstfolgenden Tage, Freitag und Samstag, auf den nächsten Zahltag.

§ 7 Jeder Arbeiter ist gehalten, vor seinem Austritt vierzehn Tage, und zwar am Zahltag, dem Fabrikherrn oder dem Werkmeister aufzukündigen. Um hinsichtlich derjenigen jungen Arbeiter, welche noch im Stande der Lehrlinge und noch nicht erwachsen sind, die Gewißheit zu erlangen, daß die Aufkündigung nicht gegen den Willen ihrer Eltern und Pfleger geschieht, wird dieselbe nur vorgenommen, wenn sie von diesen Letzteren erfolgt. Die Fabrik wird den Arbeitern gegenüber die gleiche Aufkündigungsfrist einhalten, behält sich aber vor, dieselben wegen schlechter Aufführung oder wegen wiederholter schlechter Arbeit jederzeit zu entlassen. Beim Austritt des Arbeiters, ohne daß er die Kündigungsfrist eingehalten hat, verliert er den noch guthabenden Lohn.

§ 8 Jedes nicht wohlbegründete Wegbleiben von der Arbeit, sogar unter dem Vorwande der Unpäßlichkeit, wenn solche nicht erwiesen werden kann, ist nicht erlaubt.

§ 9 Mit dem Eintritt der Arbeitsstunde sollen sich die Arbeiter an ihrem Platze befinden.

§ 10 Das Verlassen der Arbeit oder gar der Fabrik während den Arbeitsstunden ohne Erlaubnis wird nicht gestattet.

§ 11 Jedem Arbeiter ist es streng verboten, ohne Erlaubnis fremde, nicht in der Fabrik beschäftigte Personen in die Fabrik einzuführen.

§ 12 Jede aufgegebene Arbeit muß nach Vorschrift geliefert werden. Schlecht gearbeitete Zigarren werden bei der Aufnahme der Stückzahl nicht berechnet, sondern als Ausschuß betrachtet; wenn sich ein Arbeiter erwiesene Verschleuderung der Arbeitsstoffe zuschulden kommen läßt, so ist er für den Schaden haftbar.

§ 13 Wenn in einem Raum Gegenstände beschädigt werden und der Täter nicht zu ermitteln ist, so sind die Arbeiter des ganzen Raumes bis zur Ermittlung des Täters haftbar.

§ 14 Betrunkene Arbeiter werden unbedingt abgewiesen.

§ 15 Verunreinigungen des Hofes und Abtritte sind verboten.

§ 16 Ein der Entwendung überführter Arbeiter wird sofort entlassen und verliert seinen noch guthabenden Lohn, vorbehaltlich der Anzeige des Vorfalles bei der einschlägigen Behörde.

§ 17 Ungehorsam der Arbeiter gegen die Vorgesetzten wird nicht geduldet, eventuell tritt sofortige Entlassung ein.

§ 18 Essen und Trinken ist zur Verhütung von Unreinlichkeiten in den Arbeitsräumen untersagt. Die Heizung der Arbeitssäle ist einer besonders hierzu bestimmten Person übertragen und darf sonst niemand heizen.

§ 19 Jeder Arbeiter hat seinen Arbeitsplatz täglich mindestens einmal gründlich zu reinigen und abzuwaschen und hat das längstens des abends zu geschehen. Das Reinigen der Fußböden ist den Ripperinnen* respektive Taglöhnerinnen übertragen. Die Lüftung der Arbeitsräume hat durch eine besonders hierzu beauftragte Person zu erfolgen.

§ 20 Der Schutz und die Sorgfalt, welche die Arbeiter von ihren Vorgesetzten zu erwarten haben, vergelten dieselben durch Treue und Anhänglichkeit sowie durch Anzeige dessen, was sie als dem Nutzen der Fabrik schädlich entdecken können.

§ 21 Zuwiderhandlungen gegen vorstehende Fabrikordnung werden mit Verwarnung, mit Verweis, mit Geldstrafe bis zu 5 Mark, die am Lohn gekürzt wird, und schließlich mit Entlassung ohne Kündigung bestraft.

§ 22 Gegenwärtige Dienstordnung wird nach geschehener Genehmigung im Arbeitslokal zur Kenntnisnahme der Arbeiter angeschlagen und tritt, sobald dies geschehen, in Wirksamkeit.

* Arbeiterinnen, die Stengel und Rippen der Tabakpflanzen für die Zigarrenherstellung bearbeiten.

Die Maifeier

a) Weisung des Badischen Innenministeriums an die Großherzoglichen Amtsvorstände zu den geplanten Veranstaltungen der Sozialdemokraten, 21. April 1890

Staatsarchiv Freiburg, LRA Bühl, Nr. 2631.

Von dem unter Beteiligung der Führer der deutschen Sozialdemokratie im Juli v. J. zu Paris abgehaltenen internationalen sozialdemokratischen Kongresse ist folgender Beschluß gefaßt worden: Am 1. Mai 1890 ist von allen Nationen eine großartige Kundgebung für das Arbeiterschutzrecht zu veranstalten.

Ungeachtet einiger innerhalb der sozialdemokratischen Partei über die Art der Ausführung dieser Kundgebung zutage getretenen Meinungsverschiedenheiten steht zu erwarten, daß, wenn auch nicht eine allgemeine Einstellung der Arbeit an diesem mehrfach als Arbeiterfeiertag bezeichneten Tage stattfinden wird, immerhin in einer Anzahl von Orten und Betrieben oder doch in größeren industriellen Etablissements unter Verletzung vertragsmäßiger Verpflichtungen durch Einstellung der Arbeit gefeiert werden wird. Auch scheinen in Orten, in welchen die Sozialdemokratie festen Fuß gefaßt hat, Demonstrationen durch Abhaltung von Vereins- und öffentlichen Versammlungen, öffentliche Aufzüge, Abfassung und Unterzeichnung von Petitionen, welche insbesondere die Einführung des achtstündigen Maximalarbeitstages zum Gegenstande haben, vorbereitet zu werden.

Da die Wahrung des öffentlichen Interesses erfordert, daß den nach einer allgemeinen Direktion unternommenen Kundgebungen mit besonderer Vorsicht, aber soweit es notwendig ist, auch so früh wie möglich und mit besonderer Umsicht begegnet werde, sehen wir uns veranlaßt, im Folgenden die Stellung zu beziehen, welche die Polizeibehörden des Großherzogtums etwaigen Kundgebungen gegenüber zur Aufrechterhaltung der Ruhe und öffentlichen Ordnung einzunehmen haben:

1. Wer in Versammlungen oder anderweitig in Wort und Schrift Aufforderungen zur Einstellung der Arbeit am 1. Mai ohne Innehaltung der gesetzlichen Kündigungsfrist und unter Verletzung der gesetzlichen Verpflichtungen ergehen läßt, ist nach einer neueren Entscheidung des Reichsgerichts aufgrund des § 110 StGB strafbar und ist behufs sofortiger strafgerichtlicher Verfolgung der zuständigen Staatsanwaltschaft zur Anzeige zu bringen.

2. Den Arbeitgebern, welche sich einer etwa an sie gerichteten Aufforde-

rung zur Veranstaltung eines Arbeiterfeiertages zu fügen nicht gesonnen sind, sowie den arbeitswilligen Arbeitern ist jeder mögliche polizeiliche Schutz zu gewähren und allen Versuchen zur Ausübung eines Zwanges gemäß den Bestimmungen in § 153 GO und § 240 StGB mit Entschiedenheit entgegen zu treten.

3. Mit Rücksicht darauf, daß unter den obwaltenden Verhältnissen von den für den 1. Mai geplanten Kundgebungen, wenn sie in Form von öffentlichen Versammlungen unter freiem Himmel oder von öffentlichen Aufzügen vor sich gehen, eine Gefahr für die öffentliche Ordnung und Sicherheit zu besorgen ist, sind alle derartigen Veranstaltungen, eventuell durch förmliches Verbot, aufgrund der §§ 4 und 11 des Vereins- und Versammlungsgesetzes, im übrigen in Anwendung des § 30 PStGB polizeilich zu verhindern und Zuwiderhandlungen aufgrund des § 13 des Vereinsgesetzes, eventuell §§ 59 und 63 PStGB zu bestrafen.

4. Versammlungen in geschlossenen Räumen sind insoweit zu verbieten, als nach anderweiten Tatsachen die Annahme gerechtfertigt ist, daß die Voraussetzungen des § 9 Abs. 2 des Reichsgesetzes vom 21. Oktober 1878 vorliegen. Im übrigen sind solche Versammlungen gemäß § 9 des Vereinsgesetzes zu überwachen und nötigenfalls aufgrund des § 9 des Sozialistengesetzes oder §§ 4 und 11 des Vereinsgesetzes aufzulösen.

5. Die Gendarmerie und das verfügbare Polizeipersonal ist bereitzuhalten, um eintretenden Falles sofort an den Orten verwendet werden zu können, wo Störungen der Ruhe und öffentlichen Ordnung stattfinden oder zu befürchten sind oder eine Verstärkung der polizeilichen Exekutionsmannschaften geboten erscheint. Sofern weitere und außerordentliche Sicherheitsmaßnahmen für notwendig erachtet werden, sind solche bei dem Großherzoglichen Landeskommissär in Antrag zu bringen: gleichzeitig ist aber auch hierher zu berichten.

Bei allen hiernach zu treffenden Anordnungen und Verbreitungen ist auf Geheimhaltung dieser Weisung sorgfältig Bedacht zu nehmen.

b) Bericht des »Ortenauer Boten« über die geplanten Veranstaltungen, 24. April 1890

Der Ortenauer Bote vom 24. April 1890.

Während in Mannheim eine große Volksversammlung beschloß, am 1. Mai die Arbeit nicht niederzulegen, sondern nur abends eine Versammlung abzuhalten, in welcher für den Achtstundentag eingetreten werden soll, sind die Arbeiter hier vollständig unentschlossen, wie sie sich am 1. Mai verhalten wollen. Teilweise ist man für vollständige Arbeitseinstellung am 1. Mai, so die Former und Steinhauer; ein einheitliches Zusammengehen läßt sich nicht bemerken. Aus Pforzheim wird berichtet, daß dort der 1. Mai in gleicher Weise wie in Mannheim begangen werden soll. Es gewinnt mehr und mehr den Anschein, als ob diese Art Kundgebung in Baden zum größten Teile der Arbeitseinstellung vorgezogen werde.

Der »Oberländer Bote« bringt aus Lörrach die Mitteilung, daß die Tuchfabrik und die Fabrik von Köchlin, Baumgarten & Co die Einführung der elfstündigen Arbeitszeit bei gleichem Lohn beschlossen haben. Auch aus anderen Orten wird von wohlwollendem Entgegenkommen der Fabrikherren gegenüber ihren Arbeitern gemeldet.

c) Erinnerungsbericht über die erste Maifeier in Offenburg

D'r alt Offeburger, Nr. 1658, Mai 1931

Am Abend des Maibeginns 1890 war zu Offenburg die erste feierliche Veranstaltung im »Dreikönigssaale«, woran auch Vertreterinnen des weiblichen Geschlechts zahlreich sich beteiligten. Ein Doppelquartett sang die Mozartsche Komposition: »Oh Schutzgeist alles Schönen, steig' hernieder!«. Kaufmann J. Autenrieth begrüßte die Festgäste und schloß das Fest mit einem Hoch auf den neuen Arbeiterfesttag ab, dessen Bedeutung der Redakteur des »Südwestdeutschen Volksblattes«, Adolf Geck, in einem Vortrag darlegte.

Am Sonntag nachmittag folgte eine große Volksbelustigung in der landwirtschaftlichen Halle bei freiem Eintritt. Herrliches Wetter begünstigte den Besuch aus Nähe und Ferne. Der große Raum war schon gefüllt, als die Ortenberger Kapelle den Eröffnungsmarsch spielte. Am Eingang löste man Bezugsscheine, welche zum Genuß des Gerstensaftes aus der Bierbrauerei Mundinger berechtigten. In den vier Ecken der Emporbühne waren »Fässer mit blutendem Mund« aufgestellt. An die Hungernden verabreichte der »Falien-Doni« Brot - nebst Wurst oder Schinken. Ausgesperrte Gengenbacher Zigarrenarbeiter sorgten für Rauchgenüsse, und an einigen Blumenständen empfing man den roten Schmuck für die Ordensknopflöcher der Proletarier. Am hohen, mit einem Maien geschmückten Kletterbaume mühte sich die Jugend vergebens ab, die wertvolle Ankeruhr zu erjagen. Auf dem geräumigen Tanzplatze purzelten Sackläufer übereinander, bemalten sich Wettesser mit »Bibeleskäse«. Dann wechselten die Volkstänze der Erwachsenen. Die langweilige Schieberei kannte man noch nicht. Brot und Wurst in Mengen erwarb sich die Jugend bei den Spielen auf dem Schwebebaume, in der Mausefalle usw. Die kleinen Mädchen tanzten feine Ringelreien. In der siebenten Stunde wurde das glänzend verlaufene Volksfest beendet mit dem Gesang: »Wohlan, wer Recht und Wahrheit achtet, um unsre Fahne steh' zuhauf!« Das ist die deutsche Marseillaise, die heute vergessen ist.

23 **20. Juli 1890**

Bericht im »Südwestdeutschen Volksblatt« über die Gründungsversammlung des Fachvereins der Bürsten- und Pinselmacher Todtnaus und Schönaus

Südwestdeutsches Volksblatt vom 23. Juli 1890.

Am letzten Sonntag hatten wir das Vergnügen, in Todtnau einer Arbeiterversammlung beizuwohnen. Sie war die erste, welche auf der Höhe des Schwarzwaldes stattfand, und nahm einen günstigen Verlauf. Nachdem Herr Raufer aus Freiburg den Anwesenden die Notwendigkeit der Vereinigung klargelegt hatte, zeichneten sich in die aufgelegten Listen eine ziemliche Anzahl Bürsten- und Pinselmacher ein, was die sofortige Gründung eines Fachvereins ermöglichte.

Eine größere Anzahl Bürstenmacher aus dem eineinhalb Stunden entfernten Schönau waren zugegen und erklärten sich sofort bereit, der Vereinigung beizutreten respektive auch daheim einen solchen Verein zu gründen, wozu wir denselben Glück wünschen.

Eine aufgrund der deutschen Gewerbeordnung anberaumte Versammlung kann in Baden natürlich nicht ohne polizeiliche Überwachung tagen.

Nicht weniger als 3, in Worten: drei, Gendarmen und ein Polizist waren anwesend, von welchen der Wachtmeister aus Schönau sich rednerisch bemerkbar machte. Er erklärte im Namen des Herrn Oberamtmann Killinger, daß Arbeiter unter 21 Jahren das Versammlungslokal zu verlassen hätten, was den anwesenden Schuhmacher Haug aus Freiburg veranlaßte, gegen einen solchen gesetzwidrigen Eingriff zu protestieren. Die Veranstalter der Versammlung wenden sich beschwerdeführend an das Ministerium.

Der Verleger des »Badischen Boten«, antisemitischer Richtung, glaubte auch noch hinterher, gehörig über die Freiburger »Ruhestifter« losziehen zu müssen und sie als Hetzer und Verführer hinzustellen. Er empfiehlt aber doch in seinem zweiten Blatt, »Rundschau vom Feldberg«, den Fabrikanten, da verbessernd einzutreten, wo sich Mängel fühlbar machen. Also Mängel sind vorhanden. Nur dürfen andere Leute, wenn sie nicht als Verführer hingestellt werden wollen, auf die Abhilfe dieser Mängel nicht dringen; sondern es muß dem Gnadenweg überlassen werden. Die Barmherzigkeit der Herren Fabrikanten geht diesem Muckerblatt über alles!

Es liegt an den Arbeitern, daß sie die Hand zur Verbesserung anlegen und sich nicht irre machen lassen. Es gilt nun, recht zahlreich dem Verein für Bürsten- und Pinselmacher beizutreten, aber auch die Arbeiterpresse zu lesen und zu verbreiten.

Kapitel II

Vom Fall des Sozialistengesetzes bis zur Novemberrevolution

30. September 1890 – 9. November 1918

Die wirtschaftliche und soziale Entwicklung

Die Einwohnerzahl Badens wuchs in den vier Jahrzehnten vor dem Ersten Weltkrieg von rund 1460000 (1871) auf 2230000 (1914). Der größte Teil des Bevölkerungszuwachses entfiel jedoch auf den Zeitraum nach 1890, als sich - parallel zum Industrialisierungsprozeß - die jährlichen Zuwachsraten verdoppelten. Die rapide Bevölkerungsvermehrung betraf in erster Linie die Rheinebene und ihre Randgebiete einschließlich der Seitentäler, und da vor allem Nordbaden, so daß die demographischen Schwerpunkte Nordbadens, die Wirtschafts- und Verwaltungszentren samt Umland, noch ständig an gesellschaftlichem Gewicht gegenüber Südbaden gewannen. Bei einer durchschnittlichen Bevölkerungszunahme von 46,6 Prozent von der Reichsgründung bis 1910 war der Zuwachs in den Landeskommissariatsbezirken Karlsruhe mit 67 Prozent und Mannheim mit 66,8 Prozent am höchsten. Im Raum Lörrach, Freiburg und Offenburg hatte lediglich Freiburg eine beträchtliche Expansion um mehr als das Dreifache zu verzeichnen.

Um 1910 waren in diesem Bereich nur 4 Städte von mehr als 10000 Einwohnern bewohnt: Freiburg von 84000, Offenburg von 17000 sowie Lahr und Lörrach von jeweils 15000. Noch lebten 62,2 Prozent aller Badener in Gemeinden unter 5000 Einwohnern, deren Charakter durch die Landwirtschaft geprägt war. Gehörten in Gemeinden bis zu 2000 Einwohnern durchschnittlich 68,8 Prozent der katholischen Kirche an, so waren es in Städten mit mehr als 10 000 Einwohnern nur 47,4 Prozent. Dies zeigt, daß die katholische Kirche in erster Linie agrarische Sozialgruppen repräsentierte.

Durch die Industrialisierung wurden auch in Baden immer mehr Menschen zu Lohnarbeitern. Von 1882 bis 1907 sank der Anteil der Selbständigen aller Art an der Erwerbsbevölkerung von 39,7 auf 24,6 Prozent, während der Anteil der Gesellen, Gehilfen, Arbeiter usw. von 58,9 auf 71 Prozent anstieg, wovon allerdings etwa ein Drittel vor allem in der Landwirtschaft mithelfende Familienanghörige waren. Man kann also davon ausgehen, daß um 1907 knapp die Hälfte der badischen Erwerbsbevölkerung aus Lohnabhängigen bestand. Die Zahl der selbständigen Gewerbetreibenden und Industriellen blieb in Baden zwischen 1895 und 1907 mit 70000 konstant, wodurch natürlich ihr relativer Anteil an den Erwerbstätigen weiter sank. 1907 kamen in Baden auf 100 Selbständige in Industrie und Handwerk 437 Arbeiter; im Reich waren es 487. 1912 gab es in Baden bereits 19

6 Austräger der »Freiburger Zeitung«, 1911.

Fabriken mit mehr als 1000 Beschäftigten, von welchen allerdings keine ihren Standort im Raum Lörrach, Freiburg und Offenburg hatte. Vor allem die langfristige Hochkonjunkturphase in den beiden Vorkriegsjahrzehnten, die nur durch die Krise von 1901/02 und vor allem die von 1908/09 unterbrochen wurde, beschleunigte die Entwicklung Badens zu einem Industrieland. Die beiden traditionellen Industrien, Textilindustrie und Tabakverarbeitung, wurden in ihrer in der badischen Industrie führenden Rolle zunehmend zurückgedrängt. Moderne Wachstumsindustrien, vor allem der Maschinenbau und die Metallverarbeitung, übernahmen immer stärker die Rolle von industriellen Leitsektoren. 1895 machten die verschiedenen Metallarbeitergruppen ein Drittel der gesamten badischen Arbeiterschaft aus, davon entfielen nach vorsichtigen Schätzungen in den Jahren vor dem Ersten Weltkrieg auf den Raum Lörrach, Freiburg und Offenburg mit circa 60 000 Beschäftigten nur etwa zwei Siebtel. Dies erstaunt nicht, denn die nunmehr führende Maschinenindustrie war wie die Metallverarbeitung eine ganz überwiegend städtische Industrie mit einem hohen Anteil qualifizierter Arbeiter, die ihren Standort im nordbadischen Wirtschaftsraum mit dem Kern Mannheim hatte.

Im Wiesen- und Oberrheintal dominierte die Textilindustrie mit einem Beschäftigtenanteil von 70 Prozent, überwiegend die Baumwollspinnerei, -weberei und -veredelung, in zweiter Linie die Seidenindustrie, insbesondere mit Webereien. Von der Schweizer Grenze bis zum Fuße des Feldbergs reihte sich im Wiesental ein Industrieort an den anderen, unter denen Lörrach, Schopfheim und Zell die wichtigsten waren. Am Hochrhein war seit der Jahrhundertwende im Zusammenhang mit der Erbauung von Rheinkraftwerken auch eine elektrochemische Industrie entstanden, nach Mannheim der bedeutendste Standort der chemischen Industrie in Baden.

Die Amtsbezirke Lörrach, Säckingen, Schönau und Schopfheim hatten einen besonders hohen Beschäftigtenanteil in Industrie und Handwerk, doch ist der durchweg hohe Prozentsatz der auch hier in der Landwirtschaft Tätigen auffallend.

Stärker agrarisch ausgerichtet war der Wirtschaftsraum Freiburg, der eine Industrieregion umfaßte, die sich um die Ausgänge des Elz- und Dreisamtals in die Rheinebene gruppierte mit Freiburg als Zentrum. Wichtigste Industrieorte in diesem Bereich waren neben Freiburg Emmendingen, Waldkirch und Gutach. Entsprechend dem agrarischen Grundcharakter der Region waren hier 29 Prozent in der Nahrungs- und Genußmittelindustrie und 25 Prozent in der Textilindustrie beschäftigt.

Eine eindeutig von der Landwirtschaft bestimmte Struktur hatte auch der Wirtschaftsraum Lahr, der den südlichen Teil einer Industrieregion umfaßte, die sich entlang dem Schwarzwald und vom Kaiserstuhl nördlich in die ober- und mittelbadische Rheinebene erstreckte bis in die Gegend der Murg und der Oos. Hier wurde nicht nur der unter den Handelsgewächsen in Baden an erster Stelle stehende Tabak angebaut, hier prägte die Tabakin-

Grundlagen der frühen Industriearbeit und der Nebenerwerbslandwirtschaft: Realteilung und geschlossene Vererbung landwirtschaftlicher Nutzflächen in West- und Südwestdeutschland

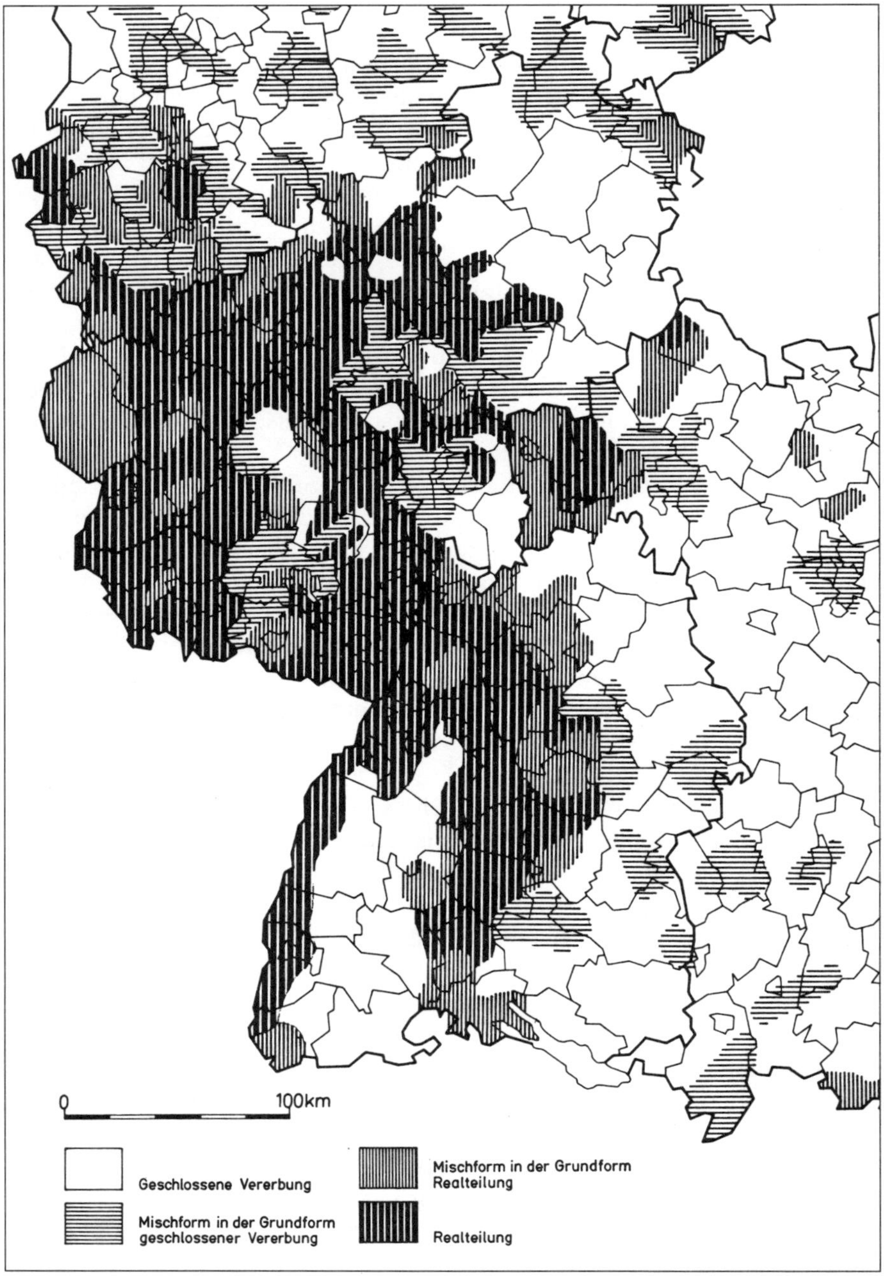

Quelle: W. Tietze u. a. (Hrsg.): Geographie Deutschlands, Stuttgart 1990, S. 560 (Ausschnitt).

dustrie mit einem Beschäftigtenanteil von 50 Prozent weitere Industriezweige, insbesondere die Kartonagefabrikation im Rahmen einer bedeutenden papiererzeugenden und -verarbeitenden Industrie, die wiederum auf einer beachtlichen Holzindustrie aufbauen konnte. Bedeutendste Industrieorte waren Lahr, Offenburg und Kehl.

Das Merkmal der südbadischen Industrie war eine sehr starke Dezentralisierung. Damit einher ging eine noch stärkere Dezentralisierung der Arbeiterwohnbevölkerung, die auch noch vor dem Ersten Weltkrieg stark in der Landwirtschaft verankert war. Die fehlende Trennung von Industrie und Landwirtschaft hatte Konsequenzen für das Bewußtsein der Betroffenen: die ländlichen Industriearbeiter lebten in einem Milieu, das überwiegend agrarisch bestimmt war. Selbst die Pendler, die in städtischen Betrieben tätig waren, orientierten sich von ihrem eigentlichen Arbeitsplatz weg. Sie mußten vielfach nach der Arbeit zurück in die Heimatgemeinde, um dort noch auf dem Feld zu arbeiten. Die Kommunikation mit den städtischen Arbeitern war zwangsläufig auf die Arbeitszeit beschränkt. Der gesamte Lebenszusammenhang der auf dem Lande ansässigen Arbeiter war allenfalls halbproletarisch. In den ländlichen Fabriken herrschten noch wesentlich stärker patriarchalische Autoritätsverhältnisse, die eine gewerkschaftliche Organisierung zusätzlich erschwerten. Es verwundert daher nicht, daß gerade die wenig qualifizierten, schlechtest bezahlten, weiblichen, katholischen und ländlichen Arbeiter kaum streikten (Dok. 50).

Über die Entwicklung der Reallöhne liegen nur ungenaue Angaben vor, so daß lediglich bestimmte Tendenzen aufgezeigt werden können. Ein langfristiges Steigen der Reallöhne von 1890 bis zum Ersten Weltkrieg ist fast durchweg festzustellen. Dieses Wachstum war jedoch keineswegs konstant, sondern zeigte Phasen relativ starker Reallohnsteigerung und solche der Stagnation oder gar des Rückgangs. Die Steigerungen verteilten sich sehr ungleichmäßig auf die verschiedenen Branchen, Berufe, Qualifikationsstufen und die Geschlechter. Der Abstand zwischen den Löhnen der Gelernten und denen der Ungelernten verringerte sich in allen badischen Industrien, besonders stark in der chemischen Industrie, wo er 1890 25 Prozent, 1910 nur noch 10 Prozent ausmachte. Diese Nivellierungstendenz, die den Beginn des Übergangs zur modernen Massenproduktion anzeigte, machte allerdings vor dem Verhältnis zwischen Männer- und Frauenlöhnen halt. Die Frauenlöhne stiegen in der Zeit zwischen 1890 und 1910 kaum. Die Frauen verdienten 1910 erheblich weniger als ihre männlichen Kollegen. Erst der Krieg brachte hier eine gewisse Veränderung. Der durchschnittliche Wochenlohn in 11 Fabriken der größten badischen Billiglohnindustrie, der gerade in Südbaden stark verbreiteten Zigarrenherstellung, betrug 1911 für männliche Sortierer 14,44 Mark, für Wickelmacher 10,01 Mark, für Ausripper 7,76 Mark. Der durchschnittliche Wochenverdienst sämtlicher Männer, einschließlich der Werkmeister belief sich auf 13,27 Mark, der aller Frauen auf 9,88 Mark. Ebenfalls sehr niedrig lagen die Löhne der Textilindustrie. Eine Berechnung von 1904 auf der Grundlage von acht Baumwollspinnereien und -webereien kam auf durchschnittliche Wochenverdienste für Männer zwischen 14,22 Mark und 16,03 Mark und für Frauen zwischen 9,97 Mark und 12,53 Mark. Nimmt man zum Vergleich die Untersuchungen der Badischen Fabrikinspektion vom selben Jahr, die die Ausgaben einer siebenköpfigen auf dem Land lebenden Familie für Lebensmittel auf jährlich etwa 770 Mark beziffert, wird schnell deutlich, daß auch die Löhne der gut bezahlten Arbeiter kaum das Existenzminimum sichern konnten. 1912 bezeichnete die offizielle badische Landesbeschreibung »das von der Hand in den Mund leben, ohne nennenswerte Vorsorge für die Zukunft durch Sparen oder Versicherungen, abgesehen von den Beiträgen für die Zwangsversicherungen«, als das Los der badischen Arbeiter.

Die Entwicklung der Sozialdemokratie

Die Kombination von Unterdrückung und Verfolgung der Arbeiterorganisationen und gleichzeitigen sozialpolitischen Reformen zugunsten der Arbeiterschaft durch das Bismarcksche Sozialversicherungswerk konnte die weitere Entwicklung der Arbeiterbewegung nicht verhindern. Der Fall des Sozialistengesetzes am 30. September 1890 zeigte deutlich, daß die »Doppelstrategie« des Staates, das Prinzip von »Zuckerbrot und Peitsche« erfolglos war.

Dennoch war die Ausnahmesituation für die Sozialdemokratie längst nicht zu Ende. Maßgebend war in Baden nun wieder das Vereins- und Versammlungsgesetz von 1867. Und die Verfolgungswelle vom Juni 1878 hatte bereits gezeigt, daß dieses wegen seiner Liberalität gerühmte Gesetz durchaus scharf gehandhabt werden konnte. Daneben blieb auch der gegen die Sozialdemokratie gerichtete Erlaß des badischen Innenministeriums vom 19. April 1890 in Kraft, wonach Minderjährige aus Versammlungen ausgewiesen werden konnten, in denen »in leidenschaftlichem, die Gesetze und die Staatseinrichtungen herabwürdigendem Tone geführte Diskussionen« zu erwarten waren. Weiterhin wurden sozialdemokratische Versammlungen von den Behörden überwacht, und das staatliche Spitzelwesen arbeitete in gewohnter Manier weiter. Die bürgerliche Presse hörte nicht auf, die Sozialdemokratie als staatsfeindlich und gefährlich zu diskriminieren, und der großherzogliche Staatsapparat betrieb durch systematische Verbreitung von Hetzschriften gegen die Sozialdemokratie antisozialististische Volksverführung (Dok. 24). Die erneut auflebende Unterdrükkungspolitik fand 1894/95 ihren Ausdruck in der sogenannten »Umsturzvorlage« im Reichstag. Sie sollte ermöglichen, auf gesetzlicher Grundlage gegen sozialdemokratische Äußerungen vorzugehen. Sie wurde vom Reichstag abgelehnt. Die »Umsturzvorlage« führte in Baden zum Erlaß des Innenministeriums vom 25. April 1895, der jede staatskritische Agitation unterbinden sollte und in der Tat eine große Welle von Versammlungsverboten und Versammlungsauflösungen nach sich zog. Dennoch kam es in den 90er Jahren zu keinen Vereinsverboten mehr.

Der ständige Versuch, die Sozialdemokraten in der öffentlichen Meinung immer noch als Staatsbürger zweiter Klasse und Vaterlandsfeinde zu diffamieren, führte zu großer Verbitterung unter ihnen, auch in Südbaden. Dennoch arbeiteten sie unermüdlich am Ausbau und der Vergrößerung ihrer Organisation. Auf ihrem Parteitag in Halle im Oktober 1890 gab sich die deutsche Sozialdemokratie ein neues Organisationsstatut. Es war mit Rücksicht auf das Vereinsgesetz in Preußen elastisch formuliert worden und überließ den geregelten Zusammenschluß auf lokaler und regionaler Ebene den Genossen der einzelnen Orte oder Reichstagswahlkreise. Die badischen Sozialdemokraten gründeten daraufhin auf ihrem Landesparteitag am 23. November 1890 in Offenburg eine Landesorganisation. Ihr nur fünf Paragraphen umfassendes Statut (Dok. 25) kannte nur die Lokalvereine als »Stämme der Landesorganisation«, für die allerdings keine Zwangsmitgliedschaft bestand. Tatsächlich gehörten jedoch die meisten Lokalvereine der Landesorganisation an. Höchstes Organ der Landesorganisation war der 1890 als »Generalversammlung«, 1895 als »Landesversammlung« bezeichnete Landesparteitag, der alljährlich stattfinden sollte. Aus den zur Zeit des Sozialistengesetzes entstandenen Führungsverhältnissen ergab sich, daß zunächst Offenburg Vorort und Adolf Geck Landesvorsitzender wurde, wobei für Offenburg auch seine zentrale Lage in Baden sprechen mochte. Daher fanden die Landesparteitage auch später immer wieder in Offenburg statt. Von 1895 bis 1900 war Freiburg der Vorort. Erst dann wurde er in die nordbadischen Industriestädte Karlsruhe, Mannheim und Pforzheim verlegt, in denen die badische SPD mit Abstand die höchsten Mitgliederzahlen und Wählerstimmen zu verzeichnen hatte.

Die Sozialdemokraten verstanden es auch, im katholischen und immer noch stark agrarisch geprägten Südbaden ihr Organisationsnetz weiter auszubauen. Offenburg und Freiburg erwiesen sich als kräftige Agitationszentren für die größeren und kleineren Gewerbeorte längs des Schwarzwaldrandes und am Unterlauf der Kinzig. Wie schon in der Zeit des Sozialistengesetzes arbeiteten die örtlichen Gewerkschaften und die Partei Hand in Hand. Das trug dazu bei, daß die entstehenden Parteivereine zumeist von einer bestimmten Fachgruppe getragen wurden. Neue Parteiorganisationen wurden gegründet in Lahr, wo Schneider, Textil- und Kartonagearbeiter und Steinmetze die Initiative ergriffen. In Emmendingen, Waldkirch, Achern und Kehl waren es die Hutmacher und Zigarrenarbeiter, die die

7 Sozialdemokratische Politiker aus Baden vor der »Alten Landeshalle« in Offenburg (zweiter von rechts: Adolf Geck), um 1900.

Gründung von sozialdemokratischen Ortsvereinen in die Hand nahmen. Im Industriegebiet des Hochrheins und seiner Nebenflüsse konzentrierten sich die Bemühungen zunächst auf das Wiesental, wobei Lörrach einen Ausgangspunkt bot. Anläßlich der Reichstagswahl von 1893 und der für die Lörracher Sozialdemokratie siegreichen Landtagswahl im folgenden Spätjahr machte sich die Partei im gesamten Bereich des Hochrheins durch Agitationen stärker bemerkbar. Gegen das Jahrhundertende hatte sie hier organisatorisch fest Fuß gefaßt. In Todtnau, am Oberlauf der Wiese, hatten sich noch vor Ablauf des Sozialistengesetzes Arbeiter der Bürstenindustrie gewerkschaftlich organisiert und gründeten 1891 einen sozialdemokratischen Verein. Die Gründungen, die in Todtnau und im benachbarten Schönau versucht worden waren, hatten nur kurzen Bestand. Hingegen hatte sich die Partei schon 1893 in fast allen industriellen Orten im Viereck Hornberg - Furtwangen - Villingen - Donaueschingen organisatorisch gefestigt, setzte sich jedoch in den übrigen Orten mit Uhrenindustrie nicht durch. Im Jahr 1905 konnte der Landesvorstand der badischen SPD auf das Bestehen folgender Ortsvereine im Raum Lörrach, Freiburg und Offenburg verweisen: Elgersweier mit 19 Mitgliedern, Emmendingen mit 44, Endingen (Mitgliederzahl nicht rekonstruierbar), Freiburg mit 256, Freistett mit 10, Gengenbach mit 12, Haslach i.K. mit 9, Hornberg mit 32, Hausen i.W. mit 38, Kehl mit 34, Kenzingen mit 6, Lahr mit 65, Lörrach mit 65, Offenburg mit 65, Oberkirch mit 78, Rheinfelden mit 14, Schopfheim mit 86, Waldkirch mit 20, Waldshut mit 15 und Zell a.H. mit 49 Mitgliedern. Das Organisationsnetz hatte seine größte Dichte längs des Kinzigtals, um Offenburg, im Hanauerland und vor allem im Wiesental. Insgesamt waren die Mitgliederzahlen der badischen SPD seit den 90er Jahren rapide gewachsen. Während sie 1891 in 29 Lokalorganisationen 1500 Mitglieder hatte, waren im März 1914 in 226 Lokalorganisationen 25365 Mitglieder organisiert, von denen 2668 Frauen waren.

Die vom Landesvorstand aufgeführten Organisationserfolge werden vor allem dann deutlich, wenn man sich nochmals die Schwierigkeiten vor Augen führt, die der Sozialdemokratie in diesen Gebieten entgegenstanden: Die Vorherrschaft des Katholizismus und die starke ländliche Bindung der Industriearbeiterschaft mit ihrem großen Anteil an Frauen, die im politischen Leben noch nicht Fuß gefaßt hatten.

Aus dem Bedürfnis einer einheitlichen Willensbildung bei der Nominierung von Kandidaten, der Bestimmung der Wahltaktik bei Stichwahlen, der Finanzierung der Wahlkämpfe und der Durchführung der Agitation bildeten sich seit 1890 zwischen der Basis der Ortsvereine und der Landesorganisation Wahlkreisorganisationen heraus.

Bei den Landtagswahlen beteiligte sich die badische Sozialdemokratie nur in aussichtsreichen Wahlkreisen. Zu den Reichstagswahlen stellte sie schon ab 1890 in allen Wahlkreisen Kandidaten auf. Deshalb geben die Reichstagswahlergebnisse die sicherste Auskunft über die tatsächliche Stärke der Sozialdemokratie in Baden (vgl. Tab. 1). Bis 1903 schaffte sie es, 21,9 Prozent der Stimmen zu erhalten. Zwar stammten zwei Drittel der sozialdemokratischen Stimmen aus den überwiegend protestantischen Industriezentren Mannheim, Karlsruhe und Pforzheim, doch auch in Südbaden konnte sie deutliche Fortschritte machen. Sie hatte sich seit 1890 im Wahlkreis Freiburg und 1898 auch im Wahlkreis Lahr zur drittstärksten Gruppe entwickelt und gab damit den Ausschlag in den Stichwahlen zwischen Zentrum und Nationalliberalen. Daneben konnte sie in Südbaden im Verein mit anderen Parteien bereits 1893 in Offenburg, Lahr und Lörrach auf das Ergebnis der Stichwahlen einen entscheidenden Einfluß ausüben.

Nun nahmen auch sozialdemokratische Kandidaturen bei den Gemeindewahlen immer mehr zu. Das herrschende kommunale Klassenwahlrecht, das erst 1910 wesentlich gelockert wurde, bedingte jedoch immer eine Schwäche der sozialistischen Fraktionen in den kommunalen Parlamenten. Deshalb waren sie zu kooperativem Verhalten gegenüber den anderen politischen Kräften gezwungen, wollten sie zu greifbaren praktischen Erfolgen kommen.

Die Sozialdemokraten nahmen seit 1891 auch an den Landtagswahlen teil und zogen mit zunächst zwei Abgeordneten in die Zweite Kammer ein. Bis zur Wahlreform von 1904 stieg ihre Fraktionsstärke jedoch nie

Sozialstruktur, Konfession und Sozialdemokratie in Baden, 1897/98

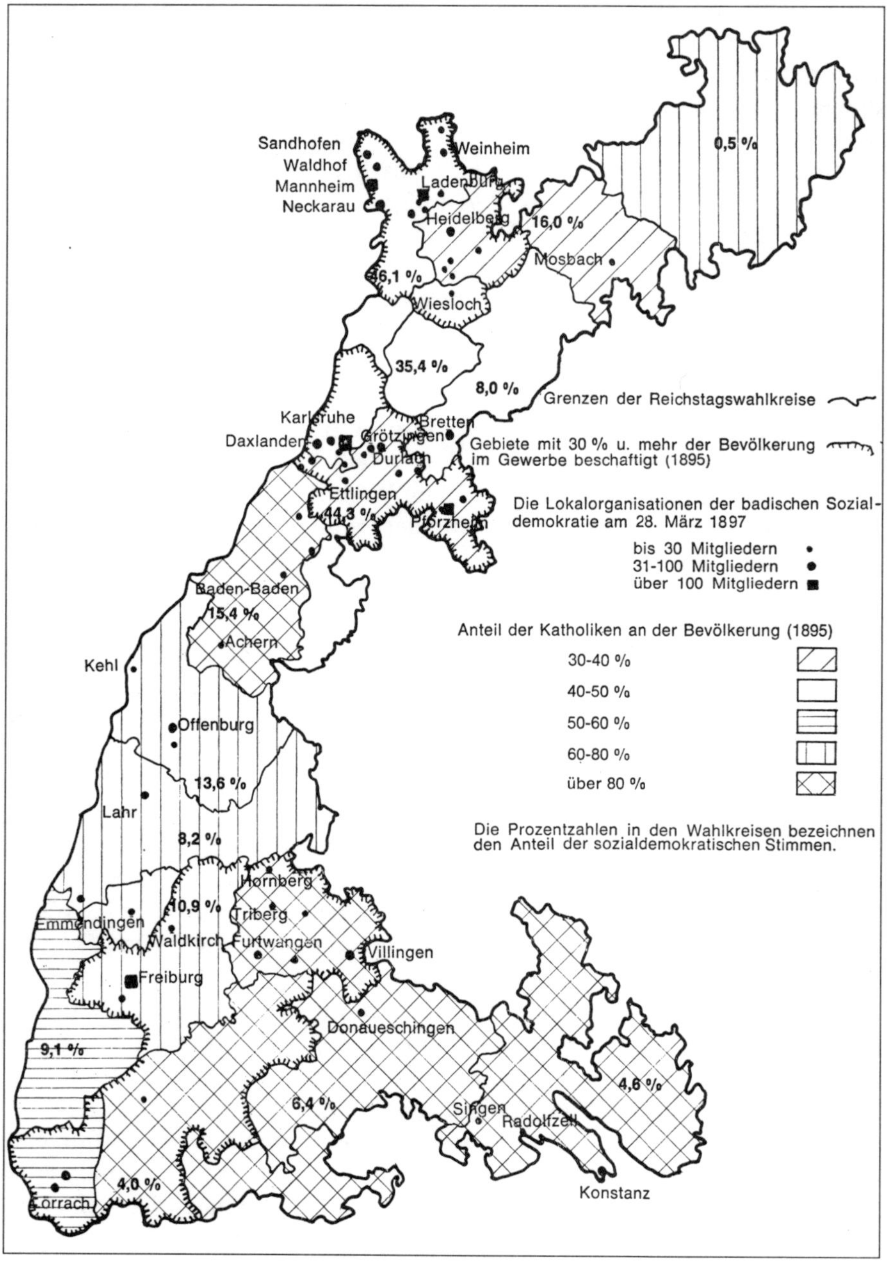

Quelle: Jörg Schadt: Die Sozialdemokratische Partei in Baden. Von den Anfängen bis zur Jahrhundertwende (1868-1900), Hannover 1971, S. 212.

Lokalorganisationen der SPD in Baden, 1904

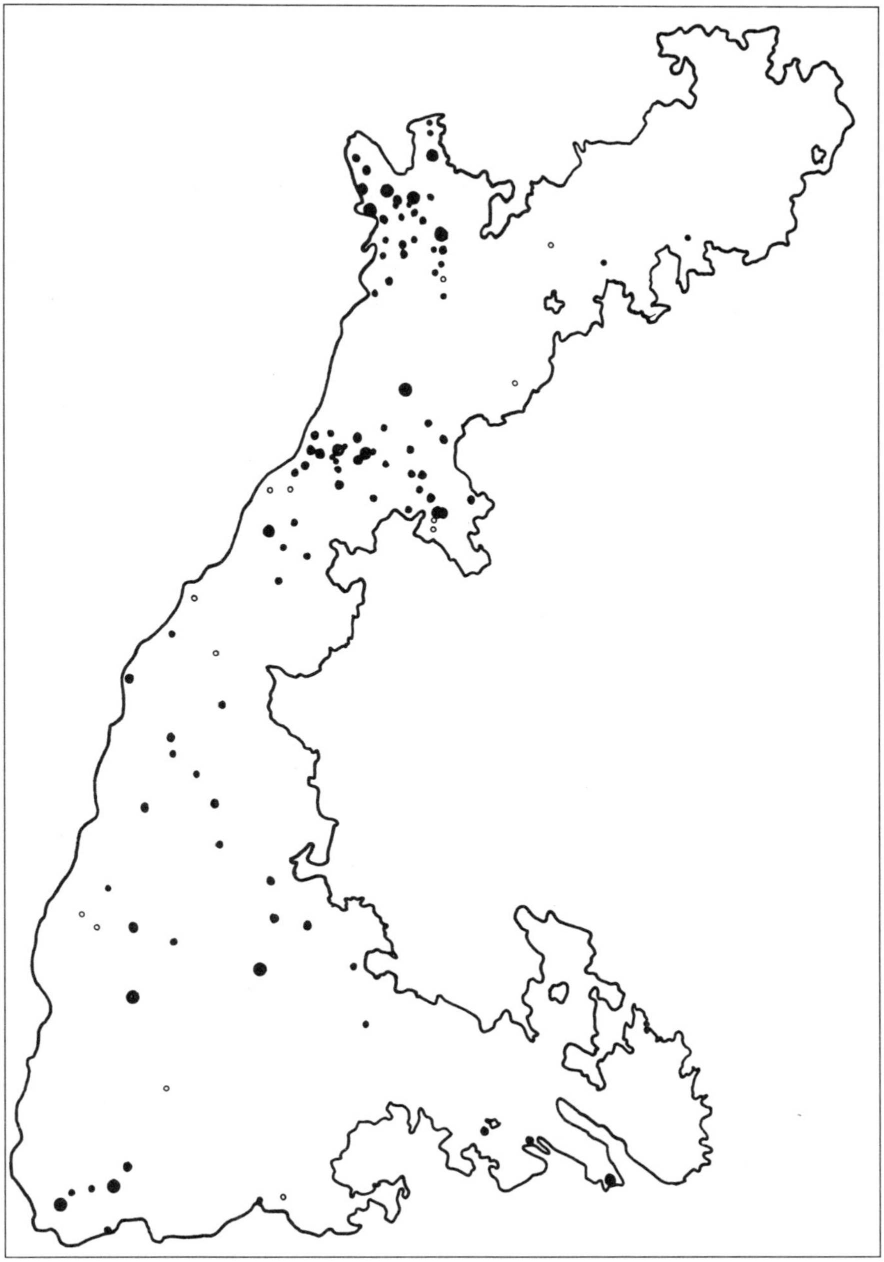

Quelle: Jörg Schadt: Die Sozialdemokratische Partei in Baden. Von den Anfängen bis zur Jahrhundertwende (1868-1900), Hannover 1971, S. 213.

über 7 Mandate (von insgesamt 65), einer zielgerichteten parlamentarischen Strategie waren damit sehr enge Grenzen gesetzt. Auch hier paßten die sozialdemokratischen Abgeordneten ihre parlamentarischen Gepflogenheiten zunehmend denen der bürgerlichen Parteien an.

Die beiden wichtigsten Zeitungen der badischen SPD waren die »Volksstimme«, die sich als Aktiengesellschaft tatsächlich im Besitz der Mannheimer SPD befand, und der »Volksfreund«, der seit 1885 von Adolf Geck in Offenburg herausgegeben wurde und seit 1900 als offizielles Organ der sozialdemokratischen Landesorganisation in Karlsruhe erschien. Seit 1911 erschien die Freiburger »Volkswacht«. Die »Arbeiter-Zeitung für Lörrach« und das »Offenburger Volksblatt« erschienen nur von 1904 bis 1912 bzw. 1907 bis 1909.

Das Verhältnis der badischen Sozialdemokratie zum Revisionismus

Bis zum Ersten Weltkrieg entwickelte sich die badische SPD als profiliertester Teil des rechten Flügels der deutschen Sozialdemokratie, was sich auch in den Auseinandersetzungen mit den Überlegungen Eduard Bernsteins zwischen 1898 und 1903 manifestierte.

Bernstein, ein prominenter Theoretiker und politischer Schriftsteller in der deutschen Sozialdemokratie, führte als erster einen gedanklich systematisierten Angriff auf das Erfurter Programm von 1891. Der darin entworfenen Strategie der Kombination des täglichen Ringens um Reformen zur Verbesserung der sozialen Lage der Arbeiter und der gleichzeitigen Revolutionsvorbereitung stellte er gegenüber, daß die bestehende Gesellschaft nur schrittweise in eine sozialistische überführt werden könne. Die Mitarbeit an Reformen in der bestehenden Gesellschaft sei als Schritt zum Sozialismus zu begreifen, während die Revolutionserwartung und Revolutionsvorbereitung nur eine Belastung für den Reformkampf sei. Er galt bald als Wortführer des »revisionistischen« Flügels der Partei. Indem Bernstein nun den Akzent auf die Arbeit innerhalb der bürgerlich-kapitalistischen Gesellschaft legte, wurde das Verhältnis der Sozialdemokratie zu dieser Gesellschaft zum Kernproblem in den Auseinandersetzungen um die »Revisionsbestrebungen« Bernsteins. Denn wenn Bernstein forderte, daß die Partei an den bestehenden Verhältnissen anzusetzen habe, bedeutete dies, daß man sich auf die politischen Institutionen dieser Gesellschaft, auf die monarchisch bestimmten Regierungen und die bürgerlichen Parteien einzulassen hätte. Die Revolutionserwartung und Revolutionsvorbereitung aufzugeben, hieß aber für die Kritiker und Gegner Bernsteins »Revisionismus«, den radikal gesellschaftsverändernden Antrieb zu verlieren und zu einer Reformpartei zu verkommen, die sich nur noch auf die Durchsetzung systemstabilisierender Reparaturen am Bestehenden beschränkt. Der Dresdner Parteitag von 1903 brachte dem »Revisionismus« noch eine Niederlage.

Durch den theoretischen Sieg der marxistischen Anhänger des Erfurter Programms war das Problem jedoch nicht behoben, es mußte sich ständig neu stellen. Denn die Massenorganisationen der sozialdemokratischen Partei und der Gewerkschaften waren zwar ihrer Theorie nach die Verneinung der bestehenden Gesellschaftsordnung. Aber sie existierten in der bestehenden Gesellschaftsordnung, und ihre sich zunehmend an bürokratische Routine gewöhnenden Apparate konnten sich deren Sturz immer weniger vorstellen. So ist denn auch der Beschluß des Parteitages der SPD über das Verhältnis der Partei zu den Gewerkschaften in der Frage des politischen Massenstreiks (Dok. 36) als Zugeständnis an den reformistischen Flügel der deutschen Arbeiterbewegung zu verstehen. Hier verpflichtete sich der sozialdemokratische Parteivorstand, die Entscheidung für einen politischen Massenstreik von der Zustimmung der Generalkommission der Gewerkschaften abhängig zu machen.

Die badische Sozialdemokratie entwickelte ein ganz eigenes Verhältnis zu diesem »Revisionismusstreit«. Auf den Parteitagen von Hannover 1899 und Dresden 1903 stimmten die badischen Delegierten zwar mit der Mehrheit für die Verurteilung des Revisionismus, was an der Basis Zustimmung fand (Dok. 30). In der praktischen Politik gingen die badischen Sozialdemokraten jedoch einen anderen Weg.

Die politischen Verhältnisse Badens waren ganz anders als in den Industriezentren Sachsens oder Preußens, wo die staatlichen Organe bei Streiks rigoros für die Unternehmer Partei ergriffen und die Gerichte gegen aktive Sozialdemokraten vorgingen. In Baden befand sich die Sozialdemokratie nicht mehr ausschließlich im unüberbrückbaren Gegensatz zur Gesellschaft und ihren politischen Instanzen wie im preußisch dominierten Norddeutschland. Die Existenz realer politischer Spielräume wirkte sich auf die Haltung der badischen Sozialdemokraten im »Revisionismusstreit« aus. Aus der Überzeugung heraus, daß durch die aktive Beteiligung der Sozialdemokratie die bestehenden Verhältnisse in nennenswertem Umfang verändert werden könnten, hatte man in Baden bereits seit 1897 gezielt darauf hingearbeitet, mit Hilfe der bürgerlichen Oppositionsparteien die Nationalliberalen aus ihrer beherrschenden Stellung im Landtag zu verdrängen, um eine Reform des Wahlrechts durchzusetzen. Sie kam 1904 zustande, während in Preußen bis 1918 ein Klassenwahlrecht galt, das die Stimmen der weniger bemittelten Bevölkerung - und aus dieser kamen die Anhänger der Sozialdemokratie - nicht zum Tragen kommen ließ. Von dem gleichen politischen Handlungsverständnis, von welchem man sich beim Bündnis mit den bürgerlichen Oppositionsparteien hatte leiten lassen, um eine Reform des Wahlrechts durchzusetzen, war seit 1905 die Zusammenarbeit der badischen Sozialdemokratie mit den liberalen Parteien - unter Einschluß der zuvor heftig bekämpften Nationalliberalen - in der Landespolitik getragen. Zunächst nur ein wahltaktisches Bündnis, mit dem bei den nach neuem Wahlrecht 1905 geführten Landtagswahlen eine sich abzeichnende Mehrheit des Zentrums verhindert werden sollte, entwikkelte sich der »Badische Großblock«. Er war die Arbeitsgemeinschaft von Sozialdemokraten, Linksliberalen, Demokraten und Nationalliberalen im Landtag. Auch bei den Gemeinde- und Reichstagswahlen setzte sich in der badischen SPD diese pragmatische Wahltaktik durch. Es kam zu Wahlkompromissen und zu Kandidaturen von Sozialdemokraten auf bürgerlichen Listen. Die Unterstützung bürgerlicher Bewerber verschiedener Couleurs zielte darauf ab, eine je bestimmte Partei zu schwächen.

In den badischen Landtagswahlen von 1909 konnte die SPD einen sensationellen Erfolg erringen. Von 53 Mandaten eroberte sie 20, sie vertrat damit 28 Prozent der Wähler. Wie schon 1905 schloß sich eine parlamentarische Zusammenarbeit der »Großblock«-Parteien an, die die Durchführung einer Reihe wichtiger Reformen, vor allem in der Schul- und Steuerpolitik und bezüglich des Gemeindewahlrechts erlaubte. Den Nationalliberalen ging es nicht mehr nur um die Verhinderung der aus macht- und kulturpolitischen Gründen gefürchteten Zentrumsherrschaft, sondern zunehmend auch um die Integration der Sozialdemokratie in die bestehende Staats- und Gesellschaftsordnung. Selbst die Großherzogliche Regierung lobte die SPD bei aller Kritik an ihrer Programmatik in einer Sitzung der Ersten Kammer im Juli 1910 als »großartige Arbeiterbewegung zur Befreiung des vierten Standes« - ein im kaiserlichen Deutschland einmaliger Vorgang! Sie setzte sich 1909 anders als die meisten deutschen einzelstaatlichen Regierungen für die Übernahme des Genter Systems der Arbeitslosenversicherung, d. h. für städtische Zuschüsse an gewerkschaftliche Arbeitslosenkassen durch die Kommunen, ein und kam der Sozialdemokratie damit auf dem Gebiet der Sozialpolitik entgegen. Entsprechende Regelungen wurden gegen den Widerstand der Industrie in Freiburg 1910 und in Mannheim 1913 durchgesetzt.

In der deutschen Sozialdemokratie war eine Politik, wie sie von badischen Parteiführern formuliert und umgesetzt wurde, äußerst umstritten. Der Konflikt spitzte sich zu, als die badische Landtagsfraktion 1908 und 1910 als Konsequenz ihrer »positiven Mitarbeit« an der Regierungspolitik das Budget bewilligte. Auf den sozialdemokratischen Parteitagen von Nürnberg 1908 und Magdeburg 1910 wurden die badischen, genauso wie die bayerischen und württembergischen Budgetbewilliger scharf angegriffen. Ihnen wurde sogar der Parteiausschluß angedroht (Dok. 39). An der Außenseiterstellung der badischen Sozialdemokratie gegenüber der Gesamtpartei, die ihr auch eine Bedeutung verschaffte, die weit über ihre zahlenmäßige Stärke hinausging, änderte sich erst etwas, als die Reichstagsfraktion seit 1912 eine strategische Neuorientierung begann. Seit 1912 stellte die Sozialdemokratie die stärkste Fraktion im Reichstag. Nun begannen nicht nur badische Reichstagsabgeordnete Überlegungen anzustellen, wie diese Macht der Partei aktiv zur Geltung zu bringen sei. Konkret wurde die Möglichkeit eines Blocks »von Bebel bis Bassermann«, also einer Zusammenarbeit von Sozialdemokratie und liberalen Parteien im Reichstag, in die Diskussion einbezogen. Diese Bestrebungen erfuhren gewiß 1913 durch den Tod von August Bebel, der für die klassenkämpferische Tradition der Sozialdemokratie stand, einen Aufschwung.

Die Entwicklung gewerkschaftlicher Organisationen

Nach dem Sieg der deutschen Arbeiterbewegung über das Sozialistengesetz rückte auch die Formierung sozialistischer Gewerkschaften auf die Tagesordnung. Der sozialdemokratische Parteitag 1890 in Halle/Saale, der unmittelbar nach dem Fall des Sozialistengesetzes stattfand, hatte sich gründlich mit der Frage nach der Bedeutung der Gewerkschaften im Kampf der Arbeiterbewegung auseinandergesetzt. Das Ergebnis dieser Diskussion war, daß es notwendig sei, für die bereits bestehenden kleinen Gewerkschaften eine zentrale Organisation zu schaffen. Auf die Initiative von fünf Vertrauensleuten der Metallarbeiter wurde für den 17./18. November 1890 nach Berlin eine Konferenz aller Gewerkschaftsvorstände einberufen. Diese Konferenz wählte eine siebenköpfige Kommission, die sich als »Generalkommission der Gewerkschaften Deutschlands« konstituierte. Die Generalkommission wählte Carl Legien zu ihrem Vorsitzenden und bestimmte Hamburg zu ihrem Sitz.

Auch in Südbaden sind nach dem Fall des Sozialistengesetzes erste Anstrengungen zum Aufbau geschlossenerer gewerkschaftlicher Organisationen zu verzeichnen (Dok. 27). Auf dem Gründungskongreß des Deutschen Metallarbeiterverbandes (DMV) im Juni 1891 war auch der Delegierte Johann Boehm aus Freiburg vertreten. Daß auf dem Gründungskongreß des DMV ein Freiburger Delegierter vertreten war, legt die Vermutung nahe, daß die bereits 1876 in der Freiburger Metallarbeitergewerksgenossenschaft organisierten Kollegen ihre Organisation auch während der Sozialistengesetze nicht ganz haben zusammenbrechen lassen.

Ein starkes Hindernis für die Gewerkschaftsbewegung war die 1891 erneut einsetzende Rezession, die bis zur Mitte des Jahrzehnts anhielt. Die ersten amtlichen Statistiken der sozialdemokratischen Gewerkschaften zeigen daher insgesamt nur einen sehr geringen Mitgliederanstieg. Als stärkste Gruppen ragten die neugegründeten Industrieverbände der Metall- und Holzarbeiter sowie die Buchdrucker heraus, auf die etwa 40 Prozent der in den sozialdemokratischen Gewerkschaften organisierten Arbeiter Badens entfielen. Sie waren in Baden die einzigen Gewerkschaften, die regelmäßig Regionalkonferenzen zur Durchführung der Agitation, zur Aufnahme von Statistiken über die Lage der Arbeiterschaft und zur Besprechung sozialpolitischer Aufgaben abhielten.

Da die auf dem Land wohnenden Arbeiter nur schwer zu organisieren waren, konzentrierte sich die Gewerkschaftsbewegung zunächst auf Städte. Auf der ersten regionalen Metallarbeiterkonferenz, die in Südbaden stattfand (Dok. 27a), waren deshalb aus Südbaden auch nur Delegierte aus Freiburg, Lahr und Offenburg sowie aus Konstanz, Furtwangen und Baden-Baden anwesend.

Die Mitgliederstärke der freien Gewerkschaften in Baden wuchs von 6262 im Jahre 1896 auf 61297 im Jahr 1911. Im mit Abstand stärksten Metallarbeiterverband waren 1909 über 17000 Mitglieder organisiert, d.h. er umfaßte ein Drittel der Mitglieder aller freigewerkschaftlichen Berufsorganisationen in Baden. Ebenso wie bei der SPD konzentrierte sich die Mitgliedschaft der freien Gewerkschaften auf den Raum Mannheim/Karlsruhe/Pforzheim. Allein Mannheim stellte über ein Drittel der badischen Gewerkschaftsmitglieder.

Verfolgt man die Mitgliederentwicklung des Metallarbeiterverbands im Raum Lörrach, Freiburg und Offenburg ab 1903 (vgl. Tab. 7), stellt man fest, daß die ersten Organisationsansätze des Metallarbeiterverbandes zunächst auf die Städte Emmendingen, Freiburg, Lörrach, Lahr und Offenburg beschränkt blieben und sehr zögerlich vorangingen. Erst im Gefolge der Novemberrevolution 1918 konnte der Metallarbeiterverband in Südbaden wirklich Fuß fassen.

Neben den freien Gewerkschaften expandierten in Baden auch die christlichen Gewerkschaften beträchtlich. 1911 hatten sie etwa 10000 Mitglieder, das waren rund ein Sechstel der in den freien Gewerkschaften Organisierten. Am stärksten waren die christlichen Gewerkschaften in den ländlichen Industrien. Unter den Textilarbeitern zählten sie 1909 fast so viele Mitglieder wie die freien Gewerkschaften, unter den Tabakarbeitern waren es sogar mehr. Selbst der Hirsch-Dunckersche Verein übertraf die freien Gewerkschaften bei den Tabakarbeitern. Im Jahr 1911 hatte der (christliche) Badische Eisenbahnerverband 11600 Mitglieder, der süddeutsche Eisenbahnerverband, der den freien Gewerkschaften verbunden war, 2800 Mitglieder. Bezeichnend für Baden, insbesondere für Südbaden ist, daß es ein breites, organisiertes nichtsozialistisches Potential innerhalb der Arbeiterschaft gab.

Der Schwerpunkt der gewerkschaftlichen Tätigkeit lag in dieser Zeit in dem Bemühen, die kollektive Vertretungsmacht der Arbeiter gegenüber den Arbeitgebern und dem Staat faktisch und rechtlich auszubauen. Dies bedeutete in erster Linie, für die Durchsetzung des Systems der Tarifverträge und den Ausbau der Positionen der Gewerkschaftsvertreter in den Betrieben, den Gewerbegerichten und in den Gremien der Sozialversicherungswerke zu kämpfen.

Generell ist festzuhalten, daß die der Generalkommission angeschlossenen freien Gewerkschaften ihre Mitglieder zunächst nicht in den Großbetrieben, sondern den kleineren und Handwerksbetrieben gewannen. Die Machtposition der Gewerkschaften blieb vorläufig in den Großbetrieben schwach. Die ersten Arbeitskämpfe wurden deshalb in Baden auch nicht von den Belegschaften der Großbetriebe geführt, sondern meist von kleineren Betrieben. Dadurch waren die Teilnehmerzahlen an den Streiks in Baden sehr niedrig (vgl. Tab. 8).

Auch in Südbaden sind nach der Jahrhundertwende vereinzelte Streiks zu verzeichnen (Dok. 33 und 34), wie der teilweise erfolgreiche Streik der Zigarrenarbeiter der Firma Kratzer in Offenburg im Oktober 1902 für höheren Lohn und bessere Arbeitsbedingungen oder im August 1904 der erfolgreiche Streik der Gipser Freiburgs und Emmendingens für die zehnstündige Arbeitszeit.

1905 steigerten sich, parallel zur wirtschaftlichen Konjunktur, die Arbeitskämpfe nicht nur im gesamten Deutschen Reich, sondern auch in Südbaden erheblich. So traten in Elgersweier bei Offenburg zwei Drittel der 30 Arbeiterinnen der Zigarrenfabrik 8 Tage in Streik und konnten dadurch eine allerdings nur geringfügige Lohnerhöhung durchsetzen. Der Streik der Hornberger Steingutfabrikarbeiter für höheren Lohn und kürzere Arbeitszeit, an dem sich nur etwa ein Drittel der 160 Arbeiter umfassenden Belegschaft beteiligte, wurde nach einer Woche für die Arbeiter erfolglos abgebrochen. Der insgesamt vier Monate dauernde Streik in einer Lahrer Ofenfabrik, in den immer etwa ein Viertel der 60 Arbeiter einbezogen war, endete mit einer Lohnerhöhung. In Freiburg konnten die Arbeiter verschiedener Branchen durch geschlossene Arbeitskämpfe einschneidende Erfolge erzielen. 850 Maurer aus 35 verschiedenen Freiburger Betrieben erkämpften in einem zweimonatigen Streik mit einer Streikbeteiligung von nahezu 100 Prozent höheren Lohn, verbesserte Arbeitszeiten und den ersten Tarifvertrag, der in Südbaden abgeschlossen wurde (Dok. Nr. 35 a). Der zweimonatige Arbeitskampf von etwa 500 Freiburger Bauhilfsarbeitern aus 61 verschiedenen Betrieben unter sehr hoher Streikbeteiligung führte auch zum Abschluß eines Tarifvertrages. Diese Kollegen waren im Zentralverband der Bauarbeiter organisiert, in dem sich 1905 reichsweit bereits 209 000 Arbeiter organisiert hatten. Ebenso wie ihre Kollegen aus Mannheim, Heidelberg und Karlsruhe weigerten sich die im Zentralverband der Schneider organisierten Freiburger Schneider, die ihnen von den Arbeitgebern zugewiesene, aus außerbadischen Streikorten stammende Arbeit zu verrichten. Der Arbeitgeberverband verfügte die Aussperrung der organisierten Schneider. Dies führte in Freiburg zur Aussperrung von 80 Kollegen aus 21 Betrieben. Die Aussperrung dauerte von

8 Bauarbeiter in der Riesstraße in Lörrach, um 1900.

Mitte Mai bis Anfang Juni und endete mit der Verpflichtung der Meister, den Gesellen keine Streikarbeit mehr zuzuweisen.

Die Freiburger Glaser konnten durch ihren dreiwöchigen Streik in 16 Glaserbetrieben ebenfalls den Abschluß eines Tarifvertrags erzwingen. In Waldkirch legten 170 Maurer und Hilfsarbeiter für zwei Tage 5 Betriebe still und konnten geringe Lohnverbesserungen erreichen. In Lörrach traten die 25 Arbeiter einer Schweizer Möbelfabrik für 3 Wochen in Streik, um den Lohnstreik ihrer Schweizer Kollegen der Hauptfiliale in Basel solidarisch zu unterstützen. Sowohl die Basler wie die Lörracher Kollegen konnten ihre Lohnforderungen durchsetzen.

Insgesamt ist festzustellen, daß sich in den Arbeitskämpfen bis zum Jahr 1905 eine bemerkenswerte Veränderung vollzogen hatte. Unter der Arbeiterschaft herrschte bei Arbeitseinstellungen ein größerer Zusammenhalt, die Forderungen wurden zunehmend präziser gestellt und die Unternehmer hatten immer größere Schwierigkeiten, Ersatz für die Streikenden zu gewinnen. Die Zahl der Organisierten war vor allem unter den qualifizierten Arbeitern deutlich gestiegen und unter diesen war Streikbruch so gut wie ausgeschlossen. Inzwischen gab es Betriebe, in denen die Macht der Arbeiterorganisation bereits so stark entwickelt war, daß auch nichtorganisierte Arbeiter sich scheuten, ihren organisierten Kollegen im Streikfall als Streikbrecher in den Rücken zu fallen, da sie nach der Beilegung der Differenzen durch Druck der Gewerkschaft ihre Entlassung befürchteten. Der deutliche Machtzuwachs, den die gewerkschaftlich organisierte

Arbeiterschaft sich seit dem Fall des Sozialistengesetzes erkämpft hatte, läßt sich auch daran ablesen, daß im Jahr 1905 von 26 bedeutenderen Gruppenstreiks in ganz Baden nur 4 erfolglos blieben, während 11 zu einem teilweisen, 11 zu einem vollen Erfolg für die Arbeiter führten. Noch um die Jahrhundertwende hatte die Strategie der Arbeiterorganisationen, mit gewerkschaftlicher Solidarität der Macht der Unternehmer zu begegnen, nur sehr punktuell gegriffen (Dok. 33). Nun gelang es den badischen Unternehmern nur noch, einen dieser 26 größeren Gruppenstreiks durch den Einsatz von Streikbrechern zu beenden. Von den im Jahr 1905 in ganz Baden vereinbarten 27 Tarifverträgen wurden 16 durch Streiks erzwungen. Hier gilt es zu berücksichtigen, daß die Streiks ohne das bereits ausgebaute Unterstützungswesen der Gewerkschaften nicht oder kaum führbar gewesen wären.

Das Hauptgewicht der erkämpften Tarifverträge lag auf der Festsetzung der Arbeitszeit und des Arbeitslohnes. Die in diesen Tarifverträgen vereinbarten regelmäßigen Arbeitszeiten lagen je nach Branche zwischen 9½ und 10½ Stunden täglich, nur im Küfergewerbe betrug die regelmäßige tägliche Arbeitszeit bis zu 11 Stunden. Außerdem regelten sie das Überstundenwesen, die Nacht- und Sonntagsarbeit.

In den nordbadischen Industriezentren mußten sich die Unternehmer ab 1904 immer mehr daran gewöhnen, die Gewerkschaften als Vertreter, zumindest jedoch als Berater der Arbeiter anzuerkennen. Hingegen versuchten vor allem die organisierten südbadischen Textilindustriellen, die Ausbreitung der verschiedenen gewerkschaftlichen Organisationen mit allen ihnen möglichen Mitteln zu unterbinden. Als 1905 wegen der Steigerung der Lebenshaltungskosten und der Hochkonjunktur eine Streikwelle anrollte, faßte der Ausschuß des »Vereins der Textilindustriellen des Wiesentals und dessen Umgebung« im September 1906 den Beschluß, die Verwendung von »Schwarzen Listen« verstärkt als Kampfmittel einzusetzen. In einem Vereinszirkular wurde der Vorschlag gemacht, die auf der Schwarzen Liste zu meldenden Arbeiter in zwei Kategorien einzuteilen: in Agitatoren, die von den Vereinsfirmen für zwei Jahre nicht mehr eingestellt werden sollten, und in solche, die kontraktbrüchig, aufmüpfig gegen Vorgesetzte waren oder gegen Gesetze und Arbeitsordnungen verstoßen hatten, die für 3 Monate nicht mehr beschäftigt werden sollten. Zugleich stellte der Verband Kontakte zu elsässischen und schweizerischen Industriellenverbänden her. Das »Elsässische Industriellensyndikat« in Mühlhausen schloß sich direkt dieser Konvention an und übersandte noch im September die erste Liste. Im November traten die Baseler Industriellen der Konvention bei, so daß sich der Kreis der Textilindustriellenverbände Südbadens, der Nordschweiz und des Oberelsaß gegen die Arbeiter schloß.

Auch andere organisierte Unternehmer setzten die Schwarzen Listen als Kampfmittel ein (Dok. 37) und zeigten damit deutlich, daß sie keineswegs gewillt waren, die zunehmend organisierte Gegenmacht der Arbeiter hinzunehmen. Noch genauso wie 1890 (Dok. 19) mußten organisierte Kolleginnen und Kollegen wegen ihrer Organisationszugehörigkeit mit Gängelungen durch die Unternehmer oder ihrer Entlassung rechnen (Dok. 41).

Mit der Abschwächung der Konjunktur nahm die Zahl der Streiks und der streikenden Arbeiter ab 1907 wieder ab. Die Unternehmer nutzten die veränderte Arbeitsmarktlage zunehmend zu Aussperrungen. Von 1908 bis 1910 war in Baden die Zahl der ausgesperrten Arbeiter jeweils höher als die der streikenden. Parallel dazu ist festzustellen, daß die Zahl der in Baden abgeschlossenen Tarifverträge von 66 im Jahr 1906 wieder rückläufig wurde und 1908 mit 17 den niedrigsten Stand erreichte. Erst 1913 war mit 64 abgeschlossenen Tarifverträgen der Stand von 1906 wieder erreicht.

Schon früh wurde in den freien Gewerkschaften die Notwendigkeit einer gesetzlich anerkannten Vertretung der Arbeiterschaft in Betriebsausschüssen und in Wirtschaftskammern diskutiert. Der wilhelminische Staat machte solchen Vorstellungen erste sehr eingeschränkte Zugeständnisse mit der Verordnung über die Einführung von Arbeiterausschüssen in den preußischen Bergwerken im Jahre 1905. Die Unternehmer und ihre Verbände sperrten sich allerdings in der Zeit vor 1914 überwiegend gegen alle Formen der Kooperation mit den Gewerkschaften. Die in Südbaden vor 1914 bestehenden Arbeiterausschüsse waren in der Regel nur auf Druck der organisierten Arbeiter zustandegekommen und oft eines der Ergebnisse eines Arbeitskampfes (Dok. 40 g). Ihre Kompetenzen waren sehr eingeschränkt (Dok. 32). Dennoch zeigt auch die Entwicklung der Arbeiterausschüsse in ihrer Tendenz den wachsenden Einfluß der Gewerkschaften in den Betrieben und verweist auf das gestiegene Selbstbewußtsein der Arbeiter.

Als weitere wichtige Neuerung nach dem Sieg über das Sozialistengesetz entstanden auf lokaler Ebene die Gewerkschaftskartelle, die Vereinigung der Lokalorganisationen der verschiedenen Fachrichtungen an einem Ort. Bereits 1893 gab es in Baden 10 solcher Ortskartelle. Sie konstituierten sich aus der Versammlung der Delegierten der angeschlossenen Gewerkschaften und erwiesen sich zunehmend als Zentren einer vielfältigen sozialpolitischen Tätigkeit. Sie sahen ihre Aufgabe in der Ausbreitung und Kräftigung der Gewerkschaften an ihrem Ort, der Meldung von Mißständen in Betrieben bei der badischen Fabrikinspektion, der späteren Gewerbeaufsicht, in statistischen Erhebungen über Lohn- und Arbeitsverhältnisse, der Regelung des Herbergswesens und des Arbeitsnachweises. Sie übernahmen die Leitung der Wahlen zu den Arbeitervertretungen in den Gewerbegerichten und der Ortskrankenkassen und in einzelnen Fällen auch von Lohnbewegungen und Arbeitszeitverkürzungen. Sie richteten »Arbeitersekretariate« ein, um den Arbeitern Auskunfts- und Beratungsmöglichkeiten in der komplizierter werdenden Sozialgesetzgebung, in Lohn- und anderen arbeitsrechtlichen Fragen zu geben. Sie bemühten sich um Bildungsmöglichkeiten für die Arbeiter, indem sie eigene Bibliotheken einrichteten oder sich in Zusammenarbeit mit städtischen Behörden für die Einrichtung von »Volkshochschulkursen« einsetzten. Das Lörracher

Gewerkschaftskartell arbeitete stark mit dem städtischen Arbeitsnachweisbüro zusammen und unterstützte es sogar finanziell. Was innerhalb der deutschen Sozialdemokratie als »Revisionismus« umstritten war - das Anerkennen der Institutionen des Staates und des Bürgertums und eine rein sozialreformerische Praxis mit dem Ziel direkt erfahrbarer Verbesserungen der Arbeits- und Lebensbedingungen der Arbeiter -, das entwickelte sich hier zum markanten Zug der Gewerkschaften.

Bis zum Ersten Weltkrieg hatten sich auch die südbadischen Gewerkschaften zu einem erheblichen Faktor im gesellschaftlichen Kräftefeld entwickelt. Die freien Gewerkschaften, die im gesamten Deutschen Reich bis zum Ersten Weltkrieg eine Mitgliederstärke von etwa 2,5 Millionen erreichten, konnten ihre Position auch innerhalb der Sozialdemokratie bis zum Ersten Weltkrieg als führende ausbauen.

Die Arbeiterbewegung und der Erste Weltkrieg

Mit dem Sieg über Frankreich im deutsch-französischen Krieg und der Gründung des Deutschen Reiches 1870/71 waren die Grundlagen für den wirtschaftlichen Aufstieg Deutschlands geschaffen worden. Das Deutsche Reich entwickelte sich zur zweitstärksten Industrie- und Handelsmacht der Welt, doch waren Absatzmärkte und billige Rohstoffe zunehmend beschränkt, da der deutsche Kapitalismus bei der Aufteilung der Welt in Kolonialgebiete zu spät gekommen war. Diese »Benachteiligung« des deutschen Kapitals sollte beseitigt, die wirtschaftlichen Einflußbereiche in der Welt neu verteilt werden. Diese imperialistische Absicht fand ihren Ausdruck in einer verstärkten Aufrüstung, die noch vor der Jahrhundertwende mit dem Ausbau der Kriegsflotte begann.

Die sozialdemokratische Arbeiterbewegung sah die Kriegsgefahr und versuchte, ihr durch Informations- und Agitationsveranstaltungen zu begegnen. In den großen Städten, besonders eindrucksvoll in Mannheim (Dok. 43 a), fanden im Juli 1914 die vom Vorstand der SPD propagierten Massenkundgebungen gegen Krieg und Völkermord sowie gegen die Kriegshetze statt. Gleichzeitig versuchte der badische Reichstagsabgeordnete Ludwig Frank als Initiator eines deutsch-französischen Komitees gegen Aufrüstung und Kriegsgefahr, das sich Pfingsten 1914 in Basel zusammenfand, die Kriegshysterie zu durchbrechen und gemeinsam mit dem französischen Sozialistenführer Jean Jaurès die internationale Arbeitersolidarität wachzurufen. Trotzdem vertrat Frank wie die Mehrzahl seiner

Anhänger den Standpunkt, daß er sich im Falle des Kriegsausbruchs nicht gegen die eigene Nation entscheiden würde, daß die sozialdemokratischen »vaterlandslosen Gesellen« ihre Pflicht der Vaterlandsverteidigung gewissenhaft erfüllen würden.

Am 4. August, als der Krieg gegen Rußland und Frankreich feststand, erkannte die Reichstagsfraktion der SPD die Tatsache des Krieges an und bewilligte die für den Krieg notwendigen Kredite. In dieser Entscheidung spielte der Beschluß der Gewerkschaften zum »Burgfrieden« eine nicht unwesentliche Rolle.

Einen Tag nach der Kriegserklärung Deutschlands an Rußland, am 2. August 1914, hatte die Vorständekonferenz der deutschen Gewerkschaften beschlossen, alle Lohnkämpfe abzubrechen und jede Streikunterstützung einzustellen. Sie sicherte der Reichsregierung ihre Unterstützung zu bei der Vermittlung von Arbeitskräften zur Einbringung der Ernte und bei der Behandlung des Arbeitslosenproblems. Mit diesem Beschluß wurde die Politik des »Burgfriedens« etabliert, nachdem die Reichsregierung zuvor versichert hatte, die Arbeit der gewerkschaftlichen Organisationen in keiner Weise zu behindern. Die Führung der deutschen Arbeiterbewegung war also zur Zusammenarbeit mit Regierung und Kapital bereit, in der Hoffnung, als gleichberechtigter Partner im gesellschaftlichen Leben anerkannt zu werden. Die Stimmung der Massen veränderte sich in den ersten Augusttagen, auch unter den Arbeitern machte sich zeitweilig Kriegsbegeisterung breit. Auch die sozialdemokratische und Gewerkschaftspresse war

9 Verkündung des Kriegszustandes durch die Feuerwehr in Lörrach, August 1914.

zu diesem Zeitpunkt unfähig, die Gründe des Kriegsausbruchs in sachlicher Kühle zu analysieren (Dok. 43). Eine große Zahl sozialdemokratischer Kriegsfreiwilliger folgte dem »Ruf von Kaiser und Vaterland«, an deren Spitze sich Ludwig Frank stellte. Für ihn stand außer Zweifel, daß mit der Zustimmung zu den Kriegskrediten und mit der Bereitschaft zur Landesverteidigung für die Sozialdemokraten die Chance zu dauerhafter Integration in den deutschen Nationalstaat geboten war. Ludwig Frank fiel am 3. September 1914 an der Westfront.

Tatsächlich war die von den Führern der deutschen Arbeiterbewegung gewählte Politik des Burgfriedens ein Stillhalteabkommen, das von den Unternehmern zu verstärkter Ausbeutung der Arbeiter ausgenutzt wurde. Die Aufgaben der Gewerkschaften waren nun auf die Milderung der sozialen Not beschränkt. Mit der Zahlung von Arbeitslosenunterstützung und Beihilfen für Soldatenfamilien übernahmen sie Aufgaben des Staates, der dadurch alle verfügbaren Mittel zur Kriegsführung einsetzen konnte. Durch die Mitarbeit in den zur Effektivierung der Kriegswirtschaft errichteten Institutionen ließen sich die Gewerkschaften und Führer der Sozialdemokratie dazu mißbrauchen, die Kriegspolitik gegenüber den Mitgliedern zu legitimieren und immer größere Opfer zu rechtfertigen (Dok. 47).

Mit zunehmender Dauer des Krieges wuchs die Unzufriedenheit in der Bevölkerung. Die Lebensmittelversorgung verschlechterte sich zusehends, die sinkenden Reallöhne konnten mit der durch die Kriegswirtschaft bedingten Inflation nicht mehr mithalten. Die Arbeitsbedingungen verschlechterten sich immer mehr. Schon im August 1914 waren sämtliche von den Gewerkschaften erkämpften Schutzbestimmungen, wie das Verbot von Nachtarbeit für Frauen und Jugendliche und die Beschränkung der täglichen Arbeitszeit auf maximal 10 Stunden, außer Kraft gesetzt worden. In der badischen Metallindustrie waren wieder Arbeitszeiten von 64 bis 65 Stunden wöchentlich, ohne Berücksichtigung der Überstunden, angesagt. Die badische Fabrikinspektion registrierte eine starke Zunahme von schweren Arbeitsunfällen und seit 1916 eine deutliche Erhöhung des Krankenstandes.

Statt daraus Konsequenzen zu ziehen, unterstützten die Gewerkschaften auch weiterhin die Kriegspolitik und ließen sich noch mehr einbinden. Bereits 1915 entstand mit dem »Kriegsausschuß für die Metallbetriebe Großberlins« eine der ersten institutionalisierten Formen der Kooperation von Gewerkschaften, Militärbehörden und Unternehmern. Dieser Ausschuß war eine Reaktion auf das Verhalten der Berliner Metallarbeiter, die 1914 in »wilden« Aktionen Lohnerhöhungen oder Verbesserungen der Arbeitsbedingungen forderten. Wenn ihren Forderungen nicht nachgekommen wurde, nutzen sie die Konkurrenz der Unternehmer um qualifizierte Arbeitskräfte aus, indem sie in andere Betriebe abwanderten. Die Militärbehörden hatten deshalb verfügt, daß die Arbeiter bei der Einstellung in einen neuen Betrieb einen vom alten Arbeitgeber ausgestellten »Abkehrschein« vorzuweisen hatten. Der Metallarbeiterverband Berlins schritt ein und erreichte in Verhandlungen die Einrichtung eines Kriegsausschusses, der über Beschwerden von Arbeitnehmerseite, Erteilung von Abkehrscheinen und in anderen Konflikten entschied. Er war paritätisch von Gewerkschaftern und Unternehmern besetzt und stand unter dem Vorsitz eines Vertreters des zuständigen Generalkommandos. Die Gewerkschaftsführer erblickten in diesem Kriegsausschuß einen großen Erfolg für die Gewerkschaften und für die Arbeiterschaft. Sie wurden vom Kriegsministerium anerkannt und durften gemeinsam mit Vertretern der Unternehmer, ob diese wollten oder nicht, über die Wahrung der Interessen der Arbeiter verhandeln. Sie hofften aber auch, mit Hilfe dieses Ausschusses die »wilden« Streiks, die die Autorität der Organisation untergruben, eindämmen zu können. Die Konstruktion dieses Ausschusses wurde schnell als Muster der Kooperation der drei maßgeblichen Institutionen des Kriegswirtschaftslebens angesehen und fand, wie zum Beispiel im »Kriegsausschuß für die Metallindustrie in Baden« (Dok. 46 a), schnell überregionale Verbreitung.

Ende 1916 wurde das »Hindenburg-Programm« zur Steigerung und Sicherung der Kriegsproduktion aufgestellt und zu seiner Durchführung das Kriegsamt geschaffen. Es war eine Reaktion auf die Kriegsentwicklung: der von der deutschen Heeresleitung verfolgte »Schlieffen-Plan«, der eine Blitzoffensive an der Westfront mit einer schnellen Niederlage des Gegners vorgesehen hatte, war fehlgeschlagen. Es kam an dieser Front zu einem Stellungskrieg und riesigen Materialschlachten. Ziel des »Hindenburg-Programms« mußte die Sicherstellung der knappen und wertvollen Arbeitskräfte sein. Zu diesem Zweck entwarf das Kriegsamt unter Mitwirkung der Gewerkschaften das »Gesetz über den vaterländischen Hilfsdienst« (Dok. 46 c). Es wurde am 2. Dezember 1916 gegen die Stimmen eines kleinen Teils der SPD-Fraktion im Reichstag angenommen. Es führte den Arbeitszwang für alle Männer zwischen dem 17. und 60. Lebensjahr ein, was die Aufhebung grundsätzlicher Freiheiten des Lohnabhängigen bedeutete, wie zum Beispiel der freien Wahl des Arbeitsplatzes, des Kampfes um Arbeitsbedingungen oder der Freizügigkeit. Durch ihre Mitarbeit erreichten die Verbandsleitungen der Gewerkschaften einige Zugeständnisse: in den für die Durchführung des Gesetzes zuständigen Kommissionen saßen gleichberechtigt mit den Arbeitgebern Arbeitnehmervertreter, die von den Gewerkschaften gestellt wurden. Das Gesetz sah »ständige Arbeiterausschüsse« vor, deren Funktion es war, »das gute Einvernehmen innerhalb der Arbeiterschaft des Betriebs und zwischen der Arbeiterschaft und dem Arbeitgeber zu fördern«. Wenn trotzdem Schwierigkeiten entstanden, konnten beide Parteien eine staatliche Schlichtungsstelle anrufen. Durch dieses Gesetz wurden die Gewerkschaften zwar von Unternehmern und Staat anerkannt, aber gleichzeitig wurden sie noch mehr in die Kriegspolitik eingebunden.

Auch die badischen Sozialdemokraten versuchten mit allen Mitteln, den Burgfrieden aufrechtzuerhalten, um die Kriegsmoral der Arbeiter nicht zu erschüttern. Die SPD-Fraktion im badischen Landtag unterstützte die sozialpolitischen und wirtschaftlichen Maßnahmen der Staatsregierung und beschränkte sich darauf, ihre von der offiziellen Linie abweichenden Vorstellungen über Fragen der Kriegsfürsorge, der Festsetzung von Höchstpreisen für Lebensmittel und der Kohleversorgung in Form von Eingaben und Appellationen in die öffentliche Diskussion einzubringen.

Im Juni 1915 erklärten 172 oppositionelle Gewerkschafter und Parteimitglieder ihre Ablehnung der kriegsunterstützenden Politik des Vorstandes und der Reichstagsfraktion der SPD (Dok. 45). Eine Änderung der Burgfriedenspolitik konnten sie jedoch nicht durchsetzen. Als diese oppositionelle Gruppe im Dezember 1915 gegen die Fraktionsdisziplin verstieß und gegen die Bewilligung der Kriegskredite stimmte, wurde ihr Verhalten von den badischen Sozialdemokraten als beschämend und empörend kritisiert, das lediglich die für die Arbeiterschaft bereits eroberten wirtschaftlichen und politischen Positionen gefährde. Außerdem wurde diese Gruppe aus der Partei ausgeschlossen. Die aus der Fraktion ausgeschlossenen Abgeordneten bildeten nun die »Sozialdemokratische Arbeitsgemeinschaft«.

Trotz eines faktischen Streikverbots und gegen den Willen der Gewerkschaftsvorstände kam es 1916 im Deutschen Reich zu den ersten größeren Streiks. Ursache waren vor allem die schlechte Lebensmittelversorgung, die sinkenden Reallöhne und der Protest gegen die hohen Kriegsprofite der Unternehmer. Im April 1917 kam es fast im gesamten Deutschen Reich zu Arbeitsniederlegungen als Antwort auf die Absicht der Regierung, die Brotrationen weiter zu kürzen. Darüber hinaus wurden weitergehende soziale und vereinzelt politische Forderungen erhoben, wie zum Beispiel nach einem sofortigen und annexionslosen Friedensschluß. Aufgrund der in Südbaden stark verbreiteten Nebenerwerbslandwirtschaft waren die Versorgungsprobleme in den ländlichen Gebieten entschärft. Dies dürfte ein wichtiger Grund dafür sein, daß es zu diesem Zeitpunkt hier zu keinen nennenswerten Streiks kam.

Während dieser reichsweiten Streikbewegung im April 1917 gründeten die von der SPD ausgeschlossenen oppositionellen Kräfte die Unabhängige Sozialdemokratische Partei (USPD). Die Mehrheit dieser neuen Partei wollte den Krieg durch parlamentarischen Kampf beenden, eine Minderheit propagierte den politischen Massenstreik.

Auch in Südbaden ließ sich die innerparteiliche Opposition nicht mehr unterdrücken. Auf der Landeskonferenz der badischen SPD am 22. April 1917 in Offenburg (Dok. 48) wurde der bekannteste Opponent, Adolf Geck, öffentlich zur Trennung von der Partei und zur Aufgabe seines Landtagsmandats aufgefordert. In der Folgezeit kam es zu Gründungen von teilweise recht aktiven Gruppen der USPD vor allem in Mannheim, Karlsruhe, Offenburg und Freiburg, die jedoch abgesehen von der Mannheimer und Offenburger Gruppe (Dok. 50) keine überdauernde politische Bedeutung erlangen konnten. Aber auch die Führer der badischen Sozialdemokratie erkannten allmählich die Brüchigkeit der Burgfriedenspolitik, als in den folgenden Wochen die badische Staatsregierung die von der Sozialdemokratie aufgestellten Forderungen einer innenpolitischen Neuordnung scharf ablehnte. Nachdem am 17. Juli die SPD, die sich nun Mehrheitssozialdemokratische Partei nannte (MSPD), Fortschrittspartei und Zentrum im Reich mit einer gemeinsamen Friedensresolution an die Öffentlichkeit getreten waren, kam es schließlich Ende November 1917 zum Bruch mit der Burgfriedenskoalition.

Im Januar 1918 entwickelte sich eine weitere, noch größere Streikbewegung im ganzen Reich. Sie war ausgelöst durch einen strengen Winter und eine weitere Verschlechterung der Lebensmittelversorgung. Die erfahrene Not, das Leid und die Verzweiflung der Bevölkerung waren mittlerweile so groß, daß keine Durchhalteparolen noch etwas hätten bewirken können (Dok. 51). Es zeichnete sich immer deutlicher ab, daß der Krieg nicht mehr zu gewinnen war. In Baden wuchs die Furcht vor einer französischen Invasion. Hinzu kam, daß die sozialistische Revolution des Oktobers 1917 in Rußland und der Friedensschluß mit Rußland auch den deutschen Arbeitern Hoffnung auf ein baldiges Ende des Krieges und eine grundlegende Veränderung der gesellschaftlichen Verhältnisse machte. Diese »Januarstreiks« waren der Anfang vom Ende des deutschen Kaiserreichs. Mehr als eine Million Arbeiterinnen und Arbeiter beteiligten sich und forderten die sofortige Beendigung des Krieges und die Demokratisierung des öffentlichen Lebens. Auch in südbadischen Betrieben herrschte große Unruhe, den Zündstoff lieferten angesichts der großen Ernährungskrise die Lohnforderungen der Arbeiter. Allerdings kam es nur sehr vereinzelt zu Arbeitsniederlegungen wie in der Spinnerei & Weberei Steinen AG in Steinen oder in Freiburg, wo etwa 200 für die Rüstungsindustrie tätige Schreiner für einen Tag in Streik traten, um erfolgreich Lohnerhöhungen durchzusetzen. Insgesamt ist festzustellen, daß sich die ländlichen und katholischen Arbeiter und Arbeiterinnen Südbadens dieser Streikbewegung nicht anschlossen. Teilweise brachten sie sogar ihre scharfe Ablehnung der Streiks deutlich zum Ausdruck (Dok. 50).

Im Herbst 1918 sahen auch die Herrschenden keine Chance mehr, den Krieg zu gewinnen. Sie befürchteten jedoch, durch eine revolutionäre gesellschaftliche Umwälzung ihre Macht völlig zu verlieren. Dem versuchten sie zuvorzukommen, indem sie die SPD an der am 3. Oktober 1918 gebildeten Regierung unter Prinz Max von Baden beteiligten. Die Unternehmer boten den Gewerkschaften am 18. Oktober 1918 Verhandlungen über eine künftige Zusammenarbeit an, die am 15. November zu einer Vereinbarung über »Grundsätze der Zusammenarbeit«, bekannt als »Zentralarbeitsgemeinschaft« (ZAG), führten.

Die badischen Mehrheitssozialdemokraten hielten bis in die letzten Kriegstage am Kurs der praktischen Mitarbeit im Staat fest (Dok. 55), obwohl die badische Regierung deutlich gezeigt hatte, daß sie keineswegs gewillt war, auf die Demokratisierungsforderungen der badischen SPD einzugehen.

Die antisozialistische Agitation nach dem Auslaufen des Sozialistengesetzes

a) Kommentar des »Ortenauer Boten«, 4. Oktober 1890

»Ortenauer Bote« vom 4. Oktober 1890.

Es ist ein zufälliges, aber jedenfalls nicht uninteressantes Zusammentreffen, daß an demselben Tage, an welchem das Sozialistengesetz ablief, das sozialdemokratische »Südwestdeutsche Volksblatt« in Karlsruhe der Beschlagnahme verfallen und in den öffentlichen Lokalen polizeilich entfernt worden ist. Die Sozialdemokratie befindet sich entschieden im Irrtum, wenn sie glaubt, daß nach dem Wegfall der im Sozialistengesetz für sie enthalten gewesenen Beschränkungen jetzt die Agitation gegen den Staat und die Herabwürdigung jeder Autorität schrankenlos betrieben werden kann. Den staatlichen Behörden bleiben seit dem Erlöschen des Sozialistengesetzes noch reichs- und landesgesetzliche Mittel genug, um Ausschreitungen der sozialdemokratischen Agitation zu ahnden, und von diesen Mitteln wird im Notfalle um so energischer Gebrauch gemacht werden, als die sozialdemokratische Partei jetzt dasselbe Maß von Bewegungsfreiheit wie jede andere Partei besitzt und mit erhöhten Kraftanstrengungen der Sozialdemokratie gerechnet werden muß.

Die badische Regierung ist eine Zeitlang von Freisinnigen und Demokraten wegen der Handhabung des Sozialistengesetzes besonders heftig angegriffen worden; die linksliberalen Gruppen glaubten, die Regierung bei der liberal gesinnten Bevölkerung in Mißkredit bringen und eine Kluft zwischen ihr und dem Liberalismus im Lande aufreißen zu können, indem sie die badischen Behörden der Willkür und Härte in der Anwendung des Sozialistengesetzes beschuldigten. Mit welchem kläglichen Mißerfolge diese Aktion sowohl im Reichstage wie im badischen Landtage geendigt hat, das steht noch in frischer Erinnerung. Die badischen Behörden sind sich stets ihrer Verantwortlichkeit für die Aufrechterhaltung der Autorität des Gesetzes bewußt geblieben, sie haben nicht weniger und, wie den linksliberalen Anklägern im Reichstag und Landtag auf das beweiskräftigste dargetan worden ist, nicht mehr getan, als dieser Verantwortlichkeit Rechnung getragen.

Dieser unverrückbare Gesichtspunkt wird von der Staatsgewalt in Baden selbstverständlich in Zukunft ebenso gewahrt werden, wie es unter der Herrschaft des Sozialistengesetzes der Fall gewesen ist. Aber gerade in Baden wird die Bevölkerung sich völlig klar darüber sein müssen, daß der Schutz der staatlichen Autorität und der gesellschaftlichen Ordnung nicht allein dem Staate überlassen bleiben kann, sondern daß es nach dem Erlöschen des Sozialistengesetzes in noch weitaus höherem Grade als bisher Aufgabe aller nicht dem Umsturz dienenden Parteien ist, die Grundlagen der bestehenden Ordnung zu verteidigen. Und unsere intelligente badische Bevölkerung wird, darüber besteht gar kein Zweifel, diesen Sachverhalt sehr rasch begreifen. Wenn Demokraten und Ultramontane fortfahren sollten, gelegentlich die Sozialdemokratie gegen die liberale Partei zu unterstützen, so wird dieses Vorgehen die entschiedenste Zurückweisung erfahren. Es ist jetzt, nachdem das Sozialistengesetz erloschen ist, ein bedeutungsvoller Moment für die katholische wie für die süddeutsche Volkspartei in Baden gekommen. Jetzt, wo es sich mehr als je um ein Zusammenhalten aller staatserhaltenden Kräfte handelt, wird von einem Paktieren mit der Sozialdemokratie von keiner Seite mehr die Rede sein dürfen; und eine Partei, die das nicht begreifen will, wird die Folgen davon bald am eigenen Leibe verspüren.

b) Schreiben des Großherzoglich Badischen Landeskommissärs für die Kreise Freiburg, Lörrach und Offenburg an das Großherzogliche Bezirksamt Oberkirch (Auszug), 6. Dezember 1890

Staatsarchiv Freiburg, LRA Offenburg, Nr. 364.

Nach einer dem Großherzoglichen Ministerium des Innern zugegangenen Mitteilung der Generalintendanz der Großherzoglichen Zivillisten haben seine Königliche Hoheit der Großherzog von dem Schriftchen »Der Volksstaat oder Was wollen die Sozialdemokraten? Ein Kirchweihgespräch« eine größere Anzahl Exemplare behufs weiterer Verbreitung anschaffen lassen.

Großherzoglichem Bezirksamt übersende ich ... 40 Exemplare dieser Schrift zur gutfindenden Verbreitung.

c) Bericht des Großherzoglichen Landeskomissärs für die Kreise Freiburg, Lörrach und Offenburg an das Großherzoglich Badische Innenministerium über die Verbreitung sozialdemokratischer Druckschriften, 16. Mai 1893

GLA Karlsruhe, 236/17065.

Die von dem Reichstagsabgeordneten Bebel in der Sitzung des Reichstages vom 3. Februar d. J. gehaltene Rede wurde in vielen Exemplaren durch Sozialdemokraten Mitte März d. J. in einer Anzahl Gemeinden des Amtsbezirkes Freiburg und Emmendingen sowie in fast allen Gemeinden des Amtsbezirks Waldkirch teils auf den Straßen, teils von Haus zu Haus verbreitet. Ein Exemplar der Druckschrift, welche die Aufschrift führt: »Zukunftsstaat und Sozialdemokratie«, von der Expedition des »Vorwärts - Berliner Volksblatt« verlegt und von Max Bading in Berlin gedruckt ist, gestatte ich mir, diesem Vortrage anzuschließen; hiernach war die unentgeltliche Ablieferung eines Exemplars dieser Schrift vor ihrer Verteilung in einer Gemeinde an die Ortspolizeibehörde nicht geboten, da dieselbe nicht unter die vom Art. 3 Abs. 2 des Bundesgesetzes vom 20. Juni 1874, betreffend die Einführung des Reichspressegesetzes, aufgeführten Bestimmungen fällt.

Wie durch die Gendarmerie weiter festgestellt wurde, war die Verbreitung der Druckschrift ohne nennenswerten Erfolg, da der größte Teil der Landbevölkerung in den gedachten Amtsbezirken den sozialistischen Bestrebungen keine Sympathie entgegenbringt. Nach den von der Gendarmerie angestellten Erhebungen sind die in dem hier in Rede stehenden Artikel des »Volksfreund« enthaltenen Tatsachen teils unwahr, teils übertrieben. In dieser Beziehung erlaube ich mir folgendes ehrerbietig anzuführen: Ein unbekannter Bursche gab dem »Löwen«-Wirt Weber von Ebnet im Wirtslokal ein Exemplar der Druckschrift in die Hand, worauf der letztere dem ersteren dieselbe mit dem Bemerken wieder einhändigte, daß er die Schrift wieder mitnehmen müsse, da er solche nicht im Hause haben wolle; hierauf hat sich der Bursche entfernt.

Daß die Verbreiter unter einem Bierständchen stehend die Rede Bebels an das zahlreich herbeiströmende Publikum verteilten, ist aus der Luft gegriffen. In Ebnet ist nicht eine Person, die sich zur Sozialdemokratie bekennt.

In St. Peter haben drei fremde Männer, darunter ein Steinhauer aus Freiburg, die Rede Bebels auf der Straße an die gerade von der Kirche nach Hause gehenden Leute verteilt, und zwar jeder Person 2 bis 3 Exemplare behändigt, so daß sie allerdings bald keine mehr hatten. Daß jemand den Leuten zurief: »Wir haben schon und geben sie nicht mehr heraus!«, ist erfunden.

In Waldkirch brachten die Verteiler einige Exemplare auf die Wachstube

Da gerade die Zeit des Hauptgottesdienstes war, wurden dieselben von dem diensttuenden Ortspolizeidiener bis nach Beendigung des Gottesdienstes zurückgehalten, gleichzeitig wurde dem Großherzoglichen Bezirksamt die Anfrage gestellt, was zu geschehen habe. Das Großherzogliche Bezirksamt gab nach Prüfung der Drucksache in großgesetzlicher Beziehung dem Polizeibediensteten den Bescheid, daß die Austeilung der Schrift, solange keine Ruhestörung oder andere Konflikte entstehen sollten, nichts in den Weg gelegt werden könne.

Samstag, den 12. März d. J. um die Mittagszeit traf ein Gendarm in Kirchzarten die Schreinergesellen Karl Schletten, Ernst Harnoff und Wilhelm Beermaier von Freiburg, gerade als dieselben mit offenen und verpackten Druckschriften von Haus zu Haus gingen. Obwohl dieselben auf Befragungen erklärten, sie hätten keine andere Schrift als Bebels Rede, fand es der Gendarm doch für notwendig, dieselben behufs Kontrolle zu veranlassen, mit ihm in das in der Nähe befindliche Rathaus zu gehen, wo Bürgermeister Ruf anwesend war. Dieser konstatierte, daß sich die gedachten Schreinergesellen nur mit dem Vertrieb oben genannter Schrift befaßten, worauf er ein Exemplar unter dem Vorgeben verlangte, daß er solche zuerst lesen wolle, daß sie jetzt gehen könnten und um 3 Uhr wieder kommen sollten. Alsdann wolle er ihnen mitteilen, ob sie die Schrift verteilen dürften. Dieselben seien dann sofort nach Oberried, ohne den Bescheid des Bürgermeisters in Kirchzarten abzuwarten.

An dem Bericht aus Breitnau, daß der dortige Bürgermeister die Schrift in eigener Person verteilt habe, ist kein wahres Wort; über diese unwahre Behauptung war Bürgermeister Steiert anfänglich so erzürnt, daß er klagend gegen den Redakteur des »Volksfreundes« vorgehen wollte.

Endlich hat Bürgermeister Hiß von Eichstetten die Erlaubnis zur Verteilung der Schrift mit dem Bemerken gegeben, daß die Verteilung nicht von Haus zu Haus geschehen, sondern auf einige Häuser beschränkt werden solle.

Indem ich die von der Gendarmerie gemachten Erhebungen diesem Vortrage anschließe, bitte ich, den Gegenstand auf sich beruhen lassen zu wollen, sofern nicht eine Beschwerde der Freiburger Genossen bei Hochdemselben eingelaufen sein sollte, in welchem Falle ich um Zusendung derselben behufs ihrer genauen Beantwortung gebeten haben möchte.

d) Protokoll der 56. öffentlichen Sitzung der zweiten Kammer des badischen Landtags (Auszug), 17. März 1898

GLA Karlsruhe, 233/32095.

Abgeordneter Geck wendet sich gegen die Handhabung der Versammlungspolizei und bespricht die Verbote der sozialistischen Versammlungen in Kehl, wo alles geschehen sei, um die Versammlungen zu hintertreiben. Später habe man deshalb einen Grasgarten in Neumühl als Versammlungsort gewählt, und hier sei wiederum ein Verbot ergangen wegen des unabsehbaren Menschenzuflusses. Gerade als die erschienenen Gäste das Lied vom freien Wahlrecht sangen, erschien der Bezirksbeamte mit Gendarmerie und trieb die Leute aus dem Garten. Er drohte mit Waffengewalt, die Gendarmerie nahm mit den geladenen Gewehren Aufstellung und hätte eventuell ein zweites Fuchsmühl veranstaltet. Die Leute seien wie wilde Tiere hinausgetrieben worden und hätten sich dann im Garten eines nationalliberalen Bierbrauers in Kehl versammelt, wo man sie nicht gestört habe. Man habe sich zur Rechtfertigung des Verbots auf den reichsländischen Diktaturparagraphen berufen. Auch die internen Vereinsversammlungen der Sozialdemokraten seien amtlich überwacht worden. Später habe statt in Kehl und Neumühl die Versammlung in Offenburg stattgefunden, in der landwirtschaftlichen Halle. Das Bezirksamt habe damals die Verausgabung von Wein verboten. Redner tadelt weiter die Überwachung von sozialdemokratischen Parteiversammlungen in Offenburg und Neufreistett und der Landesversammlung der Sozialdemokratie. Auch gegen die Fachvereine schreite man ein. Von Zeit zu Zeit werden die Mitgliederlisten eingefordert. Um Mißbräuchen vorzubeugen, treten die Mitglieder aus, um dann, nachdem die Listen vorgelegen haben, wieder einzutreten. Mit den Bestimmungen des Vereinsgesetzes suche man die Fachvereine zu vexieren. Für eine Verfehlung gegen die pressegesetzlichen Bestimmungen über die Flugblättervertreibung werde sofort ein ganzer Verfolgungsapparat in Szene gesetzt. Es sei bei einem Schwurgerichtsprozeß in Offenburg erklärt worden, daß durch unwahre Berichte eines Gendarmeriewachtmeisters an das Bezirksamt, die dann an das Bezirkskommando ohne weitere Prüfung des Tatbestandes weitergingen, Militärverbote erlassen wurden. Durch die Art, wie die Sozialdemokratie bekämpft werde, müsse auch die bürgerliche Gesellschaft gestachelt werden, und das nächste Mal werde nicht der bürgerliche Vertreter Heimburger, sondern ein Sozialdemokrat von Offenburg kommen.

Präsident des Ministeriums des Innern, Geheimrat Dr. Eisenlohr: Wenn er vorhin erwähnt habe, daß die Regierung wohl veranlaßt sein könne, dem Treiben der sozialdemokratischen und der antisemitischen Partei entgegenzutreten, und zwar wegen der Ziele, die diese Parteien verfolgen, so sei das selbstverständlich nur unter dem Vorbehalte geschehen, daß man mit gesetzlichen Mitteln gegen sie einschreite, wo sie dazu Anlaß geben; der Herr Vorredner habe zwar gesagt: man beuge das Recht, aber wer, darauf komme es an.

Er wolle näher erörtern, was auf dem Gebiete des Versammlungswesens geschehen ist. Es seien in den letzten zwei Jahren zwölf Fälle der Auflösung von Versammlungen vorgekommen. Davon wurden zwei vom Ministerium als unbegründet betrachtet. Von zwölf Fällen fallen also zwei hinweg, so seien es nur noch zehn. Von diesen zehn waren vier wegen Ruhestörung, welche entweder sofort eintrat oder doch einzutreten drohte, es war Schlägerei zu befürchten, oder es hatten Schlägereien vorher stattgefunden; der Herr Vorredner habe ja mit Recht bemerkt, daß die antisemitischen Versammlungen sich durch derartige Dinge auszeichneten. Es seien also diese vier Fälle gewöhnliche Verhütungen von Prügeleien und haben durchaus nicht politischen Charakter. Bleiben also sechs Fälle übrig. Fünf von diesen waren veranlaßt dadurch, daß aufsichtsführende Beamte verhöhnt wurden oder daß in der Versammlung dasjenige vor sich ging, was die deutsche Sprache mit dem kräftigen Wort »schimpfen« bezeichnet. Wenn eben geschimpft wird, so sei er der Ansicht, das wäre nicht notwendig zur politischen Diskussion, und wenn dieses Schimpfen in Beleidigung der Behörden übergeht oder in eine solche der Regierung, so sei der aufsichtsführende Beamte in der Lage, aufgrund des Vereinsgesetzes einer derartigen Versammlung ein Ende zu machen. Er wolle nun gar nicht bestreiten, daß es manchmal ganz klug wäre, wenn man etwas nicht hören würde, aber eine so feine politische Beurteilung der Frage könne man von untergeordneteren Aufsichtsbeamten nicht erwarten; er könne aber keine Ministerialräte in die Versammlungen schicken, weil die Überproduktion auf diesem Gebiete sich so vermehrt, daß man gar nicht Personal genug auftreiben kann, um diese Überwachungen zu vollziehen.

Es werden also nach seinen Anordnungen geschickt: Der Amtmann oder ein Referendär oder ein Amtsgehilfe oder der Gendarmeriewachtmeister. Nun, daß also bei diesen untergeordneten Organen hie und da einmal strenger geurteilt wird, als er das tun würde, das wolle er nicht bestreiten. So bleibe also nur der eine große Fall, deswegen groß, weil es sich eben hier um die Person des Herrn Bebel gehandelt hat. Auch dieser Fall habe gar keine politische Bedeutung gehabt; denn Versammlungen mit dem Herrn Bebel fanden ungestört im Lande statt, auch Versammlungen unter freiem Himmel fanden statt; es hat eine in Villingen stattgefunden, die gar nicht im mindesten beanstandet wurde, und die Versammlung hätte auch in Kehl vor sich gehen können, wenn sie in geschlossenem Raum abgehalten worden wäre. Sie wurde nur beanstandet, weil sie offen im Freien gehalten werden sollte und weil das Bezirksamt annehmen mußte, es würden sich hier, wie das die Herren selbst bestätigt haben, Tausende von Personen versammeln. Es habe aber im Jahre vorher unter gleichen Umständen eine Versammlung stattgefunden, und die habe damit geendigt, wie es der Herr Abgeordnete Geck ganz richtig geschildert hat, daß ein Redner eine Rede hielt, daß er dafür sechs Wochen eingesperrt und die Auflösung der Versammlung ausgesprochen wurde. Bei einem anderen Anlasse habe sich gezeigt, daß die Auflösungen wirklich nicht so leicht, sondern daß sie nur unter tumultuarischen Auftritten zu vollziehen sind. Das Bezirksamt habe also die Erwägung angestellt: Werden wir bei dieser nach Tausenden zählenden Versammlung imstande sein, mit den zu Gebote stehenden Gendarmeriekräften eine Auflösung zu erzwingen? Nun sagen die Herren leichthin, man hätte in einem solchen Falle ein Bataillon in Bewegung setzen können. Nun, da wird sich das Bezirksamt hüten, bis es zu einem solchen Schritte geht. Wenn einmal ein Bataillon anmarschiert, wird nicht mehr mit der Rücksicht verfahren, mit der die Gendarmerie verfährt, und dann wollte er einmal das Geschrei gesehen haben, wenn man eine Kompanie Soldaten gegen diese Versammlung, in die die Herren ja Weiber und Kinder mitzunehmen pflegen, hätte vorgehen lassen. Das war also schon ein genügender Grund.

Der zweite Grund sei der, daß es sich hier um eine eigentümliche Versammlung gehandelt hat; es hat sich nämlich um eine Versammlung von Elsaß-Lothringern gehandelt, die mit Herrn Bebel diese Versammlung abhalten wollten. Nun sei aber in Elsaß-Lothringen die Ansicht der Regierung, daß Volksversammlungen im Freien mit den dortigen politischen Zuständen und mit der Sicherheit des Landes nicht vereinbar sind. Wenn nun die Herren glauben, in einem solchen Falle braucht man nichts weiter zu tun, als man spaziert über die neue Rheinbrücke, geht nach Neumühl und hält dort eine Versammlung ab, so befinden sie sich im Irrtum. Dazu werden wir die Hand nicht bieten. Denn wenn eine Gefahr für Elsaß-Lothringen in einer solchen Versammlung liegt, so ist nicht der Ort, wo die Versammlung abgehalten wird, sondern die Erregbarkeit der Gemüter das hier Maßgebende und die Reden, die da gehalten werden. Die Erregbarkeit bleibt aber dieselbe, ob die Versammlung in Neumühl vor sich geht oder in Straßburg. Deshalb, glaube er, ist die Großherzogliche Regierung verpflichtet, in einem solchen Falle auf die Zustände in Elsaß-Lothringen Rücksicht zu nehmen, eine Rücksicht, die sogar die Republik Frankreich genommen hat; denn als Bebel eine Versammlung an der elsaß-französischen Grenze halten wollte auf französischem Gebiete, wurde sie gleichfalls verboten. Redner sei aber berechtigt, aufgrund des Vereinsgesetzes eine solche Versammlung zu verbieten; denn aufgrund des Vereinsgesetzes könne er verbieten, was die öffentliche Sicherheit oder den Staat gefährdet. Wenn die öffentliche Sicherheit aber in Straßburg gefährdet ist, dann ist die öffentliche Sicherheit auch in Baden gefährdet, denn wir bilden zusammen ein Reich und ein Land. Das sei der Grund gewesen, warum diese Versammlung verboten wurde. Er wiederhole aber, daß die Erfahrung gezeigt hat, daß eine öffentliche Versammlung unter freiem Himmel in Villingen mit Bebel an der Spitze ungeniert vor sich gegangen ist. Es waren also nur die besonderen lokalen Verhältnisse, die in diesem Falle Veranlassung gegeben haben, die Versammlung zu verbieten.

Nun wurden noch verschiedene andere Dinge vorgebracht. Es wurde gesagt, daß Vereine gestört worden seien. Da müsse er denn nun sagen, es ist nicht immer ganz leicht zu erkennen, ob es sich um eine geschlossene Vereinsversammlung oder um eine dem allgemeinen Publikum geöffnete Versammlung handelt, und wenn hier Mißgriffe vorgekommen sind und die Polizei eine Versammlung, die eine Vereinsversammlung darstellte, für eine öffentliche Versammlung angesehen hat, so sei das zu bedauern, aber dafür dürfe man ihn nicht verantwortlich machen. Eine Generalversammlung der sozialdemokratischen Partei sei aber eine öffentliche Versammlung; denn wenn jeder Freund der Sozialdemokratie eingeladen ist, so ist das eben keine Versammlung mit individuell bestimmten Personen, sondern eine öffentliche Versammlung, die unter das Vereinsgesetz fällt. Ob das Bezirksamt Offenburg den Durst der Herren richtig oder nicht richtig beurteilt, lasse er dahingestellt; in eine so delikate Frage wage er nicht einzugreifen.

Dann wurde davon gesprochen, daß die Listen der Vereinsmitglieder eingefordert worden seien. Dazu sei das Bezirksamt berechtigt aufgrund des Vereinsgesetzes, welches ihm das Recht gibt, überall, wo es glaubt, daß es im öffentlichen Wohle liegt, Erkundigungen über die Vereine einzuziehen. Wenn es vorkommen sollte, daß aufgrund dieser Mitteilungen das Bezirksamt weitere Mitteilungen an Fabrikanten machen würde über Namen derjenigen Personen, die auf dieser Liste stehen, so würde er darin einen schweren Verstoß erkennen und nachdrücklich dagegen einschreiten. Aber das Recht, Auskunft zu verlangen, wer im Vereine ist, könne man dem Bezirksamt nicht bestreiten.

Statut der badischen SPD, beschlossen auf dem Landesparteitag in Offenburg

Volksfreund vom 25. November 1890.

§ 1 Der Landesorganisation kann beitreten, wer sich zu dem Parteiprogramm der Sozialdemokratie bekennt. Zweck der Vereinigung ist die Betätigung des sozialdemokratischen Programmes auf allen Gebieten des öffentlichen Lebens, insbesondere bei Wahlen.

§ 2 Die örtlichen Vereinigungen der Parteigenossen in Wahlvereinen oder politischen Organisationen anderen Namens bilden die Stämme der Landesorganisation. An Orten, wo keine solchen Vereine bestehen, sollen sich die Parteigenossen einem benachbarten Verein anschließen. Parteigenossen, die nicht in Vereinen sind, entrichten an die Vereine ihre Beiträge.

§ 3 Die Leitung der Landesvereinigung liegt in den Händen des Vorstandes und wird bestimmt durch die Beschlüsse der Generalversammlung. In letzterer entscheidet die absolute Mehrheit. Die Generalversammlung, welche in der Regel einmal jährlich einberufen wird, wählt den Vorstand und die Kassenrevisoren. Eine außerordentliche Generalversammlung muß auf Antrag von 6 Ortsvereinen berufen werden. An den Beratungen der Generalversammlung kann jedes Mitglied teilnehmen; Stimme haben nur die Delegierten. Ortschaften, die 20 Mitglieder haben, können einen eigenen Delegierten entsenden; bei größeren Vereinigungen können auf je 100 Mitglieder 2 Delegierte entfallen.

§ 4 Jedes Mitglied zahlt monatlich mindestens 10 Pfennig und erhält für je 10 Pfennig eine Quittungsmarke. Durch den Vorstand können Mitglieder zeitweise von den Beiträgen entbunden werden.

§ 5 Sonstige Bestimmungen der Organisation: Einzelheiten der Verwaltung werden von der Generalversammlung beschlossen. - Vorort ist Offenburg.

Die ersten Maifeiern nach dem Fall des Sozialistengesetzes

a) Anweisung des Großherzoglich Badischen Innenministeriums an die Amtsvorstände betreffend die Arbeiterfeiern, 21. April 1891

GLA Karlsruhe, 368/1959, Nr. 2/3.

Wie im vorigen Jahre werden von den bestehenden Organisationen der Arbeiterpartei (Gewerkschaften, Fachvereine, Wahlvereine und dergleichen) Vorbereitungen für demonstrative Veranstaltungen getroffen, die am 1. oder 3. Mai zur Ausführung kommen sollen. Wir machen die Großherzoglichen Herrn Amtsvorstände darauf aufmerksam, daß für das Verhalten der Polizeibehörden auch gegenüber diesen Kundgebungen die Gesichtspunkte maßgebend sind, die wir in dem Erlaß vom 27. August vorigen Jahres, betreffend die Bekämpfung der gemeingefährlichen Bestrebungen der Sozialdemokratie bezeichnet haben. Insbesondere bringen wir die bezüglich der Überwachung des Verbots und der Auflösung von Versammlungen sowie wegen der Bereitstellung des erforderlichen Sicherheitspersonals und der in außerordentlichen Fällen in Betracht kommenden Requisition militärischen Beistands erteilten Weisungen in Erinnerung.

Lediglich wegen der bekannten Tendenz der für den Arbeiterfeiertag geplanten Unternehmungen soll übrigens ein Verbot von Versammlungen aufgrund der §§4 und 11 des Vereinsgesetzes nicht erfolgen, und zwar auch dann nicht, wenn solche zugleich als gefällige Vereinigungen, verbunden mit Musik, Gesang oder anderen Belustigungen etwa im Freien auf Festplätzen außerhalb der Ortschaften, in Gastwirtschaften, allgemeinen Vergnügunslokalen und dergleichen stattfinden. Auch ist unbeachtet zu lassen, wenn bei solchen Anlässen die Teilnehmer rote Schleifen, Kokarden oder sonstige Festabzeichen anlegen.

Dagegen darf das Anbringen, Aushängen oder Umhertragen roter Fahnen und die Veranstaltung öffentlicher Aufzüge der Vereine und Festteilnehmer an keinem Ort geduldet werden. Wo solche Aufzüge beabsichtigt werden, sei es daß die in § 63 RStGB, Vereinsgesetz § 10 vorgeschriebene Anzeige erstattet wird oder nicht, ist - sofern die Leiter oder Veranstalter auf Ermahnung und Warnung nicht sofort von dem Vorhaben absehen - die Ausführung ausdrücklich durch öffentliche Bekanntmachung zu verbieten und nötigenfalls mit allen Mitteln zu verhindern.

Durch entsprechende Vorkehrungen ist insbesondere auch dafür Sorge zu tragen, daß die Sammlung der Festteilnehmer zu förmlichen Zügen nach Beendigung der Versammlungen und beim Verlassen der betreffenden Lokale oder Plätze unterbleibt und den Versuchen solcher Unternehmungen sofort in wirksamer Weise entgegengetreten werden kann.

Die auf den Kreis der Arbeiter und der Teilnehmer an den Versammlungen sich beschränkende Erhebung von Beiträgen für Parteizwecke durch Ausgabe von Quittungsmarken und dergleichen kann als nicht unter §62 RStGB fallend betrachtet werden.

Die Anordnungen, die bezüglich der Überwachung der Versammlungen an den bestimmten Festplätzen getroffen werden, insbesondere auch die Instruktionen, die dem Polizei- und Gendarmeriepersonal und den Ortspolizeibehörden erteilt werden, sind darauf zu berechnen, daß grobe Ausschreitungen und ernste Störungen der Ordnung verhütet werden, und, soweit Gesetzesverletzungen vorkommen, der Tatbestand und die Persönlichkeit der Täter und Teilnehmer behufs der Herbeiführung der strafrechtlichen Verfolgung möglichst zuverlässig festgestellt werden kann.

Muß in einzelnen Fällen mit polizeilicher Gewalt eingeschritten werden, um die Beobachtung der getroffenen Anordnungen zu erzwingen und weitere Störungen zu verhindern, so hat das mit vollem Nachdruck, fester Entschiedenheit und ohne ängstliche Rücksichten zu geschehen.

Die Vorbereitungen für die zu ergreifenden Maßregeln sind nach dem Maße des vorhandenen oder zu vermutenden Bedürfnisses alsbald zu treffen. Die Gendarmeriemannschaft des Bezirks kann, wenn nötig, an bestimmten Orten konzentriert werden. Wenn im Interesse der öffentlichen Sicherheit weitere Maßnahmen für geboten erachtet werden, zu deren Anordnung die Großherzoglichen Amtsvorstände nicht zuständig sind, so sind die erforderlichen Anträge auf kürzestem Wege dahier zu stellen.

Der Erlaß an den Großherzoglichen Herrn Amtsvorstand in Offenburg erhält folgenden Zusatz: Die mit Erlaß vom 25. April vorigen Jahres wegen der Heranziehung von Gendarmeriemannschaft von Stationen benachbarter Bezirke getroffenen Anordnungen werden für den 1. bzw. 3. Mai mit der Maßgabe erneuert, daß, sofern ein Bedürfnis zu dieser Maßregel vorliegt, das Gendarmeriedistriktskommando zur entsprechenden Veranlassung schleunigst zu benachrichtigen ist.

b) Bericht des Polizeikommissärs Haeuser an das Großherzogliche Bezirksamt Freiburg über den Verlauf der Maifeier in Freiburg, 4. Mai 1891

GLA Karlsruhe, 355/1924, Nr. 56/14.

Gestern nachmittag sammelten sich die Teilnehmer besagter Feier in der »Bierbrauerei Grünling«. Um ½3 Uhr marschierten dieselben in Gruppen von 6–8 Mann ab, und zwar eine Abteilung über die Kronenbrücke gegen St. Georgen, die andern über Lehen und Betzenhausen. Beim Abmarsch mögen es ca. 90–100 Personen gewesen sein (im ganzen). Einzelne der Teilnehmer hatten rote Schleifen angeheftet. Der Abmarsch und die Rückkunft wurde in der anbefohlenen Weise überwacht.

Nachdem sich alle Festteilnehmer entfernt hatten, begab ich mich ebenfalls nach Haslach, woselbst ich folgende Wahrnehmung machte: Im Gasthaus »Zum Krug«, woselbst ein Saal für die Zusammenkunft gemietet war, befand sich bereits eine kleinere Anzahl Personen, die andern, in Trupps von hier abgegangen, kamen gegen ½5 Uhr bis gegen 5 Uhr. Von St. Georgen her sind 86 und von Lehen her 81 Personen gekommen, so daß etwa 200 im ganzen anwesend gewesen sein mögen, einschließlich einer kleineren Anzahl Frauenzimmer. Im Lokale selbst spielte die Freiburger Jugendkapelle einige Stücke, worauf etwa um ¼6 Uhr der Abmarsch in Haslach wieder in derselben Weise stattfand, wie von hier aus, und begab sich ein großer Teil sodann wieder in die »Brauerei Grünling«. Abends um 7 Uhr fand sodann in der »Gambrinushalle« ein Festbankett statt, welches sich nach beiliegendem Programm abwickelte, und Eduard Schmidt aus München die Festrede hielt, welche stürmisch applaudiert wurde. Die Festteilnehmer, deren Zahl sich auf ca. 450–500 Personen beiderlei Geschlechts belaufen haben mag, wurden durch Säger Kräuter* begrüßt. Nach gehaltener Festrede, verlas Kräuter eine Resolution, die in einer besonderen Festzeitung des Berliner Volksblatt »Vorwärts« enthalten ist, und welcher die Anwesenden zustimmten.

Das Programm war um ½12 Uhr erschöpft, worauf sich die Anwesenden bis auf eine geringe Anzahl entfernten und um ½1 Uhr gingen auch diese fort. Eine Störung, irgendwelcher Art kam weder hier, noch in Haslach, noch unterwegs vor.

---

* Ernst Kräuter, geboren 1855 in Obertsroth bei Rastatt, gestorben 1915 in Freiburg, Sägenfeiler, MdL (SPD) von 1905 bis 1912.

c) Bericht der »Deutschen Metallarbeiter-Zeitung« über die Gründung einer Verwaltungsstelle des Deutschen Metallarbeiter-Verbandes (DMV) in Gütenbach/Schwarzwald und die dortige Maifeier, Oktober 1892/Mai 1893

Deutsche Metallarbeiter-Zeitung vom 13. Mai 1893.

Endlich wollen auch wir im dunklen Schwarzwald einmal ein Lebenszeichen von uns geben. Mitte Oktober fanden sich 12 Genossen zusammen, welche in den DMV eintraten und eine Verwaltungsstelle gründeten. Die Mitgliederzahl ist jetzt, trotz dem schlechten Geschäftsgang, welcher auch unser Handwerk, die Uhrmacherei trifft, auf 17 Mann gestiegen. Auch hier wird, wie überall, über Lohnabzug geklagt. Ja, und noch ist es nicht genug, es wurde uns bekannt gemacht, daß von jetzt ab bis auf weiteres nur noch 5 Tage gearbeitet werden kann. Gewiß ein hartes Geschick zu dem ohnehin schon gesunkenen Lohn. In unserer Nachbargemeinde Furtwangen wurden in der Uhrenfabrik Union Cloc Company 200–250 Arbeiter entlassen, worunter sich viele Familienväter befinden.

Die meisten von uns hielten aber doch am 1. Mai eine kleine Feier ab. Ein Genosse aus unserer Mitte hielt einen sehr gelungenen Vortrag über die Bedeutung der Maifeier, wobei er uns ermahnte, unentwegt festzuhalten am Banner der Freiheit, was auf alle einen guten Eindruck hervorgebracht hat. Wenn nicht alles trügt, können wir annehmen, daß dieser ausgestreute Samen guten Boden finden wird. Mit einem begeistert angenommenen »Hoch!« auf die internationale Sozialdemokratie schloß unsere Maifeier in später Stunde.

Die Anfänge lokaler und regionaler gewerkschaftlicher Organisationen

a) Bericht im »Volksfreund« über eine Konferenz der Metallarbeiter für Baden, Pfalz und Elsaß-Lothringen in Offenburg, 8. November 1891

Volksfreund vom 11. November 1891.

Die Anregung zur Konferenz, die heute hier tagte, ging von der Verbandsfiliale Karlsruhe aus, in deren Name sie Volderauer, Karlsruhe, eröffnete. Derselbe wird einstimmig zum Vorsitzenden der Konferenz ernannt. Nach der Präsenzliste sind Mannheim, Karlsruhe, Pforzheim, Baden-Baden, Offenburg, Lahr, Freiburg, Furtwangen und Konstanz durch 15 Delegierte vertreten. Schriftliche Anträge und Zustimmungsadressen liegen von den Verbandsfilialen Speyer, Ludwigshafen, Kaiserslautern und Bischheim (Elsaß) vor. Ein Begrüßungstelegramm trifft von Konstanz ein, ein solches wird an die gleichfalls heute in Rostock tagende Metallarbeiterkonferenz für Mecklenburg aufgegeben.

Der Vorsitzende führt aus, daß die Aufgaben der heutigen Konferenz in der Hauptsache darin bestehen werden, für die in Frage kommenden Landesteile (Baden, Pfalz und Elsaß-Lothringen) eine Agitationskommission der Metallarbeiter zu ernennen, welche die Agitation für den Verband regelt und so diesem und den Filialen viele Kosten, die durch die bisherige, unsystematische Verwendung der agitatorischen Kräfte entstanden, erspart. Es sollen insbesondere durch öffentliche Metallarbeiterversammlungen an Orten, wo die Berufskollegen nicht organisiert sind, jedoch die Bedingungen für die Existenz einer Organisation vorhanden sind, Filialen des Verbandes gegründet werden und bestehende, aber verhältnismäßig schwache Filialen gekräftigt werden. Ferner müsse man sich darüber einigen, in welcher Form den Schwarzwälder Uhrenarbeitern der Anschluß an den Metallarbeiterverband zu ermöglichen sei.

Die Situationsberichte, die die Delegierten für jeden vertretenen Ort abgaben, lassen sich hier im allgemeinen dahin zusammenfassen, daß sich die meist jungen Organisationen mit wenigen Ausnahmen gut entwickeln.

Der Mannheimer Delegierte äußerte sich über den Stand seiner Bewegung an seinem Orte am wenigsten günstig. Er sucht die Ursache dieser Erscheinung in der lebhaften politischen Bewegung Mannheims während der letzten zwei Jahre und meint, dadurch würden der Gewerkschaftsbewegung die intelligentesten Kräfte entzogen.

Der Delegierte Badens und der Vorsitzende entwerfen von den Zuständen in den Gaggenauer Eisenwerken ein trübes Bild. Das Versprechen des Begründers dieses Werkes, des bekannten Bodenreformers Flürscheim, er werde die darbende Menschheit des Murgtals - offenbar durch die Beschäftigung in seiner Fabrik - erlösen, sei nicht in Erfüllung gegangen, ja, die Arbeiter seien jetzt dort schlimmer dran, als in jedem anderen Werk der Branche. Die früher durch die Paschahaftigkeit des derzeitigen Direktors vereitelten Versuche, die Gaggenauer Berufskollegen zu organisieren, müssen wiederholt werden, und im Falle einer erneuten Scheiterung dieser Versuche werde die Agitationskommission schon Wege und Mittel finden, um die Gewaltigen von Gaggenau zur Räson zu bringen.

Von großem Interesse ist der Situationsbericht des einen der Furtwanger Delegierten, Otto Glatz, über die Lage der Schwarzwälder Uhrenarbeiter. Die starke sozialdemokratische Stimmenzahl in mehreren Orten mit Uhrenindustrie sei der Ausdruck der vorhandenen und sich immer mehr steigernden Unzufriedenheit der Uhrenarbeiter. Die Zeit sei nimmer fern, wo ihre Lebenshaltung auf dasselbe niedrige Niveau, wie das der Weber im Eulengebirge herabgedrückt werde. In Berücksichtigung dieser Verhältnisse sei für die große Mehrheit der Uhrenarbeiter bei den jetzigen Verpflichtungen der Mitglieder dem Metallarbeiterverband gegenüber ein Anschluß an diesen nicht möglich. Einen Uhrenarbeiterverband halte er für die beste Form der Organisation.

Auf den Vorschlag des Vorsitzenden beschließt die Konferenz, daß die zu gründende Agitationskommission sich mit der Zentralverbandsleitung wegen des Anschlusses der Uhrenarbeiter oder eventuell ihres Verbandes, an den allgemeinen Metallarbeiterverband ins Benehmen setzen soll.

Die Freiburger Delegierten bemängeln die unsolidarische Handlungsweise der für sich, also außer dem Verband, organisierten Mülhauser (Elsaß) Kollegen. Ein Kollege, der, wie die Mülhauser sagen, »Schwob«, d. h. ein Altdeutscher ist, bekommt dort, selbst wenn er die Zugehörigkeit zum Verband bekundet, keine Reiseunterstützung. Der Vorsitzende verspricht, sein Möglichstes zu tun, um hierin Abhilfe zu schaffen.

Der Antrag auf Errichtung einer Agitationskommission, die die eingangs geschilderten Aufgaben hat, findet einstimmige Annahme. Als Sitz der Kommission wird Karlsruhe bestimmt, dessen Verbandsfiliale die Zahl der Kommissionsmitglieder bestimmen darf und diese wählt.

Ein Antrag eines Freiburger Delegierten, an allen Orten, wo es die Verhältnisse gestatten, Arbeitsnachweisbüros zu errichten, ein Antrag der Verbandfiliale Speyer, zur Propaganda für den Verband ein Flugblatt herauszugeben, und ein Antrag des Mannheimer Delegierten, auf dem nächsten sozialdemokratischen Parteitag Badens möge mit Nachdruck auf die große Bedeutung der gewerkschaftlichen Organisationen hingewiesen werden, fanden einstimmige Annahme.

Von verschiedenen Delegierten wurde der Wunsch laut, die Verbandsleitung möge dafür Sorge tragen, daß auch die nicht-organisierten Kollegen eine Reiseunterstützung - selbstverständlich nicht in der Höhe, wie die für Verbandsmitglieder - bekommen, um sie so für den Verband zu erwärmen.

Mit einer kernigen Ansprache des Vorsitzenden schloß nach etwa vierständiger Verhandlung die Konferenz, und es ist zweifellos, daß die Ausführungen der gefaßten Beschlüsse für die Metallarbeiterbewegung der südwestdeutschen Bundesstaaten und damit für die Arbeiterbewegung im allgemeinen von großem Nutzen sein wird.

b) Bericht der »Deutschen Metallarbeiter-Zeitung« über die Generalversammlung des Freiburger Metallarbeiter-Fachvereins, 3. Juli 1893

Deutsche Metallarbeiter-Zeitung vom 12. August 1893.

Am 3. Juli hielten wir die halbjährige Generalversammlung ab, wo der Verwaltungs- und Kassenbericht abgegeben wurde. Versammlungen fanden 18 statt und ebensoviel Vorstandssitzungen. In den Versammlungen fanden 6 Vorträge statt, die von Mitgliedern gehalten wurden. Gewerkschaftliche Rundschau fand acht Mal statt. Außerdem versuchten wir eine Statistik fertigzustellen, die aber als nicht ganz gelungen bezeichnet werden kann. Erstens arbeitete die Kommission nicht mit der nötigen Energie, und dann wollten die Mitglieder eine gründliche Statistik. Dadurch verzögerte sich die ganze Angelegenheit. Das Resultat war folgendes: Hier sind etwa 500 Metallarbeiter beschäftigt, die Lohnzahlung findet in 23 Geschäften alle 14 Tage, in 14 Geschäften alle 8 Tage und in 2 Geschäften alle 4 Wochen statt. Die Arbeitszeit ist in 28 Geschäften 10 Stunden, in 14 Geschäften 11 Stunden, in 5 Geschäften 11½ Stunden und in einem Geschäft 12 Stunden. - In 2 Geschäften ist Akkordarbeit vorherrschend. Der Lohn stellt sich folgendermaßen: In 27 Geschäften wird 3,00 M bis 3,50 M, in 19 Geschäften 2,30–3,00 M, in 2 Geschäften 3,50–4,00 M durchschnittlich bezahlt. Lehrjungen wurden in 43 Werkstätten 99 gezählt, und zwar eine mit 20, auch eine mit 4 ohne Gesellen. Die 10stündige Arbeitszeit wurde aber erst mit dem Inkrafttreten der neuen Gewerbeordnung in den meisten Geschäften eingeführt.

Die Mitgliederzahl unserer Verwaltungsstelle war am 1. Januar 1893 90, bis Anfang März kamen 10 dazu, 5 traten aus, 7 wurden ausgeschlossen und 11 reisten ab. Im März und April traten wieder 2 aus, abgereist sind 11. Im Mai/Juni ist einer ausgetreten. Es verbleibt uns am 1. Juli ein Mitgliederstand von 78.

Marken wurden verkauft im Januar/Februar 730, was 91 zahlende Mitglieder ergibt, März/April 652 Stück, gibt 81 Mitglieder, Mai/Juni 534, gibt 69 Mitglieder. Es sind eben auch immer viel restierende Mitglieder vorhanden, überhaupt ist hier überall ein Rückgang in der Gewerkschaftsbewegung bemerkbar.

Die Ausgaben waren im Januar/Februar für Reiseunterstützung 48,17 M an 26 Durchreisende, März/April an 33 Durchreisende 74,99 M, Mai/ Juni an 53 Durchreisende 121,99 M. Außerdem wurde an ein Mitglied eine einmalige Unterstützung von 20,00 M bezahlt. Man sieht also, daß Freiburg von Durchreisenden stark besucht wird. Unsere Einnahmen reichen manchmal nicht, häufig müssen wir Zuschuß aus der Hauptkasse verlangen.

Der Besuch der Versammlungen war durchschnittlich gut: 30–50 Mann. Die Ortsverwaltung gab sich redlich Mühe, die Versammlungen lehrreich zu gestalten, namentlich durch Vorträge und sonstige Besprechungen versuchten wir die persönlichen Streitigkeiten aus dem Verein fernzuhalten. Zu bedauern ist nur der Austritt der meistenteils älteren Mitglieder, namentlich wenn dieselben den verschiedenen Vergnügungsvereinen beitreten. Ich frage die Kollegen: Waren es nicht Fachvereins- oder Verbandsmitglieder, die energisch für die Arbeitszeitverkürzung eintraten, was hattet Ihr für Hilfe von den »Poppele«*? Antwort: Sie zogen rückwärts oder spielten den Zuschauer und lachten sich ins Fäustchen, wenn wir uns nachher alles gefallen lassen mußten. Die Mitglieder möchte ich ersuchen, rastlos für unsern Verband tätig zu sein, denn nur durch Einigkeit kommen wir zum Ziel. Aller Hader sei vergessen, wir wollen mit vereinten Kräften frisch ans Werk!

c) Bericht der »Deutschen Metallarbeiter-Zeitung« über eine Versammlung des DMV Lahr, 25. November 1893

Deutsche Metallarbeiter-Zeitung vom 29. Dezember 1893.

In unserer Versammlung vom 25. November erstattete Kollege Weitzel ausführlichen Bericht über die Gewerkschaftskartellsitzungen vom 15. und 22. November. Danach findet am 23. Dezember eine Weihnachtsfeier sämtlicher Gewerkschaften, des Wahlvereins und des Gesangvereins »Arbeiterbund« in der »Gambrinushalle« statt. Ferner wird am 27. Januar n. J. im Gasthaus »Zur Krone« ein Kränzchen abgehalten. Zur Weihnachtsfeier wurde der Eintrittspreis für Nichtmitglieder auf 50 Pfennig und zum Kränzchen für alle Beteiligten auf 60 Pfennig festgesetzt.

Im »Verschiedenen« wurde der Antrag gestellt, die Delegierten mit 50 Pfennig zu entschädigen, da hier die Löhne nicht dermaßen sind, daß man allen Anforderungen genügen kann. Der Antrag wurde einstimmig ange-

* Dummköpfe.

nommen und gleichzeitig beschlossen, hierzu einen Beitrag von 5 Pfennig pro Mitglied zu entrichten. Unser bisheriger Kassier A. Brandl ist wegen Arbeitsmangels genötigt abzureisen, das Einziehen der Beiträge besorgt bis zur Generalversammlung Kollege Weitzel. Dem bisherigen Kassier wurde bei Abgabe der Kasse Decharge* erteilt, da er sein Amt treu und redlich geführt hat. Wir sagen demselben herzlich Lebewohl, möge er unserer Sache immer treu bleiben. Zum Schluß ersuchte der Vorsitzende die Mitglieder, immer zahlreich die Versammlungen zu besuchen. Die Restanten wurden ermahnt, ihren Verpflichtungen nachzukommen. Nächste Mitgliederversammlung am 9. Dezember.

d) Bericht der »Deutschen Metallarbeiter-Zeitung« über die Gründung der DMV Verwaltungsstelle Offenburg, 6. Oktober 1894

Deutsche Metallarbeiter-Zeitung vom 27. Oktober 1894.

Am 6. Oktober fand hier eine Metallarbeiterversammlung statt, die den Zweck hatte, eine Verwaltungsstelle des DMV zu gründen. Bei der stattgehabten Vorstandswahl wurden gewählt: als Bevollmächtigter: Joh. Leonhard, Feilenhauer, Gasthof »Zum Schützen«; als Kassier: Karl Fetting, Blechner, Goldgasse; als Revisoren: Wilh. Schneider, Schmied; Paul Fischer, Schlosser; K. Messemer, Schlosser. Das Verkehrslokal befindet sich im Gasthaus »Zum Schützen«. Die Vereinsversammlungen finden in der Regel alle 14 Tage statt.

Metallarbeiter, Kollegen, schließt Euch uns an, denn nur eine kräftige Organisation ist imstande, Euch vor den Ausbeutungsgelüsten der Unternehmer zu schützen.

* Entlastung.

e) Bericht der »Deutschen Metallarbeiter-Zeitung« über eine Mitgliederversammlung des DMV Lörrach, 30. Oktober 1897

Deutsche Metallarbeiter-Zeitung vom 20. November 1897.

In der am 30. Oktober abgehaltenen Mitgliederversammlung des DMV brachte Kollege Schmidt die Mißstände, welche in der hiesigen mechanischen Werkstätte von H. und J. Kern herrschen, zur Sprache. Derselbe arbeitete seit einem Vierteljahr in der genannten Werkstatt als Dreher. Da derselbe sein Recht, wenn nötig, energisch verteidigte, so hatte er natürlich bei den Prinzipalen bald etwas auf dem Kerbholz. Sagte doch der jüngere Herr zu dem Werkführer: »Auf diesen Kerl habe ich schon längst einen Pick! Die anderen halten immer das Maul, nur dieser hat immer etwas dreinzureden.« Nun hatte Kollege Schmidt das Malheur, daß ihm eine Planscheibe zersprang. Er mußte nämlich ein Stück aufspannen, welches für die leichte Planscheibe viel zu schwer war. Auf seine diesbezügliche Vorstellung beim Werkführer sagte dieser: »Hier sind schon schwerere Stücke aufgespannt gewesen!« Kaum ließ Schmidt die Scheibe laufen, so zersprang die Scheibe infolge zu großer Belastung. Schmidt verständigte sofort den Werkmeister, und dieser sagte, daß Kollege Schmidt nichts dafür könne, er (der Werkmeister) hätte es nicht geglaubt, daß die Scheibe krepieren würde.

Nun kommt noch das Schönste. Der Herr J. Kern sagte nämlich, »dieser Kerl« müsse von der Drehbank hinweg oder den Schaden bezahlen. Auf dieses hin wurde Kollege Schmidt am Zahltag vorstellig und kam um seine Entlassung ein, welche ihm, trotz 14tägiger Kündigungszeit, gewährt wurde. Da ihm 10 Mark vom Lohn als Schadenersatz abgezogen wurden, so erhob er beim Bürgermeisteramt sofort Klage gegen diesen rechtswidrigen Abzug. Es wäre besser, wenn diese Herrn ihre Arbeiter besser bezahlen würden, da Schlosser bei ihnen mit 2,50-2,60 Mark bezahlt werden. Die Älteren, welche schon 30 Jahre bei ihnen beschäftigt sind, werden mit 3,00-3,20 entlohnt. Die Vorarbeiterstellen nehmen gelernte Metzger und Bäcker ein, welche mit ungelernten Leuten, sogenannten Taglöhnern, die 2,40-2,50 pro Tag verdienen, die Arbeit vollführen. Dadurch werden auch die vielen Unglücksfälle, welche in diesem Geschäft vorkommen, veranlaßt. Auch steht die Lehrlingszüchterei in diesem Geschäft in schönster Blüte. Wir machen deshalb alle organisierten Kollegen auf dieses Geschäft aufmerksam.

f) Schreiben des Kaiserlichen Statthalters in Elsaß-Lothringen an das Großherzoglich Badische Innenministerium betreffend die Gründung des »Verbands aller in der Textilindustrie beschäftigten Personen Elsaß-Lothringens«, 25. November 1897

GLA Karlsruhe, 233/4869.

In Mülhausen im Elsaß hat sich unter dem Namen »Verband aller in der Textilindustrie beschäftigten Personen Elsaß-Lothringens« ein Verein gebildet, welcher neben anderen, die Reiseunterstützung und den Rechtsschutz der Mitglieder betreffenden Zwecken, mit Berufung auf § 152 der Gewerbeordnung die Erzielung möglichst günstiger Lohn- und Arbeitsbedingungen erstreben will. Die weitere Absicht des Vereins geht dahin, die Beziehungen der organisierten Textilarbeiter des Landes zu dem deutschen Zentralverband der in der Textilbranche beschäftigten Arbeiter zu lösen und die Zwecke dieses Verbandes in Elsaß-Lothringen selbständig zu verfolgen. Mitglied des Vereins kann - ohne örtliche Beschränkung - jede in der Textilindustrie beschäftigte Person werden. In jedem Ort des Landes, in welchem mindestens 10 Mitglieder vorhanden sind, wird eine »Zahlstelle« errichtet. Zahlstellen, welche über 20 Mitglieder zählen, können als »Filialen« erklärt werden. Diese örtlichen Verwaltungsstellen unterstehen der Leitung und Beaufsichtigung des Verbandes, dessen satzungsgemäßige Vertretung, der Vorstand, von den Mitgliedern derjenigen Filialen gewählt wird, in welcher er nach dem Beschlusse der Generalversammlung seinen Sitz hat.

Bevor über die nach der reichsländischen Vereinsgesetzgebung erforderliche Genehmigung der fraglichen Vereinsbildung Beschluß gefaßt wird, würde es für mich von Wert sein zu wissen, ob in dem dortigen Staatsgebiet Organisationen von Arbeitern dieses oder eines anderen Industriezweiges bestehen oder zu gründen versucht worden sind, wonach die Arbeiter in Landesverbände mit Filialen und Zahlstellen an verschiedenen Orten zusammengefaßt sind und der einheitlichen Leitung durch eine Zentralstelle unterstehen. Bejahendenfalls wäre es für die elsaß-lothringische Landesverwaltung von Interesse zu erfahren, in welcher Weise die dortseitige Regierung derartigen Organisationen gegenüber Stellung genommen, insbesondere von den ihr landesgesetzlich zustehenden Befugnissen zur Überwachung oder Auflösung Gebrauch gemacht hat.

Das Großherzogliche Ministerium würde mich durch eine gefällige Mitteilung über die beregten Punkte zu besonderem Dank verpflichten.

g) Stellungnahme des Großherzoglich Badischen Innenministeriums zum Status von Arbeiterorganisationen in Baden und in Elsaß-Lothringen, 23. Dezember 1897

GLA Karlsruhe, 233/4869.

Großherzoglichem Ministerium des Großherzoglichen Hauses und der auswärtigen Angelegenheiten beehren wir uns, auf die geschätzte Zuschrift vom 10. d. M. unter Rücksendung der Anlage derselben ergebenst zu erwidern, daß in Baden auch die in Verbänden organisierten Arbeitervereinigungen lediglich nach den Bestimmungen des Landesgesetzes vom 21. November 1867 »Das Vereins- und Versammlungsrecht betreffend« behandelt werden und für die Befugnisse der Polizeibehörde die Bestimmungen der §§ 3 und 4 dieses Gesetzes maßgebend sind. Es unterliegen hiernach solche Arbeiterorganisationen weder einer Anzeige- noch einer Genehmigungspflicht. Es kann daher ein Vorgehen, wie es das Schreiben des Kaiserlichen Herrn Stadthalters in Elsaß-Lothringen vom 25. v. M. im Auge hat, in Baden überhaupt nicht in Frage kommen; und es ist uns über den Verband der Textilarbeiter bis jetzt Näheres nicht bekannt geworden. Zur Auflösung solcher Organisationen aufgrund des § 4 des erwähnten Gesetzes haben wir bisher keinen Anlaß gefunden.

h) Bericht der »Deutschen Metallarbeiter-Zeitung« über eine Konferenz des DMV für Baden, Elsaß und die Pfalz in Karlsruhe, 15. Januar 1899

Deutsche Metallarbeiter-Zeitung vom 4. Februar 1899.

Tagesordnung: 1) Bericht des Vertrauensmannes, 2) Agitation, 3) Arbeitslosenunterstützung und Beitragserhöhung, 4) Verschiedenes. In das Büro werden gewählt: als 1. Vorsitzender Kleemann (Durlach), als 2. Vorsitzender Schneider (Mannheim), als Schriftführer Bretschneider (Karlsruhe) und Narjes (Speyer). Vertreten sind 24 Verwaltungsstellen durch 37 Delegierte, der Hauptvorstand durch Breder (Nürnberg). - Vor Eintritt in die Tagesordnung wurde Kleemann (Durlach) als Korreferent zur Arbeitslosenunterstützung bestimmt.

Dem Bericht des Vertrauensmannes zufolge wurden 39 Fragebogen an die Verwaltungsstellen ausgegeben, wovon 23 ausgefüllt wieder eingingen. Die spätere Diskussion ergibt, daß die größeren Verwaltungsstellen dieselben nicht gebrauchen können. Der Vertrauensmann unternahm mehrere Agitationstouren in die Pfalz, Elsaß und den Schwarzwald. Er betonte, daß es besonders im Elsaß sehr schwierig sei, Versammlungen abzuhalten, da die Behörden alle möglichen Schwierigkeiten machen. Auch in Lothringen hatte er Anknüpfungspunkte gesucht, kam aber zu keinem Resultat. (Die Kassenverhältnisse sind in Nr. 1 d. J. dargelegt.) Die Delegierten waren mit der Tätigkeit des Vertrauensmannes allgemein zufrieden.

Zu »Agitation« gibt Kleemann eine Anleitung, wie dieselbe zu handhaben sei; er sei nicht für große Referate bei öffentlichen Versammlungen, sondern man solle mehr Plakate benützen, diese würden eher gelesen. Die Gründung neuer Verwaltungsstellen solle man möglichst unterlassen, sondern überall Bezirksfilialen von Verwaltungsstellen zu errichten suchen, wie solche in Bruchsal und Rastatt bestehen. Dadurch würde viel Material und auch dem Hauptkassier viel Arbeit gespart, und es kämen nicht so leicht Unterschleife vor. Knößel (Straßburg) betont, wie schwierig es sei, im Elsaß zu agitieren; erstens habe man stets die Polizei aufsitzen, zweitens sei das Mißtrauen der Elsässer gegen alles, was von Deutschland kommt; für lokale Vereinigungen seien sie viel eher zu haben, jedoch sei es nicht ausgeschlossen, daß man in den Industrieorten Filialen errichten könne. Groß (Freiburg) bedauert, daß in Baden-Baden und Gaggenau, wo doch früher Verwaltungsstellen bestanden, nicht wieder Filialen ins Leben gerufen seien. Im Oberland habe man mit den »christlichen« Arbeitervereinen zu kämpfen, diese bieten mehr als wir und schnappen uns die Leute weg. Ferner seien die Verbindungen mit dem industriereichen Wiesentale sehr schlecht, so daß die Agitation immer mit großen Kosten verbunden sei. Klipfel (Karlsruhe) ist dafür, daß die kleineren Verwaltungsstellen hochgehalten werden sollen. Breder weist darauf hin, wie wichtig die persönliche Information sei, führt Beispiele aus Nürnberg an, er sei im übrigen auch für Bezirksfilialen. Hierzu wurde folgender Antrag angenommen: »Die heute stattfindende Konferenz beschließt: Da wo es die Verhältnisse erlauben, Bezirksfilialen zu errichten, es aber den einzelnen Orten zu überlassen, Bezirksfilialen oder Verwaltungsstellen zu gründen, jedoch immer in ständiger Fühlung mit dem Vertrauensmann zu bleiben.« Hierauf Schluß der Vormittagssitzung.

Nachmittagssitzung. Punkt 3: »Arbeitslosenunterstützung«. Breder als Referent gibt zunächst ein Bild, wie die Frage der Arbeitslosenunterstützung von der Altenburger Generalversammlung an sich entwickelt hat. Es sei eine Notwendigkeit geworden, gegenüber den Unternehmensverbänden unseren Verband zu festigen. Als ein Mittel stabilere Verhältnisse herbeizuführen, betrachtete er die Arbeitslosenunterstützung. Der Klassenkampf würde keineswegs darunter leiden.

Kleemann betonte, daß es bei einem Beitrag von 20 Pfennig kaum möglich sei, Mitglieder zu gewinnen, wie dann erst bei 30 Pfennig. Die Leute in den kleinen Städten und auf dem Lande fragen sehr wenig nach Arbeitslosigkeit, da dort nicht so viele Fremde bleiben und die einheimischen Arbeiter auch mehr bevorzugt seien. Er befürwortete die Einführung einer Krankenkassenunterstützung, dieselbe sei mit den jetzigen Beiträgen sehr gut durchführbar. Bei der Metallarbeiterkrankenkasse kämen auf jedes Mitglied 10 Krankentage pro Jahr. Wenn von den 41 000 im Jahre 1897 Ausgetretenen aufgrund der Krankenunterstützung nur 30 000 dem Verband treu bleiben würden, so bedeute dies eine Mehreinnahme von mindestens 240 000 Mark. Damit könne man die Krankenunterstützung durchführen. Flohr (Durlach) führt an, daß alle Verbände, die Arbeitslosenunterstützung eingeführt hätten, mit sehr vielen ungelernten Arbeitern zu rechnen hätten. Auch sei der Beitrag überall ein höherer als der im Vorstandsantrag vorgesehene. Er befürwortete auch die Krankenunterstützung. Klipfel (Karlsruhe) verspricht sich auch nichts von der Arbeitslosenunterstützung. Er sei für Einführung eines Sterbegeldes. Groß (Freiburg), Sauer und Leiner (Ludwigshafen) sprechen sich für die Arbeitslosenunterstützung aus. Gehrle (Freiburg), Narjes (Speyer), Hahn und Schneider (Mannheim) sprechen für Krankenunterstützung. Hierzu ging eine Resolution von Breder ein:

»Die heutige Konferenz beschließt: In Erwägung, daß prinzipielle Bedenken gegen die Einführung der Arbeitslosenunterstützung nicht geltend gemacht werden können und in Rücksicht darauf, daß der Metallarbeiterverband schon bisher in der Form der Reiseunterstützung und auch teilweise durch die Unterstützung nach § 2c des Statuts Arbeitslosenunterstützung bezahlt, empfiehlt die Konferenz der Generalversammlung zu Halle die Einführung der Arbeitslosenunterstützung für alle Verbandsmitglieder.«

Die namentliche Abstimmung ergab 14 Stimmen dafür, 23 dagegen. – Demgegenüber wird folgender Antrag von Kleemann, Schneider und Hahn mit 22 gegen 15 Stimmen angenommen:

»Die heutige Konferenz beschließt, die Generalversammlung möge in Erwägung ziehen, ob es nicht möglich wäre, eine Krankenunterstützung bei einem Wochenbeitrag von 20 Pfennig zu gewähren, und zwar nach einer Karenzzeit von einem Jahr im ersten Jahr 3 Mark 6 Wochen lang, im zweiten 4 Mark 8 Wochen lang usw.«

Knößel (Straßburg) beantragt: »Die Konferenz beschließt, die Generalversammlung zu ersuchen, den Antrag des Vorstandes, einerlei ob angenommen oder abgelehnt, den Mitgliedern zur Urabstimmung zu unterbreiten.« – Gegen eine Stimme angenommen.

Bei »Verschiedenes« wurde bezüglich Beschickung der Konferenzen folgender Antrag angenommen: »Die Verwaltungsstellen bis zu 100 Mitgliedern schicken 1 Delegierten, 200 Mitglieder 2 Delegierte, für je weitere 200 Mitglieder 1 Delegierten, jedoch nicht mehr als 5.«

Die nächste Konferenz soll in Durlach stattfinden, und sollen vom Vertrauensmann Mandate ausgestellt werden. – Ferner wurde beschlossen, daß bei jeder Konferenz das Protokoll der letzten verlesen werden soll; der Schriftführer wurde beauftragt, dem Vertrauensmann dasselbe zuzustellen.

Folgender Antrag wurde angenommen: »Der Redakteur des Verbandsorgans wird beauftragt, von Zeit zu Zeit, soweit wie möglich, über Preisbewegungen des Eisenmarktes im Organ zu berichten.«

Der Vorsitzende fordert die Delegierten noch auf, gemäß den Beschlüssen der Konferenz zu handeln, immer für das Gedeihen des Verbandes Sorge zu tragen, und schließt mit einem »Hoch!« auf den Verband um 7 Uhr abends die Konferenz.

28 **1892 - 1911**

Die Arbeitsbedingungen in südbadischen Betrieben

a) Arbeitsordnung der Ersten Deutschen Ramie-Gesellschaft in Emmendingen, 1. Mai 1892

Staatsarchiv Freiburg, LRA Emmendingen, Nr. 1991.

Mit dem 1. Mai 1892 tritt an Stelle der bisherigen Fabrikordnung nachfolgende Arbeitsordnung für die Erste Deutsche Ramie-Gesellschaft in Emmendingen i. B. in Kraft:

§ 1 Die Annahme der Arbeiter geschieht durch den Direktor des Betriebs oder im Auftrage desselben durch die Meister der einzelnen Abteilungen des Betriebs aufgrund dieser Arbeitsordnung, deren Bestimmungen jeder Arbeiter durch seinen Eintritt in die Arbeit anerkennt und zur Befolgung annimmt. Von denselben wird ihm bei seinem Eintritt ein Abdruck übergeben, dessen Einhändigung von ihm mit Namensunterschrift zu bescheinigen ist. Bei seinem Austritte hat er denselben in noch brauchbarem Zustande zurückzugeben oder dafür zehn Pfennig zu entrichten. In jedem Arbeitsraume ist ein Abdruck der Arbeitsordnung ausgehängt. Unter dem Ausdruck »Arbeiter« sind die Arbeiter beiderlei Geschlechts und jeden Alters zu verstehen.

§ 2 Jeder Arbeiter hat bei seinem Eintritt in die Arbeit an der dafür bestimmten Stelle seinen vollen Namen, seine Personalien und seine Wohnung anzugeben. Etwaiger später eintretender Wohnungswechsel ist an der gleichen Stelle anzuzeigen.

§ 3 Die gegenseitige Kündigungsfrist beträgt einen Monat. Dieselbe beginnt jeweils am 8. bzw. 23. eines Monats und endet am Feierabend des darauf folgenden zweiten Zahltages.

§ 4 Das Recht zu sofortiger Entlassung eines Arbeiters steht der Direktion außer den im § 123 der Gewerbeordnung vorgesehenen Fällen noch in folgenden zu:

1. Wenn derselbe im Besitze von Branntwein angetroffen wird;

2. wenn derselbe zum zweitenmal, oder wiederholt und nachdem er in einem vorhergegangenem Falle gleicher Art bestraft oder verwarnt worden ist, innerhalb der Betriebsräume betrunken angetroffen wird;

3. wenn derselbe eine Unfallverhütungsvorschrift wiederholt und nach vorausgegangener Warnung oder Bestrafung außer acht läßt;

4. wenn derselbe sich weigert, den Bestimmungen des § 11 der Arbeitsordnung nachzukommen.

Das Recht zum sofortigen Austritt ohne Aufkündigung und vor Ablauf der vertragsmäßigen Zeit steht den Arbeitern in den in § 124 der Gewerbeordnung von 1891 vorgeschriebenen Fällen zu.

§ 5 Jeder Arbeiter erhält bei seiner Annahme eine numerierte Marke, welche er des Morgens und Nachmittags vor Beginn der Arbeit in den dazu bestimmten Markenkasten zu legen und mittags und abends nach Schluß der Arbeit von dem am gleichen Orte ausgehängten Brett wieder aufzunehmen hat. Die Unterlassung dieser Vorschrift sowie das Einwerfen und Abnehmen fremder Marken wird bestraft.

§ 6 Die regelmäßige Arbeitszeit beginnt frühestens um 6 Uhr morgens und endigt spätestens um 6.20 Uhr abends, jedoch an den Sonnabenden sowie an den Tagen, welche Festtagen vorangehen, nachmittags 5.20 Uhr. Pausen finden statt vormittags von 8–8.20 Uhr, mittags von 12–1 Uhr.

Arbeiterinnen über 16 Jahre, welche ein Hauswesen zu versorgen haben, werden auf ihren Antrag eine halbe Stunde vor der Mittagspause entlassen. – Durch besonderen Anschlag in den Arbeitssälen wird bekannt gegeben, in welcher Weise die Arbeitszeit der jugendlichen Arbeiter den gesetzlichen Bestimmungen entsprechend verkürzt wird. – Für Beginn und Ende der Arbeitszeit wie der Pausen ist die Fabrikuhr maßgebend.

§ 7 Zum Beginn der Arbeit werden sowohl am Morgen wie nach den Pausen mit der Glocke Zeichen gegeben. Durch Anschlag in den Arbeitsräumen wird den Arbeitern bekannt gegeben, wie diese Zeichen zu verstehen sind.

§ 8 Jeder Arbeiter ist innerhalb der vom Gesetze gezogenen Grenzen und bzw. unter Voraussetzung der von der zuständigen Verwaltungsbehörde zu erteilenden Erlaubnis (siehe Gewerbeordnung von 1891 §§ 105 a bis 105 h, §§ 136 bis 139 a) zu Überstunden sowie zu Nacht-, Sonntags- und Feiertagsarbeit verpflichtet. – Als Feiertage gelten nur die von der Landesregierung als solche festgesetzten Tage.

Ebenso hat sich jeder Arbeiter einer gesetzlich zulässigen Verschiebung der Pausen und jugendliche Arbeiter der gesetzlich zulässigen Verschiebung des Anfangs und Endes ihrer täglichen Arbeitszeit zu fügen.

§ 9 Bei der Annahme eines Arbeiters wird mit demselben zunächst für die Probezeit die Höhe des Taglohnes vereinbart. Diese Vereinbarung bleibt für die fernere Arbeitsdauer desselben in Kraft, wenn vor Ablauf der Probezeit nicht eine neue erfolgt. Die in derjenigen Abteilung, in welcher ein Arbeiter in Beschäftigung tritt, geltenden Stücklohnsätze werden von demselben durch seinen Eintritt anerkannt, auch ohne daß sie ihm ausdrücklich bekannt gemacht werden.

§ 10 Jeder Arbeiter hat sich jeder ihm überwiesenen Verrichtung zu unterziehen, sofern seine Kräfte zureichen und keine gesetzlichen Bestimmungen entgegenstehen. – Wenn Arbeiter, welche regelmäßig im Stücklohn beschäftigt sind, ausnahmsweise Arbeiten im Tagelohn zu verrichten haben, ohne daß sie selbst solches verlangt haben, so erhalten sie einen Tagelohn, welcher nicht unter zwei Drittel des durchschnittlichen Tagesverdienstes eines Arbeiters ihrer Abteilung bei Stücklohn beträgt und durch Anschlag des letzteren bekannt gegeben ist. Dies unbeschadet der Bestimmung des §124 Abs.4 der Gewerbeordnung

§ 11 Eine Abminderung der vereinbarten oder in Geltung befindlichen Tag- und Stücklöhne tritt erst in Kraft, nachdem sie den Arbeitern, für welche sie gelten soll, mindestens 14 Tage vorher bekannt gegeben worden ist.

Die gleiche Bestimmung gilt für unter Umständen notwendig werdende Verkürzung der Arbeitszeit mit entsprechender Verminderung des Verdienstes.

§ 12 Wenn Unglücksfälle oder Brüche, notwendige Reparaturen oder Umänderungen an Gebäuden, Maschinen, Dampfkesseln, Dampf-, Wasser- und Gasleitungen und ähnliche Ursachen den Stillstand der Fabrik oder von einzelnen Betriebsabteilungen bedingen, so steht den Arbeitern kein Anspruch auf Entschädigung für die ausfallende Arbeitszeit zu.

§ 13 Die Auszahlung der Löhne findet in folgender Weise statt:

a. Die Berechnung der Löhne geschieht monatlich zwei Mal und zwar jeweils am 15. und am letzten Tage des Monats, die Auszahlung erfolgt 7 Tage nach der Lohnperiode. Bei Stücklohnarbeiten kommen alle bis zum letzten Tage der Lohnperiode einschließlich abgelieferten oder fertig gestellten Arbeiten zur Verrechnung.

b. der berechnete Betrag des Arbeitsverdienstes nach Abrechnung der fälligen Beiträge zur Krankenkasse und zur Alters- und Invaliditätsversicherung, der etwaigen Strafgelder sowie vereinbarter gesetzlich zulässiger Abzüge wird durch einen damit beauftragten Angestellten des Betriebs zugleich mit der schriftlichen Berechnung, »Lohnzettel«, dem Arbeiter ausgehändigt.

§ 14 Ansprüche auf vermeintlich nicht oder zu wenig berechneten Lohn sind innerhalb vier Wochen, von dem Tage an gerechnet, an welchem der beanspruchte Lohn zahlbar war, anzumelden. Geschieht solches nicht, so können spätere Einwendungen gegen die Nichtigkeit der Lohnberechnung nicht mehr erhoben werden, was hiermit ausdrücklich festgesetzt wird. Einsprachen gegen die Nichtigkeit der Auszahlung des berechneten Lohnes werden nur dann berücksichtigt, wenn sie innerhalb eines Tages nach Aushändigung des letzteren vorgebracht werden.

§ 15 Einen notwendigen Urlaub hat der Arbeiter tags zuvor persönlich bei seinem Meister nachzusuchen; längerer Urlaub kann nur von dem Direktor des Betriebs bewilligt werden. Wenn ein Arbeiter länger als eine Woche ohne Urlaub, ohne krank zu sein und ohne zwingende Gründe, deren Beseitigung nicht in seiner Macht liegt, von der Arbeit wegbleibt, so soll angenommen werden, daß er aus der Arbeit im Betriebe ohne Kündigung unter Verübung von Kontaktbruch ausgetreten ist, und soll damit sein Anspruch auf den rückständigen Lohn verwirkt sein.

§ 16 Wegbleiben von der Arbeit ohne Erlaubnis oder genügende Entschuldigung wird mit einer Strafe bis zur halben Höhe des durchschnittlichen Verdienstes des betreffenden Arbeiters in der versäumten Arbeitszeit belegt.

§ 17 Wer zu spät zur Arbeit kommt, unterliegt einer Strafe, welche mit der Höhe des durchschnittlichen Arbeitsverdienstes des betreffenden Arbeiters steigend nicht unter 5 Pfg heruntergehen und 50 Pfg nicht übersteigen soll. Beträgt die Verspätung mehr als zwei Stunden, so soll sie als unerlaubtes Wegbleiben von der Arbeit angesehen und nach Bestimmung des § 16 bestraft werden.

§ 18 Innerhalb der Arbeits- und Hofräume sind die Arbeiter der Direktion, den Meistern und Aufsehern Gehorsam schuldig und haben deren Anweisungen zu befolgen, ebenso solange sie außerhalb des Betriebes für denselben beschäftigt sind. – Sie sind verpflichtet, die ihnen aufgetragenen Arbeiten nach Anweisung ihrer Vorgesetzten gewissenhaft zu verrichten und die Anordnungen der letzteren pünktlich zu besorgen.

§ 19 Die ihm anvertraute Maschine hat der Arbeiter nach Anweisung zu behandeln und zu bedienen. – Für Schaden, welcher durch Zuwiderhandeln gegen diese Vorschrift entsteht, hat er Ersatz zu leisten.

§ 20 Für die ihm übergebenen Werkzeuge und Gebrauchsgegenstände ist jeder Arbeiter verantwortlich und hat durch seine Schuld entstandenen Verlust oder Schaden zu ersetzen.

§ 21 Außer den dafür bestimmten Personen darf niemand Gasflammen oder Lampen anzünden oder auslöschen, ebensowenig Dampfhähne und Ventile öffnen oder schließen. Auch das Öffnen und Schließen der Fenster steht nur den dazu bestimmten Personen zu.

§ 22 Alle zur Verhütung von Unfällen erlassenen Vorschriften sind besonders sorgfältig zu beachten, namentlich ist während des Ganges der Maschinen das Putzen derselben bei Strafe verboten. Das Auflegen der Riemen auf die Riemenscheiben darf nur von den mit dieser Arbeit beauftragten Personen vorgenommen werden.

§ 23 Jede Verunreinigung der Arbeitsräume, sowohl innerhalb wie außerhalb der Gebäude, der Fluren, Treppen und Hofräume sowie der Wege ist verboten. Die Aborte sind rein zu halten.

§ 24 Das Tabakrauchen ist im Bereiche des Betriebes bei Strafe verboten, ebenso das Mitnehmen von Zündhölzern in die Arbeitsräume.

§ 25 Es ist keinem Arbeiter gestattet, andere Arbeitsräume als solche, in denen er beschäftigt ist, zu betreten, noch ohne besondere Erlaubnis nach Beendigung der Arbeit oder in der Mittagspause in den Fabrikräumen zu verbleiben und anders als durch die Haupttüre der Fabrik am Portierlokal ein- und auszugehen; ebenso ist es untersagt, nicht in der Fabrik beschäftigte Personen in dieselbe einzuführen.

§ 26 Das Mitnehmen, Beiseitebringen oder der unerlaubte Gebrauch von Gegenständen, die der Fabrik gehören, auch selbst von wertlos scheinendem Abfall, ist verboten und darf bei Reinigen der Aborte letzterer nicht verwendet werden.

§ 27 In seinem eigenen wie im Interesse der Fabrik ist jeder Arbeiter verpflichtet, über etwaige Fehler an einer Maschine sofort einem Vorgesetzten Mitteilung zu machen.

§ 28 Vor der Inbetriebsetzung der Dampfmaschine wird vom Maschinisten nach jedem Arbeitssaale ein deutlich wahrnehmbares Zeichen (Glokkensignal) gegeben, dessen Beachtung auf das dringendste verlangt wird. Das Signal zum Abstellen der Dampfmaschine (Notsignal) darf nur in Notfällen, welche sofortiges Handeln erfordern, gegeben werden, und hat derjenige, welcher dasselbe gegeben hat, davon sofort seinen Saalmeister zu benachrichtigen.

§ 29 Von den Meistern und Aufsehern wird insbesondere erwartet, daß sie immer und überall, soviel in ihren Kräften steht, das allgemeine Beste der Fabrik zu fördern und Schaden abzuwenden suchen; daß sie die ersten und letzten an der Arbeitsstelle seien und dieselbe nicht ohne dringende Notwendigkeit verlassen; daß sie ihr Ansehen gegen die ihnen unterstellten Arbeiter zu wahren wissen, diesen daher mit Anstand und Ernst begegnen, gegen alle gleich gerecht, wohlwollend und unparteiisch verfahren; daß sie etwaige Reparaturen an den Maschinen ohne Zeitverlust veranlassen und ihre Hilfeleistung, wo solche nötig, den Arbeitern schnell und gerne zukommen lassen.

§ 30 Glaubt sich ein Arbeiter benachteiligt oder irgendwie verletzt, sei es durch einen Mitarbeiter oder durch einen der Angestellten oder Meister, so berechtigt ihn dies keineswegs zu ungebührlichem Betragen, sondern in aller Ruhe kann er der Direktion Mitteilung machen. Ist seine Beschwerde gerechtfertigt, so wird baldtunlichst Abhilfe geschaffen, ohne daß ihm daraus Unannehmlichkeiten irgendwelcher Art erwachsen.

Die Anbringung eines Ansuchens oder einer Beschwerde mehrerer darf nur durch einen, höchstens zwei aus ihrer Mitte geschehen.

§ 31 Jeder Arbeiter ist an seinem Teile verpflichtet, zur Herstellung eines guten, tadellosen Gespinstes beizutragen, alle unnötigen Abfälle, überhaupt alle Verschwendung von Material zu vermeiden.

Das zum Schmieren der Maschinen nötige Öl wird jedem Aufseher oder Meister zugemessen, und hat solcher darauf zu sehen, daß die Maschinen von dem dazu angestellten Schmierer regelmäßig geschmiert werden und das Öl nicht verschüttet wird. Die Arbeiter haben, soweit tunlich, ihre Maschinen vor dem Schmieren jedesmal zu reinigen.

Niemand darf eigenmächtig etwas aus den Magazinen oder aus anderen Räumen holen, sondern muß es sich von dem verantwortlichen Magaziner geben lassen.

§ 32 Die Meister haben alle neueintretenden Arbeiter auf die Gefahren bei den einzelnen Maschinen aufmerksam zu machen, damit Unglücksfälle möglichst verhindert werden.

Die Unfallverhütungsvorschriften sind aufs strengste zu befolgen. Dieselben sind an verschiedenen Stellen der Fabrik angeschlagen.

§ 33 Die Direktion und Aufseher sind befugt, Arbeiter, welche sich gegen sie oder auch gegen Mitarbeiter Tätlichkeiten oder Bedrohungen mit solchen oder grobe Beleidigungen zu schulden kommen lassen, aus den Arbeits- und Hofräumen wegzuweisen. Gegen betrunkene Arbeiter sind sie zu diesem Verfahren verpflichtet.

§ 34 Zuwiderhandlungen gegen die Bestimmungen der §§ 3, 8, 21, 24, 26–30 und 33 der Arbeitsordnung unterliegen Geldstrafen, welche durch Abzüge von verdientem Lohn erhoben werden, die jedoch im einzelnen Falle die Höhe der Hälfte des durchschnittlichen Tagesverdienstes des bestraften Arbeiters nicht überschreiten dürfen. Tätlichkeiten gegen Mitarbeiter, erhebliche Verstöße gegen die guten Sitten sowie gegen die Aufrechterhaltung der Ordnung des Betriebes, zur Sicherung eines gefahrlosen Betriebes oder zur Durchführung der Bestimmungen der Gewerbeordnung erlassene Vorschriften können bis zum vollen Betrage des durchschnittlichen Tagesarbeitsverdienstes bestraft werden nach § 134 b Absatz 2 der Gewerbeordnung.

§ 35 Die Strafen müssen ohne Verzug festgesetzt und dem Bestraften bekanntgegeben werden. Geldstrafen bis zu Höhe von einem Viertel des täglichen Durchschnittsverdienstes können von den Meistern und Aufsehern, höhere nur von der Direktion verfügt werden. Gegen alle Strafverfügungen steht dem Arbeiter die Berufung an die Direktion offen.

§ 36 Geldstrafen werden in ein Verzeichnis eingetragen, welches den Namen des Bestraften, den Tag der Bestrafung sowie den Grund und die Höhe der Bestrafung angibt.

§ 37 Jeder Arbeiter unterwirft sich bei seinem Eintritt in die Arbeit den zu dieser Zeit in der Fabrik geltenden und bis dahin zur Anwendung gekommenen Strafbestimmungen, auch ohne daß ihm solche besonders bekannt gemacht werden.

§ 38 Alle Strafgelder, auch die aufgrund der §§ 18 und 19 eingezogenen, fallen der Betriebskrankenkasse zu.

§ 39 Die Benutzung etwa vorhandener Speisesäle und sonstiger Wohlfahrtseinrichtungen steht jedem Arbeiter unter der Bedingung zu, daß er die für dieselben erlassenen Vorschriften befolgt.

§ 40 Für jeden durch Arbeiter verursachten Schaden steht dem Arbeitgeber der rechtliche Anspruch auf Ersatz zu, auch in solchen Fällen, wo nach den Bestimmungen der vorhergehenden Paragraphen eine Ordnungsstrafe angewendet wird.

§ 41 Im Interesse der Fabrik sowohl der ehrlichen Arbeiter liegt es, daß in Fällen bestimmten dringenden Verdachtes Arbeiter oder Arbeiterinnen in den Arbeitsräumen oder beim Verlassen der Fabrik einer Untersuchung auf etwa mitgenommene Gegenstände unterworfen werden. Durch den Eintritt in die Fabrik erkennt jeder Arbeiter das Recht der Direktion an, eine solche Untersuchung vornehmen zu lassen.

Es soll eine solche Untersuchung stets nur durch eine Person vom Geschlechte des zu Untersuchenden ausgeführt werden.

Auch verpflichtet sich jeder Arbeiter, in seinen Kleidern eine Untersuchung auf Zündhölzchen, deren Mitbringen in die Arbeitsräume verboten ist, wenn solche vom Vorgesetzten für notwendig erachtet wird, geschehen zu lassen.

§ 42 Zur Aufnahme in die Fabrik hat jeder Arbeiter seinen Gesundheitszustand durch den Arzt der Betriebskrankenkasse feststellen zu lassen und derselben beizutreten, sofern seine Beschäftigung nicht ihrer Natur nach eine vorübergehende oder nach beiderseitiger Verabredung im voraus auf einen Zeitraum von weniger als einer Woche beschränkt ist. Befreit von diesem Zwange sind:

a. Betriebsbeamte, deren Arbeitsverdienst an Lohn oder Gehalt 6⅔ Mark für den Arbeitstag übersteigt;

b. diejenigen Personen, welche den Nachweis erbringen, daß sie bereits einer im Sinne des Gesetzes vom 15. Juni 1883 errichteten Krankenkasse angehören.

b) Bericht der »Deutschen Metallarbeiter-Zeitung« über die Arbeitsbedingungen in der mechanischen Werkstatt Union Cloc Company, Furtwangen, 7. Januar 1899

Deutsche Metallarbeiter-Zeitung vom 7. Januar 1899.

Die Zustände in der mechanischen Werkstätte der »Union Cloc Company« sind schon öfter einer abfälligen Kritik unterzogen worden, ohne daß bis jetzt auch nur die geringste Besserung eingetreten wäre. Betrachtet man nur die Arbeitsordnung, so kann man sich eines gelinden Schauders nicht erwehren. Der größte Teil der ziemlich zahlreichen Paragraphen handelt von Strafen, mit denen die Arbeiter bei jeder Kleinigkeit bedroht werden. Es ist sogar schon, man sollte es kaum glauben, das Auflassen der Aborttüre bestraft worden. Vom Werkzeugkauf steht natürlich nichts drin. Dieser Hauptpunkt wird dem Arbeiter bei seinem Eintritt vom Werkführer mündlich mitgeteilt, mit der etwas sonderbaren Bemerkung, daß »dies weiter gar keine Bedeutung habe.« Die 3 Pfennig Werkzeugabzug per Stunde würden zum Lohn dazugeschlagen. Kommt der Zahltag, so findet der enttäuschte Arbeiter meistens, daß sich der Lohn nebst Werkzeuggeldzuschlag noch unter dem gewöhnlichen Durchschnittslohn befindet. So ist beispielsweise letzthin ein 22jähriger Mechaniker mit - sage und schreibe - 26 Pfennig Stundenlohn eingestellt worden. Ungünstig genug liegen auch die Lohnperioden. Eine Woche wird nicht ausgezahlt und jeden zweiten Samstag ist Zahltag. Es kommt oft vor, daß ein frisch eingestellter Arbeiter oft 3 Wochen auf Geld warten muß. In den meisten Fällen wird es ihm aber wohl nicht möglich sein, so lange zu warten und er muß Vorschuß holen. Jetzt kommt er bei Herrn Uttenweiler an den Rechten. Dieser fromme Herr bekommt fast Ohnmachtsanfälle über die kolossale Höhe des Vorschusses, wenn der Arbeiter 3-4 Mark verlangt, und erst wenn der Arbeiter über die Verwendung dieses riesigen Kapitals ganz genauen Aufschluß gegeben hat, entschließt sich Herr U. zögernd zur Hergabe des Geldes. Am schlimmsten ergeht es jedoch den Arbeitern, die kündigen. Auf alle mögliche Art und Weise werden sie schikaniert, damit sie vor Ablauf der Kündigungsfrist von selbst das Geschäft verlassen. Der Werkführer Spanninger weiß mit bewunderungswürdigem Geschick, Arbeit für die Betreffenden zu finden, von der er annehmen muß, daß sie nicht gerne gemacht wird oder gar nicht in sein Fach schlägt. Der Genannte weiß sich überhaupt durch großen Aufwand von schönen Redensarten beim Prinzipal beliebt zu machen. Die Arbeiter sind davon durchaus nicht erbaut, und es wird immer etwas von »Sprüch machen« gemunkelt. Herr Fellheimer mag das wohl auch nach und nach einsehen. Die Mechaniker werden von dem betreffenden Werkführer fast ohne Ausnahme - hinter deren Rücken natürlich - als schlechte bezeichnet. Nur er allein ist wahrscheinlich der Gescheite.

Ein Fall, der sich in letzter Zeit ereignete, verdient besonders hervorgehoben zu werden, da er das Vorgehen des Herrn Fellheimer gegen seine Arbeiter so recht kennzeichnet. Der Mechaniker S. kündigte infolge zu großen Strafabzugs und erkrankte im Laufe der ersten Kündigungswoche. Auf dem ihm zugesandten Krankenschein fand sich quergeschrieben mit roter Tinte folgende Bemerkung: »Der Erkrankte muß, weil ledig, ins Krankenhaus. Weigert sich derselbe, so übernehmen wir keine Verpflichtung und zahlen auch kein Krankengeld, gezeichnet Uttenweiler.« Der Arzt wird hier gewissermaßen gezwungen, den Erkrankten gegen seine Ansicht und trotzdem es wirklich nicht nötig war (es handelte sich um starke Diarrhoe), ins Spital zu senden. Und da spricht man vom Terrorismus der Arbeiter. Als der Erkrankte nach 2½ Tagen die Arbeit wieder aufnahm, wurde er aufs Komptoir zitiert und ihm seine sofortige Entlassung wegen »unerlaubten Fehlens« angekündigt. Als derselbe das Ausbezahlen der 14 Tage verlangte und mit Klage drohte, wurde ihm das Weiterarbeiten gestattet. Man sieht hier wieder, wie sich Herr Fellheimer mit Umgehung der Kündigung seiner mißliebigen Arbeiter zu entledigen sucht. Möchten die Arbeiter doch endlich einsehen, daß von selbst hier keine Besserung eintritt, daß sie dieser, eines Arbeiters unwürdigen Behandlung energisch entgegentreten müssen. Jedes Zugeständnis muß den Fabrikanten abgerungen werden, dazu bedarf man aber einer starken Organisation, denn ein einzelner ist macht- und wehrlos dem Willen der Fabrikanten unterworfen. Besucht unsere Versammlungen, bringt Eure Klagen vor, sie werden stets eine gerechte Vertretung bei uns finden.

c) Bericht der »Deutschen Metallarbeiter-Zeitung« über die Arbeitsbedingungen in zwei Blechnereien Lörrachs, 29. April 1899

Deutsche Metallarbeiter-Zeitung vom 29. April 1899.

Wer etwa glaubt, hier in Lörrach herrsche der schönste Frieden zwischen Unternehmer und Arbeiter, dem wollen wir das Gegenteil an zwei Blechnermeistern beweisen. Da ist einmal Herr Joh. Aeppli. Bei ihm gibt es für die Gehilfen Kost und Logis, wie hier überall, doch ist diesselbe noch annehmbar. Schlafen muß man öfter in ungemachten Betten, die Behandlung läßt viel zu wünschen übrig. Es wird auch versucht, die Pausen zu verkürzen; mittags wird es oftmals halb 1 Uhr, abends halb 8 Uhr, ehe Feierabend gemacht wird. Dann hat der Meister auch den Wunsch schon ausgesprochen, die halbstündige Frühstücks- respektive Vesperpause brauche nicht gemacht zu werden, trotzdem wir doch hier immer noch den Elfstundentag haben. Das genügt dem Herrn Aeppli aber noch nicht. Er befiehlt einfach am Samstag abend: »Morgen vormittag (also am Sonntag) wird nur das Werkzeug geputzt und in Ordnung gebracht.« Geschieht es dann nicht, so sieht man ein freundliches Gesicht so bald nicht wieder. Werden Überstunden gemacht, so geniert sich Herr Aeppli gar nicht, statt 25 Prozent Zuschlag ebensoviel Abzug zu machen. Die Auszahlung ist sehr unregelmäßig. An Zulagen ist nicht zu denken, trotzdem doch die Bauhandwerker, wenn sie beim Meister Kost und Logis haben, im Sommer eine solche verdienen.

Bei Herrn Schwarzwälder heizen die Arbeiter bei kalter Witterung zu viel. Der Lohn gleicht mehr einem Trinkgeld. Er zahlt 6 Mark 50 Pfennig die Woche. Die Kost läßt zu wünschen übrig.

Man sollte nun meinen, daß die hiesigen Kollegen sich bei solchen Verhältnissen der Organisation anschließen würden. Weit gefehlt! Geklagt und geschimpft wird wohl, damit machen sie sich momentan Luft, und damit ist es fertig. Den Wert des Zusammenschlusses wollen sie nicht verstehen. Es wäre hier die höchste Zeit, daß es anders würde.

d) Bericht der »Deutschen Metallarbeiter-Zeitung« über die Zustände in der Schlosserei Riehle in Offenburg, 7. September 1901

Deutsche Metallarbeiter-Zeitung vom 7. September 1901.

In der Schlosserei von Gotth. Riehle herrschen Zustände, die verdienen, öffentlich bekannt zu werden. Fast jeden Tag hört man in der Nachbarschaft vom frühen Morgen an den Meister toben, und bedient er sich dabei Ausdrücke, welche nicht weniger als schmeichelhaft sind. Zu einem Arbeiter sagte er: »Ihnen sieht ja der Esel aus jedem Knopfloch heraus!« Dann kommt Frau Riehle, die mit ihrem Manne im Schreien konkurriert und in dessen Abwesenheit versucht, seine Stelle zu vertreten. Sie schrie vor kurzem den Arbeitern zu: »Es ist keine Sache, im Sommer erst um 7 Uhr anzufangen; früher ist auch elf Stunden geschafft worden, und das ist auch nicht zu lange!« Die 10stündige Arbeitszeit ist in der Werkstatt erst dieses Jahr durch einige organisierte Kollegen eingeführt worden, und da diese jetzt andere Arbeit haben, ist es nicht unmöglich, daß in kurzer Zeit dort wieder elf Stunden gearbeitet wird.

Es liegt wohl hauptsächlich daran, wenn hiesige Meister so übermütig werden, daß die Kollegen sich scheuen, der Organisation beizutreten. Einem unorganisierten Schlosser zahlte Herr Riehle bei dessen Entlassung seinen ganzen Wochenlohn nicht aus, weil er behauptete, dem Mann fehle seine Feile; des weiteren wollte er ihm 1,50 Mark abziehen, weil er an einem nicht gesetzlichen Feiertag daheim blieb. An einen Kollegen wurde eine Karte durch die Post bestellt; trotzdem drei Zeugen da sind, welche aussagen, daß diese abgeschickt wurde, und ebenfalls drei Zeugen, daß sie ankam, hat sie Herr Riehle nicht abgegeben. Wenn ein Arbeiter dort aufhört, fehlt regelmäßig Werkzeug. Wir möchten die Kollegen warnen, dort in Arbeit zu treten.

Dann ist noch der Blechnermeister Gg. Schwab, Zellerstraße, zu erwähnen, welcher schon längere Zeit Soldaten beschäftigt. Wir könnten demselben auch anraten, sich vom Arbeitsamt Gesellen zu holen, damit diese von hier aus nicht als Streikbrecher nach Hamburg gesandt zu werden brauchen.

Die Schlosserei von Franz Schmidt, Hauptstraße, zahlt den Gesellen Löhne von 2 Mark pro Tag, dort ist hauptsächlich die Lehrlingsausbeutung modern.

e) Bericht im »Volksfreund« über die Arbeitsordnung eines Warenhauses in Offenburg, 6. Januar 1911

Volksfreund vom 6. Januar 1911. - Fußnote in der Vorlage.

In den Kreisen der Handelsbeflissenen ist die Firma bekannt - über das badische Land hinaus. Die kaufmännische Literatur hat sich schon mit ihr befaßt; das Amts- und Gewerbegericht führt sie im Kundenbuche wegen Klagen der Angestellten. Ob die Gewerbeinspektion dieses bekannte Geschäft auch schon unter die Eigentümlichkeiten großkaufmännischer Betriebe buchte? Wir meinen das Warenhaus Ad. Spinner in Offenburg. Es zog zur Weihnachtszeit die Aufmerksamkeit wieder auf sich; es flüchten sich von den Angestellten wieder etliche an die frische Luft, um anderen Platz zu machen, die harmlos die Plätze im sogenannten Warenhaus besetzen, bis auch sie wieder die Freiheit vorziehen. Deshalb erfüllt die Arbeiterpresse eine Pflicht, wenn sie zur Vorsicht mahnt mit dem Motto: »Die Spuren schrecken«.

Vorausgeschickt muß werden, daß die Firma Ad. Spinner für ihr System im geschäftlichen Dienste einer amtlichen Deckung sich erfreut durch die vom Bezirksamt Offenburg genehmigte, bei Joh. Aigeldinger gedruckte Arbeitsordnung, die am 1. Juni 1907 in Kraft getreten ist*.

Aus ihr sollen einige Vorschriften ausgesucht werden:

Arbeitszeit für Lehrlinge und kaufmännische Ladenangestellte von morgens 7 Uhr bis abends 8 Uhr, für die im Magazin tätigen Angestellten von 7 bis 7 Uhr.

Mittagspause der gewerblichen Arbeiter 1 Stunde, der Ladnerinnen 1½ Stunden, der Büroangestellten 2 Stunden. Letzteren ist das Vespern morgens und nachmittags erlaubt, dagegen morgens verboten für jene Angestellten, die vor 12 Uhr ihre Mittagspause haben. »Angestellte, die vom Arbeitgeber verköstigt werden, haben die zur Einnahme des Mittagessens nötige Pause«.

Die Ladenangestellten arbeiten sonntags von 11 bis 14 Uhr. »Wer nicht bei Öffnung des Ladenlokales an seinem Posten steht, bezahlt 25 Pfennig Strafe, und sind Verstöße wie die anderen zu behandeln.« Wer 5 Minuten

* Auf die Rückseite dieser mit keinem amtlichen Vermerk versehenen Arbeitsordnung ist mit der Schreibmaschine ein neuer § 12 als Nachtrag daraufgedruckt, der sich mit der Verwendung der Strafgelder befaßt: Wer austritt, verliert seinen Anspruch an die Strafgelderkasse. Über die Rückvergütung ist gesagt, daß sie »im Wege einer gemeinschaftlichen Veranstaltung, eines Ausfluges oder dergleichen, keinesfalls aber in bar oder in Waren der Firma erfolgt. Wer sich an der gemeinschaftlichen Veranstaltung nicht beteiligt, verliert seinen Anspruch.

nach festgesetzter Zeit beginnt, hat dies vor Beginn der Arbeit schriftlich auf dem Büro zu melden.

Wer ohne Erlaubnis länger als eine halbe Stunde fehlt, ohne seine unverschuldete Unmöglichkeit sofort vor Wiederbeginn der Arbeit schriftlich auf dem Büro nachzuweisen, bezahlt die Hälfte der auf die fehlende Zeit entfallenden Lohnvergütung als Strafe, ebenso ist bei vollständigem Fehlen innerhalb von 6 Stunden unter Angabe des Grundes schriftliche Mitteilung auf dem Büro zu machen; für ganz unterlassene Meldung ist 50 Pfennig, für verspätete 25 Pfennig Strafe zu bezahlen.

Wer nichtstuend oder Privatangelegenheiten erledigend betroffen wird, zahlt für jeden Fall 50 Pf Strafe. Wer ausdrücklichen Anordnungen zuwiderhandelt, zahlt jedesmal 25 Pf. Wer Schaden verursacht, ohne dies seinem Vorgesetzten zu melden, zahlt jedesmal 50 Pf Strafe. Wer 5 Minuten zu spät beginnt, zahlt 25 Pf, wer zu früh aufhört, 50 Pf usw. usw.

Fehlt ein Angestellter verschuldet oder unverschuldet während einer Zeit, in der gearbeitet werden sollte, so wird das auf die fehlende Zeit entfallende Gehalt abgezogen. Ausschluß der Vergütung nach § 616 BGB und § 63 Abs. 1 HGB.

Wenn der Vorgesetzte es für nötig findet, ist jede im Geschäft vorkommende Arbeit zu leisten, wenn dieselbe auch von derjenigen abweicht, zu der er besonders angestellt ist.

Die ganze Arbeitsordnung ist ein einziger Strafkodex, über welchen der Angestellte auf Schritt und Tritt stolpert, auch wenn er ein gerechter Engel ist, der täglich siebenmal zu fallen biblisch berechtigt ist. Bei der Anmeldung in diese »Spinnerei«, wobei oft auswärtige kaufmännische Stellenvermittlungen die Verbindung besorgen, sieht die Ladnerin diese Ordnung nicht; bekommt sie das Strafgesetzbuch nach Tagen oder Wochen zu lesen, dann kann sie damit nicht zu einem Rechtsbeistand; denn es ist bei Strafe verboten, das, was man schwarz auf weiß besitzt, nach Hause zu tragen. Von einer Möglichkeit, sich gegen eine ungerechte Denunziation zu wehren, ist keine Rede. Die Anzeige geht an den Prinzipal, dieser straft, ohne das »Verbrechen« untersucht zu haben.

Wie diese Strafgelder gemäß dem Nachtrag der Arbeitsordnung verwendet werden, ergibt sich aus der Tatsache, daß auch die Prinzipalsfamilie an dem vorjährigen Ausfluge teilnahm.

Eine Ladnerin St. aus Offenburg hat 28 Strafzettel im Betrage von 25 Mark in kurzer Zeit gesammelt; eine arme Waise, Frl. M. B., hat von ihrem Dezember-Salär ganze 3 Mark gerettet. Gegenwärtig hat das Ladenfräulein H. Sch. aus Braunschweig, das im August vom kaufmännischen Verein Karlsruhe für das »Warenhaus« Spinner vermittelt wurde, eine Klage eingereicht gegen das Haus Spinner wegen folgender Monatsbilanz:

Lohn für Dezember		80,00 Mark
Abzug:		
1. Für 4 Tage Krankheit	14,70 Mark	
2. Krankenkassen-Beitrag	2,51 Mark	
3. Strafen für Verspätung	1,25 Mark	
4. Empfangene Waren	8,71 Mark	
5. Konto Schramm	10,33 Mark	
6. Konto Erlacher	5,85 Mark	
	43,35 Mark	
Rest		36,75 Mark

Diese Dame, die wegen geschäftlicher Erschöpfung in ärztlicher Behandlung sich befindet, ist auf Hilfe von der entfernt gelegenen Heimat angewiesen, wenn die Verpflichtungen erfüllt werden sollen. Die unter 5. und 6. geforderten 16,18 M sind unbeglichene Konten zweier Kunden des Spinnerschen Geschäftes, die auf Rechnung kauften. Die Strafen wegen angeblichen Zuspätkommens - eine Geschäftsuhr besteht nicht - fallen in die strapaziöse Arbeit des Weihnachtsgeschäftes, wo die Arbeitszeit - ohne Lohnvergütung - auf 9 Uhr ausgedehnt und die Mädchen oft vor 11 Uhr nachts nicht fortgelassen wurden. In einem Monat erhob man 26 M Strafgelder nur von einem halben Dutzend Ladnerinnen. Darunter sind Mädchen, die eine halbe Stunde Zeit nach der Wohnung brauchen.

Als das Ladenfräulein H. Sch. nach 13stündiger Arbeit einen Nervenanfall bekam und deshalb die Überstundenarbeit verweigerte, wurde sie gegen ihren Willen im Geschäfte festgehalten; sie wurde von Herrn Oskar Spinner eingeschlossen. Unter dem Posten von 14 M, welcher unter den Abzügen am Lohn sich befindet, seien auch die Zeitversäumnisse berechnet für das Personal, welches bei einer Klage der Ladnerin Sch. vor dem Bürgermeisteramt als Zeugen vernommen wurde.

Interessant ist der § 10 der Arbeitsordnung, der von der sofortigen Entlassung handelt: daraus nur die Ziffer 6: »wegen außergeschäftlichen Verkehrs mit Angestellten oder Personen anderen Geschlechts ...«

Genug davon! Jeder wird es unbegreiflich finden, daß eine solche rigorose »Ordnung« den Konsens der Staatsbehörde erhalten hat. Und wenn man von dieser »Ordnung« des Spinnerschen Strafgesetzbuches auf die Ordnung der Hygiene und sozialen Fürsorge im Geschäftsbetrieb einen Schluß ziehen darf, so darf die Gewerbeinspektion dieser Seite des Warenhauses auch ein Interesse abgewinnen. In einem Geschäfte, das solche Opfer an die Gesundheit des Personals stellt, das außer wohlriechenden Stockfischen auch Verbandswatte und hygienische Artikel führt, wo das Petroleum tropft und das Salz Feuchtigkeit anzieht, ist die gewerbepolizeiliche Aufsicht so nötig, wie der Rechtsschutz gegen Straf-»Ordnungen«.

29 **Mai 1893**

Wahlaufruf der »Gleichheit« zu den Reichstagswahlen 1893

Deutsche Metallarbeiter-Zeitung vom 27. Mai 1893.

Nur die allergrößten Kälber
wählen ihre Metzger selber!

Wer weiß nicht, daß es Gesetze gibt im deutschen Reich? Jeder fühlt es, spürt es an sich und seinem Nächsten. Viele Gesetze gelten für Deutschland, manche davon sind dem Volke nützlich, andere schädlich, noch andere nützen ihm weder, noch schaden sie ihm. Wer ist es nun, der diese Gesetze macht, die schlechten wie die guten und auch die belanglosen, die weder Fisch noch Fleisch, weder gerade noch krumm sind? Der Reichstag? Jawohl, der Reichstag, doch nicht er allein, denn hinter dem Reichstag steckt noch eine andere Macht. Hinter dem Reichstag steckt das Volk. Der Reichstag wird ja durch Wahlen gebildet, und wer sind die Wähler? Das Volk. Der »Reichstag« - das sind die Reichstagsabgeordneten, und diese werden von dem Volk gewählt. Wenn das Volk gute Abgeordnete wählt, werden auch die Gesetze gut, und wählt es schlechte Vertreter, so fallen auch die Gesetze schlecht aus. Wir sehen dabei für den Augenblick davon ab, daß im deutschen Reich der Wille des Bundesrats und des Kaisers von entscheidendem Einfluß für das Zustandekommen von Gesetzen ist. Also ist es in letzter Linie das Volk selbst, das die Gesetze macht, das Volk durch seine Vertreter im Reichstage.

Es hängt somit vom Volke ab, ob die Gesetze gut sind oder schlecht. Das Volk ist selbst schuld an schlechten Gesetzen. Wie es selbst die Kette schmiedet, mit der es wirtschaftlich gefesselt wird, so bindet es auch selbst die Rute, mit der es politisch gezüchtigt wird.

Auf zweierlei Weise schadet das Volk sich selbst in der Politik: entweder dadurch, daß es Abgeordnete wählt, die nicht seine, nicht Volksinteressen vertreten, sondern irgendwelche andere Interessen; oder dadurch, daß es sich an den Wahlen nicht beteiligt. Jeder Abgeordnete wird gewählt durch die Mehrheit der abgegebenen Stimmen. Wenn also in einem Wahlkreise das arbeitende Volk an der Wahl nicht teilnimmt, dann sind es die wenigen Reichen, die Kapitalisten, welche allein den Abgeordneten wählen. Selbstverständlich werden sie einem Manne ihre Stimme geben, der ihre Interessen vertritt und nicht die ihrer Arbeiter. Wenn dagegen das arbeitende Volk an den Wahlen teilnimmt, so hat es die Macht in seiner Hand, denn es bildet die Majorität: es gibt ja bei weitem mehr Arbeiter als Kapitalisten.

Es gibt aber nichts Dümmeres, als an den Wahlen nicht teilzunehmen. Die Männer, die da sagen, die Politik sei ihnen Wurst, sie kümmern sich nicht darum, und die den Wahlen fern bleiben, oder die Frauen, die aus irgend welchen Rücksichten ihren Männern sagen: »Laßt es gut sein, was braucht Ihr Euch hineinzumengen, die anderen werden auch ohne Euch fertig« - die zeigen eben, daß sie nichts wissen, nichts verstehen. Hier kann, hier darf es keinen Indifferentismus geben. Die Gesetze treffen jeden, einerlei, ob er gewählt hat oder nicht; folglich muß auch jeder besorgt sein, daß solche Gesetze zustande kommen, die seinen Wünschen entsprechen. Wer sagt, es sei ihm gleichgültig, wer im Reichstag sitze, der sagt mit anderen Worten, es sei ihm gleichgültig, ob er Steuern zu zahlen habe oder nicht.

Die Frauen sind vom Wahlrecht ausgeschlossen, deshalb glauben viele von ihnen, für sie sei es von keinem Belange, wie die Reichstagswahlen ausfielen, wer im Reichstage zu sitzen komme. Dies ist falsch, denn obwohl sie selbst nicht wählen dürfen, werden sie doch von den Gesetzen, die der Reichstag macht, getroffen. Auch sie zahlen Steuern, die indirekten wie die direkten. Der junge Mann, der zum Militär muß, hat nicht bloß einen Vater, er hat auch ein Mutter, die durch seine Berufung unter die Fahne in Mitleidenschaft gezogen wird.

Bei den Reichstagswahlen ist das arbeitende Volk den Kapitalisten über oder kann ihnen wenigstens über sein. Da nämlich die Arbeiter und Bauern die Masse des Volkes ausmachen, so wären sie imstande, nur ihre eigenen Vertreter zu wählen und einen Reichstag zusammenzubringen, der ihre Interessen wahrnimmt und nicht dem reichen Protzen Liebesdienste leistet. Das arbeitende Volk könnte mittelst eines solchen Reichstags Gesetze schaffen, die den wirtschaftlichen Druck des Kapitalismus wenigstens etwas erleichterten. Es könnte die Gesetze des Reichs zu seinem Nutz und Frommen machen, wenn es immer nur seine eigenen Vertreter, die wahren Volksvertreter wählte. Tut dies aber das Volk? Nein.

Sehen wir uns doch einmal an, wie der Reichstag zusammengesetzt ist. Da gab es in dem Reichstag, der eben aufgelöst wurde, 125 Großgrundbesitzer, fast lauter adelige Herren vom feinsten himmelblauen Blute, mit langen, gedrechselten Namen, von denen sich wie ein Champagnerbouquet verbreitet. Sind sie etwa die Vertreter des arbeitenden Volkes? Was wissen die Herren von Arbeit? Sie wurden ihr Leben lang gepflegt und gehätschelt, brauchten nie sich auch nur im geringsten abzuplagen, kennen weder Arbeit noch Not. Was wissen die Herren vom Volk? Sehen sie den gemeinen Mann, so rümpfen sie die Nase, stets hielten sie sich vom Volk fern, das in ihren Augen etwas Niedriges, Gemeines ist, der Pöbel. - Und die Herren sollen nun Vertreter des arbeitenden Volkes sein? Ein Lügner, der's sagt. Sie waren, sind und können nichts anderes sein, als Vertreter ihrer selbst, der Großgrundbesitzer, der Land- und Kornwucherer, die ihre Pächter drücken, ihre Knechte und Mägde ausbeuten, die das ganze Volk aussaugen durch künstlich in die Höhe geschraubte Kornpreise. Die Bauern waren so töricht, sie in den Reichstag zu schicken; die Bauern haben ihr Wahlrecht, ihr gutes Recht dazu gebraucht, eine Peitsche mit 125 Enden zu flechten, mit der sie selbst und das ganze arbeitende Volk geschlagen werden.

Dann gab es im Reichstage 63 im Staatsdienste befindliche höhere Staatsbeamte. Die waren eben Beamte, Vertreter des Staates, der Regierung und nicht des Volkes. Und dennoch wurden sie durch das Volk gewählt!

Weiter saßen im Parlament 69 Kapitalisten - Fabrikbesitzer, Bankiers etc., und 20, die wir als den Bediententroß des Kapitalismus bezeichnen wollen: Fabrikdirektoren, Bankdirektoren etc., Leute, die gewöhnlich durch dick und dünn mit den Kapitalisten gehen. Arbeiter, sind das etwa eure Vertreter? Kann der Wolf die Sache der Schafe vertreten, können die Ausbeuter die Sache ihrer Ausgebeuteten führen? Ist es unter solchen Umständen ein Wunder, daß der Reichstag uns statt eines Arbeiterschutzgesetzes ein Arbeitertrutzgesetz geschaffen hat? Und dennoch haben die Arbeiter diese Leute in den Reichstag geschickt.

Dem Reichstag gehörten ferner an 25 Geistliche oder sonst im Dienst der Kirche stehende Männer. Was haben diese im Parlament zu tun? Ist ihnen nicht schon das Seelenheil anvertraut? Was haben sie mit dem irdischen Heil zu schaffen? Sie dienen der Kirche und im Dienste der Kirche sind sie im Reichstag; der Reichstag ist aber nicht für die Kirche da, sondern für das Volk.

Im ganzen Reichstag gab es nur ungefähr 30 Leute, die dem arbeitenden Volke entstammen; die übrigen Reichstagsabgeordneten waren Vertreter der sogenannten »liberalen Berufsarten«: Rechtsanwälte, Ärzte, Schriftsteller, von denen die meisten durch Abstammung und Berufstätigkeit mit den besitzenden Klassen aufs engste verknüpft sind.

So war der letzte Reichstag zusammengesetzt, so waren auch alle seine Vorgänger zusammengesetzt. Was so ein Reichstag an Gesetzen zusammenbringt, das läßt sich wohl denken, mehr noch, das weiß das Volk aus Erfahrung, aus bitterer Erfahrung. Es müßte ein Wunder genannt werden, wenn dem anders wäre. Woher sollen diese Leute die Kenntnisse des Volkes und seiner Leiden nehmen? Sie gehören ja der entgegengesetzten Gesellschaftsschicht an; sie leben ja vom Volke, durch die Arbeit des Volkes. Wenn es Knechte gibt, so sind das ihre Knechte, sie selbst sind die Herren - des Volkes Leiden machen ihr Glück. Wenn sie für das Volk sind, so sind sie gegen sich - werden sie sich, ihre eigenen Interessen preisgeben, dem Volke zuliebe? Eher das Volk, sich zuliebe.

Ein ergötzliches Schauspiel! Und ein trauriges Schauspiel - ein Schauspiel ohnegleichen! Im Reiche der Insekten wollten die Mücken einen Staat bilden und zu diesem Zwecke Volksvertreter wählen - und wen wählten sie? Lauter Spinnen. Ist es nicht dasselbe, wenn das arbeitende Volk die Kapitalisten, seine Ausbeuter, in den Reichstag wählt? So krümme doch deinen Rücken, törichtes Volk - du hast Hiebe zu empfangen, du hast deine Henker zu Volksverwesern gemacht! Aber wen soll nun das arbeitende Volk wählen? Wen? Vor allem hat es sich klar zu machen, wen es nicht zu wählen hat!

Es soll nicht Leute wählen, welche ihm, dem Volke, nicht angehören oder die ihm nicht mit Leib und Seele ergeben sind. Wer sind das aber? Das sind alle diejenigen, die über dem Volke stehen, die auf dem Volke sitzen, es mit ihrer ganzen Last drücken, die von ihm zehren und schmarotzen.

Solche Leute sind nicht schwer vom Volke zu unterscheiden. Die Arbeiter wissen, wer Fabrikant ist, die Bauern wissen, wer ein Großgrundbesitzer ist. Übrigens wollen ja diese Herren selbst vor allem nicht dem Volke angehören, sie selbst suchen sich auf irgendwelche Weise vom Volke, vom gemeinen Volke unterscheidbar zu machen. Sie verkehren nicht mit diesem, sie bilden ihre eigene, die »hohe«, die »gute« Gesellschaft. So mögen sie auch bei dieser Gesellschaft bleiben, so mögen sie auch von dieser Gesellschaft gewählt werden. Ist es nicht eine Schande für das arbeitende Volk, daß es 39 Grafen, Barone, Prinzen in den Reichstag als seine, als Volksvertreter gesendet hat?

Mit all solchen »Volksvertretern« muß aufgeräumt werden. Es darf keiner von ihnen in den Reichstag hinein. Sie mögen sich an ihresgleichen wenden, wenn sie ins Parlament wollen - aber, freilich, nicht ein einziger von ihnen wird dann im Reichstag sitzen. Auch keine Kapitalisten im Reichstage! Hinaus mit ihnen, sie gehören nicht hinein! Sie sind Volksbedrücker, sie können nicht für das Wohl des Volkes sorgen!

Wählen muß das Volk seine eigenen Vertreter, Leute, die ihm selbst angehören oder die ihm mit Leib und Seele ergeben sind. Es müssen Männer sein, die eins sind mit dem Volke, die keine anderen Interessen kennen als die Volksinteressen und für diese allein eintreten.

Solche Männer, das sind die Sozialdemokraten. 26 der sozialdemokratischen Abgeordneten waren Arbeiter, wenn die übrigen auch keine Handarbeiter sind, so standen sie doch jahrelang im Dienste des Volkes und haben ihre Eingebung für die Sache der arbeitenden, ausgebeuteten Masse bewiesen in Zeiten der schlimmsten Not und Gefahr. Die Sozialdemokraten werden die Interessen des Volkes nicht verraten, sie sind keine Ausbeuter, sie sind Diener des Volkes - nur durch sie allein kann sein Wille zur Geltung kommen. Solche Männer müssen in den Reichstag. Nicht 36 nur, sämtliche 397 Abgeordnete müßten Sozialdemokraten sein.

Wenn dies einmal der Fall sein wird oder wenn wenigstens die Mehrzahl der Abgeordneten Sozialdemokraten sind, dann würde es ganz anders aussehen im Deutschen Reich, als wie es jetzt darin aussieht. Dann hat die Ausbeutung der fleißigen Arbeitsbienen ein Ende, dann wird das Wohl des Volkes wahrgenommen und gehütet, nicht aber das Interesse weniger Begünstigten. Denn die Sozialdemokratie ist das arbeitende Volk selbst, sie ist die wahre rücksichtslose Vertretung der Volksinteressen!

30 28. September 1899

Resolution der Versammlung des sozialdemokratischen Wahlvereins Freiburgs zum »Revisionismus«

Volksfreund vom 6. Oktober 1899.

Die heutige Versammlung verurteilt entschieden die Angriffe auf die Grundanschauungen der Partei und gibt der Überzeugung Ausdruck, daß der Gesamtparteitag in Hannover auch in diesem Streit jede Verwässerung der Prinzipien der Partei und damit jede Hinüberleitung der proletarisch-sozialistischen Bewegung ins bürgerlich-reformistische Lager verhindern wird, hofft aber, daß die freie Meinungsäußerung nicht beschränkt wird.

31 28. Oktober 1899

Aufruf der dem Deutschen Metallarbeiter-Verband angeschlossenen Feilenhauer Freiburgs an alle zureisenden Kollegen, bei der Firma Ries, Freiburg, keine Beschäftigung aufzunehmen

Deutsche Metallarbeiter-Zeitung vom 28. Oktober 1899.

Wie schon in einer früheren Nummer mitgeteilt wurde, haben sich die hiesigen Feilenhauer dem DMV angeschlossen und einen Arbeitsnachweis errichtet. Da Herr Ries hier immer noch den »hohen Lohn« von 8 Mark mit Kost und Logis bezahlt, wurde beschlossen, ihm keinen Arbeiter mehr zuzuweisen, wenn er nicht Akkord- oder Stundenlohn bezahle. Auf dieses hin versprach er feierlich, er bezahle Akkord, und zwar noch 5 Pfennig mehr pro Meter als die Firma Bissier. Aber versprechen und halten sind bekanntlich zweierlei Dinge. Als ihm ein Kollege vom Arbeitsnachweis geschickt wurde, wollte er diesem wieder 8 Mark Wochenlohn bezahlen, worauf es der Kollege vorzog, seiner Wege zu gehen. Herr Ries meinte: wenn ihm schon die hiesigen Kollegen keinen Arbeiter mehr schicken, so dürfe er bloß nach Stuttgart schreiben, dann bekäme er genug. Darin wird er sich aber erst recht getäuscht haben. Alle hier zureisenden Feilenarbeiter werden ersucht, die Bude des Herrn Ries zu meiden und sich an den Arbeitsnachweis bei Kollege Hug, Belforter Straße 24, IV, zu wenden.

Die Tätigkeit der Arbeiterausschüsse

a) Bestimmungen der Großherzoglichen Generaldirektion der Badischen Staatseisenbahnen über die Einrichtung und Tätigkeit des Arbeiterausschusses für die auf der Station Freiburg im Betriebsdienst beschäftigten Arbeiter, 3. Dezember 1901

GLA Karlsruhe, 237/26525.

§ 1 Um den bei der Großherzoglich Badischen Staatseisenbahnverwaltung auf Station Freiburg (Hauptbahnhof und Wiehre) beschäftigten Arbeitern des Betriebsdienstes Gelegenheit zu geben, durch selbstgewählte Vertreter etwaige Wünsche bezüglich allgemeiner sie betreffender dienstlicher Angelegenheiten zur Kenntnis der vorgesetzten Behörde zu bringen, wird auf dieser Station nach Maßgabe der folgenden Bestimmungen ein Arbeiterausschuß eingesetzt.

§ 2 Der Ausschuß wird gebildet für die Arbeiter: 1. des Stations- und Rangierdienstes (Hilfsstationsmeister, Rangierer und sonstige Stationsarbeiter sowie Hilfsweichenwärter) beim Stationsamt Freiburg, 2. des Güterdienstes (Eil- und Frachtgutarbeiter, Wägemeister, Wagenausschreiber, Platzaufseher, Hilfsbürodiener) bei der Güterverwaltung Freiburg, 3. des Fahrdienstes (Güterparker, Bremser, Hilfsschaffner) beim Betriebsinspektor Freiburg, einschließlich aller Arbeiter beim Stationsamt Freiburg, Wiehre, 4. des Bahnunterhaltungs- und Magazinsdienstes (Bahn- und Telegrafenunterhaltungsarbeiter, Stellwerkschlosser und Magazinsarbeiter) beim Bauinspektor und beim Filialmagazin in Freiburg.

Die Arbeiter unter Ziffer 1, 2, 3 und 4 wählen je einen Vertreter für sich. Danach besteht der ganze Ausschuß aus vier Vertretern. Die dem Großherzoglichen Maschineninspektor in Freiburg unterstellten Arbeiter des technischen Betriebsdienstes sind dem Arbeiterausschuß für die Betriebswerkstätte daselbst angegliedert.

§ 3 Wahlberechtigt sind alle wenigstens 21 Jahre alten Arbeiter, welche die Voraussetzung für die Mitgliedschaft bei der Abteilung B der Arbeiterpensionskasse erfüllt haben und sich im Vollbesitze der bürgerlichen Ehrenrechte befinden. Wählbar sind solche in dem betreffenden Dienstzweig beschäftigte Arbeiter, welche das dreißigste Lebensjahr zurückgelegt haben, seit mindestens fünf Jahren im Dienste der Großherzoglichen Staatseisenbahnverwaltung beschäftigt sind und sich im Vollbesitze der bürgerlichen Ehrenrechte befinden.

Die Wahl ist eine geheime und wird durch Abgabe von Stimmzetteln ausgeübt. Sie wird von dem betreffenden Dienstvorstand, also bei dem in

§2 unter Ziffer 1 bezeichneten Personal von dem Dienstvorstand der Großherzoglichen Güterverwaltung, bei denjenigen unter Ziffer 3 von dem Großherzoglichen Betriebsinspektor und bei denjenigen unter Ziffer 4 von dem Großherzoglichen Bauinspektor in Freiburg oder deren Stellvertretern unter Zuziehung von zwei Beisitzern aus der Zahl der Wähler geleitet. Gewählt ist jeweils derjenige Arbeiter, welcher die meisten Stimmen hat. Bei Stimmengleichheit entscheidet das Los, welches von dem die Wahl leitenden Beamten gezogen wird. Für jedes Ausschußmitglied ist im gleichen Wahlgang auch ein Ersatzmann zu wählen. Die Wahl der Ausschußmitglieder und Ersatzmänner erfolgt auf drei Jahre. Ausscheidende sind wieder wählbar.

Eine Verpflichtung zur Annahme der Wahl liegt nicht vor. Die Gewählten haben sich über die Annahme der Wahl alsbald nach Bekanntgabe des Wahlergebnisses zu erklären. Beschwerden über die Rechtsgültigkeit der Wahl sind nur binnen einer Woche zulässig. Die Aufstellung der Listen der Wähler und der wählbaren Arbeiter sowie die Anordnung für Zeit und Ort der Wahl besorgt der betreffende Dienstvorstand (vergleiche Absatz 3). Die Wahllisten sollen acht Tage vor der Wahl zur Einsicht der Beteiligten ausgelegt werden.

§ 4 Das Amt als Ausschußmitglied erlischt: a) mit dem Ausscheiden des Arbeiters aus der Beschäftigung in dem Dienstzweig, für welchen er gewählt ist, b) mit Erlangung der Beamteneigenschaft, c) durch freiwillige Niederlegung des Amtes, d) mit dem Verlust der Wählbarkeit sowie im Fall der Verurteilung zu einer Gefängnisstrafe.

Scheidet ein Mitglied oder dessen Ersatzmann vor Ablauf der Zeit, für welche sie gewählt sind, aus, so hat eine Neuwahl für den Rest der Gültigkeitsdauer der Wahl stattzufinden.

§ 5 Die Arbeiterausschüsse haben die Aufgaben: 1) Auf Verlangen der vorgesetzten Behörde über allgemeine Angelegenheiten, insbesondere über Einrichtungen und Vorschriften zur Verhütung von Unfällen sowie über Einrichtungen zum Wohle der Arbeiter und ihrer Angehörigen ihr Gutachten abzugeben. 2) Wünsche und etwaige Beschwerden, welche die Arbeiter ihres Dienstzweiges oder einzelner Gruppen im ganzen berühren, bei der vorgesetzten Behörde vorzubringen und sich gutachtlich darüber zu äußern. Wünsche und Beschwerden einzelner sind von der Erörterung in den Arbeiterausschüssen ausgeschlossen; ebenso Beschwerden über das Verhalten einzelner Beamten. Jedoch bleibt der vorgesetzten Dienststelle nach ihrem Befinden vorbehalten, den Ausschuß bei Behandlung von Unterstützungsgesuchen über die Bedürftigkeit und Würdigkeit der zu Unterstützenden zu hören.

§ 6 Verhandlungen des Arbeiterausschusses finden je nach Bedürfnis, mindestens aber einmal im Jahr, auf Einberufung des Großherzoglichen Betriebsinspektors oder der Großherzoglichen Generaldirektion oder, wenn zwei Drittel der Mitglieder sie beantragen, statt. Den Vorsitz führt der Großherzogliche Betriebsinspektor oder sein Stellvertreter. Derselbe setzt Zeit und Ort der Verhandlung sowie die Tagesordnung fest. Auch bleibt ihm anheim gegeben, noch weitere Beamte zur Teilnahme an den Verhandlungen einzuladen. Die Tagesordnung soll den Ausschußmitgliedern zwei Wochen vor dem Sitzungstag mitgeteilt werden. Beratungsgegenstände, welche nicht mindestens eine Woche vor dem Sitzungstag bei dem Vorsitzenden angemeldet werden, kann derselbe von der Erörterung ausschließen.

§ 7 Über die in den Ausschußsitzungen gepflogenen Verhandlungen sind Niederschriften in ein Buch zu fertigen, welche von dem Vorsitzenden und dem dienstältesten Ausschußmitglied zu unterzeichnen und von ersterem aufzubewahren sind. Den Ausschußmitgliedern steht frei, jederzeit von den Niederschriften Kenntnis zu nehmen.

§ 8 Die Sitzungen des Ausschusses sollen tunlichst in die Arbeitszeit fallen. Aus Anlaß der Teilnahme an den Ausschußsitzungen finden keine Lohnkürzungen statt.

§ 9 Wegen Verletzung dieser Bestimmungen (§§ 1–8) steht den Arbeitern und Ausschußmitgliedern das Beschwerderecht an die Großherzogliche Generaldirektion zu.

§ 10 Der Großherzoglichen Generaldirektion steht frei, den Arbeiterausschuß, wenn er sich nach ihrem Ermessen zur Erfüllung der ihm gestellten Aufgabe als ungeeignet erwiesen hat, aufzulösen und eine Neuwahl anzuordnen.

b) Bericht der Großherzoglich Badischen Fabrikinspektion über die Tätigkeit der Arbeiterausschüsse, 1907

Jahresbericht des Badisch Großherzoglichen Fabrikinspektors für das Jahr 1907, Karlsruhe 1908, S. 57ff.

Von manchen Arbeitgebern, welche den Nutzen der Arbeiterausschüsse durchaus anerkennen und mit dem besten Willen allen billigen Wünschen der Arbeiterschaft bei Bildung des Ausschusses Rechnung getragen hatten, wird darüber geklagt, daß dem Arbeiterausschuß nicht die erwünschte und erhoffte Bedeutung als Bindeglied zwischen Arbeitgeber und Arbeitern zukomme. Solange ein Ausschuß nicht vorhanden sei, werde er von den Arbeitern als ein ideales Werkzeug zur Regelung aller die Gemüter bewegenden Fragen dargestellt, sei er aber zustande gekommen, so spiele er eine Rolle nur dann, wenn er einseitig die Forderungen der Arbeiter, gleichviel ob begründet oder unbegründet, vertrete. Tue er dies nicht, so sei es mit seinem Ansehen vorbei und die Mitglieder seien direkten Anfeindungen ausgesetzt, auch wenn sie zuvor anerkannte und maßgebende Wortführer waren. Aus diesen Gründen nähmen gerade die intelligentesten Arbeiter eine Wahl zum Arbeiterausschuß überhaupt nicht mehr an. Diese Darstellung ist leider nicht ganz unzutreffend, wenn sie auch an Einseitigkeit leidet. Haben doch viele Beispiele gezeigt, daß die Arbeiterschaft, je fortgeschrittener sie ist, desto rascher den gerügten Fehler, der mehr ein Zeichen des Überganges ist, abgelegt und die Autorität der Arbeiterausschüsse anerkennt und gelten läßt. In einzelnen Fällen hat die Bedeutungslosigkeit der Ausschüsse dazu geführt, diese in Übereinstimmung mit der Arbeiterschaft wieder eingehen zu lassen und sie nur von Fall zu Fall zur Erledigung wichtiger Fragen zu bilden oder sogenannte Sprecher wählen zu lassen. Im Anschluß an eine Lohnbewegung der Mannheimer Hafenarbeiter hat die Arbeiterschaft für jede Lagerhalle einen solchen Sprecher aufgestellt, welcher der Betriebsleitung Anliegen und Beschwerden der Arbeiter übermittelt. In allen allgemeinen, insbesondere in Fragen betreffs Löhne und Arbeitszeit, ist der Sprecher nur Vermittler seiner Organisationsleitung, wenn nicht diese direkt mit dem Arbeitgeberverband verhandelt. Der Vertreter einer Speditionsfirma hat sich über diese neue Einrichtung sehr günstig ausgesprochen und hebt vor allem den glatten Verlauf der Verhandlungen hervor. Die Sprecher nehmen auch Veranlassung, sich gelegentlich der Betriebsrevisionen mit dem Fabrikinspektor in Verbindung zu setzen.

Ein Fall ist bekannt geworden, in welchem der Arbeiterausschuß einer größeren Möbelschreinerei bei Differenzen erfolgreich gewirkt hat. Nach Mitteilung der Firma wurde durch Verständigung zwischen Betriebsleitung und Arbeiterausschuß ein Streik verhütet.

Von einem wesentlichen Fortschritt in der Bildung von Arbeiterausschüssen ist im Oberlande nichts zu bemerken. Man lehnt sie nicht grundsätzlich ab, aber »man sieht sie nicht gern«. Im allgemeinen herrscht hier Abneigung und Voreingenommenheit vor, obgleich irgendwelche für die Betriebsleitung unangenehme Erfahrungen, soviel bekannt, nirgends gemacht wurden. Ein Direktor mehrerer großer Spinnereien und Webereien des Wiesentales wurde durch die Frage, ob er in seinen Betrieben Arbeiterausschüsse habe, geradezu in Aufregung versetzt und erklärte, er würde seine Stelle sofort niederlegen, wenn er mit einem Arbeiterausschuß arbeiten müsse. Einen solchen anerkennen, heiße das Heft aus der Hand geben. Er lasse sich in seinem Betriebe keinerlei Vorschriften machen. Die Arbeiterausschüsse seien das Verderben der Industrie. Von seiner Meinung ließ er sich durch keinerlei Vorstellungen abbringen. Wo vereinzelt Arbeiterausschüsse bestehen, sind sie vom Arbeitgeber oft nur unter dem Druck der Verhältnisse zugelassen und geduldet, aber meist nicht erwünscht und deshalb nur mit unwesentlichen Befugnissen ausgestattet. Von einem Eingreifen oder Mitwirken des Arbeiterausschusses bei etwas anderem als beim Erlaß eines Nachtrages oder einer Abänderung der Arbeitsordnung oder bei der Verteilung von Strafgeldern an unterstützungsbedürftige Arbeiter am Ende des Jahres oder als Krankenkassenausschuß wurde, abgesehen vom Ausschuß einer chemischen Fabrik am Oberrhein und einer großen Nahrungsmittelfabrik, nichts bemerkt. Bei letzterer sind die Funktionen und die Zuständigkeit des Ausschusses durch ausführliche Satzungen genau geregelt. Die bedauerliche Untätigkeit der Ausschüsse ist vor allem auf das ihnen eingeräumte, eng begrenzte Feld der Zuständigkeit zurückzuführen.

In Mannheim, wo ständig eine rege Bewegung in wirtschaftlichen und sozialen Fragen herrscht, treten die Arbeiterausschüsse noch am häufigsten in Funktion, zumal bei Abschluß von Tarifverträgen. Es zeugt von großer Einsicht und von unabhängigem Denken, wenn Arbeitgeber bei diesen Verhandlungen mit Arbeiterausschüssen auch außerhalb der Fabriken stehende Arbeiterführer zulassen.

Eine große Spinnerei und Weberei Mittelbadens hat das ihr durch Vermittlung der Fabrikinspektion vorgetragene Ersuchen des Christlichen Textilarbeiterverbandes, einen Arbeiterausschuß wählen zu lassen, mit der Begründung abgelehnt, daß ihr Krankenkassenvorstand, der aus sieben Arbeitern und zwei Obermeistern gebildet sei, zur Zufriedenheit der Arbeiter auch als ständiger Arbeiterausschuß wirke. Die Firma hat dabei gegenüber der Bemerkung, daß die Arbeiter lieber ganz unter sich seien, die Ansicht vertreten, bei eingehenden Verhandlungen mit dem Arbeiterausschuß über vorgetragene Wünsche, Beschwerden oder dergleichen sei die Zuziehung der Obermeister sowieso nicht zu umgehen; ihre Zugehörigkeit zum Arbeiterausschuß bringe daher keine Nachteile mit sich. In dem vorliegenden Einzelfall konnten erhebliche Bedenken gegen diese Begründung nicht geltend gemacht werden, weil bei der Firma ein in gutem Sinne patriarchalisches Verhältnis zwischen der Direktion und der Arbeiterschaft besteht und eine wohlwollende Prüfung vorgebrachter Wünsche und Beschwerden stets erwartet werden kann.

Der Streik in der Zigarrenfabrik Kratzer, Offenburg

a) Erklärung des Komitees der streikenden Arbeiter, Oktober 1902

Stadtarchiv Offenburg, 5/7260.

Zur Aufklärung für das geehrte Publikum!

Für Offenburg gehört der wirtschaftliche Krieg, der Streik, glücklicherweise zu den seltenen Erscheinungen. Zu Beginn dieser Woche ist der Ausstand der Zigarrenmacher in der Kratzerschen Zigarrenfabrik doch noch zur Tat geworden. Das Entgegenkommen des jungen Herrn Kratzer, der die Fabrik bei Abwesenheit des Seniors leitet, gab der gegenseitigen Verständigung nur kurzen Halt. Herr Kratzer Vater kehrte heim und löste die Vereinbarung; Vater und Sohn scheinen somit verschiedener Auffassung zu sein über die Fragen des Arbeitsverhältnisses. Den Arbeitern verweigerte der Chef des Hauses nicht nur das Entgegenkommen, er entließ auch 4 Zigarrenmacher und 2 Wickelmacher.

Die Arbeiter schlugen den richtigen Weg ein: Sie trugen dem 1. Bürgermeister die Angelegenheit vor und beantragten, das in der Gewerbegerichtsgesetzgebung vorgesehene Einigungsamt einzusetzen als Schiedsgericht; sie fügen sich bedingungslos dem Urteil eines aus Tabakfabrikanten und Berufsarbeitern beiderseitig zu ernennenden Kollegiums unter dem Vorsitz des Bürgermeisters.

Herr Kratzer lehnte das Einigungsamt rundweg ab. Dieser Fabrikant bestreitet den Arbeitern jedes Recht zum Zusammenschluß in Verbänden, die eine Verbesserung ihrer Lebensbedingungen erzielen; diese »liberale« Auffassung setzt sich über das heutige Staatsrecht hinweg, widerstrebt den bekannten kaiserlichen Botschaften und steht - man kann es zur Ehre anderer hiesiger Zigarrenfabrikanten sagen - im Widerspruch zur ortsüblichen Praxis.

Am Mittwoch traten die Arbeiter und Arbeiterinnen in großer Zahl zusammen und erklärten sich solidarisch mit ihren ausgesperrten Kollegen. Es handelt sich neben dem berührten idealen Punkt (Recht der Arbeiterorganisation) auch um materielle Fragen. Die Zigarrenmacher wünschen, daß besserer Tabak zur Verarbeitung gegeben würde, namentlich ein nicht so brüchiges Deckblatt, von welchem z. Zt. 200–220 Stück auf das halbe Pfund gehen; oder daß für einzelne geringe Sorten der Akkordpreis aufgebessert werde, damit sie bei solchem Material nicht, wie es jetzt kam, immer mehr Verdienstausfall haben. Auch war nicht immer genügend Material vorhanden, so daß die Arbeiter oft halbe Stunden lang darauf warten mußten, ohne am Akkordlohnausfall entschädigt zu werden. Sodann mußten sie manchen Tag einige Hundert Wickel wenden, eine Arbeit, die nicht in den Akkordbereich der Zigarrenmacher gehört. Weiter wurden zwei neue sehr große Façons eingeführt, wodurch den Arbeitern ein Lohnausfall von 2 Mark bis 3,50 Mark per Zahltag erwuchs, im Budget eines Arbeiterhaushaltes ein Kapital!

Den Sortierern erging es ebenso. Auch sie erlitten durch diese Mißstände indirekte Lohnabzüge, die sie nötigten, vorstellig zu werden.

Taglöhne von 2 Mark bis 2 Mark 60 Pf, Akkorde, welche in einem halben Monat (14 Tagen) bei den geübtesten Arbeitern zum Glücksverdienst von 35 Mark aufsteigen, haben den Arbeitern im gegenwärtigen Stadium teurer Lebenserhaltung die Überzeugung beigebracht, daß ein Lohnausfall durch die Verarbeitung schlechten Rohmaterials nicht zu ertragen ist.

Die Arbeiterforderungen wurden wie folgt formuliert: 1) Wickel werden durch Taglöhner gewendet. 2) Ein besseres Deckblatt und stets in genügender Menge. 3) Einen Rollerlohn von 4,50 M für ordinäre und 4,80 M für feine Zigarren pro Mille an 2 Sorten, statt wie bisher 4,50 M für die Façonen Nr. 35 und 40. 4) Sortiererlohn für letztere Façon 45 Pf pro Mille. 5) Für eine weitere Sorte 3,60 M statt bisher 3,40 M pro Mille Rollerlohn. 6) Besseres Licht.

Wie eingangs bemerkt, versprach Herr Kratzer jr. allen Forderungen mit Ausnahme der Punkte 4 und 5, entgegenzukommen. Die Arbeiter gaben sich damit zufrieden und traten am 6. Oktober unter diesen Bedingungen wieder in Arbeit.

Durch die Rückkehr des Herrn Kratzer sen. trat die Angelegenheit wieder in ihr altes Stadium, da alles Gewährte zurückgezogen wurde und Äußerungen fielen, wie: »Er lasse sich keine Vorschriften machen«; »Er nehme in Zukunft keine Abordnung mehr an«; »Er dulde nicht, daß seine Arbeiter in Versammlungen gehen«; »Wem es nicht gefällt, kann gehen«; »Er werde die Hetzer schon hinausbringen«; »Es wäre besser, die Weibsleute kauften ihren Kindern einen Weck, statt in die Versammlungen zu gehen« etc.

Als die Deputation bei Herrn Kratzer jr. vorstellig war, baten die Arbeiter, es möchten doch keine Arbeiterentlassungen vorgenommen werden, die Leute seien bereit eventuell 1 Stunde weniger zu arbeiten oder, wenn das nicht genüge, einen ganzen Tag in der Woche auszusetzen. Der stellvertretende Chef erklärte aufs bestimmteste, daß keine Entlassungen vorkämen, »das wäre ja roh«.

Da kam am 11. Oktober die Entlassung der 6 Arbeiter. Statt besserem Deckblatt gab es nun solches, von dem ein halbes Pfund nur 170 bis 190 Stück ergab. So wurde den Arbeitern Wort gehalten!

Eine Gegenüberstellung der Kratzerschen Arbeitslöhne mit denjenigen der hiesigen Konkurrenz ergibt die Berechtigung der Arbeiterforderungen.

Kratzer bezahlt: 1) für Zigarren 3,40 M bis 4,00 M pro Mille, 2) für Wikkel 1,80 M bis 2,00 M pro Mille, 3) für Sortieren 35 Pf pro Mille, 4) Taglöhner erhalten -,80 M bis 1,20 M.

Die Firma Kahn hier bezahlt für die gleichen Positionen: 1) 3,60 M bis 5,70 M, 2) 1,90 M bis 2,50 M, 3) 35 bis 48 Pf, 4) für weibliche Taglöhner 1,00 M bis 1,40 M.

Die Firma Janz hier bezahlt für: 1) 3,60 M bis 4,50 M, 2) 1,80 M bis 2,40 M, 3) 35 bis 48 Pf.

Die Firma Walther zahlt bis zu 70 Pf für Sortieren.

Die Zigarrenmacher sind daher durchaus nicht in rosiger Lage. Ohne Mitverdienst der Frau ist es einem Familienvater überhaupt nicht möglich, sich ehrlich durchzubringen. Löhne von täglich zwei Mark gehören nicht zu den Seltenheiten, und da meint Herr Kratzer noch, das wäre zu viel! Dies Geld wird doch nicht gestohlen, es wird sauer erschuftet.

Bei den Verhandlungen vor dem Bürgermeister stellten die Arbeiter noch die weiteren Forderungen: 1) Wiedereinstellung der zu Unrecht Entlassenen, 2) Anerkennung des Koalitionsrechtes der Arbeiter. Da diese so mäßigen Forderungen alle rundweg abgelehnt wurden, so war die Arbeitsniederlegung unvermeidlich. Dem unparteiischen und gerechten Zuspruch unseres ersten Bürgermeisters gelang es nicht, die Gegensätze zu überbrücken.

Herr Kratzer besteht auf der paschalichen Auffassung, daß er in seinen geschäftlichen Praktiken sich nichts hineinreden lasse; Arbeiterentlassungen begründet er mit der Absicht, die Zigarrenfabrikation werde von ihm allmählich aufgegeben. Die Arbeiter verweisen demgegenüber auf die Tatsache, daß diesen früher schon zu diesem Zweck gemachten Behauptungen entgegen immer wieder, und namentlich in diesem Frühjahr und Herbst, die Arbeiterzahl durch Einstellung neuer Kräfte vermehrt wurde. Unter den jetzt Ausgesperrten befinden sich verheiratete Leute.

Die streikenden Arbeiter wenden sich nun zur Unterstützung der verdienstlosen Familien und einzelnen Ausgesperrten an ihre Arbeitsbrüder in Nähe und Ferrne; sie rechnen auf die Sympathie der gerechten und liebevollen Arbeiterfreunde.

Soweit die Tatsachen. Wir erwähnten sie, weil die Gemeinde Offenburg ein Interesse hat an dem Ausgang solcher wirtschaftlicher Kriegsführung auf ihrem Boden. Denn bei der Zerstörung wirtschaftlicher Existenzen, bei der Vernichtung von Familienglück durch das Drohen mit der Hungerpeitsche hat die Fürsorge der Kommunen ihre höhere Menschenpflicht zu erfüllen. An Weihnachten werden es drei Jahre, seit bei Fabrikant Kratzer zusammen 11 Arbeiter, darunter Leute mit 15–20jähriger Geschäftszugehörigkeit (darunter 6 verheiratete Leute mit 100 Jahren Gesamtarbeitsleistung in derselben Fabrik), brotlos gemacht wurden, am Abend vor der Christbescherung. Damals konnte im »Alten Offenburger« (Nr. 33 vom 31. Dezember 1899) darauf hingewiesen werden, daß alle Bemühungen, diese unschöne herzlose Tat zu verhüten, fruchtlos blieben. Sie wurde auch damals mit der bevorstehenden Geschäftsverkleinerung begründet, trotzdem in den folgenden 3 Monaten die Arbeiterzahl wieder nach dem alten Bestand ergänzt wurde.

Bei dem gegenwärtigen Streik zeigt sich auch auf seiten der Arbeiterschaft ein unschöner Zug. Aus der Solidarität der Arbeiter schieden zwei, die am lautesten weheklagten, aus, fielen den kämpfenden Arbeitskollegen in den Rücken und nahmen - obschon ihnen die Kampfunterstützung gesichert war - die Arbeit zu den alten Bedingungen wieder auf. Es sind zwei Schutterwälder!

Wir überlassen es jedem denkenden Arbeiter, das Urteil selbst zu fällen und appellieren an das Solidaritätsgefühl. Unterstützt uns materiell und moralisch in unserer gerechten Sache. Geldsendungen, Briefe etc. sind zu richten an Peter Haberer, Gerberstraße 3.

b) Mitteilung des Streikkomitees an den Bürgermeister der Stadt Offenburg über die Beendigung des Streiks, 19. Oktober 1902

Stadtarchiv Offenburg, 5/72 60.

Teile Ihnen hierdurch mit, daß der Ausstand in der Kratzerschen Fabrik durch das Eingreifen des Herrn Fabrikinspektors Fuchs gestern nachmittag eine Einigung zwischen den Arbeitern und Herrn Franz Kratzer jun. zustande kam.; die Arbeiter heute den Beschluß gefaßt haben, trotz einigen Klauseln am Montag, den 20 d. M. die Arbeit wieder aufzunehmen.

Kratzer jun. gab die schriftliche Erklärung ab, daß er Punkt I, II, III der Forderungen zusagte, Punkt IV, V jedoch nicht, Punkt VI gehört zur Fabrikinspektion, Punkt VII lehnte er vollständig ab. Gegen Punkt VIII kann er nicht anheben. Dies zu Ihrer gefälligen Kenntnisnahme.

Hochachtungsvoll

i. A. Peter Haberer

Der Streik in der Firma Sommer, Emmendingen

a) Bericht der »Breisgauer Nachrichten« über die vom Gewerkschaftskartell Emmendingen aufgrund des Streiks einberufene Volksversammlung und deren Resolution, 2. Januar 1904

Breisgauer Nachrichten vom 5. Januar 1904.

Kaum waren die Glocken der Christgesetzes verhallt und die Werktagsarbeit wieder in ihr Recht getreten, als rote Zettel an den Plakattafeln unserer Stadt die Bürger- und Arbeiterschaft für den 2. Januar in die »Sinnerhalle« zu einer öffentlichen Versammlung einluden, die eine Lohnbewegung zum Gegenstand hatte. Da derartige Vorkommnisse bisher trotz der stark angewachsenen Industrie in unserer Stadt zu den äußersten Seltenheiten gehören, so war es doch kein Wunder, daß der Versammlungsraum dicht besetzt war. Die Versammlung wurde vom Vorsitzenden des Gewerkschaftskartells eröffnet und geleitet, und wollen wir von vornherein konstatieren, daß sämtliche Redner in ruhigster, sachlichster Weise sprachen und damit sicher die Sympathie aller auch dem Arbeiterstande nicht angehörenden Anwesenden erwarben. Der Hergang ist kurz folgender: Die Firma Sommer, Zigarrenfabrik hier, hatte für eine Anzahl Zigarrensorten eine Preisreduktion der bisher gezahlten Löhne angekündigt, die am 22. Januar in Kraft zu treten hätte. Zu der Ankündigung war zufällig der Tag vor Weihnachten gewählt, woraus sich die Bezeichnung: »Die Weihnachtsgabe« auf den Plakaten erklärt. Infolge dieser angekündigten Lohnreduktion sahen sich 13 von den 22 betroffenen Arbeitern genötigt, ihre Kündigung einzureichen. Hier eingeschaltet sei noch, daß die Firma Sommer am Samstag mit einem Plakat folgenden Wortlauts antwortete:

Zur Aufklärung

Die »Breisgauer Nachrichten« bringen in ihrem lokalen Teil die Kündigung einiger Arbeiter in meiner Fabrik. Die Veranlassung der Kündigung war die teilweise Erniedrigung der Löhne.

Zu dieser Lohnreduktion, die erst vom 22. Januar 1904 an, also gemäß der Arbeitsordnung vereinbarten vierwöchentlichen Kündigungsfrist, in Kraft tritt, war ich gezwungen, nachdem ich im badischen Oberlande die höchsten Preise bezahlte, und stehe ich mit dem neuen Lohntarife immerhin noch mit an erster Stelle der Oberländer Zigarrenfabrikanten.

F. Sommer, Zigarrenfabrik.

Der Leiter der Versammlung bemerkte in seiner einleitenden Ansprache, daß es nötig sei, einmal mit den Zuständen in der Tabakindustrie vor die breiteste Öffentlichkeit zu treten. Eine Industrie, die so schlechte Lohnverhältnisse habe, verdiene fast nicht zu existieren, und es sei für die Arbeiter dieser Branche beinahe empfehlenswerter, in landwirtschaftlichen Betrieben zu arbeiten, als in den dumpfigen Räumen. Von dem nächsten Redner wurden darauf die Verhältnisse im allgemeinen und die hiesigen Verhältnisse im besonderen ausgeführt. Die nach den Statistiken des verstorbenen Fabrikinspektors Dr. Wörrishofer geschilderten Lohnverhältnisse ergeben für das badische Unterland die Löhne von 10–12 M pro Woche. Diese verstehen sich auf geübte herangewachsene Arbeiter! Zu der beabsichtigten Statistik für das badische Oberland sei Wörrishofer leider nicht mehr gekommen. Die im Jahre 1897 gegründete Fabrik Sommer nehme nicht die erste, sondern die dritte Lohnreduktion vor. Die jetzige betrage rund 12%. So erhalte z.B. ein Arbeiter, der es bei großem Fleiß bis jetzt pro Woche zu 14 M Verdienst gebracht, in Zukunft 11,92 M Dies entspreche einem Jahresarbeitsverdienst von 619.– M ohne Abrechnung der Feiertage. Man frage nun, ob es möglich sei, mit einem solchen Verdienst eine Familie zu erhalten und seinen sonstigen Verpflichtungen gerecht zu werden. Bemerkt sei noch, daß ein oder einige Arbeiter der Sommerschen Fabrik es bei einer besonderen Sorte Zigarren auf 17–18 M Wochenverdienst bringen, im allgemeinen ist aber der Verdienst 11–14 M.

In weiteren Ausführungen wurden die Behauptungen des Sommerschen Plakats zurückgewiesen, wonach die Firma mit den zukünftigen Preisen noch auf gleicher Basis mit den Löhnen der anderen oberbadischen Fabriken stehe und als Beispiel einige Vergleiche mit den Löhnen in der anderen hiesigen Zigarrenfabrik von Bloch & Cie. angeführt, die durchweg höhere waren. Letztere Fabrik müsse ihre Zigarren doch auch verkaufen.

Ein Freiburger Herr wies in seinen Ausführungen darauf hin, daß die breiteste Öffentlichkeit ein Interesse an den Verhältnissen in dieser Industrie habe, liege doch bei der Art und Weise der Herstellung der Zigarren eine große hygienische Gefahr vor, wenn die gesundheitlichen Verhältnisse in dieser Branche infolge der geringen Bezahlung schlechte seien. Dieser Redner führte u. a. noch aus, daß nach der Wörrishoferschen Statistik in Altona für die gleiche Sorte im Zuchthaus 6 M und hier in Baden 4,50 M, aber an freie Mitarbeiter, bezahlt werde.

Von einem anderen Redner (Arbeiter) wurde auf die Nachteile hingewiesen, die infolge eines solch schlechten Verdienstes für das Familienleben erwachsen. Die Frau, die doch von Rechts wegen ins Haus gehöre, müsse mitarbeiten und zum Lebensunterhalt beitragen. Daß dann von einer richtigen Kindererziehung keine Rede sein könne, sei begreiflich. Diesen Ausführungen speziell hätten wir gerne einen noch größeren Zuhörerkreis gewünscht; es wäre auch für manche Herren keine Schande, solchen Versammlungen beizuwohnen. Es gäbe dies manche Gelegenheit zur Informierung, und würde dies nur zur Erkennung wirklicher Notstände beitragen. Bei der Beurteilung der ganzen Sachlage fällt besonders die Lage der Fabriken - ob auf dem Land mit ländlichen Arbeitern, die nebenbei oder deren Eltern die Landwirtschaft betreiben, also das notwendigste zum Leben erbauen, oder in der Stadt mit Arbeitern, die für jede Kleinigkeit mit Geld aufzukommen haben - ins Gewicht. Daß es ein Kunststück ist, hier in Emmendingen mit einem Wochenverdienst von 12 Mark eine Familie (Mann, Frau und 5 Kinder, wie es bei einem der betroffenen Arbeiter der Fall) zu erhalten, wird wohl kein vernünftiger Mensch bezweifeln. Von einem der Arbeiter wurde besonders betont, daß kein Mensch etwa an eine Lohnerhöhung gedacht habe; gegen eine Reduktion müßten sie sich aber notgedrungen wehren.

Vom Vorsitzenden wurde dem Bedauern Ausdruck verliehen, daß die hiesigen Herren Fabrikanten nicht persönlich erschienen seien, eine freie Aussprache hätte gewiß nur zur Klärung der Sachlage beigetragen. Redner gab noch der Hoffnung Ausdruck, daß die Angelegenheit befriedigend beigelegt werde. Nachdem nachfolgende Resolution ohne Widerspruch Annahme gefunden, wurde die Versammlung geschlossen.

Resolution

Die heutige öffentliche Versammlung nimmt mit tiefem Bedauern Kenntnis von den in der Sommerschen Zigarrenfabrik herrschenden Lohnverhältnissen. Sie erkennt in den dort gezahlten Wochenlöhnen für erwachsene Arbeiter von 11-14 M die Unmöglichkeit, ihre Verpflichtungen gegen Staat und menschliche Gesellschaft nachzukommen. Die Versammlung verurteilt das Vorgehen des Herrn Sommer, welcher in rücksichtsloser Weise die Löhne ohne Grund gekürzt hat, und spricht den Arbeitern ihre volle Sympathie aus. Die Versammlung empfiehlt allen Arbeitern, das Produkt der genannten Fabrik zu meiden, bis Herr Sommer andere Zustände geschaffen hat.

(Nachschrift der Redaktion: Wir glaubten deshalb der ganzen Angelegenheit einen größeren Raum gewähren zu müssen, weil alle Ausführungen in der Versammlung den Stempel der Wahrheit trugen und wir es anscheinend mit einer wunden Stelle im Erwerbsleben des ganzen engeren und weiteren Vaterlandes zu tun haben. Wir gewähren den Interessenten gern Raum zu weiteren sachlichen Auseinandersetzungen.)

b) Öffentliche Erklärung der Inhaber der Firma Sommer in den »Breisgauer Nachrichten« über die Arbeitseinstellung von 16 Arbeitern, 19. Januar 1904

Breisgauer Nachrichten vom 19. Januar 1904.

Die unterzeichneten Inhaber der Firma F. Sommer, Zigarrenfabrik, Freiburg i. Br., sehen sich aufgrund des in Ihrem geschätzten Blatt veröffentlichten Referats vom 18. d. M. bezüglich der Arbeitseinstellung von 16, nicht 22, Arbeitern in meiner Fabrik in Emmendingen zu nachstehender Erklärung veranlaßt:

Nachdem die geplante Lohnminderung zugunsten der Arbeiter beigelegt war, verließ der erst seit 6. Oktober 1903 zugezogene Arbeiter Karl Kopf aus Lahr, angeblich wegen Krankheit, die Arbeitsstätte. Bei seiner Rückkunft - es verstrichen 3 Tage - wurde ihm von seiten des Fabrikleiters auf Weisung der Firma ein ärztliches Attest abverlangt. Der erwähnte Arbeiter fand es aber unter seiner Würde, diesem gerechten Verlangen Folge zu leisten, vielmehr den Werkmeister mit »Simpel, dummer Kerl« beschimpfte, und daraufhin natürlicherweise seine Entlassung erfolgte. Dessen Sohn, Karl Kopf jun., wies eine ihm zu dem vereinbarten Akkordlohn übertragene Arbeit schnöde zurück, züchtigte sogar einen Arbeiter in den Fabrikräumen und verließ die Arbeitsstätte.

Diese beiden Fälle, die in keiner Weise eine Maßregelung unsererseits insichschließen, können auch an unserem gegebenen Ehrenwort durchaus nichts rütteln. Eine Abordnung der Kartellgenossen, bestehend aus den Arbeitern Wickertsheim, Laubenberger, Lößle und einem Arbeiter der Firma Max Bloch & Cie, dessen Name nicht notiert ist, wurde am Freitag, dem 15. d. M., im Geschäfszimmer der Firma in Freiburg i. Br. angehört, wobei sie das Ansinnen stellten, daß fragliche 16 Arbeiter und Arbeiterinnen nur unter nachstehenden Bedingungen die Arbeit fortsetzen: 1. Wiedereinstellung der Arbeiter Kopf und Sohn; 2. sofortige Entlassung des derzeitigen Werkmeisters.

Wir, die unterfertigten Inhaber der Firma, wiesen das letzterwähnte Verlangen kategorisch zurück, zogen es daher vor, den bewährten und sachverständigen, oft angefeindeten Leiter der Fabrik mit seiner zahlreichen Familie nicht brotlos zu machen, vielmehr ließen an der am gleichen Tage stattgehabten Regelung der Lohnansprüche die Unzufriedenen ziehen.

Firma F. Sommer,
Inhaber: Siegfried und Isidor Sommer

c) Öffentliche Erwiderung der streikenden Arbeiter auf die Erklärung der Firmeninhaber, 20. Januar 1904

Breisgauer Nachrichten vom 20. Januar 1904.

Auf die in Nr. 15 der »Breisgauer Nachrichten« veröffentlichte Erwiderung der Firma F. Sommer, Inhaber Siegfried und Isidor Sommer, diene hiermit nachstehende Erklärung zur Richtigstellung.

1. Nicht, wie in betreffendem Artikel der Firma veröffentlicht, 16, sondern 19 Arbeiter legten die Arbeit nieder.

2. Karl Kopf, der »angeblich« wegen Krankheit die Arbeitsstätte verließ, beweist durch ein ärztliches Attest des Herrn Dr. Gutmann, daß er wirklich krank war. Nach seiner Genesung stellte sich derselbe dem Werkführer Klein als gesund und zur Wiederaufnahme der Arbeit bereit, worauf demselben von seiten des Werkführers ein beglaubigtes Attest über die Krankheit verlangt wurde. Daß sich hierbei Kopf in Anbetracht seines Alters von 50 Jahren, als verheirateter Familienvater, gegenüber dieser Anforderung zu der Äußerung »Dummer Kerl!« (und nicht, wie in dem Bericht gesagt ist, »Simpel«) hinreißen ließ, wird nach dem Vorgefallenen entschuldbar sein.

3. Betreffs des Kopf jun., welcher eine ihm übertragene Arbeit schnöde zurückgewiesen haben soll, sei bemerkt, daß die betreffende Arbeit zum ersten Male in betreffender Fabrik gemacht wurde und in anderen Fabriken durchschnittlich mit 5–6 Mark pro Mille bezahlt wird (Herr Bloch & Cie. bezahlt für die gleiche Qualität 6 Mark), während die Firma Sommer ganze 4 Mark bezahlen wollte. Es liegt ja hier klar, daß ein Grund gesucht wurde, um den betreffenden Arbeiter aus dem Geschäft zu entfernen.

4. Die in Freiburg bei Herrn Sommer vorstellig gewordene Kommission zur Regelung des Konflikts, die in anständiger Weise mit den Herren Sommer sen. und jun. verhandelten, wurde nach Beendigung der Verhandlungen mit dem nicht gerade schmeichelhaften Titel »Dreckige Bande!« beehrt, was die Arbeiterfreundlichkeit des Herrn Sommer sen. zur Genüge kennzeichnet. Auch scheint es bezüglich der Forderung der Kommission, den Werkführer zu entfernen, Herr Sommer lieber zu sehen, wenn sechs Familienväter und Witwen die Arbeitsstätte verlassen. Im übrigen halten die Ausständigen alles aufrecht, was in betreffender Versammlung über den »bewährten« Werkführer Klein gesagt wurde, der seine Untergebenen in rohester Weise behandelt.

d) Bericht des Gendarmeriekorps Emmendingen an das Großherzogliche Bezirksamt Emmendingen über die Beendigung des Streiks, 18. Februar 1904

Staatsarchiv Freiburg, LRA Emmendingen, Nr. 199.

Großherzoglichem Bezirksamt melde ich gehorsamst, daß der Streik in der Sommerschen Fabrik dahier als beendet erachtet werden dürfte, da die ausständigen Arbeiter, teils von hier weggegangen und teils in anderen Geschäften Arbeit genommen haben. Diesselben wurden während des Ausstandes nur von der Unterstützungskasse des hiesigen Gewerkschaftskartells unterstützt, und zwar teilweise bis zur Höhe ihrer früher verdienten Löhne.

Die Firma Sommer hat bis jetzt, trotz wiederholter Anfrage von Arbeitern, keine solchen mehr eingestellt, und macht diesbezüglich dahier der Vertreter derselben (Klein) geltend, daß sie des geringen Geschäftsgangs wegen keine weiteren Arbeiter mehr einstellen können und es kann ein diesbezüglicher Lohnausfall nicht angegeben werden.

35 **Juni 1905 / Mai 1907**

Die ersten Tarifverträge

a) Tarifvertrag für das Maurergewerbe in der Stadt Freiburg im Breisgau, 21. Juni 1905

Stadtarchiv Offenburg, 5/7262.

A. Arbeitsordnung

§ 1 Die Maurerarbeiten werden im Stundenlohn ausgeführt.

§ 2 Die tägliche Arbeitszeit beträgt: vom 1. Januar bis 15. Februar 8 Stunden (8-12 und 1-5 Uhr), vom 16. Februar bis 1. März 9 Stunden (8-12 und 1-6 Uhr), vom 1. März bis 19. März 9½ Stunden (7½-12 Uhr und 1-6 Uhr), vom 20. März bis 30. September 10 Stunden (6-8½ und 9-12 und 1½-6 Uhr), vom 1. Oktober bis 15. Oktober 9½ Stunden (6½-8½ und 9-12 und 1½-6 Uhr), vom 16. Oktober bis 31. Oktober 9 Stunden (7-8½ und 9-12 und 1–5½ Uhr), vom 1. November bis 31. Dezember 8 Stunden (8–12 und 1–5 Uhr).

§ 3 Überstunden, Nachtarbeiten, Sonn- und Feiertagsarbeiten sollen nur in dringenden Fällen stattfinden. Als Überstunden gelten die nächsten zwei Stunden nach Schluß der in § 2 angegebenen zehnstündigen Arbeitszeit. Das Abladen von Baumaterialien (Steinen etc.) aus Wagen, die kurz vor Beendigung der Arbeitszeit auf dem Bau- oder Werkplatz eingetroffen sind, zählt nicht zu den Überstunden, sofern es nicht eine ganze Stunde gibt. Unter Feiertagsarbeit ist immer nur die Arbeit an einem gesetzlichen Feiertag verstanden.

§ 4 Die Lohnzahlung findet unter Verwendung von geschlossenen Lohntäschchen mit der Aufschrift des Geldinhalts und dem Aufdrucke »Sofort nachzählen, spätere Beanstandung des Inhalts ist ausgeschlossen«, soweit möglich auf den größeren Baustellen und Werkplätzen statt. Aus besonderen Gründen, namentlich bei kleineren Arbeiten, Reparaturen etc., kann sie auch in den Geschäftsräumen des Arbeitgebers vorgenommen werden.

§ 5 Der Lohn wird entweder wöchentlich oder alle zwei Wochen, und zwar jeweils am Freitagnachmittag unmittelbar nach dem Arbeitsschlusse am Abend ausgezahlt. Der Lohnlistenschluß wird auf Mittwochabend festgesetzt.

§ 6 Für eine vorübergehende Verhinderung des Arbeiters an der Arbeit im Sinne des § 616 BGB steht demselben, mag er mit oder ohne sein Verschulden an der Arbeit verhindert sein, ein Anspruch auf Lohnvergütung nicht zu.

§ 7 Bei Neubauten und größeren Umbauten sind Baubuden und Aborte, die der städtischen Bauordnung und der Ministerialverordnung vom 29. Februar 1904 entsprechen, zu errichten.

§ 8 Betrunkenen Arbeitern ist das Betreten des Bauplatzes untersagt. Außer in den Ruhepausen ist der Genuß geistiger Getränke während der Arbeitszeit strengstens verboten. Die Verabreichung von Speisen und Getränken, wie Bier, Branntwein etc., ist auf den Arbeitsplätzen nicht gestattet. Während der Arbeitszeit darf kein Handlanger, Taglöhner oder Lehrling dazu verwendet werden, Speisen und Getränke usw. herbeizuschaffen.

§ 9 Das Arbeitsverhältnis kann sowohl vom Arbeitgeber als auch vom Arbeiter jederzeit ohne Einhaltung einer Kündigungsfrist, jedoch nur nach Vollendung eines vollen Arbeitstages aufgelöst werden. Die Lohnzahlung erfolgt in diesem Falle nach Umfluß des letzten Arbeitstages.

§ 10 Maßregelung oder Belästigungen aus Anlaß der Lohnbewegung oder wegen Zugehörigkeit zu einer Organisation finden von keiner Seite aus statt.

§ 11 Zum Zweck der gegenseitigen Verständigung und möglichst schnellen Erledigung irgendwelcher aus dem Arbeitsverhältnis entstehenden Differenzen wählen beide Teile aus ihren hiesigen, den Beruf noch ausübenden Angehörigen je drei Vertreter, welche zwei getrennte Kommissionen bilden, aber auch gemeinschaftlich als eine Kommission beraten können. Alle Beschlüsse der Kommissionen bedürfen der Gutheißung durch die beiderseitigen Versammlungen. Wird im einzelnen durch Vermittlung der Kommissionen eine Einigung nicht erzielt, so soll von beiden Seiten das Gewerbegericht als Einigungsamt angerufen werden. Bis zu diesem Zeitpunkt dürfen Aussperrungen und Arbeitseinstellungen nicht stattfinden.

B. Lohnfestsetzung

§ 1 Der Lohnsatz für tüchtige arbeitsfähige Maurergesellen beträgt für die Arbeitsstunde im Jahre 1905 bis 1. August: 45 Pf und von da an 46 Pf; im Jahre 1907 50 Pf. Der Lohn der Bauhilfsarbeiter, Lehrlinge und Speisbuben ausgenommen, welcher 10 Pf hinter dem der Maurer zurückbleibt, wird im gleichen Verhältnis wie der Lohn der Maurer abgestuft.

§ 2 Für die Nachtarbeit sowie die Sonn- und Feiertagsarbeit wird der anderthalbfache Tagesstundenlohn gezahlt. Für Überstunden wird außer dem Tagesstundenlohne ein Lohnzuschlag von 15 Pf vergütet.

§ 3 Für Arbeiten außerhalb des Stadtbezirks wird erforderlichenfalls neben dem Tagesstundenlohne noch eine Zulage gewährt, deren Höhe der freien Vereinbarung zwischen Arbeitgeber und Arbeiter unterliegt.

§ 4 Dieser Lohntarif hat Gültigkeit bis 1. April 1908 und von da ab jeweils auf ein weiteres Kalenderjahr (31. Dezember), wenn nicht spätestens vier Wochen vor der Ablaufszeit von einer der beiden Parteien eine Kündigung desselben ganz oder teilweise erfolgt ist. Im Falle der Kündigung gilt der alte Vertrag bis zum Inkrafttreten eines neuen weiter.

C.

Der Tarifvertrag wird auf allen Bau- und Werkplätzen in deutscher und italienischer Sprache angeschlagen.

b) Tarifvertrag für das Zimmerergewerbe in Offenburg und Umgebung, 15. Mai 1907

Stadtarchiv Offenburg, 5/7251.

1 a. Die Arbeitszeit beträgt im Sommer 10 Stunden, wobei je eine halbe Stunde Frühstücks-, Vesper- und eine Stunde Mittagspause nicht mitzurechnen ist. Im Winter richtet sich die Arbeitszeit nach dem Tageslicht.

1 b. Auf den Zimmerplätzen in Schutterwald beträgt die Arbeitszeit im Sommer 11 Stunden, wird jedoch bei Auszahlung 10stündig berechnet. Am Samstag ist der Arbeitsschluß um 6 Uhr. Der Winterlohn wird zum 10-Stundenlohnsatz berechnet.

2. Der Lohn beträgt vom 15. Mai 1907 bis 31. März 1908 für einen gelernten Zimmerer 38 Pfennig pro Stunde.

3. Gesellen unter 20 Jahren und solche, welche durch Alter oder Unfall weniger leistungsfähig sind, unterstehen der freien Vereinbarung.

4. Die Arbeitszeit und der hierfür zu zahlende Lohn wird nur nach wirklich geleisteten Arbeitsstunden berechnet. Der Geselle hat keinen Anspruch auf Lohn für solche Zeiten, in denen er durch einen, in seiner Person liegenden Grund an der Arbeit verhindert worden ist.
Wird die Arbeit infolge des Frostes, Regens, wegen Störung im Betrieb oder durch einen teilweisen Ausstand der am Bau beschäftigten Mitarbeiter unterbrochen, so kann der Geselle, ohne daß das Vertragsverhältnis für ihn erlischt, für diese Zeit keinen Lohn beanspruchen.

5. Lohnschluß ist Samstagabend. Der bis dahin verdiente Lohn wird am Samstag nach Schluß der Arbeitszeit ausbezahlt. Jeder Geselle muß spätestens eine Stunde nach Beendigung der Arbeitszeit im Besitz seines Lohnes sein. Die Auszahlung geschieht in jedem Geschäft, wie es bis jetzt üblich war.

6. Überstunden, Nacht- und Sonntagsarbeiten dürfen nur in dringenden Fällen gemacht werden. Als Überstunden gelten solche, welche über die 10stündige Arbeitszeit hinausgehen und in die Zeit von 6 bis 8 Uhr abends und von 5 bis 6 Uhr morgens fallen. Als Nachtarbeit wird die Zeit von 8 Uhr abends bis 5 Uhr morgens gerechnet. Bei Nachtarbeiten ist ein Zuschlag von 20 Pfennig pro Stunde, bei Sonntagsarbeiten der doppelte Lohn zu zahlen. Bei auswärtigen Arbeiten unterliegt der Zuschlag der freien Vereinbarung.

7. Beide Teile sind berechtigt, das Arbeitsverhältnis ohne vorherige Kündigungsfrist zu lösen. Die Entlassung oder der Austritt darf nicht nach Schluß derselben erfolgen. Die Zahlung des bis dahin verdienten Lohnes geschieht nur nach Ablieferung des leihweise erhaltenen Werkzeuges, und der bis dahin verdiente Lohn ist längstens am nächsten Tag auszuzahlen.

8. Jeder Geselle, der bei einem Mitglied des Verbands badischer Zimmermeister beschäftigt ist, ist berechtigt, beim Austritt ein Zeugnis von seinem Meister zu verlangen, welches mit Klischee und Titel »Verband badischer Zimmermeister« versehen ist. Ein solches Zeugnis muß unbedingt ausgehändigt werden.

9. In jedem Geschäft ist eine Abschrift dieses Vertrages, welche die Geschäftsordnung darstellt, sichtbar und leserlich anzubringen. Das Holen von Speisen und geistigen Getränken während der Arbeitszeit sowie das Rauchen auf dem Geschäftsplatz oder sonstigen Arbeitsstellen ist verboten. Ebenso das Mitnehmen von Gegenständen ohne Erlaubnis des Arbeitgebers.

10. Der Verband der Zimmerer hat nach Kräften dafür bestrebt zu sein, daß, wenn während der Vertragszeit ein neues Zimmergeschäft eröffnet wird, von demselben diese Vereinbarung anerkannt wird.

11. Vorstehender Tarif ist gültig vom Tage der Vereinbarung bis 31. März 1908. Wird nach Ablauf dieser Frist eine Änderung gewünscht, so ist der Tarif ein Vierteljahr vorher zu kündigen. Geschieht das nicht, so läuft er stillschweigend ein Jahr weiter.

Dieser Vertrag ist als zu Recht bestehend von der Meister- und Gesellenorganisation sowie von jedem Gesellen durch Unterschrift anzuerkennen.

Beschluß des Parteitages der SPD in Mannheim über das Verhältnis der Partei zu den Gewerkschaften

Protokoll über die Verhandlungen des Parteitages der SPD, abgehalten zu Mannheim, Berlin 1906, S. 305.

I. Der Parteitag bestätigt den Jenaer Parteitagsbeschluß zum politischen Massenstreik und hält nach der Feststellung, daß der Beschluß des Kölner Gewerkschaftskongresses nicht im Widerspruch steht mit dem Jenaer Beschluß, allen Streit über den Sinn des Kölner Beschlusses für erledigt.

Der Parteitag empfiehlt nochmals besonders nachdrücklich die Beschlüsse zur Nachahmung, die die Stärkung und Ausbreitung der Parteiorganisation, die Verbreitung der Parteipresse und den Beitritt der Parteigenossen zu den Gewerkschaften und der Gewerkschaftsmitglieder zur Parteiorganisation fordern. Sobald der Parteivorstand die Notwendigkeit eines politischen Massenstreiks für gegeben erachtet, hat derselbe sich mit der Generalkommission der Gewerkschaften in Verbindung zu setzen und alle Maßnahmen zu ergreifen, die erforderlich sind, um die Aktion erfolgreich durchzuführen.

II. Die Gewerkschaften sind unumgänglich notwendig für die Hebung der Klassenlage der Arbeiter innerhalb der bürgerlichen Gesellschaft. Dieselben stehen an Wichtigkeit hinter der sozialdemokratischen Partei nicht zurück, die den Kampf für die Hebung der Arbeiterklasse und ihre Gleichberechtigung mit den anderen Klassen der Gesellschaft auf politischem Gebiet zu führen hat, im weiteren aber über diese ihre nächste Aufgabe hinaus die Befreiung der Arbeiterklasse von jeder Unterdrückung und Ausbeutung durch Aufhebung des Lohnsystems und die Organisation einer auf der sozialen Gleichheit aller beruhenden Erzeugungs- und Austauschweise, also der sozialistischen Gesellschaft, erstrebt. Ein Ziel, das auch der klassenbewußte Arbeiter der Gewerkschaft notwendig erstreben muß. Beide Organisationen sind also in ihren Kämpfen auf gegenseitige Verständigung und Zusammenwirken angewiesen.

Um bei Aktionen, die die Interessen der Gewerkschaft und der Partei gleichmäßig berühren, ein einheitliches Vorgehen herbeizuführen, sollen die Zentralleitungen der beiden Organisationen sich zu verständigen suchen. Um aber jene Einheitlichkeit des Denkens und Handelns von Partei und Gewerkschaft zu sichern, die ein unentbehrliches Erfordernis für den siegreichen Fortgang des proletarischen Klassenkampfes bildet, ist es unbedingt notwendig, daß die gewerkschaftliche Bewegung von dem Geiste der Sozialdemokratie erfüllt werde. Es ist daher Pflicht eines jeden Parteigenossen, in diesem Sinne zu wirken.

Die Praxis der schwarzen Listen und der Maurerstreik in Offenburg

a) Brief des Badischen Arbeitgeberbundes für das Baugewerbe, Bezirksverband Offenburg, an die Mitglieder, 27. Mai 1907

Stadtarchiv Offenburg, 5/7262.

Sehr geehrte Herren Kollegen!

Die hiesigen nachstehend aufgeführten Maurer haben an die Unternehmer die Forderung eines Mindestlohnes ohne alle Leistungsklausel gestellt. Zur Durchführung ihrer Forderungen wurde am 27. d. M. die Arbeit eingestellt, obwohl der Bezirksverband Offenburg des Arbeitgeberbundes sich nach mehrmaligen mündlichen und schriftlichen Verhandlungen zur Einführung eines Tarifs alle Mühe gab.

Bei dieser Sachlage ergeht an alle Kollegen die ergebene Bitte, keinen ausständigen Arbeiter einzustellen bzw. bereits eingestellte sofort zu entlassen. Wir bitten um unbedingte Einhaltung dieser für alle hochwichtigen Sache.

Mit Meistergruß

Der Vorstand des Deutschen Arbeitgeberbundes für das Baugewerbe, Bezirksverband Offenburg*

b) Leserbrief im »Ortenauer Boten« zum Maurerstreik in Offenburg, 4. Juni 1907

Ortenauer Bote vom 4. Juni 1907.

Auf den hiesigen Bauplätzen ist die Wahrnehmung zu machen, daß teilweise gar nicht oder nur mit einer beschränkten Anzahl Leute gearbeitet wird. Nach eingezogenen Erkundigungen ist dies auf einen jüngst ausgebrochenen Maurerstreik in hiesiger Stadt zurückzuführen. Nimmt man sich nun die Mühe, die Unzufriedenheit der im Ausstand befindenden

---

*Es folgt eine Liste mit 92 Namen.

Leute auf ihre Berechtigung näher zu prüfen, so kommt man zu der Überzeugung, daß zum Teil Forderungen gestellt werden, welche ganz sonderbarer Art sind.

Wie man hört, handelt es sich vorwiegend darum, daß für alle Maurer, ohne Rücksicht auf Qualifikation und Alter eines jeden einzelnen, ein und derselbe Tages- bzw. Stundenlohn gefordert wird. Daß die hiesigen Maurermeister einem derartigen Verlangen geschlossen entgegentreten, erscheint nicht nur gerechtfertigt, sondern muß entschieden gebilligt werden, da sich ein jeder, welcher nur einigermaßen einen Einblick in das Maurerhandwerk hat, sagen muß, daß bei Bewilligung einer solchen Forderung der gute und qualifizierte Maurer gegenüber dem minderwertigen nicht unwesentlich in Nachteil käme, vorausgesetzt, daß er nicht etwa in seinen Leistungen nachlassen würde.

Nicht ohne Interesse ist dann auch die Tatsache, daß gerade solche Maurer, welche von ihren Meistern seit Jahren beinahe ständig in den Wintermonaten beschäftigt wurden, dieses Entgegenkommen dadurch lohnten, daß sie sich so rasch als möglich dem Streik anschlossen. Auch kann nicht unerwähnt gelassen werden, daß unter den Streikenden sich solche Maurer befinden, welche bereits jahrzehntelang bei ein und demselben Meister beschäftigt waren und welche aus diesem Grunde, trotzdem deren Leistungen durch Alter etc. beeinträchtigt wurden, stets den normalen und zufriedenstellenden Lohn erhalten hatten.

Man hat in verschiedenen Kreisen die Überzeugung, daß dieser Streik ohne innere Berechtigung in Szene gesetzt wurde und daß, wenn die in Frage kommenden Maurermeister nachgeben, der Streik also erfolgreich durchgeführt wird, man sehr bald mit neuen Forderungen an die Arbeitgeber herantreten wird.

c) Erwiderung auf den Leserbrief zum Maurerstreik im »Ortenauer Boten«, 5. Juni 1907

Ortenauer Bote vom 5. Juni 1907.

Auf den Sprechsaalartikel in der Sonntagsnummer des »Ortenauer Boten«, daß die Forderungen, welche die Maurer aufgestellt haben, ungerecht seien, zur Erwiderung, daß das keineswegs zutrifft, weil der Maurer in Offenburg nur einen täglichen Durchschnittslohn von 3,80 M erhält, der gegen unsere Nachbarstädte bei weitem zurücksteht, was dem Artikler, der sich für diesen Maurerstreik so sehr interessiert, doch wohl bekannt sein dürfte. Zwar heißt es, die Maurer haben Taglöhne von 4–5 M, dies ist aber völlig unrichtig, denn von den hiesigen Maurern beziehen über 90% Löhne von 3,20–4,00 M.

Es heißt dann weiter in dem Artikel, daß es sich vorwiegend darum handle, daß für alle Maurer ohne Rücksicht auf Qualifikation und Alter eines jeden einzelnen Maurers ein und derselbe Tages- bzw. Stundenlohn gefordert wird. Diese Behauptung muß als krasseste Unwahrheit bezeichnet werden. Haben nicht die Vertreter der Arbeitgeber und die der freien und christlichen Gewerkschaften am Abend des 7. Mai im »Unionsaale« sich dahin geeinigt, daß bei den Junggesellen bis zum vollendeten 20. Lebensjahr und solchen, die infolge Alters oder Invalidität nicht im Besitz ihrer volle Leistungsfähigkeit sind, die Lohnfestsetzung dem freien Ermessen der Arbeitgeber überlassen wird? Wir sind der Meinung, daß die Maurer vom 20. Jahre aufwärts doch nun Leute sind in dem besten Mannesalter, und sie werden auch wohl seitens der Herren Arbeitgeber als solche anerkannt werden müssen. Aber auch daraufhin verständigten sich die Herren Unternehmer nicht, und noch einmal wollten die Maurer zu einer friedlichen Einigung schreiten, indem sie laut Schreiben vom 16. Mai d. J. an den Arbeitgeberverband noch folgenden Zusatz vorschlugen: »Sollten unter den Maurern über 20 Jahre Leute sein, die unter dem üblichen Maße bleiben, so kann man mit diesen der Lohn besonders vereinbart werden.« Allein nicht einmal auf diesen Zusatz gingen die Herren Unternehmer ein, sie wollten eben die gleichen Klassenlöhne bezahlen, die schon viele Jahrzehnte in Offenburg herrschen. Dadurch würde die Lage der Maurer nicht verbessert, sondern nur verschlechtert; denn wer ist von den Offenburger Maurern leistungsfähig? Auf eine diesbezügliche Frage kam die Antwort: keiner.

Wie steht es dann mit den Maurern, welche während des Winters beschäftigt sind? 4–15 Wochen sind die meisten Maurer im Winter außer Arbeit gesetzt, und diejenigen, welche doch das Glück haben, arbeiten zu dürfen, haben manchmal nicht allein mit kürzeren Arbeitstagen zu rechnen, sondern auch der Stundenlohn für sie wird weniger.

Diese Forderung, die wir hier stellten, braucht für den Herrn Artikler nicht so frappierend zu sein, da die meisten Städte Badens höhere Minimallöhne haben als die Maurer in Offenburg forderten, in dem benachbarten Friesenheim wird sogar ein Mindestlohn von 49 Pf bezahlt. Auch die Firma Schneider, welche die Bahnbauten macht, erkannte einen höher gestellten Tarif mit einem Minimalstundenlohn von 50–53 Pf ohne alle Schwierigkeit an. Herr K-Artikler, es ist also nichts Neues, was Ihnen jetzt so fremd vorkommt, und es wäre für Sie besser am Platze gewesen, sich vorerst zu vergewissern, als Unrichtiges zu berichten.

d) Lohntarifvertrag für das Baugewerbe in Offenburg, 6. Juni 1907

Stadtarchiv Offenburg, 5/7262.

Lohntarif, vereinbart zwischen dem Arbeitgeberbund für das Baugewerbe, Bezirksverband Offenburg, einerseits, und dem Zentralverband der Maurer Deutschlands, Zweigverein Offenburg, und dem Zentralverband der christlichen Bauhandwerker, Verwaltungsstelle Offenburg, andererseits.

Art. 1 Die Arbeitszeit regelt sich für das ganze Jahr wie folgt (und darf in den Zwischenstunden nicht begonnen werden). Die Maurerarbeiten werden im Stundenlohn ausgeführt.

Art. 2 Die tägliche Arbeitszeit beträgt: vom 1. Januar bis 15. Februar 8 Stunden, von 8 Uhr morgens bis 5 Uhr abends, mit einstündiger Mittagspause von 12–1 Uhr. Vom 16. Februar bis 19. März 9 Stunden von 7 Uhr morgens bis 6 Uhr abends, mit Pause von ½9–9 Uhr, von 12–1 Uhr und von ½4–4 Uhr. Vom 20. März bis 30. September 10 Stunden, von 6 Uhr morgens bis 6 Uhr abends, mit Pause von ½9–9 Uhr, von 12–1 Uhr und von ½4–4 Uhr. Vom 1. Oktober bis 15. Oktober 9½ Stunden, von morgens 6½ Uhr bis abends 6 Uhr, mit Pause von ½9 Uhr bis 9 Uhr, von 12–1 Uhr und von ½4–4 Uhr. Vom 16. Oktober bis 31. Oktober 8½ Stunden, von morgens 7 Uhr bis abends 5½ Uhr, mit Pause von ½9–9 Uhr, von 12–1 Uhr und von ½4–4 Uhr. Vom 1. November bis 31. Dezember 8 Stunden, von morgens 8 Uhr bis abends 5 Uhr mit 1stündiger Mittagspause von 12–1 Uhr.

Art. 3 Überstunden, Nacht-, Sonn- und Feiertagsarbeiten sind nur in dringenden Fällen statthaft. Als Überstunden gelten die Stunden von 6–8 Uhr abends, von da ab bis morgens 5 Uhr werden Nachtstunden berechnet. Das Abladen von Baumaterialien, Steinen usw., aus Wagen, die kurz vor der Beendigung der Arbeitszeit auf dem Bau- oder Werkplatze eingetroffen sind, zählt nicht zu den Überstunden, sofern es nicht eine ganze Stunde gibt. Unter Feiertagsarbeit ist immer nur die Arbeit an einem gesetzlichen Feiertage verstanden.

Art. 4 Die Auszahlung des Arbeitslohnes erfolgt nach Stunden, derselbe beträgt für einen tüchtigen Maurer vom Tage des Abschlusses bis 31. März 1908 46 Pf, vom 1. April 1908 bis 31. März 1909 48 Pf, vom 1. April 1909 bis 31. März 1910 50 Pf. Für Junggesellen, alte und invalide Maurer, ferner für solche, die mit ihrer Leistung fortwährend hinter der Durchschnittsleistung der Maurer zurückbleiben, wird ein geringerer Lohn zwischen Arbeitgeber und Arbeitnehmer vereinbart. Für Überstunden wird ein Zuschlag von 15 Pf, für Wasserarbeiten ein solcher von 25 Pf, für Nachtarbeiten 50% und für Sonntagsarbeiten ein solcher von 100% des Lohnes bezahlt. Für Überstundenarbeit, ebenso bei Gruben-, Kessel- oder sonstigen schmutzigen Arbeiten, muß der zu zahlende Zuschlag stets zwischen Arbeitgeber und Arbeitnehmer vereinbart werden.

Art. 5 Die Lohnzahlung erfolgt alle 14 Tage samstags, und zwar in Täschchen mit der Aufschrift »sofort nachzählen, spätere Beanstandung ist ausgeschlossen«, und bleibt es dem Arbeitgeber überlassen, den Lohn auf dem Büro oder auf dem Bauplatze auszubezahlen. Vorschuß kann jeweils am Samstag nach dem Ermessen des Arbeitgebers gewährt werden, Zahltagsschluß ist Donnerstagabend.

Art. 6 Betrunkenen Arbeitern ist das Betreten des Bauplatzes untersagt. Außer in den Ruhepausen ist der Genuß geistiger Getränke während der Arbeitszeit strengstens verboten. Die Verabreichung von Speisen und Getränken, wie Bier, Branntwein etc., ist auf den Arbeitsplätzen nicht gestattet. Während der Arbeitszeit darf kein Handlanger, Taglöhner oder Lehrling dazu verwendet werden, Speisen und Getränke usw. herbeizuschaffen, außer zu den Frühstücks- und Vesperpausen.

Art. 7 Kündigung findet nicht statt. Das Arbeitsverhältnis kann beiderseits am Abend eines jeden Arbeitstages ohne vorherige Kündigung gelöst werden, der verdiente Lohn und die im Besitze des Arbeitgebers befindlichen Papiere werden am Tage des Austrittes oder der Entlassung ausgehändigt. Die Einstellung und Entlassung von Arbeitern steht im freien Ermessen des Arbeitgebers.

Art. 8 Die Beschäftigung von Arbeitern verschiedener Richtung auf ein und derselben Arbeitsstelle wird als zulässig anerkannt. Zugehörigkeit zu einer Organisation darf kein Grund zur Entlassung sein.

Zur Schlichtung von Meinungsverschiedenheiten über den Vollzug dieses Vertrages ist ein Ausschuß, bestehend aus 4 Arbeitgebern und 4 Arbeitnehmern, je zwei aus dem beiderseitigen Verbande zu wählen. Der Ausschuß wählt einen Arbeitgeber aus seiner Mitte zum Vorsitzenden. Der Vorsitzende hat auf Antrag der Vertreter der Arbeitgeber oder Arbeitnehmer innerhalb 4 Tagen eine Sitzung einzuberufen, zu welcher die Verbandsvorstände berechtigt sind, einen Vertreter zu entsenden, die jedoch nur beratende Stimme haben.

Diese Arbeitsbedingungen sind auf jeder Baustelle auszuhändigen. Die Arbeitgeber- und Arbeitnehmervertreter verpflichten sich, ihren ganzen Einfluß zur Aufrechterhaltung dieses Vertrages einzusetzen.

Art. 9 Vorstehender Lohntarif hat Gültigkeit vom Tage der Vereinbarung bis zum 31. März 1910. Erfolgt bis zum 1. Februar 1910 von keiner Seite eine Kündigung vorstehender Bestimmungen, so gelten dieselben ein Jahr länger und so fort bis zum 1. Februar eines Jahres, an welchem die ordnungsgemäße Kündigung erfolgt ist.

Entschließung des Internationalen Sozialistenkongresses in Stuttgart über »Militarismus und internationale Konflikte«

Protokoll des Internationalen Sozialistenkongresses zu Stuttgart, Berlin 1907, S. 64ff.

Der Kongreß bestätigt die Resolution der früheren internationalen Kongresse gegen den Militarismus und Imperialismus und stellt aufs neue fest, daß der Kampf gegen den Militarismus nicht getrennt werden kann von dem sozialistischen Klassenkampf im ganzen.

Kriege zwischen kapitalistischen Staaten sind in der Regel Folgen ihres Konkurrenzkampfes auf dem Weltmarkte, denn jeder Staat ist bestrebt, sein Absatzgebiet sich nicht nur zu sichern, sondern auch neue zu erobern, wobei Unterjochung fremder Völker und Länder eine Hauptrolle spielt. Diese Kriege ergeben sich weiter aus den unaufhörlichen Wettrüstungen des Militarismus, der ein Hauptwerkzeug der bürgerlichen Klassenherrschaft und der wirtschaftlichen und politischen Unterjochung der Arbeiterklasse ist.

Begünstigt werden die Kriege durch die bei den Kulturvölkern im Interesse der herrschenden Klassen systematisch genährten Vorurteile des einen Volkes gegen das andere, um dadurch die Massen des Proletariats von ihren eigenen Klassenaufgaben sowie von den Pflichten der internationalen Klassensolidarität abzuwenden. Kriege liegen also im Wesen des Kapitalismus; sie werden erst aufhören, wenn die kapitalistische Wirtschaftsordnung beseitigt ist oder wenn die Größe der durch die militärtechnische Entwicklung erforderlichen Opfer an Menschen und Geld und die durch die Rüstungen hervorgerufene Empörung die Völker zur Beseitigung dieses Systems treibt.

Daher ist die Arbeiterklasse, die vorzugsweise die Soldaten zu stellen und hauptsächlich die materiellen Opfer zu bringen hat, eine natürliche Gegnerin des Krieges, der im Widerspruch zu ihrem Ziele steht: Schaffung einer auf sozialistischer Grundlage beruhenden Wirtschaftsordnung, die die Solidarität der Völker verwirklicht. Der Kongreß betrachtet es deshalb als Pflicht der arbeitenden Klasse und insbesondere ihrer Vertreter in den Parlamenten, unter Kennzeichnung des Klassencharakters der bürgerlichen Gesellschaft und der Triebfeder für die Aufrechterhaltung der nationalen Gegensätze, mit allen Kräften die Rüstungen zu Wasser und zu Lande zu bekämpfen und die Mittel hierfür zu verweigern, sowie dahin zu wirken, daß die Jugend der Arbeiterklasse im Geiste der Völkerverbrüderung und des Sozialismus erzogen und mit Klassenbewußtsein erfüllt wird.

Der Kongreß sieht in der demokratischen Organisation des Heerwesens, der Volkswehr anstelle der stehenden Heere, eine wesentliche Garantie dafür, daß Angriffskriege unmöglich und die Überwindung der nationalen Gegensätze erleichtert wird. Die Internationale ist außerstande, die in den verschiedenen Ländern naturgemäß verschiedenen, der Zeit und dem Ort entsprechenden Aktionen der Arbeiterklasse gegen den Militarismus in starre Formen zu bannen. Aber sie hat die Pflicht, die Bestrebungen der Arbeiterklasse gegen den Krieg möglichst zu verstärken und in Zusammenhang zu bringen. Tatsächlich hat seit dem Internationalen Kongreß in Brüssel das Proletariat in seinen unermüdlichen Kämpfen gegen den Militarismus durch die Verweigerung der Mittel für Rüstungen zu Wasser und zu Lande, durch die Bestrebungen, die militärische Organisation zu demokratisieren, mit steigendem Nachdruck und Erfolg zu den verschiedensten Aktionsformen gegriffen, um den Ausbruch von Kriegen zu verhindern oder ihnen ein Ende zu machen sowie um die durch den Krieg herbeigeführte Aufrüttelung der Gesellschaft für die Befreiung der Arbeiterklasse auszunutzen:

So namentlich die Verständigung der englischen und französischen Gewerkschaften nach dem Faschodafall zur Sicherung des Friedens und zur Wiederherstellung freundschaftlicher Beziehungen zwischen England und Frankreich; das Vorgehen der sozialdemokratischen Parteien im deutschen und im französischen Parlament während der Marokkokrise; die Kundgebungen, die zum gleichen Zweck von den französischen und deutschen Sozialisten veranstaltet wurden; die gemeinsame Aktion der Sozialisten Österreichs und Italiens, die sich in Triest versammelten, um einem Konflikt der beiden Staaten vorzubeugen; weiter das nachdrückliche Eingreifen der sozialistischen Arbeiterschaft Schwedens zur Verhinderung eines Angriffs auf Norwegen, endlich der heldenhafte opferwillige Kampf der sozialistischen Arbeiter und Bauern Rußlands und Polens, um sich dem vom Zarismus entfesselten Krieg zu widersetzen, ihm ein Ende zu machen und die Krise des Landes zur Befreiung der arbeitenden Klasse auszunutzen.

Alle diese Bestrebungen legen Zeugnis ab von der wachsenden Macht des Proletariats und von seiner wachsenden Kraft, die Aufrechterhaltung des Friedens durch entschlossenes Eingreifen zu sichern; die Aktion der Arbeiterklasse wird um so erfolgreicher sein, je mehr die Geister durch eine entsprechende Agitation vorbereitet und die Arbeiterparteien der verschiedenen Länder durch die Internationale angespornt und zusammengefaßt werden.

Der Kongreß ist der Überzeugung, daß unter dem Druck des Proletariats durch eine ernsthafte Anwendung der Schiedsgerichte an Stelle der kläglichen Veranstaltungen der Regierungen die Wohltat der Abrüstung den Völkern gesichert werden kann, die es ermöglichen würde, die enormen Aufwendungen an Geld und Kraft, die durch die militärischen Rüstungen und Kriege verschlungen werden, für die Sache der Kultur zu verwenden.

Droht der Ausbruch eines Krieges, so sind die arbeitenden Klassen und deren parlamentarische Vertretungen in den beteiligten Ländern verpflichtet, unterstützt durch die zusammenfassende Tätigkeit des Internationalen Büros, alles aufzubieten, um durch die Anwendung der ihnen am wirksamsten erscheinenden Mittel den Ausbruch des Krieges zu verhindern, die sich je nach der Verschärfung des Klassenkampfes und der Verschärfung der allgemeinen politischen Situation naturgemäß ändern. Falls der Krieg dennoch ausbrechen sollte, ist es die Pflicht, für dessen rasche Beendigung einzutreten und mit allen Kräften dahin zu streben, die durch den Krieg herbeigeführte wirtschaftliche und politische Krise zur Aufrüttelung des Volkes auszunutzen und dadurch die Beseitigung der kapitalistischen Klassenherrschaft zu beschleunigen.

39 **September 1908 – August 1910**

Die Debatte um die Budgetbewilligung durch den badischen Landtag

a) Resolution des Nürnberger Parteitages der SPD gegen die Budgetbewilligung und die hiervon abweichenden Beschlüsse in Württemberg, Baden und Bayern, 13.–19. September 1908

Protokoll über die Verhandlungen des Parteitages der SPD, abgehalten in Nürnberg vom 13. bis 19. September 1908, Berlin, S. 550. – Diese Resolution wurde vom Parteivorstand und von der Kontrollkommission eingebracht und mit 258 gegen 119 Stimmen angenommen.

Der Parteitag bestätigt von neuem die Resolutionen von Lübeck und Dresden, die aussprechen:

daß der Staat, solange er sich in den Händen der besitzenden Klassen befindet, ein Organ der Klassenherrschaft darstellt und ein Mittel zur Niederhaltung der besitzlosen Volksmassen bildet,

daß die politische Aufgabe des proletarischen Klassenkampfes die Eroberung der Staatsgewalt durch Überwindung der Gegner ist,

daß jede Politik des Entgegenkommens an die bestehende Staats- und Gesellschaftsordnung abgelehnt werden muß.

Als notwendige Folge dieser grundsätzlichen Auffassung und angesichts der Tatsache, daß die Gesamtabstimmung über das Budget als Vertrauensvotum für die Regierung aufgefaßt werden muß, ist jeder gegnerischen Regierung das Staatsbudget bei der Gesamtabstimmung zu verweigern, es sei denn, daß die Ablehnung desselben durch unsere Genossen die Annahme eines für die Arbeiterklasse ungünstigeren Budgets zur Folge haben würde. Die Bewilligung des Budgets in den Landtagen von Württemberg, Baden und Bayern ist daher unvereinbar mit den Resolutionen von Lübeck und Dresden. Die grundsätzliche Verweigerung des Budgets entspricht vollkommen der Klassenlage der besitzlosen Volksmassen, die eine unversöhnliche Opposition gegen die bestehende, dem Kapitalismus dienende Staatsgewalt notwendig macht. Die arbeitenden Klassen immer wieder nachdrücklich darüber aufzuklären, ist eine unerläßliche Aufgabe unserer agitatorischen Arbeit.

b) Erklärung von 66 Delegierten des Nürnberger Parteitages der SPD aus Bayern, Baden, Württemberg und Hessen für die Eigenständigkeit der Landesorganisationen bezüglich der Budgetbewilligung, 13.–19. September 1908

Protokoll über die Verhandlungen des Parteitages der SPD, abgehalten in Nürnberg vom 13. bis 19. September 1908, Berlin, 1908, S. 426.

Die unterzeichneten Parteimitglieder erklären: Wir erkennen dem deutschen Parteitag als der legitimen Vertretung der Gesamtpartei die oberste Entscheidung zu in allen prinzipiellen und in den taktischen Angelegenheiten, die das ganze Reich berühren. Wir sind aber auch der Ansicht, daß in allen speziellen Angelegenheiten der Landespolitik die Landesorganisation die geeignete und zuständige Instanz ist, die auf dem Boden des gemeinsamen Programms den Gang der Landespolitik nach den besonderen Verhältnissen selbständig zu bestimmen hat, und daß die jeweilige Entscheidung über die Budgetabstimmung dem pflichtgemäßen Ermessen der ihrer Landesorganisation verantwortlichen Landesfraktion vorbehalten bleiben muß.

Adelung, Auer, Baisch, Baumeister, Bohl, Bredow, David, Dorn, Eisner, Engelmann, Engler, Feuerstein, Friedrich Fischer, Frank, Freudenberger, Geiß, Grünberg, Guggenheim, Hasenzahl, Herzog, Heymann, Hierl, Hildenbrand, Huber, Keil, Knapper, Knieriem, Kolb, Krüger, Lachenmeyer, Lippl, Maier, Adolf Müller, Nimmerfall, Nöthlich, Panzer, Pelikann, Pickelmann, Quessel, Raab, Reichel, Rollwagen, Säckler, Saenger, Segitz, Schlegel, Eduard Schmid, Franz Schmitt, Gregor Schmitt, Stabel, Stark, Stokkinger, Straßer, Stubber Timm, Ullmann, Ulrich, Vogel, Max Walther, Weill, Weiß, Weißheimer, Wettermann, Wunderlich, Zimmermann, Zorn.

c) Rosa Luxemburg über die Budgetbewilligung in Baden (Auszug), 10. August 1910

Rosa Luxemburg, Gesammelte Werke, Bd. 2, Berlin 1974, S. 427ff.; Bremer Bürger-Zeitung Nr. 185, 10. August 1910.

Die Vorgänge in Baden werden in auffälliger Weise überall dort, wo sie eine gebührende Verurteilung finden, hauptsächlich als ein krasser Disziplinbruch behandelt. Es ist die wissentliche, frivole Zuwiderhandlung gegenüber dem ausdrücklichen Beschluß der obersten Instanz, dem ausdrücklichen Willen der Gesamtpartei, was die weitesten Kreise unserer Parteigenossen so tief empört und was in ihnen den starken Wunsch auslöst, daß der Magdeburger Parteitag durch energisches Vorgehen ähnlichen Frivolitäten ein für allemal den Riegel vorschieben möge. Es ist der gesunde proletarische Instinkt, der sich hier gegen die Erhabenheit jener Herrenmenschennaturen mit parlamentarischem Mandat aufbäumt, die mit Zynismus den Willen der großen »Parteiherde« mit Füßen treten, weil ihnen das gnädige Lächeln einer bürgerlichen Ministerexzellenz wichtiger erscheint als der Beifall Hunderttausender klassenbewußter Proletarier. Jeder einfache Arbeiter, der in dieser Weise bewußt die Disziplin und die Beschlüsse seiner Organisation brechen würde, wäre ungesäumt und unnachsichtig aus der Organisation ausgeschlossen, sei es eine gewerkschaftliche oder eine Parteiorganisation. Die Partei kann aber unmöglich zweierlei Recht haben - für einfache Proletarier und für Parlamentarier; die Parteidisziplin, die nur ein mechanisches Mittel ist, den klassenbewußten Willen der proletarischen Masse zur Richtschnur für einzelne zur Tat zu machen, muß entweder für alle gleichermaßen gelten, oder sie existiert überhaupt nicht. Ja gerade die offiziellen Vertreter der Partei nach außen, die parlamentarischen Vertreter, sind in erster Linie und noch viel mehr als jeder einfache Soldat unserer Armee zur strikten Beachtung des Parteiwillens und der Disziplin verpflichtet, denn jede Verfehlung auf diesem exponierten Posten engagiert die Partei im ganzen und ist geeignet, sie unendlich mehr zu kompromittieren und zu schädigen als noch so arge Verfehlungen irgendeines namenlosen Proletariers aus den Reihen der großen Armee.

Das empfinden und so denken die Genossen in der großen Mehrzahl, und daraus ergibt sich von verschiedenen Seiten der ungeduldige Ruf nach exemplarischer Bestrafung der badischen Budgetbewilliger und Hofgänger durch Ausschluß aus der Partei, um ein für allemal ein warnendes Exemplar zu statuieren und für die Zukunft der Wiederholung ähnlicher Fälle vorzubeugen.

So erfreulich die Entschlossenheit ist, die aus solchen Stimmen spricht, so ist es doch notwendig zu sagen, daß damit die Frage noch bei weitem nicht erschöpft wird. Die Parteidisziplin ist in einer proletarischen Klassenpartei eine so wichtige Bedingung der Einheitlichkeit der Aktion und deshalb eine so unentbehrliche Lebensbedingung der Partei selbst, daß sie nicht hoch genug eingeschätzt und nicht kräftig genug geschützt werden kann. Allein im vorliegenden Falle heißt es die ganze Tragweite der Sache nicht entfernt würdigen, wenn man sie hauptsächlich formalistisch als Disziplinbruch behandeln und bestrafen will. Die eigentliche Bedeutung des Vorfalles und die tragische Seite liegt in dem viel zu wenig beachteten Umstand, daß das Verhalten der badischen Landtagsfraktion fast ungeteilte, rückhaltlose Zustimmung der badischen Parteigenossen findet. Mag bei deren Vertrauenskundgebungen der formale Ehrenstandpunkt eine Rolle spielen, wonach es als Pflicht gilt, die eigenen Abgeordneten gegen alle Anfechtungen treu zu schützen. Mag auch ein großer Trotz gegen »Norddeutschland« darin zum Ausdruck kommen dergestalt, daß man sich von dem Entrüstungssturm jenseits der Mainlinie nicht beirren lassen und justament mit einem Platzregen von Vertrauensvoten für die Landtagsfraktion auftrumpfen will. Zur eigentlichen Erklärung des Verhaltens der badischen Parteiorganisationen in einer so hochwichtigen Angelegenheit, wo es sich um Lebensfragen der Sozialdemokratie handelt, genügen diese kleinen psychologischen Motive nicht. In der Hauptsache ist es doch das Fehlen des richtigen Verständnisses für die Politik des proletarischen Klassenkampfes und die Grunderfordernisse des revolutionären Standpunktes der Sozialdemokratie, was hier zum Ausdruck kommt. Der Sinn für die grundsätzlichen Unterschiede zwischen der parlamentarischen Taktik der Sozialdemokratie und derjenigen der bürgerlichen Parteien, das Verständnis dafür, daß die positive Arbeit der Sozialdemokratie mit ihrer grundsätzlichen Stellung als revolutionäre Partei des Proletariats wohl vereinigt werden kann und nur durch diese Vereinigung fruchtbar und erfolgreich wird – das alles muß in den weiten Kreisen der badischen Genossen mangeln, wenn sie die Haltung ihrer Landtagsfraktion gutheißen können. Wäre das nicht der Fall, wäre der Klasseninstinkt, das lebendige Gefühl für die proletarische Politik in den Massen der badischen Genossen so stark entwickelt, wie es eigentlich sein sollte, dann hätten auch die badischen Parlamentarier es niemals gewagt, so weit zu gehen. Da sie die elementarsten Grundsätze der sozialdemokratischen Taktik in bewußter Rebellion gegen die Gesamtpartei so offenkundig mit Füßen traten, mußten sie wissen, was sie ihren eigenen Parteigenossen bieten durften.

Freilich ernten sie dabei zum Teil nur die Früchte der systematischen Verwirrung, die sie selbst seit Jahren in den Reihen der badischen Partei säen, ein Werk, dem eine so geartete Parteipresse wie das von Kolb redigierte Karlsruher Blatt* vorzügliche Dienste leistet. Wie Italien, wie Frankreich zeigen, dienen die opportunistischen Parlamentarier in erster Linie

* Gemeint ist der »Volksfreund«.

dazu, die proletarische Masse der Partei zu korrumpieren. Allein, was taugt die Klassenaufklärung der Proletarier, was taugt ihre sozialdemokratische Schulung, was ihre Parteitradition, wenn sie sich durch ein Dutzend Parlamentarier und Journalisten korrumpieren und von der Klassenpolitik abbringen lassen? Vom Standpunkt der Sozialdemoratie sollen ja die Parlamentarier nur Diener, nur gehorsame Werkzeuge der aufgeklärten Arbeitermasse sein, und es ist bereits ein sicheres Symptom der stark verbürgerlichten Verhältnisse, wenn ein Dutzend Leute mit Mandat einen so ausschlaggebenden Einfluß auf die Parteimasse ausüben, daß sie sie systematisch korrumpieren können.

Blicken wir von der badischen Landesfraktion auf die hinter ihr stehenden badischen Proletarier, so verwandelt sich die Handlungsweise der Parlamentarier in den äußeren Ausdruck einer in den badischen Parteikreisen weit verbreiteten Auffassung vom politischen Kampf und von den Aufgaben der Sozialdemokratie. Das Pronunziamento der Frank und Kolb deckt uns, nach den vielen früheren in den vergangenen Jahren, ein tiefliegendes Übel auf. Und wenn wir noch die Haltung der Parteipresse in Bayern, Württemberg und Hessen zu dem badischen Vorstoß in Betracht ziehen, dann wächst sich der Fall der badischen Budgetabstimmung und der Hofgängerei zu einem Mißstand des Parteilebens aus, den es stark unterschätzen heißt, wenn man ihn als »Disziplinbruch« behandeln und abstellen will. Bei den Frank und Kolb mögen bewußter Disziplinbruch und bewußte Provokation der Gesamtpartei vorliegen - den biederen Genossen in Neckarau, Bruchsal, Furtwangen, Sulzfeld und Karlsruhe liegt sicher jede Provokation fern. Aus ihrer uneingeschränkten Zustimmung zu der Budgetabstimmung der Landtagsfraktion spricht etwas viel Betrübenderes als alle »Disziplinbrüche«: eine Auffassung, die kleinbürgerliche Reformpolitik mit sozialdemokratischem Klassenkampf verwechselt. ...

Endlich aber müssen wir uns die Hauptfrage vorlegen: Wann kümmert sich die Partei um die Vorgänge, um die Zustände im Süden? Wenn ein weltkundiger Skandal in der Art der Budgetannahme vorliegt. Um das tägliche Treiben der Parteileitung, der Landtagsfraktion, der Presse im Süden kümmert sich die Gesamtpartei nie. Wenn so krasse Verstöße gegen die sozialdemokratische Politik vorliegen wie die Unterlassung jeder Massenagitation zur Bekämpfung der reaktionären Gemeindewahlrechtsform in Baden, wie die Zurückstellung der sozialdemokratischen Forderungen bei der Behandlung des Schulgesetzes im badischen Landtag, da schweigt unsere Parteipresse und kümmert sich weder um ausreichende Information über das Parteileben im Süden noch um gehörige Kritik und Gegenaktion.

Schon seit 12 Jahren befindet sich die Partei überhaupt allen revisionistischen Tendenzen gegenüber in der Defensive und spielt die Rolle des Nachtwächters, der nur dann auf dem Plan erscheint und ins Horn tutet, wenn auf der Straße ein Skandal passiert. Die Ergebnisse zeigen, daß mit dieser Methode dem Übel nicht zu steuern ist. Wir müssen uns klarwerden, daß der Revisionismus nur durch systematische Gegenwirkung tagein, tagaus überwunden werden kann. Die ganze Gestaltung der Parteiagitation und -aktion muß diesem Krebsschaden Rechnung tragen. Nicht durch äußere, formalistische Verbote und durch Disziplin allein, sondern vor allem durch mögliche Entfaltung einer großen Massenaktion, wo und wann die Situation es erlaubt, einer Massenaktion, die die breiten Kreise des Proletariats auf den Plan ruft, die größere Horizonte des politischen Lebens zeigt, die angesichts der großen Aufgaben das Gefühl der Zusammengehörigkeit und der Einheit der Sozialdemokratie in ganz Deutschland stärkt, nur so können die schleppenden Nebel des parlamentarischen Kretinismus, der Bündnispolitik mit der Bourgeoisie und der kleinbürgerliche Kantönligeist verscheucht werden. Von diesem Standpunkt ist es ein höchst kurzsichtiges Beginnen, nicht einsehen zu wollen, daß man durch die Erstickung der preußischen Wahlrechtsbewegung, die in ihrer Weiterentwicklung wohl die Parteimassen auch im Süden hätte ergreifen müssen, daß man durch das Begräbnis, das man der Maifeier in den letzten Jahren auf dem Wege der Abmachungen mit der Gewerkschaftszentrale bereitet hat, demselben Revisionismus mächtigen Vorschub leistet, gegen den man jetzt in höchster Erregung nach »Riegeln« sucht. Die Antwort auf die badischen Vorgänge muß der Parteitag in Magdeburg deshalb bei allen Punkten der Tagesordnung geben: bei der Frage der Maifeier, des Wahlrechtskampfes, beim Punkt Agitation und Presse, und es ist nur zu bedauern, daß man - dieser Zusammenhänge gar nicht eingedenk - in den Berliner Parteiversammlungen den badischen Parteistreit überhaupt als den einzigen Gegenstand des kommenden Parteitags behandelt, alle übrigen Fragen des Parteilebens aber, die auf der Tagesordnung stehen, einfach vergessen hat. Strenge proletarische Klassenpolitik auf allen Gebieten, offene republikanische Agitation in Wort und Schrift, möglichste Entfaltung großer Massenaktionen bei entsprechender politischer Situation, entschlossene Weiterführung der Kampfweise und der Kampfformen der Sozialdemokratie auf neuen Bahnen - das ist der einzige wirksame »Riegel«, der uns in Zukunft vor den Streichen des Revisionismus bewahren und die Proletarier im Süden für die Klassenpolitik und den revolutionären Standpunkt der Sozialdemoraktie gewinnen kann.

Um dies zu erreichen, muß die Partei aber in erster Linie ganz unzweideutig zeigen, daß sie das zu bleiben entschlossen ist, was sie in ihrer überwiegenden Mehrheit bis jetzt war. Geht es nicht an, die badischen Genossen aus der Partei auszuschließen, so ist es auf der anderen Seite noch weniger angängig, Leute in der Stellung offizieller Parteivertreter zu belassen, die den Grundsätzen der Partei bewußt zuwiderhandeln. Die badischen Landtagsabgeordneten vertreten nicht die Partei Badens allein, sondern die Gesamtpartei Deutschlands. Das folgt nicht bloß aus der allgemeinen politischen Auffassung, wonach der parlamentarische Abgeordnete einer Partei nicht nur den eigenen Wahlkreis, sondern die ganze Partei durch sein Tun und Lassen engagiert. Machen wir doch mit Recht auf Schritt und Tritt das Zentrum, die Nationalliberalen, den Freisinn für

Worte und Abstimmung verantwortlich, die irgendwelche ihrer Parlamentarier in irgendeinem Landtag produzieren. Für die Sozialdemokratie ergibt sich dies auch noch speziell aus unserer Parteigeschichte. Die badischen Genossen können unmöglich mit reinem Gewissen behaupten, es seien lediglich ihre eigene agitatorische Arbeit, ihre Leistungen innerhalb des Ländchens, die ihnen die 20 Sitze im badischen Landtag eingetragen haben. Nein, es sind vor allem die Leistungen der Gesamtpartei, die vierzigjährige Aktion im Reichstag, das Sozialistengesetz, das enorme Wachstum und der Einfluß der Sozialdemokratie im industriellen Norden, wo die politischen Geschicke Deutschlands entschieden werden, die kolossalen materiellen und geistigen Mittel, die hier in den Dienst der Arbeitersache gestellt wurden, was den Einfluß, das Ansehen und die Anhängerschaft der Sozialdemokratie auch in Baden zu der heutigen Stärke erhoben hat. Die zwanzig Landtagsmandate in Baden sind genauso wie jedes Reichstagsmandat die Frucht des halben Jahrhunderts unermeßlicher Mühen und Opfer der gesamten Partei Deutschlands, im Norden und im Süden, im Osten und im Westen. Nur als ein Teil dieses Ganzen, nur als kleine Phalanx der Riesenarmee haben die badischen Genossen Beziehung zu den von ihnen eroberten Landtagsmandaten. Es ist deshalb selbst bei der größten Rücksicht auf die Proletarier Badens und bei mildester Behandlung der Sache einfaches Gebot der Gerechtigkeit, daß die badischen Genossen der Gesamtpartei nicht parlamentarische Vertreter aufzwingen können, die den Willen und die Auffassung der Gesamtpartei zunichte machen. Die badische Parteimasse wollen und müssen wir für unsere Auffassung gewinnen, die parlamentarischen Vertreter aber, die durch ihre Handlungsweise die Partei kompromittieren und gerade das Werk der Verbreitung der sozialistischen Erkenntnis durchkreuzen, das wir für notwendig halten, sind unfähig, länger ihre Posten auszufüllen. Dies auszusprechen, die 17 badischen Abgeordneten zur Niederlegung ihrer Mandate aufzufordern, ist das Minimum, was der Parteitag zu Magdeburg tun muß. Ein Dreimillionenpartei muß sich schon gefallen lassen, daß sich allerlei kleinbürgerliche Reformer à la Frank, Kolb, Quessel und sonstige, die auf keinem andern Gebiete ein lockendes Betätigungsfeld finden, partout darauf versteifen, sich für Sozialdemokraten zu halten. Aber die Partei darf solche Personen nicht an ihre Spitze stellen und ihnen Ämter anvertrauen, in denen sie als Erzieher der Massen wirken sollen.

Der Streik in der Draht- und Schraubenfabrik Falkau, Schwarzwald

a) Aktenvermerk der Großherzoglich Badischen Fabrikinspektion, 29. April 1910

GLA Karlsruhe, 366/1933/7, Nr. 21.

Der Fabrikdirektion und der Arbeiterschaft von dem Herrn Landeskommissär als Vermittler vorgeschlagen und von den beiden Parteien akzeptiert, begab ich mich nach vorheriger Rücksprache mit dem Herrn Amtsvorstand von Neustadt am 26. April nach Falkau, um das Vermittlungsgeschäft vorzunehmen.

Die Firma ist eine Aktiengesellschaft. Ihr Aktienkapital beträgt 160 000 M; der durchschnittliche Reingewinn in den letzten 10 Jahren beträgt je rund 110 000 M. Es werden 140 Arbeiter beschäftigt, davon die Hälfte Frauen. Produziert werden hauptsächlich Holzschrauben. Die Fabrik hat früher schlecht rentiert und scheint ihren Aufschwung hauptsächlich der Syndizierung zu verdanken. Nach Mitteilung der Direktion läuft der Syndikatsvertrag demnächst zu Ende, und im Falle der Nichterneuerung des Vertrags werden die Verhältnisse möglicherweise wieder ungünstig werden.

Der Direktor der Fabrik, Benetz, alleiniger Vorstand der Aktiengesellschaft, ist schon seit mehreren Jahrzehnten in der Fabrik tätig, zur Zeit krank und nicht verhandlungsfähig; sein Vertreter ist der Sohn. Außerdem beteiligten sich an den Verhandlungen der stellvertretende Vorstand Jung und ein höherer Bürobeamter Wild. Die Arbeiterschaft ist in Falkau beheimatet und nicht als proletarische Arbeiterbevölkerung, sondern als eine bäuerliche Bevölkerung anzusehen.

Unter Leitung des Christlichen Metallarbeiterverbandes (Bezirksleiter Kuhn aus Pforzheim) trat die Arbeiterschaft in eine Lohnbewegung. Etwa die Hälfte der Arbeiterschaft ist im Verband organisiert, die andere Hälfte ist nicht organisiert. Fünfzehn in den Werkstätten beschäftigte männliche Arbeiter traten in den Ausstand, als ihnen eine Aufbesserung von 30 Pf pro Tag nicht bewilligt wurde. Die Organisierten, 55 Arbeiter und Arbeiterinnen bezeugten ihre Sympathie mit den Streikenden, indem sie ihre Kündigung einreichten. Der letzte Tag der Kündigungszeit ist Samstag, der 30. April. Ein Teil dieser Arbeiter wohnt in den von der Fabrik gestellten Arbeiterwohnungen. (Die Miete beträgt 7–12 M monatlich.) Für die Arbeiterwohnungen ist eine Kündigungszeit von 14 Tagen vereinbart. Auf die Kündigung des Arbeitsvertrags von seiten der Arbeiter erfolgte von seiten der Fabrikleitung die Kündigung des Mietvertrags.

Die Forderungen der Arbeiter, formuliert von dem Gewerkschaftssekretär am 26. April, genehmigt von der Streikkommission und demnächst von der Versammlung der organisierten Arbeiter und Arbeiterinnen am gleichen Tag, sodann der Fabrikleitung am 27., vormittags zugestellt, gehen dahin: Bewilligung einer Lohnerhöhung von 30 Pf für alle im Taglohn stehenden Arbeiter und entsprechende Akkorderhöhung für die im Stücklohn beschäftigten Arbeiter; Bewilligung von Minimallöhnen für die Akkordarbeiterinnen; Einführung 14tägigen Zahltags anstelle der jetzt bestehenden monatlichen Lohnzahlung; Einführung eines Arbeiterausschusses, Wiedereinstellung aller am Streik beteiligten Arbeiter und Arbeiterinnen und Ausschluß von Maßregelungen. Die Beseitigung der im Betrieb bestehenden Mißstände wurde aus den Bedingungen gestrichen in der Zuversicht, daß diese Beseitigung von der Firma im Benehmen mit dem Arbeiterausschuß werde vorgenommen werden oder der Behörde Veranlassung zu Auflagen geben werde.

Nach langen Verhandlungen mit dem Unterzeichneten erklärte sich die Direktion, die von Anfang an einen völlig ablehnenden Standpunkt einnahm, bereit, mit der Streikkommission unter Ausschluß des Arbeitssekretärs noch einmal zu verhandeln. Nachdem die Streikkommission Verhandlungen ohne den Arbeitssekretär abgelehnt hatte, ließ die Direktion auch ihn zur Verhandlung zu.

In der am 27., nachmittags 2 Uhr im Direktionszimmer der Fabrik stattfindenden Besprechung zwischen den Parteien ergab sich, daß die Arbeiterschaft hinsichtlich der Lohnforderungen nicht zurückzuweichen, sondern ihre Forderungen in vollem Umfange erfüllt zu sehen wünschte, während die Direktion sich auf den Standpunkt stellte, daß sie einer Lohnerhöhung grundsätzlich nicht abgeneigt sei, daß sie aber eine solche allgemein und in der geforderten Höhe vorzunehmen nicht gewillt sei; sie wolle eine Erhöhung der Löhne im Auge behalten, könne sich aber weder an einen Termin noch an eine bestimmte Höhe binden. Sie wolle und könne unter dem Zwange eines Streiks keine Zusagen machen. Im übrigen sei sie bereit, den Wünschen der Arbeiterschaft wegen des Arbeiterausschusses, wegen Abstellung von Mißständen entgegenzukommen.

Da beide Parteien auf ihrem Standpunkt verharrten, hatten weitere Versuche der Vermittlung keinen Zweck, weshalb ich meine Tätigkeit abbrach, nicht ohne jede der Parteien aufs ernstlichste auf die Folgen ihres starren Festhaltens aufmerksam gemacht zu haben.

Für die Fabrik besteht kaum Aussicht, andere Arbeiter und Arbeiterinnen als dauernden Ersatz gewinnen zu können. Sie scheint darauf zu rechnen, daß die in Streik getretenen und tretenden unter dem Druck der Verhältnisse allmählich einzeln und bedingungslos wieder zur Arbeit zurückkehren werden. Einen gewissen Druck glaubt sie durch die Arbeiterwohnungen ausüben zu können. Die Direktion wurde von mir darauf aufmerksam gemacht, daß sie zwar das Recht habe, nach Ablauf der 14tägigen Kündigungszeit auf dem Wege der Klage die Räumung der Wohnungen zu erzwingen, daß sie aber zur Ausführung zu schreiten nur dann moralisch berechtigt sei, wenn von ihr neu gewonnene Arbeiter und Arbeiterinnen in diesen Wohnungen untergebracht werden müßten. Die Arbeiterschaft dagegen hält sich gedeckt durch die ihnen von dem Verband zugesagten Streikunterstützungen (14 M für verheiratete Verbandsmitglieder und 1 M wöchentlich für jedes Kind bis zum Gesamtbetrag von 18 M wöchentlich), rechnet bestimmt auf solidarisches Verhalten der organisierten Arbeiterschaft, auf die Schwierigkeit der Gewinnung anderer Arbeiter sowie darauf, daß die Firma die Räumung der Wohnungen nicht erzwingen werde.

Die Erfüllung der Arbeiterforderungen würde für die Fabrik eine jährliche Mehrausgabe von beiläufig 12000 M verursachen, die sie unter den gegenwärtigen Verhältnissen sehr wohl zu leisten imstande wäre. Es scheint, daß die glatte Ablehnung der Arbeiterforderungen nicht im wohlverstandenen eigenen Interesse der Fabrik liegt, die eben auf die ortsangesessene Bevölkerung als Arbeiterschaft angewiesen ist. Ein Blick in die Betriebsverhältnisse zeigt, daß durch die Verbesserung mangelhafter Dispositionen wahrscheinlich eine Herabminderung der Unkosten erzielt werden kann, welche die Mehrausgaben der Löhne alljährlich mindestens kompensiert. So ist z. B. die Kontrolle der Produktion durchaus unzureichend und fehlerhaft. Auch sind die Arbeitsmaschinen nicht zu jeder Zeit genügend beschäftigt, da die Arbeiterinnen durch Heranholung von Material zeitweise von der Bedienung der Maschine abgehalten werden und nicht immer das Arbeitsmaterial in der nötigen Menge herbeizuschaffen vermögen.

Andererseits ist die Inszenierung eines Streiks in dem entlegenen Gebirgsort taktisch schwer zu rechtfertigen. Es handelt sich um die Abstellung eingerotteter patriarchalischer Zustände. Dies Ziel wird durch einen Streik nicht zu erreichen sein. Es ist zuzugeben, daß die Löhne der männlichen Arbeiter mit wenigen Ausnahmen niedrig sind, dagegen können die Verdienste leistungsfähiger Arbeiterinnen als verhältnismäßig hoch bezeichnet werden. Es scheint keine Veranlassung vorzuliegen, insbesondere die Löhne der Arbeiterinnen gleichmäßig um 30 Pf in die Höhe zu setzen.

Unter den in der Fabrik vorhandenen Mißständen kommt zunächst das Heben und Tragen schwerer Lasten (mit Schrauben gefüllte Kisten) durch Frauen in Frage; hier wird Abhilfe zu schaffen sein. Die Beleuchtung findet durch Petroleumlampen statt. Als Hilfsbeleuchtung bedienen sich die Arbeiter offener Lampen, sogenannter Ölfunseln, die mit Rapsöl und manchmal in Ermangelung dieser Ölart mit Maschinenöl gespeist werden. Nach übereinstimmenden Aussagen der Arbeiter und unwidersprochen durch die Direktion, verbreiten diese Lampen einen starken Qualm, der sowohl die Augen, wie die Respirationsorgane schädigt; nach Aussagen der Direktion reichen die Wasserkräfte für elektrische Beleuchtung nicht aus. Die Maschinen stehen zum Teil sehr dicht gedrängt und bringen Unfallgefahr nahe. Staub entsteht insbesondere in dem Raum, in welchem die Schrauben abgerieben werden; dort sind auch Riemen gefahrdrohend. Die

Ventilation läßt zu wünschen übrig. Als Putzmaterial wird nach Aussage der Arbeiter zum Teil ekelhaftes Material verwendet. Festgestellt konnte dies nicht werden. Eine unvermutete Revision zur Winterszeit und nach eingebrochener Nacht scheint angesagt.

b) Bericht des Großherzoglichen Bezirksamts Neustadt an den Landeskommissär in Freiburg, 21. Mai 1910

GLA Karlsruhe, 366/1933/7, Nr. 21.

Der Stand des Streikes in Falkau ist bislang noch unverändert. Auf 1. Mai d. J. waren insgesamt 75 Arbeiter im Ausstand, darunter 46 erwachsene männliche Arbeiter und 29 Arbeiterinnen. Jugendliche Arbeiter sind bei dem Ausstand nicht beteiligt. Im Betriebe arbeiten noch 50 männliche und 16 weibliche, zusammen 66 Arbeiter. Die Arbeitstreuen sollen inzwischen von der Fabrikleitung eine Lohnaufbesserung erhalten haben. Verhandlungen wegen Beilegung der Differenzen sind derzeit nicht im Gange. Es hat am 12. d. M. eine Aufsichtsratssitzung in Falkau stattgefunden, die für die nächste Zeit eine Einberufung der Generalversammlung beschlossen hat, von der man eine Aussprache und eine Beilegung des Streites erhofft. Eine Räumung der Arbeiterwohnungen durch die Ausständigen, soweit sie solche Wohnungen innehaben, ist bislang nicht erfolgt, eine Räumungsklage nach erfolgter Kündigung ist von der Fabrikleitung bislang nicht erhoben. Von den Ausständigen ist bis jetzt nur ein Arbeiter fortgezogen, während die übrigen, soweit sie noch Landwirtschaft treiben, in dieser arbeiten und andere in der Landwirtschaft Taglohnarbeiten übernehmen.

Auf die Tätigkeit der in der Fabrik bestehenden Fabrikkrankenkasse ist der Ausstand insofern von einschneidendem Einfluß, als die bisher dem Kassenvorstand als Beisitzer angehörigen 4 Vertreter der Kassenmitglieder zwar gemäß § 27 des Krankenversicherungsgesetzes ihre freiwillige Mitgliedschaft beibehalten haben, jedoch nach § 64 Ziffer 5 des Gesetzes ihr Stimmrecht und die Befugnis zur Bekleidung von Kassenämtern verlieren mußten. Wir haben, da somit für die Kasse ein Vorstand nicht mehr besteht, heute einen Beauftragten gemäß § 34 des Krankenversicherungsgesetzes ernannt, damit alsbald die Wahl eines neuen Vorstandes der Kasse bzw. der Vertreter der Versicherten in denselben vorgenommen werden kann.

c) Bericht im »Echo« über die Generalversammlung der Aktionäre der Draht- und Schraubenfabrik Falkau, 7. Juni 1910

GLA Karlsruhe, 366/1933/7, Nr. 21.

Am Montag, den 30. Mai fand eine Generalversammlung der Aktionäre der Draht- und Schraubenfabrik statt. Das Ergebnis derselben war, daß den Arbeitern von seiten der Firma ein neuer Vorschlag gemacht werden soll. Gestern wurde nun der Direktion und den Herren Aufsichtsräte dieser Vorschlag der Streikkommission vorgelegt. Zu gleicher Zeit fand eine Aussprache zwischen beiden Parteien über die einzelnen Punkte desselben statt. Wenn auch der Vorschlag die Lohnerhöhung betreffend einiges Entgegenkommen zeigt, so weigert sich jedoch die Firma, alle Arbeiter wieder einzustellen. Es ist dies um so unbegreiflicher, als doch die Firma Arbeitskräfte braucht. 7 von den Streikenden sollen nicht wieder eingestellt werden. Es sind dies 3 Arbeiter und 4 Arbeiterinnen. Heute (Dienstag) haben die Streikenden Versammlung. Ob sich dieselben unter diesen Umständen mit dem Vorschlage einverstanden erklären können, ist sehr zu bezweifeln. Wir werden noch Näheres darüber berichten.

d) Resolution der Versammlung der streikenden Arbeiter und Arbeiterinnen, 7. Juni 1910

GLA Karlsruhe, 366/1933/7, Nr. 21.

Die ausständigen Arbeiter und Arbeiterinnen der Draht- und Schraubenfabrik Falkau nehmen Kenntnis von dem Vorschlage der Firma. Dieselben erklären jedoch, daß sie mit dem Vorschlage im Punkte der Wiedereinstellung der Arbeiter absolut nicht einverstanden sein können. Die heutige Versammlung spricht ihre Entrüstung darüber aus, daß ruhige, fleißige Arbeiter und Arbeiterinnen nicht wieder eingestellt werden sollen, obwohl stichhaltige Gründe nicht gegen sie vorgebracht werden können. Die Begründung, daß die in Betracht kommenden sieben Arbeiter und Arbeiterinnen »den Streik hervorgerufen haben«, ist eine vollständig irrige, denn derselbe ergab sich erst aus dem ablehnenden Verhalten der Firma. Die Versammlung hofft, daß der Passus über die Wiedereinstellung dahin abgeändert wird, daß in dieser Beziehung keine Ausnahme gemacht wird.

Dann bedarf auch der Punkt über die Lohnerhöhung einer genaueren Fixierung, die eine mehrfache Auslegung unmöglich macht.

Die Versammlung hofft ferner, daß sich der Aufsichtsrat und die Direktion bereit erklären, zu einer nochmaligen Besprechung zusammenzukommen, um sich über diese Punkte auszusprechen. Dadurch würde vielleicht die Möglichkeit geboten, eine Einigung herbeizuführen und einen weiteren Kampf zu vermeiden.

Nachträglich hat die Firma in betreff der Lohnerhöhung bestimmtere Zusagen gemacht, jedoch ist die Zahl derjenigen, die nicht wiedereingestellt werden sollen, nur auf sechs ermäßigt worden. Die Direktion stützt sich darauf, daß die Bestimmung über die Wiedereinstellung auf Generalversammlungsbeschluß beruhe und könne von der Direktion nicht geändert werden. Der Generalversammlungsbeschluß will aber diejenigen cirka 12 Mitarbeiter nicht wieder einstellen, die den Streik hervorgerufen haben. Der Streik ist aber nicht durch die Arbeiter hervorgerufen worden, sondern durch das ablehnende Verhalten der Direktion. Die Direktion selbst gibt ja nachträglich zu, daß sich die in Frage kommenden Arbeiter und Arbeiterinnen nicht das geringste haben zuschulden kommen lassen. Dieselben sollen nur deswegen nicht eingestellt werden, weil sie auf die Mißstände, die tatsächlich im Betrieb vorhanden waren, aufmerksam machten und auf deren Abschaffung drängten.

Es wäre nur zu begrüßen, wenn es die Herren Aufsichtsräte wegen diesem Punkte nicht noch einmal zu einem erbitterten Kampf kommen ließen. Die Erfüllung dieser eigentlich ganz selbstverständlichen Forderung der Arbeiter, daß alle Arbeiter wieder eingestellt werden, würde sicher eher den Frieden wiederherstellen, als wenn Ausnahmen gemacht werden und dadurch die Angelegenheit von neuem aufgerührt werden müßte.

e) Bericht des Großherzoglichen Bezirksamts Neustadt an das Großherzoglich Badische Innenministerium über den Stand des Streiks, 2. Juli 1910

GLA, Karlsruhe, 366/1933/7, Nr. 21.

Der Stand des Streiks in der Draht- und Schraubenfabrik in Falkau ist noch unverändert, indem immer noch die Hälfte der im Betrieb beschäftigten Arbeiter sich in dem Ausstand befinden. Eine vor kurzem stattgefundene Generalversammlung der Aktiengesellschaft hat zwar die Betriebsleitung ermächtigt, in der Lohnfrage bis zu einem gewissen Grade entgegenzukommen, so daß auf dieser Grundlage in neue Verhandlungen wegen Wiederaufnahme der Arbeit mit Aussicht auf Erfolg an und für sich eingetreten werden könnte; die gleiche Versammlung hat jedoch auch den Beschluß gefaßt, sechs Arbeiter, die seitens der Betriebsleitung als die Hauptfriedensstörer und Unruhestifter bezeichnet wurden, unter keinen Umständen wieder in den Betrieb aufzunehmen. Die ausständigen Arbeiter weigern sich nun, dieser Maßregelung zuzustimmen, und erklären sich mit den von dieser Maßnahme Bedachten solidarisch, indem sie die Wiederaufnahme der Arbeit bei Aufrechterhaltung dieser Bedingung verweigern. Da beide Teile auf ihrem Standpunkt verharren, ist an ein Ende des Streiks vorerst nicht zu denken.

f) Offener Brief der Bezirksleitung des christlichen Metallarbeiterverbandes für Südwestdeutschland, 1. August 1910

GLA Karlsruhe, 366/1933/7, Nr. 21.

Mehr wie 15 Wochen dauert nunmehr der Streik der Schraubenarbeiter und Arbeiterinnen. Mit seltener Einmütigkeit und Geschlossenheit stehen die Streikenden zusammen. Die Hoffnung der Direktion, die Ausständigen durch andere Kräfte zu ersetzen, ist trotz aller Anstrengungen zunichte geworden. Mit Ausnahme derjenigen, die nicht den Mut fanden, sich mit den Streikenden solidarisch zu erklären, haben sich ganze 3 von solchen Aucharbeitern gefunden, die sich nicht scheuen, sich mit dem Brandmal des Arbeiterverrats zu besudeln.

Bekanntlich wurden ja bei der Generalversammlung der Aktiengesellschaft am 30. Mai d.J. wohl die Forderungen der Arbeiter im allgemeinen bewilligt; durch die gleiche Generalversammlung wurde aber der Beschluß gefaßt, daß diejenigen cirka 12 Arbeiter nicht wieder eingestellt werden sollen, welche den Streik hervorgerufen haben. Der Streik wurde anfänglich von 12 Mitarbeitern der mechanischen Werkstätte begonnen, weil die Direktion die geforderte Lohnerhöhung von 3 Pfennig pro Stunde rundweg ablehnte. Erst nachdem sich die Direktion auch nach Ablauf der Kündigungsfrist noch ablehnend verhielt, erklärten sich die übrigen Arbeiter und Arbeiterinnen solidarisch mit den Streikenden und reichten ebenfalls die Kündigung ein. Wenn man nun im Sinne des Protokolls der Generalversammlung reden will, daß diejenigen getroffen werden sollen, die den Streik »hervorgerufen« haben, so müßte man glauben, daß damit diese 12 Arbeiter gemeint sind.

In Wirklichkeit sind aber ganz andere Arbeiter und Arbeiterinnen von der Direktion bezeichnet worden. Leute die schon 20 bis 25 Jahre zur Zufriedenheit der Direktion, wie es uns mündlich und schriftlich von derselben bestätigt wurde, im Betriebe tätig waren. Auch auf unser wiederholtes Drängen, Gründe anzugeben, warum die Direktion gerade diese Arbeiter nicht wieder einstellen will, sind uns bis jetzt noch keine solchen mitgeteilt worden. Hier muß man sich doch unwillkürlich fragen, haben die Herren Aktionäre gewußt, um welche Personen es sich handelt und welche Gründe vorlagen, als sie diesen weitgehenden Beschluß faßten? Wenn ja, dann muß es doch jeden wundern, daß eine solche unzutreffende Begründung gegeben wird; wenn dies nicht zutrifft, wäre es nur zu bedauern, wenn ein solcher Beschluß gefaßt worden ist, ohne daß die Sache näher untersucht wurde. Hier würde eine offene Aussprache zwischen den beteiligten Faktoren jedenfalls von Nutzen sein.

Zweifelsohne würde eine nochmalige Generalversammlung der Herren Aktionäre unter Hinzuziehung der Organisationsvertretung der Arbeiterschaft zu dem Beschluß gelangen, daß der Stein des Anstoßes aus dem Weg geräumt und friedlicheren Verhältnissen Bahn geschaffen würde. Die Arbeiterschaft ist gewillt, den Kampf noch so lange fortzuführen, bis die Klarheit geschaffen ist.

Die Direktion gibt sich wohl alle Mühe, in den Ring der Streikenden Bresche zu legen, aber es wird ihr nicht gelingen, denselben zu zersprengen. Ob die Mittel, die dazu angewandt werden, schön genannt werden können, das steht auf einem anderen Blatt. Jedenfalls würde es eher im Interesse der Aufrechterhaltung der Ordnung und des Friedens unter der Arbeiterschaft, und damit auch im Geschäftsinteresse des Unternehmens liegen, wenn nicht noch mehr Arbeiter gezwungen werden, den Staub Falkaus von den Füßen zu schütteln.

g) Vereinbarung zwischen der Firma Draht- und Schraubenfabrik Falkau und dem Bezirksleiter des christlichen Metallarbeiterverbandes, 3. September 1910

GLA Karlsruhe 366/1933/7, Nr. 21.

Zwischen der Firma Draht- und Schraubenfabrik Falkau und dem Bezirksleiter des christlichem Metallarbeiterverbandes, Herrn Xaver Kuhn, Pforzheim, als Vertreter der Arbeit, kam heute folgende Vereinbarung zustande:

1. Nachdem durch Umstellen der Maschinen ein gleichmäßiges Arbeiten möglich ist, werden die Löhne nach der Leistungsfähigkeit der Maschinen festgesetzt und dieselben so gestellt, daß eine geübte, fleißige Akkordarbeiterin einen Mindestlohn von 2,50 M und ein Akkordarbeiter einen

solchen von 3,70 M verdient. Das Arbeitsmaterial wird an die Maschinen gebracht.

2. Die Löhne der Schlosser und Taglöhner werden um 10 Prozent erhöht.

3. Die Lohnzahlung findet monatlich zweimal und zwar jeweils am 3. und 17. statt.

4. Den Arbeitern ist gestattet, zum Zwecke der Erledigung landwirtschaftlicher oder sonstiger dringender Arbeiten Urlaub zu nehmen, doch muß dies der Betriebsleitung zuvor gemeldet werden. Bei Leichenbegräbnissen ist es nur den Verwandten und einer Abordnung von acht Arbeitern oder acht Arbeiterinnen gestattet, vom Betrieb fernzubleiben.

5. Zum Zwecke der Schlichtung von Streitigkeiten, die aus den Lohn- und Arbeitsverhältnissen entstehen, wird ein Arbeiterausschuß gebildet, der diese Angelegenheiten gemeinsam mit der Direktion zu erledigen hat. Die Tätigkeit desselben soll aufgrund eines noch auszuarbeitenden Status ausgeübt werden. Demselben sollen zusammen sechs Arbeiter und Arbeiterinnen angehören.

6. Die Arbeiter und Arbeiterinnen nehmen die Arbeit am Dienstag, den 6. d.M. wieder auf, von welchem Tage ab die Vereinbarung in Kraft tritt. Bis zu dem Zeitpunkt, wo die Akkordarbeit wieder möglich ist, wird zu dem früher verdienten, durchschnittlichen Tagesverdienst 10 Prozent Zuschlag gewährt. Die Arbeiter und Arbeiterinnen werden mit ihrer früheren Art der Beschäftigung weiterbeschäftigt.

Des weiteren besteht die Firma darauf, daß 4 von der Firma näher bezeichnete Arbeiter und Arbeiterinnen (3 Arbeiter und eine Arbeiterin) nicht wieder eingestellt werden mit der Angabe, daß die Gründe hierfür nicht aus dem Streik resultieren.

h) Resolution der streikenden Arbeiter und Arbeiterinnen zu dieser Vereinbarung, 3. September 1910

GLA Karlsruhe, 366/1933/7, Nr. 21.

Die am Samstag, den 3. September in der »Krone« in Falkau tagende Versammlung der ausständigen Arbeiter und Arbeiterinnen der Draht- und Schraubenfabrik Falkau erklärt sich mit den Vereinbarungen, die zwischen der Firma und dem Bezirksleiter, Kollegen Kuhn, zustandekamen, soweit sie die Lohn- und Arbeitsverhältnisse betreffen, einverstanden. Die Versammlung erklärt, in Anbetracht der ungünstigen Zeitverhältnisse, denen wir nunmehr entgegengehen, den Streik zu unterbrechen und am Dienstag, den 6. September 1910 die Arbeit wieder aufzunehmen. In der Nichtwiedereinstellung von 3 Arbeitern und einer Arbeiterin erblickt die Versammlung eine Maßregelung der betreffenden Kollegen und beauftragt die Organisation, demgegenüber die nötigen Maßnahmen zu treffen. Den gemaßregelten Kollegen und Kolleginnen spricht die Versammlung ihren Dank und Anerkennung für die der gesamten Falkauer Arbeiterschaft geleisteten Dienste aus und verurteilt auf das entschiedenste das Vorgehen der Firma, die ohne triftige Gründe den Betreffenden die Weiterbeschäftigung im Betriebe unmöglich macht.

41 13. April 1912

Kommentar der »Volkswacht« zum Vorgehen der Direktion der Ramie-Werke, Emmendingen, gegen organisierte Arbeiter

Volkswacht (Freiburg) vom 13. April 1912.

Großblocktaktik und liberaler Fabrikantenterrorismus

Vor 14 Tagen wurde in der »Volkswacht« unter der Rubrik »Emmendingen und Umgebung« über eine Fabrikarbeiterversammlung in Emmendingen berichtet, in welcher Gauleiter Wörner (Cannstatt) über »Die Notwendigkeit des gewerkschaftlichen Zusammenschlusses der Arbeiterschaft« referierte. Dann hieß es weiter:

> Mit Entrüstung wurde die Mitteilung entgegengenommen, daß Genosse Fütterer an dem Tage, an dem die Versammlung stattfand, in der Ramie-Fabrik plötzlich entlassen wurde, weil er dem Fabrikarbeiterverbande angehört. Dieser Fall brutaler Unternehmerwillkür ist typisch für unser liberales Großfabrikantentum. Die Arbeiter dürfen sich politisch organisieren, um sie bei Stichwahlen leichter zur Wahlurne bringen zu können, setzt aber die gewerkschaftliche Organisation ein, so werden die betreffenden Arbeiter aus Angst für den geheiligten Profit rücksichtslos aufs Pflaster geworfen.

> Diese Mitteilung wurde in unserer Mittwochsnummer durch den Bericht über eine weitere Fabrikarbeiterversammlung in Emmendingen vervollständigt, in welcher gefragt wurde:

> Seitens der Organisation wird dafür gesorgt werden, daß die Rücksichtslosigkeit der Ramiedirektion, die den Arbeitern ein gesetzlich gewährleistetes Recht vorenthalten will, in den ausländischen, speziell italieni-

schen und österreichischen Parteiorganen, publiziert wird. – Am vergangenen Samstag ist wieder sechs weiteren Arbeitern ihrer Zugehörigkeit zur Organisation wegen gekündigt worden.

Die hier geschilderten Tatsachen gewinnen noch dadurch an Bedeutung, daß sie in unlösbarem Widerspruch zu dem Verhalten der Direktion der Emmendinger Ramie-Werke während der verflossenen Reichstagsstichwahl im 5. badischen Kreise stehen. Damals gestatteten die direktoralen Leiter, die natürlich gut nationalliberal sind, daß ihre Arbeiter vom sozialdemokratischen Kreisvertrauensmann, dem Genossen Riedmiller (Freiburg), während der Arbeitszeit durch ein kleines Flugblatt zur Wahl des liberalen Blockkandidaten von Schulze-Gävernitz aufgefordert wurden. Dem Sozialdemokraten Riedmiller öffneten sich vor der Stichwahl ohne weiteres die Fabriktore, er konnte Flugblätter ungehindert in den Arbeitsräumen verteilen. Die sozialdemokratischen Wähler folgten auch einmütig der ausgegebenen Stichwahlparole, denn von Schulze-Gävernitz erhielt am 20. Januar in Emmendingen 1074 Stimmen, während bei der Hauptwahl 616 liberale und 458 sozialdemokratische Stimmen abgegeben worden waren.

Jetzt wirft man skrupellos die Stichwahlhelfer hinaus, wenn sie von ihrem unveräußerlichen Arbeiterrecht, sich gewerkschaftlich zu organisieren, Gebrauch machen wollen. Das ist einfach ein Skandal! Wir pfeifen auf die liberale Gesinnung der Direktoren der Ramie-Werke, wenn sie sich nur darin äußert, daß man die Wahl des liberalen Reichstagskandidaten mit allen Mitteln fördert, zugleich aber den Arbeitern ihr wichtigstes Recht, das Koalitionsrecht, vorenthalten wird. So fassen wir die Großblockpolitik wahrlich nicht auf, daß man sich bei den Reichstagswahlen freiheitlich und ein Vierteljahr darauf wirtschaftlich reaktionär gebärdet. Die Großblockpolitik erstrebt für ihre Männer nicht nur politische, sondern auch wirtschaftliche Freiheiten. Sie wird in dem Augenblick gegenstandslos, wenn der eine Kontrahent – in diesem Falle also die Liberalen – auf wirtschaftlichem Gebiete genau so rücksichtslos gegen den anderen Teil – die Arbeiter – vorgehen wie diejenigen wirtschaftlichen Gruppen, welche im schwarzblauen Block vereinigt sind.

Insofern also haben die Vorgänge in Emmendingen für die politische Situation im badischen Oberlande allgemeines Interesse, und wir sind gespannt, was die nationalliberale Parteileitung in Karlsruhe zu dieser offenen Verhöhnung liberaler Grundsätze durch die liberalen Direktoren der Ersten Deutschen Ramie-Werke zu sagen hat.

Rede von Ludwig Frank im Reichstag gegen die von der Regierung geforderte Vergrößerung des stehenden Heeres

Hedwig Wachenheim (Hrsg.): Ludwig Frank. Aufsätze, Reden und Briefe, Berlin 1924, S. 256ff.

Wer von Ihnen die Verhandlungen über die Finanzreform von 1909 in diesem Hause mit erlebt hat, der wird sich erinnern, daß von einem bestimmten Tage an immer ein lautes Gelächter losbrach, so oft ein Minister oder ein Staatssekretär noch wagte, vom sogenannten »Standpunkt der Regierung« zu reden. Für ein so wackliges Ding wurde dieser Standpunkt gehalten. Ähnliche Stimmungen scheinen sich jetzt vorzubereiten. Weder der Herr Kriegsminister noch der Herr Reichskanzler genießen in diesem Hause die Autorität, um so gewaltige Neuforderungen zu vertreten. Es ist wiederholt festgestellt worden, daß noch vor wenigen Monaten der Herr Kriegsminister ruhige, stetige Entwicklung des Heeres als sein Ziel hingestellt hat, und jetzt bekommen wir, eingeleitet durch theatermäßigen Lärm, diese Vorlage, deren Grundsätze genau das Gegenteil darstellen. Ich meine, das ist selbst für ein so geduldiges Parlament wie den Deutschen Reichstag etwas zu viel. Eine derartige Umkehr der Politik kann man nicht vollziehen durch einen Meinungswechsel, sondern nur durch einen Ministerwechsel. Das wäre die einzig würdige Einleitung einer solchen Heeresvorlage gewesen. Es hat sich auch schon bei der Begründung der Vorlage durch den Herrn Reichskanzler gezeigt, wie bedenklich es ist, daß die Männer, die sich auf andere Grundsätze festgelegt haben, diese neue Vorlage vertreten wollen. Es hat sich gezeigt, daß der Herr Reichskanzler noch nicht ganz umgelernt hat. Der Reichskanzler von 1912 ist dem von 1913 noch manchmal im Wege. Er hat eine Rede gehalten, an der uns das Verantwortlichkeitsgefühl durchaus sympathisch berührte, an der uns gefreut hat, daß er seine Friedensliebe betonte. Er hat nach Rußland und nach Frankreich Liebenswürdigkeiten gesagt. Er hat sich verbeugt nach Ost und nach West, nach allen Himmelsrichtungen, wie ein Türke beim Gebet. – Der Herr Abgeordnete Erzberger, der ja alles weiß, scheint zu meinen, daß ich die Gebetszeremonien der Türken nicht richtig dargestellt habe. Der Herr Reichskanzler wollte ein Problem lösen, das unlösbar ist; er wollte sich an die Quadratur des Zirkels machen. Die Vorlage, die wir haben, die nach ihrer Entstehung und nach ihrem Inhalt provokatorisch ist, kann man beim besten Willen nicht so begründen, daß niemand provoziert wird. Das ist der Kern der Sache. Wenn irgendwo in einer Wirtschaftsstube ein Bauernbursch sein Messer herauszieht und am Tische zu schleifen anfängt und dabei zu den Nachbartischen hinüberruft: »Ich habe durchaus friedliche

Absichten, und ich habe nichts dagegen, daß ihr euer Messer auch schleift!« - glauben Sie denn, daß das eine friedliche Wirkung haben wird? Glauben Sie nicht im Gegenteil, daß man den Mann als denjenigen betrachten wird, der das Zeichen zur Rauferei gegeben hat?

Die ernste Begründung der Vorlage steht immer noch aus. Die Regierung übt sich im Schweigen. Verschiedene wichtige Fragen, die gestellt wurden, sind unbeantwortet geblieben. Verlassen Sie sich ja nicht auf die Kommission! Wir haben Erfahrungen gemacht, daß unter der Ankündigung, jetzt werde etwas ganz Geheimes mitgeteilt, im Grunde nur das eröffnet wurde, was wochenlang vorher in den Zeitungen gestanden hatte. Wir haben vielleicht Mitteilungen über die Länge der deutschen Grenzen zu erwarten und ähnliche militärische »Geheimnisse«.

Es ist für das Deutsche Reich nicht ehrenvoll, daß es ernsthafte erwachsene Menschen gibt, die offen aussprechen: wir hätten die Vorlage in dieser Gesellschaft nicht bekommen, wenn wir nicht die Jahrhundertfeier des Jahres 1813 hätten. Ganz ernsthafte Leute vertreten die Meinung, daß durch die Rücksicht auf dieses Jubiläum - unsere offizielle Welt lebt ja ganz dem Kultus der Vergangenheit - die Vorlage bestimmt sei.

Nun ist es ja etwas sehr Mißliches und Gefährliches um geschichtliche Parallelen. Sie kennen das berühmte Wort, das Karl Marx in seiner »Geschichte des 18. Brumaire« darüber gesagt hat. Er meinte, jedes Drama der Weltgeschichte werde wiederholt in Form einer Farce. Ich will die historischen Vergleiche mit 1813 nicht weiterspinnen; der Herr Reichskanzler käme ja nicht zu kurz dabei, wenn man ihn mit dem Freiherrn v. Stein vergleichen wollte, und der Herr Kriegsminister v. Heeringen wird sich auch nicht beklagen, wenn man ihn nach Scharnhorst nennt. Bei Fichte wären wir nicht in Verlegenheit; Reden an die deutsche Nation werden jetzt sehr oft gehalten. Wir kämen nur in Sorge - und das ist das Entscheidende -, wenn wir nach dem Napoleon suchen. Da ständen wir vor der bedenklichen Alternative, daß wir uns entweder entscheiden müssen für Peter von Serbien oder den heute schon genannten Nikita von Montenegro.

Wenn es mit der Begründung durch das Jubiläumsjahr von 1813 nichts ist, dann bleibt nur der Hinweis auf die Gefährlichkeit der Südslawen. Nun, meine ich, wäre es doch von großem Interesse, wenn wir einmal fragten: wie stellen sich denn zu dieser südslawischen Gefahr diejenigen Leute, die den Ansturm der Südslawen zunächst auszuhalten hätten? - Wie stellt sich der österreichische Verbündete zu der Frage, ob er stark genug ist, den Angriff zu bestehen, der vom Südosten droht? Ich habe hier einen Auszug aus einem sehr angesehenen österreichischen Armeeblatt, aus »Danzers Armeezeitung«; die militärisch-wissenschaftliche Leitung ruht in den Händen des kommandierenden Generals der Infanterie Karl von Lang. In einem Artikel über die Aussichten eines zukünftigen europäischen Krieges, der vor wenigen Wochen in der Nr. 11 dieses Blattes vom 13. März erschienen ist, wird ausgeführt:

»Die Kräfte Bulgariens und Griechenlands schalten wir aus, da sie wahrscheinlich von Rumänien und der Türkei gebunden erscheinen.«

Über die Frage, ob Österreich stark genug ist, Serbien und Montenegro zu bestehen, wird gesagt:

»Gestützt auf ein gutes, modernes Befestigungssystem, auf gesunde politische Verhältnisse in den Grenzländern, auf ein entsprechendes Kommunikationsnetz, können zwei bis drei unserer Korps dem serbisch-montenegrinischen Gegner Widerstand leisten, mindestens so lange, bis im Nordosten die Entscheidung gefallen ist.«

Also dieser maßgebende österreichische Fachmann glaubt, zwei bis drei Armeekorps würden ausreichen - und bei uns kommt man mit einer Vermehrung des stehenden Heeres von 136 000 Mann mit der Begründung, daß dort im Südosten ein sehr gefährlicher neuer Feind entstanden ist! Sie sehen, die Rechnung mit den Südslawen, die uns der Kanzler bringt, stimmt nicht. Ich will allerdings nicht verkennen, daß es nichts Schwierigeres gibt als die Vergleichung der Heeresstärken verschiedener Länder. Es hat vor allen Dingen budgetmäßige Schwierigkeiten. Worte, die gleich klingen, haben einen ganz verschiedenen Sinn im französischen, deutschen und russischen Etat. Es ist sehr schwer, hier die Wahrheit zu finden, und deshalb sehr leicht, Wehrvereinsschriften darüber zu schreiben.

Nun meine ich aber, bei der Vergleichung der Ziffern sind in jedem Falle doch noch einige Momente zu berücksichtigen, die mit in die Rechnung einzustellen sind. Einmal die Tatsache, daß bei der russischen Armee von den 41 Armeekorps mindestens 10 abzuziehen sind, die in Sibirien, Turkestan usw. festgehalten werden. Gestern wurde das Parlament der chinesischen Republik eröffnet. Ich erwarte bestimmt, daß die Anerkennung dieser Republik von deutscher Seite nicht lange auf sich warten läßt, und wir hoffen und wünschen, daß diese Republik, wozu wir ihr unsern Glückwunsch entsenden, sich gut entwickeln wird. Vielleicht kommt der Tag, daß sich Rußland schwerere Sorgen um seine Ostgrenzen machen muß, als wir um unsere.

Es wäre noch etwas zu erwähnen. In der Debatte spielte die Tatsache eine Rolle, daß wir in unserm angeblichen Kampfe gegen den Panslawismus jedes Jahr als wirtschaftliche Hilfstruppen mehrere hunderttausend slawischer Arbeiter ins Land rufen. Nun bitte ich daran zu denken, daß die halbe Million russischer Arbeiter gleichzeitig russische Reservisten, russische Wehrpflichtige sind. Ich glaube nicht falsch zu rechnen, wenn ich sage, daß doch mindestens 300 000 russische Reservisten und sonstige Wehrpflichtige in Deutschland beschäftigt sind. Glauben Sie denn, meine Herren, daß im Ernstfalle - ich traue sonst der deutschen und der preußischen Regierung jede Dummheit zu - diese 300 000 Wehrpflichtige von der preußischen Regierung zur gefälligen Verwendung in der russischen Armee heimgeschickt werden würden? Ich bin vom Gegenteil überzeugt, schon aus dem Grunde, weil die Herren zu meiner Rechten die russischen Reservisten brauchen werden, um ihre Ernte zu bestellen. Wir können also ohne weiteres annehmen, daß die russische Armee um weitere 300 000 Mann durch Verwaltungsmaßregeln der deutschen Behörden geschwächt werden würde, mehr als das Doppelte dessen, was die Vorlage hier zur Verstärkung der Armee verlangt.

Nun, meine Herren, wenn diese Begründung, die die Regierung uns vorlegt, nicht durchschlägt, dann haben die Herren auf der Rechten ja noch etwas parat: sie haben in der »Kreuzzeitung« geschrieben, daß die Vermehrung des Heeres notwendig sei, weil das Heer die innere nationale Schule darstelle, weil man durch Vermehrung des Heeres der Weiterentwicklung der Sozialdemokratie wirksam entgegenarbeiten könne. Das ist doch ein Kinderglaube. Unter den 136 000 Soldaten werden, niedrig geschätzt, 50 000 Sozialdemokraten sein, wenn sie in die Kaserne hineingehen, und 80 000, wenn sie aus der Kaserne herausgehen.

Ich habe konstatiert, daß es bisher an einer Begründung der Vorlage fehlt. Wie war angesichts dieser mangelhaften Begründung die Aufnahme im Hause? Der Herr Abgeordnete Bassermann hat es gar nicht erwarten können, bis die Sache hier zur Verhandlung kam, er hat im voraus in Hannover sein Ja ausgesprochen. Die einzige Überraschung, die uns beschert wurde, war die etwas aufdringlich betonte Begeisterung, mit der das Zentrum für die Wehrvorlage eintreten will. Es ist merkwürdig, wie die Klerikalen in der ganzen Welt sich nach und nach als die Kriegstreiber zeigen. Schauen Sie nach Paris: die Klerikalen sind die Kriegshetzer; schauen Sie nach Wien: die Klerikalen sind die Kriegshetzer; schauen Sie nach Petersburg: Erzbischöfe sitzen auf dem Podium, wo die Panslawisten zum Kriege schüren, und in Deutschland erweist sich auch jetzt wieder das Zentrum als die beste Schutztruppe des Militarismus. – Der Herr Abgeordnete Erzberger – ich will das nebenbei bemerken – hat gestern erklärt, wir sollten doch froh sein, daß das Zentrum für die Vorlage eintrete, sonst käme ja eine Auflösung, und wir 110 würden nicht wiederkehren. – Herr Abgeordnete Erzberger, Sie rufen: sehr richtig! Wenn Sie das sicher wüßten, dann würden Sie schon einen Grund zur Auflösung finden.

Sie haben dann zum Beweise Ihrer Behauptung darauf hingewiesen, daß 1887, 1893 usw. bei den Auflösungen wegen Militärvorlagen die Sozialdemokratie Niederlagen erlitten habe. Meine Herren, ich will nicht davon sprechen, daß wir stets Stimmenzuwachs hatten und nur Mandatsverluste. Aber wenn das auch anders wäre, nach meiner Überzeugung haben wir damals nicht deswegen Mandate verloren, weil wir gegen Militärvorlagen stimmten, sondern weil wir Seite an Seite mit dem Zentrum kämpfen mußten.

Nun haben die Redner aller Parteien hier in Verbindung mit der Besprechung der Heeresvorlage Wünsche vorgetragen, aber ich meine, es hat sich dabei ein etwas falscher Ton eingeschlichen. Von mehreren Herren wurde gesagt: Wir müssen ein Gegengewicht haben, wir müssen auch für das Volk eine Gabe haben, das Volk muß eine Entschädigung für die großen Opfer bekommen, also gewissermaßen ein Pflaster auf die Wunde, die der Militarismus schlägt. Ich meine, das ist nicht die richtige Einschätzung derjenigen Forderungen, die bei dieser Gelegenheit zu erheben sind. Es handelt sich nicht um Geschenke, die dem Volke für sein Wohlverhalten gegeben werden sollen, sondern um etwas ganz anderes. Wenn wir den demokratischen Ausbau der Verfassung und des Heeres verlangen, so erbitten wir damit nicht eine Gnadengabe für das Volk, sondern wir wissen, daß der freiheitliche Ausbau des Reichs den wichtigsten Teil des Ausbaues der Heeresverfassung darstellt. Die sogenannte moralisch-politische Rüstung ist mindestens so bedeutsam, wenn nicht noch wirkungsvoller als die militärische und die finanzielle Rüstung. Der Herr Reichskanzler hat ja selber anerkannt, daß wir in bezug auf die Zahl unserer Soldaten niemals mit dem großen russischen Reiche wetteifern können. Hier aber wäre ein Gebiet, wo wir nicht nur das russische Reich erreichen, sondern wo wir das russische Reich weit überflügeln könnten in bezug auf den Geist, der in der Armee herrscht. Einheit der Armee ist nur möglich, wo Einheit des Volkes ist, und Einheit des Volkes ist nur möglich, wo Einheit des Rechts gewährleistet ist. Glauben Sie denn, es gäbe eine bessere Sicherung des Reiches gegen Angriffe als eine Vorlage über die Reform des preußischen Wahlrechts? Ich weiß, daß Sie (nach rechts) den Preis nicht zahlen wollen, auch wenn Sie wissen, daß das Reich dadurch in seiner Sicherheit gefördert wird. Glauben Sie, es gibt eine bessere Sicherung unserer Ostgrenzen als die Aufhebung der Ausnahmegesetze gegen die polnische Bevölkerung? Ich weiß, daß Sie (nach rechts) auch das ablehnen, obwohl Ihnen klar sein muß, daß es keinen besseren Schutz gegen einen russischen Angriff geben kann als eine gleichberechtigte polnische Grenzbevölkerung.

Wie sollen nun die Forderungen durchgeführt werden? Der Herr Abgeordnete Bassermann hat in seiner Rede in Hannover ja diese Dinge gestreift, und er hat seine Rede etwa mit den Worten geschlossen:

»Ich träume davon, daß dieses herrliche deutsche Volk, das in Wirtschaft und Kultur so Großes leistet, sich auch einmal selbst regiert.«

Ja, meine Herren, auf dem Wege werden Sie nie etwas erreichen. Nicht schlafen und träumen, sondern schaffen und kämpfen muß die Parole sein, wenn Sie etwas durchsetzen wollen! ...

Nun geht die Militärvorlage in eine Kommission. Ich weiß nicht, ob in diesem Hause ein halbes Dutzend Abgeordnete sind, die sich wirklich über diese Vorlage und über die schwere Pflicht freuen, die ihnen mit der Prüfung aufgeladen wird. Es gibt mehr als einen unter den bürgerlichen Abgeordneten, der unter vier Augen erklärt: ja, wenn man sicher wüßte, daß auch die anderen, daß auch die Franzosen das Schwert einstecken, dann würde das deutsche Volk froh sein, die Vorlage zurückstellen zu können. Ich meine, ein vernünftiger Deutscher kann doch nur ein Interesse daran haben, daß das Verhältnis unserer Rüstungen zu der Rüstung anderer Völker festgehalten wird. An der absoluten Erhöhung der Rüstungen haben doch auch Sie kein Interesse. Eine Ausnahme allerdings gibt es da, und diese Ausnahme wird durch das Rüstungskapital repräsentiert und durch die Presse, die vom Rüstungskapital beeinflußt wird. Das Rüstungskapital wird nicht dadurch in seinem Eifer beeinträchtigt, daß gleichzeitig in Deutschland, in Rußland, in Frankreich, in England Schiffe und Kanonen gebaut werden. Ganz im Gegenteil! Bei den zarten Fäden, die sich herüber- und hinüberschlingen, freut sich das Rüstungskapital, wenn sein Weizen in der ganzen Welt blüht. Das muß ein Grund für die Kommission sein, erneut und ernsthaft zu prüfen, ob nicht die Zeit gekommen ist, die Waffenfabrikation vollständig in Regie des Reichs zu übernehmen, und ich meine, nach früheren Erklärungen müßte es auch Sache des Zentrums sein, hier mitzumachen. Gerade die Tatsache, daß der wichtigste Materialbedarf des Reichs noch Privaten überlassen ist, ist mit ein Moment, das die Rüstungen vorwärtstreibt, ist vielleicht unter Umständen auch ein Moment, das die Sicherheit des Reichs gefährden kann.

Was soll und wird denn jetzt geschehen? Ich las im »März« einen Artikel von Konrad Haußmann, und ich las von einer Rede des Herrn Kohl vom Zentrum und las mehrere Artikel in der »Frankfurter Zeitung«, die alle darin übereinstimmen, es sei eine Stimmung der Hoffnungslosigkeit, der Resignation unter den Abgeordneten der verschiedenen bürgerlichen Parteien, weil man ganz genau fühle und wisse: das Echo, das von Frankreich herüberkommt, die Antwort, die die Franzosen uns geben, wird materiell die Wirkung der Erhöhung des Heeres vollkommen ausgleichen. Sollte es nun in diesem Augenblick wirklich das Richtige sein, demgegenüber die Dinge gehen zu lassen, wie sie wollen, nichts zu tun, einfach wie ein unabwendbares Schicksal diese Entwicklung hinzunehmen? Oder wäre es nicht besser, einen ernstgemeinten, aufrichtigen, von gutem Willen getragenen Versuch zu machen zu einer Verständigung? Denken Sie doch daran, mit welchem Hohn vor wenigen Jahren noch die Leute behandelt wurden, die eine Verständigung mit England wünschten, wie man ihnen da historisch, politisch und militärisch nachwies, daß das ein Unsinn sei! Und heute? Ich glaube, zur Freude des ganzen Hauses sehen wir, daß unsere Beziehungen zu England besser wurden und daß eine Einigung sich anbahnt. Sollte nun das, was mit England möglich war, mit Frankreich unmöglich sein? Sollte es unmöglich sein, bei gutem Willen, mit Frankreich eine Verständigung herbeizuführen? Man hat eine einjährige Rüstungspause mit England vorgeschlagen. Wenn es möglich wäre, diese einjährige Rüstungspause zwischen Deutschland und Frankreich durchzuführen, dann würden zwei Völker – mit ganz dünnen Ausnahmen – befreit aufatmen.

Es wäre deshalb gut, wenn der Ruf, der aus dem Schweizerland zu uns und nach Paris dringt, hier eine freundliche Antwort fände. Wenn Schweizer Bürger aller Parteien und Richtungen uns ihre elterlichen Vermittlerdienste anbieten, wenn sie uns sagen: kommt herüber auf neutralen Boden und sprecht euch darüber aus, ob nicht eine Verständigung möglich ist, – und wenn die Regierung nicht die Initiative ergreift, ist es Sache der

Volksvertretung, die Initiative zu ergreifen. Sie sollen dort in der Schweiz nicht etwa die Heeresvorlagen besprechen und kritisieren; das geschieht ja im Reichstage und im französischen Parlament ausgiebig und wird noch weiter geschehen. Die Aufgabe dieser Zusammenkunft wäre eine ganz andere. Die Aufgabe wäre die: Folgerung aus der Tatsache zu ziehen, daß der Zeitpunkt, in dem beide Vorlagen erscheinen, in hohem Maße beunruhigend und friedengefährdend ist. Wenn es gelänge, dort in Bern ein Abkommen herbeizuführen, so würde das einen ganz gewaltigen moralischen Eindruck in Europa machen: es wäre der Anfang der Entwicklung, die ja doch einmal kommen muß. Westeuropa, namentlich Frankreich und Deutschland, bilden doch heute schon eine kulturelle Gemeinschaft und werden sich auf Dauer politisch und militärisch nicht trennen lassen. Ich bin überzeugt, daß die Vernunft auf dem Marsche ist und daß die Vernunft sich schließlich auswachsen wird zu einer europäischen Großmacht und Herr wird über all das, was jetzt dem Frieden und der friedlichen Entwicklung entgegengewälzt wird. Wir Sozialdemokraten hoffen und wünschen, daß wir bei diesem ernsten Versuch, dem Frieden zu dienen, nicht allein bleiben, daß auch bürgerliche Friedensfreunde, die den Willen ihrer Wähler achten, mit uns arbeiten. Wenn das geschieht, so freut sich niemand mehr als wir; lassen Sie uns aber allein, so werden wir nicht darüber erschrecken. Wir gehen dann unsern Weg in dem Bewußtsein, daß hinter uns der Wille zweier Nationen steht, zweier arbeitender Nationen. Wir gehen dann in der stolzen Gewißheit, Bürger der kommenden großen europäischen Kulturgemeinschaft zu sein und unserm Vaterland dadurch zu dienen, daß wir diese Gemeinschaft vorbereiten!

Die Arbeiterbewegung und der Beginn des Ersten Weltkrieges

a) Rede Ludwig Franks auf der Friedenskundgebung in Mannheim, 29. Juli 1914

Hedwig Wachenheim (Hrsg.): Ludwig Frank. Aufsätze, Reden und Briefe, Berlin 1924, S. 348ff.

Wir sind hier zusammengekommen, um eine vaterländische Pflicht zu erfüllen. Wir dürfen nicht das Bild der öffentlichen Meinung fälschen lassen. Die Kaffeehausbegeisterung mit Musik ist nicht die Stimmung der Einwohnerschaft gewesen. Die jungen Leute, die in den letzten Nächten die Stadt beunruhigt haben mit ihrem Gesang »Lieb Vaterland magst ruhig sein« und mit Hurrageschrei vor allen erreichbaren Denkmälern, waren auch noch nicht die berufenen Vertreter der Volksmassen. Ich glaube sagen zu dürfen: wenn Arbeiter die gleiche amtliche Duldung und Protektion der Polizei genießen würden, wie diese jungen Herren, dann hätten die Straßen gezittert unter den Tritten der Arbeiter-Regimenter und die Fenster hätten geklirrt vor dem vieltausendstimmigen Ruf: »Wir wollen den Frieden!« Aber wir überlassen diese lärmende Art zu demonstrieren ruhig den sogenannten Gebildeten, die ja bessere Schulen besucht haben, während die »ungebildeten« Arbeiter wieder einmal beweisen, daß bei ihnen die höhere Kultur ist. Mit Ernst und Würde wollen wir gegen die Ausbrüche von Völkerhaß und Gedankenlosigkeit die Stimme der Menschlichkeit und Vernunft reden lassen. Vielleicht haben sich übrigens manche jener Leute, die auf der Straße und in den Lokalen sich so sehr für den Krieg erhitzten, heute an die Brust geschlagen und Buße getan, nachdem sie gesehen, wie nahe wir vor dem furchtbaren Abgrund stehen. Ein englischer Minister hat kürzlich darauf verwiesen, daß im Falle eines Krieges ungefähr 250 Millionen Menschen in Mitleidenschaft gezogen würden. Allein bei uns in Deutschland müßten etwa 6,5 Millionen Männer zu den Fahnen eilen, also ein Zehntel der Gesamtbevölkerung. Wer die Szenen bei der Abreise der österreichischen Reservisten auf den Bahnhöfen mitangesehen hat, der weiß, daß es ein schweres Abschiednehmen sein muß. Hunderttausende müssen ihr Leben lassen, eine noch größere Anzahl würde verstümmelt heimkehren in solchen Mengen, daß der Staat gar nicht imstande wäre, für diese hilflosen Opfer genügend zu sorgen. Nicht viel besser sind aber auch die dran, die zurückbleiben. Man muß sich nur klarmachen, daß die ersten vier Wochen nach der Mobilmachung die Eisenbahnen nur für die Truppen- und Materialtransporte gebraucht werden, so daß für die Industrie kein Rohmaterial zur Verfügung steht. Die Arbeitslosigkeit wird sofort in erschreckendem Maße einsetzen. Die Arbeiter sind draußen wie daheim die ersten Opfer des Feldzuges. Dabei ist zu bedenken, daß Deutschland in den letzte 43 Jahren rapid vom Agrarstaat zum Industriestaat sich entwikkelt hat. Die Börse, das beste Thermometer für die Temperatur des Wirtschaftslebens hat diese Gefahr deutlich gezeigt. Die Industriepapiere, wie z.B. Benz und Anilinfabrik, sind in den letzten Tagen im Kurs gefallen. Dabei ist der Krieg für Deutschland noch nicht einmal ausgebrochen. Aber auch diejenigen, die Lohn und Verdienst haben, werden in Not geraten, weil wir mit einer riesigen Steigerung der Lebensmittelpreise rechnen müssen, die eine Hungersnot herbeiführen wird ...

Man sollte meinen, daß angesichts solcher Tatsachen es nicht Zeit ist, auf den Straßen zu johlen, sondern zu versuchen, dieses drohende Elend mit allen Mitteln von den Völkern abzuwenden. Aber während wir hier sprechen, donnern vielleicht die Kanonen. Der Krieg zwischen Österreich und Serbien hat ja schon begonnen, und es ist zu spät zu fragen, ob es nicht möglich gewesen wäre, den Ausbruch zu verhindern? Wenn wir aber gefragt werden, wer unsere Sympathie in diesem blutigen Ringen besitzt, so sagen wir unerschrocken: weder Österreich noch Serbien, sondern die Opfer des Krieges auf beiden Seiten. Als unser Bundesgenosse aber hat Österreich einen besonderen Anspruch darauf, daß wir ihm die Wahrheit sagen, und wir leugnen nicht, daß am Ausbruch dieses Krieges Österreich nicht ohne schwere Schuld ist. Der nationalistische Gegensatz zwischen den beiden Staaten ist ja schon alt; das Verhältnis war schon lange ein gespanntes. Verschärft wurde aber der Zwist durch eine verkehrte, brutale Wirtschaftspolitik Österreichs. Die früheren vernünftigen Handelsverträge wurden auf Betreiben der österreichischen »Agrarier« im Jahre 1911 derart verschlechtert, daß es Serbien fast unmöglich gemacht wurde, seine Agrarprodukte, besonders in Vieh, nach Österreich abzusetzen. Heute darf Serbien nur 15000 Stück Schweine und 50000 Rinder jährlich über die österreichische Grenze bringen. Das mußte die Stimmung natürlich verschlechtern. Der neueste Konflikt hat aber keine wirtschaftlichen Ursachen, er beginnt am 28. Juni mit der Mordtat in Sarajewo, mit dem Tod des Thronfolgerpaares. Wir Sozialdemokraten verurteilen diesen politischen Mord, der von überhitzten Nationalisten begangen wurde. Und wenn wirklich festgestellt wird, daß serbische Offiziere und Beamte an dem Verbrechen Anteil haben, muß Österreich dafür Genugtuung erhalten. Aber daß Serbien in einer Frist von zwei Tagen diese Behauptungen Österreichs prüfen sollte, ist eine unmögliche Zumutung. Eine Nachprüfung ist nötig, da wir während des letzten Balkankrieges sahen, daß Wiener offiziöse Behauptungen oft frech erlogen sind. Ich erinnere an den Fall des Konsuls Prohaska, der angeblich umgebracht oder schrecklich verstümmelt worden ist. Später stellte sich die ganze Anschuldigung als Schwindel heraus. In einem anderen Fall sollte ein Franziskanerpater in Skutari gekreuzigt worden sein, was sich ebenfalls als pure Erfindung erwies. Es ist also kein unbilliges Verlangen, wenn Serbien verlangt, daß Zeit gegeben wird zur Prüfung der

Angelegenheit. Österreich wollte aber den Krieg, und deshalb die kurze Frist und die harten, Serbien demütigenden Bedingungen! Wenn wir Österreich diese Wahrheiten sagen, so erfüllen wir unsere wahre Bundespflicht. Und wenn es zutreffen sollte, daß Deutschland vor Überreichung der Note an Serbien nicht verständigt worden ist, so wäre das geradezu unbegreiflich! – Wir könnten nur der dringenden Hoffnung Ausdruck geben, daß der nun einmal begonnene Krieg so bald als möglich wieder beendet wird, denn Lorbeeren kann sich Österreich da keine holen. Der Erzherzog Josef hat in Budapest verkündet, das Heer werde Ruhm heimbringen. Wenn ein Volk von 40 Millionen ein Volk von 4 Millionen besiegt, so sollte doch von Ruhm keine Rede sein.

Für uns aber erhebt sich die bange Frage: Wird Deutschland mit in den Krieg hineingezerrt werden? Die Augen der ganzen Welt sind nach Petersburg gerichtet, wo ein einzelner, einsamer Mann in seinem Palast sitzt und über Leben und Schicksal von Millionen beschließt. Wenn tatsächlich ein Bündnisvertrag zwischen Serbien und Rußland besteht, so ist er für den Zaren nichts weiter als ein Stück Papier. Rußland wird die Frage nicht juristisch prüfen, sondern nur von dem Gesichtspunkt seiner eigenen Interessen! Die schwache Säule, auf der im gegenwärtigen Augenblick der europäische Frieden ruht, ist die russische Mißernte. In Rußland droht eine Hungersnot. Es wäre eine Gewissenlosigkeit, in einer solchen Zeit einen Krieg zu beginnen. Die Hoffnungen allerdings, die wir auf die Gewissenhaftigkeit der russischen Regierung haben, sind äußerst gering. Von einer Regierung, die ihre besten Männer in den Kerkern zugrundegehen läßt und auf das Schafott schickt, kann man alles erwarten. Unsere bessere Hoffnung gründet sich auf die russischen Arbeiter. Auf diese tapferen Arbeiter, die allen Kosaken zum Trotz sich nicht abschrecken ließen, in den Streiks der letzten Wochen zu beweisen, daß die russische Revolution lebt, daß sie unbezwingbar ihr Haupt erhebt. Wir schicken unsern tapferen russischen Brüdern unsere bewundernden Grüße hinüber! Auf ihrem Mut und ihrer Aufopferung ruht die Zuversicht, daß die Kultur auch jetzt siegen wird über die russische Barbarei.

Noch ein Drittes ist es, was wir in Rechnung stellen dürfen: das ist der gute Rat, den sicherlich das Deutsche Reich an Österreich gibt, indem es dort erklärt, daß unser Bündnis ein Schutzbündnis ist und daß wir keine Lust haben, Österreich bei einem Eroberungskrieg zu unterstützen! Wir haben keine Verpflichtung, wegen des Sandschaks Novibasar oder eines Stücks von Albanien blutige Opfer zu bringen. Tut das aber Deutschland, und verzichtet Österreich auf Gebietserwerb, so hat Rußland keinen Vorwand mehr einzugreifen, und Frankreich und England müssen von Rußland die Zusage verlangen, daß es dann neutral bleibt. Die Aussicht auf ein solches Eingreifen Frankreichs ist wohl begründet. Das Erfreulichste in dieser bösen Zeit ist die ruhige und besonnene Haltung Frankreichs. Selbst in den chauvinistischen Blättern finden wir kein beleidigendes Wort gegen Deutschland. Das ist eine Tatsache, die uns für die Zukunft große

Dinge hoffen läßt. Aber manche ganz wohlmeinende Leute hört man sagen: »Der Krieg mit Rußland muß ja doch einmal kommen, also jetzt besser als später!« Das ist eine ganz törichte Ansicht! Der Krieg mit Rußland muß nicht kommen! Gelingt es uns jetzt, den Frieden zu erhalten, so ist er auf Jahrzehnte hinaus gesichert, und wir kommen in den nächsten Jahren zu einer Verständigung zwischen Frankreich und Deutschland, nach der ja beide Völker geradezu lechzen. Leben wir dann auch mit England im guten Einvernehmen, so sind diese drei westeuropäischen Mächte stark genug, gegen den Zarismus den Weltfrieden dauernd zu sichern. Selbst von Arbeitern kann man hören, Rußland sei ein barbarischer Staat, der internationale Störenfried, der eine Niederlage verdiene! Aber diese verführerische Ansicht ist irrig. Wir dürfen nicht Millionen unschuldiger Menschen büßen lassen für die Verbrechen ihrer Regierung. Wir hegen die bestimmte Überzeugung, daß die russischen Proletarier mit dem Zarismus auch ohne den Krieg fertig werden; die letzten Tage haben uns in dieser Gewißheit bestärkt.

Wenn es aber nun doch zu einem Weltbrand kommen wird: Ist Deutschland für den Krieg gerüstet? Heer, Waffen und Kriegsschatz sind vorhanden. Aber ein sehr wichtiger Teil der Rüstung ist vernachlässigt - ich möchte es die psychologische Rüstung nennen. Die Regierung hat versäumt, durch eine vernünftige, freiheitliche Politik im Innern die Klassen des Volkes zu einer nationalen Einigkeit zusammenzuschweißen. Man hat den Sozialdemokraten, also dem dritten Teil der Nation, die Gleichberechtigung versagt. Es sei nur erinnert an die Verurteilung der Leute, die das Charlottenburger Denkmal bepinselt haben und zu je 1½ Jahren Gefängnis verurteilt wurden, während Studenten, die oft Schlimmeres tun, mit geringen Geldstrafen wegkommen! Und wie hat man die Arbeiterjugend verfolgt! In Braunschweig hat man sogar den Arbeiterkindern verboten, in den herzoglichen Wäldern frische Luft zu schöpfen, und in Sachsen nimmt man den Gewerkschaftern durch die Streikverordnung das Koalitionsrecht. Leute, die so etwas tun, benehmen sich, als wollten sie den deutschen Arbeitern den letzten Funken von Vaterlandsliebe in dem Herzen ersticken. Sie schwächen die Wehrkraft des Reiches und müssen sich also den Vorwurf des Vaterlandsverrats gefallen lassen. Wir »vaterlandslosen« Gesellen wissen aber, daß wir, wenn auch Stiefkinder, so doch Kinder Deutschlands sind und daß wir uns unser Vaterland gegen die Reaktion erkämpfen müssen. Wenn ein Krieg ausbricht, so werden also auch die sozialdemokratischen Soldaten gewissenhaft ihre Pflicht erfüllen. Vorerst aber gilt es, mit allen Mitteln für die Erhaltung des Friedens zu arbeiten. Die Frage ist nun: Wird die Regierung Einfluß und Verantwortlichkeitsgefühl genug haben, um den Frieden zu erhalten? Wir wissen vorerst nicht, ob der Reichskanzler aufkommt gegen einen bekannten hohen Herrn, der in der letzten Zeit auffallend viele Telegramme und Broschürenschreiben verschickte? Die Sozialdemokratie hat überraschende Hilfe bekommen in ihrem Kampf für den Frieden durch die Blätter der Schwerindustrie! Die

Hintermänner dieser »Rheinisch-Westfälischen Zeitung« und der »Post« wissen offenbar ganz genau, daß der Ausbruch des Krieges zugleich den Zusammenbruch unserer Volkswirtschaft bedeuten würde, deshalb warnen sie mit eindringlichen Worten. - Wo bleibt aber in diesem Kampfe für den Frieden die Kirche, die doch in erster Reihe stehen sollte? Wir sehen da seit einigen Wochen, daß die Zentrumspresse zum Kriege geradezu hetzt. Der »Badische Beobachter« hat sogar zum »Rachefeldzug« aufgefordert. Und auf der badischen evangelischen Landessynode habe ein Antrag, der sich für den Gedanken des Friedens aussprechen sollte, zurückgezogen werden müssen, weil er keine Mehrheit erhielt. - Der einzige ernsthafte Kämpfer für den Frieden ist die sozialdemokratische Arbeiterschaft; dieselbe wird ihre Aufgabe, wie seither, auch fernerhin erfüllen, unbekümmert um das Geschimpfe der Kriegshetzer. Wenn längst der Dreibund* und die Triple-Entente** vergangen und vergessen sind, wird der »Zweibund« Demokratie und Sozialismus noch bestehen. Unser Kampf wird ein guter und siegreicher Kampf. Wir bleiben mit unseren Kampfgenossen unserem Zukunftstraum ergeben im Leben und verbunden bis in den Tod. Hoch der Friede! Hoch der Sozialismus!

b) Erklärung der sozialdemokratischen Reichstagsfraktion, 4. August 1914

Metallarbeiter-Zeitung vom 15. August 1914. Stenographisches Protokoll der Verhandlungen des Reichstages, Band 306, Berlin 1916, S. 8 f. - Die Textgestaltung folgt der Metallarbeiter-Zeitung.

Wir stehen vor einer Schicksalsstunde. Die Folgen der imperialistischen Politik, durch die eine Ära des Wettrüstens herbeigeführt wurde und durch die sich der Gegensatz zwischen den Völkern verschärft hat, sind wie eine Sturmflut über Europa hereingebrochen. Die Verantwortung hierfür fällt den Trägern dieser Politik zu, die wir ablehnen.

Die Sozialdemokraten haben diese verhängnisvolle Entwicklung mit allen Kräften bekämpft und noch bis in die letzten Stunden hinein durch machtvolle Kundgebungen in allen Ländern, namentlich in innigem Einklang mit den französischen Brüdern, für die Aufrechterhaltung des Friedens gewirkt. Unsere Anstrengungen sind vergeblich gewesen. Nun stehen wir vor der Tatsache des Krieges, und es drohen die Schrecken einer feindlichen Invasion.

---

* Bündnis zwischen Österreich-Ungarn, Deutschland und Italien.
** Bündnis zwischen Frankreich, England und Rußland.

Nicht für oder gegen den Krieg haben wir heute zu entscheiden, sondern über die Frage, wie für die Verteidigung des Landes die Mittel aufzubringen sind. Nun haben wir zu denken an die Millionen Volksgenossen, die ohne ihr Verschulden in diese Verhältnisse hineingerissen worden sind. Sie werden von den Schrecknissen des Krieges am schwersten betroffen. Unsere heißesten Wünsche begleiten unsere zu den Fahnen gerufenen Volksgenossen ohne Unterschiede der Partei. (Lebhafter Beifall.)

Wir denken auch an die Mütter, die ihre Söhne hergeben müssen, an die Frauen und Kinder, die ihren Ernäher verlieren, denen zu der Angst um ihr Leben die Schrecken des Hungers drohen. Ihnen werden sich bald Zehntausende verwundeter und verstümmelter Kämpfer zugesellen, ihnen allen beizustehen, ihr Schicksal zu erleichtern und die erwachsene Not zu lindern, ist unser aller dringende Pflicht. (Lebhafter Beifall.)

Für unser Volk und seine freiheitliche Zukunft steht bei einem Kriege mit dem russischen Despotismus, der sich mit dem Blute des eigenen Volkes befleckt hat, viel, wenn nicht alles, auf dem Spiele. Es gilt, diese Gefahr abzuwehren, die Kultur und die Unabhängigkeit unseres eigenen Landes sicherzustellen. (Lebhafter Beifall.)

Da machen wir wahr, was wir immer betont haben. Wir lassen in der Stunde der Gefahr das Vaterland nicht im Stiche. (Lebhafter, sich wiederholender Beifall.) Wir fühlen uns dabei im Einklang mit der Internationale, die das Recht jedes Volkes auf nationale Selbständigkeit und nationale Selbstverteidigung jederzeit anerkannt hat.

Die wir in Übereinstimmung mit ihr jeden Eroberungskrieg verurteilen, hoffen wir, daß die grausame Schule der Kriegsleiden in neuen Millionen den Abscheu vor dem Kriege wecken und sie für den Sozialismus und Völkerfrieden gewinnen wird.

Wir fordern, daß dem Kriege, sobald das Ziel der Sicherung erreicht ist und die Gegner zum Frieden geneigt sind, ein Ende gemacht werde durch einen Frieden, der das freundnachbarliche Verhältnis der Völker zueinander ermöglicht, nicht nur im Interesse der von uns stets verfochtenen internationalen Solidarität, sondern auch im Interesse des deutschen Volkes. Von diesen Grundsätzen geleitet, bewilligen wir die Kredite. (Vielfaches Bravo!)

c) Aufruf des DMV-Vorstandes an seine Mitglieder (Auszug), 8. August 1914

Metallarbeiter-Zeitung vom 15. August 1914.

An unsere Mitglieder!

Wie ein Blitz aus heiterem Himmel ist nun doch der unselige Krieg, dessen Vermeidung sich die Besten unseres Volkes stets angelegen sein ließen, über uns hereingebrochen. Tausende und aber Tausende unserer Arbeitsbrüder im besten, leistungsfähigen Lebensalter traten unter die Waffen. Im ernsten Bewußtsein und der festen Überzeugung, ihr Leben einsetzen zu müssen in erster Linie zur Verteidigung der Kultur gegen die Unkultur und Barbarei, verließen sie Weib und Kind. Vater und Mutter und alles, was ihnen lieb und teuer ist. Tausende dieser Braven standen Glied an Glied in unseren Reihen, beteiligten sich rege an unserer gewerkschaftlichen Aufklärungs- und Erziehungsarbeit und kämpften täglich den harten, schweren Kampf gegen eigene Vorurteile, gegen den Unverstand anderer zugunsten einer Hebung des Arbeiterstandes in geistiger, moralischer und materieller Beziehung. Indem sie jetzt hinausziehen in das Feld eines massenmörderischen Krieges, stellen sie ihren Abscheu gegen diesen selbst keineswegs zurück, sondern verteidigen mit dem Vaterland gleichzeitig die bisher auch durch die Arbeiterschaft errungenen Positionen der Kultur und einer höheren Lebensauffassung. Unsere heißesten Wünsche begleiten sie hinaus in das gefahrvolle Feld der Schlacht. Möge es gelingen, diesen Krieg mit geringen Opfern an Blut und Gut in kürzester Zeit zum Besten der Kultur zu beenden, und mögen die zahlreichen Kämpfer unserer Bestrebungen und die zahlreichen Mitglieder unseres Verbandes unversehrt in Bälde zurückkehren zu den Ihren, zu erfolgreicher Friedensarbeit und in die Reihen ihrer zurückbleibenden Arbeitsbrüder, mit denen sie bisher zur Erreichung einer besseren Zukunft in Reih und Glied nicht ohne Erfolg gewirkt haben. Dies unser sehnlichster, aufrichtigster Wunsch, den wir unseren geschiedenen Kollegen ins Schlachtfeld nachsenden und den noch Scheidenden mitgeben. Wünsche, und sind sie noch so aufrichtig gemeint, allein genügen nicht, wollen wir unseren geschiedenen und scheidenden Arbeitsbrüdern einige Gewähr für die Zukunft geben, so ist es unsere, der Zurückbleibenden, Pflicht, das, was wir mit ihnen in friedlicher Arbeit aufgebaut haben, unseren Verband, auch weiterhin zu erhalten und zu fördern. Aufrechterhaltung und Förderung des Verbandes bedeutet Aufrechterhaltung der Mitgliedschaft jedes einzelnen, der nicht zum Militärdienst eingezogen ist. Aufrechterhaltung der Mitgliedschaft hat zur Voraussetzung regelmäßige und pünktliche Entrichtung der Beiträge. Kein Mitglied entziehe sich gerade im jetzigen Augenblick dieser Verpflichtung, keiner gedenke, daß Kriegszeiten die Gewerkschaften überflüssig machen oder gar ihr Bestehen in Frage stellen. Letzteres kann nur eintreten, wenn die Mitglieder die Flinte ins Korn werfen, dem Verband den Rücken kehren und ihre Beitragszahlung vernachlässigen. Gerade in dieser ernsten und schicksalsschweren Stunde fällt den Gewerkschaften eine sehr wichtige Rolle zu. Gerade jetzt sind sie nötiger denn je!

Kriegerische Verwicklungen ziehen naturgemäß Erschütterung des gesamten Wirtschaftslebens nach sich. Die allgemeine Arbeitslosigkeit, die infolge wirtschaftlicher und politischer Ursachen schon vor dem Kriegsausbruch sehr groß war und auch unserem Verband bisher große materielle Opfer auferlegte, hat inzwischen eine erhebliche weitere Steigerung erfahren. Kein einziges unserer zum Kriegsdienst nicht eingezogenen Mitglieder hat heute Aussicht auf dauernde Beschäftigung. Die Gewerkschaften vermögen durch ihre Unterstützungseinrichtungen nicht nur die zahlreich außer Arbeit gekommenen Mitglieder über Wasser zu halten, ihre und der Ihren größte Not zu lindern, sondern sie erweisen gerade durch diese ihre Tätigkeiten dem gesamten Volk in dieser schweren Zeit der Not und Bedrängnis einen unschätzbaren Dienst. Die unerläßliche Voraussetzung für die Erfüllung solch bedeutsamer Aufabe ist aber, wie schon hervorgehoben, die unbedingte Aufrechterhaltung der Mitgliedschaft bei allen den Mitgliedern, die nicht zum Kriegsdienst beordert sind, und gewissenhafte Erfüllung aller an die Mitgliedschaft gebundenen Verpflichtungen. Darum Kolleginnen, Kollegen, haltet treu und fest zum Verband im Interesse Eurer selbst, wie im Interesse der von uns geschiedenen und noch scheidenden Kollegen, die auch für uns ihr Herzblut opfern! ...*

Die vorstehend getroffenen Anordnungen sind im Interesse des Verbandes und seiner Mitglieder dringend geboten. Wir dürfen daher auch erwarten, daß die Verbandsmitglieder das nötige Verständnis nicht fehlen lassen und ihrerseits alles dazu beitragen, um sie durchzuführen. Ihr Zweck ist, dem Verband möglichst viele Mitglieder zu erhalten, ihm über die schwere Zeit möglichst glatt hinwegzuhelfen und ihn nach Überwindung der schweren Zeiten aktionsfähig zu erhalten. Wir dürfen daher wohl auch hoffen, daß alle Mitglieder ohne Ausnahme die durch die Not des Augenblicks bedingten Maßnahmen verstehen und anerkennen, sich ihnen willig unterordnen und vor allem dem Verband die Treue in diesen schweren Tagen halten.

Hoch die Solidarität und die Opferwilligkeit!
Hoch der Deutsche Metallarbeiter-Verband!

---

* Folgen Anordnungen über Verwaltung, Abmeldungen, Unterstützungsleistungen, Übertritte, Beitragsbefreiung und das Verbandsorgan.

44 **19. September 1914**

Brief Clara Zetkins an Marie und Adolf Geck zur Situation nach Kriegsausbruch (Auszug)

GLA Karlsruhe, 69N1/985, Dokument 48.

Ihr könnt Euch denken, wie ich mich in dieser Zeit fühle. Ich habe bis heute noch nicht den politischen und moralischen Bankrott der Sozialdemokratie verwunden. Er steht beispielslos da in der Geschichte. Erst wenn wir wieder Frieden haben, wird sich zeigen, was geschehen muß, um die Ausgebeuteten wieder zur Arbeit für ihre eigenen Interessen zu sammeln. Einstweilen können wir nichts tun als die Wartezeit auszunützen, um aus den Ereignissen zu lernen, um die furchtbare Not zu lindern, um dadurch die Massen möglichst gesund an Leib und Seele zu erhalten und uns mit aller Macht dem reißenden Schmutzstrom des beschränkten Chauvinismus entgegenzuwerfen. Leider versagt dabei unsere Presse so gut wie vollständig. Unsere Blätter sind oft nur noch durch die große Globigkeit und Armseligkeit von den bürgerlichen Organen zu unterscheiden. Gewiß ist der Belagerungszustand eine lastende Fessel. Aber er allein erklärt nicht das unglaubliche niedrige Niveau so vieler Blätter. Darin kommt auch die innere Hohlheit recht vieler Redakteure und führender Genossen zum Ausdruck.

Wie mir hier von den Behörden und der Dorfbevölkerung mitgespielt worden ist, habt Ihr wohl zum Teil aus der Post erfahren. Es war wie am Vorabend eines Pogroms: und Märchen wurden kolportiert und geglaubt, wie sie in Beyles' Prozeß eine Rolle spielten. Dicht vor den Toren einer Hauptstadt! Und da sollen wir noch besonders stolz auf unsere Kultur sein! Doch das alles ist so nebensächlich, verglichen mit dem Zusammenbruch der Partei und der Internationale. Wenn ich das ganze Tun und Treiben betrachte, so könnte man manchmal den Verstand verlieren.

Hoffentlich geht es Euch sonst persönlich erträglich. Laßt einmal etwas mehr von Euch hören.

Rosa war 10 Tage zu Besuch hier, um ein bißchen auszuruhen. Leider ist jetzt hier auch alles voller Unruhe, dazu ein Sauwetter. Ich möchte es gern für mich ertragen, wenn ich nicht bei Tag und Nacht an die armen Leute denken müßte, die draußen im Feld liegen, viele von ihnen verwundet, krank, die meisten erschöpft. Und das ist noch das wenigste vom Krieg. Wie dünn das Häutchen der Kultur über der Menschen-Barbarei ist, das zeigen uns jetzt die Ereignisse, Stimmungen, Gedanken und Wünsche.

45 Juni 1915

Positionen zur Burgfriedenspolitik des SPD-Vorstandes und der Generalkommission der freien Gewerkschaften

a) Erklärung oppositioneller Sozialdemokraten und Gewerkschafter an den Vorstand und die Reichstagsfraktion der SPD, 9. Juni 1915

Dokumente und Materialien zur Geschichte der deutschen Arbeiterbewegung, 2. Reihe, Bd. 1, Berlin 1958, S. 169ff. - Von den 172 Unterschriften sind nur die aus Baden stammenden wiedergegeben.

Werte Genossen!

Die Ereignisse der letzten Wochen zwingen uns zu diesem Schreiben. Mit dem 4. August 1914 hat die parlamentarische und außerparlamentarische Leitung der deutschen Sozialdemokratie eine Politik begonnen, die nicht nur das Versagen der Partei in einem unvergleichlichen geschichtlichen Augenblick, sondern eine immer schroffere Abkehr von ihren bisherigen Grundsätzen bedeutet.

Die verhängnisvollen Wirkungen dieser Abkehr ergriffen unerbittlich von der äußeren Politik aus die gesamte innere Politik der Partei, die damit auf beiden Gebieten aufhörte, als selbständiger Faktor zu existieren. Die Anerkennung des Burgfriedens war das Kreuz auf dem Grabe des Klassenkampfes, der nicht in behördlichen und parlamentarischen Geheimkonventikeln noch durch eine Hintertreppenpolitik nach dem Muster kapitalistischer Klüngel geführt werden kann.

Die Mehrheit der Reichstagsfraktion wich jedem ernsthaften Kampf aus, selbst dem für die Koalitionsfreiheit, für die Wahlreform. Sie lehnte es ab, auch nur die Aufhebung des Belagerungszustandes zu beantragen, und verwandelte damit die aufgezwungene Rechtslosigkeit in eine freiwillig übernommene, um dann durch ihren Redner der untertänigen Hoffnung Ausdruck zu geben, eine Milderung der Zensur lasse sich vielleicht von einer Fürsprache beim Kaiser erreichen.

Von Session zu Session wurden die Hoffnungen auf eine Änderung der Fraktionspolitik vertröstet und verschoben. Und immer von neuem enttäuscht. Der Mai brachte die Vollendung des Zusammenbruchs.

Immer klarer war zutage getreten, daß der Krieg nicht der Verteidigung der nationalen Unversehrtheit dient. Immer deutlicher hatte sich sein imperialistischer Eroberungscharakter offenbart. Immer ungeniertere Bekenntnisse zur Annexionspolitik wurden abgelegt. Zu den Äußerungen einflußreicher Drahtzieher des Kapitalismus traten Kundgebungen mächtiger kapitalistischer Wirtschaftsverbände, Beschlüsse der herrschenden bürgerlichen Parteien und im Februar die vom Herrenhaus mit einhelliger

Zustimmung aufgenommene Rede des Herrenhauspräsidenten, die die Möglichkeit eines sofortigen Friedens unter Aufrechterhaltung des bisherigen deutschen Besitzstandes feststellte, aber die Fortsetzung des Krieges zu Eroberungszwecken für geboten erklärte, eine Rede, durch die sich die Mehrheit der sozialdemokratischen Fraktion dennoch nicht an der Bewilligung neuer zehn Milliarden Kriegskredite und des Budgets hatte hindern lassen.

Die übergroße Masse der Parteigenossen daheim wie im Felde erwartete, daß die Reichstagsfraktion wenigstens jetzt endlich, im Mai, nach langen zehn Monaten eines furchtbaren, in Dauer und Ausgang unübersehbaren Krieges, in einer nachdrücklichen, unzweideutigen Kundgebung die schleunige Beendigung des Krieges fordern und dem entschlossenen Friedenswillen der Sozialdemokratie Ausdruck verleihen würde - entsprechend dem vom deutschen Parteitag noch ausdrücklich gebilligten Beschluß des Stuttgarter Kongresses, der die Partei verpflichtet, den Krieg zur Aufrüttelung der Massen im Klassenkampf auszunutzen und so für seine rasche Beendigung zu wirken. Die Erwartung der Massen ist wieder unerfüllt geblieben.

Wie die Fraktionsmehrheit kein Wort des Protestes gegen den Bruch der belgischen Neutralität gefunden hatte, wie sie ablehnte, ihre Stimme zu erheben gegen die Torpedierung der »Lusitania«*, gegen das Vergeltungsprinzip, das zu einem Wettlauf der Grausamkeit führt und die Zivilbevölkerung immer tiefer in die Schrecknisse des Krieges reißt, wie sie es unterließ, nach dem Beispiel unserer serbischen, russischen, englischen und italienischen Genossen die Schuldigen am Weltkrieg im eigenen Lande zu bekämpfen, und wie sie half, dem imperialistischen Unternehmen den Deckmantel des Patriotismus umzuhängen, so hat sie auch hier völlig versagt. Wenn der sozialdemokratische Redner am 29. Mai** in einigen Wendungen von Friedenssehnsucht sprach und für einen Frieden ohne Annexion eintrat, so nahmen doch Form und Begleitumstände von vornherein dieser Rede den Charakter einer ernsten Friedenskundgebung. Und was sich nach ihr abspielte, stempelte die ganze »Aktion« für In- und Ausland zum Gegenteil einer Friedenskundgebung.

Die volle Bedeutung dieser Haltung der Fraktionsmehrheit ergibt sich aus der Tatsache, daß ihr das Kriegsziel der Regierung ganz autoritativ bekannt war. Unverblümt hatte der Reichskanzler in der Reichstagssitzung vom 28. Mai den Eroberungskrieg proklamiert, zu dessen Programm, wie die Fraktion wußte, die offene Annexion russischer und französischer Gebietsteile und unter dem Etikett der zwangsweisen wirtschaftlichen Angliederung die versteckte Annexion Belgiens gehört. Auf diese Proklamation galt es, die sozialdemokratische Antwort zu erteilen. Die sozialde-

* Von deutschem U-Boot versenktes US-Passagierschiff.
** Reichstagsrede Eberts zum Kriegseintritt Italiens.

mokratische Fraktionsmehrheit jedoch fand darauf, von jenen unerheblichen Redewendungen abgesehen, nur ein erneutes Bekenntnis zur Politik des 4. August, das heißt zur Willfährigkeit gegenüber der Regierung und den herrschenden Klassen; und das, obwohl Graf Westarp sie unter Beihilfe der bürgerlichen Parteien duch den - freilich von Mitgliedern der sozialdemokratischen Fraktion unterstützten! - Handstreich seines Vertagungsantrages gerade eben die Junkerpeitsche hatte fühlen lassen. Und auf die alarmierenden Eroberungsfanfaren des konservativen und nationalliberalen Redners fand sie nur eben eine nochmalige Unterstreichung dieses Bekenntnisses und die Berufung auf denselben Reichskanzler, dessen Annexionsziele vor den Augen aller Welt enthüllt waren.

Der dringendste Anlaß war gegeben, sich endlich von der Regierungs-Kriegspolitik loszusagen und ihr den schärfsten Kampf zu erklären. Die endliche rücksichtslose Hervorkehrung der sozialistischen Interessen und der proletarisch-internationalen Friedensziele war geboten; aber eine neue Verpflichtung zur Politik des Durchhaltens, eine wiederholte Solidaritätserklärung gegenüber den herrschenden Klassen und der Regierungs-Kriegspolitik erfolgte.

Auch im Jahre 1870 waren die sozialdemokratischen Abgeordneten durch scharfe Gegensätze getrennt; aber geschlossen standen sie gegen die Regierung, sobald sich die Annexionspläne offen herauswagten. Heute liegt das offizielle Annexionsprogramm der Regierung und aller bürgerlichen Parteien vor. Dennoch begnügt sich die Fraktionsmehrheit mit einigen nichtigen Wendungen über Friedenswünsche und Annexionspolitik, um sich desto nachdrücklicher auf das Durchhalten einzuschwören.

Damit ist der Schlußpunkt unter die unheilvolle Entwicklung gesetzt, die am 4. August begann. Die Reichstagsfraktion, in der auch die meisten Mitglieder des Parteivorstandes sitzen, hat den Widerstand gegen die imperialistische Eroberungspolitik aufgegeben. Und nicht aus bloßer Schwäche und Burgfriedensfreudigkeit, sondern weil ein erheblicher Teil der Reichstagsfraktion - ebenso wie der preußischen Landtagsfraktion und wie andere einflußreiche Genossen - in konsequenter Fortbildung der Politik des Durchhaltens, das heißt, der hemmungslosen Völkerzerfleischung, auch dieser Eroberungspolitik mit vollem Bewußtsein anhängt.

Besonders dreist hat vor wenigen Tagen die Baumeistersche »Internationale Korrespondenz« (IK), die vom Einfluß der auch in der Reichstagsfraktion überaus mächtigen Generalkommission getragen wird, dieser Parteiströmung Ausdruck verliehen. Sie stimmt der Schifferschen Beurteilung von Eberts Rede zu: die Betonung des Durchhaltens sei ihr wesentlichster Sinn, die Fraktion werde sich von dieser Lösung auch durch die Meinungsverschiedenheiten über das Kriegsziel nicht abbringen lassen - eine Beurteilung, der in der Reichstagssitzung vom 29. Mai die Fraktionsmehrheit begeistert Beifall rief! Und sie versichert, gegen die Methode der zwangsweisen »wirtschaftlichen Angliederung«, d.h. der verkappten Annexion Belgiens sei nichts einzuwenden!

Noch einmal stehen die leitenden Parteiinstanzen am Scheideweg. Wollen Sie, was an ihnen liegt, die Partei jener immer deutlicher hervortretenden Strömung noch länger überantworten oder nicht.

In der Hand der deutschen Sozialdemokratie ruht noch immer die Macht zu einer welthistorischen Entscheidung. Die Unabhängige Arbeiterpartei Englands, die ihr bedeutendes Gewicht in die Waagschale des Friedens wirft, hat gerade jetzt mit verschärftem Nachdruck die sofortige Bekanntgabe der englischen Friedensbedingungen gefordert und den Kampf gegen die Annexionspolitik des Drei- oder Viererverbandes aufgenommen. Hervé und seine Gesinnungsgenossen stehen sich einer immer stärkeren Bewegung unter den französischen Sozialisten gegenüber, einer Bewegung für einen baldigen Frieden ohne Annexion und »Angliederung«, einer Bewegung, deren Drängen sie vergeblich zu beschwichtigen suchen. Das Beispiel der italienischen Bruderpartei läßt unsere Herzen höher schlagen. Aus England, aus Frankreich, aus Italien schallen sozialistische Friedensstimmen immer eindringlicher zu uns. Von der Haltung der deutschen Sozialdemokratie hängt die Weiterentwicklung des sozialistischen Kampfes gegen den Krieg in jenen Ländern wesentlich ab. Treibt die Leitung der deutschen Sozialdemokratie jetzt weiter im Kielwasser der Eroberungspolitik, rettet sie sich nicht jetzt endlich auf den Boden des internationalen proletarischen Kampfes gegen den Krieg und die imperialistischen Raubgelüste zurück, so versäumt sie die letzte Gelegenheit, sich von der vollen Mitschuld daran zu entlasten, daß dieser Krieg als erbarmungsloser Vernichtungskrieg bis zum Weißbluten der Völker fortgesetzt und der auf ihn folgende Friede nur die Vorbereitung eines neuen Weltkrieges sein wird. Der Augenblick heischt gebieterisch sofortiges Handeln. In den letzten Stunden sind der König und der Kronprinz von Bayern öffentlich als Befürworter der Eroberungspolitik hervorgetreten.

Keinem, der noch länger zögert, kann fürderhin Gutgläubigkeit und Unkenntnis zugebilligt werden. Der Tatbestand liegt unzweideutig; die Situation ist vom letzten Nebel geklärt. Die Alternative lautet schlechthin: Parteirettung oder Parteizerstörung.

Wir warnen vor der Fortsetzung der Politik des 4. August und des 29. Mai. Wir wissen, daß wir die Auffassung eines großen Teils der Parteigenossen und breiter Bevölkerungsschichten ausdrücken, wenn wir fordern, daß Fraktion und Parteivorstand endlich ohne Zaudern dem Parteiverderben Einhalt tun, den Burgfrieden aufsagen und auf der ganzen Linie den Klassenkampf nach den Grundsätzen des Programms und der Parteibeschlüsse, den sozialistischen Kampf für den Frieden eröffnen. Die Verantwortung für alles, was sonst kommt, fällt denen zu, die die Partei auf die abschüssige Bahn getrieben haben und ferner darauf erhalten wollen.

Mit Parteigruß

Ernst (Offenburg), Haberer (Offenburg), Hetzel (Bodenweier, Amt Kehl), Martzloff (Freiburg i. Br.), Zimmer (Karlsruhe)...

b) Erklärung der Generalkommission der Gewerkschaften, 23. Juni 1915

Korrespondenzblatt Nr. 26, 26. Juni 1915, S. 293 f. – Anmerkung und Auslassung in der Vorlage.

Gegen die Sonderbündelei!

Ein »Mit Parteigruß« schließendes, mit 172 Namen unterzeichnetes Schriftstück »An den Vorstand der sozialdemokratischen Partei Deutschlands! An den Vorstand der sozialdemokratischen Reichstagsfraktion!« ist in den letzten Tagen an die Gewerkschaftspresse, die Gewerkschaftskartelle und an Funktionäre der Gewerkschaften versandt worden. In dem Begleitschreiben an die Gewerkschaftspresse, so auch an das »Korrespondenzblatt« der Generalkommission wird um Abdruck, in dem an die Gewerkschaftsfunktionäre um Mitunterzeichnung der Kundgebung gebeten, die, nach Form und Inhalt zu urteilen, von einer sehr phantasiereichen Begabung des Verfassers zeugt. Wir könnten, da wohl kaum die Redaktion eines Gewerkschaftsblattes, die sich ihrer Verpflichtungen bewußt ist, das Schriftstück veröffentlichen, noch ein ernst zu nehmender Gewerkschaftsfunktionär es unterzeichnen wird, diesen Versuch, die Gewerkschaften in den Parteistreit hineinzuziehen, als erledigt gelten lassen. Die ganze Art der Aufmachung dieser Kundgebung nötigt uns jedoch zu einer Stellungnahme.

Diejenigen, welche das Schriftstück verantwortlich zeichnen, setzen neben Namen und Wohnort alle möglichen Titel. Wir finden da u. a. einen A. F. ... aus H.: »1. Vorsitzender des Wahlvereins, 1. Vorsitzender des Bildungsausschusses, Gemeindevertreter«. Die Titelsucht dieser sich radikal-revolutionär gebärdenden Sozialdemokraten bietet dem Redakteur eines Witzblattes dankbaren Stoff. Leider ist das Schriftstück nicht zur Veröffentlichung in einem Witzblatt bestimmt. Die Titelbeigabe soll den Anschein erwecken, als wäre eine gewaltige, gegen den Vorstand der sozialdemokratischen Partei und die sozialdemokratische Reichstagsfraktion gerichtete Bewegung in der Arbeiterschaft Deutschlands vorhanden. Eine Bewegung, die von der Redaktion des Vorwärts* sich bis zum »Revisor der Zahlstelle des Holzarbeiterverbandes in B.« erstreckt. Das ist, soweit die Gewerkschaften in Frage kommen, eine bewußte Irreführung. Die Parteigenossen (es sind deren 20 unter 172), die ihrem Namen unter dem Rundschreiben den Titel des Gewerkschaftsfunktionärs hinzugefügt haben, sind nicht berechtigt, im Namen der Gewerkschaften oder des Verbandes, dem sie angehören, ja nicht einmal im Namen des Organisationszweiges, dessen

* Von den Redakteuren diese Blattes haben neun das Schreiben mitunterzeichnet. Vielleicht sind auch noch einige weitere dieser unvergleichlichen Zeitgenossen ohne Titelnennung im Schwarm der Unterzeichner verlorengegangen.

Leitung ihnen anvertraut ist, zu sprechen. Es ist Mißbrauch des Vertrauenspostens, wenn sie den Anschein erwecken wollen, als stände die Organisation, als deren Vertreter sie sich in dem Rundschreiben bezeichnen, in der Sache hinter ihnen. Traurig wäre es um die Arbeiterschaft Deutschlands bestellt, wenn das jemals der Fall sein könnte.

Es handelt sich bei diesem Rundschreiben nicht mehr um eine spontane Kundgebung, sondern um einen organisierten Sprengungsversuch der Einheit der deutschen Arbeiterorganisationen. Die Desorganisation soll herbeigeführt werden, weil die große Mehrheit der organisierten Arbeiterschaft sich dem Willen einer kleinen Minderheit nicht unterwerfen will.

Es wäre verhängnisvoll für die Zukunft der Arbeiterbewegung Deutschlands, wenn wir dies heute nicht offen aussprechen würden.

An dem Tage, an welchem nach Schätzung der Herausgeber des Rundschreibens dieses in der Partei- und Gewerkschaftspresse veröffentlicht werden sollte, erschien in dem Leipziger Parteiblatt eine im gleichen Sinne gehaltene Kundgebung, in der die Masse der Parteigenossen aufgerufen wird, sich gegen die stets mit großer Mehrheit gefaßten Beschlüsse der von ihnen eingesetzten Körperschaften zu wenden. Gezeichnet ist diese Kundgebung von dem Vorsitzenden des Vorstandes der sozialdemokratischen Partei und der sozialdemokratischen Reichstagsfraktion sowie dem Redakteur des wissenschaftlichen Organs der sozialdemokratischen Partei Deutschlands. Durch diese Handlung von Genossen, denen die höchsten Ehrenämter in der Organisation in dem Vertrauen übertragen wurden, daß sie stets den Beschlüssen der Mehrheit Geltung verschaffen und dadurch die Einheit der Partei sichern würden, ist alles über den Haufen geworfen, was bisher in der Arbeiterbewegung Deutschlands als unantastbar galt.

Für die Gewerkschaften Deutschlands, die in der sozialdemokratischen Partei ihre politische Vertretung sehen, wäre es ein großer Nachteil, wenn dieser organisierte Sprengungsversuch Erfolg haben sollte. Ob er sich dauernd bemerkbar machen würde und die Fortentwicklung der gewerkschaftlichen Organisation darunter leiden könnte, wollen wir heute nicht untersuchen.

Jedenfalls müssen wir uns aber mit aller Entschiedenheit gegen diejenigen wenden, denen das Gefühl der Verpflichtung gegenüber der Organisation fehlt und die es für geraten halten, den Parteistreit in die Gewerkschaftsorganisationen zu tragen. Wenn man schon die Wirkung des politischen Kampfes durch Desorganisation der Partei herabmindern will, so möge man wenigstens die Gewerkschaften mit diesem Treiben verschonen. Die Gewerkschaften werden nach Beendigung des Krieges die äußerste Kraft zur Linderung der eintretenden Not einsetzen müssen und der geschlossenen Organisationen bedürfen, um die schweren wirtschaftlichen Kämpfe in dieser kritischen Zeit zu führen.

Wir erwarten von den Gewerkschaftsvertretern, welche die Erfüllung ihrer Aufgaben ernst nehmen, daß sie alles daran setzen werden, die Geschlossenheit in der Gewerkschaftsbewegung nach wie vor zu erhalten.

Die Eingliederung der Gewerkschaften in die Kriegswirtschaft

a) Die Bestimmungen des Kriegsausschusses für die Metallindustrie des Großherzogtums Baden, 1. Oktober 1916

Metallarbeiter-Zeitung vom 14. Oktober 1916.

Die Organisation des Ausschusses wird wie folgt vereinbart:

1. Name: Kriegsausschuß für die Metallindustrie, Sitz Karlsruhe.

2. Bezirk: Der Ausschuß umfaßt den Bezirk des XIV. Armeekorps mit Ausnahme der Hohenzollernschen Lande und des Oberelsaß.

3. Zweck: Der Ausschuß ist als Schlichtungsamt bei wirtschaftlichen Streitigkeiten in Betrieben der Metallindustrie oder solcher anderer Industriezweige, die erhebliche Mengen von Metallarbeitern beschäftigen, von einem der Beteiligten anzurufen, wenn die Streitigkeiten sich nicht innerhalb der Betriebe oder durch die beteiligten Organisationen beilegen lassen. Gutachtlich kann der Kriegsausschuß zu allen andern kriegswirtschaftlichen Fragen Stellung nehmen, die von seiten der Beteiligten oder irgendwelcher Behörde ihm unterbreitet werden.

4. Zusammensetzung: Der Ausschuß besteht aus je drei Vertretern der Arbeitgeber und der Arbeitnehmer. Beschlußfähig ist der Ausschuß, wenn mindestens je zwei Vertreter von jeder Seite anwesend sind. Falls beide Seiten nicht in gleicher Stärke vertreten sind, scheidet von der stärkeren Seite der Jüngste aus. Der Vorsitz wird von einem Vertreter des stellvertretenden Generalkommandos geführt.

5. Geschäftsordnung: Anträge auf Einberufung sind schriftlich unter Begründung an den Vorsitzenden zu richten. Dieser erläßt nach Prüfung die Einladungen an die Mitglieder des Ausschusses und an die Beteiligten. Falls der Kriegsausschuß gemäß Ziffer 3 Abs. 1 angerufen ist, soll die Frist zwischen Anrufung und Zusammentritt des Ausschusses nicht mehr als zehn Tage betragen. Der Vorsitzende hat seinerseits das Recht, den Ausschuß einzuberufen.

Die Beteiligten können sich durch einen Vertrauensmann bei der Verhandlung vertreten lassen. Falls ein Beteiligter bei der Verhandlung nicht anwesend oder vertreten ist, kann trotzdem verhandelt werden.

Bei Stimmengleichheit kann der Vorsitzende durch Abgabe seiner Stimme eine Entscheidung herbeiführen.

Genehmigt und unterschrieben:

Von seiten des Stellvertretenden Generalkommandos XIV. Armeekorps:
Freiherr von Rüdt, Hauptmann.

Von seiten des Verbandes der Metallindustriellen Badens, der Pfalz und angrenzenden Industriebetriebe E. B.:

Dr. Otto Krebs, E. Reuther.

Von seiten des Deutschen Metallarbeiterverbandes:

H. Zernicke, Karl Vorhölzer.

b) Kommentar der »Metallarbeiter-Zeitung« zur Bildung und zur Tätigkeit des Kriegsausschusses für die Metallindustrie in Baden als Schlichtungsstelle, 14. Oktober 1916

Metallarbeiter-Zeitung vom 14. Oktober 1916.

Mit dem 1. Oktober ist für den Bereich des XIV. Armeekorps ebenfalls ein Kriegsausschuß für die Metallindustrie in Kraft getreten. Schon im Frühjahr dieses Jahres erfolgten Besprechungen mit der Gewerbeinspektion und Vertretern des Deutschen Metallarbeiterverbandes. Damals schon erklärten diese, daß sie gegen die Errichtung eines Kriegsausschusses nichts einzuwenden haben, jedoch die Einführung eines »Kriegsscheines« nicht für zweckmäßig halten. Wenn das Stellvertretende Generalkommando den Kriegsschein anordnete, dann würden selbstverständlich die Arbeiter von der Mitarbeit an einem Schiedshof sich auf keinen Fall ausschließen. Es fand dann später nochmals eine Aussprache über diese Angelegenheit mit dem Stellvertretenden Generalkommando statt, die ein endgültiges Ergebnis nicht zeitigte. Das Generalkommando behielt sich vor, die Einrichtungen nach dieser Richtung hin in anderen Bundesstaaten zu prüfen und dann endgültige Vorschläge zu machen. Am 13. September fanden dann unter dem Vorsitz des in Frage kommenden Abteilungschefs vom Stellvertretenden Generalkommando zwischen den Parteien die Verhandlungen aufgrund des nun vom Stellvertretenden Generalkommando vorgelegten Entwurfes statt. Der Entwurf lehnte sich im wesentlichen an die Bestimmungen für den Kriegsausschuß in Frankfurt am Main an. Nur war von vorneherein eine Mitwirkung der Gelben nicht vorgesehen. Bei den Verhandlungen waren neben den Vertretern des Stellvertretenden Generalkommandos der Verband der Metallindustriellen Badens, der Gewerkverein der Maschinenbauer (Hirsch-Duncker), der christliche Metallarbeiter-Verband und der Deutsche Metallarbeiter-Verband vertreten. Von letzterem waren die Geschäftsführer von Mannheim, Karlsruhe und Pforzheim, der Bezirksleiter und ein Mitglied vom Hauptvorstand anwesend. Das über die Verhandlungen aufgenommene Protokoll soll für die

Verhandlungen des Kriegsausschusses künftig neben den eigentlichen Bestimmungen als Erläuterung dienen.

Der Kriegsausschuß soll also, wie ja durch seine Bestimmungen festgelegt, in erster Linie ein Schlichtungsamt sein. Unternehmer- wie Arbeiterorganisationen haben sich ausdrücklich vorbehalten, daß sie es ablehnen müssen, dem Ausschuß zuzugestehen, über prinzipielle Meinungsverschiedenheiten, die bei Lohn- oder Arbeitsdifferenzen auftauchen können, zu entscheiden. Auf die bisherigen Machtmittel der Organisationen zur Austragung tiefergehender Zwistigkeiten hat also keine Organisation verzichtet. Dabei kam jedoch beiderseits zum Ausdruck, kein Teil wünsche, daß es in der jetzigen ernsten Zeit zu größeren Streiks oder Aussperrungen komme. Bevor es zu größeren Differenzen kommt, ist aber der Ausschuß anzurufen, und es braucht wohl nicht ausdrücklich hervorgehoben zu werden, daß, wenn nach Prüfung der Sachlage in solchen Fällen der Vorsitzende des Ausschusses der einen oder anderen Partei Unrecht gäbe, diese in der Öffentlichkeit einen sehr schweren Stand haben würde, ihre Ansicht als die richtige zu vertreten und die öffentliche Meinung für sich zu gewinnen.

In den Betrieben, wo die Arbeiterschaft gut organisiert ist und auf der anderen Seite auch der Unternehmer seiner Berufsorganisation angehört, wird es wohl gelingen, ausbrechende Differenzen zwischen den Organisationen ohne Ausschuß zu schlichten, wenn der Unternehmer berechtigten Wünschen der Arbeiter nicht ganz verständnislos gegenübersteht. In anderen Betrieben - und diese haben wir in Baden in ziemlicher Anzahl - wird es wohl Arbeit für den Ausschuß geben. Auf dem Schwarzwald, im Karlsruher und vor allem im Pforzheimer Industriegebiet liegen zur Zeit die Arbeitsverhältnisse ziemlich traurig. Diese Unternehmer kehren sich keinen Deut um den Ernst der Zeit und glauben, ihre Arbeiter trotz der unerhörten Teuerung heute noch mit Löhnen abspeisen zu können, die kaum in Friedenszeiten als ausreichend zu betrachten sind. Ja, im Gegenteil, eine Anzahl dieser auf Heereslieferungen arbeiten lassenden Unternehmer glaubt die Not der Zeit erst recht ausnützen zu müssen und meint - vor allem gilt das für Pforzheim - den Arbeitern alles bieten zu können. Da wird es nun an den Arbeitern liegen, sich selbst Recht zu verschaffen. Eine Stelle ist jetzt ins Leben gerufen, wo ihre Beschwerden geprüft und untersucht werden, wenn der Unternehmer ihren berechtigten Forderungen kein Gehör schenken will und der Ansicht huldigt, auf Kosten der Arbeiter unerhörte Gewinne einstreichen zu müssen.

Eines sei aber den Metallarbeitern dabei gesagt: Ein Allheilmittel ist der Ausschuß nicht und soll er nicht sein. Erst heißt es sich selbst rühren und sein Recht fordern. Das ist aber wiederum nur dann von Erfolg, wenn die Arbeiter einig, wenn sie organisiert sind. Das ist schon aus dem Grunde auch nötig, daß durch ihre Organisationen ihre Wünsche vor dem Ausschuß vertreten werden können, wenn die Notwendigkeit dazu gegeben ist.

Auf keinen Fall dürfen organisierte Arbeiter den Ausschuß ohne vorherige Verständigung mit ihrer Organisation anrufen. Dieser ist zuerst Mitteilung zu machen, und sie wird auch in jedem einzelnen Falle die richtige Auskunft und Verhaltungsmaßregeln geben.

Von wesentlicher Bedeutung ist auch, daß in den Erläuterungen zum Kriegsausschuß darauf verwiesen ist, daß die für den Ausschuß in Frage kommenden Betriebe die Aufforderungen durch das stellvertretende Generalkommando erhalten, daß sie Arbeiter, die den Ausschuß wegen Lohn oder ähnlicher Differenzen anrufen wollen, nicht vorher entlassen, bevor nicht der Ausschuß über die Sache verhandelt hat. Das ist vor allem für die sogenannten »Reklamierten« oder »Beurlaubten« von wesentlicher Bedeutung. Das Generalkommando hat auch keinen Zweifel darüber gelassen, wie es sich zu den »Drohungen mit dem Schützengraben« stellt; die Unternehmer, die glauben, ohne dieses verwerfliche Mittel absolut nicht auskommen zu können, dürften bald sehr gründlich eines Besseren belehrt werden.

Die Metallarbeiter aber mögen, wie vorher schon erwähnt, darauf bedacht sein, sich ihrer Berufsorganisation, dem Deutschen Metallarbeiter-Verband anzuschließen, um zu Lohn- und Arbeitsverhältnissen zu gelangen, die der jetzigen Teuerung entsprechen.

c) Gesetz über den vaterländischen Hilfsdienst (Auszug), 5. Dezember 1916

Reichsgesetzblatt 1916, S. 1333 ff.

§ 1 Jeder männliche Deutsche vom vollendeten 17. Lebensjahr bis zum vollendeten 60. Lebensjahr ist, soweit er nicht zum Dienste in der bewaffneten Macht einberufen ist, zum vaterländischen Hilfsdienst während des Krieges verpflichtet.

§ 2 Als im vaterländischen Hilfsdienst tätig gelten alle Personen, die bei Behörden, behördlichen Einrichtungen, in der Kriegsindustrie, in der Land- und Forstwirtschaft, in der Krankenpflege, in kriegswirtschaftlichen Organisationen jeder Art oder in sonstigen Berufen oder Betrieben, die für Zwecke der Kriegsführung oder der Volksversorgung unmittelbar oder mittelbar Bedeutung haben, beschäftigt sind, soweit die Zahl dieser Personen das Bedürfnis nicht übersteigt. Hilfsdienstpflichtige, die vor dem 1. August 1916 in einem land- und forstwirtschaftlichen Betriebe tätig waren, dürfen aus diesem Berufe nicht zum Zwecke der Überweisung in eine andere Beschäftigung im vaterländischen Hilfsdienst herausgezogen werden.

§ 3 Die Leitung des vaterländischen Hilfsdienstes liegt dem beim Königlich Preußischen Kriegsministerium errichteten Kriegsamt ob.

§ 4 Über die Frage, ob und in welchem Umfang die Zahl der bei einer Behörde beschäftigten Personen das Bedürfnis übersteigt, entscheidet die zuständige Reichs- oder Landeszentralbehörde im Einvernehmen mit dem Kriegsamt. Über die Frage, was als behördliche Einrichtung anzusehen ist sowie ob und in welchem Umfang die Zahl der bei einer solchen beschäftigten Personen das Bedürfnis übersteigt, entscheidet das Kriegsamt nach Benehmen mit der zuständigen Reichs- oder Landeszentralbehörde.

Im übrigen entscheiden über die Frage, ob ein Beruf oder Betrieb im Sinne des § 2 Bedeutung hat sowie ob und in welchem Umfang die Zahl der in einem Beruf, einer Organisation oder einem Betriebe tätigen Personen das Bedürfnis übersteigt, Ausschüsse, die für den Bezirk jedes Stellvertretenden Generalkommandos oder für Teile des Bezirkes zu bilden sind.

§ 5 Jeder Ausschuß (§ 4 Abs. 2) besteht aus einem Offizier als Vorsitzendem, zwei höheren Staatsbeamten, von denen einer der Gewerbeaufsicht angehören soll, sowie aus je zwei Vertretern der Arbeitgeber und der Arbeitnehmer. Den Offizier sowie die Vertreter der Arbeitgeber und der Arbeitnehmer bestellt das Kriegsamt, in Bayern, Sachsen und Württemberg das Kriegsministerium, dem in diesen Bundesstaaten auch im übrigen der Vollzug des Gesetzes im Einvernehmen mit dem Kriegsamt zukommt. Die höheren Staatsbeamten bestellt die Landeszentralbehörde oder die von ihr zu bestimmende Behörde. Erstreckt sich der Bezirk eines Stellvertretenden Generalkommandos auf die Gebiete mehrerer Bundesstaaten, so werden die Beamten von den zuständigen Behörden dieser Bundesstaaten berufen; bei den Entscheidungen des Ausschusses wirken die Beamten des Bundesstaates mit, dem der Betrieb, die Organisation oder der Berufsausübende angehört. ...

§ 9 Niemand darf einen Hilfsdienstpflichtigen in Beschäftigung nehmen, der bei einer der im § 2 bezeichneten Stellen beschäftigt ist oder in den letzten zwei Wochen beschäftigt gewesen ist, sofern der Hilfsdienstpflichtige nicht eine Bescheinigung seines letzten Arbeitgebers darüber beibringt, daß er die Beschäftigung mit dessen Zustimmung aufgegeben hat.

Weigert sich der Arbeitgeber, die von dem Hilfsdienstpflichtigen beantragte Bescheinigung auszustellen, so steht diesem die Beschwerde an einen Ausschuß zu, der in der Regel für jeden Bezirk einer Ersatzkommission zu bilden ist und aus einem Beauftragten des Kriegsamts als Vorsitzende sowie aus je drei Vertretern der Arbeitgeber und der Arbeitnehmer besteht. Je zwei dieser Vertreter sind ständig, die übrigen sind aus der Berufsgruppe zu entnehmen, welcher der beteiligte Hilfsdienstpflichtige angehört. Erkennt der Ausschuß nach Untersuchung des Falles an, daß ein wichtiger Grund für das Ausscheiden vorliegt, so stellt er seine Bescheinigung aus, die in ihrer Wirkung die Bescheinigung des Arbeitgebers ersetzt.

Als wichtiger Grund soll insbesondere eine angemessene Verbesserung der Arbeitsbedingungen im vaterländischen Hilfsdienst gelten. ...

§ 11 In allen für den vaterländischen Hilfsdienst tätigen Betrieben, für die Titel VII der Gewerbeordnung gilt und in denen in der Regel mindestens fünfzig Arbeiter beschäftigt werden, müssen ständige Arbeiterausschüsse bestehen.

Soweit für solche Betriebe ständige Arbeiterausschüsse nach § 134 h der Gewerbeordnung oder nach den Berggesetzen nicht bestehen, sind sie zu errichten. Die Mitglieder dieser Arbeiterausschüsse werden von den volljährigen Arbeitern des Betriebs oder der Betriebsabteilung aus ihrer Mitte in unmittelbarer und geheimer Wahl nach den Grundsätzen der Verhältniswahl gewählt. Das Nähere bestimmt die Landeszentralbehörde.

Nach denselben Grundsätzen und mit den gleichen Befugnissen sind in Betrieben der im Abs. 1 bezeichneten Art mit mehr als fünfzig nach dem Versicherungsgesetz für Angestellte versicherungspflichtigen Angestellten besondere Ausschüsse ... für diese Angestellten zu errichten.

§ 12 Dem Arbeiterausschusse liegt ob, das gute Einvernehmen innerhalb der Arbeiterschaft des Betriebs und zwischen der Arbeiterschaft und dem Arbeitgeber zu fördern. Er hat Anträge, Wünsche und Beschwerden der Arbeiterschaft, die sich auf die Betriebseinrichtungen, die Lohn- und sonstigen Arbeitsverhältnisse des Betriebs und seiner Wohlfahrtseinrichtungen beziehen, zur Kenntnis des Unternehmens zu bringen. ...

Auf Verlangen von mindestens einem Viertel der Mitglieder des Arbeiterausschusses muß eine Sitzung anberaumt und der beantragte Beratungsgegenstand auf die Tagesordnung gesetzt werden.

§ 13 Kommt in einem Betriebe der im § 11 bezeichneten Art bei Streitigkeiten über die Lohn- und sonstigen Arbeitsbedingungen eine Einigung zwischen dem Arbeitgeber und dem Arbeiterausschusse nicht zustande, so kann, wenn nicht beide Teile ein Gewerbegericht, ein Berggewerbegericht, ein Einigungsamt einer Innung oder ein Kaufmannsgericht als Einigungsamt anrufen, von jedem Teile der in § 9 Abs. 2 bezeichnete Ausschuß als Schlichtungsstelle angerufen werden. In diesem Falle finden die §§ 66, 68 bis 73 des Gewerbegerichtsgesetzes entsprechende Anwendung mit der Maßgabe, daß ein Schiedsspruch auch dann abzugeben ist, wenn einer der beiden Teile nicht erscheint oder nicht verhandelt, sowie daß Personen, die an der einzelnen Streitsache als Arbeitgeber oder als Mitglied des Arbeiterausschusses beteiligt gewesen sind, bei dem Schiedsspruch nicht mitwirken dürfen. ...

§ 14 Den im vaterländischen Hilfsdienst beschäftigten Personen darf die Ausübung des ihnen gesetzlich zustehenden Vereins- und Versammlungsrechts nicht beschränkt werden.

§ 15 Für die industriellen Betriebe der Heeres- und Marineverwaltung sind durch die zuständigen Dienstbehörden Vorschriften im Sinne der §§ 11 bis 13 zu erlassen.

§ 16 Die aufgrund dieses Gesetzes der Landwirtschaft überwiesenen gewerblichen Arbeiter unterliegen nicht den landesgesetzlichen Bestimmungen über das Gesinde.

§ 17 Die durch öffentliche Bekanntmachung oder unmittelbare Anfrage des Kriegsamts oder der Ausschüsse erforderlichen Auskünfte über Beschäftigungs- und Arbeitsfragen sowie über Lohn- und Betriebsverhältnisse sind zu erteilen. Das Kriegsamt ist befugt, den Betrieb durch einen Beauftragten einsehen zu lassen.

§ 18 Mit Gefängnis bis zu einem Jahr und mit Geldstrafe bis zu zehntausend Mark oder mit einer dieser Strafen oder mit Haft wird bestraft:

1. wer der aufgrund des § 7 Abs. 3 angeordneten Überweisung zu einer Beschäftigung nicht nachkommt oder sich ohne dringenden Grund beharrlich weigert, die ihm zugewiesene Arbeit zu verrichten;
2. wer der Vorschrift in § 9 Abs. 1 zuwider einen Arbeiter beschäftigt....

47 **26. März 1917**

Aufruf von Wilhelm Kolb* im »Volksfreund« an die badischen Arbeiter, ihr Erspartes in Kriegsanleihen anzulegen

Volksfreund vom 26. März 1917.

Rafft alle Kraft zusammen!

Es ist nicht die Schuld Deutschlands und seiner Verbündeten, wenn der entsetzliche Krieg noch nicht zu Ende ist und wenn er von den Völkern Europas immer neue Hekatomben** von Opfern an Gut und Blut fordert. Mit Hohn und Spott haben unsere Feinde das Friedensangebot der Mittelmächte abgelehnt. Damit aber nicht genug, verkünden sie in ihrer Antwort den Willen zur völligen Vernichtung der Grundlagen unserer nationalen Existenz. Deutschland soll zerstückelt und das deutsche Volk für die riesenhaften finanziellen Lasten des Krieges verantwortlich gemacht werden. Dem deutschen Welthandel und der deutschen Industrie soll der Lebensfaden abgebunden und das deutsche Volk zu einem Volk von Heloten herab-

* Wilhelm Kolb, geboren am 21. August 1870 in Karlsruhe, gestorben 18. April 1918 in Karlsruhe; Maler und Tüncher, Chefredakteur des »Volksfreund«, 1905–1918 MdL (SPD).
** Mit Gelage verbundenes großes Opfer.

gedrückt werden. Welche Folgen diese verruchten Pläne unserer Feinde für das deutsche Volk in seiner Gesamtheit, speziell aber für die deutschen Arbeiter hätte, kann sich jeder ohne Mühe selbst ausdenken. Auf Jahrzehnte hinaus wäre an ein Aufblühen unserer deutschen Volkswirtschaft, an eine Konkurrenzfähigkeit Deutschlands in der Weltwirtschaft nicht mehr zu denken. Wir wären die Sklaven Englands und seiner willenlosen Trabanten. Nicht nur vom nationalen, sondern ebenso vom Standpunkt ihrer demokratischen und sozialistischen Ziele haben die deutschen Arbeiter, soweit sie sich zur Sozialdemokratie bekennen, das denkbar größte Interesse daran, daß Deutschland aus diesem gigantischen Kampfe als Sieger hervorgeht. Unsere demokratisch-sozialen Ziele können zunächst nur innerhalb des Staates ihrer Verwirklichung entgegengeführt werden, mit dem wir durch Geburt, Abstammung und Kultur auf Gedeih und Verderb verbunden sind. Jeder gegen die deutsche Volks- und Weltwirtschaft von unseren Feinden gerichtete Schlag trifft mit voller Wucht auch die deutsche Arbeiterbewegung, lähmt, ja unterbindet eventuell ihre Entwicklungsmöglichkeit und entfernt sie damit von der Verwirklichung ihrer Ziele.

Ein Sieg Englands und seiner Verbündeten würde aber auch für die internationale Arbeiterbewegung einen schweren Schlag bedeuten. Was wäre die künftige sozialistische internationale Arbeiterbewegung, wenn die deutsche Arbeiterbewegung in ihrer Kraft und Stärke entwurzelt wäre? Eine Schale ohne Inhalt, ein Baum ohne Kraft und Saft.

Von welchem Gesichtspunkt der deutschen Arbeiter auch immer den Krieg und seine Folgen betrachten mag, er muß den Sieg Deutschlands wünschen und mit allen Kräften herbeiführen helfen. Es geht um Sein und Nichtsein unseres Volkes und damit auch der deutschen Arbeiter.

Der Krieg neigt sich seinem Ende zu. Auf allen Seiten wird zu einer letzten entscheidenden Kraftanstrengung gerüstet. Das deutsche Volk hat in den zweieinhalb Jahren der Dauer dieses furchtbaren Ringens Ungeheures geleistet. Es wird auch jetzt, wo es gilt, unseren Feinden den Willen zum Frieden aufzuzwingen, nicht versagen. Groß sind die uns durch die Absperrung vom Weltmarkt auferlegten Entbehrungen. Sie grenzen ans Äußerste. Aber verglichen mit dem, was unsere Brüder an der Front täglich und stündlich seit Jahren an Opfern bringen, sind diese Entbehrungen, Mühen und Sorgen nicht so groß, als daß wir nicht noch weitere Opfer zu bringen vermöchten. Nun heißt es auf die Zähne beißen und alle Kraft zusammenraffen, damit wir siegen. Dazu bedarf es aber nicht nur des Mutes und der Entschlossenheit unserer tapferen Feldgrauen, nicht nur des Aushaltens daheim, dazu gehören auch die finanziellen Mittel, deren das Reich bedarf, um einen für das deutsche Volk ehrenvollen Frieden zu erkämpfen. Wir können und dürfen uns nicht auf diejenigen verlassen, die große Summen auf die neuen Kriegsanleihe zeichnen. Das allein genügt nicht, um die gewaltigen Mittel aufzubringen, die notwendig sind, um den wahnwitzigen Willen unserer Feinde, das deutsche Volk unter ihr Joch zu beugen, zu brechen. Viel Wenig gibt auch Viel.

Es ist eine Ehrenpflicht jedes Deutschen, nach seinen Kräften dazu beizutragen, daß die vom Reichstag beschlossene Summe für die neue Kriegsanleihe aufgebracht wird. Die Sparkassen haben Einrichtungen getroffen, um auch die kleinen und kleinsten Beträge der neuen Kriegsanleihe dienst- und nutzbar zu machen. Helft alle, alle mit, diese Schlacht auf dem Gebiete der finanziellen Kriegsführung zu einer für das deutsche Volk siegreichen zu gestalten. Wer in diesem Kampf versagt, hilft unseren Feinden. Das darf, das kann nicht sein. Man kann sein verfügbares Geld - wie groß und wie klein der Betrag auch sein mag - nicht besser und nicht sicherer anlegen, als indem man zur Kriegsanleihe beisteuert.

Arbeiter! Tut Eure Pflicht! Ihr habt bisher gezeigt, daß ihr euch an Vaterlandsliebe und an Opferfreudigkeit von niemandem übertreffen laßt. Je größer der Ertrag der neuen Kriegsanleihe ist, um so sicherer ist der Sieg Deutschlands und seiner Verbündeten, um so rascher nähern wir uns dem Frieden.

Der gewaltige Kampf ist in sein letztes Stadium getreten. Unsere Brüder an der Front harren größerer Opfer, als irgendeiner von uns daheim zu bringen vermöchte. So wie wir uns auf unsere Brüder verlassen können, die täglich und stündlich dem Tod ins Angesicht schauen, so müssen diese sich auf uns daheim verlassen können. Wir riskieren nichts, wenn wir unser Geld dem Vaterland zur Verfügung stellen, im Gegenteil, es bringt uns reichen Gewinn. Wer hat, der gebe, er tut damit nur seine Pflicht gegen sich selbst und gegen sein Volk.

Zeichnet auf die neue Kriegsanleihe!

Die Landeskonferenz der Sozialdemokratischen Partei Badens in Offenburg

a) Resolution zur Parteitaktik

Volkswacht vom 26. April 1917.

Die Landeskonferenz nimmt mit Befriedigung Kenntnis von den unausgesetzten und gerade jetzt wieder mit Nachdruck betätigten Bemühungen der sozialdemokratischen Reichstagsfraktion und des Parteivorstandes zur Herbeiführung eines baldigen Friedens. Sie schließt sich in vollem Umfange der Aktion an, welche die Zentralinstanzen der Partei in ihrer Tagung vom 19. April 1917 eingeleitet haben.

Die Konferenz anerkennt nach wie vor ihre Pflicht der Landesverteidigung und hält die Bewilligung der Kriegskredite durch die Reichstagsfraktion so lange für gerechtfertigt, als die Feinde der Zentralmächte nicht zum Abschluß eines Friedens bereit sind, der Deutschlands territoriale Unversehrtheit, politische Unabhängigkeit und wirtschaftliche Entwicklungsmöglichkeit sichert.

b) Resolution zur Russischen Revolution

Volkswacht vom 26. April 1917.

Die Landeskonferenz spricht dem russischen Proletariat ihre Bewunderung und ihren Glückwunsch aus zur Befreiung vom Joche des Zarismus. Sie erblickt in derselben einen starken Impuls zum demokratischen Fortschritt in allen Kulturstaaten, vor allem aber zur Wiederanknüpfung der internationalen Beziehungen des Proletariats, von der sie allein die baldige Beendigung des Krieges erhofft.

c) Resolution zur Organisationsfrage

Volkswacht vom 26. April 1917.

Die Landeskonferenz der Sozialdemokratischen Partei Badens hält die Einheit und Geschlossenheit der Parteiorganisation zwecks Erfüllung der im Interesse des werktätigen Volkes notwendigen Aufgaben während und nach dem Kriege für dringend geboten.

Sie verurteilt auf das entschiedenste die Bestrebungen zur Bildung von Sonderorganisationen, die nur die Aktionsfähigkeit der Arbeiterbewegung zum Nachteil der Arbeiterklasse hemmen. Ebenso verurteilt die Landeskonferenz die Bestrebungen, welche geeignet sind, die Partei nach rechts zu drängen.

Eine sachliche Aussprache über prinzipielle und taktisch Meinungsverschiedenheiten innerhalb der Partei hält die Konferenz im Rahmen der Organisation für geboten und möglich.

Dagegen hält es die Landeskonferenz als mit der Zugehörigkeit zur Sozialdemokratischen Partei Deutschlands unvereinbar, daß eines ihrer Mitglieder gleichzeitig Mitglied einer Organisation der Oppositionsgruppen ist oder für sie mündlich oder schriftlich Propaganda entfaltet. Die Konferenz betrachtet alle diese Mitglieder als aus der Sozialdemokratischen Partei Deutschlands und damit aus der Landesorganisation ausgeschieden.

Programmatische Äußerungen der Generalkommission der Gewerkschaften Deutschlands zur Schaffung von Rechtsgrundlagen für eine ungehinderte Betätigung der Arbeiterorganisationen und die Gleichberechtigung der Arbeiterklasse im Wirtschaftsleben (Auszug)

Korrespondenzblatt Nr. 1, 5. Januar 1918, S. 3; Paul Umbreit: Sozialpolitische Arbeiterforderungen der deutschen Gewerkschaften, Berlin 1918, S. 99ff.

Zwei Generationen der Arbeiterklasse sind in schweren Kämpfen um ihre Gleichberechtigung in Staat und Gesellschaft dahingegangen. Verfolgt und verfemt bis kurz vor Ausbruch dieses Krieges, hatte sie eine breite Kluft des Hasses und des leidenschaftlichen Kampfes von den herrschenden Klassen getrennt. Was sie aufrechterhielt in ihrem Los, das war die tiefe Liebe zu Volk und Heimat und der große Glaube an die edlen Kräfte der Menschheit. Der unserem Lande aufgedrungene Krieg hat die trennende Kluft zwischen den deutschen Volksgenossen überbrückt, und in der gemeinsamen Not erwuchs ein Stück Gemeinschaftsarbeit, das zu den besten Errungenschaften dieses Krieges gehört. Diese Gemeinschaftsarbeit nach dem Kriege fortzusetzen, ist der Wunsch der besten Führer unseres Volkes. Seine Erfüllung setzt voraus, daß die gemeinsame Not uns noch ein Weiteres hinterlassen hat, eine Kameradschaft, die hoch und niedrig in gleichem Maße erfüllt, die keine Unterschiede des Standes und des Besitzes kennt und keine Verletzung der Gleichberechtigung duldet. Bewährt sich diese Kameradschaft im neuen Deutschland, beweist sie sich durch die Tat auch gegenüber den bisher Entrechteten und Enterbten, dann wird die Schicht des Mißtrauens schmelzen und ein Zusammenwirken aller Volksgenossen möglich sein. Wenn der Krieg vorüber ist, wird es natürlich ebenso Parteien und Klassenkämpfe geben wie früher. ...

Aber von der Gewähr der Gleichberechtigung hängt es ab, ob diese Kämpfe ausgefochten werden wie in den hinter uns liegenden Zeiten oder ob sie ausgetragen werden wie zwischen Staatsbürgern, die sich als gleiche Teile des Volkes fühlen.

In die Hand des Staates ist es gegeben, diese Gemeinschaftsarbeit dauernd zu befestigen. In seiner Hand ruhen die Lose der Zukunft wie der Vergangenheit, das neue Deutschland, das die besten Denker und Führer der Nation aus diesem Kriege ersehnen, und das alte Reich, dessen Spuren der Krieg noch nicht getilgt hat. Mögen den Regierungen in dieser Zeitenwende die rechten Berater zur Seite stehen, die die Vergangenheit mit unbeugsamer Entschlußfreudigkeit liquidieren und das Steuer auf die Zukunft, auf das neue Deutschland einstellen. Die deutschen Gewerkschaften unterbreiten ihre Forderungen für die Neuorientierung der Sozial- und Wirtschaftspolitik hiermit der gesamten Öffentlichkeit. Sie haben im Kriege mit Rat und Tat für die Erhaltung des Reiches ihre ganze Kraft eingesetzt. Sie wollen auch nicht zurückstehen, wenn die friedliche Neuschöpfung des Reiches zur Entscheidung gestellt wird ...

Das sozialpolitische Arbeiterprogramm der deutschen Gewerkschaften umfaßt folgende Forderungen: ...

2. Arbeitervertretung

Die gesetzliche Errichtung von Arbeitskammern ..., bestehend aus der gleichen Anzahl von Vertretern der Arbeitgeber wie der Angestellten und Arbeiter, die in unmittelbarer, geheimer Wahl aller großjährigen Arbeitgeber einer- und Angestellten und Arbeiter andererseits gewählt werden, mit den Aufgaben der Wahrnehmung gemeinsamer wirtschaftlicher Interessen der Arbeitgeber, Arbeiter und Angestellten, wie auch der Vertretung der besonderen Interessen der Arbeitgeber, wie der Angestellten und Arbeiter durch Antragstellung, Begutachtung, Beschwerdeführung, Untersuchung von Arbeiterverhältnissen innerhalb ihres Bezirks, statistische Erhebungen, Erstattung von Jahresberichten und Berichten über wirtschaftliche und Arbeiterfragen, Förderung der Organisation und des Abschlusses von Tarifverträgen und Arbeitsgemeinschaften zwischen Unternehmer- und Arbeiterorganisationen, obligatorische Einführung von Arbeiterausschüssen für alle Betriebe mit regelmäßig 20 beschäftigten Personen, hervorgehend aus unmittelbarer und geheimer Wahl der großjährigen Arbeiter und Angestellten sowie der Verhandlung über Anträge, Wünsche und Beschwerden betreffend die Arbeits- und Arbeiterverhältnisse der Arbeiter bzw. Angestellten mit dem Unternehmer.

3. Organisationsrecht

Aufhebung aller das Recht der Vereinigung, der Arbeitsniederlegung, Sperrung von Betrieben und des Boykotts zum Zwecke der Herbeiführung besserer oder zur Verteidigung bestehender Lohn- und Arbeitsbedingungen beschränkenden gesetzlichen Bestimmungen, insbesondere der Koalitionsverbote gegen Eisenbahn- und sonstige Staatsarbeiter und -angestellten, Seeleute, Landwirtschaftsarbeiter, Haushaltspersonal und gegen Arbeiter ausländischer Herkunft; gesetzliche Sicherung des Vereinigungs- und Streikrechts gegen behördliche und privater Verbote und Beschränkungen. Ablehnung aller Streikklauseln in Verträgen bei Vergebung öffentlicher Arbeiten und Lieferungen und Verpflichtung der Übernehmer solcher Aufträge, das Koalitionsrecht ihrer Arbeiter und Angestellten anzuerkennen.

4. Tarifvertragsrecht

Rechtliche Anerkennung der zwischen unabhängigen Organisationen der Arbeiter bzw. Angestellten und der Unternehmer vereinbarten Tarifverträge, sofern solche bei einem zuständigen Einigungsamt unterschriftlich hinterlegt sind; Sicherstellung solcher Tarifverträge gegen private Abdingung; Erklärung der Tarifvereinbarungen als öffentliches Recht; Aufhebung aller nicht unmittelbar aus dem Tarifvertrag hervorgehenden Haftungsbestimmungen zum Nachteil der vertragschließenden Organisationen.

5. Schiedsgerichte, Einigungsämter

Errichtung eines Reichseinigungsamtes, paritätisch zusammengesetzt aus Vertretern der Unternehmer und Arbeiter bzw. Angestellten unter unparteiischer Leitung, mit dem Recht der Verhandlung auf Anruf einer der streitenden Parteien und der Fällung eines Schiedsspruches in jedem ... Arbeitskampfe; ferner Errichtung von Landeseinigungsämtern für den Bezirk eines Bundesstaats oder einer Provinz und von Schlichtungsstellen für den Bezirk eines Stadt- oder Landkreises, gleichfalls paritätisch zusammengesetzt und unparteiisch geleitet, mit den gleichen Aufgaben und Rechten für ihren Bezirk, sofern nicht bereits ein Einigungsamt für letzteren besteht. ...

50 — 3. Februar 1918

Entschließung der Versammlung des katholischen Arbeiterinnenvereins Waldkirch zu den Massenstreiks im Deutschen Reich

GLA Karlsruhe, 456 F 8/297.

Mit tiefem Bedauern haben wir Kenntnis genommen, daß weite Kreise nicht nur der männlichen, sondern auch der weiblichen deutschen Arbeiterschaft in kurzsichtiger und für unsere Brüder draußen in Not und Tod wie für unser opfermutiges Volk daheim in gleicher Weise schädigender Verblendung in den Ausstand getreten sind. Wir wenden uns in schärfster Form ab von diesem Vorgehen in der schwersten Stunde unseres Vaterlandes und sind uns bewußt, daß auf diesem Weg niemals der Frieden zu erreichen ist, nach dem wir alle verlangen, der aber auch gerade im Interesse der arbeitenden Klassen den Bestand und die wirtschaftliche Entwicklung unseres Vaterlandes sichern muß. Die hiesige Arbeiterschaft hat - was die Lohnverhältnisse und teilweise auch die Lebensmittelversorgung angeht - wahrlich schon ganz andere Opfer in der Kriegszeit bringen müssen als viele, die jetzt aus Verbitterung in den Streik getreten sind; aber gerade deshalb wenden wir uns mit Entrüstung ab von dieser durch unsere Feinde veranlaßten und nur ihnen wieder zu Nutzen kommenden Bewegung und versprechen unserer Pflicht treu zu bleiben bis ein Frieden gesichert ist, wie er nach den Erklärungen der deutschen Reichsregierung und der Mehrheit der berufenen deutschen Volksvertretung zur Sicherung der Zukunft unseres Volkes und Vaterlandes notwendig ist.

51 **Juni - September 1918**

Die Lage der badischen Bevölkerung in den letzten Kriegsmonaten

a) Bericht des Stellvertretenden Generalkommandos, XIV. Armeekorps (Auszug), 1. Juni 1918

GLA Karlsruhe, Abt. 456, E.V. Nr. 8, Bund Nr. 86.

In der Rohstoffbeschaffung wird vor allem seitens des Kleinhandwerks über zu geringe Eisenzuweisung geklagt. Verhandlungen über bessere Belieferung sind im Benehmen mit Landesgewerbeamt eingeleitet.

Der Bedarf an Werkzeugmaschinen und sonstigen Betriebseinrichtungen kann im allgemeinen gedeckt werden. Große Nachfrage besteht an Elektromotoren. Da jedoch der Umfang der Stromzuweisung streng rationiert ist, müssen viele Anträge als zur Zeit nicht wichtig zurückgegeben werden.

Bezüglich der Arbeitskräfte besteht nach wie vor großer Mangel an tüchtigen und zuverlässigen Facharbeitern und Vorarbeitern. Die Verwendung weiblicher Arbeitskräfte hat weiterhin Fortschritte gemacht. Vielfach macht sich aber Abwanderung in die Landwirtschaft bemerkbar. Gefangene können noch mehr verwendet werden.

Bedauerlicherweise sind trotz fortwährender Warnungen in den letzten Wochen bei zwei Firmen in Pforzheim unerlaubte Bearbeitungsweisen von Granaten festgestellt worden. Die Untersuchungen sind zur Zeit noch im Gange. Inwieweit dabei Mangel an zuverlässigem Aufsichtspersonal mitspricht, muß die Untersuchung ergeben.

Über die Stimmung der Fabrikarbeiter sagt die hiesige Kriegsamtsstelle: Es sind in einigen Firmen sehr bedeutende Lohnforderungen (um 20 bis 30%) gestellt worden (Leder-, Holz-, Marmelade- und Metallindustrie). Diese Forderungen sind nicht durch die Arbeiterausschüsse der Betriebe gestellt worden; es wurde erklärt, daß die Arbeiterausschüsse nicht mehr das Vertrauen der Arbeiter hätten. Es ist dies anscheinend auf den Einfluß derjenigen Elemente zurückzuführen, die mit der jetzigen Organisation der Gewerkschaften und den von dort gegebenen Weisungen nicht einverstanden sind.

Die Gewerkschaften haben offenbar zur Mäßigung im Betreff Lohnforderungen geraten und von Streiks abgeraten. Besonders gilt das von dem Metallarbeiterverband und den sozialdemokratischen Gewerkschaften, während die christlich-sozialen Gewerkschaften, auch Gewerkschaften der Leder- und Holzindustrie, diese Zeit der Ruhe vielfach zu Propaganda- und Parteizwecken benutzt haben.

Im geheimen scheint sich der Einfluß der Gewerkschaften in dieser Zeit besonders auf die Arbeiterinnen ausgedehnt zu haben. Infolgedessen sind es einzelne Gruppen von Arbeitern, welche nun mit den Arbeiterinnen zusammenarbeiten, Unruhe in den Betrieb bringen, Teilstreiks veranlaßt haben und hohe Lohnforderungen stellen, besonders wenn diese Arbeiterinnen in den Betrieben dringend gebraucht werden und nicht entlassen werden können. Dadurch erklärt sich die Umgehung der Arbeiterausschüsse. Die Firmen waren meist gezwungen nachzugeben, da sich schließlich die Arbeiterausschüsse, wenn auch widerwillig, mit der Vertretung dieser Ansprüche befassen mußten und da scharfe Gegensätze vermieden werden mußten.

Auffälligerweise sind Lebensmittelfragen weniger Veranlassung zu Klagen in den Fabriken, sondern nur Klagen über Teuerung im Haushalt – für Kleidung, Schuhe, Wohnung usw. Ohne Zweifel wird mit Einschränkung der Brotration hieran sich einiges ändern, aber diese Klagen werden voraussichtlich nicht so in Erscheinung treten, da es fraglich ist, ob sie von den Gewerkschaften zu Propagandazwecken ausgenutzt werden. Letzteres hängt von der inneren politischen Entwicklung und den äußeren Erfolgen gegen den Feind ab.

Vielfach wurden gelegentlich der Sitzungen des Schlichtungsausschusses Klagen darüber laut, daß Hilfsdienstpflichtigen und besonders Reklamierten in Betrieben bei Lohnforderungen durch Unterorgane mit dem Schützengraben gedroht worden sei, was insbesondere aus dem Feld zurückgekehrte Arbeiter als schwere Schmach empfanden. Die Kriegsamtstelle hat sich deshalb veranlaßt gesehen, die betreffenden Betriebsleiter über die Unzulässigkeit von Drohungen zu belehren.

Die Stimmung unter den Fabrikarbeiterinnen wird von den Referentinnen der Kriegsamtstelle nicht einheitlich geschildert. Sie ist nach diesen Berichten teilweise zuversichtlich und gut, stellenweise aber doch recht gedrückt. Der Grund der Verstimmung war in Überlingen die ungebührliche Behandlung seitens der Betriebsleitung und die hinzukommenden aufreizend wirkenden Lohnkürzungen. Es bedurfte der Vermittlung der Leiterin der Fürsorgevermittlungsstelle, um die Stimmung der Arbeiterinnen wieder in ruhigere Bahnen zu lenken. Daß die Beschwerden vollauf berechtigt waren, hat die Rücksprache mit einzelnen Arbeiterinnen, haben auch die durch das Bürgermeisteramt gemachten Erhebungen ergeben. Die Kriegsamtstelle in Verbindung mit der Fürsorgevermittlungsstelle wird darauf hinwirken, daß derartiger Stoff zu Ärgernis nicht mehr gegeben wird.

Die vom Generalkommando eingerichteten Aufklärungsvorträge innerhalb der Fabrikbetriebe nehmen in Mannheim ihren planmäßigen Fortgang und sind nunmehr auch in Karlsruhe und Umgebung aufgenommen worden. Sie werden in Mannheim andauernd gut besucht, in Karlsruhe und Durlach nahmen in den bisher besuchten Werken nahezu alle Arbeiter an den Vorträgen teil.

Infolge der Einschränkung der Tabakindustrie fanden von Mitte März bis Ende April verschiedentlich Entlassungen von Tabakarbeiterinnen statt. Die Entlassenen konnten zum Teil in der Landwirtschaft und der Industrie untergebracht werden. Beschäftigungslos sind im Bezirk Schwetzingen verheiratete Tabakarbeiterinnen, die mit Rücksicht auf ihre Familie auswärtige Arbeit ablehnen. Es wird versucht, diesen Frauen Heimarbeit zu beschaffen, und die kräftigeren Frauen und Mädchen in der Landwirtschaft zu beschäftigen. Der Gesundheitszustand der arbeitenden Frauen und deren Kinder ist nicht günstig. Täglich hört man von Erkrankungen, von denen sich die Betroffenen wegen Mangel an den nötigen Kräftigungsmitteln kaum erholen können. Wünschenswert wäre, daß der Ölersatz auf seine Hautwirkung geprüft werden würde. Viele Arbeiterinnen klagen über Ausschläge an den Händen infolge schlechten Ölersatzes. Von einem Bürgermeisteramt im Bodenseekreis wird mitgeteilt, daß man häufig Lungenentzündung mit tödlichem Ausgang wahrnehmen konnte. Durch den reichlichen Vorrat an Kartoffeln und durch die Erträgnisse der selbstgepflanzten Gärten (Salat und Spinat) ist die Ernährung der Arbeiterfamilien etwas abwechslungsreicher geworden. Über den Mangel an Suppeneinlagen wird geklagt.

Die Wohnungsnot macht sich allgemein mehr und mehr bemerklich. Verschiedene Gesuche von Personen, die durch Kündigung ihrer Wohnung in bedrängte Lage kamen, gingen bei der Kriegsamtstelle ein. Es wurde versucht, soweit dies in einigen Fällen möglich war, in Verbindung mit den Mieteinigungsämtern Härten zu verhindern. Auf eine Anfrage des Badischen Ministeriums des Innern erging von der Kriegsamtstelle der Bescheid, daß die Verordnung des stellvertretenden kommandierenden Generals vom 13.6.1917 über die zwangsweise Einquartierung bei der herrschenden Wohnungsnot wohl durch die Bezirksämter zur Anwendung kommen könne, es wurde aber empfohlen, möglichst bald für solche Maßnahmen eine besondere gesetzliche Regelung zu treffen. Am stärksten ist die Wohnungsnot an Orten mit wachsender Industriebevölkerung und dort, wo Kurgäste Aufnahme finden. Viele Hauseigentümer haben ihre Miete in unverantwortlicher Weise gesteigert. Auch einzelne Zimmer sind um das Doppelte gestiegen. Die Abgabe eines Zimmers scheitert oft an der Abgeneigtheit, Bettwäsche herzugeben. Verschiedene Baugesuche für Kleinwohnhäuser wurden genehmigt und die Materialien dazu freigegeben. Um das Bauen zu erleichtern, wurden die Preise für Backsteine von

65 Mark für 1000 Stück auf 60 Mark herabgesetzt. Die Wohnungsfrage bildet naturgemäß eine ernste Sorge für die auf ein verhältnismäßig geringes Einkommen angewiesenen Festbesoldeten, in deren Organisation diese Frage auch lebhaft erörtert wird. Daß diese Kreise auch am schwersten unter der allgemeinen Teuerung leiden, wird auf den Verbrauchertagungen und bei anderen Gelegenheiten immer wieder betont.

In der Parteipolitik verlief der Berichtsmonat ruhig. Die Sozialdemokraten haben für die durch den Tod ihres Führers Kolb in Karlsruhe-West notwendig gewordene Ersatzwahl zum badischen Landtag den gleich seinem Vorgänger auf gemäßigtem Standpunkt stehenden Freiburger Redakteur Weißmann als Kandidaten aufgestellt.

In der Zweiten Kammer des badischen Landtags wurden wiederum Klagen über angebliche Zurücksetzung badischer Soldaten in preußischen Regimentern bei Urlaubsgewährung vorgebracht.

b) Bericht des Stellvertretenden Generalkommandos, XIV. Armeekorps (Auszug), 1. September 1918

GLA Karlsruhe, Abt. 456, E.V., Nr. 8, Bund Nr. 86.

Die gedrückte allgemeine Stimmung, von der bereits im letzten Bericht gesprochen werden mußte, war auch im abgelaufenen Monat vorherrschend. Sie wurde genährt sowohl durch die Enttäuschungen, die der Verlauf der militärischen Ereignisse im Westen auslöste, als auch durch die besonderen Schwierigkeiten in der Ernährung, die beim Übergang von einem alten in ein neues Wirtschaftsjahr unvermeidlich sind. Das Volk ist durch die große Reihe militärischer Erfolge und durch die vielen Siege derart verwöhnt, daß auch vorübergehende und lediglich relative Erfolge unserer Gegner Kleinmut und Verzagtheit hervorrufen. Es hatte ferner zuversichtlich auf ein nahes, für Deutschland siegreiches Kriegsende gerechnet, so daß der tatsächliche Verlauf der Dinge eine sehr schwere Belastungsprobe bedeutet. Geblieben ist auch die ernste Besorgnis wegen des Eingreifens der Amerikaner, das niemand in diesem Ausmaß für möglich gehalten hätte. Vereinzelt wird Klage darüber geführt, daß man über die Größe der amerikanischen Gefahr falsch unterrichtet worden sei.

Aus dieser Stimmung heraus erwachsen die Bedenken, ob bei dem stets wachsenden Mangel an Lebensmitteln und an Rohstoffen der Krieg von uns erfolgreich durchgeführt werden könne: vielerorts ist auch eine stumpfe Apathie, gepaart mit einer Sehnsucht nach Frieden um jeden Preis, zu bemerken. Eine Postüberwachungsstelle berichtet, daß nach ihren

Beobachtungen der Krieg in weiten Kreisen als »gegenseitige Quälerei betrachtet wird, als ein Amoklauf der beteiligten Staaten und als eine allmähliche Zerreibung«. Der Ausdruck »Schwindel«, der von der Front auf offenen Postkarten in die Heimat gelangt, und den die Soldaten, besonders die von der Front kommenden, ständig im Munde führen, wird von der Bevölkerung gedankenlos nachgesprochen. Auch die Nachrichten aus dem Osten, besonders über die Vorgänge an der Murmanküste, wirken niederdrückend.

Von sehr nachteiligem Einfluß auf die Stimmung sind sodann naturgemäß auch die in letzter Zeit besonders zahlreichen Angriffe feindlicher Flieger auf den Korpsbezirk. In der Zeit vom 20.7. bis 20.8. wurde Baden zwölfmal von feindlichen Fliegern angegriffen, und zwar Offenburg fünf-, Mannheim-Ludwigshafen zwei-, das Murgtal zwei-, Karlsruhe und Lahr je einmal und das Renchtal einmal. Durch die immer häufiger werdenden und an Umfang zunehmenden Bombenabwürfe, denen auch immer wieder Menschenleben zum Opfer fallen, ist die Bevölkerung erheblich erregt. Vor allem hat sich die Stimmung der Bewohner Offenburgs, das in den letzten beiden Monaten siebenmal mit bedeutendem Erfolg vom Feinde angegriffen wurde, mit Vorwürfen gegen die militärischen Stellen (insbesondere der Heimatluftschutz) gewandt. Besonders zermürbend wirken auch die fortwährenden Fliegeralarme. In Städten wie Karlsruhe ist fast an jedem heiteren Tag Fliegeralarm. Es kam sogar vor, daß z. B. Karlsruhe an einem einzigen Tag dreimal und in der anschließenden Nacht drei weitere Male alarmiert werden mußte. Was das für die ohnehin schwer mitgenommenen Nerven der Bevölkerung, vor allem auch für ältere Personen und für Frauen und Kinder bedeutet, liegt auf der Hand. Die vom Feinde angestrebte moralische Einwirkung ist somit nicht ganz ausgeblieben und wird sich in Zukunft noch steigern, wenn Angriffe, wie zu erwarten steht und wie vom Feinde des öfteren angekündigt wird, sich weiterhin vermehren. Durch das Abschießen von Brandraketen, deren sich der Feind gerade in letzter Zeit mehrfach bedient hat, wurde der Meinung Vorschub geleistet, der Feind habe es beim Angriff auf ländliche Gegenden auf die Vernichtung unserer Ernte abgesehen. Von den feindlichen Fliegern wurden mehrfach Zettel aufhetzenden Inhalts abgeworfen. Bei der gedrückten und nervösen Grundstimmung können derartige Aufhetzungen doch da und dort Schaden stiften, wenn er auch nicht überschätzt werden darf.

Recht bedenklich erscheint dagegen die von verschiedenen Seiten gemeldete Beobachtung, daß die Stimmung der Bevölkerung in immer bedeutenderem Maße ungünstig beeinflußt wird durch Berichte und Erzählungen von Fronturlaubern, die oft unkontrollierte Gerüchte und maßlos aufgebauschte Nachrichten verbreiten. Es läßt sich fast im ganzen Korpsbezirk beobachten, daß durch derartige zweifelhafte Äußerungen dem Mißmut und der Schwarzseherei Vorschub geleistet wurde. Auch Offiziere, namentlich solche, die längere Zeit ohne Urlaub waren, haben in dieser Richtung gewirkt. Bei den Klagen der Soldaten handelt es sich meist um Anstände wegen schlechter Ernährung, ungerechte und rauhe Behandlung durch Vorgesetzte, allzu angestrengtes Exerzieren in den Ruhequartieren. Hinzu kommt die allgemeine Kriegsmüdigkeit der Soldaten, die sie zu Nörgeleien und Schimpfen verleitet. Auf diese Weise wird brieflich und mündlich ein nicht zu verkennendes Maß von Verbitterung und Kritiksucht in die Bevölkerung hineingetragen, wird der Blick für die wirklichen Tatbestände getrübt, und es wird die Kriegslage viel ungünstiger beurteilt, als sie es in Wahrheit ist. ...

Eine ständige und hoch ernst zu nehmende Quelle der Verbitterung weiter Kreise bilden gewerbemäßiger Schleichhandel und Kriegswucher. Hier muß mit eisernem Besen ausgekehrt werden. Das Verlangen der Bevölkerung nach entehrenden Strafen (Zuchthaus) für gewissenlose gewerbsmäßige Schleichhändler und Wucherer ist durchaus berechtigt. Eine entsprechende Gesetzesverschärfung mit der Zusatzbestimmung, die diese Verbrecher am Volke ohne Rücksicht auf Lebensalter in Gefangenenkompanien an die Front bringt, würde lebhaft begrüßt und als gerecht empfunden werden. Die Übung der Gerichte, den im Gesetz zur Verfügung gestellten Strafrahmen in den seltensten Fällen ganz auszuschöpfen, hat die weittragende Bedeutung, daß das Vertrauen zur Rechtsprechung und damit zur Staatsregierung überhaupt erschüttert wird. Der einzelne Mann schließt aus dem Versagen sogar der unabhängigen und dem Gesetz unterworfenen Gerichte auf das Ganze, und diese unendliche politische Tragweite eines solchen Verhaltens der Gerichte ist daher aus diesem Grunde einer ganz besonderen Beachtung wert. ...

Die Stimmung der Industriearbeiterschaft blieb ruhig, abgesehen von der oben erwähnten Gärung in Mannheim. Der Aufklärung der Arbeiter durch Vorträge in den Fabriken, durch Verteilen von Schriften in den Arbeiterzügen, durch Veranstaltungen von Rüstungsarbeitervorstellungen in den Theatern wendet das Generalkommando fortgesetzt größte Aufmerksamkeit zu. Wenn die maßgebende Abteilung der Kriegsamtstelle berichtet, man gewinne den Eindruck, daß in Arbeiterkreisen das Gefühl für den Ernst der Bedrohung Deutschlands durch die Feinde wachse, so ist diese Tatsache wohl nicht zuletzt auf die gute Wirkung der Vorträge in den Fabriken zurückzuführen. Diese Vorträge, mit denen in Mannheim und Karlsruhe begonnen wurde, werden jetzt auf den ganzen Korpsbezirk ausgedehnt. Daß im übrigen gerade in Arbeiterkreisen die Stimmung von der jeweiligen Ernährungslage in weitgehendem Maße abhängig ist, ist begreiflich.

Das gilt auch für die Stimmung der Arbeiterinnen. Über den Gesundheitszustnd der Arbeiterinnen berichtet die Frauenabteilung der Kriegsamtstelle, daß allgemein ein Rückgang der sogenannten spanischen Krankheit gemeldet wird, daß sich dagegen die Fälle von Lungentuberkulose – auch unter den Kindern der Arbeiterinnen – mehren. Die Schuh- und Kleidernot, ebenso der Mangel an Näh- und Flickgarn werden von den Arbeiterinnen besonders hart empfunden. Alle freigewordenen Arbeiterinnen, die kräftig und in der Lage sind, ihr Haus zu verlassen, können mit Leichtigkeit in der Industrie und Landwirtschaft beschäftigt werden. Sobald neue frei werden, werden sie sofort angestellt. Hingegen fehlt es für die schwachen Heimarbeiterinnen, deren es in der Tabakindustrie eine größere Anzahl gibt, an Heimarbeit.

c) Kommentar des »D'r alt Offeburger« zur Entlohnung der Frauen in Offenburger Fabriken, 11. August 1918

D'r alt Offeburger vom 11. August 1918.

In hiesigen Fabriken, auch bei Militärlieferungen, verdienen tüchtige Frauen 25–30 Pf in der Stunde, also trauriger Weise etwa 2 M für den Lebenstag. Kommt nun eine Frau neben der Bezahlung fabelhaft hoher Lebensmittelpreise auch zur Anschaffung eines Rockes, so muß sie 60 M bei der Reichskleiderstelle hierfür zahlen, beim Kaufmann noch mehr; für die dazu nötige Bluse 25 M! – Folglich muß eine fleißige Arbeiterin, um für einen Unterrock das Geld zu erwerben, einen ganzen Monat von früh bis spät unermüdlich arbeiten. Die Riesenlöhne, wie sie zu dem Ortsstatut Anlaß gaben, sind Seltenheiten; die Wucherpreise für alles Nötige gestatten selten eine Prasserei. Es gibt aber gestrenge Protzen, die dazu schon den Kinobesuch rechnen, weil sie meinen, dem unteren Volk sei nur Beten und Arbeiten gestattet, die Erholung nicht. Und wie notwendig täte doch die Sommerfrische den aufgebrauchten Nerven der Arbeitsfrauen!

Bericht des »D'r alt Offeburger« zum Kräfteverhältnis von Mehrheitssozialdemokratie und USP in Offenburg

D'r alt Offeburger vom 28. Juli 1918.

Die auf dem Parteitag zu Gotha im Mai 1917 geeinigte Opposition, deren Anhänger sich Unabhängige Sozialdemokraten (USP) nennen, wird von der Scheidemannschen Richtung (früher Mehrheitspartei, jetzt abhängige oder regierungssozialistische Partei genannt) scharf bekämpft. Der sozialdemokratische Verein Offenburg (7. badischer Wahlkreis) hat sich im August d. J. durch einen mit Zweidrittelmehrheit gefaßten Beschluß der Generalversammlung auf den grundsätzlichen Boden der Gothaer gestellt; eine Wahlkreiskonferenz hat dem Beschluß des Offenburger Ortsvereins zugestimmt. Darauf traten 12 Mitglieder in Offenburg aus dem sozialdemokratischen Verein aus und wählten sich einen neuen Vorstand (M. Ettwein, Galvaniseur) für ihren sozialistischen Verein, dem außer der Kehler keine andere bisherige Ortsmitgliedschaft des 7. badischen Reichstagswahlkreises sich anschloß.

Nach dem Rechenschaftsbericht, der soeben vom Mannheimer Landesvorstand der sogenannten Regierungssozialisten für die Offenburger Tagung vom 21. Juli herausgegeben wurde, hat die nichtoppositionelle Richtung im 7. Kreise Offenburg einen großen Rückgang erlitten. Es werden noch insgesamt 68 Mitglieder in allen Orten angegeben. Jedenfalls ist auch diese Zahl viel zu hoch gegriffen, wenn man nur solche Personen als Mitglieder zählt, welche am 1. Juli ihre Vereinsbeiträge entrichtet haben. Es wurde mancher bisher in der Liste geführt, der nachher die Beitragszahlung verweigerte.

Der sozialdemokratische Verein Offenburg (7. Kreis), dessen Vorsitzender der Abgeordnete Adolf Geck ist, zählt zur Zeit 95 zahlende Mitglieder, die in Offenburg, Oberkirch, Gengenbach, Zell a. H., Kehl und 10 Dörfern des Offenburger und Kehler Amtes wohnen; außerdem haben sich Gesinnungsgenossen aus benachbarten Reichstagswahlkreisen, wo keine besondere Organisation besteht, dem Offenburger Verein angeschlossen. Dieser sozialdemokratische Verein gehört zum Bezirk Südwestdeutschland der USP mit dem Sitz in Frankfurt a. M. (Bezirkssekretariat). Er umfaßt die alten Frankfurter Agitationsbezirke, ferner Hessen, Baden, Pfalz und das Saarrevier. Kürzlich fand die erste Bezirkskonferenz der gewählten Vertreter statt, in welcher der Jahresbericht 1917/18 erstattet worden ist vor den Vertretern der 33 an die USP angegliederten Wahlkreise mit 7900 zahlenden Mitgliedern, darunter 1300 weiblichen. In 285 Orten zählt der Bezirk eingeschriebene Anhänger. Diese Entwicklung ist möglich gewesen, obschon im ganzen Bezirk Südwest kein Parteiorgan der USP zur Verfügung steht. Der Monatsbeitrag betrug 10 Pf für männliche und 5 für weibliche Mitglieder. Im ersten Jahre wurden rund 11 700 M aus freiwilligen und Pflichtbeiträgen eingenommen. Vor kurzer Zeit ist zur Sammlung eines Fonds aufgefordert worden, der zur Herausgabe eines täglich erscheinenden Blattes dient; bereits sind für 9 000 M Anteilscheine gezeichnet.

Die rasche Entwicklung der Opposition dient nun als eine Erklärung dafür, warum die badische »regierungssozialistische« Richtung einen »Kriegsparteitag« in Offenburg abhielt, auf welchem am Samstag unter Ausschluß der Öffentlichkeit ein schweres Ketzergericht gegen die Oppositionellen der USP abgehalten wurde, deren Bewegung man bisher nur mit Spott und Verachtung als Bagatelle hinzustellen suchte. Es wurde beschlossen, jedes Mitglied, das der Begünstigung der Opposition überführt wird, auszuschließen.

53 — Oktober/November 1918

Das Kabinett des Prinzen Max von Baden

a) Erklärung des Vorstandes der SPD gegen Streiks und Demonstrationen, 17. Oktober 1918

Volksstimme (Mannheim) vom 19. Oktober 1918.

An Deutschlands Männer und Frauen!

Die innerpolitischen Verhältnisse des Deutschen Reiches haben in wenigen Tagen eine tiefgehende Umwälzung erfahren, deren Bedeutung weitesten Volkskreisen noch nicht zum vollen Bewußtsein gekommen ist. Deutschland ist auf dem Wege vom Obrigkeitsstaat zum Volksstaat.

In Preußen ist das gleich Wahlrecht gesichert und damit der erste Schritt zur Zertrümmerung der Junkerherrschaft getan! Auch in allen anderen Bundesstaaten regen sich die Volksmassen, um die Hindernisse zu beseitigen, die der freien Geltendmachung des unverfälschten Volkswillens im Wege stehen.

Der Wille des Volkes oberstes Gesetz, das wird, das muß in kurzem entscheidendes Leitmotiv für die Regierungen des Reiches und der Bundesstaaten werden und bleiben.

Leider mußte sich die außenpolitische Lage unseres Landes erst so ungünstig gestalten, um diese Umwälzung, für die die Sozialdemokratie seit Jahrzehnten kämpft, herbeizuführen. Millionen blühender Menschenleben und unermeßliche Kulturgüter wären vor Vernichtung bewahrt geblieben, wenn das deutsche Volk in seiner Mehrheit sich nicht den Herrschenden anvertraut, sondern längst seine Geschicke in die eigene Hand genommen hätte.

Jetzt ist die Lage unseres Landes bitterernst. Die Südostfront ist zusammengebrochen, und an der Westfront stürmen die Massenheere der Entente, der die Menschen und Wirtschaftskräfte von drei Weltteilen zur Verfügung stehen, mit furchtbarem Übergewicht an Menschen und Material gegen unsere Truppen an.

Deutschland und das deutsche Volk ist in Gefahr, das Opfer der Eroberungssucht englisch-französischer Chauvinisten und Eroberungspolitiker zu werden.

Was wir am 4. August 1914 erklärt haben: »In der Stunde der Gefahr lassen wir unser Vaterland nicht im Stich!« gilt heute in verstärktem Maße. Mit einem Frieden der Vergewaltigung, der Demütigung und der Verletzung seiner Lebensinteressen wird sich das deutsche Volk nie und nimmer abfinden.

Nur um unser Land und sein Wirtschaftsleben vor dem Zusammenbruch zu bewahren, haben Vertreter unserer Partei das Opfer auf sich genommen und sind in die Regierung eingetreten. Sie haben in dieser furchtbaren Situation ihr verantwortungsvolles Amt angetreten mit dem heißen Bestreben, unserem Volke Frieden und Freiheit zu bringen.

Die Regierung, der Sozialdemokraten angehören, muß eine Regierung des Friedens und der demokratischen Ausgestaltung unseres Landes sein. Nur solange sie es ist, werden ihr Sozialdemokraten angehören.

Um das entsetzliche Morden zu beenden, hat die neue Regierung schnellstens einen Waffenstillstand angeboten und sich bereit erklärt zu einem Frieden des Rechts und der Völkerverständigung, wie ihn die Sozialdemokratische Partei seit Kriegsbeginn angestrebt hat.

Auch die Parlamentarisierung und Demokratisierung unseres Landes ist tatkräftig in Angriff genommen worden. Die Sozialdemokratische Partei setzt sich mit ganzer Kraft dafür ein, daß die notwendige innerpolitische Umwälzung sich schnell und restlos vollzieht. Je zahlreicher und entschlossener die großen Volksmassen sich hinter die Partei stellen, um so schneller wird diese ihr Ziel erreichen, um so leichter wird sie die Kräfte überwinden, die sich ihr hemmend und hindernd in den Weg stellen.

Schon regen sich gegen diese friedliche Revolution die dunklen Mächte der Gegenrevolution. Jene alldeutsch-konservativ-schwerindustriellen Eroberungs- und Interessenpolitiker, jene chauvinistischen Demagogen und Phantasten, die unterstützt von den Millionen der Kriegsgewinnler aller Art und gefördert durch die unverantwortliche Militärkamarilla, seit Jahr und Tag mit ekelhaften, verlogenen Buntbilderplakaten und nationalistischen Siegesphrasen in den Versammlungen der Vaterlandspartei und deren Schriften, die in einer willfährigen Presse das deutsche Volk in eine Wolke künstlichen Nebels voll Lug und Trug gehüllt haben, alle jene Schuldigen, die das deutsche Volk in die schlimme Lage gebracht haben, sie erklimmen jetzt, nachdem ihr Kartenhaus zusammengestürzt, es dem Volke wie Schuppen von den Augen fällt, den Gipfel der Schamlosigkeit; sie versuchen den Unmut des Volkes gegen die neue Regierung zu lenken.

Nicht die Ausplünderung und Aushungerung des Volkes durch die agrarischen und sonstigen Lebensmittelwucherer, nicht die Korruption und die viel Erbitterung auslösende Behandlung an und hinter der Front, nicht die parteiische Unterbindung des Versammlungsrechts und die empörende, mißbräuchliche Handhabung der Zensurgewalt, durch die das freie Wort unterdrückt und die alldeutsche Lüge gezüchtet wurde, hätten die geistige und wirtschaftliche Widerstandskraft des deutschen Volkes untergraben, nein, die Mies- und Flaumacherei der Männer in der neuen Regierung haben das verschuldet; so behaupten die alldeutschen Demagogen im Lager der agrarischen und schwerindustriellen Kriegsgewinnler. Mit Aufrufen und Resolutionen laufen sie Sturm gegen die neue Regierung, weil sie ehrlich den Verständigungsfrieden und die Demokratisierung unseres Landes anstrebt. Durch skrupellose Ausnutzung der wirtschaftlichen Abhängigkeit versucht man sogar Arbeiterausschüsse industrieller Werke als Sturmbock zu mißbrauchen; auch mehren sich die Anzeichen dafür, daß agrarische Kreise durch Zurückhaltung der Lebensmittel die Schwierigkeiten der neuen Regierung erhöhen wollen.

Gegen dieses verderbliche Treiben muß das deutsche Volk wie ein Mann Front machen. Besonders die arbeitenden Volksmassen müssen ihre ganze Macht einsetzen, um den Einfluß jener Kreise, die so viel Unheil über Deutschland und das deutsche Volk gebracht haben, gründlich und endgültig zu brechen.

Auch all jene Treibereien durch bolschewistische Revolutionsphrasen verworrener, unverantwortlicher Personen, die die Arbeiter zu jetzt sinn- und zwecklosen Streiks und Demonstrationen gegen die Regierung aufzuputschen versuchen, erschweren den Frieden und die Demokratisierung Deutschlands und arbeiten, wenn vielleicht auch ungewollt, den alldeutschen Kriegstreibern und Feinden der Demokratie in die Hände.

Die klassenbewußte Arbeiterschaft muß es ablehnen, sich zum Sturmbock der Gegenrevolution und zum Helfer der imperialistischen Gewaltpolitiker diesseits und jenseits der Front mißbrauchen zu lassen.

Nicht durch die Herbeiführung eines bolschewistischen Chaos, durch Entfesselung des Bürgerkrieges, der zu dem Blutstrom, der an den Fronten fließt, zu dem Unglück, das über das deutsche Volk gekommen ist, neues Unglück und neue Ströme Blutes bringen, Not und Elend nur noch steigern und die Eroberungsgier unserer Feinde anreizen würde, kann die innere Erregung Deutschlands erfolgen.

Nein, wie die berufenen Vertreter der Sozialdemokratischen Partei immer erklärt haben, im Wege friedlicher Umwälzung wollen wir unser Staatswesen zur Demokratie und das Wirtschaftsleben zum Sozialismus überleiten. Wir sind auf dem Wege zum Frieden und zur Demokratie. Alle putschistischen Treibereien durchkreuzen diesen Weg, dienen der Gegenrevolution.

Angesichts der Morgenröte des Friedens und der Freiheit darf und wird sich die klassenbewußte Arbeiterschaft an und hinter der Front nicht zu Unbesonnenheiten verleiten lassen, die letzten Endes nur den Feinden des Volkes nützen.

Bis zum nahen Frieden und auch nach Friedensschluß stehen uns noch schwere Tage bevor. Wir müssen sie überstehen, wir können sie überstehen in dem sicheren Bewußtsein, die Zukunft gehört der Völkerversöhnung, der Demokratie und dem Sozialismus!

b) Prinz Max von Baden über eine Unterredung mit führenden Vertretern der SPD und der Gewerkschaften im Beisein von General Wilhelm Groener*, 6. November 1918

Prinz Max von Baden: Erinnerungen und Dokumente, Berlin 1928, S. 591ff.

Gegen Mittag kamen, wie verabredet, die sozialdemokratischen Parteiführer und Gewerkschaftler in die Reichskanzlei, um sich mit dem General Groener auszusprechen: Scheidemann, Bauer, Legien, Robert Schmidt, David, Südekum, Ebert waren erschienen - Haeften wohnte der Unterredung bei. Vom ersten Augenblick - so wurde mir berichtet - war das alte Vertrauen da. Es war, als wollten die Herren sagen: Wir, die Arbeiterführer und der General, haben schon einmal im Interesse des Landes unsere Bundesgenossenschaft bewährt. Wir sind gekommen, um sie in dieser Stunde zu erneuern. Groener ist unsere letzte Hoffnung; wenn er sich versagt, ist der Staat verloren.

Zu Anfange gab es einen kleinen Zwischenfall, den ich erwähne, weil er im Guten wie im Schlechten bezeichnend ist für das Verhältnis der Parteigenossen zu den in die Regierung delegierten Führern. Scheidemann wurde ans Telephon gerufen. Da sagte der Abgeordnete Südekum in lautem Flüsterton: »Ruhig, Philipp regiert.«

Ebert sprach zuerst: Es sei jetzt nicht Zeit, nach den Schuldigen des allgemeinen Zusammenbruchs zu suchen. Die Stimmung des Volkes schöbe dem Kaiser die Schuld zu, ob mit Recht oder Unrecht sei gleichgültig. Die

* Chef des Kriegsamtes.

Hauptsache sei, daß das Volk die vermeintlichen Schuldigen von ihren Plätzen entfernt sehen wolle. Daher sei die Abdankung des Kaisers, wenn man den Übergang der Massen in das Lager der Revolutionäre verhindern wolle, notwendig. Er schlug vor, daß der Kaiser spätestens morgen seine Abdankung bekanntgebe und einen seiner Söhne, Oskar oder Eitel Friedrich, mit seiner Vertretung beauftragte. Der Kronprinz sei jetzt unmöglich, da er bei den Massen zu verhaßt sei.

Groener sagte kurz und scharf: Von einer Abdankung könne nicht die Rede sein; jetzt, wo die Armee in schwerem Ringen mit dem Feinde stehe, sei es unmöglich, ihr den Obersten Kriegsherrn zu nehmen. Die Interessen der Armee müßten allen anderen vorangestellt werden. Er lehne es daher auf das allerentschiedenste ab, in der Abdankungsfrage irgendeinen Schritt zu unternehmen oder dem Kaiser derartiges vorzutragen.

David und Südekum drangen auf Groener ein: Sie seien keine Gegner der Monarchie an sich, und dieser Schritt würde in keiner Weise die Abschaffung der Monarchie in Deutschland bedeuten. Große Teile der Sozialdemokratie würden sich mit einer Monarchie mit sozialem Einschlag nach parlamentarischem System durchaus abfinden.

Während der mehr akademisch gehaltenen Ausführungen von David kam Scheidemann zurück, bleich und erregt: Die Abdankung steht jetzt nicht mehr zur Diskussion, die Revolution marschiert. Die Kieler Matrosen haben auch in Hamburg und Hannover die Staatsgewalt an sich gerissen. Meine Herren, jetzt gilt es nicht mehr zu diskutieren, jetzt heißt es handeln. Wir wissen nicht, ob wir morgen noch auf diesen Stühlen sitzen werden.

Ebert blieb unerschütterlich ruhig: Noch sei nichts entschieden. Im Gegensatz zu den übrigen Herren sei er zwar überzeugter Republikaner, auch in der Praxis, aber mit einer Monarchie mit sozialem Einschlag unter parlamentarischem System werde auch er sich abfinden. »Ich rate Ihnen, Herr General, dringend, noch einmal die letzte Gelegenheit zur Rettung der Monarchie zu ergreifen und sogleich beschleunigt die Betrauung eines kaiserlichen Prinzen mit der Regentschaft zu veranlassen.«

Südekum unterstützte Ebert: mit Tränen in den Augen rief er dem General zu, er möchte doch auf Eberts Vorschlag eingehen, sonst stünde eine furchtbare Katastrophe bevor, deren Folgen keiner von uns absehen könnte. Auch Legien wandte sich beschwörend an Groener. Der General blieb dabei: Der Vorschlag sei ganz indiskutabel für ihn. Er sei autorisiert, zu sagen, daß sämtliche Prinzen solidarisch die Erklärung abgegeben hätten: Falls Ihr Vater gezwungen würde, gegen seinen Willen abzudanken, würde keiner die Regentschaft übernehmen. Da sagte Ebert: »Unter diesen Umständen erübrigt sich jede weitere Erörterung. Jetzt müssen die Dinge ihren Lauf gehen.« Dann aber wandte er sich zu Groener: »Wir danken Ihnen, Exzellenz, für diese offene Aussprache, und werden uns stets gern der Zusammenarbeit mit Ihnen während des Krieges erinnern. Von nun an scheiden sich unsere Wege, wer weiß, ob wir uns je wiedersehen werden.«

Die anderen Herren verabschiedeten sich wortlos mit tiefem Ernst. Als sie das Zimmer verlassen hatten, herrschte zunächst Schweigen; dann sagte Haeften zu Groener: »Das bedeutet die Revolution. Diese Führer hier haben die Massen nicht mehr in der Hand.«

c) Prinz Max von Baden über seinen Entschluß, Friedrich Ebert mit der Wahrnehmung der Geschäfte des Reichskanzlers zu beauftragen, 9. November 1918

Prinz Max von Baden: Erinnerungen und Dokumente, Berlin 1928, S. 632.

Gleich darauf kam die Schreckensnachricht, welche die Grundlage aller Zuversicht zerbrach: Die Naumburger Jäger sind zu den Aufständischen übergegangen. Ich gab die Nachricht nach Spa* weiter, ebenso wie die nachfolgenden, sich häufenden Meldungen über versagende und meuternde Truppen. Ich forderte die Entscheidung und habe sagen lassen, es handele sich nicht um Stunden, sondern um Minuten. Unsere Telephonate wurden in Spa entgegengenommen durch die Herren v. Hintze, Grünau, Graf Schulenburg, General Groener und andere.

In diesen Telephongesprächen, die bis gegen 11 Uhr stattfanden, wurden wir immer aufs neue vertröstet: die Entscheidung stünde bevor, die Sache ginge ihren Gang. Wir sollten noch etwas warten, und dergleichen mehr. Der übereinstimmende Eindruck in der Reichskanzlei war, daß die Dinge sich im Hauptquartier so entwickelten, wie sie nach dem Vortrag der Obersten Heeresleitung sich eigentlich naturnotwendig entwickeln mußten, d.h. daß der Kaiser abdanken würde. Nach 11 Uhr lauteten die Nachrichten bestimmter; die für mich maßgebenden Telephonmeldungen waren: Die Angelegenheit sei jetzt sachlich entschieden; sie seien jetzt bei der Formulierung. Der Kaiser habe sich zur Abdankung entschlossen. Wir würden in einer halben Stunde die Formulierung erhalten.

Ich verständigte mich mit Simons: »Ihr Gedanke von gestern ist richtig, Ebert ist in dieser Situation der einzig mögliche Reichskanzler.« Ich sagte mir: die Revolution ist im Begriff, siegreich zu sein; wir können sie nicht niederschlagen, vielleicht aber ersticken. Jetzt heraus mit der Abdankung, mit der Berufung Eberts, mit dem Apell an das Volk, durch die Verfassungsgebende Nationalversammlung seine eigene Staatsform zu bestimmen. Wird Ebert mir als Volkstribun von der Straße präsentiert, dann kommt die Republik, ist es Liebknecht, auch der Bolschewismus. Aber

* Sitz des großen Hauptquartiers, Aufenthaltsort von Wilhelm II. während der Novemberrevolution.

wenn der abdankende Kaiser Ebert zum Reichskanzler ernennt, dann besteht noch eine schmale Hoffnung für die Monarchie. Vielleicht gelingt es, die revolutionären Energien in die legalen Bahnen des Wahlkampfes zu lenken.

54 — Oktober/November 1918

Erinnerungen des Konzernmanagers und späteren Wirtschaftsministers Hans von Raumer an die Politik der freien Gewerkschaften bei Kriegsende

Hans von Raumer: Unternehmer und Gewerkschaften in der Weimarer Zeit, Deutsche Rundschau, 1954, S. 428ff; Gerhard Ritter und Susanne Miller (Hrsg.), Die deutsche Revolution 1918/19, Frankfurt a.M. 1968, S. 210ff; DzG Stuttgart, Nr. 69.

Die Anregung, mit der ich im Juli 1918 an einige mir bekannte Führer der Fertigindustrie herantrat, eine organische Zusammenarbeit mit den Gewerkschaften zu finden, bevor die Flut der Ereignisse über uns alle hinwegging, fand Zustimmung, und ich übernahm mit aller Einverständnis die vorbereitenden Verhandlungen.

Die am 2. Oktober in Aussicht genommene Verhandlung mit den führenden Unternehmen fand am 22. Oktober 1918 in meinem Hause statt. Ich hatte nur ein kleines Herrenzimmer, in dem ich die 11 Teilnehmer nur sehr gedrängt setzen konnte. Aber vielleicht erzeugte gerade diese familiäre Enge eine bessere Atmosphäre, als wenn wir in einem Beratungszimmer um einen feierlichen Tisch gesessen hätten. Von Unternehmerseite nahmen teil: Carl Friedrich von Siemens, Walter Rathenau, Geheimrat Deutsch von der AEG, Reichsrat von Rieppel von der Maschinenfabrik Augsburg-Nürnberg und Ernst von Borsig. Von Gewerkschaftsseite: Carl Legien, Gustav Bauer, Alexander Schlicke* und Theodor Leipart.

Wenige Tage später trat auf meine Aufforderung Hugo Stinnes unserem Kreis bei und ergriff sofort mit Legien die Führung. Es war ein glückliches Zweigespann. Zwischen diesen beiden Männern von ungewöhnlichem Format und gleich unkomplizierter realistischer Denkungsart bildete sich sofort ein unbedingtes Vertrauensverhältnis. Carl Legien hatte 1890 nach Ablauf des Sozialistengesetzes den Vorsitz der Generalkommission der freien Gewerkschaften übernommen und die ganze Bewegung unbestrit-

* Vorsitzender des DMV.

ten geführt. Seine Persönlichkeit hatte vieles mit Friedrich Ebert gemein. Er war ein Mann von staatsmännischem Format, eiserner, aber fest gezügelter Willenskraft, von unbedingter Ehrlichkeit. Als ich ihn in seiner bescheidenen Wohnung besuchte, zeigte er mir eine Arbeit, die ihm seine alten Fachgenossen, die Drechsler, zu irgendeinem Jubiläum geschenkt hatten, und da spürte man, wie er in seinem Herzen Arbeiter geblieben war und an seinem alten Handwerk hing. Die Hebung der Arbeiterklasse war sein Lebensziel, das er als Realpolitiker völlig undoktrinär verfolgte. Das gab ihm die innere Freiheit, den Klassenkampfgedanken beiseite zu schieben und sich mit seiner ganzen Persönlichkeit für die Arbeitsgemeinschaft einzusetzen.

Die Entwicklung des politischen Geschehens zwang zu größter Eile. Da stellte sich zunächst die Frage, was aus der Armee würde, wenn Kaiser und Kronprinz abdankten. Hugo Stinnes, Legien, Bauer und ich schufen uns eine Gelegenheit, um am 30. Oktober mit dem eben von der Front zurückgekehrten General Ludendorff die Frage zu erörtern. Wir hielten ein chaotisches Zurückfluten der Truppen nur dann für vermeidbar, wenn der Feldmarschall von Hindenburg die Armee zurückführte. Ludendorff wandte dagegen ein, daß der Feldmarschall die moralische Pflicht gehabt habe, zusammen mit ihm zurückzutreten, und er müsse diesen Rücktritt nunmehr schnellstens vollziehen. Nach langen Erörterungen gelang es uns, von Ludendorff die Zusage zu erhalten, am nächsten Tag mit Hindenburg zu telefonieren, daß er im Interesse des Vaterlandes nicht abtreten dürfe. Sehr interessant zeichnete sich in dieser Besprechung die politische Einstellung der beiden Gewerkschaftsführer ab. Sie wollten nicht die Beseitigung der Monarchie, sondern ein parlamentarisches Regime mit einem Regentschaftsrat an der Spitze, der unter Zuziehung von Gewerkschaften die Regierung bis zur Volljährigkeit des ältesten Sohnes des Kronprinzen führen sollte. ...

Man geht nicht zu weit mit der Feststellung, daß die ZAG* im ersten Jahre ihres Bestehens vor dem Chaos und vor einer bolschewistischen Revolution bewahrt hat. Als alle Autoritäten zusammenbrachen: Monarchie, Staat, Militär und Bürokratie, schuf sie durch den Zusammenschluß der Unternehmer mit den Gewerkschaften eine Macht, die die Wirtschaft und die Betriebe in Ordnung hielt. Der bei allen Revolutionen sonst zu beobachtende Vorgang, daß sich die Arbeiter gegen ihre Arbeitgeber wandten, wurde nicht ausgelöst, weil die Gewerkschaften fest zur Ordnung und zu ihrer Aufrechterhaltung mit den Unternehmern zusammenstanden.

---

*Zentralarbeitsgemeinschaft.

Offener Brief des Fraktionsführers der SPD im badischen Landtag, Ludwig Marum, im »Volksfreund« und in der »Volksstimme« zur demokratischen Neuordnung Badens

Volksfreund vom 7. November 1918; Volksstimme (Mannheim) vom 7. November 1918.

Die badische Frage

Ein offenes und ernstes Wort ist dringend notwendig. Die bisher in Baden regierenden Gewalten haben offenbar noch nicht erkannt, worum es geht, was auf dem Spiel steht. Sonst wäre der Landtag heute schon versammelt. Das Staatsministerium, geführt von Herrn von Bodmann, meint wahrscheinlich, durch ein Entgegenkommen in einzelnen an sich wichtigen Fragen, die Bewegung, die durch das Volk geht, eindämmen zu können. Die Herren mögen sich nicht täuschen! Heute gehts ums Ganze! Auch in Baden wie im Reich handelt es sich heute um die Einrichtung des demokratischen Volksstaates. Und zwar ohne Einschränkung. Der Satz der Verfassung, daß der Großherzog in sich alle Rechte der Staatsgewalt vereinigt, ist überlebt. Alle Gewalt im Staate gebührt dem Volk, der Volksvertretung und der vom Volk beauftragten Regierung. Die Krone möge rechtzeitig den Willen des Volkes erkennen und ihre weitgehenden politischen Rechte dem Volke übertragen. Der badische Thronfolger hat als Reichkanzler vor wenigen Tagen erklärt: »Die demokratische Idee hat nunmehr ihren siegreichen Einzug in Deutschland gehalten, um hier bodenständig zu werden und sowohl im Reich, als auch in den Bundesstaaten für alle Zeiten zu herrschen.«

Es liegt im ureigensten Interesse der Krone, dies zu erkennen und sich auf das Altenteil ihrer monarchischen Ehrenrechte freiwillig zu beschränken. Sonst wird die Frage der Staatsform, die so schon im Volke vom Arbeiter, Bürger und Bauer besprochen wird, brennend werden.

Daß allerdings das gegenwärtige Staatsministerium der Krone die entsprechenden Ratschläge erteilt, muß billig bezweifeln, wer die Persönlichkeit der Minister betrachtet.

Die vier Herren, welche zur Zeit noch die badische Obrigkeitsregierung bilden, sind alles andere, nur keine Demokraten. Das soll ihnen nicht verdacht werden. Achtung vor jeder ehrlichen Überzeugung! Aber die Vorstellung ist erstaunlich, daß diese Minister die demokratische Neuordnung durchführen sollen.

Der Herr Staatsminister von Bodman lebt heute noch von dem Ruf, den er sich durch das Wort von der »großartigen Bewegung des vierten Standes« erworben hat. Jede auch nur halbwegs liberale Reform mußte ihm seitdem abgerungen werden. Nur ein Beispiel: Noch im Kriege erklärte er sich gegen die Aufhebung des Dreiklassenwahlrechts in der Gemeinde. Notgedrungen hat er im letzten Landtag zugestimmt, aber »Sicherungen« gegen das Volk verlangt und die Lösung der Frage auf den nächsten ordentlichen Landtag verschoben. Notgedrungen hat er jetzt, entgegen seiner noch vor zwei Wochen geäußerten Auffassung, der sofortigen Aufhebung durch einen außerordentlichen Landtag zugestimmt, der spätestens im Januar tagen soll. Notgedrungen läßt er jetzt durch die Presse verkünden, daß dieser Landtag noch in diesem Jahre zusammentreten wird. Einem solchen Staatsmann kann das Volk nicht das Vertrauen schenken, das jetzt mehr als je erforderlich ist, wenn nicht alle Staatsautorität in die Brüche gehen soll. Der Aufruf der Reichsregierung vom 4. November erwartet von den Volksgenossen in amtlicher Stellung, daß sie willige Mitarbeiter an der Umwandlung Deutschlands in einen Volksstaat werden. Bejahen etwa die badischen Minister ihre Willigkeit? Das Volk hat den Eindruck, daß Herr von Bodman nur so weit geht, als er geschoben wird. – Und die anderen Minister passen zu Herrn von Bodman, aber nicht in die neue Zeit.

Es ist ausgeschlossen, unter der Führung dieser Männer Baden in einen Volksstaat umzuwandeln. Das wollen die Staatsminister auch offenbar gar nicht. Sie glauben wohl, damit lavieren zu können, daß sie einige dringliche Reformen, wie Aufhebung der Klassenwahl und Verhältniswahlrecht, durchführen und daß sie durch Ausbau des landständischen Ausschusses die Volksvertretung etwas mitreden lassen, während sie handeln. Man bleibe uns mit dem Brimborium vom landständischen Ausschuß vom Leibe! Das wäre noch schöner, wenn auch die durchlauchtigsten Herren der Ersten Kammer in die Volksregierung kommen! Nicht darum handelt es sich, daß Vertreter der beiden Kammern mit der Regierung, das heißt mit den Vertrauensleuten der Krone zusammenarbeiten, sondern darum, daß die Regierung von den Vertrauensmännern des Volkes gebildet wird, daß die Staatsgewalt in die Hände des Volkes übergeleitet wird. Reichstag und Bundesrat haben gezeigt, daß die hierfür notwendigen Verfassungsänderungen in zwei Tagen gemacht werden können. Herr von Bodman glaubt, daß seine Geheimräte zwei Monate brauchen, um weit geringere Gesetzentwürfe auszuarbeiten.

Demokratische Gesetze sind immer kurz und klar. Weitläufige und komplizierte Entwürfe sind nur nötig, wenn Herr von Bodman noch Sicherungen in den Proporz und das Gemeindewahlrecht bringen will. Heute ist nur noch eine Sicherung möglich und erlaubt: Die Sicherung der Demokratie gegen die bisherigen Gewalten.

In den größeren Bundesstaaten ist der Landtag versammelt oder tritt in den nächsten Tagen zusammen. Warum ist er in Baden noch nicht berufen? Will die Regierung die Stände nicht mit kürzester Frist einberufen und Gesetzentwürfe vorlegen, durch welche Baden in einen demokratischen Volksstaat umgewandelt wird?

In Bayern, in Sachsen, in Hessen haben die Minister ihre Ämter zur Verfügung gestellt, um zu ermöglichen, daß Regierungen aus Männern des Volksvertrauens gebildet werden. Hält das badische Staatsministerium sich für unersetzlich? Oder glaubt es gar, daß es vom Vertrauen des Volkes getragen die beste Regierung ist, welche aus dem Großherzogtum Baden einen Volksstaat machen könnte?

Die bisherigen Gewalten in Baden mögen über diese offenen Fragen nachdenken und sich und dem Volke eine ebenso offene Antwort geben. Aber recht bald! Die Zeit drängt. Sie durcheilt heute in Tagen die Entwicklung von Jahrzehnten. Was heute noch nützlich und möglich erscheint, wird morgen vielleicht zu spät und ohne Nutzen geschehen. Aber es muß jetzt gehandelt werden. Das Mundspitzen hilft nicht mehr. Es muß jetzt gepfiffen werden.

Kapitel III

Von der Novemberrevolution bis zur Errichtung der faschistischen Diktatur

9. November 1918 – 30. Januar 1933

Die Novemberrevolution

Angesichts der ausweglosen militärischen Lage verweigerten am 3. November 1918 die Besatzungen der deutschen Kriegsflotte in Kiel ihren Einsatz. Der bewaffnete Aufstand war für die Kieler Matrosen der einzige Ausweg, ihrem sicheren, sinnlosen Tod zu entrinnen. Dieser Aufstand war der Funke, der die seit Monaten spannungsgeladene Stimmung in Deutschland zur Explosion brachte. Wie ein Lauffeuer breitete sich die Nachricht vom Kieler Matrosenaufstand, von der Solidarisierung der Kieler Soldaten und Arbeiter mit den aufständischen Matrosen und ihren Forderungen in ganz Deutschland aus. Im Gefolge und nach Vorbild der Kieler Ereignisse dehnte sich die revolutionäre Bewegung auf nahezu alle Städte Deutschlands aus, Arbeiter- und Soldatenräte wurden gebildet, meist unter Einbeziehung von Vertretern der Mehrheitssozialdemokratie und der Gewerkschaften.

In Baden begann der Aufstand am 8. November 1918 in Lahr. Dort rollte die Revolution buchstäblich mit dem Zug an. Ein aus Kiel vom Urlaub zurückkehrender Soldat des in Lahr stationierten nicht-badischen Bataillons 171 überbrachte die neuesten Nachrichten aus Kiel. Bereits am 7. November hatten sich spontan eine Soldatengruppe und viele politische Diskussionsgruppen gebildet, die die Stimmung der Stadt prägten. Am Morgen des 8. November formierte sich das Bataillon 171 zu einer geschlossenen, unbewaffneten Demonstration und wählte einen vorläufigen siebenköpfigen Soldatenrat, der einen an den Kieler Positionen orientierten Forderungskatalog aufstellte. Eine aus Freiburg herbeigerufene Maschinengewehr-Abteilung des Infanterieregiments 113 schloß sich der Bewegung an. Noch am Nachmittag des 8. November - inzwischen hatte sich die Nachricht von der Revolution in München und revolutionären Bewegungen aus anderen Städten verbreitet - nahmen die Offiziere nach längerem Sträuben die Forderungen der Soldaten an. Am 9. November fand in militärischen Räumen eine Vollversammlung von Mannschaften und Offizieren der Garnison statt, an der circa 6000 Soldaten teilnahmen. Auf dieser Versammlung wurde dem linksliberalen badischen Landtagsabgeordneten Alfred Massa Gelegenheit gegeben, sich in die Bewegung einzuschalten und zu Gewaltlosigkeit und Ruhe zu mahnen. Eine Massenversammlung am 10. November stellte die Verbindung zwischen dem Aufstand der Soldaten und der sozialistischen Arbeiterbewegung Lahrs her. Auf einer Versammlung der Soldaten am 11. November auf dem Kasernenhof der Garnison wurde der endgültige Soldatenrat gewählt, der am darauffolgenden Tag auf Antrag der Vertreter der Arbeiterschaft Lahrs zu einem Soldaten- und Arbeiterrat erweitert wurde.

Offenburg erreichte die Revolution in der Nacht vom 8. zum 9. November: Das Ersatzbataillon 172 marschierte im Demonstrationszug in die Kaserne des Ersatzbataillons 170 und forderte dieses zur Teilnahme auf. Noch in der Nacht wählten die Soldaten einen provisorischen Soldatenrat und besetzten am folgenden Morgen Bahnhof, Post und Banken. Das zuständige Generalkommando beorderte eine Minenwerfer-Abteilung aus dem Elsaß nach Offenburg, die den Aufstand niederschlagen sollte. Vertreter der Offenburger Soldaten erreichten jedoch in Verhandlungen, daß die Minenwerfer-Abteilung nicht in den Ablauf der revolutionären Ereignisse eingriff. Am Nachmittag des 10. November wurde der provisorische Soldatenrat auf einer Soldatenvollversammlung mit etwa 4000 Teilnehmern in einen ordentlich gewählten umgewandelt.

Wie in Lahr und in Offenburg ergriffen die Soldaten in den meisten Städten Badens die Initiative zum Umsturz, bildeten revolutionäre Gremien in Gestalt der Soldatenräte und übernahmen die öffentliche Gewalt. Im Raum Lörrach, Freiburg und Offenburg hatten sich bis zum 11. November 1918 in den Städten Lahr, Offenburg, Freiburg, Kehl, Waldkirch, Lörrach und Müllheim Soldatenräte gebildet.

Nicht überall war die Arbeiterschaft von vornherein in den Räteorganisationen vertreten. Häufig wurden die Soldatenräte erst nach einer gewissen Zeit auf Initiative der SPD-Ortsvereine oder des jeweiligen Ortskartells zu Arbeiter- und Soldatenräten. Nicht selten arbeiteten die lokalen Partei- und Gewerkschaftsführer eng zusammen. In vielen Orten war man darauf bedacht, christliche Gewerkschaftsmitglieder, Demokraten und Parteilose und in einzelnen Fällen auch Zentrumsmitglieder miteinzubeziehen. Die Bestätigung der Arbeiterräte bzw. Arbeiter- und Soldatenräte erfolgte vielfach im Rahmen einer Vollversammlung oder der Abschlußkundgebung einer Demonstration. Die Wahl eines lokalen Arbeiterrates durch die Arbeiterschaft selbst blieb, anders als in den großen Industriestädten außerhalb Badens, eher die Ausnahme. Im Raum Lörrach, Freiburg und Offenburg waren es lediglich die Arbeiter und Angestellten aller Betriebe Oberkirchs, die in einer gemeinsamen Versammlung am 12. November einen reinen Arbeiterrat für Oberkirch wählten.

Die politische Zusammensetzung der Arbeiterräte unterschied sich deutlich nach den jeweiligen örtlichen Bedingungen und Kräfteverhältnissen. In Oberkirch herrschte im Arbeiterrat volle Parität zwischen Vertretern der SPD und des Zentrums. In Offenburg hingegen war der Arbeiterrat zusammengesetzt aus je vier Vertretern der Sozialdemokratie, der freien Gewerkschaften, des Süddeutschen Eisenbahnerverbands und des katholischen Arbeitervereins sowie zwei Vertretern des christlichen Badischen Eisenbahnerverbandes.

Vielfach bildeten nach dem Umsturz auch nicht-proletarische Bevölkerungsgruppen »Räte«. Sie suchten entweder, wie der »Kunst- und Kulturrat

10 Die Mitglieder des Soldatenrats Offenburg, Dezember 1918.

11 Menschenauflauf vor dem Hotel »Roseneck«, dem Sitz des Freiburger Soldatenrats, November 1918.

Badens«, Anschluß an die Revolutionsbewegung oder vertraten eher konterrevolutionäre Absichten, wie die in vielen badischen Orten entstandenen »Bauernräte«. Ähnlich wie im übrigen Deutschland entwickelten die nicht-proletarischen Räte jedoch kein eigenes politisches Gewicht. Nach den Wahlen zu einer badischen und deutschen Nationalversammlung verloren diese Gruppen zudem sehr rasch das Interesse an Räteorganisationen.

Am 9. November 1918 rief Friedrich Ebert die Republik aus. Am darauffolgenden Tag wählte die Vollversammlung der Berliner Arbeiter- und Soldatenräte mit dem »Rat der Volksbeauftragten« die Revolutionsregierung für das gesamte Reich. Am 11. November wurde mit der Unterzeichnung des Waffenstillstandes der Krieg beendet.

Auch in Baden führten die Initiativen von Soldaten und Arbeitern und die durch den Beginn der Revolution verstärkten Reformbestrebungen einer sozialdemokratisch-bürgerlichen Parteienkoalition am 10. November zur Bildung der »Badischen Vorläufigen Volksregierung«. Daß in Baden anders als in den meisten deutschen Staaten kein »rein sozialistisches« Kabinett gebildet werden würde, war angesichts der traditionellen politischen Verhältnisse im Lande offenbar von Anfang an klar. Es enstand eine Fünfparteienregierung, in der die MSPD mit vier Ministern, die USPD und das Zentrum mit je zwei, die Fortschrittliche Volkspartei und die Nationalliberalen mit je einem Minister vertreten waren. Obwohl die beiden sozialdemokratischen Parteien in der Regierung über eine deutliche Mehrheit verfügten, unternahmen sie zu keinem Zeitpunkt den Versuch, von dieser Mehrheit Gebrauch zu machen. Diese Regierung fühlte sich durch die revolutionären Ereignisse allein nicht ausreichend legitimiert. Erst nach der formellen Kenntnisnahme des Großherzogs sah sie sich befugt, ihre Ministerliste zu veröffentlichen. Und nur durch den Druck insbesondere des Mannheimer und Karlsruher Arbeiter- und Soldatenrates sah sich die »Badische Vorläufige Volksregierung« genötigt, am 23. November 1918 den Großherzog zum Thronverzicht zu bewegen. Die entscheidende Frage war nun, ob die Arbeiter- und Soldatenräte und diejenigen, die sie gewählt hatten, sich hinter die Regierung stellen würden.

In Südbaden wie in ganz Baden verstanden sich die Arbeiter- und Soldatenräte vorwiegend als politische Organe in einer Übergangszeit. Ihr Ziel war eine parlamentarisch-demokratische Ordnung, in der Klassenprivilegien und Militarismus ein für allemal abgeschafft sind. Sie erstrebten die schnellste Zurückführung in geordnete, gesetzmäßige Zustände, jedoch nur auf dem rein parlamentarisch-demokratischen Wege (Dok. 56). Die Räte übten vor allem sozialpolitische Funktionen aus, z. B. in der Bewältigung der Lebensmittelknappheit oder der Wohnungsnot. Sie unterstützten die zivilen und militärischen Behörden bei der Entwaffnung und Wiedereingliederung der Soldaten ins Zivilleben und verstärkten so das Gewicht der Minister von MSPD und USPD im Kabinett. Je mehr die Behörden, in denen in der Regel die Beamten aus der Zeit des Großherzogtums verblie-

12 *Nach Freiburg zurückkehrende Soldaten, September 1918.*

13 *Waffenablieferung durchziehender Soldaten in Freiburg, November 1918.*

ben waren, die Situation wieder in den Griff bekamen, desto weniger wurden die Arbeiter- und Soldatenräte an Entscheidungen beteiligt.

Für eine kurze Zeit war im gesamten Reich die Macht in den Händen von Räten gelegen. Getragen von einer Massenbewegung gegen den Krieg und das für ihn verantwortliche System waren die Monarchie gestürzt und bedeutende soziale und politische Forderungen durchgesetzt worden. Neben Lohnerhöhungen, dem gesetzlich festgelegten Achtstundentag, der Erklärung des 1. Mai 1919 zum Feiertag, der Anerkennung der Gewerkschaften als Tarifpartner konnte das allgemeine und gleiche Wahlrecht auch für Frauen durchgesetzt werden. Was die Sozialdemokratie seit Jahrzehnten gefordert hatte, erreichte die Arbeiterschaft mit der Revolution in kürzester Zeit!

Über die Ziele der Revolution hatte innnerhalb der deutschen Arbeiterbewegung allerdings keine Einigkeit geherrscht. Die Führer der Mehrheitssozialdemokratie und der Gewerkschaften wollten eine parlamentarische Demokratie. Sie wollten die ökonomischen Machtverhältnisse nicht grundsätzlich verändern, sondern vielmehr die Wirtschaft wieder in Gang bringen, um die katastrophale soziale Lage der Bevölkerung zu verbessern. Dazu - so glaubten sie - brauche man die Unternehmer. Sie hofften, über parlamentarische Mehrheiten einen schrittweisen Übergang zum Sozialismus erreichen zu können. Die andere Strömung in der Arbeiterbewegung, Teile der Unabhängigen Sozialdemokratie und die Ende 1918 gegründete Kommunistische Partei (KPD) um Rosa Luxemburg und Karl Liebknecht, verfolgten das Ziel einer Räterepublik. Ihre Führer forderten, daß die in

14 Demonstration in Offenburg gegen die schlechte Versorgungslage, 4. Juni 1919.

der Revolution spontan entstandenen Räteorganisationen zur dauerhaften Grundlage der gesamten Staatsorganisation werden sollten. Sie traten ein für die sofortige Entmachtung der Kapitalisten und die Errichtung einer sozialistischen Wirtschaftsordnung. Speziell in Baden wurde die Idee einer Rätedemokratie aber nie in breiten Kreisen, sondern nur in dem kleinen Zirkel um die USPD aufgegriffen (Dok. 61). Dies erstaunt nicht, wenn man sich an den reformistischen Kurs der badischen Sozialdemokratie und an das breite nicht-sozialistisch organisierte, katholische Potential innerhalb der südbadischen Arbeiterschaft aus der Zeit vor dem Ersten Weltkrieg erinnert. Die Forderung nach einer Rätedemokratie stellte für die von der alten Sozialdemokratie geschulten Arbeiter und die aus dem Krieg zurückkehrenden Soldaten häufig eine verwirrende, unverständliche Alternative zum Parlamentarismus dar. Sie erwarteten, daß sich die zerstrittenen Führer der drei Parteien rasch einigen würden. So konnte die Autorität der Führer der alten Mehrheitssozialdemokratie schnell wieder wachsen.

Die Weichen für die zukünftige Wirtschaftsordnung waren sehr bald gestellt. Die Unternehmer hatten sich noch vor Ausbruch der Revolution aus Angst, ihre Macht ganz zu verlieren, zu Verhandlungen mit den Gewerkschaftsspitzen bereit erklärt. Diese Verhandlungen führten am 15. November 1918, knapp eine Woche nach dem Sieg der Revolution in Berlin, zum Abschluß des sogenannten »Zentralarbeitsgemeinschaftsabkommens« (Dok. 57a). Mit diesem Abkommen gingen langgehegte Träume der Gewerkschaften in Erfüllung. Vier Jahre zuvor hatten die Arbeitgeber auf das Angebot der freien Gewerkschaften zu einer Arbeitsgemeinschaft gar nicht geantwortet. Jetzt waren mit der Zentralarbeitsgemeinschaft auch die Forderungen nach dem Achtstundentag und nach Anerkennung der Gewerkschaften als Tarifpartner akzeptiert. Indirekt bedeutete die Zentralarbeitsgemeinschaft jedoch den Verzicht der Gewerkschaftsspitzen auf Sozialisierungsvorstellungen und das Anerkennen der Logik der kapitalistischen Produktionsweise: das Interesse des Unternehmers am Profit und das Interesse des Arbeiters am Achtstundentag, an Tarifverträgen und Lohnerhöhungen schienen dann miteinander vereinbar, wenn beide Seiten die kapitalistische Produktion förderten und steigerten durch gemeinsame Organisation und Planung.

Trotz der Zurückhaltung der Gewerkschaftsführungen gegenüber jeder Sozialisierungspolitik brachte der politische Umschwung den Gewerkschaften zunächst einen Positionsgewinn. Die freien Gewerkschaften erlebten nach dem Kriegsende einen Zulauf neuer Mitglieder wie nie zuvor. Hatten die freien Gewerkschaften Ende 1917 in Deutschland nur 1277000 Mitglieder, waren es zum Jahresende 1918 bereits 2866000, und zum Jahresende 1919 war die Mitgliedschaft bereits auf 7337000 angeschwollen. Diese Entwicklung fand auch im Raum Lörrach, Freiburg und Offenburg statt. Der DMV konnte in diesem Bereich die Zahl seiner 271 Mitglieder vom Jahresende 1917 bis zum Jahresende 1919 auf 5583 steigern (vgl. Tab. 7).

Doch trotz der rapide gestiegenen Mitgliederzahlen der Gewerkschaften und der durch die Revolution errungenen Erfolge der Arbeiterbewegung zeigte sich sehr bald, daß die Macht der Unternehmer zwar eingeschränkt, aber nicht beseitigt worden war. Obwohl die Bildung von Arbeiter- und Angestelltenausschüssen gesetzlich geregelt war, versuchten sie vielfach, deren Konstituierung zu verhindern (Dok. 63). Die Weimarer Verfassung vom Juli 1919 sah zwar vor, daß Arbeiter und Angestellte berufen sind, »gleichberechtigt in Gemeinschaft mit den Unternehmern an der Regelung der Lohn- und Arbeitsbedingungen sowie an der gesamten wirtschaftlichen Entwicklung der produktiven Kräfte mitzuwirken«. Ihr Einfluß in der konkreten Umsetzung des Verfassungsauftrags wurde aber zunehmend eingeschränkt. In den errichteten Wirtschaftsräten erhielten die Gewerkschaften so gut wie keinen Einfluß. Und das Betriebsrätegesetz von 1920 zeigte deutlich, daß sich das gesellschaftliche Kräfteverhältnis noch weiter zu Lasten der Arbeiterbewegung verschoben hatte. Die Betriebsräte wurden weitgehend machtlose Institutionen mit einigen Anhörungs- und Kontrollrechten, aber ohne entscheidende Mitbestimmungsmöglichkeiten. Damit war das Konzept einer Rätedemokratie auch im wirtschaftlichen Bereich gescheitert.

Die Konterrevolution

Schon ein halbes Jahr nach der Revolution war nicht mehr zu verkennen, daß die alten Machtverhältnisse sich wieder durchgesetzt hatten. Die erste Hälfte des Jahres 1919 war noch von verschiedenen Versuchen gekennzeichnet, die Revolution zu retten. In vereinzelten spontanen Massenbewegungen wurde eine weitergehende Demokratisierung der Gesellschaft gefordert. Diese Massenbewegungen wurden jedoch gewaltsam niedergeschlagen. In Berlin kam es im Januar 1919 nach der Absetzung des zum linken Flügel der USPD zählenden Polizeipräsidenten durch den sozialdemokratischen preußischen Innenminister zu gewaltigen Massenprotesten. Diese Situation nutzten MSPD und Oberste Heeresleitung, die linke Opposition zu zerschlagen. In blutigen Kämpfen fielen Hunderte von Arbeitern dem Terror regulärer Truppen und inzwischen gegründeter Freikorps zum Opfer. Fast die gesamte Führungsschicht der KPD - darunter Rosa Luxemburg und Karl Liebknecht - wurden ermordet. Ähnliches spielte sich im Ruhrgebiet, in Stuttgart und in München ab.

Auch in Baden sind Versuche einer »zweiten Revolution« festzustellen. Die Radikalisierung größerer Teile der badischen Arbeiter fand ihren parteipolitischen Niederschlag in steigenden Mitgliederzahlen der USPD. Sie beschränkte sich jedoch fast ausschließlich auf Mannheim, wo es am 21. Februar 1919 nach der Ermordung Kurt Eisners zu einem Aufstand kam. Der DMV rief in Mannheim den Generalstreik aus, der jedoch bereits am Abend des 23. Februar durch die Einigung zwischen Vertretern der SPD und der KPD, die »Vorläufige Badische Volksregierung« anzuerkennen, beendet wurde.

Schon im März 1920 hielten sich die konterrevolutionären Kräfte für ausreichend stark, um zum vernichtenden Gegenschlag auszuholen. Ausgelöst durch die Absicht der Regierung, die Freikorps-Truppen zu reduzieren, um auf die im Versailler Friedensvertrag festgelegte Truppenstärke zu kommen, besetzten am 13. März 1920 Freikorps-Truppen das Regierungsviertel in Berlin. Generallandschaftsdirektor Kapp und General Lüttwitz rissen die Regierungsgewalt an sich, und die Reichsregierung floh nach Stuttgart, da die Reichswehrführung sich weigerte, gegen die Putschisten vorzugehen. Noch am selben Tag rief der Allgemeine Deutsche Gewerkschaftsbund (ADGB) zum Generalstreik auf. MSPD, USPD und KPD schlossen sich dem Aufruf an (Dok. 67). Im ganzen Reich beteiligten sich 12 Millionen Menschen am Streik, um die Republik zu retten. Im Ruhrgebiet und in Mitteldeutschland organisierten Arbeiter darüber hinaus bewaffneten Widerstand.

Auch in Südbaden wurde dem Aufruf zum Generalstreik Folge geleistet, und es kam zu riesigen Protestkundgebungen (Dok. 67). Das geschlossene Auftreten der Arbeiterbewegung brachte den Putsch zum Scheitern. Bereits am 17. März brach er zusammen. Aus dem Kampf für die Erhaltung der Republik heraus stellte die Arbeiterschaft die Forderung nach einer reinen Arbeiterregierung. Nachdem die Regierung die Erfüllung einiger Forderungen zugesichert hatte, wurde der Generalstreik am 23. März beendet. Aber viele Arbeiter in den industriellen Zentren Deutschlands wollten die Forderung nach einer sozialistischen Republik erfüllt sehen und führten deshalb den Kampf weiter. Insbesondere im Ruhrgebiet, in Mitteldeutschland und auch in Mannheim kam es zu bürgerkriegsähnlichen Zuständen. Die Reichsregierung unter Führung der MSPD setzte wiederum die Reichswehr, die gerade noch tatenlos dem Kapp-Putsch zugesehen hatte, gegen die Arbeiter ein.

Auch diese Kämpfe führten nicht zur Verwirklichung der geforderten Sozialisierung des Bergbaus und der Elektrizitätswirtschaft und der Mitbestimmung der Gewerkschaften in der Wirtschafts- und Sozialgesetzgebung. Ebensowenig erfolgte die geforderte Demokratisierung der Verwaltung, die Bestrafung aller am Putsch beteiligten Personen sowie die Auflösung sämtlicher konterrevolutionären militärischen Formationen. So konnten die konterrevolutionären Kräfte immer stärker werden und mit allen Mitteln ihr Ziel vorantreiben. Auch in Südbaden bauten sie ein Netz der bewaffneten Geheimorganisation »Orgesch« auf, für deren Finanzierung aus Kreisen der Industrie und Geschäftswelt sich vor allem der Freiburger Fabrikant Himmelsbach einsetzte (Dok. 70).

Im August 1921 wurde der Reichsfinanzminister Matthias Erzberger von Nationalisten im Schwarzwald erschossen. Den Haß dieser Kreise hatte er sich durch seine Initiative bei der Friedensresolution des Reichstags 1917 und vor allem durch die Unterzeichung des Friedensvertrags auf sich gezogen. Im gesamten Reich und auch in Südbaden kam es zu großen Protestkundgebungen (Dok. 71). Kaum ein Jahr später, im Juni 1922, fiel der Reichsaußenminister Walther Rathenau den Kugeln nationalistischer Mörder zum Opfer. Wiederum waren die Proteste aus der Arbeiterschaft sehr groß (Dok. 73). In Lörrach zum Beispiel riefen das Ortskartell der freien Gewerkschaften, SPD und KPD, nachdem bereits am 27. Juni eine große Protestkundgebung stattgefunden hatte, für den 4. Juli gemeinsam mit großem Erfolg zum Generalstreik und zur Demonstration zur Verteidigung der Republik auf. Im Jahr darauf unternahm Hitler seinen Putschversuch in München, der jedoch scheiterte.

Nicht nur auf der Ebene der Politik war die Arbeiterbewegung ständigen Angriffen ausgesetzt, sondern auch im sozialen und wirtschaftlichen Bereich. Die Unternehmer versuchten zunehmend, die mit der Novemberrevolution durchgesetzten Verbesserungen in den Arbeits- und Lebensbedingungen Schritt für Schritt wieder rückgängig zu machen.

Der oberbadische Textilarbeiterstreik

Bereits am 23. Dezember 1918 hatten die Textilindustriellen des Wiesentals mit dem Deutschen Textilarbeiterverband und dem Zentralverband Christlicher Textilarbeiter Deutschlands einen Tarifvertrag abgeschlossen. Im April 1919 bildete sich die »Badische Arbeitsgemeinschaft für die Textilindustrie« mit Sitz in Freiburg, in welcher mit jeweils 8 Sitzen Vertreter der Landesgruppe Baden des Verbandes Süddeutscher Textilarbeitgeber und die beiden Gewerkschaftsverbände vertreten waren. Nach der Übernahme von zentralen Regelungen wie Einführung des Achtstundentages, Festsetzung von Mindestlöhnen sowie der Urlaubsregelung schloß man in dieser Arbeitsgemeinschaft am 8. August 1919 den ersten Tarifvertrag für die badische Textilindustrie. Diese Kooperation zahlte sich allerdings nicht aus: Die Arbeiter der badischen Textilindustrie gehörten zu den schlechtest bezahlten in Deutschland, bis 1925 lagen ihre Reallöhne unter dem Vorkriegsstand.

Am 31. Januar 1921 kündigten der freie und der christliche Textilarbeiterverband den geltenden Tarifvertrag mit Wirkung zum 31. März. Mit Hinweis auf die erheblichen Gewinne und die hohen Dividendenzahlungen forderten sie eine 30prozentige Lohnerhöhung. Diese Forderung lehnten die Arbeitgeber rundweg ab. Ein Vermittlungsversuch des badischen Arbeitsministeriums blieb erfolglos. Der daraufhin einbestellte Schlichtungsausschuß empfahl weitere Verhandlungen zwischen Gewerkschaften und Arbeitgeberverband. Da die Verhandlungen jedoch landesweit keinerlei Fortschritte erbrachten, beschloß die Leitung des Deutschen Textilarbeiterverbandes, Gau Baden, die Frage geeigneter Kampfmaßnahmen durch die Ortskartelle entscheiden zu lassen.

In einer ersten Versammlung am 7. April 1921 in der »Brauerei-Gaststätte Neumeyer« entschieden sich die Arbeiter der beiden MEZ-Werke in Freiburg zum Streik (Dok. 69). Die Abstimmung der Arbeiter der Ramie-Fabrik in Emmendingen am 9. April ergab ebenfalls eine überwältigende Mehrheit für die Durchführung von Kampfmaßnahmen. Die Belegschaften anderer Textilbetriebe folgten der Abstimmung der Freiburger und Emmendinger Kolleginnen und Kollegen, so daß sich am 16. April bereits in 6 Betrieben etwa 3000 Arbeiter und Arbeiterinnen im Streik befanden. Weitere Schlichtungsverfahren brachten wiederum keinerlei Ergebnis. In der Folgewoche traten auch die Belegschaften des Wiesentals in Streik, allein im Raum des Bezirksamts Lörrach wurden vier, in Fahrnau zwei Betriebe bestreikt. Der Streik hatte somit seinen Schwerpunkt in der oberbadischen Textilindustrie sowie in den größeren Betrieben Emmendingens und Freiburgs. Am 26. April wurde der Textilarbeiterstreik auf 18 Betriebe mit etwa 7000 Beschäftigten ausgedehnt. Die Arbeitgeber reagierten auf die örtlichen Streiks mit Kündigungen. In den Freiburger MEZ-Firmen und in der Emmendinger Ramie-Fabrik wurde der gesamten Belegschaft – mit Ausnahme der Angestellten – gekündigt. Weitere Verhandlungen und Sitzungen des Schlichtungsausschusses brachten keine Aussicht auf Durchsetzung der gewerkschaftlichen Forderungen. Vielmehr empfahl der Ausschuß, die Wiederaufnahme der Arbeit zu den alten Lohnbedingungen, »die im allgemeinen als aufbesserungsbedürftig« anerkannt wurden, und danach wieder Lohnverhandlungen aufzunehmen. In der Reaktion auf diesen Vorschlag kamen erstmals deutlich die Differenzen zwischen dem Christlichen Textilarbeiterverband und dem Deutschen Textilarbeiterverband zum Vorschein: die Christlichen waren zur Annahme des Vorschlags bereit, während ihn der Deutsche Textilarbeiterverband und die streikenden Arbeiter Emmendingens und Freiburgs strikt ablehnten. Hier gilt es festzuhalten, daß in Baden von 23000 organisierten Textilarbeitern knapp 11000 Mitglied des Christlichen Textilarbeiterverbandes waren.

Als der Deutsche Textilarbeiterverband am Ende der sechsten Streikwoche für seine Mitglieder die Streikunterstützung um 50 Prozent erhöhte, beendete der Christliche Textilarbeiterverband den Streik für seine Mitglieder. Damit war die Spaltung der kämpfenden Arbeiter vollzogen, und ihre Position im Kampf hatte sich schlagartig verschlechtert. Am 24. Mai wurde in den beiden MEZ-Betrieben in Freiburg die Arbeit wieder aufgenommen, ohne daß der Streik zu einer Lohnerhöhung geführt hatte. Die freie Gewerkschaft wollte den Kampf nicht aufgeben. Doch schon an den folgenden Tagen zeigte sich, daß die Streikfront immer mehr abbröckelte. Am 27. Mai war der Streik bei MEZ in Weinheim beendet, am 31. Mai wurde die Arbeit auch in zwei Betrieben im Wiesental wieder aufgenommen. Gleichzeitig versuchte ein Arbeitgeber in Schopfheim, die streikenden Arbeiter mit einer Drohung zur Arbeitsaufnahme zu zwingen. Er kündigte an, einen 50prozentigen Aufschlag auf die Mieten der Werkswohnungen zu erheben, die nicht bis zum 31. Mai bezahlt werden. Unter diesen Umständen war natürlich die Einigung zur Beilegung des Arbeitskampfes, welche eine Besprechung am 3./4. Juni zwischen den Textilarbeitgebern sowie den beiden Gewerkschaften ergeben hatte, das Eingeständnis einer Niederlage. Die Kernpunkte der Einigung waren, daß in allen bestreikten Betrieben die Arbeit bis zum 9. Juni wieder aufgenommen werden sollte, der von den Arbeitgebern gefaßte Aussperrungsbeschluß bestehen blieb, bei Arbeitsaufnahme jedoch bis zum 9. Juni ausgesetzt würde, frühere Arbeiter, soweit Arbeitsmöglichkeiten vorhanden, wieder eingestellt würden, bis auf jene, die sich eine »Streikausschreitung« zuschulden hatten kommen lassen. Gerade die Aufnahme dieser Maßregelungsformel war für die Arbeitgeber das geeignete Instrument, mißliebige Gewerkschaftsführer oder Betriebsräte, welche den Streik maßgeblich organisiert hatten, aus den Betrieben zu feuern.

Tatsächlich wurde in fast allen Betrieben in den folgenden Tagen die Arbeit wieder aufgenommen. Nach dem 9. Juni war nur noch die Produktion in der Weberei Großmann in Brombach und der Ramie-Gesellschaft in Emmendingen durch Streiks lahmgelegt. In Emmendingen hatten Streikleitung und Geschäftsleitung am 9. Juni erfolglos über die Wiederaufnahme der Arbeit verhandelt. Während in Brombach am 13. Juni der Streik beendet wurde, kam es in Emmendingen erneut zu Verhandlungen, in die der Bezirksamtsleiter, der Emmendinger Bürgermeister und Stadträte miteinbezogen waren. Eine vorangegangene Streikversammlung hatte die Wiedereinstellung aller Arbeiter gefordert, was die Streikleitung in den Verhandlungen auch durchzusetzen versuchte. Die Geschäftsleitung weigerte sich jedoch, den Betriebsratsvorsitzenden und Ortskartellführer Zaberer sowie den Arbeiter Schillinger wieder einzustellen. Schließlich wurde am 16. Juni vom Amtsgericht Emmendingen Zaberers und Schillingers Klage auf Wiedereinstellung zurückgewiesen. Inzwischen wurde der Druck auf die immer noch streikenden Arbeiter der Ramie-Fabrik in Emmendingen immer größer. Die Arbeitgeber drohten mit landesweiter Aussperrung, die 20 000 Arbeiter betreffen sollte, falls bis dahin nicht in allen Betrieben der Streik beendet wäre. Am 13. Juni strich schließlich der

Deutsche Textilarbeiterverband die Streikunterstützung für die Arbeiter der Ramie-Gesellschaft und die Behörden beorderten ein 50 Mann starkes Gendarmerieaufgebot zum »Schutz der Arbeitswilligen« nach Emmendingen. Unter diesem großen Druck resignierten schließlich die Arbeiter der Ramie-Fabrik und faßten in einer Streikversammlung am 17. Juni den Beschluß, am 20. Juni die Arbeit wieder aufzunehmen. Zaberer und Schillinger wurden nicht wieder eingestellt.

Nach der Arbeitsaufnahme in Emmendingen wurden erneut landesweit Lohnverhandlungen geführt. Die Arbeitgeber kündigten an, Lohnerhöhungen nur dann zuzustimmen, wenn die Gewerkschaften einer Heraufsetzung der Wochenarbeitszeit von 46 auf 48 Stunden ebenso zustimmten wie einer Ausweitung der Akkordarbeit. Es gelang den Gewerkschaften, die Erhöhung der Arbeitszeit abzuwehren, eine Ausweitung der Akkordarbeit konnten sie jedoch nicht verhindern. Die errungenen Zugeständnisse der Arbeitgeber waren gering, Lohnerhöhungen gab es nur in den oberen Lohngruppen, und sie lagen unter 10 Prozent. Die badischen Textilarbeiter mußten unter schweren Opfern eine große Niederlage hinnehmen. Dieser im wesentlichen verlorene Arbeitskampf hatte deutlich gezeigt, daß unter dem Vorzeichen des Zwiespaltes innerhalb der Arbeiterbewegung kein Kampf zu gewinnen war.

Den Textilarbeitern war es trotz Uneinigkeit diesmal noch gelungen, die Ausweitung der Arbeitszeit zu verhindern. Doch schon im September 1921 gingen die Metallindustriellen Süddeutschlands in die Offensive. Sie wollten die im April 1919 zwischen den Tarifparteien getroffene Vereinbarung über die 46-Stundenwoche wieder rückgängig machen. Im Frühjahr 1922 kam es in fast ganz Süddeutschland zum Arbeitskampf in der Metallindustrie. In Südbaden, das nicht vom Streik betroffen war, beugten sich die Metallindustriellen der Verbandsdisziplin und beschlossen die Aussperrung aller Beschäftigten. Ende Mai wurde der Arbeitskampf allerdings beendet. Die vereinbarten Tarifabschlüsse enthielten zwar beachtliche Lohnerhöhungen, die jedoch bald von der Inflation überholt wurden. In der Frage der Arbeitszeit reichte die Kraft des DMV nicht aus, die Rückkehr zur 48-Stundenwoche zu verhindern.

Die hier geschilderten Arbeitskämpfe sind als Auftakt der Unternehmer zu verstehen, die geltenden Arbeitszeiten auszudehnen und den mit der Revolution erreichten Achtstundentag endgültig wieder vom Tisch zu bringen. In den folgenden Jahren verstärkten sie ihre Bestrebungen, dieses Ziel zu erreichen. Mit dem Auslaufen der Demobilmachungsverordnung im November 1923 war der Achtstundentag nicht mehr gesetzlich verankert und schon bald betrug die tägliche Arbeitszeit wieder 10 Stunden.

Inflation und Septemberaufstände 1923

Das Jahr 1923 brachte einen Höhepunkt verschiedener, miteinander verflochtener Krisen. Die Auseinandersetzungen des deutschen mit dem französischen und belgischen Kapital um Reparationsforderungen führte zur militärischen Besetzung des Ruhrgebiets. Daraus entwickelte sich der sogenannte »Ruhrkampf«, ein von der deutschen Regierung proklamierter teils passiver, teils aktiver Widerstand gegen die Besatzer, der in Teilen der Bevölkerung einen nationalistischen Taumel auslöste.

Auch in Baden marschierten Anfang Februar 1923 französische Truppen ein. Sie besetzten den Mannheimer und Karlsruher Rheinhafen, ebenso Offenburg, Appenweier, Ortenberg und Winschläg und unterbrachen in diesen Abschnitten die Rheintallinie der Reichseisenbahn.

Durch die Unterbrechung dieser Verbindungslinie zwischen dem Reich und dem Ruhrgebiet, dem wichtigsten Industriezentrum, mußte sehr bald eine rasch steigende Zahl von Betrieben die Produktion einstellen. Wachsende Arbeitslosigkeit war die Folge. Damit der Widerstand unter diesen Umständen aufrechterhalten blieb, übernahm die Reichsregierung die Lohnfortzahlungen für alle arbeitslos gewordenen Arbeitnehmer im besetzten Gebiet. Die Forderung der freien Gewerkschaften, diese gewaltig anschwellenden Aufwendungen über eine Sachwertbesteuerung zu finanzieren, hatte keinerlei Erfolg. Vielmehr wurden diese Ausgaben unter Zuhilfenahme der Notenpresse finanziert.

Die Inflation begann sich nun zu überschlagen. Löhne, Gehälter und Unterstützungen vermochten der Teuerung der Lebenshaltungskosten nicht mehr annähernd zu folgen. Die soziale Lage der Arbeitnehmerschaft nicht nur im besetzten Gebiet nahm mehr und mehr katastrophale Züge an. So betrugen z. B. die Stundenlöhne der Bauarbeiter in Weil-Leopoldshöhe in der Woche vom 23. bis 29. August 985 000 Mark, in der anschließenden Woche 1 183 000 Mark. Nach der offiziellen Teuerungsstatistik des »Reichsarbeitsblatts« kosteten in der Woche vom 23. bis 29. August ein Kilo Roggenbrot 414 814 Mark und ein Kilo Schweinefleisch 4 400 000 Mark, in der darauffolgenden Woche war der Preis für ein Kilo Roggenbrot 666 667 Mark, für das Kilo Schweinefleisch 7 200 000 Mark. Während also die Bauarbeiter von Weil-Leopoldshöhe in der letzten Augustwoche für ein Kilo Roggenbrot 25 Minuten und für 1 Kilo Schweinefleisch 4½ Stunden arbeiten mußten, waren es eine Woche später für 1 Kilo Roggenbrot bereits etwa 35 Minuten und für 1 Kilo Schweinefleisch rund 6 Stunden.

Unruhen, die sich Ende Mai im Ruhrgebiet, reichsweit im August und im September in Südbaden zuspitzten, waren die Konsequenz. Mitte September kam es in fast allen Städten Südbadens zu Teuerungsunruhen und Protestdemonstrationen (Dok. 74). Das Zentrum der südbadischen Auf-

Gebietsabtretung, Besetzung und Entmilitarisierung, 1918-1925

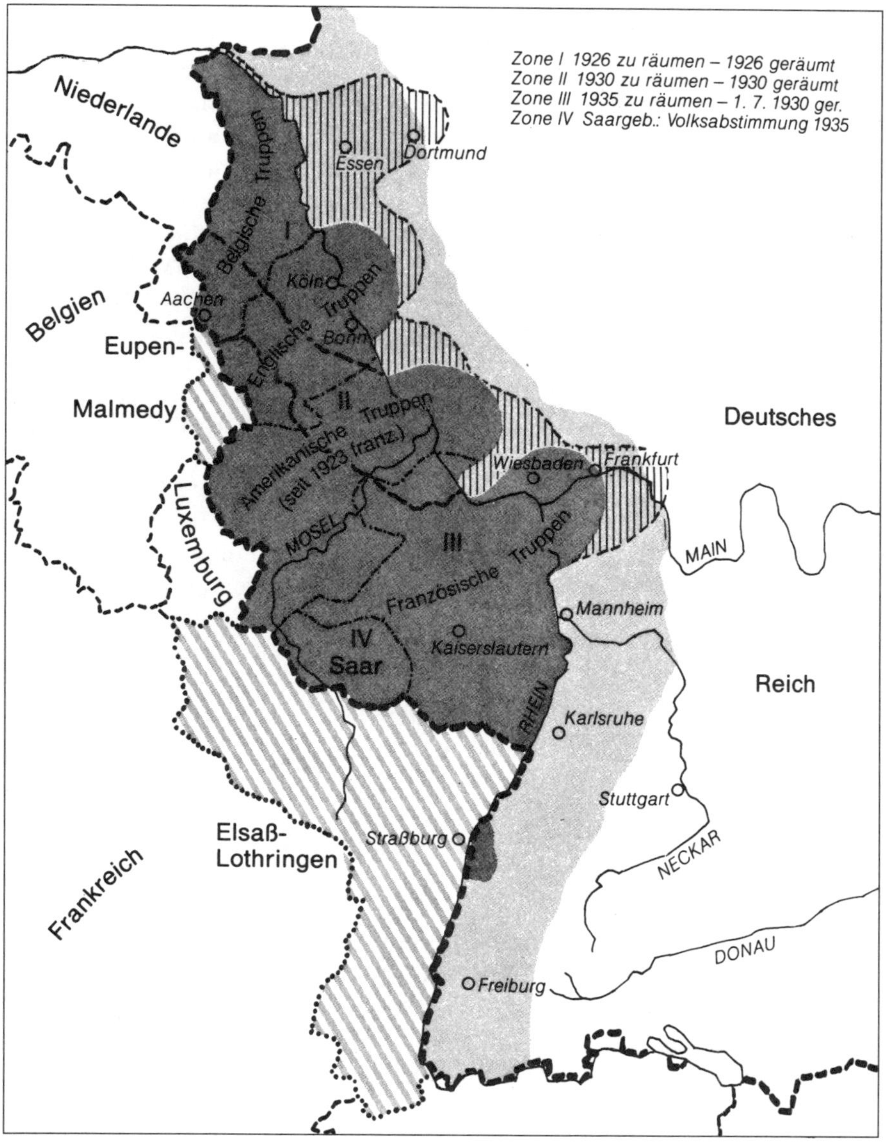

1918 besetztes Gebiet

im Frieden 1920-1925 besetztes Land (Sanktionen etc.)

1919 abgetretene Gebiete

Entmilitarisierte Zone

Quelle: Martin Vogt (Hrsg.), Deutsche Geschichte, Stuttgart 1987, S. 589.

stände lag in Lörrach. Dort zogen am Vormittag des 14. September 1923 etwa 2000 Bauarbeiter, die an einer Großbaustelle für eine Eisenbahnersiedlung in Weil-Leopoldshöhe arbeiteten, in die Lörracher Innenstadt, um dort für eine Verdreifachung ihrer Löhne zu demonstrieren. Dem Zug schlossen sich unterwegs zahlreiche Arbeiter aus Lörracher Betrieben an, so daß sich am Vormittag etwa 15000 Menschen in den Straßen der Innenstadt befanden. Eine 16köpfige Delegation der demonstrierenden Menge verlangte vom Lörracher Oberbürgermeister die Aufnahme von Verhandlungen. Die Behördenvertreter signalisierten ihre Verhandlungsbereitschaft, bemühten sich um die Beiziehung von Arbeitgebervertretern und Vertretern des Lörracher Einzelhandels und setzten den Verhandlungsbeginn auf 15.00 Uhr an. Daraufhin proklamierte der KPD-Stadtrat Herbster vor dem Kreisausschußgebäude, wo die Verhandlungen stattfinden sollten, den Generalstreik. Ab 18.00 Uhr konnte, nachdem Abordnungen aus der versammelten Menschenmenge verschiedene Lörracher Fabrikanten zum Verhandlungsgebäude geholt hatten, im Kreisausschußgebäude verhandelt werden. Schon um 20.30 Uhr konnte der KPD-Abgeordnete Max Bock, der auch Fraktionsvorsitzender seiner Partei im badischen Landtag war, den immer noch ausharrenden Arbeitern den Abschluß eines für die Arbeiter beachtlichen Verhandlungsergebnisses (Dok. 74b) verkünden, das unter anderem die Zahlung einer einmaligen Wirtschaftshilfe von 50 Schweizer Franken, die Zahlung eines »wertbeständigen Lohnes« und die Bezahlung der durch den Streik ausgefallenen Arbeitsstunden vorsah. Den Arbeitgebern forderte dieses Ergebnis nicht allzuviel ab, da sie schon seit Mitte 1922 ihre Abrechnungen entweder in ausländischer oder in Goldwährung machten, die Löhne allerdings in Mark ausbezahlten und so außerordentliche Profite erzielten.

Während der Verhandlungen zog eine Menge von etwa 100 Menschen zum Lörracher Gefängnis, um dort die nach dem Verständnis der Menge als politische Häftlinge einsitzenden Gefangenen zu befreien, was unter Androhung von Gewalt gegen die Aufsichtsbeamten auch gelang. Die auf diese Art »Befreiten« waren fünf junge Männer aus Brombach, alle Angehörige der KPD, die wegen Körperverletzung zu Strafen zwischen zwei und sieben Monaten verurteilt worden waren. Sie hatten das Auto eines Fabrikanten, das sie für ein »Schieberauto« gehalten hatten, angehalten und dessen Insassen verprügelt.

In den beiden folgenden Tagen blieb es in Lörrach relativ ruhig. Am Samstag erfuhr der Lörracher Oberbürgermeister den vom Staatsministerium geplanten Einsatz der Schutzpolizei in Lörrach. Am Sonntag abend erhielt er ein Telegramm aus Freiburg, in dem die Textilindustriellen ihre Zusage, eine einmalige Wirtschaftshilfe zu zahlen, offiziell widerriefen. Am Montag morgen besetzte eine schwer bewaffnete Einheit Schutzpolizei aus Freiburg in Lörrach Post, Amtsgericht und Bezirksamtsgebäude und riegelte den gesamten Gebäudekomplex mit Barrikaden ab. Als den Arbeitern an diesem Morgen in den Fabriken der »Bruch« der Vereinbarung

15 Barrikade während der Arbeiterunruhen in Lörrach, September 1923.

vom Freitag bekannt wurde, kam es in der Lörracher Innenstadt zu tumultartigen Demonstrationen und gewalttätigen Auseinandersetzungen zwischen Schutzpolizei und Arbeitern. In kürzester Zeit verbreitete sich im Wiesental die Nachricht vom Vertragsbruch und der Besetzung Lörrachs. Im ganzen Wiesental wurde daraufhin die Arbeit sofort wieder eingestellt. Massen von Arbeitern zogen an diesem Montag aus allen umliegenden Orten nach Lörrach. Die Tumulte eskalierten, so daß es an diesem Tag zu Schießerein zwischen Polizei und Demonstranten kam, die bis in die Nacht anhielten. Es gab Tote und viele Verletzte, außerdem wurden einige Fabrikanten als »Geiseln« genommen, verschleppt und mißhandelt.

Gleichzeitig wurden auf Vermittlung des badischen Arbeitsministers Engler und des Gewerkschaftssekretärs Kieslich erneut Verhandlungen um die Gewährung einer Wirtschaftshilfe aufgenommen. Am Abend dieses 17. September konnten ähnliche, jedoch einige Verschlechterungen beinhaltende Vereinbarungen wie am 14. September getroffen werden (Dok. 74e und f). Am Dienstag, dem 18. September, gelang es den Organisationen der Arbeiterbewegung mit der Bildung eines Aktionsausschusses die Ereignisse allmählich wieder in den Griff zu bekommen. Ihm gehörten Vertreter der Betriebsrätevollversammlung, der SPD und der KPD an. Der Aktionsausschuß versuchte, zusammen mit Repräsentanten der Kaufleute und Bauern, die Lebensmittelversorgung zu organisieren und den weiteren Verlauf des Streiks in die Hand zu nehmen. Von den Behörden verlangte er den Abzug der Polizei, von der Arbeiterschaft Zurückhaltung und Disziplin (Dok. 74h).

Allmählich beruhigte sich die Lage in der Stadt und der örtliche Aktionsausschuß bemühte sich in Verhandlungen mit dem Staatsministerium, den Abzug der Polizei zu erreichen. Der Aktionsausschuß sicherte zu, sich mit allen Kräften dafür einzusetzen, daß am Montag, dem 24. September, in allen Betrieben die Arbeit wieder aufgenommen würde unter der Voraussetzung, daß am darauffolgenden Tag die Schutzpolizei von Lörrach abgezogen würde. Beide Seiten hielten sich an die Abmachung, so daß ab dem 24. September die Unruhen in Lörrach und im Wiesental beendet waren.

Auch in Emmendingen, Lahr, Ettenheim, Herbolzheim und Freiburg traten nach Bekanntwerden der Lörracher Ereignisse die Arbeiter in Streik, sorgten für Massendemonstrationen und stellten diesselben Forderungen wie ihre Kollegen in Lörrach. In Freiburg hatte das Ortskartell der freien Gewerkschaften mit Erfolg schon für den 12. September zu Demonstrationen und Kundgebungen auf dem Münsterplatz und vor dem Rathaus aufgerufen.

Die badische Regierung reagierte auf die Ausweitung der Streiks mit der Ausdehnung des schon am 18. September über die Amtsbezirke Lörrach, Säckingen, Schönau und Schopfheim verhängten Ausnahmezustandes. Am 19. September dehnte das Staatsministerium den Ausnahmezustand auf die Bezirke Heidelberg, Mannheim, Schwetzingen, Weinheim, Durlach, Karlsruhe, Ettlingen, Rastatt, Lahr, Emmendingen, Freiburg, Müllheim, Waldshut, Stockach und Konstanz aus. Auch die Freiburger Arbeiter erlebten dann den Einsatz der Schutzpolizei, die mit Knüppeln und Schlagstökken den Vorplatz des Freiburger Gewerkschaftshauses räumte. Die Folge dieses Polizeieinsatzes war, daß in Freiburg der Generalstreik einen Tag länger als ursprünglich geplant durchgeführt wurde.

Die Lörracher Unruhen fanden ein gerichtliches Nachspiel, das ein deutliches Licht auf die Justiz der Weimarer Republik wirft. 1924 wurden insgesamt 115 Personen wegen Landfriedensbruch, erschwerten Aufruhrs und anderen Delikten zu Gefängnisstrafen zwischen vier Monaten und zwei Jahren verurteilt. Hinzu kam eine Verhandlung gegen 39 Angeklagte vor dem »Staatsgerichtshof zum Schutz der Republik«, der erst 1922 im Anschluß an den Rathenau-Mord geschaffen worden war. Gegen den Fabrikanten Bogenschütz wurde jedoch nie ein Verfahren angestrengt. In seinem Haus in Stetten waren am 22. September 1923 zwei Maschinengewehre aus Reichswehrbeständen beschlagnahmt und er selbst verhaftet worden. Zurecht brandmarkte die Freiburger »Volkswacht« am 4. Dezember 1924 es als skandalöse Tatsache, »daß die faschistischen Waffenbesitzer des Wiesentals nicht die Strenge des Gesetzes zu verspüren bekamen« und daß im süddeutschen Senat des Staatsgerichtshofes zum Schutze der Republik »Laienrichter aus Bayern, wo Hochverräter der Reaktion täglich neuen Hochverrat gegen die deutsche Republik verüben können, ohne zur

Verantwortung gezogen zu werden, in Freiburg über Arbeiter zu Gericht sitzen«.

Diese Unruhen waren die eine Konsequenz aus dem Ruhrkonflikt, eine dramatische Schwächung des Massenrückhalts der Gewerkschaftsführungen die andere. Ohne Erfolg hatten die freien Gewerkschaften bereits im Februar 1923 begonnen, die Reichsregierung zu drängen, mit einem ernstzunehmenden Reparationsangebot einer Entspannung des Ruhrkonflikts den Weg zu ebnen. Im April war der ADGB-Vorsitzende Leipart mit seinem Vorschlag, den passiven Widerstand gegen die Besatzer einseitig durch einen gemeinsamen Versöhnungsaufruf aller Gewerkschaftsrichtungen abzubrechen, gescheitert. Damit wollte er gleichzeitig die Ablösung des Kabinetts Cuno durch eine große Koalition unter der Führung des DVP-Vorsitzenden Stresemann erzwingen. Sowohl die Christlichen Gewerkschaften als auch die in der Koalitionsfrage uneinige SPD lehnten diesen Plan ab. Die SPD fürchtete um ihre kurz zuvor durch den Zusammenschluß von MSPD und USPD zustande gekommene Einheit und erwartete von Neuwahlen nichts Gutes. Erst als der Druck der Massen ab August 1923 eine revolutionäre Dimension annahm, die wirtschaftliche und soziale Krise die Arbeiterschaft scharenweise den Kommunisten in die Arme trieb und durch einen Generalstreik der Sturz der Regierung Cuno durchgesetzt wurde, versuchte die SPD die Krise in systemerhaltender Weise zu überwinden und trat in eine große Koalition ein.

Als nach der Einstellung des Widerstands Ende September Verhandlungen zwischen Ruhrindustriellen und den Besatzern über die zukünftigen Reparationsleistungen liefen, wurden die Gewerkschaften nicht einbezogen. Die deutschen Bergwerksbesitzer versuchten, die Kosten der Niederlage den Arbeitnehmern aufzubürden. Am 8. Oktober verkündigten sie unter jeder Mißachtung von gesetzlichen Bestimmungen und gültigen Tarifvereinbarungen einseitig die Rückkehr zur Vorkriegsarbeitszeit. Massenarbeitslosigkeit und Inflation hatten die Gewerkschaften so in den Bankrott gestürzt, daß sie unfähig waren, den Fall des Achtstundentags abzuwehren.

Das Instrument der Zwangsschlichtung, das im Oktober 1923 (Dok. 75) geschaffen wurde, trug zeitweilig zur Anhebung der Löhne und Gehälter bei. Außerdem gelang es Reichsarbeitsminister Braun nach zähen Verhandlungen Ende November, Zechenverband und Bergarbeiterorganisationen auf eine Vereinbarung festzulegen, welche für das besetzte Gebiet die Möglichkeit einer tariflich geregelten Verlängerung der Arbeitszeit vorsah. Dies bedeutete faktisch die Rückkehr zur Vorkriegsarbeitszeit. Doch waren die Arbeitgeber in ihrem Bemühen gescheitert, durch die Wiedereinführung von Einzelarbeitsverträgen die Gewerkschaften als Tarifkontrahenten auszuschalten. Aus dieser Überlegung stimmten die ohnehin kampfunfähigen Bergarbeiterverbände Mitte Dezember der Übertragung des Abkommens auf das ganze Reich zu. Gleichzeitig wurde in der Metallindustrie eine Vereinbarung unterzeichnet, die dort ebenfalls die Vorkriegszustände wiederherstellte. Nachdem das Kernstück der sozialen Errungenschaften in

16 Großraumbüro der Aetz- und Emaillierwerke Robert Dold in Offenburg, um 1920.

17 Schlosserei der Aetz- und Emaillierwerke Robert Dold in Offenburg, um 1920.

18 Die Belegschaft der Firma Thyssen in Hausach, um 1925.

den beiden Schlüsselbranchen gefallen war, stand einer allgemeinen Liquidierung nichts mehr im Wege. Die am 31. Dezember 1923 erlassene Arbeitszeitordnung hielt zwar im Grundsatz am Achtstundentag fest, ließ jedoch die Möglichkeit offen, durch tarifvertragliche Regelungen oder behördliche Ausnahmeregelungen den Zehnstundentag und das Zweischichtsystem wieder einzuführen. Tatsächlich führten die Arbeitgeber in den folgenden Monaten Arbeitszeitverlängerungen bis hin zur Sechzigstundenwoche durch und betrieben einen spürbaren Lohnabbau.

Auch in Südbaden ging es in den Arbeitsstreitigkeiten im Jahr 1924 neben Lohnfragen fast immer um die Arbeitszeit. In einer Papierfabrik am Oberrhein z. B. wurde der Firma durch den Schiedsspruch des Sondertarifamtes die Einführung des 12-Stunden-Schichtbetriebes zugebilligt. Die Arbeiter weigerten sich, diesen Schiedsspruch zu akzeptieren. Die erste Schicht verließ nach 8 Stunden den Betrieb. Daraufhin sperrte die Geschäftsleitung die gesamte Belegschaft aus. Nach zwei Monaten erst nahmen die Arbeiter die Arbeit wieder auf. Sie mußten die Bedingungen des Schiedsspruchs annehmen, da eine Weiterführung des Streiks sinnlos und infolge des bindenden Schiedsspruchs ohne rechtliche Grundlage war. Außerdem wurde durch den Übergang vom Dreischicht- auf den Zweischichtbetrieb ein Viertel der Belegschaft nicht wieder eingestellt.

In der badischen Textilindustrie traten bis zum November 1924 sechs neue Lohntarife in Kraft. Doch erst der Tarifabschluß am 2. Juni 1925 erbrachte erstmals nach dem Kriege Reallöhne, die über dem Stand der Vorkriegszeit lagen.

Die Auswirkungen der Krisenentwicklung des Jahres 1923 auf die Gewerkschaften waren fatal. Sie erlitten einen katastrophalen Vertrauensverlust in der Arbeitnehmerschaft, der sich in einem beispiellosen Massenaustritt niederschlug. Auch die südbadische Gewerkschaftsbewegung mußte hohe Mitgliederverluste hinnehmen (vgl. Tab. 7). Die Gewerkschaften hatten im Jahr 1923 viele ihrer Zahlstellen geschlossen. Erst in der zweiten Hälfte des Jahres 1924 kam der Wiederaufbau von Zahlstellen wieder in Gang. In Südbaden richtete der ADGB z. B. in Freiburg, Lörrach, Neustadt, Offenburg und Waldkirch Gewerkschaftshäuser mit Rechtsauskunftsstellen und besoldeten Angestellten ein, die sehr stark von den Kolleginnen und Kollegen aufgesucht wurden.

Die »Zentralarbeitsgemeinschaft«, im November 1918 aus der gemeinsamen Abwehrstellung gegen die revolutionäre Bedrohung geboren, überlebte diese Krise nicht. Anfang 1924 sah der ADGB das Scheitern dieses Versuchs ein und kehrte der ZAG endgültig den Rücken.

Die Arbeitgeberorganisationen hingegen gingen gestärkt aus der Krise des Jahres 1923 hervor. Im »Bund der Badischen Arbeitgeberverbände« mit Sitz in Mannheim waren Ende 1924 insgesamt 24 namhafte industrielle Fachverbände organisiert, auch die Organisationen des Handwerks gewannen in dieser Zeit deutlich an Stärke. Ein Ausdruck dieser Machtverschiebung ist die Abschaffung des 1. Mai als gesetzlicher Feiertag. In der Novemberrevolution hatte die Arbeiterbewegung durchgesetzt, daß der 1. Mai durch die jeweiligen Länderregierungen zum allgemeinen Feiertag erklärt werden konnte. In Baden hatten aufgrund dieser Regelung überall Arbeiter-Maifeiern stattgefunden, deren enorme Teilnehmerzahlen auf die große Bedeutung verweisen, die die Arbeiter diesem Tag beimaßen. Nun wurde im Jahr 1923 in Baden der 1. Mai als gesetzlicher Feiertag abgeschafft, so daß ab 1924 die Arbeitsruhe in den Fabriken am 1. Mai in den Betrieben einzeln vereinbart werden mußte, was häufig zu Konflikten führte (Dok. 76).

Nach der Einführung der Rentenmark im November 1923 normalisierte sich das wirtschaftliche Leben allmählich wieder. 1924 setzte ein zunächst nur leichter konjunktureller Aufschwung ein. Nach einer Unterbrechung im Jahr 1926, als die Arbeitslosenzahl auf über zwei Millionen anschwoll und diese Krise auch Südbaden schüttelte (Dok. 79), setzte sich der Wirtschaftsaufschwung in den Jahren 1927 und 1928 verstärkt fort. Die hohe Arbeitslosigkeit hatte ihre Ursache in einem enormen Rationalisierungsschub. Den Höhepunkt dieser sogenannte »Rationalisierungskrise« erreichte Baden im März 1926 mit mehr als 80 000 Arbeitslosen. Ab Ende 1927 pendelte sich in Baden die Arbeitslosigkeit auf etwa 5 Prozent ein.

Die soziale Lage der Arbeiter verbesserte sich zögernd. Den Gewerkschaften gelang mit der Unterstützung einer sozial engagierten Schlichtungsbürokratie die Anhebung der Löhne. Außerdem war bis 1929 der Achtstundentag wieder zur Norm geworden. Leistungsverbesserungen in der Sozialversicherung machten das soziale Netz sicherer. Vor allem die

1927 eingeführte Arbeitslosenversicherung milderte die Probleme der Betroffenen spürbar und trug zudem dazu bei, den Druck der Arbeitslosen auf die Tariflöhne zu vermindern. Die Hoffnungen der Gewerkschaftsspitzen, das verlorene Terrain in wirtschaftlich besseren Zeiten wieder zurückzugewinnen, erfüllte sich jedoch nicht. Trotz aller errungenen sozialen Verbesserungen in den Jahren bis 1928 konnten sie ihre alte Mitgliederstärke, die 1922 ihren Höhepunkt erreicht hatte, nicht wiedererlangen.

Die Entwicklung der Arbeiterparteien

Während des Ersten Weltkrieges hatten sich mehr als die Hälfte aller sozialdemokratischen Ortsvereine in Baden aufgelöst. Ähnlich wie den Gewerkschaften brachte die Novemberrevolution dann auch der badischen SPD einen starken Mitgliederzulauf. Der Zulauf erreichte im Frühjahr 1920 mit 46962 Mitgliedern den Höhepunkt. In den ersten Jahren der Weimarer Republik betrieb die badische SPD sehr intensiv die Mitgliederwerbung und Mitgliederschulung. Der Bericht des Offenburger Landesparteitages verzeichnet für die Zeit vom 1. April 1920 bis zum 31. März 1922 insgesamt 16690 Parteiveranstaltungen, in 6360 davon wurden Referate oder Bildungsvorträge gehalten.

Ein immer wieder beklagtes Problem innerhalb der badischen SPD war die Frauenbewegung. Der 1922 vom Landesvorstand geäußerte Vorwurf, die Frauenbewegung werde ein unbefriedigender Zweig des Parteilebens bleiben, solange die Parteifrauen nicht selbst die Frauenarbeit in die Hand nähmen, zeigt, wie wenig vertraut den badischen SPD-Funktionären die Vielschichtigkeit der Probleme der Frauenemanzipation waren. Die politische Gleichberechtigung der Frauen blieb solange Papier, wie die Unterorganisationen der SPD dem theoretischen Anspruch ihrer Partei zuwiderhandelten. Seit 1919 konnten sich die Frauen zwar unbeschränkt kommunalpolitisch betätigen, ihre Zahl in den sozialdemokratischen Fraktionen blieb jedoch auffallend gering. In die badische Nationalversammlung entsandte die SPD unter 107 Abgeordneten nur vier Frauen: Sofie Regenscheit aus Singen, Luise Kräuter aus Freiburg, Therese Blase aus Mannheim und Kunigunde Fischer aus Karlsruhe.

Während das Problem »Frauen und Politik« in der badischen SPD zumindest regelmäßig diskutiert wurde, vernachlässigte der Landesvorstand die Jugendarbeit nahezu vollständig. Ab 1924 begann zwar Walter Düsedau seine Arbeit als Parteisekretär und Sachbearbeiter für Jugendfragen. Trotzdem gelang es der badischen SPD auch ab 1924 nicht, ihre Jugendorganisation mit ähnlicher Attraktivität auszustatten, wie die der KPD und der Nationalsozialisten. 1924 erreichte die Mitgliedschaft der Sozialistischen Arbeiterjugend (SAJ) mit 2505 Mitgliedern ihren Höhepunkt. Der größte Teil ihrer Mitglieder kam allerdings aus den nordbadischen Industriezentren, in Südbaden hingegen entfaltete sie nur sehr wenig Aktivität.

Bereits die badischen Kommunalwahlen im Mai/Juni 1919 zeigten eine Verschiebung des Kräfteverhältnisses zwischen SPD und USPD. Die Wahlbeteiligung lag vielfach unter 50 Prozent. Die USPD konnte ihren Anteil auf Kosten der SPD in Mannheim absolut mehr als verdoppeln, relativ mehr als verdreifachen (16,3%). In Karlsruhe konnte sie ihren Stimmenanteil absolut um ein Viertel, relativ um das Zweieinhalbfache steigern. In Lörrach versechsfachte sie sogar ihren absoluten und verzehnfachte ihren relativen Anteil (10,3%). In diesen drei Städten verfügte die USPD jetzt über mehr als ein Drittel der Wählerschaft der SPD, in Offenburg war das Verhältnis sogar zwei zu drei.

Wie im gesamten Reich erlitt die SPD bei den Reichstagswahlen im Juni 1920 auch in Baden eine schwere Niederlage. Sie erhielt 20,1 Prozent und verlor damit gut ein Drittel der im Januar 1919 errungenen Stimmen. Dieses Ergebnis hatte zwar keine unmittelbaren Folgen für die badische Weimarer-Koalitionsregierung, dennoch schränkte es den Handlungsspielraum der badischen Sozialdemokraten in der Regierung ein. Die badische USPD lag mit 10,9 Prozent noch immer klar unter ihrem Reichsdurchschnitt von 17,9 Prozent. 1,5 Prozent der Stimmen entfielen auf die KPD.

Ende 1920 spaltete sich die USPD-Linke von ihrer Partei ab und vereinigte sich mit der KPD. Seit der Vereinigung von Rest-USPD und SPD im Jahr 1922 war auch in Baden die Auseinandersetzung innerhalb der Arbeiterbewegung durch die Polarisierung zwischen SPD und KPD geprägt. Die KPD war außer in Mannheim vor allem im oberbadischen Textilgebiet stark verankert; die oberbadischen Aufstände im September 1923 waren kommunistisch geführt. In Lörrach erhielt die KPD bei den Reichstagswahlen im Mai 1924 mehr als dreimal, bei den Gemeindewahlen 1926 doppelt soviele Stimmen wie die SPD.

Die SPD konnte sich in Baden bis Ende der 20er Jahre einigermaßen behaupten. Während der Weltwirtschaftskrise büßte sie von Reichstagswahl zu Reichstagswahl Stimmen ein, bis sie im November 1932 von der KPD überflügelt wurde, die 14,3 Prozent der Stimmen erhielt (SPD 13%).

19 *Volksversammlung auf der Offenburger Hauptstraße, 27. Juli 1926.*

20 *Demonstration der Kommunisten anläßlich des internationalen kommunistischen Grenztreffens in Rheinfelden, 28. Juli 1929.*

Weltwirtschaftskrise

Noch im Jahr 1928 begann sich das Ende des Wirtschaftsaufschwungs abzuzeichnen. Die Produktion ging zurück, der Absatz kam ins Stocken und sehr viele Betriebe wurden stillgelegt. Allein in Baden steigerte sich die Zahl der Betriebsstillegungen von 166 im Jahr 1927 auf 279 im Jahr 1928 und 887 im Jahr 1930. In Südbaden waren vor allem das Holzgewerbe, die Textil- und Lederindustrie betroffen.

Vom Ausbruch der Krise gingen reichsweit die verheerendsten Wirkungen auf die Beschäftigung aus. Dies betraf insbesondere die Bauwirtschaft und in der Industrie vor allem die Metallbranche, wo es die meisten Massenentlassungen gab. Die Zahl der Arbeitslosen schnellte von reichsweit 647000 im Juli 1928 auf 2,6 Millionen im Februar 1929 und erreichte 6,1 Millionen im Jahr 1932. In Baden erreichte die Arbeitslosigkeit im Jahr 1929 etwa 9 Prozent und stieg im Jahr 1932 auf 27,7 Prozent. Unter diesen wirtschaftlichen Voraussetzungen nahm der Widerstand der Unternehmer gegenüber den Forderungen der Arbeiterbewegung immer mehr zu. Ging es ihnen 1928 zunächst noch darum, Lohnerhöhungen in geringen Grenzen zu halten, forderten die Metallindustriellen im Jahr 1929 einen Lohnstop. Als mit dem Zusammenbruch der New Yorker Börse am 29. Oktober 1929 das kapitalistische Wirtschaftssystem weltweit in seine schwerste Krise geriet, machten sie sich offensiv an den Lohnabbau. In Baden kündigten die Arbeitgeber großer Gewerbegruppen wie der Holz- und Textilindustrie und des Gastwirtsgewerbes die tariflichen Vereinbarungen. Neue Tarifabschlüsse kamen nur noch unter Lohnkürzungen zustande. Auch in Südbaden kam es nur noch ganz vereinzelt zu Streiks, die den Lohnraub auch nicht mehr abzuwehren vermochten. Die Gewerkschaften waren nicht mehr in der Lage, den Angriffen der Unternehmer standzuhalten. Schon seit der Bildung einer großen Koalition unter Beteiligung der SPD im Juni 1928 hatten die Gewerkschaftsführungen einen zurückhaltenden Kurs eingeschlagen. In der verschärften Krise akzeptierten sie die immer stärkeren Lohnabbau beinhaltenden Schiedssprüche und nahmen den beginnenden Abbau sozialstaatlicher Leistungen ohne größeren Widerstand hin.

Die Führung der KPD hingegen sah in der sich zunehmend verschärfenden Krise die Möglichkeit einer revolutionären Veränderung des kapitalistischen Systems. Sie bezeichnete das Vorgehen der SPD als »Sozialfaschismus«, den es aufs schärfste zu bekämpfen galt (Dok. 85) und wandte sich von der zuvor verfolgten Einheitsfrontpolitik ab. Ihren deutlichsten Ausdruck fand diese Politik in der Gründung der Revolutionären Gewerkschaftsopposition (RGO) Ende 1929. In Südbaden, vor allem im Lörracher

Arbeitslosigkeit je 1000 Einwohner im Deutschen Reich, in Baden und in Württemberg, 1923 - 1936

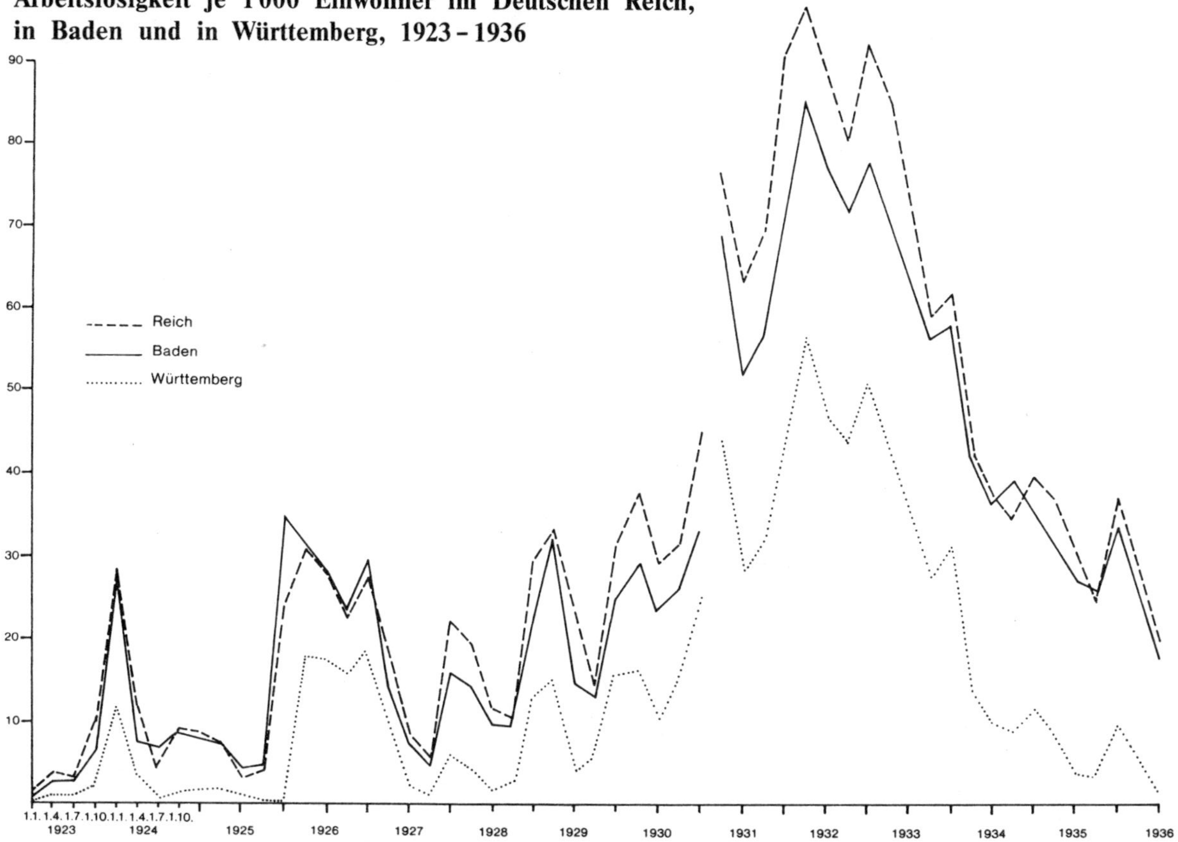

Quelle: Thomas Schnabel (Hrsg.): Die Machtergreifung in Südwestdeutschland, Stuttgart 1982, S. 323.

Raum und in Freiburg, organisierte die RGO noch 1931 verschiedene, teils erfolgreiche Streiks gegen den Lohnabbau. Durch die steigende Massenarbeitslosigkeit verlor die RGO jedoch zunehmend ihre betriebliche Basis, da gewerkschaftlich und politisch aktive Kollegen immer die ersten waren, die entlasssen wurden.

Durch die sprunghaft angestiegene Arbeitslosigkeit wurde die Arbeitslosenversicherung in ein großes Defizit gestürzt und so zum Brennpunkt der politischen Auseinandersetzung. Die bürgerlichen Parteien der Regierungskoalition wollten die Krise durch Kürzungen in den Leistungen der Arbeitslosenversicherung bei gleichzeitiger Steuerentlastung für die Unternehmer bewältigen. Die SPD und der ADGB hingegen forderten, der Krise und den drohenden sozialen Konflikten mit der Hebung der Massenkaufkraft, dem Verbot von Mehrarbeit, mit Beschäftigungsprogrammen und der Einführung der 40-Stunden-Woche zu begegnen. Diese konträren Krisenbewältigungsprogramme führten im März 1930 in der Koalition zum Bruch mit der SPD. Ohne Mehrheit im Reichstag setzte die nun rein bürgerliche Regierung Brüning den Sozialabbau mit Hilfe von Notverordnungen durch. Über das Mittel der Zwangsschlichtung unterstützte die Regierung Brüning auch vehement die Bestrebungen der Unternehmer nach weiterem Lohnabbau, ohne daß sich die freien Gewerkschaften konsequent und geschlossen dagegen zur Wehr setzten. Die SPD ließ sich zur Tolerierungspolitik gegenüber Brünings Notverordnungen verleiten und gab Stück um Stück die Rechte und das Lebenshaltungsniveau der Arbeitnehmer preis und damit die Verteidigung der Verfassung auf. Zu außerparlamentarischen Aktionen konnten sich weder Gewerkschafts- noch Parteiführung entschließen. Vor diesem Hintergrund und der zunehmenden Verelendung der Massen konnte die faschistische Massenbewegung die kleinbürgerlichen Schichten und viele Erwerbslose gewinnen, weil er für viele der einzige Ausweg aus der Katastrophe schien.

Die NSDAP erzielte bei der badischen Landtagswahl von 1929 mit 7 Prozent der Stimmen ihren ersten aufsehenerregenden Erfolg in Deutschland. Sechs Abgeordnete konnte sie in den badischen Landtag schicken. In diesem Jahr waren die Geldgeber aus der Wirtschaft noch rar. In Südbaden war es lediglich der Aluminiumfabrikant Emil Tscheulin aus Teningen, der die badische NSDAP mit nennenswerten Geldbeträgen unterstützte. Den Durchbruch schaffte die NSDAP bei den Reichstagswahlen 1930, wo sie in Baden 19,2 Prozent der Stimmen erhielt. In den Amtsbezirken Müllheim, Oberkirch und Lahr lag ihr Ergebnis deutlich höher als in den anderen badischen Amtsbezirken.

Zur nationalsozialistischen Agitation gehörten Diffamierung der politischen Gegner, Gewalt und Straßenterror (Dok. 89). Ein typisches Beispiel für das Vorgehen der Nazis war eine SPD-Versammlung mit Minister Adam Remmele am 5. August 1930 in Offenburg. Dort gelang es einer größeren Gruppe Nationalsozialisten unter der Führung des späteren nationalsozialistischen badischen Ministerpräsidenten Walter Köhler, die Ver-

Stimmenanteil der NSDAP in Baden, Württemberg und Hohenzollern bei der Reichstagswahl (in Prozent), 31. Juli 1932

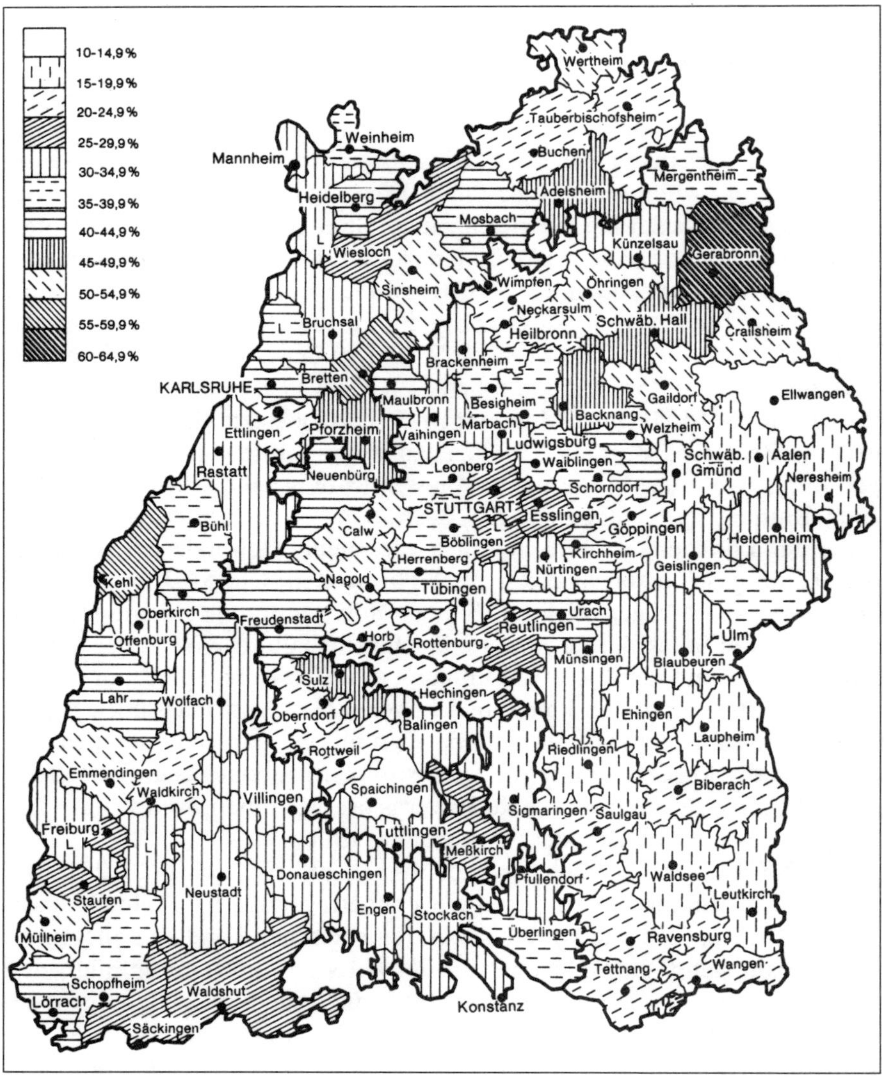

Quelle: Thomas Schnabel (Hrsg.): Die Machtergreifung in Südwestdeutschland: Das Ende der Weimarer Republik in Baden und Württemberg 1928–1933, Stuttgart 1982, S. 316.

sammlung zu sprengen. Unter Sprechchören wie »Wer hat uns verraten? Die Sozialdemokraten!«, »Wer wird ausmisten? Die Nationalsozialisten!« und »Wer macht uns frei? Die Hitlerpartei!« sowie anderen Verhöhnungen zwangen sie Minister Remmele und seine Anhänger, das Versammlungslokal zu verlassen.

Bei den Reichstagswahlen 1930 bis 1932 zeigten die Bewohner Badens keine größere Widerstandskraft gegenüber dem Nationalsozialismus als die anderer Teile des Deutschen Reiches. Die Ergebnisse wichen mit 19,2 Prozent im September 1930, mit 36,9 Prozent im Juli 1932 und 34,1 Prozent im November 1932 für die NSDAP jeweils nur geringfügig nach unten oder oben vom Reichsdurchschnitt ab. Auch in Baden wies die parlamentarische Demokratie, wie aus diesen Zahlen abzulesen ist, trotz des breiten Konsens unter den staatstragenden Parteien und der geringen Polarisierungstendenzen in den Anfangsjahren der Weimarer Republik keine größere Stabilität auf als in den übrigen Reichsgebieten.

Mit dem Erstarken der NSDAP wuchs auch der Terror, weshalb sich die SPD und der SPD nahestehende Organisationen sowie die freien Gewerkschaften im Reichsbanner und ab Dezember 1931 in der Eisernen Front zusammenschlossen. Die Kommunisten hatten den Roten Frontkämpferbund (RFB) gegründet. Immer häufiger kam es zu blutigen Auseinandersetzungen zwischen den Schlägertrupps der NSDAP und den Schutzorganisationen der Arbeiterbewegung. Die Polizei leistete den Gewalttaten der Nazis Vorschub, indem sie deren Provokationen oft ungesühnt ließ, dafür aber um so schärfer gegen Kommunisten und Sozialdemokraten vorging.

Teile des Großkapitals waren schon im Oktober 1931 in der »Harzburger Front« ein formelles Bündnis mit Hitler eingegangen. Sie waren davon überzeugt, daß die beiden Parteien der Arbeiterbewegung keine Einheitsfront bilden und keinen Bürgerkrieg riskieren würden. Als die Reichstagswahlen im November 1932 der NSDAP einen deutlichen Stimmenrückgang brachten und der Höhepunkt ihres Masseneinflusses überschritten schien, war es für führende Industrielle, Bankiers und Großagrarier Zeit zu handeln. Sie forderten Hindenburg auf, Hitler zum Reichskanzler zu ernennen. Mit Hitler wollten sie den Führer ihrer wichtigsten Hilfstruppe gegen die Arbeiterbewegung an die Macht bringen.

21 Haus der NSDAP-Kreisleitung in Freiburg [1932].

Die Novemberrevolution und die Arbeiter- und Soldatenräte

a) Bericht über die Revolutionsereignisse in Lahr von August Heinz, 1. Vorsitzender des Soldatenrats Lahr, 7.–21. November 1918

August Heinz: Die Revolution in Lahr, Lahr 1919.

Es ist 7 Uhr abends des denkwürdigen 7. November 1918. Die Straßen sind voll von Soldaten, untermischt mit Zivil. Alles drängt und schiebt sich, seit 1914 wieder das erste Mal. Vollgepfropft sind die Wirtschaften und Lokale, erregte Stimmen überall; es schleicht umher das Ungewisse und doch Bewußte. Keiner noch ahnt, wie weittragend die nächsten Stunden sein werden. Was gibt's, frägt man hier, dort kommt dieselbe Frage als Antwort zurück. Es gährt, es murmelt, doch immer noch unbestimmt, was soll denn kommen!

In den öffentlichen Lokalen werden kurze, aufklärende Ansprachen gehalten von Kameraden, die in überzeugender Weise den Bankrott des bestehenden und dem Untergang geweihten Militarismus geißeln. Die Kameraden werden zur Ruhe aufgefordert, um im gegebenen Augenblick, wenn die Zeit gekommen, aufzustehen und dieses mit großer Geduld 4½ Jahre getragene Joch abzuschütteln. Die Stunde naht, der Augenblick kommt, wo der einzelne seinen Mann zu stellen hat, das große Werk zu vollbringen, das alte Regiment zu stürzen und ein neues aufzubauen. Um 11 Uhr werden die Lokale geschlossen, die Soldaten kehren in die Kaserne zurück, lebhaft erregt das Vorgefallene besprechend und gespannten Auges dem kommenden Morgen entgegensehend. Noch wird hie und da in den Stuben der Kasernen bis spät in die Nacht das Neue besprochen. Vereinzelt werden die Lichter gelöscht, nur noch in zwei bis drei Stuben sitzen einige entschlossene und tatkräftige Männer beisammen, die den Morgen zur kommenden Revolution in sachlichen Darlegungen und planmäßigen Ausführungen durchsprechen. Auch diese Lichter erlöschen. Alles liegt in gespannter Ruhe. Kaum graut der Tag, in tiefster Ruh noch schläft das Städtchen Lahr. Entschlossene Kameraden erheben sich vom Lager, kleiden sich rasch an, einen Trunk schwarzen Kaffees und einen Bissen Brot zu sich nehmend, durcheilen sie die Stuben der Kasernen. »Aufstehen!«, ruft es. Aber diesmal ist es nicht der diensthabende Unteroffizier, sondern die von dem Geiste der Revolution beseelten Kameraden. Rasches Ankleiden und in kürze stehen Hunderte von Soldaten in den Gängen und auf dem Hof. Ein Hin und Her, als wenn Befehl zum Alarm gegeben worden wäre, eilt man von Stube zu Stube, von Gebäude zu Gebäude mit dem

Rufe: »Die Waffen heraus!«, um den Gewalthabern entgültig zu zeigen, daß der Tag zur Abrechnung gekommen ist. Es naht die siebente Stunde, die Sonne steigt blutrot im Osten herauf, grell funkeln die Dächer der Stadt. »Antreten!«, erschallt der Ruf der Besonnenen.

Wie auf Kommando schließen sich Gruppen zu Gruppen, Züge zu Zügen an, immer mehr und mehr Soldaten erscheinen im Kasernenhof, ohne Waffen, kein einziger trägt sein Seitengewehr, nur einige erkennt man als die Führer an den weißen Binden, auf deren Kommando »Marsch!« sich die Massen in Bewegung setzen. Hinaus fluten die Soldaten, als Banner der Freiheit weht die rote Fahne. Und so zieht man von Straße zu Straße durch die Stadt der Luftschiffhalle. Die Sonne steigt immer höher. Im herrlichen Morgen schlängelt sich gleich einer Schlange ein fast unendlicher Zug, geordnet und Disziplin haltend, auf den freien Flugplatz bei Dinglingen. Auf einen Tisch steigend, heißt Kamerad Schulenklopper alle Anwesenden auf das herzlichste willkommen. Er mahnt die Waffen zur Ruhe, legt in klaren Worten die Ziele der Bewegung auseinander und fordert, daß aus ihrer Mitte ein Soldatenrat gewählt werde, im Sinne des Kieler Programms. Zum Vorschlag kommen folgende Soldaten: Schulenklopper, Bartosch, Bothmer, Heitzmann, Morseck, Heinz und Dreßler. Als Redner der Bewegung schilderte Kamerad Heinz in markanten Worten die Entstehung des Krieges sowie das verbrecherische Treiben der Machthaber Deutschlands. Er geißelt in scharfen Worten die Treiberei der Vaterlandspartei, der Lebensmittelwucherer und Heereslieferanten während des Krieges; deckte die Machenschaften der militärischen Kaste auf, die mit Lug und Trug das deutsche Volk während der viereinhalb Jahre betrogen hat, vor allem die herrschsüchtigen Intrigen Ludendorffs. Dann ging er zu den Forderungen des Volkes bezüglich Abdankung des Kaisers und der deutschen Bundesfürsten über. Die Massen forderte er auch zu Ruhe und Ordnung, sowie Enthaltsamkeit in der Gewalt auf. Der Redner erinnerte an die Schwere des Augenblicks und ermahnte die Massen, geschlossen und einig das gesteckte Ziel zu verfolgen, weder nach rechts noch nach links zu schauen und den Kampf für Freiheit und Recht aufzunehmen für Deutschlands Größe zum Aufstieg der Menschheit, die nach tausendjährigen Wunden aus dunkler Nacht endlich erwacht ist, die Fesseln abgestreift hat, um selbst über sich zu bestimmen. Mit dem Rufe: »Es lebe die Revolution, es lebe die freie deutsche Republik!«, schließt der Redner. Es ertönt der Ruf zum Sammeln und in geschlossenem Zuge rükken die Massen ab, ziehen wiederum durch die Straßen Lahrs zu den Kasernen.

Wohl erschrecken die Bürger und mancher mag vor Furcht sich nicht aus dem Hause gewagt haben. Alles glaubt, nun beginnt ein Rauben und Morden. Jedoch alles vollzieht sich ohne die geringste Störung in geordneter Bahn. Eine Abteilung des Infanterieregiments 113 mit Maschinengewehren von Freiburg wird herbeigerufen, doch auch diese kann nichts ändern; eine Delegation der Revolutionäre erreicht den vollständigen

Anschluß der 113er an die Bewegung. Der gewählte Soldatenrat tritt im Gasthaus »Zum Warteck« zu einer Sitzung zusammen. Hier wird das Programm ausgearbeitet, um es dem Garnisonskommando zu unterbreiten. Es werden folgende Leitsätze aufgestellt:

I. Freilassung sämtlicher inhaftierten politischen Gefangenen, dazu aller Gefangenen, die sich wegen leichten disziplinarischen Vergehen, unerlaubter Entfernung und Fahnenflucht strafbar gemacht haben. Es wird ein Komitee gebildet, das die einzelnen Fälle untersucht. Entehrende Strafen schließen wir von unseren Forderungen aus. In Zukunft werden dem Militärgericht 2 Beisitzende aus der Mitte der Soldaten zugeteilt.

II. Vollständige Rede- und Pressefreiheit, auch in den Kasernen. Politische Beeinflussung mittels Dienstgewalt ist nicht statthaft. In den Kasernen dürfen außerhalb des Dienstes Zusammenkünfte abgehalten werden. Vorträge des sogenannten vaterländischen Unterrichts, die zur Verschleierung der Lage dienen, fallen fort. Die Vorträge dürfen nur zwanglos angesetzt werden. Dasselbe gilt vom sonntäglichen Kirchgang.

III. Sachgemäße Behandlung der Mannschaften durch die Vorgesetzten. Sachgemäße Unterbringung der Mannschaften in den Kasernen. Zustände, wie sie bis heute, speziell in der Genesenenkompanie 171 geherrscht haben, sind vollständig unzulässig und schlagen den niedrigsten hygienischen Forderungen ins Gesicht.

IV. Straffreier Verkehr sämtlicher Kameraden untereinander.

V. Transporte ins Feld unterbleiben bis die jetzt im Gange befindlichen Unterhandlungen über den Waffenstillstand abgeschlossen sind. Bei Untersuchungen auf Ausrückfähigkeit sind den beratenden Offizieren auch Soldaten zuzuteilen, die das Vertrauen der Soldaten genießen.

VI. Alle Schutzmaßnahmen mit Blutvergießen haben zu unterbleiben. Wir verlangen die sofortige Zurücksendung fremder Truppenteile, die zur Aufrechterhaltung der Ordnung nach hier befohlen sind. Der Soldatenrat gibt die Garantie für Ruhe und Ordnung.

VII. Alle Maßnahmen zum Schutze des Privateigentums und gegen undisziplinierte Ausschreitungen werden vom Soldatenrat selbst getroffen und festgelegt. Von jeder Kompanieformation sind ständig Patrouillen von 5 Mann bestimmt, die durch weiße Binden kenntlich gemacht sind, um gegen alle Ausschreitungen vorzugehen. Dieselben tragen vorläufig keine Schußwaffe.

VIII. Es gibt außer Dienst keine Vorgesetzten. Der Gruß außer Dienst ist kameradschaftlich und ohne Zwang. Es wird gewünscht, daß der außerdienstliche Verkehr zwischen Vorgesetzten und Untergebenen ein kameradschaftlicher ist.

IX. Unbeschränkte persönliche Freiheit jedes Mannes von Beendigung des Dienstes bis zum Wiederbeginn desselben. Von 10 Uhr nachts an hat jeder Soldat in der Kaserne zu sein. Urlauber werden in weitgehendstem Maße berücksichtigt. Begründeten Gesuchen außerhalb der Kaserne zu wohnen, muß stattgegeben werden. Falls ein Mißbrauch von den Vergünstigungen gemacht wird, kann die Erlaubnis nach Prüfung zurückgezogen werden.

X. Jeder Angehörige der Zentralkommission, deren Zahl noch festgesetzt wird, sowie die den einzelnen Kompanien zugeteilten zwei Vertrauensleute sind vollständig dienstfrei, die Immunität dieser Leute muß gesichert werden. Angehörige der Zentralkommission und die Vertrauensleute können nur von Soldaten selbst gewählt werden. Eine Versetzung ist unmöglich. Leute, die aus der Zentralkommission durch Verfügung der Soldaten ausgeschieden werden, dürfen in keiner Weise für ihre Tätigkeit leiden, die Vertrauensleute in den einzelnen Kompanien nehmen Beschwerden entgegen. Falls keine Einigkeit in den einzelnen Kompanien erzielt werden kann, entscheidet die Zentralkommission.

XI. Sämtliche in Zukunft nötigen Maßnahmen sind durch Mitglieder der Zentralkommission zu prüfen.

XII. Alle Vorgesetzten, welche mit diesen Maßnahmen einverstanden sind, begrüßen wir als unsere Kameraden, jedoch haben die, welche damit nicht einverstanden sind, den Dienst zu quittieren.

Der Soldatenrat.

Um 3 Uhr nachmittags bewegen sich noch einzelne Trupps Soldaten durch die Stadt, und wie der Sturmwind verbreitet sich die Nachricht, daß Bayern als erster Bundesstaat Deutschlands in der Nacht vom 7. auf den 8. November durch den Arbeiter-, Bauern- und Soldatenrat als Republik in München ausgerufen wurde. Eine provisorische Regierung unter dem Vorsitze Kurt Eisners wurde gebildet. Diese und verschiedene aus andern Städten Deutschlands günstigen Nachrichten konnten nur die Stimmung der Soldaten aufs höchste steigern, und man kann ein Herz und eine Stimme nur hören: »Nieder mit dem Militarismus, hoch die Revolution!«

Um 4 Uhr nachmittags begeben sich die 4 Mitglieder des Soldatenrats, Schulenklopper, Heinz, Dreßler und Bothmer zum General von Bock, um über die Situation und Forderungen der Soldaten zu verhandeln. Ohne Waffen harrt die Delegation der Ankunft des Generals. Nach ungefähr 10 Minuten erscheint er in Begleitung seines Adjutanten und mehrerer Offiziere. Die Abgesandten waren sich einig, das Militärische abzustreifen und mit den Worten: »Guten Tag, Herr General«, den Herrn zu begrüßen. Ehe in die Verhandlungen eingetreten wird, wird die Immunität beider Teile festgestellt. Dann wird gefordert, daß die bis zur Stunde geschlossenen Tore von 2/E 66 geöffnet werden sowie der Abtransport der 113er. Nach längerem Sträuben sämtlicher Offiziere werden jedoch die gestellten Punkte angenommen und zur Tagesordnung übergegangen. Die Verhandlung zieht sich über eine Stunde hinaus und man ist sich am Schlusse einig, daß vom nächsten Tage an der Dienst wie zuvor, jedoch ohne Waffen, hauptsächlich Arbeitsdienst, zu verrichten ist; die in Untersuchungshaft und mit leichten Strafen bedachten Kameraden sind nach Einsicht der Akten freizugeben und weitere Verhandlungen für den nächsten Morgen anzusetzen.

Um 8 Uhr abends finden im »Eden-Kino«, »Rappen«, »Pflug« sowie »Krone« Lahr und Dinglingen Versammlungen statt, in denen das Ergebnis der Verhandlungen bekanntgegeben wird. Alle diese Lokale sind bis auf den letzten Platz besetzt, und nur dem Auftreten von besonnenen Männern ist es zu verdanken, daß keine Gewalttaten vorkamen, da die radikalen Elemente in der Minderheit blieben. Im »Eden-Kino« jedoch haben verschiedene Richtungen die Oberhand gewonnen, und es hat die Gefahr bestanden, daß die öffentliche Ruhe und Sicherheit gefährdet werden könne. Durch das Auftreten der Kameraden Heinz und Schulenklopper gelingt es, die Massen zur Einsicht und Ruhe zu bringen, da nur auf diesem Wege die Forderungen der Soldaten durchgebracht werden können. Der Soldatenrat nimmt seine Tagung 11½ Uhr nachts wieder auf. Kaum eine halbe Stunde später wird gemeldet, daß in den Wirtschaften sowohl wie in den Kasernen radikale Elemente zu Gewalttätigkeiten übergreifen wollen. Die aufgestellten Sicherheitsmannschaften laufen von Lokal zu Lokal, in den Kasernen von Stube zu Stube und fordern alle auf, um Mitternacht im »Eden-Kino« zu einer nochmaligen Versammlung zu erscheinen, da der Soldatenrat beschlossen habe, sobald es zu Gewalttätigkeiten komme, sofort zurückzutreten und den radikalen Elementen die Führung zu überlassen. Diese Beschlüsse des Soldatenrats waren von Wirkung. Nochmals gelingt es Schulenklopper und Heinz, die Massen zu beruhigen, indem sie in klaren Worten die jetzige Situation darlegen, ermahnen dringend zur äußersten Ruhe und Besonnenheit in dieser schweren Schicksalsstunde des deutschen Volkes, wo nur etwas zu erreichen sei, wenn sich alle den jetzigen Anordnungen der Soldatenräte fügen. Vor allem wird klar gelegt, daß sich die mächtigste aller Revolutionen abspielt, die an Größe und Entschlossenheit die Welt noch nicht gesehen. Da in diesem schrecklichsten aller Kriege Millionen um Millionen Opfer gefallen sind, so muß es die Aufgabe aller sein, jedes weitere Blutvergießen zu verhüten. Bis halb zwei Uhr gelingt es, die Massen geordnet in die Kasernen zurückzuführen. Um die zweite Stunde früh tagt der Soldatenrat abermals, um das Ergebnis des vergangenen Tages zu besprechen und die Anordnungen für den kommenden Tag festzulegen. Schon beim grauenden Morgen versammelt sich der gesamte Soldatenrat und die Vertrauensleute in dem ihnen zur Verfügung gestellten ehemaligen Lesezimmer der Genesungskompanie 171.

Von seiten der Regierung war Herr Landtagsabgeordneter Massa bestimmt, der mit Schulenklopper die Gefangenen, die lediglich mit disziplinarischen Strafen bedacht waren, nach Einsicht der Akten auf freien Fuß setzte. Diejenigen, die wegen Diebstahls, vor allem an den eigenen Kameraden, im Gefängnis saßen, wurden nicht freigelassen. Fortwährend fanden hieran anschließend Verhandlungen mit dem General sowie den Kommandeuren der Bataillone und verschiedenen hier liegenden Formationen statt. Flugblätter, die zur Ruhe und Ordnung mahnten, wurden unter die Soldaten und Zivilbevölkerung verteilt. Um 3 Uhr nachmittags fand eine Versammlung in der Exerzierhalle E 169 statt. Cirka 5 000–6 000 Soldaten, einschließlich sämtlicher Offiziere, nahmen daran teil. Der 1. Vorsitzende Schulenklopper eröffnete die Versammlung, gab in kurzen Zügen die Ereignisse der beiden letzten Tage bekannt und erteilte Herrn Massa das Wort. Dieser erläuterte die jetzige Revolution in Deutschland und ermahnte zur Ordnung und Ruhe, denn nur dadurch können die Früchte der Revolution gewahrt werden.

Als zweiter Redner schilderte Heinz in klaren Worten die Ursachen der Revolution, unterzog die Machenschaften der deutschen herrschenden Klassen einer scharfen Kritik, ermahnte alle anwesenden Kameraden und Offiziere, ihre Pflicht im neuen Volksstaat zu erfüllen, und daß jeder, der sich nicht auf den Boden der Bewegung stellt, von uns als Gegner erachtet wird und folglich die Konsequenzen zu ziehen hat.

Vor allem richtete der Redner einen Appell an die Offiziere, das Alte von sich zu werfen und ihre ganze Kraft der jetzigen Regierung zur Verfügung zu stellen, erklärte ihnen, daß es Pflicht jedes einzelnen sei, in diesen ernsten schweren Zeiten dem Vaterland zur Seite zu stehen. Ein jeder hat auf seinem Posten zu bleiben, seine Pflicht zu erfüllen und wer sich außerhalb der Bewegung stellt, hat den Dienst zu quittieren. Verschiedene Herren nahmen an der Aussprache teil. Vor allem von den Offizieren Herr Peters, der in offener Weise seine politische Anschauung kundgab, kein Hehl daraus machte, daß er ein Verfechter der Revolution sei und den Augenblick schon längst herbeigesehnt habe, wo das alte System zusammenbricht. Er richtete vor allem den Apell an die Offiziere, umzulernen und ihre Pflicht wie zuvor zu erfüllen. Die Bekanntmachung, daß der Kaiser abgedankt habe, daß Deutschland zur Republik ausgerufen ist, erfüllte den Raum mit anhaltenden Hochrufen auf das neue Deutschland. Der Vorsitzende ermahnte nochmals die Kameraden zur Enthaltsamkeit, warnte vor Gewalttätigkeit und betonte vor allem, daß jeder den notwendigen Dienst zu verrichten hat, nur dadurch können die Früchte der Revolution gewahrt bleiben.

Hierauf Schluß der imposanten, zum ersten Male in militärischen Räumen von Mannschaften und Offizieren besuchten, in revolutionärem Geiste gehaltenen Versammlung. Daran anschließend trat der Soldatenrat zu einer Sitzung zusammen, in welcher sich mehrere Offiziere freiwillig zur Verfügung des Soldatenrats stellten. Daß nun dieses Ersuchen nicht sogleich angenommen werden konnte, ist ohne weiteres klar, es wurde aber den Herren mitgeteilt, daß am folgenden Montag, den 11. November eine Versammlung auf dem Kasernenhof stattfindet, zu der alle Truppenteile Lahrs eingeladen sind, wo dann der endgültige Soldatenrat gewählt wird; wir unsererseits hätten nichts dagegen, wenn von den Mannschaften

Offiziere, die das Vertrauen derselben haben, in den Soldatenrat gewählt werden.

Am nächsten Tage, den 10. November fanden vormittags Unterhandlungen statt bezüglich Diensteinteilung und Beschwerden aller Art. Nachmittags, 3 Uhr fand eine nach Tausenden zählende Versammlung statt, in welcher der Redakteur der »Volkswacht«, Weißmann aus Freiburg, sprach. In längeren Ausführungen, oft mit tosendem Beifall unterbrochen, geißelte er das alte Regime, deckte die Schäden der in die Brüche gegangenen Regierung auf, unterzog die militärischen Machthaber, vor allem Ludendorff, einer scharfen Kritik und kam dann zur Verlesung des Waffenstillstandsvertrages. Manchen Anwesenden rollten da die Tränen über die Wangen, als die schmachvollen Bedingungen unterbreitet wurden. Heinz als Vertreter des Soldatenrates erklärte, daß er voll und ganz mit den Ausführungen des Referenten einverstanden sei, schilderte dann die Bewegung in Lahr, forderte die Anwesenden auf, volles Vertrauen zum Soldatenrat zu haben, der als jetzige Macht während der Übergangszeit, bis wieder geordnete Verhältnisse eintreten werden, die Geschicke Deutschlands und Badens mitbestimmen wird. Seine Rufe: »Es lebe die freie deutsche Republik, es lebe die Revolution!«, wurden stürmisch aufgenommen. Die Genossin Frau Unger von der Unabhängigen Sozialdemokratischen Partei forderte die Arbeiterschaft Lahrs zu einer Demonstration auf, um den Unternehmern und Bürgern Lahrs zu zeigen, daß die Arbeiterschaft erwacht ist, um endlich ihre Fesseln abzustreifen. Einen warmen Apell richtete der Leiter der Versammlung, Herr Stadtrat Richter, an die Anwesenden, vor allem der sozialdemokratischen Partei sich anzuschließen, die Parteipresse zu lesen, sich gewerkschaftlich zu organisieren und mitzuarbeiten an dem neuen Volksstaat.

Um 8 Uhr abends fand eine vom Soldatenrat einberufene Offiziersversammlung statt, wo laut Garnisonbefehl alle Offiziere zu erscheinen hatten. Die Versammlung fand im Offizierskasino E 169 statt, in welcher Heinz als Vertreter des Soldatenrats folgende Forderungen der Soldaten vortrug:

1. Gleiches Essen.
2. Aufheben der Offiziersküche.
3. Verbot des Tragens von Waffen von seiten der Offiziere außer Dienst.
4. Einheitliches Tragen der deutschen Kokarde.
5. Abnehmen der Achselstücke.
6. Übernahme des Offizierskasinos durch den Soldatenrat.

Heinz begründete eingehend die Notwendigkeit der Annahme der Forderungen, erklärte aber bestimmt, im Falle einer Weigerung von seiten der Offiziere, bei etwaigen dann ausbrechenden Ausschreitungen, die Verantwortung nicht auf sich nehmen zu können. Er stellte den Herren jedoch frei zu entscheiden. Kamerad Schulenklopper legte in längeren Ausführungen die politische Lage dar und die Gründe für den Untergang des alten Systems. Heinz schlug vor, die Herren mögen selbst beraten und eine Delegation in das nebenliegende Zimmer entsenden, worauf wir in längstens 30 Minuten Bescheid erwarten. Nach 10 Minuten erschien als Vertreter der Herren, Herr Rittmeister Heidlauff, unterbreitete die Beschlüsse der Offiziere, welche alle Punkte angenommen hatten. Verschiedene Offiziere entfernten noch im Beisein des Soldatenrates die Achselstücke. Hier anschließend entspann sich eine gegenseitige lebhafte Aussprache.

Am Montag, den 11. November fand um 10 Uhr eine große Versammlung auf dem Kasernenhof statt, in welcher der endgültige Soldatenrat gewählt wurde. Sämtliche Soldaten der Garnison waren erschienen. Heinz berichtete über die Ergebnisse der letzten Tage sowie über die fortschreitende Revolution in Deutschland und geißelte scharf das Benehmen derjenigen Kameraden, die feige ihren Truppenteil verlassen. Im weiteren unterzog er diejenigen Elemente einer scharfen Kritik, die den Augenblick dazu benutzten, die Kammern zu plündern und sich an dem Volkseigentum, das doch das Volk wieder zu zahlen hat, vergreifen.

Das Ergebnis der Wahl war wie folgt: Gewählt wurden Heinz als 1. Vorsitzender, Schulenklopper als 2. Vorsitzender, ferner die Kameraden Behrend, Geiser, Gebhardt, Bartosch, Hübner, Stoßberg, Alscher, Lutz, Odenheimer, Baruch, Bierwirt, Großmann, Adameit. Hierauf folgte Übernahme der Zimmer des Offizierskasinos als Büroräume. In der abends, 6 Uhr stattgefundenen Sitzung wurde beschlossen, daß durch den Soldatenrat insofern das Garnisonkommando zu übernehmen ist, daß der 1. Vorsitzende Heinz gegenzeichnet, folglich alle Standortbefehle und Verfügungen nur mit Einverständnis des Soldatenrates ausgegeben werden können. Als vorläufige Gerichtskommission wurden Hauptmann Behrens, Leutnant Gebhardt und Gefreiter Odenheimer gewählt.

Am folgenden Tage wurden die Vertreter der Presse, der Polizei sowie der Arbeiterschaft Lahrs zu einer engeren Sitzung eingeladen, worin der Soldatenrat beschließt, in allen wichtigen, die Allgemeinheit betreffenden Angelegenheiten die Kontrolle auszuüben, so in bezug auf Lebensmittel, Sicherheitsdienst usw. Die Polizeistunde wird auf 10 Uhr festgesetzt, der Sicherheitsdienst tritt überall voll in Tätigkeit, die Behörden sind zu ersuchen, sich den gegebenen Verhältnissen anzupassen; ferner ergeht ein Aufruf an die Einwohner der Stadt Lahr und Umgebung, der zur Ruhe und Ordnung ermahnt, auffordert, jegliche Gegenrevolution zu unterlassen, da der Soldatenrat mit allen Mitteln einer derartigen Bewegung entgegentreten würde. Dem Antrag der Vertreter der Arbeiter, der Herren Richter, Knödler und Dürr, daß dem Soldatenrat der Arbeiterrat Lahr anzuschließen ist, wurde einstimmig zugestimmt, so daß es nunmehr Soldaten- und Arbeiterrat heißen wird. Somit war das Band der Soldaten und frei organisierten Arbeiter Lahrs enger geschlossen, zum Wohle aller.

Die kommenden Tage geben ein schönes Bild durchziehender Truppen vom Westen, rote Fahnen, das Banner der Freiheit auf den Geschützen, Pferden usw. Soldatenräte der fremden, täglich nach Tausenden zählenden

Truppen, erkennt man an den roten Binden. Das Büro des Soldatenrats ist stündlich von hunderten Soldaten belagert, die ihre Wünsche und Beschwerden vorbringen, bezüglich Entlassung, Bekleidung, Verpflegung usw. Eine Auskunftei, der Sicherheitsdienst, die Kontrolle der Bekleidungsstücke, die Entlassungen und Beurlaubungen von Kameraden und ungezählte briefliche und telefonische Anfragen harren ihrer Erledigung. Kamerad Pape nahm sich am 15. November mit Vertretern der beiden Kommunalverbände Lahr-Stadt und Lahr-Land, den Herren Binnig und Metzger, der Herbeischaffung der Lebensmittel vom Proviant Straßburg an, die auf Anregung des Herrn Hauptmann Allbrand herbeigeholt werden sollen, da doch dieselben beim Einzug der Franzosen ins Elsaß Deutschland verloren gingen. An den Sitzungen des sich hier gebildeten Wohlfahrtsausschusses nahmen Schulenklopper und Heinz teil, worin alle Parteien Lahrs vertreten sind und vor allem über wirtschaftliche Fragen Anregungen gegeben wurden, um möglichst über die schwierige Lage hinwegzukommen. Solche Sitzungen fanden am 15. und 22. November statt. Als 2. Vorsitzender des Arbeiter- und Soldatenrates wird Genosse Dürr vom Arbeiterrat Lahr gewählt, da Schulenklopper mit dem Regiment 171 Lahr verläßt.

Am 16. November wird ein Antrag in der Sitzung, Errichtung einer Volkswehr in Lahr, dahingehend erledigt, daß am 18. November, vormittags, 10 Uhr eine kombinierte Sitzung mit den Behörden der Stadt, Vertretern der Presse und aller Parteien stattfinden soll. In der am 17. November stattgefundenen Sitzung wurde ein Antrag an die Stadt Lahr gerichtet, vorläufig Mittel bereit zu stellen zur Entschädigung der Soldaten- bzw. Arbeiterräte und des Hilfspersonals bis zur Regelung durch die Regierung. Am 18. November, vormittags, 10 Uhr fand eine Sitzung statt, in der die Herren Bürgermeister Altfelix, Bezirksamtmann Geheimrat Pfeiffer, Rechtsanwalt Gebhardt, Landtagsabgeordneter Massa, Vertreter der hiesigen Presse und Arbeiterschaft, Polizeikommissär Sandrisser, Herr Hauptmann Allbrand vom Garnisonkommando sowie noch einige andere Herren erschienen waren. Der Vorsitzende Heinz begrüßte alle Anwesenden, brachte den Wunsch vor, daß die Sitzung zu dem Entschluß kommen möge, die Errichtung einer Volkswehr zu beschließen, dann übergab er dem 2. Vorsitzenden die Leitung der Versammlung. Beschlossen wurde, da Lahr in der neutralen Zone liegt, die Errichtung der Volkswehr in Stärke von 250–300 Mann und wurde Hauptmann Geiser als Bezirkshauptmann in Vorschlag gebracht. Ferner ist ein Aufruf in den in Lahr gelesensten Zeitungen zu veröffentlichen, wonach die Meldungen zur Volkswehr bis zum 25. November zu erfolgen haben. Bezüglich Herbeischaffung von Lebensmitteln von Straßburg wurden noch die Herren Pfaff und Massa einschließlich Heinz bestimmt, nach Straßburg zu fahren, um so viel wie möglich herbeizuschaffen. Nachmittags fand wieder eine Sitzung statt, in der Odenheimer an die scheidenden Kameraden von Regiment 171, das nach Greiz verlegt wird, herzlichst Worte des Abschiedes richtete. Kamerad Schulenklopper und Hauptmann Behrens dankten für das Vertrauen, das ihnen entgegengebracht worden ist, und wünschten allen Freunden das Beste und Erfolg unserer guten Sache.

19. November: Nach dem Ausscheiden von Hauptmann Behrens und Leutnant Gebhardt wurden Hauptmann Geiser und Sergant Lutz in die Gerichtskommission gewählt.

Am 21. November fand eine Versammlung der aktiven Unteroffiziere statt, in der vom Arbeiter- und Soldatenrat Kamerad Odenheimer anwesend war. Endlich gingen auch diesen Kameraden die Augen auf, denn gerade die aktiven Unteroffiziere hatten unter dem alten System zu leiden. Alle Anwesenden waren einig, sich dem neuen Volksstaat zur Verfügung zu stellen und mitzuarbeiten. Leutnant Gebhardt wünscht allen Kameraden das Beste für die Zukunft, da er als Reserveoffizier seinen Abschied nimmt. Gerade Leutnant Gebhard war es, der in überzeugender Weise für das Neue voll und ganz eintrat.

Am 22. November fand eine Sitzung statt, in der in Angelegenheit der Volkswehr beschlossen wurde, daß dieselbe am 1. Dezember in Kraft treten soll. Zur Sitzung waren die Behörden der Stadt anwesend, und wurde Notar Geiser aus Lahr endgültig als Leiter der Volkswehr aufgestellt. Nachmittags, 4 Uhr fand eine Sitzung des Soldatenrates statt, in welcher der Vorsitzende Bericht über die Besichtigung der Luftschifferhalle in Dinglingen gab, wobei Hauptmann Allbrand vom Garnisonkommando den Tatbestand mit aufnahm.

Am 23. November wurde eine Versammlung in der Exerzierhalle abgehalten, in der Kamerad Odenheimer über Rechte und Pflichten der Soldaten, Stadtrat Richter (Lahr) über den sozialen Aufbau des neuen Volksstaates sprachen, zu welcher laut Standortbefehl eingeladen worden ist.

In der Sitzung am 24. November kam bezüglich Notstandsarbeiten in Lahr folgende Resolution zur Annahme: »Der Soldatenrat der Garnison Lahr beschließt, den Arbeiterrat zu veranlassen, mit aller Energie Protest gegen die Handhabung der Stadtbehörde einzulegen, welche für die zu Notstandsarbeiten zu verwendenden heimkehrenden Krieger einen Stundenlohn von nur 50–60 Pf festgesetzt hat. Der Soldatenrat ist der Anschauung, daß Leute, welche den Dank des Vaterlandes verdient haben, nicht so zu entlohnen sind, daß sie für den Unterhalt ihrer Familie der öffentlichen Armenfürsorge überwiesen werden müssen. Der Soldatenrat hält einen Stundenlohn von mindestens 1 M bei den jetzigen Lebensverhältnissen für nötig. Der Arbeiterrat schließt sich obiger Erklärung voll und ganz an und erwartet, daß die Stadtverwaltung den oben niedergelegten Grundsätzen in jeder Beziehung Rechnung trägt.« Die Resolution ist dem Arbeiterrat zu übergeben, der dieselbe bei der Stadtratsitzung am 25.11., nachmittags unterbreitet. Als Vertreter zur Begründung der Resolution für den Soldatenrat wird Kamerad Odenheimer, für den Arbeiterrat die Genossen Dürr und Unger gewählt. Einer Bestimmung von hiesiger Gemeinde, daß Kinder unter 15 Jahren auf öffentlichen Straßen und Plätzen ohne Begleitung Erwachsener nach 7 Uhr abends der Aufenthalt verboten ist, wird zugestimmt und gegengezeichnet.

Am 27. November erfolgt Bericht über die 1. Landeskonferenz der Soldaten- und Arbeiterräte Badens von seiten des Delegierten Heinz. Laut Telegramm vom 28. November besteht die alte Gerichtsbarkeit wieder, somit die Gerichtskommission aufzuheben ist. Am 29. November fand eine Sitzung statt, woran sämtliche Bataillonsführer und Feldwebel teilnahmen, deren Zweck war, in Dienstleistung, Bestrafung, Einkleidung und Verpflegung Bestimmungen zu treffen. In der Sitzung am 30. erstattete die Kommission vom Wohlfahrtsausschuß Bericht bezüglich der Bepflanzung des Exerzierplatzes bei Hugsweier, Luftschifferhalle und Langenhardt, woraus zu ersehen ist, daß sobald wie möglich veranlaßt werden soll, die Anpflanzung in die Wege zu leiten. Am 3. Dezember wurde durch Beschluß, betreffend Lebensmittelverteilung, die von Straßburg nach Lahr-Stadt und -Land herbeigeschafft waren, festgelegt, daß der Arbeiter- und Soldatenrat bei Verteilung der Lebensmittel hinzuzuziehen ist. Ferner, daß eine Vollversammlung am 5. Dezember, nachmittags, 3 Uhr stattfindet, in der die Überleitung des Arbeiter- und Soldatenrates in den Arbeiterrat zu beschließen ist. In der am 5. Dezember, stattgefundenen Vollversammlung des Arbeiter- und Soldatenrates kam durch Mehrheitsbeschluß folgendes zur Annahme:

1. Den Arbeiter- und Soldatenrat in den Arbeiter-, Bauern- und Volksrat zu überleiten.
2. Ein Büro einzurichten, wo 3 besoldete Mitglieder tätig sein sollen.
3. Die Kameraden Heinz, Baruch und Knödler sind mit der Führung der Geschäfte zu betrauen.

Der Vorsitzende Heinz hielt eine Ansprache, worin er einen kurzen Rückblick über die Tätigkeit des Arbeiter- und Soldatenrates gab, ferner die Anwesenden aufforderte, ihre ganze Kraft für die Errungenschaft der Revolution einzusetzen sowie im Sinne des neuen Volksstaates zu arbeiten, denn nur so würde es uns möglich sein, das Begonnene zu einem guten Ende zu führen und dem Sozialismus zu dienen, zum Wohle der großen Masse des Volkes.

b) Aufruf an die Soldaten, den Befehlen des Freiburger Soldatenrats Folge zu leisten und Disziplin zu halten, 9. November 1918

Volkswacht (Freiburg) vom 11. November 1918.

An unsere Brüder im Waffenrock!

Die Freiheit ist über Deutschland aufgegangen! Das deutsche Volk ist erwacht! Deutsche Bürger im feldgrauen Rock, es gilt für das einzutreten, was wir schon lange erstrebt: wir wollen Gleichheit, Freiheit und Recht!

Das große Werk, die Erneuerung Deutschlands, vor tückischen Anschlägen zu schützen, ist unsere vornehmste Aufgabe. Wir sind aber auch dazu bestimmt, Unordnung und Plünderung zu wehren, da sie dem deutschen Bürger im Waffenrock nicht zur Ehre gereichen.

Sämtliche Truppen der Freiburger Garnison haben am Samstag durch freie Wahl den Soldatenrat gebildet, der seine Befugnisse sofort angetreten hat.

Soldaten! Dieser Ausschuß, der durch euer Vertrauen und durch euren Willen gewählt wurde, ist in allen militärischen Angelegenheiten für euch die zuständige Stelle. Stellt euch geschlossen hinter ihn! Wahrt freiwillige Disziplin! Nur Ruhe und Ordnung führen zum Ziel.

Der Presseausschuß des Soldatenrates:
Hermanns, Kronfeld, Wolf.

c) Bekanntmachung des Soldatenrats und des Wohlfahrtsausschusses von Karlsruhe über die Bildung einer provisorischen Regierung für Baden, 10. November 1918

Volksfreund (Karlsruhe) vom 11. November 1918.

An das badische Volk!

Wir geben bekannt, daß sich heute eine provisorische Regierung für Baden gebildet, welche die Macht übernommen hat. Sie besteht aus folgenden Personen:

Vorsitzender: Anton Geiß, Landtagsabgeordneter, Mannheim; Ministerium des Auswärtigen: Oberbürgermeister Dietrich, Landtagsabgeordneter,

Konstanz; Ministerium für soziale Fürsorge: Metallarbeiter Adolf Schwarz, Vorsitzender des Arbeiter- und Soldatenrats in Mannheim; Ministerium für militärische Angelegenheiten: Landsturmmann Brümmer, Vorsitzender des Soldatenrates in Karlsruhe; Ministerium des Innern: Dr. Ludwig Haas, Reichstagsabgeordneter, Karlsruhe; Ministerium der Finanzen: Professor Wirth, Reichstagsabgeordneter, Freiburg; Ministerium der Justiz: Rechtsanwalt Marum, Landtagsabgeordneter, Karlsruhe; Ministerium des Verkehrs: Geschäftsführer Leopold Rückert, Karlsruhe; Ministerium des Unterrichts: Fritz Stockinger, Landtagsabgeordneter, Pforzheim; Ministerium für Ernährungswesen: Rechtsanwalt Trunk, Stadtrat in Karlsruhe; Ministerium für Übergangswirtschaft und Wohnungswesen: Arbeitersekretär Martzloff, Freiburg.

Die neue Regierung wird eine aufgrund des allgemeinen Wahlrechts hervorgegangene Landesversammlung darüber entscheiden lassen, welche Staatsform, ob Monarchie oder Republik, für Baden maßgebend sein soll. Ohne Rücksicht darauf, wie diese Entscheidung ausfällt, soll Baden für die Zukunft ein Bestandteil des Deutschen Reiches bilden.

Wir fordern das badische Volk auf, den Anordnungen der neuen Regierung Folge zu leisten und Ruhe und Ordnung zu bewahren. Die Beamten bleiben in ihren Stellungen und haben in treuer Weise ihre Pflicht zu erfüllen.

Die Soldaten werden aufgefordert, in die Kasernen zurückzukehren und den dienstlichen Anordnungen zu gehorchen, soweit sie nicht für den Soldatenrat in Anspruch genommen werden.

Nur wenn diesem Rufe Folge geleistet wird, ist es möglich, Ruhe und Ordnung und gute Verpflegung durchzuführen.

Karlsruhe, den 10. November 1918

Der Soldatenrat:
Brümmer, Weser.

Der Wohlfahrtsausschuß:
H. Sauer, Stadtrat, Vorsitzender;
Baschang, Stadtverordneter;
Ersing, Gewerkschaftssekretär;
Rebmann, Landtagsabgeordneter.

d) Bekanntmachung der Volksregierung und der Arbeiter- und Soldatenräte Badens über den Status und die Funktion der Arbeiter- und Soldatenräte in Baden, 11. November 1918

GLA Karlsruhe, 233/28117 (Plakat).

Die neue Volksregierung hat heute nachmittag mit den Arbeiter- und Soldatenräten des ganzen Landes getagt. Sie hat die Einrichtung der Soldatenräte begrüßt und gutgeheißen.

Die Soldatenräte haben sich als Landesausschuß badischer Arbeiter- und Soldatenräte konstituiert. Sie haben die militärische Gewalt in Händen und stellen sich mit dieser Macht hinter die vorläufige Regierung.

Die Regierung wird mit Hilfe der Soldatenräte die öffentliche Ruhe und Ordnung aufrechterhalten. Dazu ist erforderlich, daß alle Zivilbehörden bis zum letzten Mann einwandfrei weiterarbeiten; aber auch, daß die bisherigen militärischen Organisationen im Einvernehmen mit den Soldatenräten ihre Aufgaben wie bisher lösen. Regierung und Landesausschuß der Soldatenräte fordern die Soldaten auf, Ordnung in den Kasernen zu halten und Gehorsam im Dienst zu leisten; insbesondere den Anordnungen der Soldatenräte und der militärischen Vorgesetzten Folge zu leisten, wenn die Soldatenräte Anordnungen der Regierung durchführen.

Vor Gewalttaten und Zuchtlosigkeiten wird nochmals aufs schärfste gewarnt. Ruhe und Ordnung, Sicherheit von Leben und Eigentum sind allein unsere Rettung. Badische Soldaten! Unser freies, schönes Land wird zerstört, wenn Unordnung und Zuchtlosigkeit einreißt. – Macht Front gegen gefährliche Elemente.

Nächste Aufgabe der Regierung ist Sicherstellung der Verpflegung der städtischen Bevölkerung, Fürsorge für einen geordneten Durchzug und für Verpflegung der zurückflutenden Truppen.

Für die vorläufige Regierung:
Geiß, Vorsitzender; Dr. Haas; Schwarz; Marum;
Dietrich; Martzloff; Dr. Wirth; Stockinger;
L. Rückert; Trunk.

Für die Arbeiter- und Soldatenräte Badens:
Unteroffizier Buchmann (Mannheim); Emil Maier (Heidelberg);
Reichmann (Karlsruhe); Kochen (Triberg); Kugler (Offenburg);
Dr. Kronfeld* (Freiburg); Bellenz (Bühl); Albert Werner (Pforzheim);
Fr. Hoppe (Pforzheim); L. Rennert (Kehl);
Frommer (Kehl); Mathies (Ettlingen).

* Im Original (wie auch in den Zeitungen) irrtümlich: »Dr. Monfeld«.

e) Erklärung der »Badischen vorläufigen Volksregierung«, 14. November 1918

W.E. Oeftering: Der Umsturz in Baden, Konstanz 1920, S. 221.

Die Erklärung der Volksregierung

1. Der Großherzog hat auf die Ausübung der Regierungsgewalt verzichtet.
2. Alle Staatsgewalt ist in den Händen der Badischen vorläufigen Volksregierung.
3. Wir erklären hierdurch, daß Baden eine freie Volksrepublik ist.
4. Endgültig über die Staatsform entscheidet die badische Nationalversammlung.
5. Die Nationalversammlung wird am Sonntag, den 5. Januar 1919 gewählt; sie tritt innerhalb 10 Tagen nach der Wahl in Karlsruhe zusammen.
6. Die Wahl zur Nationalversammlung findet nach dem gleichen, geheimen, direkten und allgemeinen Wahlrecht aufgrund des Verhältniswahlsystems durch alle mindestens 20 Jahre alten männlichen und weiblichen Personen statt, welche am Tage der Wahl Badener sind.

Karlsruhe, 14. November 1918

Die Badische vorläufige Volksregierung:
Der Präsident, Geiß.

f) Aufruf des Volksausschusses des Amtsbezirks Emmendingen an die Bewohner des Bezirks Emmendingen zur Aufrechterhaltung von Ruhe und Ordnung, 15. November 1918

Staatsarchiv Freiburg, LRA Emmendingen, Nr. 820. - Dieser Aufruf war in allen lokalen Tageszeitungen des Bezirks Emmendingen veröffentlicht.

An die Bewohner von Stadt und Land des Bezirks Emmendingen!

Die Ereignisse der letzten Tage stellen uns vor die schwersten Aufgaben; zu deren Bewältigung ist die Mitarbeit der gesamten Bevölkerung notwendig. Nur hierdurch bewahren wir die Heimat vor noch größerem Unglück!

Auch unter der neuen Regierung bleiben sämtliche staatlichen und Gemeindebeamten in ihren Stellungen und haben weiterhin alle ihre Kräfte für das Volkswohl einzusetzen. Zur Unterstützung der Behörden hat sich für den hiesigen Bezirk, für Stadt und Land ein Volksausschuß aus allen Kreisen der Bevölkerung gebildet.

In erster Reihe gilt es, Ruhe und Ordnung aufrechtzuerhalten und die Sicherheit der Person und des Eigentums zu gewährleisten. Zu diesem Zweck wurde eine Volkswehr errichtet. Ihren Anordnungen ist unweigerlich Folge zu leisten. Zuwiderhandlungen werden aufs schärfste bestraft. Plünderer werden ohne weiteres erschossen.

Die Ernährung des Bezirks muß unter allen Umständen sichergestellt bleiben! Alle Landwirte haben daher die heiligste Pflicht, die von den Behörden angeforderten Nahrungsmittel wie Vieh, Getreide, Milch, Kartoffeln, Eier, Butter und die sonstigen landwirtschaftlichen Produkte ordnungsgemäß abzuliefern. Die rasche Ablieferung liegt im eigensten Interesse der Landwirte; denn nur so können Unruhen vermieden und die Sicherheit der Landbevölkerung gewährleistet werden. Landwirte erfüllt daher Eure Pflicht! An Unbefugte ist die Abgabe von Lebensmitteln streng verboten. Der Schleichhandel zieht persönliche Verantwortung vor dem Soldatenrat Freiburg nach sich, der mit den denkbar schwersten Strafen einschreitet.

Die Polizeistunde ist auf 10 Uhr abends festgesetzt, ihr Übertretung zieht hohe Bestrafung der Wirte nach sich. Nach Eintritt der Dunkelheit sind Kinder unter 14 Jahren von der Straße fernzuhalten; nach 9 Uhr abends dürfen jugendliche Personen unter 18 Jahren sich nicht mehr auf Straßen, öffentlichen Plätzen oder in Wirtschaften aufhalten. An betrunkene Personen darf kein Alkohol verabfolgt werden.

Heizungs- und Beleuchtungsmittel sind infolge Verkehrsschwierigkeiten knapp; es ist daher größte Sparsamkeit geboten!

Mitbürger! Seid besonnen, leistet den Sicherheitsorganen willig Gehorsam, arbeitet alle mit im Dienste der Gesamtheit: dann wird Euer Leben, Eigentum, und Eure Ernährung sichergestellt sein!

Emmendingen, den 15. November 1918

Großherzogliches Bezirksamt:
i.V. Dr. Weißmann
Bürgermeisteramt:
Rehm

Volksausschuß des Amtsbezirks Emmendingen:

Max Bloch — Andreas Fahrer
Gustav Gehringer — Georg Kammerer
Friedrich Karl Lapp — Adolf Luger
Hermann Schneider

g) Darstellung der Ziele des Offenburger Soldatenrats in einem an die heimkehrenden Soldaten gerichteten Flugblatt, 21. November 1918

Stadtarchiv Offenburg, Nr. 5/6326.

Willkommen in der Heimat!

So ruft Euch der Offenburger Soldatenrat zu und mit ihm das ganze Volk. Ihr habt über 4 Jahre standgehalten unter größten Entbehrungen und Kämpfen, die je die Weltgeschichte gesehen hat. Ihr habt Übermenschliches geleistet!

Ihr findet die Heimat nicht mehr so vor, als wie Ihr sie verlassen habt. Erwacht ist das deutsche Volk aus langem Schlafe dank der Arbeit des Soldatenrates. Nun heißt es sich klar darüber werden, was wir wollen und der Soldatenrat will.

Will der Soldatenrat lediglich für die Verbesserung der Mannschaftsverpflegung eintreten? Will er nur eine Gerichtskommission sein, die ungerechte Bestrafungen verhindert? Nein und nochmals nein! Das allein wäre der Opfer nicht wert, die in den verflossenen 4 Jahren gebracht wurden. Das deutsche Volk sollte zur Verherrlichung des Imperialismus kämpfen, es hat sich seine Freiheit erkämpft.

Das alte System ist zusammengebrochen; wehe denen, die es wagen, die errungenen Freiheiten anzutasten.

Der Offenburger Soldatenrat bekennt sich zur Demokratie bis zur äußersten Konsequenz und somit zur republikanischen Staatsreform. Er verlangt von den Volksregierungen im Reich und in den Bundesstaaten die alsbaldige Ausschreibung der Wahlen zu den Nationalversammlungen. Die Wahlen sind aufgrund eines in jeder Beziehung demokratischen Wahlrechts, das den Willen des Volkes unverfälscht zum Ausdruck bringt, vorzunehmen.

Der Soldatenrat verlangt eine gerechte Verteilung der Lasten, die der Krieg unserem Volke auferlegt, durch eine richtig ausgebaute Vermögensabgabe und möglichst restlose Zurückholung der Kriegsgewinne.

Der Soldatenrat Offenburg i. B.

h) Schreiben des Arbeiter- und Soldatenrats des Oberrheins, Lörrach, an die Arbeitgeber Oberbadens mit der Aufforderung, den Achtstundentag und den freien Samstagnachmittag einzuführen, 28. November 1918

Stadtarchiv Lörrach, IX/35 b, 1918–1942.

An die Arbeitgeber Oberbadens!

Aufgrund des Abkommens zwischen den zentralen Arbeitgeber- und Arbeitnehmerorganisationen vom 15. November 1918 ersuchen wir nun sämtliche Arbeitgeber, die achtstündige Arbeitszeit sofort einzuführen, unter Fortzahlung der bisherigen Löhne (Punkt 9 des Abkommens). Wenn Lohnabzüge dennoch vorkommen, wolle man dem Arbeiterrat dies sofort mitteilen.

Um die Arbeit zu strecken und die Arbeitslosigkeit zu vermeiden, soll ferner überall der freie Samstagnachmittag und in den Webereien das Einstuhlsystem sofort durchgeführt werden.

Arbeiter- und Soldatenrat des
Oberrheins, Lörrach

Dem Bürgermeisteramt Lörrach zur geflissentlichen Kenntnisnahme übersandt mit der Bitte, uns in obiger Angelegenheit geneigtest unterstützen zu wollen.

Ergebenst!

Ernst Rümmele

i) Protokoll der Konferenz der Arbeiter- und Soldatenräte Oberbadens in Freiburg (Auszug), 29. November 1918

GLA Karlsruhe, 69 N 1/1231. Entnommen aus: Quellen zur Geschichte der Rätebewegung in Deutschland, hrsg. von der Kommission für Geschichte des Parlamentarismus, Bonn Band III: Arbeiter-, Soldaten- und Volksräte in Baden 1918/19, bearbeitet von Peter Brand und Reinhard Rürup, Bonn 1980.

Tagesordnung: 1. Der jetzige Stand der Arbeiter- und Soldatenräte Badens. 2. Die politische Frage, Referat Dr. Kraus. 3. Abstimmung über Resolution betreffend die Stellung der Arbeiter- und Soldatenräte in der Regierung. 4. Konstituierung eines Vertreterausschusses der Arbeiter- und Soldatenräte Oberbadens und Festlegung eines regelmäßigen Tagungstermins.

Hammerschlag berichtet über die Beratungen und Ergebnisse des Mannheimer Delegiertentages. Im Elferausschuß sind 9 Vertreter der Arbeiter und 2 Vertreter der Soldatenräte. Den Anstoß zur Revolution gab die organisierte Arbeiterschaft der Sozialdemokratischen Partei. Es dürfte nicht überall bekannt sein, daß ein Stichtag zum Losschlagen ausgemacht war. Sehr bald begann die Fühlungnahme der einzelnen Arbeiter- und Soldatenräte miteinander. Folgende Bestrebungen wollen wir ausbauen: Wir wollen Demokratie bis zur äußersten Konsequenz. In Unterbaden, besonders in Mannheim, macht sich ein starkes Übergewicht der Arbeiterräte geltend. Dafür waren in Oberbaden starke Besatzungen, außerdem viel aktive Truppen von der Front, und so war es selbstverständlich, daß hier die Soldatenräte die Oberhand bekamen. Wir wollen nicht rivalisieren, sondern miteinander und nebeneinander arbeiten. Zum Elfmännerausschuß in Karlsruhe schickt Mannheim 4 Vertreter, Karlsruhe 3, Freiburg und Konstanz je 2. Es folgen die Namen. Die Versammlung in Mannheim soll ihre Krönung finden in der Tagung der Vertreter sämtlicher Bundesstaaten in Berlin. Zur Herstellung der Ordnung ist das Darauflosarbeiten der Arbeiter- und Soldatenräte zu vermeiden und Hand in Hand zu gehen mit den weiter amtierenden Behörden. Vor allem gilt dies für die Angelegenheiten des Wirtschaftslebens. Er verliest sodann den Entwurf eines Aufrufs an die Arbeiter- und Soldatenräte, den Kamerad Krayer gesandt hat.

Neuber gibt ein kurzes Bild, was der Arbeiterrat in Gemeinschaft mit dem Soldatenrat geleistet hat. Von Anfang an bestand das Bestreben, mit der Bevölkerung Fühlung zu nehmen. Der Arbeiterrat hat sich sofort konstituiert und Ausschüsse und Kommissionen gebildet. Das hiesige Bezirksamt versucht, sein gegebenes Versprechen illusorisch zu machen und die Verordnungen der alten Regierung wieder in Kraft zu setzen. Es beabsichtigt also nichts mehr und nichts weniger, als den Arbeiterrat beiseite zu schieben. Dagegen protestieren wir. Er verweist ferner auf die Aufgaben des Demobilmachungsausschusses, der aus 6 Vertretern von Handel, Industrie, Landwirtschaft und Handwerk gebildet ist, und zwar je 3 Vertreter der Arbeitgeber und der Arbeitnehmer.

In letzter Zeit haben sich verschiedene andere Räte noch gebildet, der Arbeiter- und Soldatenrat hat die vorläufige Macht in den Händen und wird sie ausüben. Die anderen Räte werden in wirtschaftlichen Fragen hinzugezogen, dagegen in politischen Beratungen nicht. Gleich zu Anfang sind wir mit den Bauern wegen der Ernährungsfrage in Verbindung getreten. Dann haben wir einen Aufruf erlassen, keine Betriebseinstellungen und Lohnkürzungen vorzunehmen. Betreffend der Einstellung der aus dem Felde heimkehrenden Krieger haben wir gute Erfolge aufzuweisen. Die 8-stündige Arbeitszeit ist in vielen Betrieben schon eingeführt, in den anderen muß sie kommen. Lohnregulierungen müssen vorgenommen werden. Vor allem aber gilt es, Augen und Ohren überall offen zu halten, da Gegenströmungen vorhanden sind.

Hummel: Die Regierung will ein gutes Einvernehmen mit den Arbeiter- und Soldatenräten. Die Stellung der vorläufigen Regierung hängt eng zusammen mit dem Vertrauen der Arbeiter- und Soldatenräte. Sie hat sich alle Mühe gegeben, auf die Wünsche derselben einzugehen. Die Verhältnisse im Reich leiden z. Zt. unter einer gewissen Verworrenheit, da in Berlin eine Strömung herrscht, die der Regierung Ebert-Haase ziemliche Schwierigkeiten bereitet. Wir stehen dauernd in telegrafischem Verkehr mit Berlin und haben auch seit 14 Tagen 2 Vertreter dort. Allmählich beginnen sich dort die Verhältnisse zu klären, was im Interesse der Reichseinheit sehr zu begrüßen ist. Es besteht die schwerste Gefahr, daß Frankreich die Waffenstillstandsbedingungen kündigen und die Verhältnisse in Deutschland ordnen will. Dann hätten wir keine demokratische Republik mehr, sondern eine Republik des Großkapitals wie z. B. Amerika. Die Mächte, die dort am Ruder sind, wollen die wirtschaftliche Beherrschung Deutschlands. Wir müssen daher verhindern, daß der Feind einmarschiert. Er will es, wenn keine geordneten Verhältnisse vorhanden sind. Zum Schluß bittet er um Vertrauen für die vorläufige Regierung.

Kraus macht einen Vorschlag, einen Fünfmännerausschuß zu konstituieren, der jeweils an einem bestimmten Tage in Freiburg tagt, bestehend aus je einem Vertreter des Arbeiter- und Soldatenrates von Freiburg, Breisach, Offenburg, Lörrach, Müllheim und eventuell Waldshut.

Böe: Sehr haben wir mit der passiven Resistenz der Behörden zu rechnen. Diese Stellen wollten die Arbeiter- und Soldatenräte nicht anerkennen. Daher ist eine unausgesetzte Überwachung notwendig.

Blunk: Diese Frage ist meist vernachlässigt worden. Die Stellen müßten sofort kontrolliert werden. Wir haben die Macht, wer Widerstand leistet, ist zu entfernen.

Kieslich: Durch die Tagung in Mannheim ist eine Klärung zwischen den Arbeiter- und Soldatenräten einerseits und der Regierung andererseits eingetreten. Die Schuld an vielen Mißverständnissen trägt die Regierung durch widersprechende Erlasse. Viele Behörden, die jetzt noch passive

Resistenz leisten, werden sich nach und nach den Arbeiter- und Soldatenräten anpassen, schon wegen ihrer Existenz.

Fresen: Die brennendste Frage ist die der Abgrenzung der Tätigkeit der Arbeiter- und Soldatenräte. Stellt einen diesbezüglichen Antrag zur Diskussion.

Kraus weist den Antrag zurück. Die Angelegenheit wird von dem sich konstituierenden Ausschuß geregelt.

Politisches Referat Dr. Kraus: Unsere Bewegung wurde hervorgerufen hauptsächlich durch die Arbeiter und Soldaten, denn diese haben am meisten unter dem Druck des alten Systems zu leiden gehabt. Die Bewegung wäre aber nicht durchgedrungen, wenn nicht seit Jahrzehnten die Sozialdemokratie den Kampf gegen dieses System geführt hätte. Der Beginn des Weltkrieges 1914 bedeutete den Zusammenbruch des imperialistischen Systems. Dieses System faulte in seinen Fundamenten. Wir müssen unser Hauptaugenmerk auf folgende Hauptsachen richten: 1. Demokratisierung Deutschlands bis zur äußersten Konsequenz. 2. Weitgehendste Sozialisierung unseres Wirtschaftslebens. 3. Durchführung und Ausbau des Staates des sozialen Rechts. Bei der Konferenz in Berlin hat es sich gezeigt, daß die Mehrheit für die Stärkung des einheitlichen deutschen Reichsgedankens eingetreten ist. Was hat ihn gefährdet? Die Machtgelüste der Dynastien. Diese sind beseitigt. Nun besteht noch eine Minderheit im Reiche, die nicht auf dem Boden der allgemeinen Arbeiter- und Soldatenräte steht. Große Massen werden durch Schlagworte von dieser Minderheit in falsche Richtung gehetzt. Ich bin überzeugt, die Spartakusgruppe will sachlich dasselbe wie wir. Nur täuscht sie sich im Tempo, und die Art der Durchführung ist falsch. Wir wollen die führenden Leute dieser Gruppe aufklären und mit ihr zusammenarbeiten. Einen Bolschewismus gibt es in Deutschland nicht. Am Bolschewismus war der Zarismus schuld und die Zustände in Rußland. Dazu ist das deutsche Volk zu reif. Die Arbeiter- und Soldatenräte sind anerkannt als vorläufige Träger des Volkswillens. Nun zur auswärtigen Politik. Es ist verfehlt, wenn immer darauf aufmerksam gemacht wird, daß der Feind an der Grenze steht. Wir sind daran schuld, daß er einmarschieren will. Wir dürfen uns nicht absprengen lassen. Alle Schichten und Parteien laden wir ein, die egoistischen Bestrebungen beiseite zu schieben und mitzuarbeiten an der Demokratisierung Deutschlands.

Weißmann: Es ist klar, daß die Revolution jetzt technisch erledigt ist, aber noch nicht geistig. Wir haben die Revolution noch nicht in unseren Köpfen durchgeführt. Wir müssen sie in die Köpfe der Soldaten tragen. Sie müssen sich klar werden, daß dies nicht eine Soldatenrevolution ist, sondern eine politische Revolution. Und die Geschichte lehrt, daß auf jede Revolution die Konterrevolution folgt. Die Revolutionierung der Geister ist eine Arbeit von Jahren und Jahrzehnten. In 4 Jahren sind die gewaltigsten Monarchien zusammengebrochen. Daran hätte niemand gedacht. Die Revolution kam überraschend wie der Dieb in der Nacht. Daher ist es notwendig, die Massen aufzuklären für die Zukunft, für die Nationalwahlen.

Wir wehren uns gegen die proletarische Diktatur aus Gründen der Demokratie. Es gibt aber auch Liebknechts der rechten Seite, z. B. Westarp und Reventlow. In Süddeutschland besteht die größte Gefahr von rechts. Man will uns die Schuld an den jetzigen Zuständen zuschieben. Die alte Regierung hatte 1914 die anderen unterschätzt und sich selbst überschätzt. Und nun? Nach der heute eingetroffenen Verlustliste haben wir 1594000 Tote zu beklagen. Wenn die Lazarette alle geräumt sein werden und über das Schicksal vieler Vermißten Klarheit herrscht, kommen wir zum Schluß auf etwa 2 Millionen Tote. Dazu kommen dann noch die Witwen und Waisen. Ferner die Gutsopfer. Wir haben jetzt schon 150 Milliarden Schulden. Müssen wir noch eine entsprechende Kriegsentschädigung bezahlen, so wachsen unsere Schulden ins Ungeheure, aber nicht nur das Reich, sondern auch die Bundesstaaten und jede Gemeinde ist durch den Krieg verschuldet. Jeder muß sich sagen, daß das System, das daran schuld ist, reif war zur Beseitigung. Es war unser größter Fehler, daß wir nicht früher Frieden geschlossen haben. Hätten wir früher Zugeständnisse gemacht, so hätten wir den Frieden bekommen. Es gilt jetzt die Erfolge der Revolution zu sichern, gegen den Ansturm von rechts gewappnet zu sein. Die Nationalversammlung am 5. Januar* entscheidet über die Revolution, das dürfen wir nicht vergessen. Wir sind politisch ungeschult, die Gegner fürchten uns noch. Sämtliche Arbeiter- und Soldatenräte Deutschlands müssen zusammenhalten für die Republik.

Grosshans stellt den Antrag, daß das zusammengefaßte Referat Kraus-Weißmann sämtlichen Soldatenräten gesandt wird.

Kraus behandelt die Frage des Grenzschutzes. Er bittet um die Ermächtigung, folgende 2 Telegramme abzusenden: Ministerium für militärische Angelegenheiten Karlsruhe: Grenzschutz in alter Stärke erhalten oder verstärken, da Millionen deutscher Werte durch Abtransport in die Schweiz gefährdet. Das andere Telegramm, an den Finanzminister Dr. Wirth gerichtet, behandelt die Überwachung der Girokonten Schweizer Banken.

Thiergarten: Mit der Zeit muß an den Referaten gespart werden. Es darf bei der Diskussion keine Redezeit festgelegt werden. Die Frage des Grenzschutzes ist sehr dringlich. Die Verhandlungen mit den AOK haben noch nichts gezeigt. Redner geht dann noch auf die lokale Auto-, Kohlen- und Mehlfrage über.

Kraus verweist ihn auf den Elfmännerausschuß.

Velten: Preußische Truppen haben sich während ihre Aufenthaltes in Baden den badischen Soldatenräten unterzuordnen.

Zum Schluß wird noch der Antrag gestellt, eine längere Aussprache zu bewilligen.

Dr. Kraus nimmt den Antrag zur Kenntnis und schließt um 7 Uhr 30 die Sitzung.

---

* Gemeint sind die Wahlen zur Badischen Nationalversammlung am 5.1.1919.

Zusammenarbeit von Gewerkschaften und Unternehmerverbänden

a) Zentralarbeitsgemeinschaftsabkommen, 15. November 1918

Korrespondenzblatt, Nr. 47, Berlin 23. November 1918, S. 425f.

Die großen Arbeitgeberverbände vereinbaren mit den Gewerkschaften der Arbeitnehmer das folgende:

1. Die Gewerkschaften werden als berufene Vertretung der Arbeiterschaft anerkannt.

2. Eine Beschränkung der Koalitionsfreiheit der Arbeiter und Arbeiterinnen ist unzulässig.

3. Die Arbeitgeber und Arbeitgeberverbände werden die Werkvereine (die sogenannten wirtschaftsfriedlichen Vereine) fortab vollkommen sich selbst überlassen und sie weder mittelbar noch unmittelbar unterstützen.

4. Sämtliche aus dem Heeresdienst zurückkehrenden Arbeitnehmer haben Anspruch darauf, in die Arbeitsstelle sofort nach Meldung wieder einzutreten, die sie vor dem Kriege innehatten. Die beteiligten Arbeitgeber- und Arbeitnehmerverbände werden dahin wirken, daß durch Beschaffung von Rohstoffen und Arbeitsaufträgen diese Verpflichtung in vollem Umfange durchgeführt werden kann.

5. Gemeinsame Regelung und paritätische Verwaltung des Arbeitsnachweises.

6. Die Arbeitsbedingungen für alle Arbeiter und Arbeiterinnen sind entsprechend den Verhältnissen des betreffenden Gewerbes durch Kollektivvereinbarungen mit den Berufsvereinigungen der Arbeitnehmer festzusetzen. Die Verhandlungen hierüber sind ohne Verzug aufzunehmen und schleunigst zum Abschluß zu bringen.

7. Für jeden Betrieb mit einer Arbeiterschaft von mindestens 50 Beschäftigten ist ein Arbeiterausschuß einzusetzen, der diese zu vertreten und in Gemeinschaft mit dem Betriebsunternehmer darüber zu wachen hat, daß die Verhältnisse des Betriebes nach Maßgabe der Kollektivvereinbarung geregelt werden.

8. In den Kollektivvereinbarungen sind Schlichtungsausschüsse respektive Einigungsämter vorzusehen, bestehend aus der gleichen Anzahl von Arbeitnehmer- und Arbeitgebervertretern.

9. Das Höchstmaß der täglichen regelmäßigen Arbeitszeit wird für alle Betriebe auf 8 Stunden festgesetzt. Verdienstschmälerungen aus Anlaß dieser Verkürzung der Arbeitszeit dürfen nicht stattfinden.

10. Zur Durchführung dieser Vereinbarungen sowie zur Regelung der zur Demobilisierung, zur Aufrechterhaltung des Wirtschaftslebens und zur

Sicherung der Existenzmöglichkeit der Arbeitnehmerschaft, insbesondere der Schwerkriegsbeschädigten, zu treffenden weiteren Maßnahmen wird von den beteiligten Arbeitgeber- und Arbeitnehmerorganisationen ein Zentralausschuß auf paritätischer Grundlage mit beruflich gegliedertem Unterbau errichtet.

11. Dem Zentralausschuß obliegt ferner die Entscheidung grundsätzlicher Fragen, soweit sich solche namentlich bei der kollektiven Regelung der Lohn- und Arbeitsverhältnisse ergeben, sowie die Schlichtung von Streitigkeiten, die mehrere Berufsgruppen zugleich betreffen. Seine Entscheidungen haben für Arbeitgeber und Arbeitnehmer verbindliche Geltung, wenn sie nicht innerhalb einer Woche von einem der in Frage kommenden beiderseitigen Berufsverbände angefochten werden.

12. Diese Vereinbarungen treten am Tage der Unterzeichnung in Kraft und gelten vorbehaltlich anderweitiger gesetzlicher Regelung bis auf weiteres mit einer gegenseitigen dreimonatigen Kündigung.

Diese Vereinbarung soll sinngemäß auch für das Verhältnis zwischen den Arbeitgeberverbänden und den Angestelltenverbänden gelten.

b) Vereinbarung der Gewerkschaften mit der Süddeutschen Gruppe des Gesamtverbandes Deutscher Metallindustrieller über Richtlinien für die Übergangswirtschaft in der süddeutschen Metallindustrie, 15. November 1918

DMV-Jahrbuch 1918, S. 229f.

Zwischen der Süddeutschen Gruppe des Gesamtverbandes Deutscher Metallindustrieller (Verband Württembergischer Metallindustrieller, Verband der Metallindustriellen Badens und der Pfalz und angrenzender Industriebezirke, Verband Bayerischer Metallindustrieller), dem Verband der Arbeitgeber der Uhrenindustrie und verwandten Industrien des Schwarzwaldes einerseits, den Bezirksleitungen des Deutschen Metallarbeiter-Verbandes, des Christlichen Metallarbeiter-Verbandes, des Gewerkvereins der Maschinenbau- und Metallarbeiter (Hirsch-Duncker) anderseits wurden heute (15. November 1918) folgende Richtlinien für die Übergangswirtschaft, die mit Wirkung vom 18. November 1918 in Kraft treten, vereinbart:

1. Während der Übergangszeit wird die Arbeitszeit entsprechend den Verhältnissen in den einzelnen Industriezweigen festgesetzt beziehungsweise reduziert. Die wirkliche Arbeitszeit soll bis auf weiteres höchstens 48 Stunden in der Woche betragen.

2. Die derzeitigen Lohn- und Akkordsätze bleiben bei Kürzung der seitherigen Arbeitszeit bestehen. Der dadurch eintretende Verdienstausfall bei

Lohn- oder Akkordarbeit wird durch einen der Verkürzung der normalen Arbeitszeit entsprechenden prozentualen Verdienstausgleich geregelt, so daß Minderverdienste nicht eintreten. Neueintretende Arbeitskräfte erhalten die Verdienste gleichwertiger Arbeiter des Betriebs.

Den Ausgleich leisten die Arbeitgeber sofort, jedoch werden gemeinsame Schritte unternommen, daß vom Reich wenigstens zwei Drittel des verauslagten Betrages zurückerstattet werden.

3. Entlassungen von Arbeitern werden solange wie nur irgend möglich vermieden; sind sie nicht mehr zu vermeiden, so sollen unter möglichst frühzeitiger Benachrichtigung, mindestens 1 Woche vorher, von der Entlassung in erster Linie betroffen werden:

Ausländer, ledige Arbeiter ohne Unterschied des Geschlechts, soweit sie nicht unbedingt einem Erwerb nachzugehen gezwungen sind.

Im übrigen soll grundsätzlich gelten, daß für nicht zu vermeidende Entlassungen zuerst weiter in Frage kommen:

Hilfsdienstpflichtige – denen auf ihr Verlangen an sich ohne weiteres die Entlassung zu geben ist –, die vor der Einweisung in den Betrieb ein selbständiges Gewerbe ausgeübt haben. Arbeiter und Arbeiterinnen, die vorher ausschließlich in der Land- und Hauswirtschaft tätig waren. Nichtmetallarbeiter, sofern sich für dieselben Gelegenheit bietet, besonders in ihrem früheren Berufe wieder Beschäftigung zu finden. Weibliche Arbeitskräfte, die erst während des Krieges in die Metallindustrie aufgenommen wurden.

Weitere Entlassungen sollen nötigenfalls nach Verständigung mit dem Arbeiterausschuß vorgenommen werden. Die Arbeitgeber haben an den zuständigen Arbeitsnachweis sofort Meldung über die in Aussicht genommenen Entlassungen zu machen.

4. Einstellung aller vom Heeresdienst Entlassenen, Reklamierten und Kriegsverletzten, soweit sie bei Kriegsausbruch bei der Firma beschäftigt waren und auf ihre Einstellung rechnen, möglichst auf ihren früheren Platz, zu den derzeitigen Lohn- und Arbeitsbedingungen gleichwertiger Arbeiter.

Hierzu gehören auch diejenigen Leute, die bei Kriegsausbruch aktiv dienten und vor ihrem Dienstantritt bei der Firma beschäftigt waren. Für die Wiedereinstellung kommt diejenige Firma in Betracht, bei welcher ein Arbeiter bis zu seiner erstmaligen Einziehung zum Militärdienst beschäftigt war, auch wenn die Einziehung – durch Zurückstellung oder andere Umstände – erst nach dem 1. August 1914 erfolgte.

Bei Festsetzung von Lohn- und Arbeitsbedingungen beschäftigter Kriegsbeschädigter darf eine von diesen bezogene Rente in keiner Weise in Anrechnung kommen. In Streitfällen ist der Arbeiterausschuß (Kommission) mit hinzuzuziehen.

c) Erklärung des Verbandes Südwestdeutscher Industrieller zur Unterstützung der badischen »Provisorischen Volksregierung«, 23. November 1918

GLA Karlsruhe, 233/28117 (Badisches Innenministerium).

Der Verband Südwestdeutscher Industrieller gestattet sich, hiermit ausdrücklich zu erklären, daß er willens ist, wie er dies bereits auch durch die Tat bewiesen hat, die derzeitige Regierung nach Möglichkeit und Kräften zu unterstützen.

Er erklärt deshalb ferner, daß er der Regierung seine Mitarbeit in allen die Industrie betreffenden Angelegenheiten zur Verfügung stellt.

58 — 23. Dezember 1918

Verordnung der Reichsregierung über Tarifverträge, Arbeiter- und Angestelltenausschüsse und Schlichtung von Arbeitsstreitigkeiten (Auszug)

Reichsgesetzblatt 1918, S. 1456ff.

I. Abschnitt: Tarifverträge

§ 1 Sind die Bedingungen für den Abschluß von Arbeitsverträgen zwischen Vereinigungen von Arbeitnehmern und einzelnen Arbeitgebern oder Vereinigungen von Arbeitgebern durch schriftlichen Vertrag geregelt (Tarifvertrag), so sind Arbeitsverträge zwischen den beteiligten Personen insoweit unwirksam, als sie von der tariflichen Regelung abweichen. Abweichende Vereinbarungen sind jedoch wirksam, soweit sie im Tarifvertrage grundsätzlich zugelassen sind oder soweit sie eine Änderung der Arbeitsbedingungen zugunsten des Arbeitnehmers enthalten und im Tarifvertrag nicht ausdrücklich ausgeschlossen sind. An die Stelle unwirksamer Vereinbarungen treten die entsprechenden Bestimmungen des Tarifvertrags. ...

§ 2 Das Reichsarbeitsamt kann Tarifverträge, die für die Gestaltung der Arbeitsbedingungen des Berufskreises in dem Tarifgebiet überwiegend Bedeutung erlangt haben, für allgemein verbindlich erklären. Sie sind dann innerhalb ihres räumlichen Geltungsbereichs für Arbeitsverträge, die nach der Art der Arbeit unter den Tarifvertrag fallen, auch dann verbindlich im

Sinne des § 1, wenn der Arbeitgeber oder der Arbeitnehmer oder beide an dem Tarifvertrage nicht beteiligt sind. ...

§ 3 Die Erklärung des Reichsarbeitsamts nach § 2 erfolgt nur auf Antrag. Antragsberechtigt sind jede Vertragspartei des Tarifvertrags sowie Vereinigungen von Arbeitgebern oder Arbeitnehmern, deren Mitglieder durch die Erklärung des Reichsarbeitsamts betroffen werden würden. ...

II. Abschnitt: Arbeiter- und Angestelltenausschüsse

§ 7 In allen Betrieben, in denen aufgrund des § 11 des Gesetzes über den vaterländischen Hilfsdienst ständige Arbeiterausschüsse oder Angestelltenausschüsse bestehen, sind, vorbehaltlich des § 12, die Mitglieder dieser Ausschüsse und deren Ersatzmänner neu zu wählen. Bis zur Durchführung dieser Wahlen bleiben die jetzigen Mitglieder und deren Ersatzmänner in ihren Ämtern.

§ 8 In allen Betrieben, Verwaltungen und Büros, in denen in der Regel mindestens zwanzig Arbeiter beschäftigt werden und nicht schon nach § 7 dieser Verordnung oder aufgrund der Berggesetze ständige Arbeiterausschüsse bestehen, sind, vorbehaltlich des § 12, solche Ausschüsse zu errichten. Dies gilt auch für Betriebe, in denen bisher ständige Arbeiterausschüsse oder Arbeitervertretungen gemäß § 134 h der Gewerbeordnung bestanden und deshalb Arbeiterausschüsse aufgrund des § 11 des Gesetzes über den vaterländischen Hilfsdienst nicht errichtet worden sind. ...

§ 9 In allen Betrieben, Verwaltungen und Büros, in denen in der Regel mindestens zwanzig Angestellte beschäftigt werden und nicht schon nach § 7 dieser Verordnung ständige Angestelltenausschüsse bestehen, sind, vorbehaltlich des § 12, solche Ausschüsse zu errichten. ...

§ 11 Die Mitglieder der Arbeiterausschüsse und der Angestelltenausschüsse nach §§ 7 bis 9, § 10 Abs. 1 dieser Verordnung werden von den Arbeitern oder Angestellten des Betriebs, der Verwaltung oder des Büros oder der Betriebs-, Verwaltungs- oder Büroabteilung, für die der Ausschuß errichtet wird, aus ihrer Mitte in unmittelbarer und geheimer Wahl nach den Grundsätzen der Verhältniswahl gewählt. ...

§ 13 Die Arbeiterausschüsse und Angestelltenausschüsse (§§ 7 bis 10 dieser Verordnung) sowie die Vertretungen der Arbeiter und der Angestellten nach § 12 dieser Verordnung haben die wirtschaftlichen Interessen der Arbeiter und Angestellten in dem Betriebe, der Verwaltung oder dem Büro dem Arbeitgeber gegenüber wahrzunehmen. Sie haben in Gemeinschaft mit dem Arbeitgeber darüber zu wachen, daß in dem Unternehmen die maßgebenden Tarifverträge durchgeführt werden. Soweit eine tarifliche Regelung nicht besteht, haben die Ausschüsse oder Vertretungen im Einvernehmen mit den beteiligten wirtschaftlichen Vereinigungen der Arbeiter oder der Angestellten bei der Regelung der Löhne und sonstigen Arbeitsverhältnisse mitzuwirken. Es liegt ihnen ob, das gute Einvernehmen innerhalb der Arbeiterschaft oder Angestelltenschaft sowie zwischen diesen und dem Arbeitgeber zu fördern. Außerdem haben sie ihr Augenmerk auf die Bekämpfung der Unfall- und Gesundheitsgefahren in dem Betriebe, der Verwaltung oder dem Büro zu richten und bei Betrieben, die unter Titel VII der Gewerbeordnung fallen, die Gewerbeaufsichtsbeamten, im übrigen andere in Betracht kommende Stellen bei dieser Bekämpfung durch Anregungen, Beratung und Auskunft zu unterstützen. ...

Wegen des Rechtes der Arbeiterausschüsse und der Angestelltenausschüsse sowie der Vertretungen nach § 12 dieser Verordnung zur Anrufung der Schlichtungsausschüsse oder anderer Einigungs- oder Schlichtungsstellen bestimmt § 20 dieser Verordnung das Nähere.

Die Befugnisse der wirtschaftlichen Vereinigungen von Arbeitern und Angestellten, die Interessen ihrer Mitglieder zu vertreten, wird durch die Vorschriften in Abs. 1 bis 3 nicht berührt. Ihre bevollmächtigten Vertreter sind, sofern sie im Einverständnisse mit dem Arbeiter- oder Angestelltenausschuß oder als dessen Beauftragte auftreten, als verhandlungsberechtigt anzuerkennen.

III. Abschnitt: Schlichtung von Arbeitsstreitigkeiten

§ 15 Zum Zwecke der Schlichtung von Arbeitsstreitigkeiten werden bis zu anderweitiger gesetzlicher Regelung, vorbehaltlich des § 19 dieser Verordnung, für die Bezirke der nach dem Gesetz über den vaterländischen Hilfsdienst (§ 9 Abs. 2 und § 10 Abs. 3) errichteten oder zugelassenen Schlichtungsausschüsse neue Schlichtungsausschüsse am Sitze der bisherigen nach Maßgabe der folgenden Vorschriften gebildet: Die Schlichtungsausschüsse bestehen aus je zwei ständigen und je einem unständigen Vertreter der Arbeitgeber und der Arbeitnehmer ihre Bezirkes. Außerdem kann ein unparteiischer Vorsitzender gemäß Abs. 4 dieses Paragraphen bestellt werden. ...

§ 20 Die Schlichtungsausschüsse können von dem Arbeitgeber, den Arbeiterausschüssen und den Angestelltenausschüssen, den Vertretungen nach § 12 dieser Verordnung oder, wo ein Ausschuß oder eine Vertretung nicht besteht, von der Arbeiterschaft oder der Angestelltenschaft angerufen werden, wenn zwischen beiden Teilen bei Streitigkeiten über die Löhne oder sonstigen Arbeitsverhältnisse eine Einigung nicht zustande gekommen ist und nicht beide Teile ein Gewerbegericht, ein Berggewerbegericht, ein Einigungsamt einer Innung oder ein Kaufmannsgericht als Einigungsamt anrufen. Mit Zustimmung der auf Arbeitgeber- oder Arbeitnehmerseite zur Anrufung Berechtigten können auch wirtschaftliche Vereinigungen von Arbeitgebern oder Arbeitnehmern die Schlichtungsausschüsse anrufen; soweit es sich um die Durchführung von Tarifverträgen handelt, sind sie hierzu auch selbständig befugt.

Bei Streitigkeiten, für die aufgrund eines Tarifvertrags oder einer sonstigen Vereinbarung zwischen Arbeitgebern und Arbeitnehmern besondere

Einigungs- oder Schlichtungsstellen zuständig sind, sollen diese Stellen angerufen werden, und nur, wenn sie nicht tätig werden, die Schlichtungsausschüsse oder andere Einigungsstellen. ...

§ 22 In wichtigen Fällen kann das Reichsarbeitsamt die Durchführung des Einigungs- und Schiedsverfahrens selbst übernehmen oder sie einer anderen Schlichtungsstelle, insbesondere einer bundesstaatlichen, überlassen. In beiden Fällen müssen bei der Verhandlung und der Abgabe des Schiedsspruchs Vertreter der Arbeitgeber und der Arbeitnehmer in gleicher Zahl als Beisitzer mitwirken. ...

§ 27 Kommt eine Vereinbarung nicht zustande, so hat der Schlichtungsausschuß einen Schiedsspruch abzugeben, der sich auf alle zwischen den Parteien streitige Fragen zu erstrecken hat. Die Beschlußfassung über den Schiedsspruch erfolgt mit einfacher Stimmenmehrheit. Stehen bei der Beschlußfassung über den Schiedsspruch die Stimmen sämtlicher Vertreter der Arbeitgeber denjenigen sämtlicher Vertreter der Arbeitnehmer gegenüber und ist ein unparteiischer Vorsitzender nicht vorhanden, so hat der Vorsitzende festzustellen, daß ein Schiedsspruch nicht zustande gekommen ist. Das gleiche gilt bei Vorhandensein eines unparteiischen Vorsitzenden, wenn dieser sich der Stimme enthält.

§ 28 Ist ein Schiedsspruch zustande gekommen, so ist er beiden Teilen mit der Aufforderung zu eröffnen, sich binnen einer zu bestimmenden Frist darüber zu erklären, ob sie sich dem Schiedsspruch unterwerfen. Wird binnen der bestimmten Frist keine Erklärung abgegeben, so gilt die Unterwerfung als abgelehnt.

Die Wahl zur verfassungsgebenden badischen Nationalversammlung

a) Aufruf der Freiburger SPD zur Wahl, 4. Januar 1919

Volkswacht (Freiburg) vom 4. Januar 1919.

Das Schicksal Badens liegt in eurer Hand!

An alle Wähler und Wählerinnen!

In letzter Stunde rufen wir auf zu zahlreicher, zu restloser Beteiligung an der morgigen Wahl! Die Stunde ist gekommen, in welcher das badische Volk über das politische und wirtschaftliche Schicksal des ehemaligen Großherzogtums entscheiden soll. Von dem 5. Januar 1919 hängt es ab, ob der jetzige Freistaat Baden eine soziale Republik oder eine Domäne der schwarzen Reaktion und der offenen und verhüllten kapitalistischen Interessen des liberalen Bürgertums mit seinen folgenschweren Begleiterscheinungen werden soll.

Deswegen sind morgen die Augen von ganz Deutschland auf Baden gerichtet; triumphiert die Reaktion, dann ist der gewaltige politische Novembersturm umsonst auch über Baden hinweggebraust. Das darf nicht sein! Baden muß zu einem wirklichen Musterland der politischen Freiheit und der sozialen Gerechtigkeit gemacht werden. Die Garantie, daß dieses hohe Ziel erreicht wird, ist nur dann gegeben, wenn in die badische Nationalversammlung eine sozialistische Mehrheit einzieht. Das Zentrum hofft, daß seine Partei die Mehrheit stellt, und auch die Demokraten machen die größten Anstrengungen, um die Volksgunst, die man im Kriege durch die nationalliberale Eroberungspolitik gründlich sich verscherzt hatte, wieder zurückzuerobern. Dabei hat man dieses Volk in den letzten vier Jahren im höchsten Maße belogen, betrogen und beschwindelt, und nun will man es mittels des Stimmzettels abermals verraten und von der energischen Verfolgung seiner Interessen abhalten. Darum keine Stimme für das Zentrum, keine Stimme für die Demokraten, auch keine Stimme für die Unabhängige Sozialdemokratische Partei.

Einzig und allein die Sozialdemokratie bietet die Gewähr, daß wir den Frieden erhalten, daß die Freiheit uns gesichert ist und daß wir wieder Lohn und Brot bekommen. Auf unsere Partei können die Hoffnung setzen alle Arbeiter und Soldaten, alle Geschäftsleute, Handwerker und Landwirte, Künstler und Gelehrte; sie ist die Partei der Zukunft und nach ihrem politischen und sozialen Programm werden in den nächsten Jahren und Jahrzehnten die Staaten regiert werden müssen.

Wir müssen den Anhängern des alten Systems es heimzahlen, daß ihre Regierung, daß der verkrachte Monarchismus und der preußische Militarismus uns mit dem Elend des Krieges überzogen und uns die jetzigen jammervollen Zustände beschert haben. Bei den 1⅓ Millionen deutscher Toten des Krieges, bei den Tausenden von Verstümmelten und Verletzten, bei den zahlreichen Gefangenen müssen wir es schwören, daß wir sie rächen wollen, daß alle diese Blutopfer nicht umsonst gebracht worden sind. Das kann nur geschehen durch die Abgabe eines sozialdemokratischen Stimmzettels.

Der Worte sind nun genug geredet, man lasse die Taten folgen. Der 5. Januar muß zu einem Ehrentag für die badische Sozialdemokratie werden; was die Revolution begonnen, muß er siegreich beenden: Die Befreiung aus politischer Unfreiheit und wirtschaftlicher Knechtung. Darum auf zur Wahl, auf zum Kampf, auf zum Sieg! Hoch die Sozialdemokratie!

b) Aufruf der Landeszentrale der Arbeiter-, Bauern- und Volksräte an die Räte Badens zur Mitwirkung beim Wiederaufbau des Staates, 7. Januar 1919

Volksfreund (Karlsruhe) vom 7.1.1919. Zitiert nach: Quellen zur Geschichte der Rätebewegung in Deutschland 1918/19, hrsg. von der Kommission für Geschichte des Parlamentarismus und der politischen Parteien, Bonn, Band III: Arbeiter-, Soldaten- und Volksräte in Baden 1918/19, bearb. von Peter Brand und Reinhard Rürup, Bonn 1980.

An die Arbeiter-, Bauern-, Volks- und Soldatenräte Badens!

Die Wahl zur badischen Nationalversammlung liegt hinter uns. Eine reaktionäre Mehrheit, wie mancherseits befürchtet wurde, hat sie nicht gebracht. Es wird trotz des Wahlausganges keine Mehrheitspolitik der bürgerlichen Parteien möglich sein, weil der Wiederaufbau des zusammengebrochenen Staates die Zusammenfassung aller politischen Kräfte erfordert.

Der Elferausschuß der Landesorganisation der Arbeiter-, Bauern- und Volksräte und der Landesausschuß der Soldatenräte haben in ihrer Vollsitzung am 6. Januar beschlossen, bei der Überleitung in den durch die Wahl vorbereiteten gesetzmäßigen Zustand behilflich zu sein. Die Arbeiter-, Bauern-, Volks- und Soldatenräte bestehen deshalb solange fort, bis die Erfolge der Revolution und der Nationalversammlung verbürgt sind. Als solche Erfolge kommen besonders in Betracht: Sicherung der demokratischen Volksrepublik und ihrer Verfassung; Durchführung der Wahlen zu den Gemeinde-, Bezirks- und Kreisversammlungen auf dem Boden des Wahlrechts für die Nationalversammlung; Inangriffnahme der Sozialisierung derjenigen Betriebe, bei welchen die erforderlichen Voraussetzungen vorliegen; Sicherung des Achtstundentages; Ersetzung der heutigen Heeresorganisation durch ein Volksheer auf demokratischer Grundlage.

Die Stellung der Organisationsleitungen wird den Arbeiter-, Bauern-, Volks- und Soldatenräten auf der am 10. Januar 1919 in Durlach stattfindenden Landesversammlung zur Nachprüfung und Beschlußfassung unterbreitet.

Karlsruhe, den 7. Januar 1919

Landeszentrale der
Arbeiter-, Bauern- und Volksräte
Emil Maier A. Remmele

60 **17. Januar 1919**

Kommentar im »Volksfreund« zur Ermordung von Rosa Luxemburg und Karl Liebknecht

Volksfreund vom 17. Januar 1919.

Wir bedauern den Tod dieser beiden Menschen lebhaft. Wir bedauern insbesondere, daß die beiden Volksgenossen auf diese Weise enden mußten. Ihr Tod ist ebenfalls unter die Kriegsopfer zu registrieren. Wir verurteilen die von ihnen vertretene politische Agitation, wir wollen jetzt aber keine Steine auf die Körper zweier Getöteten werfen, deren Ideen durch die Kriegspsychose auf eine falsche Bahn geraten sind. Wir müssen immerhin anerkennen, daß dieselben in früheren Jahren ihr Bestes für die Partei einsetzten und ihr Leben dem Befreiungskampf des Proletariats gewidmet haben. Sie haben zweifellos geglaubt, auf dem rechten Wege zu sein. Man muß ihnen diesen guten Glauben zuerkennen, auch wenn man andere Wege für die besseren hält.

Karl Liebknecht hat noch das für sich, daß er der Sohn unseres alten Wilhelm Liebknecht ist, an dem die Partei in unendlicher Verehrung hängt, und diese ererbte Verehrung scheint einen ungünstigen Einfluß auf den jungen Liebknecht ausgeübt zu haben, daß er der Welt die Bedeutung des Namens »Liebknecht« auf seine Art erhalten wollte. Er stellte sich infolgedessen schon früh in unsere Reihen, bis ihn sein Standpunkt von uns trennte.

Frau Rosa Luxemburg ist, so viel uns bekannt, eine eingewanderte

Polin, die durch ihre Verheiratung sich das deutsche Staatsbürgerrecht erwarb. Auch sie hat in früheren Jahren der Partei ihre Dienste gewidmet.

In der Parteigeschichte werden beider Name als Vertreter der radikalen Richtung genannt werden, eine Richtung, die noch zu ihren Lebzeiten ihre Unmöglichkeit bewiesen hat.

61 **15./16. Februar**

Bericht über die Rätediskussion auf der Landeskonferenz der USP Badens in Karlsruhe

Offizielles Parteitagsprotokoll, Verlag des Landesvorstandes (Bernhard Kruse in Karlsruhe). Zitiert nach: Quellen zur Geschichte der Rätebewegung 1918/19, hrsg. von der Kommission für die Geschichte des Parlamentarismus und der politischen Parteien, Bonn, Band III: Arbeiter-, Soldaten- und Volksräte in Baden 1918/19, bearb. von Peter Brand und Dieter Rürup, Bonn 1980.

Remmele (Mannheim): Parteigenossen! Die Tage der Revolution haben einen außerordentlichen Komplex von Fragen aufgerollt, über die wir in der vorrevolutionären Zeit uns theoretisch auseinanderzusetzen niemals gedacht hatten. Nur so ganz im Nebel schwebt es einem vor, daß das große Ziel, für das wir schon seit Jahrzehnten arbeiten, beinahe mit der Hand zu fassen ist. Aber keiner weiß das Mittel, es zu erreichen. Zur Frage, ob Arbeiterräte oder Parlamentarismus?, können wir nachlesen in der sozialistischen Literatur, wie sich damals unsere großen Geister dazu gestellt haben, besonders in den revolutionären Zeiten der Vergangenheit. Das, was wir heute als Staat betrachten, ist nach Marx nichts anders als ein historisch-notwendiges Regierungswerkzeug, mit dem eine bestimmte Klasse über die andere Klasse regiert. Dieser Staat ist etwas historisch Gewordenes unter ganz bestimmten Voraussetzungen, der auch mit diesen Voraussetzungen verschwinden wird. Die Staatsform hat sich nur allmählich entwickelt, die nichts anderes als ein Produkt der Macht des Privateigentums ist und mit letzterem verschwinden wird. Die politischen Staaten des Mittelalters und die bürgerlich-demokratischen Staaten des heutigen Frankreich, Amerika und England sind alle miteinander dazu berufen, durch Anwendung von Gewalt die arbeitende Volksmehrheit zu unterdrücken und zu beherrschen.

Die Begründer des wissenschaftlichen Sozialismus waren sich schon lange vor 1871 klar, daß an diese Stelle nichts anderes treten kann, als das Rätesystem. Was wir heute als Parlamentarismus bezeichnen, muß verschwinden, und an seine Stelle muß das Rätesystem treten. Es ist der Vorwurf erhoben worden, daß wir uns dadurch den Anschauungen des Anarchismus nähern würden. Der Anarchismus will die Zentralisation nicht anerkennen, ohne die sich die Menschheit nicht zum Fortschritt entwickeln kann. Die Produktion kann heute nicht mehr zurückgeschraubt werden auf den Zustand der Germanen. Das wäre ein Rückschritt in die Unkultur und Barbarei. Was der Kapitalismus brauchte, war die Begründung der Technik; letztere muß noch vervollkommnet werden mit Hilfe einer streng durchgeführten Zentralisation. Durch den Parlamentarismus ist sie nicht zu erreichen. Die Parlamente dienen nicht der Produktion ihres Landes, sie sind einerseits politische Instrumente zur Beherrschung des eigenen Volkes und dienen andererseits der Durchsetzung der Interessen der Kapitalisten gegenüber anderen Völkern.

Bei dem Rätesystem wird nicht das politische Parlament übernommen, weil solches verschwindet in dem Augenblick, wo sich der Sozialismus durchsetzt, bei dem wir nicht mehr nötig haben, das Volk zu unterdrücken und uns nach außen zu wehren. Das Werk des Sozialismus kann deshalb nur dann vollendet werden, wenn diese Revolution eine Weltrevolution wird. Dann bleibt nichts mehr übrig als die Produktionszentralisation. Dies geschieht durch die Räte, die sich aus den Revolutionsräten heraus organisieren, zunächst nach bestimmten Industrien, nach bestimmten Landesgrenzen, wie wir sie heute haben, worauf dann die allgemeine internationale Zusammenfassung des ganzen Rätesystems erfolgen wird.

Was sind nun die Räte von heute und was sollen sie sein? Die gegenwärtigen Räte haben ihre Aufgabe nicht erfaßt, wenn sie nur für Ruhe und Ordnung sorgen, das heißt den Polizeibüttel machen wollen. Allerdings gibt es auch Ausnahmen von Arbeiterräten, und auch Baden hat solche Ausnahmen. Wir haben in Mannheim ein Programm zur Wohnungsfrage vorgelegt, nachdem zunächst einmal die Villen, wo 2–3 Personen 7–8 Zimmer bewohnen, rationiert werden. Würde das durchgeführt, so brauchten wir in 10 Jahren keine Wohnungen bauen. Wegen der Durchführung des Sozialismus kommen wir zu der Forderung, daß das Proletariat bewaffnet sein muß, wenigstens so lange, bis die andern entwaffnet sind.

Was ist der Parlamentarismus heute, und was können wir mit diesem Instrument anfangen, wenn die Industrie sozialisiert ist? Das wird vollkommen davon abhängen, wie wir die politische Macht erringen können. Es hat schon Wilhelm Liebknecht vorgeschwebt, daß wir mit dem Parlamentarismus niemals zur Macht gelangen können, und alle unsere alten Führer forderten, daß die politische Macht in die Hände des Proletariats gelegt werden muß, das 80 Prozent des Volkes umfaßt. Mit keiner Silbe sprechen sie davon, daß die politische Macht in die Hände des gesamten Volkes gelegt werden müsse. Entweder kann die politische Macht in den Händen der Kapitalisten liegen oder in den Händen des arbeitenden Volkes. Etwas anderes gibt es nicht. Es werden keine Monate vergehen, ohne daß die Frage auftaucht: Arbeiterräte oder nicht? Die nächsten Wochen werden die Entscheidung bringen. Siegt das Parlament, dann erhalten wir wieder das alte kapitalistische System, siegt das Rätesystem, dann können wir zum Sozialismus gelangen.

Was hindert uns, mit der kommunistischen Partei zusammenzugehen? Das ist, daß man sich innerhalb der kommunistischen Partei, ganz speziell unter den Neuen, nicht ganz klar ist, was eigentlich diese Fragen, die da aufgerollt werden, zu bedeuten haben. Das weitere ist, daß man alles sofort durchzuführen sucht, was man als richtig erkannt hat. Die kommunistische Partei kann da nicht als Organisation angesprochen werden. Es gärt und brodelt alles unter ihnen. Sie haben uns außerordentlich schwer geschädigt, indem sie einen Tag vor der Wahl Flugblätter herausbrachten, durch die sie die Arbeiter aufforderten, sich nicht an der Wahl zu beteiligen, nachdem sie bis vor einem Tag vor der Wahl die Agitation für die Wahl mit uns betrieben hatten. Und nun sollen wir uns mit der kommunistischen Partei vereinigen, die bis vor 3 Wochen innerhalb unserer eigenen Reihen gestanden hat? Sie können ruhig zu uns kommen, aber wir müssen verlangen, daß sie die Disziplin wahren. Auch Liebknecht und Rosa Luxemburg haben verlangt, sich an den Wahlen zu beteiligen, um die Parlamentstribüne dazu zu benützen, die Ideen des Proletariats zu propagieren. Wir können nur mit den Massen der Arbeiter etwas erreichen, nicht einzelne dürfen den Kampf aufnehmen, weil sie sich nur die Köpfe einrennen werden. Der Kampf des Proletariats kann kein anderer sein, als daß er sich auf den Boden des wissenschaftlichen Sozialismus stellt, der seinen Ausdruck innerhalb der USP gefunden hat. Nur eine gut disziplinierte Organisation gibt uns die Mittel und Wege, die uns zum Ziele führen können.

Schwarz (Mannheim): Remmele hat keine Klarheit geschaffen über die Frage: Rätesystem oder Parlamentarismus? Man braucht nicht ohne weiteres die Frage verneinen: Rätesystem und Nationalversammlung? Es steht fest, daß die Nationalversammlung große Aufgaben zu erfüllen hat und große gesetzgeberische Maßnahmen durchführen muß. Es geht nicht, den Genossen Kautsky ohne weiteres beiseite zu schieben. Die Arbeiterräte haben in der Übergangszeit innerhalb der Betriebe die Sozialisierung durchzuführen. Wir sind nicht in der Lage, den gesamten Verwaltungsapparat ohne weiteres so zu übernehmen, wie es notwendig wäre. Es wird eine Tatsache sein, daß wenn das Rätesystem allein bestehen bleibe, es uns den Sozialismus auch nicht brächte. Auch das Rätesystem ist so zusammengesetzt, daß eine Mehrheit rechtsstehender Vertreter dort vorhanden wäre. Die Arbeiterräte sind deshalb bedeutungslos, weil die Arbeiterschaft nicht geschlossen hinter ihnen steht. Wenn man sich auf den Standpunkt stellt, daß nur Arbeiterräte vorhanden sein dürfen, muß man auch konsequent sein und sich rückhaltlos zum Bolschewismus bekennen.

Dissmann (Frankfurt): Meine Auffassung geht dahin: die erste Revolution ist durch. Was noch vorhanden ist, liegt in den letzten Zuckungen, weil das deutsche Volk nicht für die Revolution reif war. Wir werden aus den Lehren, die uns die letzten Monate gegeben haben, die rechte Nutzanwendung ziehen. Können wir den Sozialismus durchführen, wie es die Spartakusgruppe verlangt, mit einer kleinen Gruppe? Ich sage, nur mit den großen Massen der Arbeiterschaft! Wenn die versagen, unterliegen wir. Wenn die Spartakusgruppe in Berlin gesiegt hätte, wäre unsere Herrschaft auch dann nicht gesichert. Wir können uns nur stützen auf die revolutionäre Arbeiterschaft. Wir marschieren mit Riesenschritten auf die zweite Revolution zu. Wenn das Proletariat einen entschlossenen Willen bekundet, wird das Bürgertum sich feige zur Seite drücken. Der revolutionäre Wille der breiten Masse ist das Entscheidende. Das Rätesystem kann keinen bleibenden Zustand darstellen, um die Volkskammern zu ersetzen. Wir haben es auch beim Sozialismus noch damit zu tun, daß wir Kammern haben, wo das gesamte geistige und soziale Leben der Gesellschaftsmitglieder seine Vertretung finden muß. Es werden uns zukünftig, im sozialistischen Staat, noch viel mehr kulturelle Aufgaben erwachsen, als wir im kapitalistischen Staate haben. Auch dem Sozialismus kann es nur erwünscht sein, auch in seinen Volkskammern alle Minderheiten vertreten zu haben. Der Parteitag wird eine klare Kampfesstellung nach rechts geben müssen, nach links können wir keinen Kampf propagieren. Aber auch nach links müssen wir klar abgesteckt haben. Ledebour hat es versucht, sich mit den Spartakusleuten zu verbinden, und sitzt nun zwischen zwei Stühlen. Die USP hat 50 Prozent ihrer Stimmen eingebüßt durch die Spartakusgruppe. So revolutionär wir sind, wir haben aber auch ein Verantwortungsgefühl. Die taktischen Meinungsverschiedenheiten sind es, die uns von der Spartakusgruppe trennen. Wir bleiben auf dem Boden der alten revolutionären Sozialdemokraie. Das wird uns zum Siege führen.

Trabinger (Karlsruhe): Marx hat in seiner Jugend das Wort niedergeschrieben: »Die Unwissenheit ist ein Dämon.« Diese Unwissenheit ist es, gegen die wir noch heute zu kämpfen haben. Wir haben in jahrzehntelanger Arbeit mit den Regierungssozialisten gesehen, wie notwendig es gewesen wäre, die Leute auszuscheiden, die glaubten, sich als Führer aufspielen zu können, weil sie Akademiker sind. Auf dem Dresdner Parteitage hätten wir diejenigen hinaustun sollen, die jetzt das Proletariat verraten haben. Die Idee des Parlamentarismus ist es, die unter der Arbeiterschaft verheerend gewirkt hat. Wir müssen suchen, die ehrlichen Kämpfer, die sich auf der äußersten Linken, bei den Spartakusleuten, befinden, zu uns herüber zu ziehen. Die Masse der Proletarier müssen wir an unsere Fahne zu heften versuchen und sie nicht abstoßen. Der bürgerliche Parlamentarismus wird und muß verschwinden, und die Räteregierung muß immer mehr in den Vordergrund kommen. Wir dürfen die, die auf der äußersten Linken stehen, nicht verdammen. Wir dürfen nicht mit Kautsky weitergehen, der sich jetzt auf dem internationalen Parteitag gegen Friedrich Adler und gegen die Bolschewisten gewandt hat. Wir dürfen die Linksstehenden nicht ausweisen, denn es sind unsere Brüder, unsere Kampfesgenossen!

Kruse (Karlsruhe): Das Rätesystem ist unentbehrlich als ein Übergangsstadium vom Kapitalismus zum Sozialismus. Die Regierungssozialisten pflegen das Rätesystem mit allen ihnen zur Verfügung stehenden Mitteln zu bekämpfen, weil sie den Sozialismus nicht ernstlich durchführen wollen. Sie behaupten, daß das Rätesystem nicht notwendig sei zur Durchführung des Sozialismus. Das große Beispiel, das uns die russischen Parteigenossen gegeben haben, zeigt uns, daß wir auf dem Wege über das Rätesystem zum Ziele gelangen.

Kann der Sozialismus in einzelnen Staaten durchgeführt werden, wenn es nicht international geschieht? Wir dürfen nicht behaupten, daß er nur international durchgeführt werden kann. Ich baue auf die Einigung des Proletariats, sie muß nach links erzielt werden. Es war von der kommunistischen Partei ein Fehler, sich von uns zu trennen. Die Ausführungen in der »Roten Fahne«, daß sie genau auf demselben Standpunkt stehen wie wir, beweisen, daß wir uns gut einigen könnten.

Remmele (Mannheim): Das Rätesystem muß ausgebaut werden im Interesse des Proletariats. In der Zukunft müssen Gesetzgebung und Gesetzesausführung in einer Hand liegen. Der Bolschewismus hat bewiesen, daß er durch seine Tat dem Sozialismus Geltung verschaffte. So unmöglich es ist, Kapitalismus mit Sozialismus zu verbinden, so unmöglich wird es sein, das Rätesystem mit dem Parlamentarismus zu vereinen.

Die Wahl des Arbeiterausschusses in der Firma Fischer, Freiburg

a) Schreiben des Zentralverbandes christlicher Holzarbeiter Deutschlands, Sekretariat Freiburg, an das badische Ministerium für Übergangswirtschaft und Wohnungswesen betreffend den Versuch der Firmenleitung, die Wahl zu verhindern, 8. März 1919

GLA Karlsruhe, 237/26525.

Die Firma J. Fischer, Stanzmesser- und Schneeschuhfabrik, Freiburg i. Br., Zähringerstraße, hat anläßlich der am Montag, den 24. Februar stattgefundenen Demonstration einem Arbeiter gekündigt. Derselbe steht in dem Verdacht, seine Arbeitskollegen an diesem Tage zu dieser Demonstration durch Arbeitsniederlegung aufgefordert zu haben.

Der Verordnung vom 23. Dezember 1918, daß für Betriebe von 20 und mehr Arbeitern ein Arbeiterausschuß neu zu bilden ist, setzt die Firma Widerstand entgegen. Die Firma kennt die von den Arbeitern eingereichte Vorschlagsliste nicht an und erklärte, wenn nicht eine Änderung vorgenommen werde, würde Sie den Betrieb auf 20 Arbeiter vermindern, um dadurch keinen Ausschuß zu benötigen. Eine Verständigung mit der Organisationsleitung lehnt die Firma ab.

Wir bitten deshalb das Ministerium in dieser Sache vermittelnd einzugreifen und zu veranlassen, daß die Kündigung des Arbeiters Asal zurückgenommen wird, und die weiteren angedrohten Kündigungen sowie die Verminderung des Betriebs unter 20 Arbeiter unterbleiben.

Josef Melzl,
Bezirksleiter.

b) Schreiben des Zentralverbandes christlicher Holzarbeiter Deutschlands, Sekretariat Freiburg, an die Geschäftsleitung der Firma Fischer

GLA Karlsruhe, 237/26525.

Unter höflicher Bezugnahme auf die am Montag, den 9. diesen Monats stattgefundene telefonische Aussprache, die Kündigung des Arbeiters Asal betreffend, gestatten wir uns, nachdem in der abgehaltenen Betriebsversammlung eingehend Aufklärung gegeben worden ist, Ihnen nachstehendes zu unterbreiten: Es liegt zweifellos eine irrtümliche Auffassung Ihrerseits vor, daß der Arbeiter sämtliche Arbeiter veranlaßt hat, an dem fraglichen Mittag die Arbeit einzustellen. Asal hat lediglich seinen Kollegen unterbreitet, daß anläßlich des von sozialdemokratischer Seite angeordneten Generalstreiks in den Betrieben der näheren Umgebung, so bei der Firma Springer, Herder, Grumeich usw., nicht gearbeitet werde. Angesichts der von radikalen Arbeiterkreisen angedrohten Maßnahme, die Arbeiter aus den Betrieben herauszuholen, haben die Arbeiter gemeinsam beschlossen, an diesem Mittag nicht zu arbeiten. Daß eine Arbeitseinstellung nicht beabsichtigt war und von dem Arbeiter Asal nicht angeordnet wurde, geht auch daraus hervor, daß sämtliche Arbeiter am Nachmittag zur Arbeit erschienen sind.

Wir bedauern, daß die Arbeiter Sie von dem gemeinsam gefaßten Beschluß nicht in Kenntnis gesetzt haben. Nachdem wir nun die sachlichen Gründe dargelegt haben, ersuchen wir um die Zurücknahme der Kündigung des Arbeiters Asal. Andernfalls wir in der getroffenen Maßnahme einen Eingriff in die Koalitionsfreiheit der Arbeiter erblicken würden, da der betreffende Arbeiter Vertrauensmann der Organisation ist. Zu bemerken wäre noch, daß die Kündigung des Asal an einem Tage erfolgte, der mit den Bestimmungen Ihrer Fabrikordnung nicht im Einklang steht.

Hinzuzufügen wäre noch, daß Ihre den Arbeitern gegenüber gemachten Äußerungen, Sie würden, falls die Arbeiter die Vorschlagliste zu einem Arbeiterausschuß nicht abändern, Ihren Betrieb auf 20 Arbeiter reduzieren, mit den Verordnungen der Regierung in Widerspruch stehen.

Gegen ein solches Vorgehen werden wir alle uns zu Gebote stehenden Mittel ergreifen, müssen aber für die Folgen, die daraus entstehen, jetzt schon jede Verantwortung ablehnen.

c) Schreiben des Zentralverbandes christlicher Holzarbeiter Deutschlands, Sekretariat Freiburg, an das Bezirksamt Freiburg, 17. März 1919

GLA Karlsruhe, 237/26525.

Bekenne mich zum Eingang Ihres Schreibens vom 14. März und teile dem Badischen Bezirksamt höflichst mit, daß die Angelegenheit als erledigt zu betrachten ist. Die Firma J. Fischer hat die Kündigung des Arbeiters Asal zurückgenommen sowie die Wahl des Arbeiterausschusses anerkannt.

Ergebenst

Josef Melzl, Bezirksleiter.

63 **9. März 1919**

Brief des Geschäftsführers des Deutschen Metallarbeiter-Verbandes, Verwaltungsstelle Triberg, an den Vorsitzenden der USP Offenburg, Adolf Geck

GLA Karlsruhe, 69 N1/1218.

Werter Genosse!

Im Sinne unserer hiesigen Genossen richte ich diese Zeilen an Sie als Führer der USP. Die allmähliche Erkenntnis der Genossen, daß die Sozialdemokratische Partei nicht mehr völlig auf dem Boden des Erfurter Programms steht, ferner daß von seiten der Parteileitung nicht alle durch die Zeitverhältnisse gegebenen Mittel zur Erfüllung des Programms in Anwendung gebracht werden, sind die Triebfeder dieser Handlung.

Es handelt sich um den Übertritt der hiesigen Mitgliedschaft des sozialdemokratischen Wahlvereins zur USP bzw. Neugründung einer Mitgliedschaft der USP. Der Konflikt schwebt hier schon längere Zeit und ist jetzt gewissermaßen ausgereift. Nebenbei besteht auch noch eine gewisse Uneinigkeit hier zwischen Leitung und Mitgliedschaft, und würden wir diese benützen, um den vollständigen Bruch herbeizuführen. Ich bemerke ferner noch dazu, daß die Metallarbeiter hier, die den ausschlaggebenden Teil der hiesigen politisch und gewerkschaftlich organisierten Arbeiterschaft bilden, eins sind mit mir.

Nächsten Donnerstag (15.3.) findet eine Mitgliederversammlung statt, und es würde mich sehr freuen, wenn Sie selbst oder irgendein anderer rednerisch begabter Genosse hier sein könnten und durch eine Erläuterung des Unterschieds zwischen SP und USP Schwung in die Sache bringen würden und auch das zu einer Gründung nötige Material anweisen wollten.

In der Hoffnung auf eine möglichst umgehende und günstig lautende Antwort zeichnet mit Gruß

Herm. Müller,
Triberg, Baden.

64 **Mai 1919**

Der Streik in den Bürstenfabriken Todtnaus

a) Bericht des Bezirksamts Schönau an das Innenministerium in Karlsruhe, 15. Mai 1919

GLA Karlsruhe, 237/26192.

Am 13. des Monats, vormittags, 10 Uhr legten sämtliche Arbeiter der Bürstenfabriken in Todtnau die Arbeit nieder, weil die Arbeitgeber die Lohnforderungen der Arbeiter nur teilweise bewilligen wollen. Am 14. des Monats schlossen sich die Arbeiter der Bürstenfabrik in Schönau und Utzenfeld dem Streik ebenfalls an. Von dem Streik werden folgende Betriebe getroffen: Oskar Faller, Todtnau (200 Arbeiter); Vereinigte Bürstenfabriken, Todtnau (120 Arbeiter); Firma Wissler und Sohn, Todtnau (80 Arbeiter); Halblitzel und Bäuerle, Todtnau (53 Arbeiter); Meinrad Keller, Todtnau (10 Arbeiter); K. Neidhold, Schönau (62 Arbeiter); Jakob Schlotterbeck, Schönau (10 Arbeiter); Gustav Kaiser, Utzenfeld (84 Arbeiter).

Im ganzen sind es 619 ausständige Arbeiter bis jetzt. Die Arbeiter fordern eine 35%ige Lohnerhöhung, während die Arbeitgeber die Löhne nur um 30% erhöhen wollen. In der Angelegenheit fällte der Schlichtungsausschuß einen Schiedsspruch, den die Arbeitgeber nicht anerkennen. Die Höhe der Lohnforderungen und die zugestandenen Lohnerhöhungen sind in der Anlage zusammengestellt.

Störungen der Ruhe und Ordnung kamen bis jetzt nicht vor, sind aber zu befürchten, falls der Streik von längerer Dauer ist oder Arbeitswillige die Arbeit aufnehmen wollen. Der größere Teil der Streikenden befindet sich in Todtnau, die dortige Gendarmeriestation, mit nur einem Mann besetzt, müßte gegebenenfalls verstärkt werden.

Die Stundenlöhne für Facharbeiter bzw. Facharbeiterinnen werden vom 1. März 1919 wie folgt festgesetzt:

	Forderung	Zugestanden
1. Für Arbeiter über 20 Jahren	1,10–1,27	1,00–1,20 M
2. Für Arbeiter von 16–20 Jahren	0,76–0,94	0,70–0,85 M
3. Für Arbeiterinnen über 20 Jahren	0,85–1,02	0,70–0,85 M
4. Für Arbeiterinnen von 16–20 Jahren	0,60–0,76	0,50–0,65 M

Die Stundenlöhne für Hilfsarbeiter bzw. Hilfsarbeiterinnen werden vom 1. März 1919 wie folgt festgesetzt:

	Forderung	Zugestanden
1. Für Arbeiter über 20 Jahren	0,80–1,00	0,70–0,90 M
2. Für Arbeiter von 16–20 Jahren	0,56–0,70	0,50–0,60 M
3. Für Arbeiter von 14–16 Jahren	0,40–0,50	0,35–0,45 M
4. Für Arbeiterinnen über 20 Jahren	0,64–0,75	0,55–0,70 M
5. Für Arbeiterinnen von 16–20 Jahren	0,48–0,64	0,42–0,55 M
6. Für Arbeiterinnen von 14–16 Jahren	0,32–0,48	0,28–0,42 M

b) Bericht des Bezirksamts Schönau an das Arbeitsministerium in Karlsruhe, 19. Mai 1919

GLA Karlsruhe, 237/26192.

Wir nehmen Bezug auf unseren Bericht vom 15. Mai 1919 an das Ministerium des Innern und teilen ergebenst mit, daß der Bürstenstreik in Todtnau, Schönau und Utzenfeld durch Vergleichsverhandlungen erledigt und die Arbeit heute allgemein wieder aufgenommen wurde.

Die Arbeitgeber haben einen großen Teil der Forderungen der Arbeitnehmer, bzw. der Entscheidung des Schiedsgerichts anerkannt. In den Löhnen, die für Facharbeiter verlangt werden, haben die Arbeitnehmer teilweise nachgegeben. Ausschreitungen sind nicht vorgekommen, die Streiknachweisung wird nach endgültiger Feststellung des Vorgeschriebenen sofort eingereicht.

Die Protestaktionen in Offenburg gegen die unzureichende Lebensmittelversorgung

a) Aufruf des Vollzugsausschusses des Arbeiterrats, der Vereinigten Gewerkschaften und der sozialdemokratischen Parteien zu einer Protestdemonstration, 4. Juni 1919

DGB Offenburg, Nachlaß Erich Strack.

An das arbeitende und verbrauchende Volk aus Offenburg und Umgebung! Frauen und Männer! In welch' unhaltbare Zustände gerät die werktätige Bevölkerung infolge der immer gewissenloser sich ausgestaltenden Ernährungsregelung! Amtlich verschreibt das Rezept des Kommunalverbandes für unsere Bevölkerung ein Kopfquantum von 100 Gramm Fleisch alle 2 Wochen. In den Offenburger Gasthäusern ist an jedem Tag gegen gute Bezahlung Fleisch aller Sorten zum Genuß erhältlich, von manchen Metzgern wird das Pfund Fleisch um 5 bis 6 Mark an zahlungsfähige Herrschaften abgegeben. - Dank dem Blühen, Wachsen und Gedeihen des gewerbsmäßigen Schleichhandels und der Schwarzschlächterei! Für diese privilegierten Wucherpreise erwerben sich jene Geldleute ihre kräftige Tageskost, welche das »Durchhalten«, das sie dem bedrückten Volke seit bald 5 Jahren predigen, selber nie geübt und gekannt haben.

Eine Hauptschuld an dem jetzt unhaltbar gewordenen Zustand tragen jene Behörden, welche die ergangenen Verordnungen unbeachtet ließen oder lau handhabten bis zur Wirkungslosigkeit. Darum fordern wir von den Ämtern und Kommunalverbänden die unbedingte und sofortige Durchführung folgender Grundsätze:

1. Rücksichtslose Verfolgung des Schleichhandels und der Schwarzschlächtereien; schwere Bestrafung der Überführten.
2. Schärfste Kontrolle über die Gasthöfe, Wirtschaften und Privaten wegen des geschäftlichen Bezugs von Fleisch, Fett, Eiern usw.
3. Überführten Metzgern, Wirten muß der Betrieb geschlossen werden.
4. An den Sonntagen, da die Bevölkerung kein Fleisch zugeteilt erhält, sind auch die Gasthäuser nicht mit Fleisch zu beliefern.
5. Unnachsichtliche Bestrafung aller Veranlagten, welche der Ablieferungspflicht für Milch, Eier usw. nicht genügen.
6. Das Beschlagnahmerecht und die Kontrolle muß Personen der Volkswehr (als Landesschutzmannschaft) übertragen werden.
7. Im städtischen Krankenhause muß durch Abschaffung des Klassensystems eine gleiche, einheitliche Ernährung aller Insassen eingeführt werden.

8. Gegen die Wohnungsnot müssen die Verordnungen endlich ernsthaft und wirkungsvoll angewendet werden, insbesondere gemäß jener vom 30.12.1918 die Teilung der Großwohnungen zur Anwendung kommen.

9. Zuckerabgabe zu Einmachzwecken, Bohnenkaffeezuweisung ohne Mischung mit Rübenkaffee.

Volksgenossen! Sorgt ohne Unterschied der Parteirichtung dafür, daß mit der Durchführung obigen Verlangens endlich in Offenburg Ernst gemacht wird!

Helft! Für diese Forderungen demonstrieren am Mittwoch, dem 4. Juni, nachmittags, ¼4 Uhr in der Landwirtschaftlichen Halle.

Alle Betriebe müssen um 3 Uhr stillstehen; kein Verbraucher, kein Mann, keine Frau darf bei der Kundgebung gegen die verdammte Hungerpolitik fehlen: Zeigt den Behörden, daß Ihr genug habt des grausamen Spiels! Auf zur Landwirtschaftlichen Halle am 4. Juni!

Der Vollzugsausschuß des Arbeiterrats.
Die Vereinigten Gewerkschaften.
Die sozialdemokratischen Parteien (Mehrheit und USP).

b) Resolution der Teilnehmer einer Protestversammlung in Offenburg, 9. Mai 1920

Stadtarchiv Offenburg, 5/7082. – Auslassung in der Vorlage.

Die heute am 9. Mai 1920 im »Dreikönigsaal« tagende sehr stark besuchte Protestversammlung stellt, durch die in letzter Zeit ins unendliche gestiegenen Lebensmittelpreise gezwungen, folgende Forderungen:

1. Unbedingte Aufrechterhaltung und restlose Durchführung der Zwangswirtschaft.

2. Erfassung aller Lebens- und Bedürfnisartikel, welche als Auslandsware bezeichnet werden.

3. Zur Bereitung und Verteilung eines billigen, genießbaren bekömmlichen Brotes verlangt die Versammlung eine genaue Kontrolle der zugewiesenen rationierten Mengen Mehl und dessen Verwendung. Zur Verbilligung der Produktionskosten und zur Erleichterung der Kontrolle der Backmittel und des Brotes dient die Zusammenlegung der Bäckereien und die Einrichtung eines Zentralbackofens als die geeignetste Maßnahme.

4. Um eine Verschiebung des Mehles nach den Konditoreien usw. zu verhüten, wird eine scharfe Kontrolle unter Mitwirkung der Arbeiterschaft dieser Betriebe verlangt.

5. Anstelle der fehlenden Kartoffeln wird die Herausgabe einer ausreichenden Menge Ersatzlebensmittel gefordert.

6. Die Versammlung erwartet von der Stadt auf das bestimmteste, daß eine Heraufsetzung des Fleischpreises nicht stattfindet. Die Verbraucher sehen sich nicht veranlaßt, den aus dem verminderten Häuteerlös sich ergebenden Betrag als Liebesgaben zu bezahlen.

7. In der Milchbewirtschaftung verlangt die Versammlung die sofortige Durchführung der in der Resolution vom ... dem Stadtrat überreichten Anträge.

8. Gegen die Wohnungsnot in der Stadt eine ganz entscheidende und unerschrockene Handhabung der grundsätzlichen Zwangsmaßregeln in der Unterbringung der obdachlosen oder schlecht aufgehobenen Familien. In erster Reihe Berücksichtigung der bisher ansässig gewesenen Familien, der zur produktiven Arbeit ansässigen Bevölkerung. Ferner verlangt die Versammlung die Übertragung des Mietseinigungsamtes an das Bürgermeisteramt, ferner die Nichtzulassung der Rechtsanwälte beim Mietseinigungsamte.

9. Gründliche Zurückführung des hiesigen Fremdenaufenthaltes auf das Maß des Allernotwendigsten. Alle Fremden, die sich nicht über ein solides Berufsauskommen ausweisen können, sind zu entfernen.

10. Als Schlußfolgerung wird in Anbetracht der unerhörten Teuerung von der Stadtverwaltung die Festsetzung der ortsüblichen Tagelöhne unter Mitwirkung der gewerkschaftlichen Organisationen verlangt.

Das Betriebsrätegesetz von 1920

a) Stellungnahme des Bundes badischer Arbeitgeberverbände zur zweiten Fassung des Gesetzentwurfes (Auszug), 1. August 1919

GLA Karlsruhe, 233/11713.

Nachdem der Gesetzentwurf über Betriebsräte in seiner ersten Fassung zur Diskussion gestellt worden ist, sind von allen Seiten, sowohl von Arbeitnehmern als auch von den Arbeitgebern fast nur Stimmen gegen den Entwurf laut geworden. Ersteren war das Mitbestimmungsrecht nicht genügend gewahrt, und sie sprachen es mehr als einmal offen aus, daß sie in manchen Punkten, besonders bei Einstellungen und Entlassungen nicht die Gleichberechtigung, sondern die Alleinberechtigung beanspruchen. Um so mehr ist es berechtigt, wenn von Arbeitgeberseite eindringlich auf die schweren nachteiligen Folgen hingewiesen wurde, die das Betriebsrätegesetz für die Wirtschaft haben muß.

Leider ist jetzt, nachdem die zweite Fassung dieses Gesetzentwurfes vorliegt, festzustellen, daß den Bedenken und Vorschlägen der Arbeitgeber nicht im geringsten stattgegeben wurde, vielmehr das Gesetz durch eine Reihe neuer Bestimmungen noch verderblicher für die Wirtschaft und unerträglicher für den Unternehmer oder Leiter eines Betriebes gestaltet wurde.

Die Unternehmer und Betriebsleiter werden völlig unter die Botmäßigkeit der Betriebsräte gestellt und ihrer Handlungsfreiheit in der Leitung ihres Betriebes und infolgedessen hinsichtlich dessen Anpassung an das Wirtschaftsleben beraubt.

Wir wollen gerne anerkennen, daß die Arbeitnehmer einen Anspruch darauf haben, bei der Regelung ihrer Lohn- und Arbeitsbedingungen mitzuwirken, nach dem Betriebsrätegesetz in zweiter Fassung des Entwurfes läuft diese Mitwirkung auf eine Alleinbestimmung der Arbeitnehmer hinaus. Es gibt nach diesem Gesetz kaum eine der Betriebsleitung zustehende Funktion, auf welche die Angestellten und Arbeiter keinen entscheidenden Einfluß ausüben könnten. Dieselben sind in der Lage, fast jede Maßnahme, die der Arbeitgeber trifft, unter irgendeinem Vorwande, der leicht aus dem Paragraphen 15 des Gesetzes hergeleitet werden kann, zu Fall zu bringen oder wenigstens eine Änderung nach ihrem Willen zu erzwingen.

Das ganze Gesetz leidet an einem inneren Widerspruch. Es ist darin nur von Pflichten des Arbeitgebers und Rechten des Arbeitnehmers die Rede. Dem Arbeitgeber bleibt aber die ganze Verantwortung für das Geschick des Betriebes. Er ist nicht nur zivilrechtlich, sondern auch strafrechtlich allein haftbar, und zwar auch für die Anordnungen des Betriebsrates. Der Unternehmer ist an seinen Betrieb gebunden und nicht in der Lage, sich der Verantwortung irgendwie zu entziehen, während der Angestellte und Arbeiter jederzeit durch einen Austritt aus dem Betrieb in der Lage ist, den Folgen seiner Handlungen zu entgehen.

Wir müssen ausdrücklich darauf hinweisen, daß die Aussicht, seinen eigenen Betrieb nicht mehr selbst verwalten zu können, dem Unternehmer die Arbeitslust verleiden muß. Niemand wird aber doch leugnen wollen, daß für das Gedeihen eines Werkes Arbeitslust und Schaffensfreude des Leiters die erste Vorbedingung ist. Es unterliegt wohl keinem Zweifel, daß um einen Betrieb vorwärtszubringen, ein gewisser Wagemut immer nötig ist. Es wird aber soweit kommen, daß der Unternehmer darauf verzichtet, sich mit dem Betriebsrat über Pläne zur Vergrößerung oder Ausgestaltung seines Betriebes auseinanderzusetzen, und lieber alles beim alten läßt, als sich mit dem Betriebsrat in Diskussionen und Verhandlungen einzulassen, um sich zu vergewissern, ob auch das, was er beabsichtigt, die Zustimmung seiner Arbeiter und Angestellten finden wird oder nicht, um dann schließlich, wenn der Betriebsrat mit seinen Absichten nicht übereinstimmt, andere Dispositionen treffen zu müssen. Kleinere Unternehmungen werden krampfhaft daran festhalten, nur 19 Angestellte und Arbeiter zu haben, denn wenn 20 Arbeitnehmer vorhanden sind, können geschäftliche Dispositionen nur getroffen werden, wenn der Betriebsrat keinen Einspruch erhebt, Entlassungen nur vorgenommen werden, wenn der Betriebsrat nichts dagegen hat, Neueinstellungen nur erfolgen, wenn der Betriebsrat damit einverstanden ist. Die ganze Produktion wird auf diese Weise in einen Zustand der Stagnation und Lähmung kommen.

Das Gesetz wird eine Fülle unproduktiver Tätigkeit bringen, da durch Wahlen, Verhandlungen und Sprechstunden außerordentlich viel Zeit nutzlos verlorengehen wird, wie man bisher schon bei den Arbeiterausschüssen feststellen mußte.

Die Gefahr des Verrats von Betriebsgeheimnissen ist außerordentlich groß. Die Strafbestimmungen bieten dagegen nicht genügend Schutz, da es immer sehr schwer sein wird, denjenigen festzustellen, der sich eine Übertretung hat zuschulden kommen lassen. Bei Verrat von Betriebsgeheimnissen durch ein Betriebsratsmitglied, der von einer ausländischen Firma vielleicht gerade zu diesem Zwecke angestellt wird, dadurch diese zu erfahren, ist eine Verfolgung so gut wie ausgeschlossen. Man denke nur daran, wie leicht es einem Betriebsratsmitglied, der zu einer ausländischen Firma geht, sein wird, dieser die ausländischen Kunden seiner früheren deutschen Firma zuzuführen. Unsere ehemaligen Feinde werden sich diese Gelegenheit der Handels- und Betriebsspionage zweifellos nicht entgehen lassen, und es werden sich, wie überall, auch unter den Betriebsratsmitgliedern, käufliche Elemente finden.

Das Gesetz steht den Vorschriften der §§ 241, 246, 248 und 249 des Handelsgesetzbuches entgegen. Wenn es dabei bleiben sollte, daß der Betriebsrat in der Leitung des Unternehmens mitbestimmend ist und Sitz und Stimme im Aufsichtsrat erhält, so ist eine Änderung außerordentlich wichtiger Bestimmungen des Handelsgesetzbuches erforderlich. Demnach muß, sofern die bezüglichen Vorschriften des neuen Entwurfes nicht von vornherein fallengelassen werden, zunächst die Beratung einer Novelle zum Handelsgesetzbuch stattfinden, denn es ist ganz unmöglich, daß die Vorschriften über die Haftung des Vorstands und der Aufsichtsratsmitglieder bestehenbleiben, wenn der mitbestimmende Betriebsrat frei von jeglicher Verantwortung bleibt.

Wir können uns nicht denken, daß die Mitglieder der Vorstände und Aufsichtsräte der Aktiengesellschaften und Gesellschaften mit beschränkter Haftung ihre Ämter beibehalten, wenn sie die Verantwortung für Maßnahmen der Betriebsräte und Beschlüsse, welche unter den bekannten Druckmitteln der Arbeiterschaft durch die Betriebsräte veranlaßt werden, übernehmen müssen, was doch der Fall ist, solange die genannten Vorschriften des Handelsgesetzbuches bestehenbleiben.

Wir hegen die Hoffnung, daß durch eine entsprechende Gestaltung des Entwurfes und das Eintreten aller Abgeordneten der Nationalversammlung, die unser deutsches Wirtschaftsleben nicht völlig zugrunde richten und den Wiederaufbau zu einem Ding der Unmöglichkeit machen wollen, für unsere nachstehenden Abänderungsvorschläge die schlimmsten Folgen verhütet werden.

Unsere Vorschläge, welche wir mit allem Nachdruck als die Mindestforderung der Arbeitgeber vertreten, in der Erwartung, daß sie Berücksichtigung finden werden, sind folgende:

Zu § 4: Die Zahl der Mitglieder des Betriebsrates sollte möglichst beschränkt werden. Wir beantragen daher eine Verminderung der Zahl der Mitglieder des Betriebsrates.

Begründung: Die Mitglieder der Betriebsräte sind für eine produktive Tätigkeit verloren. Das sind schon bisher die Mitglieder der Angestellten- und Arbeiterausschüsse zum größten Teil gewesen.

Die Arbeitnehmer werden durch die Wahlen und die ständigen Versammlungen in einer fortgesetzten Unruhe erhalten, die sie zu einer intensiven Arbeitsleistung nicht mehr befähigt. Auf diese Weise kann die Produktion nicht gehoben werden, sondern sie wird immer mehr behindert.

Je größer die Zahl der Mitglieder sein wird, um so weniger werden die Räte überhaupt nutzbringende Arbeit leisten können.

Zu § 5: Die Interessen der Kopfarbeiter decken sich durchaus nicht in allen Fällen mit denen der Handarbeiter. Die Kämpfe, die anläßlich der Debatten über den Betriebsräteentwurf entstanden sind, zeigen deutlich, daß dieses Gesetz den Gegensatz zwischen Angestellten und Arbeitern nur vergrößern wird, statt ihn auszugleichen. Die Angestellten werden stets paritätische Besetzung der Betriebsräte durch Arbeiter und Angestellte fordern, da man nicht nach Köpfen, sondern nach der wirtschaftlichen Bedeutung werten müsse, und da nicht die Menge, sondern die

Qualität der Arbeit entscheidend sei für die Bedeutung der einzelnen Berufsschicht im Betriebe. Da die Arbeiter, wie es sich gezeigt hat, diese Gründe durchaus nicht anerkennen, so wird ein gemeinsamer Betriebsrat durch gemeinsame Wahl zusammengesetzt stets eine Quelle ständigen Streits zwischen Arbeitern und Angestellten sein, mag der § 5 des Entwurfes bleiben oder auch nach dem Wunsche der Arbeiter umgeändert werden. Bleibt der § 5 so wie er ist, so ist für die besonderen Interessen der Angestellten keine genügende Vertretung vorhanden, da die Angestellten sich in den industriellen Betrieben in der Minderheit befinden und für sie die Gefahr besteht, in allen wichtigen Fragen majorisiert zu werden. Wird dieser Paragraph zugunsten der Angestellten geändert, so werden ihrerseits die Arbeiter glauben, im Betriebsrat nicht genügend vertreten zu sein.

Für die Arbeitgeber sind getrennte Betriebsräte der Angestellten und Arbeiter noch eher erträglich als eine gemeinsame Vertretung beider Arbeitnehmergruppen. Der Angestellte (als solcher) soll in einem Betriebe in seinem Verhältnis zum Arbeiter mehr sein als der Auch-Arbeitnehmer, ist häufig direkter Vorgesetzter des Arbeiters (als Meister, Betriebsingenieur etc.), häufig die Vertrauensperson des Arbeitgebers gegenüber dem Arbeiter (als Lohnrechner, Lohnbuchhalter oder Kassierer). Indem er dem gemeinsamen Betriebsrat, in welchem die Arbeiter in der Mehrzahl sind, die Vertretung seiner wirtschaftlichen Interessen anvertraut, muß er in Konflikt mit seinen Pflichten oder seiner Autorität als Vorgesetzter kommen. Die zum gemeinsamen Betriebsrat gehörigen Angestellten können niemals Vorgesetzte von Arbeitern sein, ohne daß die Ordnung erheblich gefährdet wird.

Dem Betriebsrat angehörige Angestellte, welche durch ihre besondere Stellung oder Tätigkeit von geschäftlichen Vorgängen und Betriebsgeheimnissen, deren Kenntnis auch nach diesem Gesetz den Betriebsräten vorenthalten bleiben soll, Wissenschaft haben, könnten zu groben Pflichtverletzungen verleitet werden, welche u. a. den Fortbestand des Unternehmens gefährden würden. Deshalb sollte »ein 'Betriebsrat' nur für Arbeiter errichtet werden und als Vertretung der wirtschaftlichen Interessen der Angestellten die nach Hilfsdienstgesetz bzw. der Verordnung vom 25.12.1918 geschaffenen Arbeiterausschüsse, eventuell mit erweiterten Befugnissen fortbestehen«.

Der Unterbau für die Vertretung der Angestellten in den Bezirks-, Landes- und Reichsarbeitsräten und Wirtschaftsräten kann auch von den Angestelltenausschüssen gebildet werden.

Absatz 3: Es ist nicht ersichtlich, ob eine Mehrheit innerhalb einer jeden Gruppe in getrennter Abstimmung gemeint ist oder eine Mehrheit beider Gruppen in gemeinsamer Abstimmung. Letzteres ist im Interesse der Angestellten unbedingt abzulehnen, da bei gemeinsamer Abstimmung in den meisten Fällen die Arbeiter allein schon die Mehrheit haben...

Zu § 15 Ziffer 2: Eine Mitwirkung des Betriebsrates bei der Regelung der Lohn- und sonstigen Arbeitsverhältnisse kann überhaupt nur in dem

Sinne zugestanden werden, daß der Betriebsrat zum Zwecke einer Verständigung über die Arbeitsbedingungen die Wünsche der Arbeitnehmer dem Arbeitgeber vorbringt und dieser hierüber mit ihm verhandelt und dann, wenn eine Einigung im Verhandlungswege nicht zustande kommt, von beiden Teilen der Schlichtungsausschuß angerufen werden kann. Das muß klar in dem Gesetz zum Ausdruck kommen. Mitwirkung im Sinne von Mitbestimmung lehnen die Arbeitgeber mit aller Entschiedenheit ab.

Ziffer 4: Sehr bedenklich ist das Mitbstimmungsrecht bei Einstellungen und Kündigungen von Arbeitnehmern. Die Mitwirkung des Betriebsrates bei der Einstellung lehnen wir unbedingt ab, und zwar nicht nur im Interesse der Arbeitgeber, sondern auch in dem der Arbeitnehmer. Letztere können nie beurteilen, was die Kollegen, die in einer anderen Werkstatt oder in einem anderen Büro arbeiten, leisten, ob also eine Rangerhöhung oder eine Entlassung gerechtfertigt ist oder nicht. Nach welchen Grundsätzen soll der Betriebsrat Beförderungen, Einstellungen und dergleichen vornehmen? Etwa auf Grund von Abstimmungen, des Alters oder gar des Loses? Dies spricht dem Grundsatz »freie Bahn dem Tüchtigen« direkt Hohn. Es ist doch eine alte Erfahrung, daß ein vorwärtsstrebender tüchtiger Mensch am meisten unter dem Neid seiner Kollegen zu leiden hat. Der Betriebsrat wird in den meisten Fällen gar nicht einsehen, weswegen ein neu einzustellender Kollege aufgrund seiner Zeugnisse oder seiner Vorbildung etwa über die bereits Anwesenden gestellt werden soll. Er wird immer das Bestreben haben, aus seiner Mitte Leute an die beabsichtigte Stelle zu bringen, einerseits weil er glaubt, ebenso tüchtige Leute zu haben, wie der Neuling es ist, andererseits weil er ein Interesse daran hat, aus seiner Mitte Leute an höhere Stellen zu bringen. Der Passus, daß ein Einwand gegen eine Einstellung nur gemacht werden kann, »wenn wichtige berechtigte Interessen des Betriebes oder der Arbeitnehmerschaft des Betriebes dadurch verletzt werden«, schützt dagegen nicht, da solche Interessen immer vorgeschützt werden können. Das Mitbestimmungsrecht bei Einstellungen wird daher die größte Unzufriedenheit bei den Arbeitnehmern hervorrufen.

Dazu kommt, daß dies eine Handhabe für den schlimmsten Terrorismus ist und dazu führt, alle Arbeitnehmer, welche hinsichtlich ihrer politischen Gesinnung und ihrer Zugehörigkeit zu einer Organisation der Minderheit den Betriebsräten nicht genehm sind, auszuschließen. Wenn auch in dem Gesetzentwurf steht, daß dies kein Grund zur Erhebung eines Einspruches sein darf, so wird in Wirklichkeit doch bei der Frage der Einstellung die politische Gesinnung ausschlaggebend sein. Ein »berechtigtes Interesse«, das gegen die Einstellung spricht, ist leicht zu finden.

Wenn die Regierung, wie es sich in Mannheim gezeigt hat, keine Macht hat, Arbeiter, die nicht einer freien Gewerkschaft angehören, davor zu schützen, aus den Betrieben entlassen zu werden, obwohl die gesetzlichen Bestimmungen dagegen sprechen, so hat sie noch viel weniger Macht, darauf hinzuwirken, daß Andersgesinnte als die Mehrheit neueingestellt werden können, zumal das Gesetz genügend Hintertüren offen läßt, die Nichteinstellung zu begründen.

Der Arbeitgeber muß in der Lage sein, ohne jede Einrede die für seinen Betrieb erforderlichen Arbeitskräfte sich auswählen zu können.

Unter keinen Umständen darf es dazu kommen, daß die Betriebsräte bei der Einstellung von Angestellten in leitenden Stellen mitwirken. Es würde dann ganz unmöglich sein, geeignete Herren für gehobene Positionen zu gewinnen, weil sich diese nicht bereit finden werden, ihre alten Stellen aufzugeben, ohne zu wissen, ob sie nicht schließlich dann vom Betriebsrat abgelehnt werden. Auch werden gerade Angestellte in leitenden Stellen niemals zugeben, daß ihre Papiere und die über sie eingezogenen Auskünfte dem Betriebsrat bekannt werden.

Jeder Angestellte in gehobener, aber ungekündigter Stellung, wird es sich dreimal überlegen, sich um eine ausgeschriebene Stelle unter Einsendung seiner Papiere zu bewerben, weiß er doch nicht, wer in seine Papiere Einsicht erhält, wer über seine Gehaltsverhältnisse mitzubestimmen hat, vielleicht ein Arbeiter, der schon in wenigen Tagen seinen jetzigen Posten aufgibt und dann von seiner Kenntnis einen dem Bewerber sehr unliebsamen Gebrauch macht. Für Angestellte in gehobener Stellung bildet das Gesetz einen unerträglichen Hemmschuh.

Die Einwirkung, welche diese Mitbestimmung bei der Einstellung auf die Dispositionen der Arbeitgeber bezüglich der Erweiterung des Betriebes, der Neuaufnahme eines Fabrikationszweiges usw. ausüben würde, indem er genötigt ist, seine Absichten, bevor sie zur Durchführung kommen, dritten Personen preiszugeben, werden geradezu jede Aufwärtsentwicklung eines Betriebes verhindern.

Ziffer 7: Teilnahme an den Abstimmungen über Einstellung darf nur den wahlberechtigten Arbeitnehmern des Betriebes zugestanden werden.

Die Aufgabe des Betriebsrats, »den Betrieb vor Erschütterung zu bewahren«, kann viel zu weitgehend ausgelegt werden, so wünschenswert dies an und für sich ist. ...

Ziffer 10: An sich wäre gegen die Mitwirkung des Betriebsrates zur Herbeiführung eines möglichst hohen Standes und möglichster Wirtschaftlichkeit der Betriebsleistungen nichts einzuwenden. Es kann sich aber nur darum handeln, Anregungen zu geben und entsprechende Wünsche vorzutragen. Eine Mitwirkung bei der Einführung neuer Arbeitsmethoden im Sinne von Mitbestimmung ist unbedingt abzulehnen, da die Interessen der Arbeitnehmer nicht immer mit der Einführung neuer Arbeitsmethoden, die die Wirtschaftlichkeit des Betriebes steigern sollen, im Einklang stehen. Hier ist z. B. auf die Einführung von arbeitsparenden Maschinen zu verweisen, womit eventuell Arbeiterentlassungen verknüpft sein können. Wird der Betriebsrat die Objektivität besitzen, die Einführung arbeitsparender Maschinen zu genehmigen, wenn dadurch die von ihm vertretene Arbeiterschaft, wenn auch nur vorübergehend, geschädigt wird? (Es ist aus der Wirtschaftsgeschichte bekannt, daß die Arbeiterschaft sich mit allen

Mitteln gegen solche Neuerungen, die schließlich immer zu ihrem Vorteil ausschlugen, gewehrt haben - Textilindustrie in England.)

Ziffer 11: Der Entsendung von Betriebsratsmitgliedern in den Aufsichtsrat wird auf das nachdrücklichste widersprochen. Die Betriebsratsmitglieder würden im Aufsichtsrat gewissermaßen Gelegenheit haben, die Leiter der Betriebe - also ihre Vorgesetzten - zur Rechenschaft zu ziehen und über deren Bezüge mitzubefinden, was zu ganz unhaltbaren Zuständen führen würde. Eine derartige Bevormundung wird sich ein tüchtiger, charaktervoller Leiter nicht gefallen lassen, und die Folge wird sein, daß die besten und fähigsten Köpfe für unser Wirtschaftsleben durch Abwanderung ins Ausland verlorengehen.

Dazu kommt, daß es sittenwidrig ist, wenn ein Arbeiter oder Angestellter im Aufsichtsrat ist, denn es kann nicht jemand zugleich Mitverwalter des Betriebes und Vertreter der Arbeitnehmer sein. Man denke z.B. auch an die Bestimmung des Handelsgesetzbuches, daß der Aufsichtsrat zusammen mit dem Vorstand den Prokuristen ernennt. Ein Arbeiter oder Angestellter wirkt also bei der Ernennung eines Vorgesetzten mit.

Die ungeheuere Gefahr, die Ziffer 11 für das Wirtschaftsleben in sich birgt, ist so in die Augen springend, daß man sich nur wundern muß, wie diese Bestimmung in das Betriebsrätegesetz hat Aufnahme finden können. ...

Zu § 24: Wir haben schwerste grundsätzliche Bedenken gegen jede Beschränkung des Rechts der Kündigung und Entlassung. Die Verpflichtung zum Schadenersatz bedeutet eine weitere Belastung des Unternehmens. ...

Zu § 25: Wir erheben Anspruch darauf, daß der Arbeitgeber an allen Sitzungen des Betriebsrates teilnehmen kann, die im Betriebe während der Arbeitszeit stattfinden.

Die Anberaumung einer Sitzung im Betriebe während der Arbeitszeit darf nur im Einverständnis mit dem Arbeitgeber erfolgen.

Es ist ferner noch folgende Bestimmung aufzunehmen: »Der Arbeitgeber kann gemeinsame Sitzungen mit dem Betriebsrate verlangen und führt in diesen Sitzungen den Vorsitz.« ...

Damit haben wir die hauptsächlichsten Bedenken und Gegengründe gegen die wichtigsten Bestimmungen des Gesetzes dargelegt. Je tiefer man in das Gesetz eindringt und sich dessen Folgen überlegt, desto mehr wird man überzeugt von den verderblichen Wirkungen, die das Gesetz für die Industrie und den Handel haben muß. Gerade jetzt, wo unsere Industrie so schwer darniederliegt und mehr denn je der Schaffensfreude und des Wagemutes der Unternehmer bedarf, sollte man von Gesetzen absehen, die nur geeignet sind, dem Unternehmer die Lust an der Arbeit zu nehmen.

b) Betriebsrätegesetz (Auszug), 4. Februar 1920

Reichsgesetzblatt 1920, Nr. 26, S. 147ff.

I. Allgemeine Bestimmungen

§ 1 Zur Wahrnehmung der gemeinsamen wirtschaftlichen Interessen der Arbeitnehmer (Arbeiter und Angestellten) dem Arbeitgeber gegenüber und zur Unterstützung des Arbeitgebers in der Erfüllung der Betriebszwecke sind in allen Betrieben, die in der Regel mindestens zwanzig Arbeitnehmer beschäftigen, Betriebsräte zu errichten. ...

III. Aufgaben und Befugnisse der Betriebsvertetungen

A. Betriebsrat

§ 66 Der Betriebsrat hat die Aufgabe:
1. in Betrieben mit wirtschaftlichen Zwecken die Betriebsleitung durch Rat zu unterstützen, um dadurch mit ihr für einen möglichst hohen Stand und für möglichste Wirtschaftlichkeit der Betriebsleistungen zu sorgen;
2. in Betrieben mit wirtschaftlichen Zwecken an der Einführung neuer Arbeitsmethoden fördernd mitzuarbeiten. ...

B. Arbeiterrat und Angestelltenrat

§ 78 Der Arbeiterrat und der Angestelltenrat oder, wo ein solcher nicht besteht, der Betriebsrat hat die Aufgabe,
1. darüber zu wachen, daß in dem Betriebe die zugunsten der Arbeitnehmer gegebenen gesetzlichen Vorschriften und die maßgebenden Tarifverträge sowie die von den Beteiligten anerkannten Schiedssprüche eines Schlichtungsausschusses oder einer vereinbarten Einigungs- oder Schiedsstelle durchgeführt werden;
2. soweit eine tarifvertragliche Regelung nicht besteht, im Benehmen mit den beteiligten wirtschaftlichen Vereinigungen der Arbeitnehmer bei der Regelung der Löhne und sonstiger Arbeitsverhältnisse mitzuwirken, namentlich auch bei der Festsetzung der Akkord- und Stücklohnsätze oder der für ihre Festsetzung maßgebenden Grundsätze, bei der Einführung neuer Löhnungsmethoden, bei der Festsetzung der Arbeitszeit, insbesondere bei Verlängerungen und Verkürzungen der regelmäßigen Arbeitszeit, bei der Regelung des Urlaubs der Arbeitnehmer und bei Erledigung von Beschwerden über die Ausbildung und Behandlung der Lehrlinge im Betriebe. ...

§ 84 Arbeitnehmer können im Falle der Kündigung seitens des Arbeitgebers binnen fünf Tagen nach der Kündigung Einspruch erheben, indem sie den Arbeiter- oder Angestelltenrat anrufen;
1. wenn der begründete Verdacht vorliegt, daß die Kündigung wegen der

Zugehörigkeit zu einem bestimmten Geschlechte, wegen politischer, militärischer, konfessioneller oder gewerkschaftlicher Betätigung oder wegen Zugehörigkeit oder Nichtzugehörigkeit zu einem politischen, konfessionellen oder beruflichen Verein oder einem militärischen Verband erfolgt ist;
2. wenn die Kündigung ohne Angabe von Gründen erfolgt ist;
3. wenn die Kündigung deshalb erfolgt ist, weil der Arbeitnehmer sich weigerte, dauernd andere Arbeit, als die bei der Einstellung vereinbarte, zu verrichten;
4. wenn die Kündigung sich als eine unbillige, nicht durch das Verhalten des Arbeitnehmers oder durch die Verhältnisse des Betriebs bedingte Härte darstellt. Erfolgt die Kündigung fristlos aus einem Grunde, der nach dem Gesetze zur Kündigung des Dienstverhältnisses ohne Einhaltung einer Kündigungsfrist berechtigt, so kann der Einspruch auch darauf gestützt werden, daß ein solcher Grund nicht vorliegt. ...

Der Kapp-Putsch

a) Rundschreiben des Vorstands des DMV an die Bezirksleitungen und Ortsverwaltungen mit dem Aufruf zum Kampf gegen den Kapp-Putsch und für eine sozialistische Republik, 13. März 1920

DMV-Jahrbuch 1920, S. 169f.

Die Reaktion hat zur Gegenrevolution ausgeholt!

Beim Niederschreiben dieser Zeilen laufen die ersten Meldungen bei uns ein. Die seitherige Regierung gestürzt, die Nationalversammlung aufgelöst, die Reaktion in Berlin im Besitz der Regierungsgewalt usw., das sind die Nachrichten, die uns bis zur Stunde erreichten. Um was geht's?

Volle Klarheit muß darüber herrschen, daß es sich nicht etwa nur um einen politischen Staatsstreich handelt. Es geht um weit mehr. Die Reaktion geht aufs Ganze. Das werktätige Volk soll mit Gewalt zurückgedrängt werden ins alte vorrevolutionäre Joch, politisch und wirtschaftlich geknebelt und unterdrückt. Man will die Arbeiterklasse zum willenlosen Ausbeutungsobjekt machen. Gerade wir Gewerkschaften haben in letzter Zeit an dem mit jedem Tage steigenden protzenhaften Übermut der Unternehmer gemerkt, wohin die Reise gehen soll.

Die Arbeiterklasse muß geschlossen auf dem Plan erscheinen, bereit zum Handeln, gewillt, alles einzusetzen, um die Pläne der Reaktion zuschanden zu machen. Nicht darum handelt es sich, einzelnen Personen oder Parteien ihre unsicheren Ministersessel zu erhalten, sondern die Interessen des gesamten werktätigen Volkes stehen auf dem Spiele. Konsequentes, entschlossenes Handeln muß der Arbeiterklasse den Aufstieg sichern.

Eine sozialistische Republik! Das ist unser Ziel, das muß die Losung des gesamten Proletariats sein, vereint unter revolutionärem Banner. Die politischen Parteien der Arbeiterschaft sind in diesen Stunden dabei, zum Kampf aufzurufen. Soeben trifft eine Nachricht ein, die die Proklamierung des Generalstreiks meldet. Es gilt zu handeln. Natürlich nicht ziellos oder verzettelt am einzelnen Ort, sondern planmäßig, einheitlich und geschlossen auf der ganzen Linie, entsprechend der Parole, die von den Trägern der Bewegung an das Proletariat ergeht. Bei diesen Kämpfen, deren Ernst und Schwere nicht unterschätzt werden darf, muß sich jeder Arbeiter darüber klar sein, daß er persönlich alles einzusetzen hat. Bei solchen Kämpfen können natürlich nicht die Mittel der Gewerkschaftsorganisation als Unterstützung für etwaige Streiks in Frage kommen, sondern diese Kämpfe sind nur siegreich durchzuführen, wenn jeder einzelne persönlich zu jedem Opfer bereit ist.

Bis dieses Schreiben in die Hände unserer Funktionäre gelangt, haben die Zeitereignisse diese Zeilen zweifellos überholt. Wir können daher unseren Kollegen zur Stunde nur zurufen:

Tretet ein in die geschlossene Kampfesfront des Proletariats! Kämpft unter revolutionärem Banner gegen die Reaktion! Für den Sozialismus! Zeigt Euch als Avantgarde des kämpferischen Proletariats! Steht überall in vorderster Reihe! Euch ruft die Pflicht!

b) Aufruf der Sozialdemokratischen Partei Badens, sich zum Kampf gegen den Kapp-Putsch bereitzuhalten, 13. März 1920

GLA Karlsruhe, N 69/1694.

An das badische Volk!

Die von den Militaristen und Monarchisten seit Monaten systematisch geschürte und geförderte Reaktion hat soeben in Berlin zu einem Schlage ausgeholt gegen die Republik, gegen die Demokratie, gegen die Volksrechte und vor allem gegen die deutsche Arbeiterschaft, die endlich nach dem Zusammenbruche im Jahre 1918 in sozialer und politischer Beziehung sich Rechte gesichert hatte, die unerläßlich sind, soll Deutschlands Wiederaufbau möglich werden.

Wenn es den militärischen und monarchistischen Putschisten in Verbindung mit den Deutschnationalen, den ehemals Alldeutschen, Vaterlandsparteilern, der Schwerindustrie und dem preußischen Junkertum gelingen sollte, die soeben durch einen Staatsstreich in Berlin eingeleitete Umsturzbewegung zum vollen Erfolg zu führen, dann wehe den erwerbstätigen Massen des deutschen Volkes.

Das Großkapital wird die Massen wirtschaftlich ins Joch beugen und rücksichtslos ausplündern, die Volksrechte werden zerschlagen, Deutschlands Entwicklung und Aufstieg auf Jahrzehnte hinaus unmöglich gemacht werden.

Namenloses Elend, gegen das alle aus dem Kriege resultierenden und bis heute andauernden Entbehrungen und Leiden noch leicht wiegen, werden und müssen die Folgen des Gelingens der militärisch-monarchistischen Gegenrevolution sein.

Eben hat in Amerika und in England ein Umschwung in der Behandlung Deutschlands eingesetzt, soeben zeigen sich wirtschaftlich hoffnungsvolle Erscheinungen, da setzte die verbrecherische Bande der Gegenrevolutionäre ein.

Wieder sind es preußische Militärs, wieder sind es die preußischen Reaktionäre und Volksfeinde, die erneut das deutsche Volk in ungeheures Elend stürzen wollen. Sie haben uns den Haß der ganzen Welt zugezogen, sie haben die katastrophale Dauer des Krieges und sie haben die entsetzlichen Folgen auf dem Gewissen. Jetzt häufen sie neue Verbrechen zu den alten.

Bewohner Badens! Arbeiter Badens! Wir wollen uns nicht abermals von dieser Kamarilla* ins Unglück stürzen lassen! Seid auf dem Posten! Seid bereit, wenn wir euch rufen, für die Republik, für die Demokratie, für Volksrechte und Arbeiterwohlfahrt einzutreten.

Die Vertrauensmänner der badischen Sozialdemokratie sind sofort in Karlsruhe zusammengetreten. Sie tagen in Permanenz, um in Gemeinschaft mit der badischen Regierung gegen alle Aktionen der Reaktion sofort Front machen zu können.

Folgt unserm Rufe, beachtet unsere Entscheidungen, damit die Verteidigung der Republik einheitlich und planmäßig geführt wird.

Wir appellieren an die gesamte badische Arbeiterschaft ohne Unterschied der parteipolitischen Auffassung, jetzt zusammenzustehen. Die Uneinigkeit der Arbeiterklasse hat die Reaktion ermutigt, die Einigkeit der Arbeiter kann die furchtbare Gefahr abwenden und das deutsche Volk retten.

Arbeiter! Angestellte! Beamte! Keine unüberlegten Aktionen! Keine politischen Streiks, ehe die Parole dazu ausgegeben wird! Entschlossenheit, aber keine verzettelten Aktionen! Am kommenden Dienstag tritt auch in Stuttgart die Deutsche Nationalversammlung zusammen.

Der Bezirksvorstand und Bezirksausschuß
der Sozialdemokratischen Partei Badens,
die sozialdemokratische badische Landtagsfraktion,
die sozialdemokratischen Mitglieder der Nationalversammlung.

* Militärische Clique.

c) Aufruf der KPD, Bezirk Süddeutschland, zum Generalstreik, März 1920

Günter Cordes: Krieg, Revolution, Republik, Ulm 1978, S. 163.

Arbeiter! Arbeiterinnen! Angestellte!

Der Generalstreik ist erklärt! Das schaffende Volk ist einmütig in dem flammenden Protest gegen die bürgerliche Reaktion. Die revolutionäre Arbeiterschaft fordert ungestüm: Her mit der Bewaffnung des Proletariats! Entwaffnung aller reaktionären Formationen! Freigabe aller politischen Gefangenen! Vollkommene Presse- und Versammlungsfreiheit!

Das revolutionäre Proletariat tritt nicht in den Streik, um die Regierung Ebert-Noske und die Nationalversammlung zu schützen. Es hat die Blutschuld dieser Regierung, den Verrat an der proletarischen Revolution durch die Ebert-Noske-Leute nicht vergessen.

Die württembergische Regierung hat die Bewaffnung des revolutionären Proletariats abgelehnt. Auch sie hat damit gezeigt, daß sie lieber den bürgerlichen Einwohnerwehren und den Söldlingen der Reichswehr vertraut als dem schaffenden Volk, daß sie eine bürgerliche Regierung ist.

Der Generalstreik ist deshalb ein Protest nicht nur gegen die Kapp-Lüttwitz-Ludendorff, sondern auch gegen die bürgerliche Demokratie. Absolutistisch-militaristische Monarchie wie die bürgerlich-sozialdemokratische Demokratie, beide sind Feinde des schaffenden Volkes.

Arbeiter! Schaffende! Gestaltet den Generalstreik zu einer wuchtigen Kundgebung eurer revolutionären Entschlossenheit! Haltet Disziplin! Hütet euch vor Provokateuren! Folgt den Weisungen des Arbeiterrats und der revolutionären Parteien!

Das revolutionäre Proletariat muß aus diesem Generalstreik gekräftigter, aufgeklärter, entschlossener und einiger denn je hervorgehen. Schart euch um das Banner der proletarischen Revolution! Streitet unter der Fahne der proletarischen Diktatur!

Kommunistische Partei Deutschlands (Spartakusbund),
Bezirk Süddeutschland.

d) Bericht und Kommentar des »D'r alt Offeburger« über die Ereignisse in Offenburg, 21. März 1920

D'r alt Offeburger vom 21. März 1920.

Das politische Drama der Märzmitte brachte auch in die alte Revolutionsstadt Offenburg lebhafte Kampferregung. Zum Schutze wider die Gegenrevolution rührte zuerst die Partei der USP die Werbetrommel. Am Abend des 13. März verbreiteten die unabhängigen Sozialdemokraten ein Aufgebot zur Volksversammlung auf Sonntag früh in die »Michelhalle«. Der Raum vermochte die andrängende Menschenmenge nicht vollständig aufzunehmen. Herr A. Bätz leitete die Versammlung, den Bericht gab der Stadtverordnete Geck, und an der lebhaften Aussprache beteiligten sich Metallarbeiter Vogel (Kommunistische Partei), Parteisekretär Pfaffendorf und Stadtrat Winter von der regierungssozialistischen Partei, Arbeitersekretär Ziegelmeier (christlich nationale Gewerkschaft), Anwalt Dr. Krieg (Demokrat) und der aus der französischen Gefangenschaft heimgekehrte Leutnant d. R. Richard Hugle. Alle forderten den Zusammenschluß der Linksparteien. Eine ohne Widerspruch angenommene Entschließung verlangt die Bewaffnung der Arbeiterschaft, die Wiedereinsetzung der Arbeiterräte und die Befreiung der politischen Gefangenen.

Der Einladung zur Versammlung am Montag abend, welche von der Demokratischen Partei in den »Dreikönigsaal« einberufen worden war, folgten Tausende. Hunderte konnten keinen Einlaß finden. Rechtsanwalt Muser verurteilte den Berliner Putschistenstreich und hielt einen wissenschaftlichen Vortrag über Demokratie. Durch die Redner der USP kam in der Aussprache die Kampfstimmung der Zeit zum Durchbruch, weil die demokratischen Redner und Rechtsanwalt Bechler (Zentrum) den Forderungen der Sonntagsversammlung nicht zustimmten. Mit einem platonischen Bekenntnis zur reinen Demokratie endete dieser Abend.

Der Dienstag, der amtlich verordnete Generalstreiktag, brachte den Höhepunkt der revolutionären Gegenbewegung. Die von sämtlichen Gewerkschaften in den »Unionsaal« aufgebotene Demonstration vereinigte Drei- bis Viertausende der Frauen und Männer des arbeitenden Standes zur einheitlichen Kundgebung. Namens der Gewerkschaften leitete der Eisenbahnschlosser Apell die Beratung, den Bericht erstatteten Arbeitersekretär Ziegelmaier und Schriftsetzer Stürzel. Daran schloß sich eine lebhafte Aussprache. Ein aus Karlsruhe eingetroffenes Telegramm machte bekannt, daß die badische Regierung für die Bewaffnung der Arbeiterschaft sei. Die harmonische Beschlußfassung stellte folgende Forderungen auf:

»Die heute am 16. März 1920 im Unionsaale versammelte Arbeiter- und Angestelltenschaft aller Richtungen verurteilt mit allen ihnen zu Gebote stehenden Mitteln die reaktionären Machenschaften. Sie versichern, daß sie unter Einsetzung ihrer ganzen Person die Errungenschaften der Revolution sichern werden. Um dieses hohe Ziel zur Durchführung zu bringen, die Putschregierung in Berlin unmöglich zu machen und um weitere derartige Vorkommnisse ein für allemal zu verhüten, verlangt die heutige Versammlung die Erfüllung folgender Forderungen:

1. Bewaffnung des Proletariats und Säuberung der Einwohnerwehr von reaktionären Elementen.
2. Sofortige Freilassung aller wegen politischer Vergehen Inhaftierten.
3. Wir fordern von der Regierung, nach den Vorschlägen der organisierten Arbeiter- und Beamtenschaft eine Kommission zur Prüfung der Zensur zuzulassen.
4. Absetzung aller reaktionären Beamten.
5. Sofortige Bildung eines Aktionsausschusses zur Überwachung der gestellten Forderungen.
6. Die Bezahlung des Streiktages durch den Arbeitgeber.«

Die Versammelten begaben sich zum Bezirksamt, wo Oberamtmann Schwörer die sofortige Beratung zusagte. Nachmittags, 4 Uhr versammelte sich die Menge wieder im Saale, um den Bericht der Kommission entgegenzunehmen. Mit Ausnahme der Einwohnerwehrangelegenheit sind alle Punkte an die Regierung verwiesen worden. Wegen der örtlichen Frage der Arbeiterbewaffnung fanden am Mittwoch und Freitag zwei Sitzungen im Bezirksamt statt. Die Kommission ist von den Verhältnissen der Offenburger Einwohnerwehr genau unterrichtet worden. Ein Einverständnis ist aber nur insoweit erzielt, daß künftig der Name »Republikanische Volkswehr« gewählt werden soll. Die Entfernung der reaktionären Mitglieder soll erfolgen; über das Wie will man sich nochmals am Dienstag aussprechen. Die Einwohnerwehr besteht hier hauptsächlich aus der Beamtenschaft, den Industriellen und Geschäftsleuten. Arbeiter sind sehr wenige dabei. Der Vorschlag, es sollen noch 100 Gewehre an Arbeiter ausgegeben werden, ist von Vertretern der Arbeiterkommission nicht als Lösung anerkannt worden.

Nun ist der neue Akt des Schauspiels vorüber: es scheint sich zur Komödie zu entwickeln. Die beiden feindlichen Regierungen von gestern und heute trachten nach Einigung; die Gesellschaft Kapp und Konsorten vernehmen den Ruf: »Kehrt zurück, es ist euch alles vergeben!« Der glorreich verkündete »Sieg der Demokratie« gleicht schon einer Kapitulation vor den Reaktionären. Nun kann die politische Schieberei beginnen und gemeinsam dere rote Lappen geschwenkt werden. Ganz nach dem Muster früherer Märzrevolutionen: die aufgebotenen Helfer in der Not bekommen den Lohn mit dem Prügel. Ob sie sich's gefallen lassen?

Die Durchsetzung des Organisationszwangs in der Gaze- und Kreppweberei Höllstein, Wiesental

a) Entschließung der Betriebsversammlung, 23. Februar 1921

Staatsarchiv Freiburg, LRA Lörrach, G 929.

In der Betriebsversammlung am 23. des Monats hat die Arbeiterschaft der Firma Gaze- und Kreppweberei Höllstein beschlossen, wenn die Arbeiterin Marie Gimpel bis zum Montag, dem 28. des Monats, mittags, 12 Uhr nicht organisiert oder entlassen ist, die Arbeit von 1 Uhr ab einzustellen.

Um im Betriebe wieder Ordnung herzustellen, bittet der Betriebsrat die Direktion, sie möchte der betreffenden Person zu verstehen geben, daß es einmal nicht mehr anders geht, wenn man zufrieden neben andern arbeiten will, ohne organisiert zu sein.

Der Betriebsrat lehnt hiermit jede weitere Verantwortung ab, mag da kommen was will, da er die Leute nicht mehr im Zügel halten kann.

Der Betriebsrat:
Friedrich Kramer, Emil Heuberger
Josef Rohrer, Wilhelm Bannholzer.

b) Schreiben des Deutschen Textilarbeiterverbandes, Filiale Lörrach und Umgebung, an die Geschäftsleitung der Firma Gaze- und Kreppweberei Höllstein, 24. Februar 1921

Staatsarchiv Freiburg, LRA Lörrach, G 929.

Am 10. des Monats fand eine Kontrolle über die Organisationszugehörigkeit der Arbeiterschaft der Kreppweberei in Höllstein statt. Es stellte sich dabei heraus, daß die Arbeiterin Marie Gimpel keiner Organisation angehört. Die Gimpel ist schon des öfteren aufgefordert worden, sich zu organisieren, hat aber stets verschiedentliche Ausreden gebracht, sie hatte sich sogar Worten bedient, die hier nicht wiedergegeben werden können. Aus diesem Grunde fand gestern eine Betriebsversammlung statt, die sehr stark besucht war. In dieser wurde beschlossen, die Arbeiterin heute nochmals aufzufordern, sich zu organisieren, und zwar wurde ihr Zeit gegeben, bis Montag, dem 28.2.1921, mittags, 12 Uhr. Ist diese Arbeiterin bis zu dieser angegebenen Zeit nicht Mitglied einer Organisation, wird die Arbeit von allen andern Arbeitern nicht mehr aufgenommen, bis die Gimpel sich bequemt hat, sich einer Organisation anzuschließen oder den Betrieb zu verlassen.

Wir gestatten uns dies hierdurch dem Herrn Direktor mitzuteilen, damit Klarheit über diese Frage besteht.

Es sind des weiteren Klagen geführt worden, daß die Direktion nicht gestattet, Bekanntmachungen der Organisation an der Anschlagtafel anzubringen. Wir möchten hierzu bemerken, daß es heute fast in allen Betrieben üblich ist, daß Bekanntmachungen irgendwelcher Art von seiten der Organisation der Arbeiterschaft auch an der Anschlagstafel der Firma angeschlagen werden können. Wir leben ja heute nicht mehr in der Zeit, wo sich Arbeitgeber und Arbeitnehmer gegenseitig bekämpfen, der Wiederaufbau unserer heutigen Wirtschaft verlangt ein gegenseitiges Verständnis. Von seiten der Arbeitgeberorganisationen sind die Gewerkschaften als die maßgebende Vertretung für die Arbeiterschaft anerkannt, und braucht es wohl dann keine weitere Erklärung, daß die Organisationen der Arbeiterschaft keine solche Zurücksetzung erfahren sollen.

Wir bitten deshalb, die von seiten der Organisation gebrachten Anschläge an der Anschlagtafel zu gestatten oder für den Betriebsrat eine Anschlagstafel anzubringen, an der dann auch unsere Bekanntmachungen angeschlagen werden können.

Hochachtend

Josef Glanzmann

c) Schreiben des Verbands Süddeutscher Textilarbeitgeber, Landesgruppe Baden, Geschäftsstelle Lörrach, an den Schlichtungsausschuß, 25. Februar 1921

Staatsarchiv Freiburg, LRA Lörrach, G 929.

Am 23. Februar 1921 fand in der Kreppweberei Höllstein eine Betriebsversammlung statt, zu der auch ein Vertreter des Deutschen Textilarbeiterverbandes erschienen war. Als Ergebnis dieser Betriebsversammlung teilt heute sowohl der Betriebsrat als auch der Deutsche Textilarbeiterverband der eingangs genannten Firma mit, die nicht organisierte Arbeiterin Marie Gimpel, die seit 19 Jahren im Betrieb tätig ist, müsse bis Montag, dem 28.

des Monats, 12 Uhr organisiert oder entlassen sein, widrigenfalls die Arbeit ab 1 Uhr nachmittags eingestellt würde.

Die beiden Schreiben des Betriebsrates und des Deutschen Textilarbeiterverbandes liegen in der Anlage in Abschrift bei.

Mit Rücksicht auf die zwingenden gesetzlichen Bestimmungen (§ 66 Ziffer 6 des BRG), wonach die Koalitionsfreiheit des Arbeiters garantiert wird, ist die Firma nicht in der Lage, dem Begehren des Betriebsrates bzw. des Deutschen Textilarbeiterverbandes zu entsprechen. Ihr ist die Organisationszugehörigkeit des einzelnen Arbeiters völlig gleichgültig, vielmehr kommt es ihr lediglich darauf an, daß jeder Arbeiter bzw. jede Arbeiterin ihrer Pflicht im Betriebe genügt und tüchtig arbeitet, wie dies die Arbeiterin Gimpel seit 19 Jahren in erprobter Treue tut.

Auch dem Betriebsrat hat das Gesetz diese vornehme Pflicht auferlegt, Schützer der Vereinigungsfreiheit der Arbeitnehmer zu sein, d. h. seinerseits dafür Sorge zu tragen, daß jeder Arbeitnehmer sich nach seinem Belieben organisieren kann und daß andererseits Nichtorganisierte von Organisierten nicht belästigt, aus dem Betriebe herausgedrängt oder gar gezwungen werden dürfen, sich überhaupt einer Berufsvereinigung anzuschließen. (Vgl. hierzu die Literatur Brandt, Anmerkung 19 zu §66, S. 144; Kieschke und Syrup, Anmerkung 16 zu §66, S. 181; Wiethaus-Kantorowicz, Anmerkung 19 zu §66, S. 105; Feig-Sitzler, 6. Aufl. Anmerkung 8 zu §66, S. 146.)

Auch im Sozialausschuß der Reichsarbeitsgemeinschaft für die Textilindustrie ist erst unlängst in der Sitzung vom 12. Januar 1921 seitens eines Vertreters des Deutschen Textilarbeiterverbandes ausdrücklich erklärt worden, sein Verband dulde keine Ungesetzlichkeit bei der Gewinnung von neuen Mitgliedern und lehne jeden brutalen Terror ab. Wenn trotzdem Herr Glanzmann wie geschehen vorstellig geworden ist, so ist das um so verwunderlicher, als er in dieser Sitzung persönlich zugegen war.

Was nun das Verhalten des Betriebsrates anlangt, so hat er, wie schon erwähnt, durch sein Vorgehen gegen grundlegende wichtige Aufgaben verstoßen, die ihm vom Gesetz auferlegt worden sind. Er hat außerdem nicht nur den §66 Ziffer 6 verletzt, sondern er hat auch unterlassen, den Betrieb vor Erschütterungen zu bewahren (Ziffer 3 a. a. O.), wie sie jeder Streik unter allen Umständen mit sich bringen muß.

Dieses oben geschilderte Verhalten des Betriebsrates veranlaßt deshalb die Firma, beim Schlichtungsausschuß, hingesehen auf die Bestimmung des §41 des BRG zu beantragen, daß der augenblickliche Betriebsrat der Firma Gaze- und Kreppweberei Höllstein wegen gröblicher Verletzung seiner gesetzlichen Pflichten aufgelöst werde.

Mit Rücksicht auf die Dringlichkeit der Sache wird um besondere Beschleunigung in der Anberaumung des Termins ausdrücklich gebeten.

d) Schreiben des Verbands Süddeutscher Textilarbeitgeber, Landesgruppe Baden, an das Badische Innenministerium, 19. März 1921

Staatsarchiv Freiburg, LRA Lörrach, G 929.

Dem Ministerium des Innern gestatten wir uns von folgendem Falle von Koalitionszwang bei einer unserer Mitgliedsfirma Kenntnis zu geben und Beschwerde gegen das bei dieser Gelegenheit erfolgte Vorgehen der Regierungsbehörde zu erheben.

Am 10. vorigen Monats fand seitens der freien Gewerkschaft eine Kontrolle über die Organisationszugehörigkeit der Arbeiter bei der Firma Gaze- und Kreppweberei Höllstein, Höllstein im Wiesental, statt. Es stellte sich dabei heraus, daß die Arbeiterin Marie Gimpel keiner Organisation angehörte. Die Gimpel war schon des öfteren aufgefordert worden, sich zu organisieren, hat aber stets abgelehnt. Aus diesem Grunde fand am 23. Februar eine Betriebsversammlung statt. In dieser wurde beschlossen, die Arbeiterin nochmals aufzufordern, sich zu organisieren, und zwar wurde ihr Zeit gegeben bis Montag, den 28.2.1921, mittags, 12 Uhr. Es wurde in dieser Versammlung beschlossen, daß, wenn die Arbeiterin bis zu der angegebenen Zeit nicht einer Organisation beigetreten wäre, die Arbeit von allen andern Arbeitern nicht mehr aufgenommen würde, bis sich die Genannte bequemen würde, einer Organisation beizutreten oder den Betrieb zu verlassen.

Von diesem Beschluß der Betriebsversammlung machte bezeichnenderweise die freie Gewerkschaft (gez. Josef Glanzmann) der Direktion der Firma unterm 24. Februar Mitteilung. Es lag hier offensichtlich ein Fall krassesten Koalitionszwanges vor. Die Firma hat sich selbstverständlich geweigert, dem Ansinnen der Arbeiterschaft Folge zu geben; sie hat ihrer Arbeiterschaft erklärt, daß sie eine Arbeitsniederlegung aus den angegebenen Gründen für einen ungerechtfertigten Bruch des Arbeitsverhältnisses betrachte und daraus die Konsequenzen ziehen würde.

Der Betriebsrat der Firma hat ebenfalls unterm 24.2.1921 mit dem in Abschrift anliegenden Schreiben (Anlage I) der Firma von dem Beschluß der Betriebsversammlung Kenntnis gegeben und sich dadurch mit dem Vorgehen der Betriebsversammlung solidarisch erklärt, zum mindesten aber jede Einwendung gegen das Vorgehen der Betriebsversammlung ausdrücklich abgelehnt. Die Arbeiterschaft ist dann tatsächlich am Montag, den 28.2. in Streik getreten.

Da es nach § 66 des Betriebsrätegesetzes eine der gesetzlichen Aufgaben des Betriebsrates ist, für die Wahrung der Vereinigungsfreiheit der Arbeitnehmerschaft einzutreten (§66 Ziffer 6), so wurde von der Firma bei dem Schlichtungsausschuß Lörrach Klage auf Absetzung des Betriebsrates wegen gröblicher Verletzung seiner gesetzlichen Pflichten eingelegt.

Der Schlichtungsausschuß hat die Klage der Firma als berechtigt anerkannt und die Auflösung des Betriebsrates wegen Verletzung seiner gesetzlichen Pflichten ausgesprochen.

Da nach dem ganzen Hergang der Angelegenheit zu erwarten war, daß aus dem ungesetzlichen Vorgehen des Betriebsrates unter Umständen Reibungen entstehen könnten, so war am 25. Februar mit dem ebenfalls (Anlage II) abschriftlich beigefügten Schreiben das Bezirksamt Lörrach in Kenntnis gesetzt und um eventuellen Schutz des Betriebes gebeten worden. Auf dieses Schreiben vom 25.2. hat sich dann der Amtsvorstand des Bezirksamtes Lörrach nach Angabe der Firma zuerst telefonisch mit der Arbeiterin Gimpel in Verbindung gesetzt und hat ihr zugeredet, durch ihr Fernbleiben von der Organisation die Angelegenheit nicht auf die Spitze zu treiben. Die Arbeiterin Gimpel hat diese telefonischen Bemühungen zunächst zurückgewiesen, weil sie sich nach ihrer eigenen Angabe durch den auf sie ausgeübten Zwang verletzt fühlte. Der Amtsvorstand des Bezirksamts Lörrach hat sich dann im Laufe des Montag (28.2) nachmittag persönlich nach Höllstein begeben, wo er den Betriebsrat der Firma sowie die vorgenannte Arbeiterin auf das Bürgermeisteramt geladen hatte. Er hat dortselbst zunächst den Betriebsrat auf das Ungesetzliche seines Verhaltens hingewiesen, andererseits hat er aber auch der Arbeiterin Gimpel die Folgen vor Augen gehalten, die entstehen würden, wenn sie weiter einer Organisation fernbliebe. Er hat allerdings davon abgesehen, der Arbeiterin Gimpel einen Eintritt in die Organisation direkt zu empfehlen, diese Entschließung vielmehr ihrem eigenen Urteil überlassen. Er hat aber ganz zweifellos tatsächlich durch sein ganzes Verhalten in der Angelegenheit und durch seine wiederholten, erst telefonischen, dann persönlichen und mündlichen Zureden einen mindestens moralischen Zwang auf die Gimpel ausgeübt.

Das Vorgehen des Herrn Amtsvorstandes erfährt eine besondere Beleuchtung dadurch, daß er es unterlassen hat, die Betriebsleitung selbst zu diesem Termin zuzuziehen oder wenigstens sie, als die Mitangegriffene, zu hören. Die Gimpel hat schließlich ihren Widerstand aufgegeben und hat ihren Beitritt zur christlichen Gewerkschaft erklärt.

Es mag zugegeben werden, daß sich das Bezirksamt bei seinem Vorgehen von der gewiß sonst anzuerkennenden Absicht leiten ließ, versöhnend zu wirken. Nur mußte sich die Behörde doch klar sein, daß der eingeschlagene Weg zu Mißdeutungen führen und für die Zukunft verhängnisvoll sein muß.

Es besteht darüber kein Zweifel, daß die Position der offensichtlich im Unrecht, auf gesetzwidrigem Weg befindlichen freien Gewerkschaft dadurch ganz außerordentlich gestärkt worden ist, daß eine staatliche Behörde sie in dieser Weise bestätigt und zweifellos ungesetzliche Schritte gewissermaßen sanktioniert hat.

Zur Information sei außerdem noch mitgeteilt, daß am Dienstag, den 1. März der Betrieb von der Firma stillgelegt worden ist. Am 2. März ist aber dann von der Firma die Wiederaufnahme der Arbeit zugestanden worden und ohne weitere Störung erfolgt.

Wir stehen auf dem Standpunkt, daß durch das Vorgehen des Bezirksamtes Lörrach und dessen Einwirkung auf die Gimpel der ungesetzliche Versuch der freien Gewerkschaft, einen nicht organisierten Arbeitnehmer in eine Organisation hineinzuzwingen, zum mindesten moralisch unterstützt worden ist; denn das ist zweifellos dadurch geschehen, daß die Staatsbehörde, statt den versuchten Koalitionszwang aufs energischste zurückzuweisen, überhaupt sich mit der Forderung der Gewerkschaft befaßt und auf die genötigte Arbeiterin im Sinne einer Beilegung der Sache, die doch auf ihrer Seite nur in Unterwerfung unter Zwang bestehen konnte, einzuwirken versucht hat.

Solche Versuche von Koalitionszwang wie der geschilderte wiederholen sich in der letzten Zeit immer mehr und werden typisch für das Vorgehen der freien Gewerkschaft. Bereits hat sich in Offenburg bei der Leinenweberei Walter Clauss ein noch krasserer Fall des Koalitionszwanges ereignet, indem die überwiegend in der freien Gewerkschaft organisierte Arbeiterschaft durch Streik eine Arbeiterin zum Austritt aus der christlichen Gewerkschaft und zum Eintritt in die freie Gewerkschaft zwingen will.

Wir halten somit ein Eingreifen der Regierungsbehörde in dem Sinne, wie es von dem Bezirksamt Lörrach getätigt worden ist, für eine doppelt schwere Gefährdung der gesetzlich gewährleisteten Freiheit. Unseres Erachtens wäre es Pflicht der Staatsbehörde, ihre Einwirkung in solchen Fällen lediglich auf die Seite der Beteiligten zu beschränken, von der eine offensichtliche Gesetzesverletzung versucht wird, nicht aber auf den Teil, der sich in der Wahrung seiner gesetzlichen Freiheit in der Abwehr befindet. Wir richten an das Ministerium die Bitte, die Verwaltungsbehörden in diesem Sinne schnellstens mit Weisungen versehen zu wollen.

Es handelt sich in diesen Fällen nicht so sehr um das Interesse der Arbeitgeber, sondern um die persönlichen Interessen weiter Kreise der Arbeiterschaft, darüber hinaus aber um ein Staatsinteresse gewichtigster Art, um die Frage, ob im Freistaat Baden die gesetzlich gewährleistete Freiheit der Person oder Terror und Zwang einer Partei herrschen soll.

e) Schreiben des Badischen Innenministeriums an den Verband Süddeutscher Textilarbeitgeber, Landesgruppe Baden, 20. Juni 1921

Staatsarchiv Freiburg, LRA Lörrach, G 292.

Nach unseren Erhebungen gibt das Verhalten des Oberamtmanns in Lörrach, Geheimer Regierungsrat Gräser, zu einer Beanstandung keinen Anlaß. Der Genannte hat seine Befugnisse nicht überschritten, wenn er, um einen längeren Streik bei der Gaze- und Kreppweberei Höllstein zu vermeiden, mit der Arbeiterin Gimpel darüber sprach, ob sie sich entschließen könne, einer der beiden Arbeitnehmerorganisationen beizutreten. Einer unzulässigen Einwirkung auf die Gimpel hat sich der Oberamtmann nicht schuldig gemacht. Vielmehr hat die Gimpel sich sofort bereit erklärt, dem christlich-nationalen Textilarbeiterverband beizutreten, da sie nicht wolle, daß ihretwegen gestreikt werde. Geheimer Regierungsrat Gräser hat ausdrücklich gegenüber der Arbeiterin Gimpel bemerkt, daß sie sich vollständig frei entschließen solle und von niemand gezwungen werden könne, einer Organisation beizutreten. In dem Vorgehen des Oberamtmanns vermögen wir eine unzulässige Unterstützung des Verhaltens der Arbeiterschaft und des Betriebsrates nicht zu erblicken. Wir halten eine allgemeine Weisung der von Ihnen angeregten Art über die Vermittlung nicht für geboten und nicht für zweckmäßig.

Den Oberamtmännern muß es u. E. überlassen bleiben, bei voller Wahrung der Neutralität in den Lohnkämpfen so vermittelnd einzugreifen, wie sie dies für geboten oder den öffentlichen Interessen nützlich erachten.

Der oberbadische Textilarbeiterstreik

a) Bericht der »Volkswacht« über eine Vollversammlung der Textilarbeiter Emmendingens, 8. April 1921

Volkswacht vom 11. April 1921.

Am Freitag, 8. April, nachmittags, 5 Uhr fand im »Batzsaal« eine Vollversammlung der Textilarbeiter von Emmendingen statt. Der Anlaß zur Versammlung war die tiefe Not in der Textilarbeiterschaft, die heute mit zu den schlechtbezahltesten Arbeitern Deutschlands gehört. Die vor einiger Zeit von den Organisationen eingereichte Forderung um eine 30%ige Lohnerhöhung wurde von Arbeitgebern glatt abgelehnt. Eine von den Gauleitungen stattgefundene Konferenz, die zu dieser Frage in Offenburg Stellung nahm, überließ es den einzelnen Ortsverwaltungen, je nach Lage der wirtschaftlichen Konjunktur, den Streik als letztes Kampfmittel zu beschließen, falls die Arbeitgeber nicht von sich aus eine Lohnerhöhung bewilligen sollten. Der Vorsitzende des Textilarbeiterverbands, Kollege Zaberer, stellte es der Vollversammlung anheim, darüber zu beschließen, was im gegebenen Moment zu geschehen habe.

In einmütiger Abstimmung wurde der Streik gebilligt und die Betriebsräte beauftragt, am Samstag vormittag nochmals den Arbeitgeber über den Beschluß der Vollversammlung zu unterrichten, um eine friedliche Lösung zu finden, damit der Streik verhindert würde.

Wegen Ablehnung des Arbeitgebers wurde am Samstag vormittag, 10 Uhr der Betrieb verlassen, und seit dieser Zeit befinden sich 1000 Arbeiter im Streik.

b) Entschließung der Generalversammlung des Verbandes Süddeutscher Textilarbeitgeber, 20. Mai 1921

Volkswacht vom 23. Mai 1921.

1. Die heutige Generalversammlung des Verbandes der Süddeutschen Textilarbeitgeber steht einmütig den in der Landesgruppe Baden durch den Kontraktbruch und Verweigerung von Notstandsarbeiten betroffenen Firmen zur Seite und billigt durchaus den von der Landesgruppe des Arbeitgeberverbandes in der Streikbewegung eingenommenen Standpunkt. Sie beschließt einmütig, unter weitestgehender finanzieller Unterstützung die Abwehr dieses Streikes zu sichern. Sie ist bereit, alle erforderlichen Mittel aufzubringen, und erklärt sich schon heute damit einverstanden, daß der Vorstand, wenn notwendig, auch außerordentliche Umlagen vorsieht.

2. Die Mitgliederversammlung erkennt einmütig an, daß im Notfall auch die Anwendung des äußersten Abwehrmittels in die Waagschale geworfen wird und ersucht den Verbandsvorstand um Vorbereitung der erforderlichen Anträge.

c) Ergebnis der Verhandlungen der Unternehmer mit den Gewerkschaften, 3./4. Juni 1921

Staatsarchiv Freiburg, LRA Emmendingen, Nr. 1993.

Der Süddeutsche Textilarbeitgeberverband, Landesgruppe Baden, der Deutsche Textilarbeiterverband (dieser vorbehaltlich der Abstimmung der Arbeiter in den bestreikten Betrieben) und der Christliche Textilarbeiterverband kommen überein, über die bestehenden Streitpunkte vor einem Schiedsgericht, das gemäß Anordnung des Reichsarbeitsministeriums nach § 22 Abs. 2 der Verordnung vom 23. Dezember 1918 vom Badischen Arbeitsministerium gebildet wird, unter nachstehenden Voraussetzung zu verhandeln:

1. Der Aussperrungsbeschluß der Arbeitgeber bleibt bestehen, wird aber bis Donnerstag, den 9. Juni zurückgehalten und nicht vollzogen, wenn bis dahin Ziffer 2 erledigt ist.

2. Die Arbeit wird in allen Betrieben spätestens am 9. Juni 1921 wiederaufgenommen.

3. Die früheren Arbeiter werden wieder eingestellt, soweit Arbeitsmöglichkeiten vorhanden. Soweit sie vorhanden, dürfen nur solche Leute von der Arbeit ausgeschlossen werden, die sich Ausschreitungen, wie Tätlichkeiten, Sachbeschädigungen, Nötigungen, Drohungen, grobe Beleidigungen, haben zuschulden kommen lassen. Ob eine mit Berufung hierauf begründete Nichtwiedereinstellung zulässig ist, entscheidet im Streitfall das zuständige Gericht.

4. Das Schiedsgericht setzt sich aus je vier Vertretern der Arbeitgeber und Arbeitnehmer zusammen. Die oben genannten Verbände machen dem Arbeitsministerium Vorschläge für die Personen der Beisitzer mit der Maßgabe, daß am Streik unmittelbar beteiligte Personen von beiden Seiten nicht vorgeschlagen werden. Jeder der Arbeiterverbände stellt zwei Beisitzer, darunter je einen badischen Textilarbeiter.

5. Als Vorsitzender wird der Ministerialrat im Reichsarbeitsministerium, Dr. Bodenstein, in Aussicht genommen.

d) Entschließung der Konferenz der Gewerkschaftskartelle von Lörrach und Umgebung in Schopfheim, 5. Juni 1921

Volkswacht vom 7. Juni 1921.

Die freiorganisierte Arbeiterschaft Oberbadens mit etwa 10 000 Mitgliedern bringt der im schweren Kampf stehenden Textilarbeiterschaft ihre volle Sympathie entgegen. Das Unternehmertum hat diesen Lohnkampf zu einem brutalen Machtkampf gestempelt. Dasselbe Unternehmertum, das nicht erst heute, sondern seit jeher gerade diese kämpfende Arbeiterschaft mit den erbärmlichsten Löhnen abspeiste, versucht nunmehr und brachte es fertig, die behördlichen Sicherheitsorgane für ihre profitgierigen Interessen für sich zu gewinnen. Die übrige Arbeiterschaft verfolgt den Kampf mit immer größerem Interesse und ist der Auffassung, daß die um ihre notwendigsten Lebensinteressen kämpfende Textilarbeiterschaft mit roher Gewalt zugunsten kapitalistischer Profitinteressen niedergeknüppelt werden soll. Gegen diese einseitige Stellungnahme erhebt die freiorganisierte Arbeiterschaft schärfsten Protest und fordert sofortige Zurückziehung des verstärkten Gendarmeriekorps in Lörrach und ist gewillt, den kämpfenden Kollegen und Kolleginnen mit allen Mitteln beizustehen. Unsere Parole muß lauten: Rüstet zum Kampf gegen Unternehmerwillkür und Unterdrückung.

e) Protokoll der Besprechung zwischen der Streikleitung der Ramie-Gesellschaft, Emmendingen, und Vertretern der Stadt Emmendingen über die Bedingungen zur Wiederaufnahme der Arbeit, 13. Juni 1921

Staatsarchiv Freiburg, LRA Emmendingen, Nr. 1993.

Auf Ersuchen des Arbeitersekretärs Günth hatte der Herr Oberamtmann auf heute nachmittag eine neue Besprechung über die Möglichkeit der Wiederaufnahme der Arbeit in der Ramie-Fabrik einberufen. An der Besprechung nahmen teil: das Mitglied der fünfgliedrigen Kommission Fettig, die gesamte Streikleitung, Bürgermeister Hirth, die Gemeinderäte Dürr, Bautz, Saaler, Diehr, Riedmiller, Wohlfahrt, Metz und Zehner. Geheimer Regierungsrat Dr. Baur gab eine kurze Darstellung des Standes der Sache unter Hervorhebung der strittigen Punkte. Direktor Emil Baumgartner, mit dem er heute früh noch verhandelt habe, habe ihn gebeten, in der heutigen Versammlung zu erklären, daß er an die Einhaltung der Ziffer 3 der Niederschrift vom 4. Juli 1921 durch Verbandsbeschluß gebunden sei. An eine Wiedereinstellung Zaberers und Schillingers sei daher nicht zu denken, solange nicht das zuständige Gericht eine gegenteilige Entscheidung gefällt habe. Er bäte, eine solche Entscheidung, der er sich unterwerfen werde, alsbald herbeizuführen.

Nach längerer Diskussion, in der insbesondere hervorgehoben wurde, daß sich die Arbeiterschaft eine Maßregelung des Streikleiters nicht gefallen lassen werde und daß auch überhaupt keine Grundlage zu einer Ausschließung des Zaberer vorläge, gab Streikleiter Zaberer die Erklärung ab, daß er sich dem Spruch des zuständigen Gerichtes unterwerfen wolle, wenn die Fabrikleitung die für die Wiederaufnahme der Arbeit gestellten Bedingungen anerkenne.*

Bürgermeister Hirth erklärte sich bereit, mit Herrn Direktor Baumgartner nochmals wegen der Anerkennung dieser Bedingung zu verhandeln.

---

* Für dieses Vorgehen erhielt Zaberer nicht die Zustimmung der Streikversammlung. Diese verlangte, daß vor Wiederaufnahme der Arbeit sichergestellt sein müsse, daß Zaberer und Schillinger nicht gemaßregelt werden.

f) Bericht der »Badischen Landeszeitung« über den Stand im badischen Textilarbeiterstreik, 13. Juni 1921

Badische Landeszeitung vom 13. Juni 1921.

Die Aussperrung in der badischen Textilindustrie

Da die Arbeit entgegen den am 4. Juni in Freiburg mit den Gewerkschaften geschlossenen Abkommen am 9. des Monats nicht überall aufgenommen worden ist und auch jetzt noch die Arbeiter einzelner Betriebe weiter streiken, werden am Montag, den 13. des Monats sämtliche Textilarbeiter Badens ausgesperrt. Die Aussperrung ist von den Arbeitgebern wieder zurückgestellt worden in der Hoffnung, daß die Streiks auch ohne dieses letzte Zwangsmittel gebrochen werden. Nachdem der Streik nunmehr schon ein Vierteljahr fortdauert, konnte der Arbeitgeberverband, auch mit Rücksicht auf die Arbeitswilligen in den bestreikten Betrieben, nicht länger dulden, daß die Streiks in den betroffenen Betrieben noch weiter fortgesetzt werden. Von der Aussperrung werden 20 000 Arbeiter betroffen.

g) Kommentar der »Volkswacht« zur Aussperrungsdrohung der badischen Textilarbeitgeber, 15. Juni 1921

Volkswacht vom 15. Juni 1921.

Wie sehr dem Ausbeutertum der Textilindustrie der erste kräftige Anlauf ihrer Lohnsklaven zur Lockerung der unerträglichen Fesseln und zur Verbesserung ihrer miserablen wirtschaftlichen Lage an die Nieren gegangen ist, beweist am besten ihr krampfhaftes Bemühen, ihre Ausbeutungsobjekte wieder in das frühere Helotentum hinabzudrücken. Nachdem das Textilproletariat an den Ketten gerüttelt hat, befürchten die Textilkönige nicht mit Unrecht, es könne den Versuch, die Ketten zu sprengen, wiederholen; obwohl es diesmal seinen Kampf, hauptsächlich infolge des jämmerlichen Versagens der christlichen Führer, die von allem Anfang an dem Unternehmertum die Situation erleichterten, abbrechen mußte. Sie gingen zähneknirschend wieder in die Fabriksäle; ihr Kampfesmut ist nicht gebrochen. Und wenn einzelne willensschwache Klassengenossen mutlos zur Seite stehen, so ist die Elite des organisierten Textilproletariats um so mehr von der Entschlossenheit beseelt, die Kampforganisation zu stärken, um zu gegebener Zeit gerüstet zu sein für die unausbleiblichen Kämpfe zwischen Kapital und Arbeit.

Diesen Kampfesmut der Elite des Textilproletariats zu zermürben, ist das Ziel des Textilarbeitgeberverbandes. Diesem Ziel dient die Aussperrungsandrohung, die in der bürgerlichen Presse in phrasenreichen Erklärungen an die Adresse der Arbeiter gerichtet wird. Am gestrigen Montag sollten nach dieser Drohung 20 000 Textilarbeiter Badens brotlos gemacht werden. Nirgends ist, soviel uns bekannt, die Aussperrung erfolgt. An einigen Orten, so in Lörrach und Brennet, ist in einzelnen Betrieben die Kündigung ausgesprochen worden. Wollen die Herren Industriellen den Kampf auf die Spitze treiben und die Arbeiter aufs Pflaster werfen, so können sie ihr blaues Wunder erleben. Die 9 Millionen deutscher Gewerkschaftsmitglieder werden schließlich auch noch erfolgreich gegen die übermütigen Textilkönige zu kämpfen wissen.

Mit ihrem Bluff können sie also die Arbeiterschaft nicht schrecken. Aber es erhebt sich auch die Frage, ob in ihrem Vorgehen nicht auch ein Versuch zu erblicken ist, das morgen, am 16. Juni, zusammentretende Schiedsgericht zu beeinflussen. Wie der Badische Staatsanzeiger meldet, hat das Reichsarbeitsministerium, in Ausübung der ihm nach § 22 Abs. 2 der Reichsverordnung über die Schlichtung von Arbeitsstreitigkeiten vom 23. Dezember gegebenen Zuständigkeit, die Einsetzung eines Schiedsgerichts angeordnet. Die Arbeitgeber haben ihre Mitarbeit unter der Bedingung zugesagt, daß vorher überall die Arbeit aufgenommen sei. Mit Ausnahme der Ramie-Fabrik in Emmendingen ist das überall geschehen. Hier will der Unternehmer den Betriebsratsvorsitzenden maßregeln, die Arbeiterschaft aber stellt sich hinter ihn; und da wird schließlich auch die Öffentlichkeit einsehen, wie gewissenlos das Unternehmertun handelt, wenn es Zehntausende brotlos machen will, nur weil der Eigensinn einer Firma ein so geringes Entgegenkommen nicht zuläßt. Brutaler hat sich der Kapitalistenklüngel noch nie gezeigt wie hier. Hoffentlich wird man auch beim Schiedsgericht hieraus die entsprechenden Folgerungen ziehen. Daß selbst viele Firmen nicht mit der Taktik ihres Verbandes einverstanden sind, geht daraus hervor, daß bei ihnen Kündigungen nicht erfolgt sind.

h) Bericht der »Karlsruher Zeitung« über die Beendigung des Textilarbeiterstreiks, 18. Juni 1921

Karlsruher Zeitung vom 18. Juni 1921.

Beilegung des Textilarbeiterstreiks

Wie gestern mitgeteilt werden konnte, hat das zur Beilegung der Streitigkeiten in der Textilindustrie gebildete Schiedsgericht am Donnerstag seine erste Sitzung abgehalten. Die Verhandlungen haben bereits zu einem erfreulichen Erfolg geführt, nämlich insofern, als die Vertreter des Deutschen Textilarbeiterverbandes erklärten, daß ihrerseits der Streik in Emmendingen, der bekanntlich den Anlaß zu dem Kündigungs- bzw. Aussperrungsbeschluß der Arbeitgeber bildete, abgebrochen und daß bestimmt mit der Wiederaufnahme der Arbeit vom heutigen Samstag ab zu rechnen sei, während die Arbeitgeber bekanntgaben, daß mit der Wiederaufnahme der Arbeit in Emmendingen die zum Zwecke der Aussperrung ausgesprochenen Kündigungen ohne weiteres sofort zurückgenommen würden. Damit erscheint die Gefahr einer Aussperrung, die zu einer außerordentlichen Schädigung des Wirtschaftslebens geführt hätte, zunächst ausgeschaltet.

Das Schiedsgericht wird nunmehr, nachdem beide Parteien zur Mitarbeit an einer schiedsgerichtlichen Schlichtung der Streitigkeiten bereit sind, die Angelegenheit weiter verfolgen, und es ist zu hoffen, daß auf diese Weise die Differenzen, die nun schon seit Wochen andauern und in ihren Auswirkungen eine große Gefahr nicht nur für die beteiligten Kreise, sondern auch für die Allgemeinheit heraufzubeschwören drohten, baldigst in gütlichem Sinne ausgeglichen werden.

i) Schiedsspruch für das badische Textilgewerbe, Juli 1921

Karlsruher Zeitung vom 19. Juli 1921.

Es werden erhöht die Normalstundenlöhne (S. 8 des Tarifvertrages), d. h. für Arbeiten, die im Taglohn verrichtet werden, der Klasse von 20–25 Jahre für männliche Arbeiter von 3,40 auf 3,70 M, für weibliche Arbeiter von 2,55 auf 2,65 M, der Klasse über 25 Jahre für männliche Arbeiter von 3,70 auf 4,10 M, für weibliche Arbeiter von 2,80 auf 2,90 M; die Stundenlöhne für Akkordarbeiter gemäß § 4 des Tarifvertrages in der Klasse von 20–25 Jahren für männliche Arbeiter von 0,90 auf 1,00 M, über 25 Jahre für männliche Arbeiter von 1,20 auf 1,40 M.

Alle Arbeiten, die im Akkord ausgeführt werden können, sind auch im Akkord auszuführen.

Die festgesetzten Löhne gelten von der nach dem 1. Juli beginnenden Lohnwoche ab. - Die Auszahlung der durch den Vertragsbruch verwirkten Lohnbeträge ist durch die einzelnen Firmen zu regeln, wobei das Schiedsgericht ein möglichstes Entgegenkommen empfiehlt. - Aus Anlaß des Streiks soll den Arbeitern vom Jahr 1922 ab hinsichtlich des Urlaubs kein Nachteil erwachsen. - Aus Anlaß des Streiks soll an der bisherigen Handhabung der Wohlfahrtseinrichtungen nichts geändert werden.

70 **Juni / Juli 1921**

Die Geheimorganisation »Orgesch«

a) Bericht im »Volksfreund« über Aktivitäten und Ziele der Organisation, 13. Juni 1921

Volksfreund vom 13. Januar 1921.

Orgeschtreibereien in Baden
Ein Warnungssignal an die badische Arbeiterschaft

Der neueste politische Mord* in Bayern zwingt dazu, nunmehr den Orgeschtreibereien und Orgeschorganisationen die schärfste Aufmerksamkeit zuzuwenden.** Von Bayern aus wird seit Monaten ganz systematisch und unter Aufwendung großer Geldmittel sowohl in Württemberg wie in Baden an der Ausbreitung der Orgeschorganisationen gearbeitet. Im badischen Hinterlande sind, wie heute einwandfrei feststeht, eine größere Anzahl Postbeamte, Postdirektoren, Pfarrer, Ärzte, Privatangestellte usw. im Besitz von Escherichausweisen. Hauptmann Damm, der Organisator der Orgesch in Baden, entfaltet gerade im Hinterlande eine eifrige Tätigkeit zur Gründung von Einwohnerwehren. Daß auch in anderen Bezirken

---

* Am 9. Juni 1921 wurde Karl Gareis, Führer der USPD-Fraktion im bayerischen Landtag, ermordet.

** Orgesch: Organisation Escherich, gegründet im Mai 1920 in Regensburg von dem Forstrat Georg Escherich.

Badens Kräfte am Werke sind, die im Sinne der Orgeschorganisationen arbeiten, kann nicht mehr bestritten werden. Es dürfte in allernächster Zeit eingehendes Material darüber der Öffentlichkeit unterbreitet werden.

Mit diesen Orgeschtreibereien stehen natürlich die Waffenfunde am Bodensee wie im Hinterlande im Zusammenhang. Die Spuren dieser Waffenschiebereien führen alle nach Württemberg, besonders nach Stuttgart, wo ganz offenbar der Polizeidirektor Hahn mit Orgeschstudenten in engster Verbindung steht. Wohl alle bisher von badischen Behörden aufgefundenen und beschlagnahmten Waffen sind von Württemberg über die badische Grenze herüber gebracht worden. Es ist heute auch festgestellt, daß sowohl in Karlsruhe wie in Freiburg Orgeschorganisatoren vorhanden sind und auch eine Tätigkeit entfalten.

Das vorläufige politische Ziel der Orgeschleute in Baden ist, die Sozialdemokraten aus der Regierung herauszubringen. Ganz systematisch wird in bürgerlichen Kreisen, besonders auf dem Lande, das Gerücht von einem nahe bevorstehenden Kommunistenputsch verbreitet, der mit Hilfe von hessischen, preußischen und bayerischen Kommunisten in Baden durchgeführt werden soll. Es werden Zettel verbreitet, wonach der badische Minister des Innern, Genosse Remmele, im Falle des Gelingens des Kommunistenputsches zum Präsidenten der badischen Räterepublik ausgerufen werde. Nun müßte zwar in Baden bald jeder Mensch wissen, daß gerade Remmele von den Kommunisten sehr gehaßt wird und daß die Kommunisten wirklich die Allerletzten wären, die sich dem Genossen Remmele anvertrauen würden. Der Zweck dieser Zettelhetze ist, Hilfe bei Waffenschiebungen zu verlangen von bürgerlichen Leuten und das energische Vorgehen des Ministers des Innern gegen die Waffenschiebungen entsprechend bei den Leuten zu verdächtigen, die nun einmal in ständiger Kommunistenangst leben.

Die »Süddeutsche Zeitung«, die ja ein Orgeschblatt ist und wahrscheinlich finanziell aus den gleichen Quellen wie die Orgeschorganisatoren gespeist wird, tut ja an ihrem Teile alles, um die ihr zugänglichen bürgerlichen Kreise im Orgeschsinne zu beeinflussen. Das Reichsgericht hätte schon längst eingreifen müssen, zumal ihm diese Dinge nicht unbekannt sind. Es versagt vollständig. Wenn vielleicht die vorhandenen Beweise nicht zu einer Anklage wegen Hochverrats ausreichen sollten, so reichen sie unstreitig aus zu einer Anklage und zu gerichtlichen Maßnahmen wegen Geheimbündelei. Wie überhaupt über das Verhalten bestimmter Gerichtsbehörden in diesem Zusammenhange noch gelegentlich ein sehr ernstes Wort zu reden sein wird.

Die badische Regierung hat mit Energie und Umsicht die Entwaffnungsaktion loyal durchgeführt, wie auch von der Entente anerkannt wird. Aber gerade deswegen wird sie in der schlimmmsten Weise von den Orgeschleuten und Politikern ähnlichen Schlages aufs schwerste angefeindet.

Wir weisen heute auf diese Vorgänge hin und richten an die organsierte Arbeiterschaft das dringende Ersuchen, stets auf dem Posten zu sein. Es können, und wir fragen das nicht etwa aus wirklichen Vermutungen und Annahmen heraus, über kurz oder lang auch in Baden Situationen eintreten, wo die organisierte Arbeiterschaft sich gegen die Orgeschtreibereien zur Wehr setzen muß, wenn sie nicht die bösesten Überraschungen erleben will. Es ist ein ernstes Warnsignal, das wir heute an die Arbeiterschaft erlassen. Möge es gehört werden und die gebotene Beachtung bei der Arbeiterschaft finden. Der neueste politische Mord in Bayern sollte den Arbeitern doch sehr zu denken geben.

b) Bericht im »Volksfreund« über die Verhaftung von Mitgliedern der Organisation in Freiburg, 28. Juni 1921

Volksfreund vom 28. Juni 1921.

Zu den Verhaftungen in Freiburg erfährt die dortige »Volkswacht«, daß einer der Verhafteten der Major Grohe ist, der als aktiver Offizier bei den 113ern stand. Dieser Herr Grohe führte auch eine Zeitlang ein Bataillon der 109er, wobei er bei Offizieren wie bei Mannschaften wegen seiner rücksichtslosen Strenge und seiner oft grotesken Schrullenhaftigkeit gleichermaßen gefürchtet und verhaßt war. Im Bataillon erhielt er den Spitznamen »Major Mützensitz«, weil er mit einem wahren Fanatismus darauf sah, daß die Mannschaften die Feldmütze richtig auf dem Kopfe sitzen hatten; die Leute mußten sich Pappdeckel- oder Lederstückchen in die Mütze nähen damit diese, die im Graben meist das einzige Kopfkissen war, das dem Soldaten zur Verfügung stand, ja nicht zusammenklappte. Wehe dem, der einmal mit einer zusammengedrückten Mütze erwischt wurde! So wurden die Leute selbst in vorderster Stellung schikaniert. Sein Weggang im Januar 1917 war einer der größten Freudentage des Bataillons sowohl für die Offiziere wie für die Mannschaften. Daß solche Offiziere nun bei der Orgesch vorne dran sind, nimmt nicht wunder.

Ein weiterer Festgenommener war ein Herr Viktor Himmelsbach. Er soll ein Sohn eines der Herren Himmelsbach von der weltbekannten Holzfirma gleichen Namens sein. Wie weit die Untersuchung in der Freiburger Affäre, die im Zusammenhang steht mit den Waffenschiebungen und der Gründung von Escherich-Organisationen in Baden, fortgeschritten ist, entzieht sich unserer Kenntnis.

Es steht fest, daß die enormen Gelder, welche die Orgeschhäuptlinge zu Propaganga- und Organisationszwecken zur Verfügung haben, in der Hauptsache von der Großindustrie stammen. Zu Wühlereien gegen die Republik und zu Rüstungszwecken für den Bürgerkrieg scheuen die Geldsäcke keine Opfer; aber wenn sie dem verarmten Vaterland einen Teil ihrer im Krieg und nachher in Geschäften mit eben diesem armen Vaterland »erarbeiteten« Millionen in Form von Steuern abgeben sollen, dann lassen sie durch ihre Trabanten in der stinnesierten Presse* den Nachweis führen, daß die Industrie zugrunde gehe, wenn ihr solche Opfer zugemutet würden.

c) Ermittlungsbericht des Badischen Innenministeriums an den Reichskanzler (Auszug), 14. Juli 1921

GLA Karlsruhe, 233/27914.

Über den Aufbau der Organisation haben die Ermittlungen folgendes ergeben:

An der Spitze steht die sogenannte Landesleitung mit dem Sitz in Karlsruhe, zur Zeit bestehend aus Krausse d'Avis als 1. Stabsleiter, Haug als 2. Stabsleiter und Thümmel als Adjutant. Als eigentlicher Landesleiter war anscheinend eine angesehene Zivilperson in Aussicht genommen, aber noch nicht gewonnen.

Den Unterbau bilden 3 Gruppenleitungen für die Bezirke Baden-Nord (von Norden her etwa bis Bruchsal reichend), Baden-Mitte (etwa bis Offenburg) und Baden-Süd. Der Sitz der Gruppenleitungen ist Heidelberg, Karlsruhe und Freiburg. Die Gruppe Nord leitete Damm, als seine Gehilfen (»Stabsleiter«, »Adjutant«) fungierten Robert und Albrecht Kessler; der Gruppe Mitte stand von Wins vor, dem von Tautphaeus und Hermann Kessler als Gehilfen (»Adjutanten«) beigegeben waren; Gruppenleiter in Baden-Süd war Grohe, als eigentlicher Geschäftsführer aber war Hartge tätig.

Die lebhafte Pressetätigkeit, die die Organisation entfaltete, lag für die Landesleitung und in der Hauptsache auch für Baden-Süd in den Händen des Journalisten Rudolf Zoepffel, geboren am 15. Oktober 1878 bei St. Petersburg, Deutsch-Balte. In der Gruppe Baden-Nord betätigte sich als Pressebeirat der Redakteur Dr. Rudolf Grossmann in Rohrbach bei Heidelberg, in Baden-Mitte der Landgerichtsrat Peter Frommherz in Karlsruhe und in Baden-Süd neben Zoepffel und wohl nur in geringerem Umfange der cand. med. Wilhelm Kiefer.

Als Schreiber wurde in Freiburg der cand. rer. pol. Viktor Jungfer beschäftigt, in »Mitte« und »Nord« leisteten »Adjutanten« in der Hauptsa-

* Vom Großindustriellen Stinnes beeinflußte Presse.

che die Schreiberdienste. Als besonderer studentischer Vertrauensmann ist für die Organisation Baden-Süd wohl der cand. med. Hermann Neiking in Freiburg, Mitglied der katholischen Verbindung Arminia, anzusehen.

Damm, die Brüder Kessler, von Wins und von Tautphaeus erhielten für ihre Tätigkeit feste Gehälter von 1200–1500 RM monatlich, Hartge eine Aufwandsentschädigung, deren Höhe wechselte, je nachdem er für die Organisation Reisen machte. Jungfer bezog lediglich Schreibgebühren. Die übrigen leisteten - abgesehen von den auf die Pressebeiräte entfallenden Honoraren für schriftstellerische Arbeiten - ihre Dienste unentgeltlich.

Krausse d'Avis, Haug, Thümmel, Damm, von Wins, Grohe, von Tautphaeus und die Brüder Kessler sind alle Kriegsteilnehmer. Damm und die Brüder Kessler, übrigens Neffen des Damm, waren bei Kriegsausbruch in Südamerika und schlugen sich zur deutschen Armee durch. Nach Kriegsende kämpften Krausse d'Avis, Damm und die Brüder Kessler bei den deutschen Truppen im Baltikum unter General Graf von der Goltz, traten dann zu der westrussischen Armee unter Bermondt-Avalov über, wo Hermann Kessler zum Leutnant befördert wurde, gehörten ebenso wie Tautphaeus in der Folge Formationen wie der Marinebrigade Ehrhardt, dem Freikorps Epp oder anderen, gegen die Räteherrschaft in München verwendeten Truppenteilen, Tautphaeus vorübergehend auch der Reichswehr an. Zuletzt gründete Damm mit von Tautphaeus, den Brüdern Kessler und anderen ehemaligen Angehörigen der Baltikumtruppen in Paehl in Bayern eine sogenannte Arbeitsgemeinschaft, die sich mit Entwässerungen und dergleichen befaßte, und von da kamen sie nach Baden in die Organisation. Von Wins gehörte nach Kriegsende zunächst dem Korps Lüttwitz an, kam später an eine Unteroffiziervorschule nach Frankenstein (Schlesien) und war daselbst auch als Kreisrat in der Einwohnerwehr tätig. Am 1. April 1921 wurde er aus dieser Stellung wegen der Auflösung der Einwohnerwehren entlassen und verzog nach Ettlingen, woher seine Ehefrau stammt. Grohe war schon vor dem Krieg verabschiedet, dann aber während des Kriegs reaktiviert, er ist schon lange in Freiburg ansässig und betreibt seit einiger Zeit eine kleine Landwirtschaft (insbesondere Kleintierzucht) in Au bei Freiburg. Er hat anscheinend rege sportliche Neigung und betätigt sich auch in der auf körperliche Ertüchtigung abzielenden Jugendbewegung. Hartge ist Balte deutscher Abstammung, war während des Krieges in Rußland, nach der russischen Revolution gehörte er dem estnischen Baltenbataillon einer Heimatschutzformation an, kämpfte in dieser gegen die Bolschewiken und kam 1919 mit seiner Familie nach Freiburg, um dort die Rechte zu studieren. Er ist kürzlich zum Doktor promoviert worden und sucht nun eine passende Stellung in der Industrie oder dergleichen. Er war von Februar bis April 1921 unter Krausse d'Avis, der damals noch die Geschäfte der Gruppe-Süd führte, als Schreibhilfe beschäftigt. Seit April 1921 führt er die Geschäfte allein.

3. Aufschluß über das Wesen, die Ziele und die Tätigkeit der Organisation war nur aus den naturgemäß mit einiger Vorsicht zu würdigenden

Angaben der Beteiligten und aus dem beschlagnahmten schriftlichen Material zu gewinnen. Die Beteiligten stimmen auch in ihren Darstellungen nicht völlig überein, insbesondere treten hier bemerkenswerte Abweichungen zwischen den drei Gruppen zutage.

In Baden-Nord und Baden-Mitte wird zugegeben, daß es sich in ganz Baden um nichts anderes als die bekannte Organisation Escherich (Orgesch) handelt. Als Aufgabe wird der Kampf für jede verfassungsmäßige Regierung gegen jeden Umsturzversuch von rechts oder links, Schutz von Personen, Arbeit und Eigentum und Aufrechterhaltung von Ruhe und Ordnung bezeichnet. Die Gefahr eines Umsturzes von rechts her wird aber, wie in den anderen Gruppen, als wenig beachtlich angesehen, und deshalb betätigt sich die Organisation vor allem in antikommunistischem und antibolschewistischem Sinne. Nebenher wird auch Propaganda gegen den sogenannten Feindbund betrieben, anscheinend vorwiegend in der Form des Kampfes gegen die Feindbundwaren. Endlich wirkte Damm in der Richtung der Gründung von Jugendschützenvereinen. In ihrem Bezirk hatte die Gruppe Baden-Nord, die seit Herbst 1920 in Tätigkeit ist, etwa 35 Vertrauensleute oder Bezirksleiter gewonnen, die teilweise mit Führerausweisen der Orgesch versehen sind. Sie sollten Ortsgruppen gründen, anscheinend ist es jedoch in Baden-Nord zu solchen Gründungen bisher ebensowenig gekommen, wie in Baden-Mitte und -Süd. Unter den Bezirksleitern finden sich Geistliche, Mittel- und Volksschullehrer, Beamte, Gutsbesitzer und dergleichen, kurz durchweg angesehene Persönlichkeiten bürgerlichen Standes, denen eine verfassungswidrige Betätigung nicht zuzutrauen und denen zu glauben ist, wenn sie, übrigens ebenso wie die Angehörigen der Gruppenleitung, die Kenntnis oder gar die Mitwirkung bei hochverräterischen Plänen nachdrücklichst in Abrede stellen. Die Gruppenleitung hat sich, angeblich wegen der Gleichheit der Ziele, auch in den Dienst der sogenannten Technischen Nothilfe gestellt, und einzelne Vertrauensleute behaupten heute noch, in der Organisation nichts anderes erblickt zu haben, als eine Bezirksorganisation der Technischen Nothilfe.

In Baden-Mitte ist die Organisation erst im April 1921 geschaffen worden und offenbar noch ganz in den Anfängen. Eine Anzahl Vertrauensmänner waren zwar bereits gewonnen, auch standen von Escherich gezeichnete Führerausweisplaketten zur Verfügung, allein weiter war die Sache noch nicht gediehen. Die Organisation nannte sich in Mittelbaden übrigens, offenbar mit Rücksicht auf die Haltung der Badischen Staatsregierung gegenüber der Orgesch, im Verkehr mit erst zur gewinnenden oder neugewonnenen Vertrauensleuten nicht Orgesch, sondern »Badischer Bund«. Besondere Beziehungen zur Technischen Nothilfe sind für Baden-Mitte nicht festgestellt.

Im Gegensatz dazu stellt die Gruppe Baden-Süd, die seit Herbst 1920 besteht, den Gesichtspunkt der Technischen Nothilfe stark in den Vordergrund und bestreitet nachdrücklich den Orgeschcharakter der Organisation. Es wird so dargestellt, als sei ihr Zweck lediglich der Schutz der Technischen Nothilfe im Falle eines Generalstreiks oder kommunistischer Unruhen. Die an der Organisation beteiligten Personen sind alle auch Mitglieder der Technischen Nothilfe, die Geschäftsstelle der Gruppe wird geradezu als eine Geschäftsstelle der Technischen Nothilfe bezeichnet, und die Verbindungen auf dem Lande decken sich anscheinend fast durchweg mit der Vertrauensmännerorganisation der Technischen Nothilfe. Ein Zusammenhang mit der Orgesch wird zwar nicht völlig in Abrede gestellt, allein es wird behauptet, die Verbindung beschränke sich auf Informationen über den Kommunismus und dergleichen, die die Gruppenleitung von der bayerischen Orgesch erhalte und bei ihrer Propaganda verwerte. Das aufgefundene Material läßt indessen erkennen, daß dieser Zusammenhang doch ein erheblich innigerer und wohl auch kein anderer war, als in den anderen Gruppenbezirken. Der Leiter der Gruppe Süd, Grohe, ist im Besitze eines Führerausweises der Orgesch. Von seiten der Geschäftsstelle (Hartge) wurde im Sinne der werbenden Aufklärung für die Orgesch gearbeitet und, wenn man auch anscheinend vielfach, namentlich auf dem platten Lande, den Gesichtspunkt der Technischen Nothilfe (z.B. Schutz der elektrischen Anlagen im Falle von Unruhen) stark betonte, so wurden andererseits doch auch Aufgaben in Angriff genommen, die der Technischen Nothilfe fremd sind (z.B. der Kampf gegen die Feindbundwaren, die anscheinend von München aus betriebene und finanzierte Bildung einer Studentenwehr für Oberschlesien und anderes).

Über die Tätigkeit der Landesleitung war ein vollkommen abschließendes Bild bis jetzt nicht zu gewinnen. Sie unterhielt offenbar die Verbindung mit der bayerischen Orgeschleitung und lieferte den Gruppen einen Teil des Propagandamaterials. Daß sie eine Unterorganisation der Orgesch ist, wird von dem einzigen Beteiligten, der bisher vernommen werden konnte, Krausse d'Avis, nicht zugegeben, ist aber wohl doch zutreffend, denn der Genannte ist selbst im Besitze eines Führerausweises der Orgesch, und er hat auch erwiesenermaßen an einer Tagung der Orgesch in Regensburg teilgenommen. Daß auch im Sinne der Technischen Nothilfe gearbeitet wurde, behauptet Krausse d'Avis gleichfalls; er stellte es aber so dar, als ob das ohne Wissen und Willen der offiziellen Leitung der Technischen Nothilfe geschehen sei, gewissermaßen um diese nicht in Verlegenheit zu bringen. Das wird wohl so sein, andererseits wurde anscheinend, wie es in Freiburg geschehen ist, die Technische Nothilfe als den wahren Orgeschcharakter verdeckendes Aushängeschild benützt.

Die Gelder, die die Organisation benötigte, bekam sie aus Kreisen der Industrie und des Handels, es bestand ein Finanzausschuß von etwa 15 Herren, an dessen Spitze der Privatmann Scipio in Mannheim stehen soll. Für Baden-Nord lag die Finanzierung in den Händen des Fabrikanten Hermann Stachelhaus in Mannheim, für Baden-Mitte (und vielleicht die Landesleitung) besorgte das der Bankdirektor Nicolai in Karlsruhe und für Baden-Süd der Kaufmann Viktor Himmelsbach in Freiburg. Sie verstanden es offenbar recht gut, die ihnen nahestehenden Kreise für die Sache der

Organisation, deren Kampfstellung gegen den Kommunismus hier wohl die ausschlaggebende Rolle spielte, zu interessieren und zu Opfern zu bewegen. Viktor Himmelsbach, der zugleich Kassier der Technischen Nothilfeorganisation für Süd-Baden ist, als solcher alle südbadischen Handelskammerbezirke bereiste und hier zur Beitragsleistung für die Technische Nothilfe warb, stellte anscheinend aus den so zusammengebrachten Mitteln der Freiburger Geschäftsstelle fortlaufend beträchtliche Beträge zur Verfügung.

Die Propaganda, soweit sich darüber aus dem beschlagnahmten Material ein Urteil gewinnen läßt, bewegte sich, wie bereits erwähnt, in der Hauptsache in der Richtung der Aufklärung und Bekämpfung dieser Ziele des Bolschewismus und Kommunismus, und die Tätigkeit der Gruppengeschäftsstellen bestand weitgehend in der Vervielfältigung und Bearbeitung von Material über Organisation und Pläne der Kommunisten und deren Abwehr, teils für die Presse, teils für die Vertrauensleute. Als Material diente u. a. auch ein in Berlin erschienenes Korrespondenzblatt »Aufbau« (Herausgeber Dr. Klein, Berlin, Am Karlsbad 10). Besonderer Wert wurde ferner auf den Ausbau von Stafettenverbindungen gelegt, die im Falle von Unruhen und damit zusammenhängenden Störungen des Post- und Telegraphenverkehrs in Aktion treten sollten. Eine eigentliche militärische Tätigkeit ist, abgesehen von einigen in Baden-Nord gefertigten - mehr den Anschein militärischer Spielereien erweckenden - Entwürfen von Vorschriften über Bahnschutz, von Diensteinteilern und Reglements über Verpflegung, Exerzieren, Disziplin, Löhnung, Pferdebehandlung und dergleichen, nirgends festgestellt. Es ist möglich, daß eine militärische Organisation für den Fall von Unruhen geschaffen werden sollte, als militärischer Führer für das ganze Land soll auch ein General a. D. Thierry in Herrenalb vorgesehen gewesen sein, allein ein Beweis für einen mannschaftsmäßigen Unterbau fehlt völlig, offenbar ist man, wie überhaupt in der ganzen Organisation, auch insoweit bisher über die Anfänge nicht hinausgediehen.

Daß die Organisation in Baden geheim gehalten wurde, ist zweifellos. Den badischen Behörden, insbesondere der Staatsregierung, war bis zum Strafverfahren nicht bekannt, daß in Baden eine Orgesch oder etwas ähnliches geplant war oder bestand. Die Beteiligten waren auch offensichtlich bestrebt, ihre Tätigkeit in aller Stille zu entfalten. Die persönliche Werbetätigkeit fand überwiegend von Mann zu Mann und nur gelegentlich in Form größerer Zusammenkünfte in geladenem Kreise statt. Im Verkehr zwischen der Landesleitung, den Gruppen und den Vertrauensleuten wurden meist Geheimzeichen, Chiffreschriften und Deckadressen benützt. Die in die Presse gebrachten Artikel erschienen ohne Unterschrift oder unter der persönlichen Unterschrift der Verfasser oder Pressebeiräte. Es soll zwar die Absicht bestanden haben, im Herbst dieses Jahres mit der Sache an die Öffentlichkeit zu treten und erforderlichenfalls die Duldung durch die Staatsbehörden im Rechtsweg zu erzwingen, allein Schritte in dieser Richtung sind bislang keine getan worden. Als Grund für die Geheimhaltung wird einmal die der Organisation wenig günstige Haltung der badischen Staatsregierung geltend gemacht, die in einem die Orgesch als unter § 1 der Verordnung vom 30. Mai 1920 und unter § 128 StGB fallend bezeichnenden Erlaß des Ministeriums des Innern vom 22. November 1920 zum Ausdruck gelangt. Des weiteren wird darauf hingewiesen, daß die führenden Mitglieder der Organisation aus Gründen ihrer persönlichen Sicherheit ein Interesse daran hätten, nicht an die Öffentlichkeit zu treten, da gerade sie im Falle eines Linksputsches als erklärte Orgeschleiter in höchste Gefahr gerieten.

71 — August / September 1921

Die Protestkundgebungen anläßlich der Ermordung des Reichsfinanzministers Matthias Erzberger

a) Entschließung der Freiburger Protestversammlung, 31. August 1921

Volkswacht (Freiburg) vom 1. September 1921.

Tausende auf dem Münsterplatz in Freiburg versammelte Männer und Frauen des werktätigen Volkes und auf dem Boden der Weimarer Verfassung stehende Republikaner bezeichnen die Rechtsparteien und deren Blätter als die eigentlich Schuldigen an den zahlreichen und ungesühnten Morden an hervorragenden Arbeiterführern und dem zuletzt an dem Reichstagsabgeordneten Erzberger ausgeführten Meuchelmord. Sie erblikken in der Hetz- und Mordpropaganda der Rechtsparteien und -blätter die offene Kriegserklärung an die Republik und das republikanisch gesinnte Proletariat. Das organisierte Proletariat nimmt diese Kriegserklärung an. Die Verantwortung für die Folgen lehnt es ab. Sie fällt in ihrer ganzen Schwere den Rechtsparteien, den Monarchisten und Militaristen zur Last, die erst das Volk in das Unglück des Krieges führten und durch ihre Unfähigkeit und ihren grenzenlosen Hochmut den Zusammenbruch verschuldet haben. Die Tausende versammelter Männer und Frauen der produktiv tätigen Volksschichten erklären feierlich, daß sie entschlossen sind, mit allen Mitteln unter Einsatz selbst schwerster persönlicher Opfer die Republik zu verteidigen. Sie stellen sich der Regierung zum Schutze der Republik unter den folgenden Bedingungen zur Verfügung:

1. Der Regierung wird es zur Pflicht gemacht, rücksichtslos gegen die konterrevolutionären Mörder vorzugehen.

2. Um ein Durchgreifen zu sichern, ist die Organisation der Rechtspflege sofort durch ein Notgesetz auf eine andere Grundlage zu stellen. Die Unabsetzbarkeit der Richter ist aufzuheben und die Richterwahl durch das Volk vorzunehmen.

3. Die Verwaltungskörper im Reich und in Baden sind von reaktionären Elementen zu säubern und durch zuverlässige Republikaner zu ersetzen.

4. Die Offiziere der Reichswehr sind nur insoweit aus dem Offiziersbestand des alten Heeres zu entnehmen, als sie sich zur republikanischen Staatsform bekennen. An den leitenden Stellen müssen erprobte Republikaner stehen.

5. Die deutschnationale Verseuchung der Universitäten und Mittelschulen muß durch Entfernung der alldeutschen Professoren beseitigt werden. Monarchistische Demonstrationen alldeutscher Studenten, ebenso rassenfeindliche Kundgebungen müssen mit Ausschluß von den Hoch- und Mittelschulen beantwortet werden.

6. Der Ausnahmezustand in Bayern ist sofort aufzuheben und die verfassungsmäßigen Rechte des Freistaats Bayern wiederherzustellen.

Diese Entschließung wurde unter starkem Beifall angenommen. Tausende und Abertausende von Händen reckten sich auf dem weiten Münsterplatze in die Höhe zum Zeichen dafür, daß die Versammelten gewillt sind, die in der Resolution niedergelegten Forderungen mit allem Nachdruck zu vertreten.

b) Rede des badischen Arbeitsministers, Wilhelm Engler, auf der Protestversammlung in Freiburg, 31. August 1921

Volkswacht (Freiburg) vom 1. September 1921.

Als am letzten Freitag die Kunde durch das Land eilte, Erzberger sei ermordet, hatte jeder das Gefühl, daß es sich um ein neues Glied in der Kette der politischen Morde handelt, als deren wichtige Glieder zu nennen sind: Liebknecht, Rosa Luxemburg, der Matrosenmord in Berlin, der Arbeitermord in Mechterstett, Paasche, Gareis und zuletzt Erzberger. Politische Morde gab es zu allen Zeiten, seit sich Menschen zu staatlichen Gesellschaften zusammengeschlossen haben. Die Mörder stammten meistens aus den Kreisen, welche die Herrschaft ausübten und sich um die Herrschaftssitze stritten. Soweit politische Mörder aus dem Volke hervorgegangen sind, galt ihr Bestreben fast immer der Beseitigung eines Tyrannen. Der Mord an Erzberger wurde aber nicht von Bedrückten oder Unterdrückten verübt, sondern von Angehörigen einer Gesellschaftsklasse, welche wieder in den Besitz von Vorrechten kommen möchte, die sie jahrhundertelang zu Unrecht innehatte. Deutschnational, deutschvölkisch und auch deutschliberal nennen sich die Zeitungen, die seit dem Inkrafttreten der republikanischen Verfassung die darin gegebene Freiheit mißbrauchen, um den politischen Mord zu verherrlichen. Diese Sorte von Menschen nimmt für sich in Anspruch, allein deutsch zu sein. Mit Verachtung sprechen sie von der Gleichberechtigung aller Staatsbürger; sie fühlen sich berufen, über andere zu herrschen, die andern auszubeuten und zu knechten. Und diese Herrenmenschen halten sich auch für berechtigt, die Mordwaffe gegen jeden zu richten, der sich ihrer Herrschsucht und Ausbeutungsgier entgegenstellt. Diese Herren verlangen nicht nur Vorrechte, sie verlangen auch Befreiung von diesen Pflichten. Ihre Feindschaft galt dem Erzberger, der Besitzsteuern einführte. Feig wie Meuchelmörder immer sind, versuchten sie Erzberger zuerst durch Verleumdungen zu Fall zu bringen. In dem Augenblick, wo vor Gericht der Verleumdungsfeldzug zusammenbrach, wurde der Meuchelmord ausgeübt.

Ein Mord ist immer etwas Entsetzliches, aber noch entsetzlicher ist, daß weite Kreise unseres Volkes über das Gelingen der Mordtaten sich freuen, daß Zeitungen offen zum Mord aufrufen können, ohne der allgemeinen Verachtung anheimzufallen. Und noch schlimmer ist, daß solche Zeitungen im Namen politischer Parteien sprechen können. Diese Parteien werden vergeblich versuchen, die Blutspuren von sich abzuwaschen. Wer der deutschnationalen Partei anhängt, wer die Zeitungen dieser Richtung unterstützt, ist mitverantwortlich für all diese Mordtaten. Den Deutschnationalen war für den Stimmenfang jedes Mittel recht. Sie stellten sich den Protestanten als die Hüter der politischen Glaubensrichtung vor. Diese Anhänger aus religiösen Gründen haben die Pflicht, zu prüfen, ob sie weiterhin einer Partei angehören können, die den Meuchelmord zum Kampfmittel erhebt. Verse wie der folgende aus einem deutschnationalen Kampflied müßten eigentlich jeden Menschen mit christlicher und anständiger Gesinnung abschrecken:

Haut immer feste auf den Wirth,*
Haut seinen Schädel, daß es klirrt,
Knallt ab den Walther Rathenau,
Die gottverfluchte Judensau.

An die Deutschnationalen lehnen sich alle, die an Steuerscheu leiden, ihnen die Krippe zu füllen, ohne daß sie Arbeit leisten und Opfer bringen. An die Deutschnationalen lehnt sich an, was unter der Monarchie aus der Haut des Volkes Riemen schneiden konnte, und weil sie das heute nicht mehr in dem früheren Umfang können, und weil sie befürchten, daß in einer freien Republik auch die sozialen Ungleichheiten immer mehr

* Wirth, Joseph, Zentrumspolitiker, bis 1920 badischer Finanzminister, dann Reichsfinanzminister.

schwinden, deshalb hegen sie Todfeindschaft gegen die Republik und gegen jeden Republikaner. Sie halten die Mordwaffe für jeden bereit, der seine Kraft einsetzt für den Wiederaufbau unseres durch die alte Regierung zerrütteten Staates. Bei den faulen Leuten wird mit der Dolchstoßlegende operiert, um die Verantwortung für all das durch den Krieg heraufbeschworene Elend von sich abzuwälzen. Durch eine in jeder Hinsicht niederträchtige und verleumderische Agitation ist das politische Leben Deutschlands vergiftet. Dazu kommen noch die gemeinen Angriffe gegen einzelne Personen, die Aufforderung zum Mord, die Verherrlichung der Mordbuben als Nationalhelden. So wird der Nährboden geschaffen, aus dem die Mörder hervorgehen.

Es hätte aber nicht soweit kommen können, wenn unsere Gerichte gegen die Gewaltmenschen von rechts nicht vollständig versagt hätten. Kein einziger der Mörder ist abgeurteilt. Hirschfeld, der einen Mordversuch auf Erzberger machte, hat man beurlaubt. Vielleicht deshalb, um seinen mißlungenen Versuch zu einem gelungenen zu machen? Hier muß die Regierung einsetzen. Sie darf nicht weiter dulden, daß der Staat durch seine eigenen Organe sabotiert wird. Die Regierung darf nicht weiter dulden, daß zweierlei Recht gilt. Die Unabhängigkeit der Richter ist ein heiliges Recht, wenn aber Richter selber Mißbrauch mit diesem Recht treiben, dann muß ihnen das Volk das Recht entziehen. Die Forderungen der Arbeiterschaft an die Reichsregierung müssen alsbald erfüllt werden. Aber auch wir alle müssen mehr als bisher unsere Pflicht tun. Nicht immer gedankenlos mitschimpfen, wenn irgendwo über die Regierung und die Parteiführer geschimpft wird. Mutig und energisch jedem entgegentreten, der die Revolution für den Ausgang des Krieges und das heutige Elend verantwortlich machen will. Den Krieg haben diejenigen verloren, die ihn mitverschuldet haben. Wer etwas anderes behauptet, lügt wissentlich oder leichtfertig. Diese Tatsachen sind offenkundig.

Jedem, der ein Wort für die Monarchie spricht, müssen wir entgegenhalten, daß wir allein aus dynastischen Interessen in die verhängnisvolle Bündnispolitik hineinkamen. Dynastische Interessen haben die Randstaatenpolitik erfordert, den Krieg um zwei Jahre verlängert und zu dem bekannten Ende geführt. Mit der monarchischen Staatsform ist verbunden die Schaffung von bevorrechteten Menschenklassen. Wir aber verlangen die Gleichberechtigung. Wir wollen der anderen Seite zeigen, daß wir kampfbereit sind, daß wir bereit sind, mit Gut und Blut das zu verteidigen, was wir errungen haben.

Den Herren von rechts, den Deutschnationalen und den Deutschliberalen, sagen wir: Wer die Rückkehr der Monarchie erstrebt, wer versucht, die Arbeiter minderen Rechts zu machen, wer versucht, die besitzende Klasse von ihren Steuerpflichten zu entbinden, wer eine Justiz unterstützt, die mit zweierlei Maß mißt und diese Politik mit Meuchelmördern zu stützen sucht, muß wissen, daß er letzten Endes den Bürgerkrieg heraufbeschwört. Für die Arbeiterschaft stehen nicht nur die Errungenschaften der Revolution (Achtstundentag und Republik) auf dem Spiele, sondern alles, was sie sich in den letzten Jahrzehnten erkämpfte.

Wir wollen nicht die Gewalt. Die Geschichte der letzten sieben Jahre lehrt auf jedem Blatt, daß Gewaltpolitik nicht zum Ziele führt. Wenn aber versucht wird, uns das, was wir uns erkämpft haben, mit Gewalt zu entreißen, wenn versucht wird, unseren Fortschritt mit Gewalt zu hemmen, dann werden wir der Gewalt auch Gewalt entgegenstellen. Wir werden den Herrenmenschen zeigen, daß unser Mut und unsere Opferwilligkeit stärker sind als ihr Übermut und ihre Frechheit. Diese Herrenmenschen haben in ihre außenpolitische Niederlage das ganze deutsche Volk hineingezogen, sorgen wir dafür, daß das Volk im innerpolitischen Kampf den Sieg davonträgt.

c) Aufruf von ADGB, SPD und KPD Lörrach zu Massendemonstrationen zur Verteidigung der Republik, 1. September 1921

Oberbadisches Volksblatt vom 1. September 1921.

An die Arbeiterschaft Lörrachs!

Heute Donnerstag, nachmittags, 5 Uhr findet auf dem Marktplatz eine Massendemonstration gegen die Mordpolitik der Reaktion statt. Die Kundgebung muß ein wichtiger Protest des Lörracher Proletariats gegen das monarchistische Verbrechergesindel werden. Der Mord an Erzberger ist das Signal, ist die offene Kampfansage der Reaktion. Zu der Ausbeutung und dem Wucher, der die Arbeiterschaft dem Hunger und dem Elend preisgibt, während die Besitzenden im Überschuß schwelgen, gesellt sich nun der politische Meuchelmord. Arbeiter, Angestellte und Beamte gebt die Antwort darauf. Macht dem Hunger und der Reaktion ein Ende. Heraus auf die Straße!

Der Ortsausschuß des
Allgemeinen Deutschen Gewerkschaftsbundes, Lörrach;
Die Sozialdemokratische Partei Lörrach;
Die Kommunistische Partei Lörrach.

Der Kampf um die Durchsetzung von Arbeitnehmerrechten in der Ramie-Fabrik, Emmendingen

a) Schreiben des Badischen Gewerbeaufsichtsamts an die Erste Deutsche Ramie-Gesellschaft, Emmendingen, betreffend die nicht genehmigte Ausdehnung der Arbeitszeit, 15. Februar 1922

Staatsarchiv Freiburg, LRA Emmendingen, Nr. 1992.

Durch polizeiliche Erhebungen wurde festgestellt, daß Sie in der Zeit vom 27.12.1921 bis 31.1.1922 die Arbeitszeit in Ihrer Fabrik täglich auf 10 Stunden ausgedehnt haben, ohne hierzu die Genehmigung des Herrn Landeskommissärs eingeholt zu haben. Wir machen Sie darauf aufmerksam, daß dies auch mit Zustimmung der Arbeiterschaft unzulässig ist. Wenn die Notwendigkeit der Arbeitszeitverlängerung wieder eintritt, wollen Sie uns vor Beginn derselben ein eingehend begründetes Gesuch mit einer Erklärung Ihres Betriebsrates vorlegen, welches in kürzester Zeit nach Prüfung vom Herrn Landeskommissär entschieden wird. Sollte jedoch wiederholt eine Zuwiderhandlung in Ihrem Betrieb festgestellt werden, werden wir strafend gegen Sie vorgehen müssen.

b) Bericht der »Volkswacht« über eine Versammlung des Textilarbeiterverbandes Emmendingen mit einer Diskussion der Zustände in der Ramie-Fabrik, 30. April 1925

Volkswacht vom 5. Mai 1925.

Der Textilarbeiterverband hielt am letzten Donnerstag im »Gewerkschaftsheim« eine sehr gut besuchte Versammlung ab. Kollege Becker (Waldkirch) hielt nach den Begrüßungsworten des Kartellvorsitzenden, Kollegen Zaberer, einen aufklärenden Vortrag über »Nutzen und Zweck unserer Organisation«. Der Beifall war wohlverdient. An der Aussprache beteiligten sich sehr viele Kollegen, deren Namen wir aus bestimmten Gründen nicht veröffentlichen.

Über die Zustände in der Ersten Deutschen Ramie-Fabrik wurden unglaubliche Dinge berichtet. Belohnung und Beförderung für Verrat und Zwietrachtsäen unter der Arbeiterschaft seien an der Tagesordnung. Ein gesetzlicher Betriebsrat besteht in diesem Betriebe von über 1 000 Arbeitern nicht. Wir wollen hoffen, daß das hiesige Bezirksamt der erneuten Eingabe zur Schaffung der gesetzlichen Arbeitervertretung in der Ersten Deutschen Ramie-Gesellschaft endlich nachkommt.

Die Wahl des neuen Reichspräsidenten Hindenburg machte sich sofort nach Bekanntwerden des Resultats bemerkbar. An der Anschlagstafel wurde bekanntgemacht, daß von nun ab der 14tägige Zahltag mit einer Woche Stehgeld eingeführt sei. Dieser Ukas* mutet einen wie die Arbeitsdienstpflicht zu Kriegszeiten an. Es ist eine Schande, was sich die Arbeiterschaft in diesem Betriebe 7 Jahre nach dem Kriege gefallen läßt und gefallen lassen muß. Kleine und große Diktatoren laufen herum und versuchen auch noch das letzte aus den mißhandelten Arbeiterschaft herauszuholen. 55 Stunden ist Normalarbeitszeit die Woche und 65, 70 und 82 (zweiundachtzig!) Stunden sollen, wie uns berichtet wird, geleistet werden.

Nun ist ab heute, Montag, den 4. Mai die Textilarbeiterschaft tariflos. Auch hier wird jetzt versucht werden, sogenannte Werktarife (so ganz unter uns) abzuschließen. Falls dieses nicht gelingt, wird man Einzelverträge mit jedem Arbeiter abschließen. Textilarbeiter, wir warnen euch! Ohne Rücksprache mit den Organisationsführern verhandelt nicht mit den Gebrüdern Fettig (sie sind keine Betriebsräte, keine Organisationsvertreter), schließt nichts ab, unterschreibt nichts.

Empörung und Entrüstung lösten die Ausführungen der einzelnen Redner aus. Viele Neu- und Wiederanmeldungen waren das Ergebnis. Nach einem Dankeswort an Kollege Becker und die erschienene Textilarbeiterschaft konnte Kollegen Zaberer die sehr schön verlaufene Versammlung schließen.

---

* Anordnung, Befehl.

c) Kommentar der »Volkswacht« zu den Zuständen in der Ramie-Fabrik, Emmendingen, 16. Juli 1927

Volkswacht vom 16. Juli 1927

In der Ramie-Fabrik werden die Zustände von Tag zu Tag unhaltbarer. Unseres Wissens sind in diesem Betrieb circa 2 000 Arbeiter beschäftigt. Es ist da ein Meister Lederer (ob er Unter- oder Obermeister ist, entzieht sich unserer Kenntnis); derselbe ließ unlängst an einem Arbeiter F. von Teningen seine Wut aus. Links und rechts hagelten die Ohrfeigen, daß demselben Hören und Sehen verging. Wem er nicht gewogen ist oder die nicht so wollen wie er, haben nichts zu lachen. Ausdrücke, die man nicht wiedergeben kann, werden dann gebraucht.

Einen Betriebsrat kennt die Erste Deutsche Ramie-Fabrik nicht. Die Losung ist hier: »Maulhalten, sich ohrfeigen lassen, wer aufmuckt, der fliegt!« Wir wollen einmal sehen, wie lange der geohrfeigte Arbeiter noch beschäftigt ist. Zustände sind hier, die im Jahre 1927 eigentlich nicht mehr vorhanden sein dürften. Wenn wir uns recht erinnern, sind in unserer Republik auch Aufsichtsorgane vorhanden, die sich dafür interessieren müßten, ob die gesetzlichen Rechte der Arbeiterschaft auch beachtet werden. An die »Erste Deutsche Ramie-Gesellschaft« traut sich aber, wie es den Anschein hat, keine Aufsichtsbehörde heran. Dieses Direktorium ist allmächtig. Hier wird Sklavengeist erzogen und zu erhalten versucht. Eine 2 000köpfige Arbeiterschaft läßt sich diese Zustände gefallen, ist sich immer noch nicht ihres Menschenwertes bewußt; arbeitet, schuftet und läßt sich obendrein noch schlagen für die paar Pfennige Stundenlohn und weiß doch, daß es eine mächtige Organisation, den Deutschen Textilarbeiterverband, gibt.

Ihr Arbeiter, laßt euch doch nicht alles gefallen! Ihr seid doch keine Ausländer! Masseneintritte in den Deutschen Textilarbeiterverband wäre jetzt die beste Antwort auf die letzte Behandlung des Arbeiters von Teningen!

Der Proteststreik in Lörrach gegen die Ermordung des Außenministers Walter Rathenau

a) Entschließung einer Protestkundgebung der Arbeiterschaft Lörrachs, 27. Juni 1922

Stadtarchiv Lörrach, XI, 2/48 a, 1919–1930.

Der Meuchelmord an Rathenau ist als Fortsetzung der Attentate auf Erzberger und Scheidemann nur das notwendige Ergebnis der planmäßigen Hetze der reaktionären monarchistischen Elemente und ausgeführt durch die Werkzeuge ihrer bewaffneten Geheimorganisationen.

Die bisherige Haltung der Reichs- und Landesregierungen hat die deutschnationalen Treibereien nur begünstigt, indem sie die freche Hetze der reaktionären Presse gegen die Republik geduldet und in den Ämtern die reaktionären Elemente belassen hat.

Die Justiz ist zum Handlanger der Reaktion geworden. Sie sucht nun in der Arbeiterschaft ihre Opfer, die noch heute zu Tausenden in den Gefängnissen und Zuchthäusern schmachten. Dieser Zustand hat Deutschland in die schwärzeste Reaktion zurückgeworfen und ist zu einer Gefahr für den Bestand der Republik überhaupt geworden. Eine Änderung kann nur noch eine Einheitsaktion der Arbeiterschaft aller sozialistischer Parteien bringen.

Gegen die monarchistische Hetze und die feige Mordpolitik kann eine Demonstration keine genügende Antwort sein. Die mindeste Forderung außer einer völligen Amnestie aller proletarischen Justizopfer kann nur heißen: Rücksichtslose Unterdrückung aller nationalistischer Veranstaltungen und restlose Entfernung aller reaktionären Elemente aus den Reichswehr- und Polizeitruppen und aus allen Ämtern des Reiches, des Landes und der Kommunen.

Schaffung von Kontrollorganen der organisierten Arbeiterschaft. Diese Forderung muß sofort von allen sozialistischen Arbeiterparteien aufgestellt und die arbeitende Bevölkerung von diesen dazu zu einer Einheitsaktion aufgerufen werden, die auch der Aushungerung und Entrechtung des arbeitenden Volkes ein Ende machen muß. Jedes Nachgeben in diesen Fragen ist nicht nur ein Verrat an den Interessen der Arbeiterklasse, sondern auch eine Stärkung der Reaktion, die dann zur Fortsetzung der Hetze und des Mordes und endlich zum Bürgerkrieg führen muß.

b) Aufruf des Lörracher Gewerkschaftskartells, des AfA-Bundes, der SPD und KPD zur Kundgebung und zum Streik, 4. Juli 1922

Oberländer Bote vom 4. Juli 1922.

Dienstag nachmittag Generalstreik in ganz Deutschland!

Arbeiter, Angestellte und Beamte! Durch den Rathenau-Mord ist festgestellt, daß in Deutschland eine Bande von Meuchelmördern haust, die in engster Verbindung mit den Führern der nationalsozialistischen Elemente steht. Der Mord hat wohl starke Worte der Regierung gebracht, aber keine Taten. Nicht ein einziger Führer der Reaktionäre ist verhaftet. Kein reaktionärer Beamter ist entlassen. Die Amnestie der proletarischen Justizopfer ist nicht erfolgt. - Die Regierung handelt nicht, die Arbeiterschaft muß selber handeln.

Heraus zum Protest und Entschluß! Die Arbeit ruht ab 1 Uhr überall. Die Elektrizitätswerke sind für das badische Gebiet von 1 bis 6 Uhr stillzulegen. Das Gaswerk legt die Arbeit bis auf zwei Mann im Feuerhaus nieder, das Wasserwerk bis auf einen Mann. Der Dienst im Krankenhaus wird aufrechterhalten. Die Geschäfte bleiben geschlossen! In Gastbetrieben wird die Arbeit wieder um 6 Uhr aufgenommen. Der Postbetrieb ruht ganz still.

Um 3 Uhr nachmittags Demonstrationsversammlung auf dem Marktplatz; Referenten: Kieslich und Bock. Zur Aufrechterhaltung der Ordnung während der Demonstration und des Umzugs sind die Vorsitzenden der Gewerkschaften und die Betriebsräte bestimmt.

Arbeiter! Der Kampf beginnt! Die Reaktion muß niedergeschlagen werden. 5 Jahre lang habt ihr im Felde gestanden, ohne zu fragen, wer euch die entstandenen Verluste entschädigt. Bringt auch jetzt, wo es sich um eure eigenen Interessen handelt, gern und willig das Opfer einer kurzen Arbeitseinstellung. Sorgt für einen Massenaufmarsch!

Gewerkschaftskartell Lörrach, AfA-Bund,
Sozialdemokratische Partei, Kommunistische Partei.

c) Kommentar des »Oberländer Boten« zum Mord und zum Proteststreik, mit einer Stellungnahme der christlichen Gewerkschaftsverbände zum Streik, 4. Juli 1922

Oberländer Bote vom 4. Juli 1922.

Wiederum hat blinder politischer Fanatismus gewütet. Reichsminister Rathenau, der an verantwortungsvoller Stelle an dem Wiederaufbau Deutschlands mitarbeitete, ist einem sinnlosen, verruchten Verbrechen zum Opfer gefallen. Gemeinsam mit allen, die vom Gefühle stärkster Mitverantwortung für Volk und Staat beseelt sind, verurteilen wir auf das schärfste diese folgenschwere, furchtbare Tat. Aus sittlichen und staatspolitischen Gründen müssen wir überall auf das entschiedenste jedem Akt der Gewalt gegen Gesetz und Recht entgegentreten. Nur Ordnung und Achtung des verfassungsmäßigen Rechtes führt uns aus der Not, in die uns die Gewaltpolitik unserer Gegner immer aufs neue hineinstürzt

Seit dem unglücklichen Ende des Krieges arbeitet unsere Bewegung mit verstärktem Willen an der Einigung aller Kräfte des deutschen Volkes. Diese erstrebte Einigung ist Voraussetzung für die nationale, wirtschaftliche und soziale Wiedererstarkung des Vaterlandes. Wer der Einigung entgegenwirkt, ist ein Verbrecher am Volke und dient den Vernichtungsabsichten unserer Gegner. Wir sind gewiß, daß unsere Freunde im Lande in geschlossener Einigkeit, fernab aller Parteileidenschaften und unter Vermeidung nutzloser Störungen des wirtschaftlichen Lebens, unserer Überzeugung auf das nachhaltigste Ausdruck verleihen. Mit politischen Streiks und Putschen wird aber unsere Lage nicht gebessert. Ihnen ist auf der ganzen Linie entgegenzutreten. Gemeinschaftliche Kundgebungen mit Organisationen anderer Richtungen, die in der Regel von diesen Gesichtspunkten abweichen, lehnen wir ab. Unsere Losung sei heute wie immer: Nieder mit der rohen Gewalt! Es lebe die deutsche Volksgemeinschaft.

Im Zusammenhang hiermit teilt uns der Ortsausschuß Lörrach des Deutschen Gewerkschaftsbundes (Gesamtverband der christlichen Gewerkschaften/Gesamtverband Deutscher Angestelltengewerkschaften/Gesamtverband Deutscher Beamten- und Staatsangestelltengewerkschaften) mit, daß er in Durchführung der gegebenen Richtlinien es ablehnt, den von den freien Gewerkschaften und sozialistischen Parteien geplanten Streik am kommenden Dienstag mitzumachen, weil es sich am letzten Dienstag [am 27. Juni] erneut gezeigt hat, daß der Streik lediglich dazu benützt wird, die Massen noch mehr zu verhetzen und vor allen Dingen, um Propaganda für die sozialistischen Parteien und Gewerkschaften zu machen. Wir lehnen den Streik ferner ab, weil er dazu geeignet ist, dem Wirtschaftsleben Schaden zuzufügen. Das deutsche Volk braucht Ruhe und Einigkeit. Zwischenfälle, wie sie sich am letzten Dienstag an den verschiedenen Plätzen in Deutschland ereignet haben, nützen uns nicht, sondern schaden dem deutschen Volke, und deshalb sollte alles vermieden werden, was zu Wiederholung derartiger bedauerlicher Vorkommnisse führen kann.

d) Entschließung der Arbeitgeberverbände, der bürgerlichen Parteien und der christlichen Gewerkschaften Lörrachs und Umgebung zum Proteststreik, 12. Juli 1922

Volkswacht vom 18. Juli 1922.

Heute in Lörrach versammelte Vertreter aller auf dem Boden staatlicher Ordnung stehender Parteien und Stände von Stadt und Land des Amtsbezirks Lörrach haben einmütig ihrer Entrüstung darüber Ausdruck verliehen, daß die freien Gewerkschaften, die Mehrheitssozialisten und die Kommunisten sich anläßlich der Demonstration vom 4. Juli angemaßt haben, in das staatliche und private Wirtschaftsleben einzugreifen und in Fällen, wo diesem einseitigen, willkürlichen Parteiwillen nicht entsprochen wurde, unter Verletzung von Recht und Sitte die ordnungsliebende Bevölkerung zu vergewaltigen. Die Versammelten erklären hiermit in aller Form, daß der hinter ihnen stehende weitaus größte Teil der Bevölkerung nicht mehr willens ist, sich derartige Vergewaltigungen weiterhin gefallen zu lassen. Sie erwarten bestimmt, daß die staatliche Verwaltungsbehörde als Trägerin der Staatsgewalt in erster Linie dafür Sorge trägt, daß in Zukunft Vorkommnisse wie die vom 4. Juli sich nicht wiederholen.

Lörrach, den 12. Juli 1922

Verband südwestdeutscher Industrieller, Bezirksgruppe Lörrach.
Gauverband Wiesentäler Handwerker und Gewerbevereine.
Kleinhandelsorganisation des Amtsbezirks Lörrach.
Landbund, Bezirksgruppe Lörrach.
Gesamtverband christlicher Gewerkschaften.
Gesamtverband deutscher Angestelltengewerkschaften.
Gesamtverband deutscher Beamten- und Staatsangestelltengewerkschaften, vereinigt im Deutschen Gewerkschaftsbund, Ortsausschuß Lörrach.
Deutsche Demokratische Partei, Lörrach.
Deutschnationale Volkspartei, Lörrach.
Deutschliberale Volkspartei, Lörrach.
Zentrumspartei, Lörrach.

Die Proteste gegen die Teuerung und der Kampf um entsprechende Lohnerhöhungen

a) Bericht des Bezirksamts Lörrach über eine Demonstration, 14. September 1923

Staatsarchiv Freiburg, LRA Lörrach, G 931.

Gestern vormittag gegen 9 Uhr wurde mir von privater Seite mitgeteilt, daß ein Zug Bauarbeiter in der Stärke von etwa 2000 Mann unterwegs nach Lörrach sei. Kurz darauf bestätigte das Bürgermeisteramt Weil durch Fernsprecher die Nachricht in demselben Augenblick, in dem Wachtmeister Gerstenlauer meldete, daß nach einem Fernspruch der Station Weil-Leopoldshöhe die an den Siedlungsbauten in Weil-Leopoldshöhe beschäftigten Bauarbeiter nach Lörrach marschierten.

Dem Wachtmeister Gerstenlauer gab ich den Auftrag, dem Gendarmeriekommissär Schlotthauer, der dienstlich in Haagen zu tun hatte, sofort von der Sachlage Kenntnis zu geben und ihm den Befehl zu übermitteln, daß er sofort sein Geschäft abbrechen und hierher zurückkehren soll. Außerdem ordnete ich an, daß die Beamten von Steinen sich sofort hierher in Marsch zu setzen hätten.

Dem Herrn Landeskommissär habe ich unmittelbar nach Empfang der Nachricht durch Fernsprecher Bericht erstattet und ihn um Bereitstellung der Schupo ersucht. Einer Weisung des Herrn Landeskommissärs entsprechend setzte ich mich mit dem Ministerium des Innern ins Benehmen und bat um Bereitstellung der Schupo. Herr Regierungsrat Bär gab mir später den Bescheid, daß die Schupo bereitgestellt werde, daß aber der Einsatz nur mit Zustimmung des Ministeriums des Innern erfolgen dürfe; es sollen Verhandlungen aufgenommen werden.

Inzwischen waren die Demonstranten vor dem Bezirksamt angekommen. Eine Vertretung von 16 Mann, darunter der Abgeordnete Bock, die Kommunistenführer Herbster und Hirschel, die Obleute der Bauarbeiter in Leopoldshöhe, erschien im Geschäftszimmer des Unterzeichneten und trugen vor, daß die Arbeiterschaft durch die Geldentwertung in eine trostlose Lage geraten sei und ihr Recht sich selbst verschaffe, wenn nicht heute noch Abhilfe geschaffen werde. Sie verlange, daß Goldlöhne ausbezahlt würden und daß die Preise abgebaut würden. Auf meine Erklärung, daß ich nicht verhandle, so lange die Masse vor dem Bezirksamt stehe, erwiderten sie, daß sie dann den Kampf aufnehmen würden. Um Plünderungen und Gewaltakte zu vermeiden, erklärte ich mich bereit, nachmittags um 4 Uhr Verhandlungen mit den Arbeitgebern, den Vertretern der hiesigen Geschäftswelt und den Vertretern der Stadt aufzunehmen, in der Annahme, daß die Masse der Demonstranten sich bis dahin verziehen würde. Ihr Verlangen, die Grenze zu sperren, damit die Fabrikanten nicht die Stadt verlassen könnten, lehnte ich ab, worauf sie erwiderten, daß sie das dann selbst besorgen würden. Da sie die Versicherung abgaben, daß nichts vorkommen würde, wenn die Verhandlungen stattfinden würden, und die Demonstranten beruhigt würden, wenn ich der Masse dies selbst mitteilen würde, gab ich der Menge bekannt, daß die Verhandlungen mit den Arbeitgebern aufgenommen würden. Als aber der Abgeordnete daraufhin die Menge aufforderte, nachmittags um 3 Uhr wieder vor dem Bezirksamt sich einzufinden und der Führer Herbster den Generalstreik proklamierte, erklärte ich den Führern, daß ich unter diesen Umständen die Verhandlungen ablehnte, da dies der Vereinbarung widerspreche.

Der Abgeordnete Bock erwiderte darauf, daß sie dann um 3 Uhr da sein werden; die Folgen hätte ich dann zu verantworten. Der Menge gab er von meiner Ablehnung aber keine Kenntnis.

Die große Menge, die inzwischen durch weitere Arbeitergruppen von hier und aus der Umgebung angewachsen war, zog zwar ab, aber ein größeres Aufgebot blieb im Amthaus, im Hof und vor dem Gebäude, zum Teil mit Bengeln bewaffnet. Meiner wiederholten Aufforderung, das Haus zu verlassen, wurde nicht Folge geleistet, vielmehr mit der Drohung beantwortet, daß die Arbeiter- und Räteregierung ausgerufen werde. Es werde auch dafür gesorgt, daß kein Zug mehr einfahre und kein Schupo in die Stadt käme. Die Bengel, die ich einigen Burschen abgenommen und vor das Zimmer geworfen hatte, holten andere wieder und kamen wieder in das Amthaus.

Da mir inzwischen mitgeteilt worden war, daß die Eisenbahner den Bahnbetrieb stillegen würden, zog ich es doch vor, die Verhandlungen aufzunehmen und lud einige Arbeitgeber selbst ein, während Oberbürgermeister Dr. Gugelmeier, mit dem ich die Sache besprach, die hiesigen Vertreter des Kleinhandels und der Gewerkschaften einbestellte. Ich lud auf 2½ Uhr ein, in der Erwartung, daß durch Verhandlungen vorher irgendein Ergebnis erzielt würde. Auch den Abgeordneten Bock ließ ich verständigen. Er kam aber erst später, und kurz darauf war die ganze Arbeiterschaft, die auf dem Marktplatz und in den Straßen der Stadt sich zusammengruppiert hatte, auch vor dem Gebäude des Kreisausschusses, wo die Verhandlungen stattfinden sollten, versammelt. Dort reklamierten wir (Oberbürgermeister Dr. Gugelmeier und ich) nochmals dringend beim Herrn Landeskommissär den Einsatz der Schupo. Von den Vertretern der Industrie waren nur 3 erschienen. Die Menge, die in das Haus eingedrungen war, da die im Parterre postierten Kriminalbeamten sie abzuhalten nicht imstande waren, verlangte stürmisch die Anwesenheit der Industriellen. Ich ließ ihnen zunächst telefonisch Mitteilung zugehen, daß sie zu den Verhandlungen erscheinen möchten. Die Menge verlangte von mir, daß ich sie ermächtigen solle, Automobile zu beschlagnahmen, um die Industriellen holen zu können. Ich lehnte das Verlangen ab, gab aber schließlich 2 Kriminalbeamten, die anwesend waren, den Auftrag, ein Automobil bei dem Automobilverleiher Haberbusch zu mieten und die Industriellen zu ersuchen, an den Verhandlungen teilzunehmen. Mittlerweile hatte Bürgermeister Dr. Graser die Industriellen mittelst Automobil selbst aufgesucht und sie zum Erscheinen bestimmt, da zu befürchten war, daß die Menge selbst sie holen würde.

Als die Industriellen erschienen waren, eröffnete ich die Versammlung, indem ich die Forderungen der Demonstranten bekannt gab: Abbau der Lebensmittelpreise, Auszahlung des Lohnes in fester Währung in Anlehnung an die Preise, einmalige Wirtschaftsbeihilfe. Die Verhandlungen verliefen verhältnismäßig ruhig. Die Arbeitgeber nahmen schließlich die Forderungen im Großen und Ganzen an. Ich verhielt mich als Verhandlungsleiter neutral. Bei der Frage der Wirtschaftsbeihilfe, die Arbeitnehmer verlangten 3 Millionen Mark, warf ich die Frage auf, ob 500 Millionen Mark für die Industrie tragbar seien. Fabrikant Schenz und die Vertreter der Firma Köchlin, Baumgartner & Cie erklärten sich sofort einverstanden, diesen Vorschlag anzunehmen, die Arbeitnehmervertreter wiesen aber diesen Vorschlag als ungenügend zurück. Da wurde ich ans Telefon gerufen. Oberbürgermeister Dr. Gugelmeier hatte während meiner Abwesenheit den Vorsitz geführt. Als ich zurückkam, wurde von einer Wirtschaftsbeihilfe von 50 Franken gesprochen. Als ich den Vorsitz wieder übernommen hatte, erklärten die Vertreter der Firma Köchlin, Baumgartner & Cie sowie Fabrikant Schenz sich mit der Bewilligung dieser Wirtschaftsbeihilfe einverstanden, die übrigen Vertreter der Industrie und des Baugewerbes schlossen sich an.

Die Bezahlung wertbeständiger Löhne wurde im Prinzip selbst ohne weitere Debatte von den Arbeitgebern zugesagt.

Während der Verhandlung hierüber erschien die Menge sich wild gebärdend im Verhandlungssaal und schrie, ich hätte die Verhandlungen in die Länge gezogen, um abzuwarten, bis die Gendarmerie, die eben eingerückt sei und die ich aufgeboten hätte, hier sei. Ich ignorierte zunächst das Toben. Da aber der Lärm immer größer wurde und um die Verhandlungen, die schon bis zu einem gewissen Abschluß gediehen waren, nicht scheitern zu lassen, erkundigte ich mich telefonisch bei der Polizeiwache, um welche Gendarmeriebeamte es sich handle. Der Oberwachtmeister Hermann teilte mir mit, daß die Gendarmeriebeamten, die in Haagen im Rathaus postiert waren, seien meiner Weisung entsprechend aufgeboten worden, weil das Gefängnis gestürmt sei. Sie seien aber zu spät gekommen, 5 Gefangene aus Brombach, die am 10. v. M. verurteilt wurden, seien von Amtsrichter von Böcklin freigegeben worden. Das wird gegen 7 Uhr gewesen sein. Auf meine Frage, ob die Gendarmerie nicht eingeschritten sei, erhielt ich den Bescheid, daß die hiesige Gendarmerie und 8 oder 10 städtische Schutzleute sofort zu Hilfe gekommen seien, sie hätten aber nichts mehr ausrichten können, da sie von einer etwa tausendköpfigen Menge vollständig umzingelt worden seien. Ich ließ darauf den auswärtigen Gendarmeriebeamten die Weisung zugehen, wieder nach Haagen zurückzukehren. Daß die Menge den Abzug der Beamten vor dem Gendarmeriegeschäftszimmer verlangt hatte, war mir nicht bekannt.

In den Saal zurückgekehrt übernahm ich wieder den Vorsitz. Die Verhandlungen gingen nach wie vor ruhig weiter.

Die Arbeitervertreter verlangten 60 Pfennig Stundenlohn in Goldwährung und Gleichstellung der Frauenlöhne mit dem der Männer, worüber ich aber keine Diskussion zuließ. Die übrigen Forderungen wurden von den Arbeitgebern bewilligt. Die Vertreter der Eisenbahnhauptwerkstätte verlangten, daß auch sie in die Vereinbarungen einbezogen würden. Ebenso verlangten die Erwerbslosenvertreter eine entsprechende Erhöhung ihrer Sätze. Ich erwiderte darauf, daß dies nicht möglich sei, erklärte mich aber bereit, eine entsprechende Eingabe an die Reichsbahndirektion in Karlsruhe weiterzuleiten, nachdem Oberbürgermeister Dr. Gugelmeier zugesagt hatte, die Forderung der Arbeitslosen an das Arbeitsministerium weiterzugeben und die städtischen Arbeiter in die Vereinbarung einzubeziehen.

Auch erklärte ich mich bereit, die Vereinbarung durch die Presse bekanntzugeben. Nach Schluß der Verhandlung erklärte einer der Vertreter der Firma Köchlin, Baumgartner & Cie, daß er die Dinge habe kommen sehen, auch Fabrikant Schenz sprach sich in ähnlichem Sinne aus. Ich hatte deshalb nicht den Eindruck, daß die Arbeitgeber nur unter dem Druck der Straße ihre Zustimmung gegeben hätten.

Es wurde von allen Vertretern die große Not der Arbeiterschaft in den letzten Tagen anerkannt und zum Ausdruck gebracht, daß die Löhne in fester Währung bezahlt werden müßten, nachdem nicht nur der Großhandel und die Industrie, ferner auch der Kleinhandel und die Landwirtschaft nur noch nach dem Dollarstand ihre Preise festsetzen.

Bei dem Einstürmen der Menge in das Kreisausschußgebäude wurden die Kriminalbeamten May und Gerstner niedergeschlagen. Der letztere trug eine schwere Kopfverletzung davon und ist dienstunfähig. Er steht in ärztlicher Behandlung. May hat seinen Dienst heute wieder aufgenommen. Von diesem Vorfall erhielt ich erst nach meiner Rückkehr in das Bezirksamt Kenntnis, ebenso davon, daß einem Gefängnisbeamten der Revolver entrissen wurde.

Die Meldung, daß 2 Gendarmeriebeamte entwaffnet worden seien, hat sich nach den Feststellungen als Irrtum erwiesen. Auch bei dieser Demonstration hat sich wieder aufs neue die absolute Unzulänglichkeit des polizeilichen Schutzes erwiesen.

Bei der vollkommen überraschend gekommenen Demonstration waren im ganzen 6 Gendarmeriebeamte anwesend, mit einem jungen Beamten als Dienstältesten. Es ist einfach unmöglich, mit einer so geringen Anzahl von Beamten irgend etwas zu unternehmen. Die 2 Beamten aus Steinen wurden zwar sofort herangezogen, aber auch dann war die Zahl noch ungenügend. Die Beamten von Weil-Leopoldshöhe konnten von ihrer Station nicht weggenommen werden, weil damit gerechnet werden mußte, daß bei dem gespannten Verhältnis auf der Baustelle Ausschreitungen vorkommen können. Die Stationen Kandern und Wyhlen sind zu weit entfernt, ganz abgesehen davon, daß es immer mißlich ist, wenn fremde Beamte in die Stadt kommen und nur vereinzelt, wenn die Masse sich schon auf der Straße befindet. Es lähmt auch die Stoßkraft der ansässigen Beamten im höchsten Grade, wenn sie den Kampf aufnehmen sollen gegen eine mehrtausendköpfige Menge, ohne zu wissen, daß bald Hilfe am Platze ist. Bis tatkräftige Unterrstützung kommt, vergehen im günstigsten Falle 3 bis 4 Stunden, sei es, daß die Schupo in Freiburg oder Waldshut aufgeboten wird. So kann, namentlich in der jetzt besonders aufgeregten kritischen Zeit und bei ganz extrem gerichteten linksradikalen Elementen, der Zustand nicht bleiben. Wir müssen deshalb auch jetzt wieder, wie schon so oft, dem dringenden Wunsche Ausduck geben im Interesse der Staatsautorität wie des Schutzes der ruhigen Bevölkerung des Bezirks, daß eine ausreichende polizeiliche Macht entweder in der Stadt selbst oder in deren unmittelbaren Nähe zur Verfügung gestellt wird.

Wir sind mit den Organen der Stadtverwaltung der Überzeugung, daß gestern namenloses Unheil angerichtet worden wäre, wenn ich endgültig Verhandlungen abgelehnt hätte. Wir zweifeln nicht daran, daß in diesem Fall die Stillegung des Bahnbetriebes erfolgt wäre, wodurch das Unheil noch größer geworden wäre. Die Lebensmittelversorgung ist nach den Versicherungen der Vertreter des Einzelhandels und des Konsumvereins besorgniserregend schlecht, weil sie die Mittel zur Beschaffung von Ersatz nicht aufbringen können. Wenn nicht bald eine Besserung eintritt, werden weitere Ausschreitungen nicht ausbleiben. Daß durch die schlechte Lebensmittelversorgung in Verbindung mit den stündlich sich steigernden Preisen und der fortschreitenden Arbeitseinschränkung die große Masse gar zu leicht zu Exzessen neigt, ist naheliegend, und es war bezeichnend für die gestrige Demonstration, daß die Masse mit Prügeln und Stöcken bewaffnet war, wie dies bis jetzt bei keiner der früheren Demonstrationen beobachtet wurde.

Von zuverlässiger Seite wurde mir heute mitgeteilt, daß gestern noch mit den Abendzügen große Massen mit Prügeln aus den Orten der Umgebung hierher kamen. Die Räume des Bahnhofs und der Bahnhofsplatz waren vollständig belagert.

b) Verpflichtung der Arbeitgeber Lörrachs zur Auszahlung einer Lohnzulage mit wöchentlicher Anpassung an den Wertverlust, 14. September 1923

Staatsarchiv Freiburg, LRA Lörrach, G 931.

I. Die versammelten Arbeitgeber aller Industrien und des Baugewerbes verpflichten sich, an sämtliche Arbeiter ihrer Betriebe und Arbeitsstellen im Amtsbezirk Lörrach mit sofortiger Wirkung einer Wirtschaftsbeihilfe in Höhe von 50 Franken zur Auszahlung zu bringen. Diese Auszahlung soll in der Weise vorgenommen werden, daß am Montag, spätestens aber bis Dienstag nächste Woche 500 Millionen Mark an jeden Arbeiter, jede Arbeiterin ohne Unterschied des Alters zur Auszahlung gebracht wird. Dieser auszuzahlender Betrag wird auf die 50 Franken zum letzten Berliner Börsen-Briefkurs angerechnet. Die Auszahlung der wertbeständigen Wirtschaftsbeihilfe geschieht dann in den einzelnen Betrieben je nach Bedarf der Arbeiterschaft, und werden diese Auszahlungsbeträge jeweils wie oben verrechnet.

II. Die versammelten Vertreter der gesamten Industrien und des Baugewerbes erklären sich grundsätzlich damit einverstanden, daß ab Montag, dem 17. September 1923, der Lohn der Arbeiterschaften in allen Betrieben und Berufen wertbeständig berechnet wird und dem Friedenslohn entspricht. Der wertbeständige Lohn setzt sich aus einem Grundlohn und einem Entwertungsfaktor zusammen. Der Entwertungsfaktor wird jede Woche erneut festgesetzt.

III. Die ausfallenden Arbeitsstunden während des Streiktages werden bezahlt.

c) Bericht des Badischen Innenministeriums über Demonstrationen in Lahr, 14. September 1923

GLA Karlsruhe, 234/10130.

Am Freitag, den 14. September haben in Lahr ähnliche Demonstrationen wie in Lörrach stattgefunden. Die Gewerkschaften hatten es abgelehnt, den kommunistischen Forderungen Rechnung zu tragen, die Kommunisten aber zogen von einem Betrieb zum anderen und zwangen die Belegschaften, die Arbeitsstätten zu verlassen. Die Unternehmer sammelten sich inzwischen in der Handelskammer, um zu den bekannten Forderungen – Bezahlung einer Wirtschaftsbeihilfe von 50 Schweizer Franken usw. – Stellung zu nehmen. Als die Demonstranten hiervon hörten, zogen sie vor die Handelskammer und erzwangen sich von den Unternehmern das Zugeständnis, in öffentlicher Versammlung über die Arbeiterforderungen zu beraten. Frau Landtagsabgeordnete Frieda Unger erklärte dem Vorsitzenden Weill: »Wenn Sie nicht bewilligen, werden Sie am nächsten Tage baumeln und nicht Sie allein, sondern alle der Reihe nach«. In dieser Situation wurden die Forderungen genehmigt. Daran anschließend fand auf dem Marktplatz eine Versammlung statt, in der Frau Unger die Anwesenden aufforderte, diese Aktion zu wiederholen, wenn sich nach Monaten die Not erneut bemerkbar machen sollte.

Vor den Verhandlungen war der Bezirksamtmann Dr. Jeschke wie auch der Syndikus des Metallindustriellenverbandes ersucht worden, die Demonstration an ihre Gewerkschaften zu verweisen. Zur Ausführung dieses Ersuchens fehlte es den Herren aber offenbar an dem nötigen Mut; sie fürchteten, als Geiseln mitfortgenommen zu werden, obwohl die Gendarmerie aus dem ganzen Bezirk mit der Ortspolizei zusammengezogen war.

Im Hinblick auf die Möglichkeit einer Wiederholung solcher Vorkommnisse in Lahr – es finden bereits wieder die üblichen Umzüge statt – würde ich es für erforderlich halten, wenn die Staatsanwaltschaft aufgrund dieser Mitteilung zur Einleitung einer Untersuchung über die Vorgänge veranlaßt würde.

d) Schreiben des Deutschen Eisenbahnerverbandes, Ortsverwaltung Lörrach-Basel, an das Bezirksamt Lörrach betreffend die Anpassung der Eisenbahnerlöhne an die Löhne in der Industrie, 15. September 1923

Staatsarchiv Freiburg, LRA Lörrach, G 931.

In den Verhandlungen, die am 14. d. M. in Lörrach zwischen Arbeitnehmervertretern einerseits und Arbeitgebervertretern andererseits unter dem Vorsitz des Vorstandes des Bezirksamtes stattgefunden haben, wurden die in der Anlage enthaltenen Vereinbarungen getroffen bzw. die Erfüllung der darin enthaltenen Bedingungen seitens der Arbeitgebervertreter zugesagt.

Mit dem gleichen Rechte wie die Arbeitnehmer der Privatindustrie erheben wir die diesen zugestandene Wirtschaftsbeihilfe und wertbeständige Entlohnung auf der Grundlage des Friedenslohnes als Forderung für die Arbeiter und Beamten der Reichsbetriebe, insbesonderheit der Reichsbahnverwaltung. Wir ersuchen daher das Bezirksamt, unsere Forderung der Reichsbahndirektion Karlsruhe - mit dem Ersuchen um Weiterleitung über das Reichsverkehrsministerium an die Reichsregierung - mit Stellungnahme des Bezirksamtes zu übermitteln.

e) Vereinbarung zwischen den Arbeitgebern des Wiesentals und dem Verband der Fabrikarbeiter Deutschlands, Bezirk Oberrhein, und dem Christlichen Textilarbeiterverband, Bezirk Baden, zur Zahlung eines Inflationsausgleichs, 17. September 1923

Hans Fräulein: Die Arbeiterunruhen und der kommunistische Putsch im September und Oktober 1923 in Zell i.W. und Umgebung, in: Das Markgräflerland. Beiträge zu seiner Geschichte und Kultur, Heft 2/1988, hrsg. von der Arbeitsgemeinschaft Markgräflerland für Geschichte und Landeskunde e.V., S. 116.

Vereinbarung zwischen den Vertretern aller Industriellen und sonstigen Betrieben von Zell, Atzenbach, Mambach und Rohmatt und den Vertretern der Arbeitnehmer:

1. Forderung der 50 Franken wirtschaftlicher Beihilfe wird grundsätzlich genehmigt.
2. Zehn Franken werden sofort bezahlt, und zwar an alle Arbeiter ohne Unterschied des Geschlechtes und des Alters.
3. Die restlichen 40 Franken werden unter Sicherung der Wertbestän-

digkeitsgrundlage sukzessive nach Maßgabe der aufzutreibenden Gelder bezahlt, und zwar können diese je nach Wunsch der Arbeiterschaft jeden Betriebes a) in bar, b) in Ware, c) in Lebensmitteln zugestellt werden.

4. Die heutigen versäumten Arbeitsstunden werden bezahlt.

5. Wertbeständigkeitsregelung des Lohnes erfolgt durch die zuständige Berufsorganisation. Termin des Inkrafttretens dieses Lohnes gemäß der in der fraglichen Sitzung getroffenen Regelung unter Anlehnung an die Richtlinien der Spitzenorganisationen.

f) Vereinbarung zwischen den Vertretern der Arbeitnehmerschaft und der Industrie des Bezirks Lörrach zur Zahlung eines Inflationsausgleichs, 17. September 1923

Staatsarchiv Freiburg, LRA Lörrach, G 931.

Verschiedene Vertreter der Industrie und der Arbeitnehmerschaft tagten heute im »Rittersaal« in Lörrach, wobei folgende Vereinbarung abgeschlossen wurde:

1. Es werden bezahlt: An jeden Arbeiter und [jede] Arbeiterin eine Wirtschaftsbeihilfe von 25 Franken in der Spitze, abgestuft nach Alter und Geschlecht nach den tariflichen Abstufungen. Im gleichen Wert werden Naturalien verabfolgt (Brennstoffe, Lebensmittel und Bekleidungsmittel), alles verteilt in Raten bis Ende November 1923; für solche, welche Naturalien nicht benötigen, wird der Betrag in bar bezahlt.

Firmen, welche nicht in der Lage sind, die Beträge jeweils sofort aufzubringen, werden mit den Gewerkschaften und der gesetzlichen Betriebsvertretung entsprechende Zahlungstermine vereinbaren. Der Anspruch gilt für alle Betriebsangehörige zur Zeit des Abschlusses; beim Ausscheiden eines Arbeiters aus dem Stammbetrieb laufen die Ratenzahlungen im folgenden Betrieb weiter; bei völliger Arbeitslosigkeit, sofern sie nicht nach § 123 GO eintritt, zahlt der letzte Arbeitgeber die Beihilfe ratenmäßig weiter.

Die erste Ratenzahlung geschieht diese Woche im Mindestbetrag von 150 000 000 Mark in der Spitze.

2. Die Anwesenden anerkennen und werden bei den diese Woche stattfindenden Lohnverhandlungen dafür eintreten, daß der Stundenlohn die Kaufkraft des Friedensstundenlohns erhält.

3. Der letzte Freitag wird als Arbeitstag bezahlt.

4. Diese Abmachung tritt an die Stelle derjenigen vom letzten Freitag.

Schenz, Vogelbach, Vortisch, Oes, Hess

Zusatz: Die Bezirksleitung des Baugewerbes anerkennt die obigen Abmachungen und tritt dafür ein, daß bei den am Mittwoch stattfindenden Landestarifverhandlungen die von der Industrie getroffenen Vereinbarungen sinngemäß zugrunde gelegt werden. Bis zum Bekanntwerden der dortigen Entscheidung wird eine Vorauszahlung von 150 000 000 Mark nach Maßgabe des Tarifschlüssels auf das Endergebnis ausbezahlt.

Wiehler, Lautenschläger, Muny

g) Resolution einer Demonstrationsversammlung der Arbeiterschaft Zells und Umgebung zur Einführung eines Festpreises für Brot, 18. September 1923

Hans Fräulein: Die Arbeiterunruhen und der kommunistische Putsch im September und Oktober 1923 in Zell i.W. und Umgebung, in: Das Markgräflerland. Beiträge zu seiner Geschichte und Kultur, Heft 2/1988, hrsg. von der Arbeitsgemeinschaft Markgräflerland für Geschichte und Landeskunde e.V., S. 118.

Die heutige Demonstrationsversammlung der Arbeiterschaft in Zell wünscht für die kommende Wirtschaftsperiode - um den aufgetretenen Mißständen zu begegnen -, daß von den maßgebenden Stellen die Schaffung eines Einheitsbrotes mit allem Ernste in Erwägung gezogen wird.

Der Aktionsausschuß:
Berthold Burg, Phillip Sütterle, Alfred Tscheulin.

h) Aufruf der Betriebsrätevollversammlung, der SPD und KPD Lörrach zur Aufrechterhaltung des Streiks und Bekanntgabe des weiteren Vorgehens des Aktionsausschusses, 18./19. September 1923

Staatsarchiv Freiburg, LRA Lörrach, G 931.

An die Arbeiterschaft!

Ein Verbrechen ist begangen worden. Über die ruhige Bevölkerung, die nach der Bewilligung ihrer aus der Not geborenen Forderungen die Arbeit wiederaufgenommen hatte, ist der Kriegszustand verhängt worden, Schüsse hallen durch die Straßen, zahlreiche Opfer sind gefallen, alles Leben ist in höchster Gefahr. Die Verfassung ist tatsächlich außer Kraft gesetzt. Die Scheindemokratie wurde zur offenen Reaktion. Versammlungen sind verboten. Abends darf niemand die Straßen betreten. Es regiert die nackte brutale Militärgewalt.

Arbeiter meidet die Straßen. Haltet Frauen und Kinder von der Straße fern. Die Regierung eines solchen Verbrechens ist nicht das Blut eines einzigen Menschen wert. Die von euch gewählten Vertreter haben gestern unter Aufgebot aller Kraft durchgesetzt, daß die Bewilligung des letzten Freitags, die nun auch in Schopfheim, Zell, Säckingen und anderen Bezirken anerkannt sind, im Bezirk Lörrach eingehalten werden müssen.

Eure Vertreter werden rastlos weiterarbeiten. Den Protesten gegen die Besetzung folgen ständig die weiteren Bemühungen, die Besetzung selber zur Aufhebung zu bringen. Dies fordert außer der Arbeiterschaft einmütig auch die Kaufmannschaft und die Bauernschaft.

Mit uns werden die Vertreter der Kaufleute und Bauern die Sicherung der Lebensmittelversorgung organisieren. Die Geschäfte werden von morgen ab vormittags von 9–11 und nachmittags von 3–4 Uhr geöffnet sein. Ein Ordnerdienst wird die Sicherheit des Verkaufes regeln. Die Lebensmittel werden nur in Tagesrationen ausgegeben. Zuständig für jede Familie ist das Geschäft, wo sie in der Zuckerliste eingetragen ist. Die Geschäfte, die unmittelbar in der Feuerlinie liegen, bleiben wegen Lebensgefahr geschlossen. Für die Kunden dieser Geschäfte kommen die nächstliegenden Geschäfte in Betracht.

Arbeiter, die Arbeit ruht im ganzen Bezirk Lörrach und den angrenzenden Bezirken weiter. Die Einheitsfront des Proletariats ist zur Wirklichkeit geworden. Arbeiter, wahrt diese geschlossene Kraft. Unterlaßt persönliche Akte, deren Auswirkung die Durchsetzung unserer Forderung auf Abzug der Besetzung nur erschweren kann. Behaltet kaltes Blut. Bietet eure Leiber nicht den Maschinengewehren preis.

Beschlüsse des Aktionsausschusses vom 19.9.1923

1. Die Wasserversorgung der Stadt Lörrach wird sichergestellt. Licht bleibt ausgeschaltet.

2. Der Mühlenbetrieb erhält Strom, um die Versorgung der Bezirksbevölkerung mit Mehl sicherzustellen.

3. Das Gaswerk nimmt mit 4 Arbeitern die Notarbeit auf, damit die Wasserversorgung über den Tüllingerberg sichergestellt wird. Zu diesem erhält es Strom, von Rheinfelden für die Zeit von abends 10 bis morgens früh 5 Uhr.

4. Die Lohnrechnungsbüros und die Banken bleiben in Tätigkeit, um die Lohnauszahlungen zu ermöglichen.

5. Für die Sicherung der Lebensmittelversorgung des Bezirks ist eine fünfgliederige Kommission eingesetzt, die mit den Behörden die notwendigen Maßnahmen durchführt.

Kieslich, Mayer, Bock.

i) Verbot von Versammlungen, Ansammlungen und Demonstrationen durch das Badische Staatsministerium, 19. September 1923

Staatsarchiv Freiburg, LRA Lörrach, G 931.

Aufgrund des Artikels 48 Absatz 4 der Verfassung des Deutschen Reiches wird zur Wiederherstellung der öffentlichen Sicherheit und Ordnung verordnet:

§ 1 In den Amtsbezirken Heidelberg, Mannheim, Schwetzingen, Weinheim, Durlach, Karlsruhe, Ettlingen, Rastatt, Lahr, Waldkirch, Emmendingen, Freiburg, Müllheim, Lörrach, Schopfheim, Säckingen, Schönau, Waldshut, Stockach und Konstanz sind Versammlungen unter freiem Himmel, Ansammlungen, Aufzüge, Demonstrationen bis auf weiteres verboten. Öffentliche, das sind jedermann zugängliche, Versammlungen in geschlossenen Räumen bedürfen der Genehmigung des Ministeriums des Innern, die spätestens 3 mal 24 Stunden vor dem Beginn der Versammlung einzuholen ist.

§ 2 Zuwiderhandlungen gegen die Bestimmungen des § 1 sowie die Aufforderung zu Zuwiderhandlungen gegen diese werden mit Gefängnis nicht unter 14 Tagen, neben dem auf Geldstrafe erkannt werden kann, bestraft.

§ 3 Diese Verordnung tritt mit ihrer Verkündung in Kraft.

j) Aufruf der Presseabteilung der badischen Regierung an die badische Bevölkerung, nicht an den Protestaktionen teilzunehmen und sich von Kommunisten fernzuhalten, 20. September 1923

Staatsarchiv Freiburg, LRA Lörrach, G 931.

An die badische Bevölkerung!

Die infolge der Besetzung der rheinischen Gebiete durch die Franzosen* verursachte Verschlechterung der Markwährung und die hierdurch hervorgerufene Erschwerung der Lebensverhältnisse gab der kommunistischen Partei billige Gelegenheit, die arbeitende Bevölkerung in der ungeheurlichsten Weise zu verhetzen. Monate hindurch hat man z. B. die Reichsregierung angeklagt, daß sie nur von den Arbeitern und Beamten Steuern einziehe. Nun, da der Reichstag fast völlig einmütig auch die freien Berufsstände und den Besitz steuerlich stark belastete, um den finanziellen Niederbruch des Reiches, der Länder und der Gemeinden aufzuhalten, sind es wiederum kommunistische Redner, welche die Landwirte zum Steuerstreik ermuntern.

Ebenso ist es mit deren Versuch der Anpassung der Löhne an die Geldentwertung. In vielen Fällen kamen im Lande zwischen Arbeitervertretern und Unternehmern ordnungsmäßige Abmachungen zustande, die den Wünschen der Arbeiter weitgehendst entgegenkamen. Dessen ungeachtet wurden aber die Arbeiter aus den Fabriken herausgeholt, um mit ihnen auf die Staatsverwaltung einen Druck auszuüben, daß sie die zur Erhaltung der allgemeinen Sicherheit getroffenen Maßnahmen wieder rückgängig mache.

Die Polizei hat in keinem einzigen Fall Lohnverhandlungen gestört oder die Unternehmer aufgefordert, Lohnzugeständnisse nicht zu machen. Die Regierung und mit ihr die Polizei haben selbst das allergrößte Interesse daran, daß zwischen Unternehmer- und Arbeiterschaft dauernde Verständigung erhalten bleibt, denn nur auf diese Weise kann es gelingen, Reich, Staat, Gemeinde und Familie über die Schwierigkeiten des politischen und des wirtschaftlichen Lebens hinwegzubringen.

Wo aber im Land Verbrechen und Gewalttätigkeiten begangen werden, muß die Staatsgewalt einschreiten. Täte sie das nicht, dann käme das Chaos. Die von den Kommunisten angezettelten Streiks in Oberbaden haben ohnehin schon eine starke Gefährdung der Lebensmittelversorgung und der Geldbeschaffung in diesem Teil des Landes hervorgerufen. Die Nachwehen dieser Schäden werden sich aller Voraussicht nach sehr stark bemerkbar machen. Für dieses verschärfte Elend sind die Kommunisten

* Anfang Februar 1923 waren in Baden französische Truppen einmarschiert.

ebenso sehr verantwortlich wie für die Blutopfer, welche es bei den gegen die Polizei unternommenen Gewalttätigkeiten und Demonstrationen gab. Die Badische Regierung richtet an alle Einwohner des Landes die dringende Bitte, sich von den Kommunisten fernzuhalten, an Demonstrationen nicht teilzunehmen, Ansammlungen fernzubleiben, die Polizei bei ihrer schweren Arbeit zu unterstützen.

Um die von den Kommunisten absichtlich hervorgerufenen Unruhen im Lande einzudämmen, hat die Regierung Ausnahmeverordnungen erlassen müssen. Die Einschränkung des Versammlungsrechts und sonstiger verfassungsmäßiger Rechte des öffentlichen Lebens wird nur solange aufrechterhalten bleiben, als es nach den gebotenen Umständen erforderlich ist.

In Lörrach hat die Polizei die öffentliche Ordnung wiederhergestellt. Auch sonst ist im Oberland die lediglich aus politischen Motiven hervorgerufene Streikbewegung im Abflauen begriffen. In anderen Teilen des Landes hingegen versuchen zur Zeit kommunistische Agitatoren, der Generalstreikparole Nachdruck zu verleihen.

Kurz und gut: Die Kommunisten haben den Kampf gegen die bestehende Staatsordnung aufgenommen. Ihre Bemühungen um Erhöhung der Arbeiterlöhne unter Ausschaltung der Gewerkschaften bei der Einleitung von Verhandlungen ist den Kommunisten nur ein Vorwand zum bösen Spiel. Gegen diesen Kampf kann es nur äußersten Widerstand geben. Alle Teile der Bevölkerung, die für die Erhaltung der Ordnung im Staate einzustehen gewillt sind, werden dringend ersucht, im Vertrauen auf die Macht des Staates Ruhe zu bewahren. Einigkeit im Wollen, Geschlossenheit im Handeln und Treue zur deutschen Nation, muß jetzt die Parole lauten.

k) Erklärung des Aktionsausschusses und Beschluß der Betriebsrätevollversammlung zur Wiederaufnahme der Arbeit bei Abzug der französischen Truppen aus Lörrach und Aufhebung des Belagerungszustandes, 21. September 1923

Stadtarchiv Freiburg, LRA Lörrach, G 931.

Die Vertreter der Betriebsrätevollversammlung erklären sich bereit, mit allen ihren Kräften sich dafür einzusetzen, daß heute nachmittag in der Betriebsrätevollversammlung beschlossen wird, am Montag in allen Betrieben von Lörrach und Umgebung, sowie des Wiesen-, Wera- und Rheintals die Arbeit geschlossen wiederaufgenommen wird. Nach der Arbeitsaufnahme am Montag wird die Besatzung aus der Stadt Lörrach zurückgezogen. Wird die Ruhe aufrechterhalten, so wird am andern Tage der Belagerungszustand wieder aufgehoben.

Beschluß der Betriebsrätevollversammlung am Freitag, dem 21.9.1923, Nachmittag, 5 Uhr:

Die Betriebsrätevollversammlung stellt fest, daß bei Einhaltung der »Freitagsbewilligungen« ohne die Schupobesetzung die Ruhe im Bezirk nicht gefährdet worden wäre und tatsächlich nicht gefährdet worden ist. Die Betriebsrätevollversammlung ist nach der nun erfolgten Sicherung der wesentlichsten Teile der »Freitagsbewilligungen« bereit, im ganzen Wiesen-, Wera- und Rheintal am Montag die Arbeitsaufnahme zu vollziehen, in der Voraussetzung, daß nach erfolgter Arbeitsaufnahme die Besetzung von Lörrach zurückgezogen und nach der Feststellung des Eintritts normaler Wirtschaftsverhältnisse am andern Tag der Belagerungszustand in den gleichen Gebieten aufgehoben wird.

Kieslich, Bock, Mayer.

l) Bekanntmachung des militärischen Befehlshabers über die Verhängung des Ausnahmezustands für das Reich und die Einschränkung der Versammlungsfreiheit für den Befehlsbereich des Wehrkreiskommandos 5, 1. Oktober 1923

Staatsarchiv Freiburg, LRA Lörrach, G 931.

Bekanntmachung aufgrund des Artikels 48 Absatz 2 der Reichsverfassung betreffend die zur Wiederherstellung der öffentlichen Sicherheit und Ordnung nötigen Maßnahmen vom 26. September 1923.

1. Der militärische Ausnahmezustand ist für das Reich verhängt.
2. Der Artikel 114, 115, 118, 123, 124 und 153 der Reichsverfassung sind bis auf weiteres außer Kraft gesetzt. Demzufolge sind Beschränkungen der persönlichen Freiheit, des Rechts der freien Meinungsäußerung einschließlich der Pressefreiheit, des Vereins- und Versammlungsrechts, Eingriffe in das Brief-, Post-, Telegraphen- und Fernsprechgeheimnis, die Anordnung von Haussuchungen und Beschlagnahmen sowie Beschränkungen des Eigentums auch außerhalb der sonst hierfür bestimmten gesetzlichen Grenzen zulässig.
3. Die vollziehende Gewalt geht auf den Reichswehrminister über.
4. Die im Strafgesetzbuch mit lebenslänglichem Zuchthaus bedrohten Verbrechen werden mit dem Tode bestraft, wenn sie nach der Verkündung dieser Verordnung begangen sind.
5. Die Verordnung tritt mit ihrer Verkündung in Kraft.

Aufgrund dieser Verordnung hat der Reichswehrminister die vollziehende Gewalt im Wehrkreis 5 dem Generalleutnant Reinhardt für den Bereich dieses Wehrkreises übertragen.

Der Wehrkreis 5 umfaßt von Preußen die Provinz Hessen-Nassau, den Regierungsbezirk Erfurt und Hohenzollern, ferner Württemberg, Baden, Hessen, Thüringen und Waldeck.

Hierzu bestimme ich:

1. Sämtliche Behörden bleiben in ihrer Tätigkeit. Der Gang der Verwaltung bleibt unverändert.

2. Von der Bevölkerung erwarte ich, daß sie den etwa erforderlich werdenden Anordnungen unbedingt Folge leistet; jeden Versuch, die öffentliche Ruhe und Ordnung zu stören, werde ich unterdrücken.

Einschränkung der Versammlungsfreiheit

Im Befehlsbereich des Wehrkreiskommandos 5, also auch in Baden, sind alle öffentlichen Versammlungen, Ansammlungen, Umzüge und Aufzüge unter freiem Himmel verboten, ebenso alle öffentlichen Versammlungen in geschlossenen Räumen von der Genehmigung der zuständigen Polizeibehörde abhängig gemacht. Die Polizeibehörden sind angewiesen, gegen jede Handlung, die zum Generalstreik oder zum Bürgerkrieg auffordert, einzuschreiten.

75 **30. Oktober 1923**

Verordnung der Reichsregierung über das Schlichtungswesen (Auszug)

Reichsgesetzblatt 1923, Teil I, S. 1043.

Aufgrund des Ermächtigungsgesetzes vom 13. Oktober 1923 (Reichsgesetzblatt I, S. 943) verordnet die Reichsregierung bis zur endgültigen gesetzlichen Regelung:

Artikel I: Schlichtung

§ 1 Anstelle der bisherigen Schlichtungsausschüsse werden von der obersten Landesbehörde im Einvernehmen mit dem Reichsarbeitsminister neue Schlichtungsausschüsse errichtet. ...

Die Schlichtungsausschüsse bestehen aus einem oder mehreren unparteiischen Vorsitzenden und aus Beisitzern der Arbeitgeber und der Arbeitnehmer in gleicher Zahl. Die unparteiischen Vorsitzenden bestellt die oberste Landesbehörde nach Anhörung der wirtschaftlichen Vereinigungen der Arbeitgeber und der Arbeitnehmer des Bezirks. Die Beisitzer beruft sie auf Vorschlag dieser Vereinigungen.

§ 2 Für größere Wirtschaftsbetriebe bestellt der Reichsarbeitsminister nach Anhörung der beteiligten obersten Landesbehörden Schlichter. Er kann auch für den einzelnen Fall einen besonderen Schlichter bestellen. Die Schlichter übernehmen die Schlichtung in Fällen, die für das Wirtschaftsleben von besonderer Wichtigkeit sind. ...

§ 5 Schlichtungsausschüsse und Schlichter werden auf Anruf einer Partei oder von Amts wegen tätig. Der unparteiische Vorsitzende des Schlichtungsausschusses oder der Schlichter hat zunächst zu versuchen, den Abschluß einer Gesamtvereinbarung herbeizuführen. Gelingt ihm das nicht, ist die Sache von einer Schlichtungskammer zu verhandeln. Diese bildet der unparteiische Vorsitzende des Schlichtungsausschusses mit je zwei Beisitzern der Arbeitgeber und der Arbeitnehmer, der Schlichter mit Beisitzern der Arbeitgeber und der Arbeitnehmer in gleicher Zahl, die er zu diesem Zwecke beruft.

Kommt vor der Schlichtungskammer keine Einigung zustande, so macht die Kammer den Parteien einen Vorschlag für den Abschluß einer Gesamtvereinbarung (Schiedsspruch). Wird er von beiden Parteien angenommen, so hat er die Wirkung einer schriftlichen Gesamtvereinbarung. Das gleiche gilt, wenn der Spruch aufgrund gesetzlicher Vorschrift oder einer Vereinbarung bindend ist.

§ 6 Wird der Schiedsspruch nicht von beiden Parteien angenommen, so kann er für verbindlich erklärt werden, wenn die in ihm getroffene Regelung bei gerechter Abwägung der Interessen beider Teile der Billigkeit entspricht und ihre Durchführung aus wirtschaftlichen und sozialen Gründen erforderlich ist. Für die Verbindlichkeitserklärung des Schiedsspruchs eines Schlichtungsausschusses ist der Schlichter zuständig, in dessen Bezirk der Geltungsbereich der vorgeschlagenen Gesamtvereinbarung liegt; dies gilt auch dann, wenn er sich nur unwesentlich über den Bezirk des Schlichters hinaus erstreckt. In den übrigen Fällen ist der Reichsarbeitsminister zuständig. ... Die Verbindlichkeitserklärung ersetzt die Annahme des Schiedsspruchs. ...

§ 7 Der Reichsarbeitsminister kann für die Tätigkeit der Schlichtungsausschüsse und der Schlichter allgemeine Richtlinien erlassen. In ihrer Entschließung im Einzelfalle sind Schlichtungsausschüsse und Schlichter unabhängig und nicht an Weisungen gebunden. ...

Die Auseinandersetzung um die Maifeier in Offenburg

a) Aufruf des ADGB und der VSPD Offenburg zur Maifeier, April 1924

DGB Offenburg, Nachlaß Erich Strack.

Am 1. Mai demonstrierte die klassenbewußte Arbeiterschaft seit Jahrzehnten alljährlich durch Arbeitsruhe für die Erfüllung ihrer berechtigten Forderungen auf wirtschaftlichem und politischem Gebiet. Heerschau war der 1. Mai zugleich über die, die zur ernstlichen Mitarbeit am Aufstieg der Arbeiterschaft bereit waren. Nie aber war es nötiger als jetzt, den Weltfeiertag der Arbeit hochzuhalten! Die Reaktion erhebt immer frecher ihr Haupt. Auf allen Linien geht das Industriekapital mit seinen Helfern gegen uns vor. Nicht nur der Raub der letzten Errungenschaften der Arbeiterschaft ist ihr Ziel, sondern die völlige Niederwerfung der ganzen Arbeiterklasse!

Geringster Lohn, höchste Arbeitszeit für Arbeiter, Riesengewinne, Prasserleben für Kapitalisten, das ist die Weltanschauung der Industriebarone. Und durch die Abschaffung des 1. Mai als Feiertag wollen uns die dem Kapital willfährigen bürgerlichen Regierungsmänner die Gegenwehr erschweren und unmöglich machen.*

Kollegen! Kolleginnen! Dagegen müssen wir uns wehren! Darum auf zur Maifeier! Die Kartell- und Betriebsrätevollversammlung des Ortsausschusses Offenburg hat beschlossen, auch in diesem Jahre den 1. Mai durch völlige Arbeitsruhe zu feiern! Pflicht aller Kollegen und Kolleginnen ist es, einmütig diesem Beschluß zu folgen. Unbedingte Arbeitsruhe muß dem gesamten Unternehmertum zeigen, daß wir nicht gewillt sind, uns das Letzte widerstandslos zu rauben, uns zu rechtlosen Heloten erniedrigen zu lassen!

Gewerkschaftskollegen! Parteigenossen! Es gilt die Erhaltung des Achtstundentages und der Sozialversicherung, Erringung einer menschenwürdigen Entlohnung, Stärkung der Arbeitervertretung im neuen Reichstag! Für Republik und Sozialismus – gegen die Reaktion!

Alle Kollegen und Kolleginnen sammeln sich am 1. Mai, mittags, halb 2 Uhr am Gewerkschaftshaus in der Republikstraße zu gemeinsamem Abmarsch mit Musikkapelle nach Elgersweier, wo in der Wirtschaft »Lott« (Wirtsräume und Garten) unsere Demonstrationsversammlung (Festrede, musikalische und gesangliche Darbietungen) stattfindet. Bei Regenwetter

* Der 1. Mai 1924 war kein gesetzlicher Feiertag.

wird die Versammlung um halb 3 Uhr im Saale der »Neuen Pfalz« hier abgehalten. Unbedingte Pflicht aller Gewerkschaftler am 1. Mai 1924 ist Arbeitsruhe!

b) Schreiben der Aetz- und Emaillierwerke Robert Dold, Offenburg, an den ADGB Offenburg mit der Drohung, allen Teilnehmern an der Maidemonstration zu kündigen, 29. April 1924

DGB Offenburg, Nachlaß Erich Strack.

In Erledigung Ihres Schreibens vom 28. d. M. teilen wir Ihnen mit, daß wir auf keinen Fall am 1. Mai unseren Betrieb stillegen. Wir machen Sie also heute schon darauf aufmerksam, daß wir diejenigen Arbeiter, die an diesem Tage fehlen, als gekündigt betrachten. Dies zu Ihrer gefälligen Kenntnisnahme.

77 **Juni - August 1925**

Der Arbeitskampf im badischen Baugewerbe

a) Bericht der »Volkswacht« über die Ursachen des drohenden Arbeitskampfes, 10. Juni 1925

Volkswacht vom 10. Juni 1925.

Für das Baugewerbe in Baden fanden am 8. Juni Verhandlungen zwischen den Arbeitgeberverbänden und den beteiligten Arbeiterorganisationen statt. Die Verhandlungen sind gescheitert. Die Situation im Baugewerbe ist folgende: Am 31. März d. J. wurde das Lohnabkommen gekündigt und neue Verhandlungen verlangt. Die Arbeitgeberorganisationen lehnten Verhandlungen ab. Sie stellten an den Landesschlichter den Antrag auf Bildung einer Schlichterkammer zur Entscheidung des Lohnstreits. Am 9. April fanden die Verhandlungen statt. Da eine Einigung nicht zu erzielen war, wurde die Schlichterkammer gebildet, die einen Schiedsspruch fällte.

Dieser Schiedsspruch fand seitens der Arbeiterorganisationen Annahme, während die Gegenseite ablehnte. Nunmehr beantragen die Arbeiterorganisationen beim Reichsarbeitsministerium die allgemeine Verbindlichkeitserklärung des Schiedsspruchs. Es fanden dann Vorverhandlungen in Berlin statt, die jedoch auch nicht zur Einigung führten. Der Vorsitzende machte dann von sich aus einen Einigungsvorschlag, der gegen den Schiedsspruch der Schlichterkammer verschiedene Verschlechterungen für die Arbeiter brachte. Die Arbeiter stimmten diesem Einigungsvorschlag zu, während die Arbeitgeber teilweise zustimmen und teilweise ablehnen wollten. Nunmehr gaben die Arbeitgeber die Anweisung heraus, daß den Facharbeitern der im Einigungsvorschlag enthaltene Lohn gezahlt werden sollte, während sie den für die Hilfsarbeiter vorgesehenen Lohn um die Hälfte kürzten. Das war ein einseitiges Diktat der Arbeitgeber. Die Arbeiter hätten nunmehr Handlungsfreiheit gehabt; sie machten davon keinen Gebrauch.

Seit April 1925 ist im Baugewerbe die Tarifvertragsfrage völlig ungeregelt. Die Verhandlungen zwecks Abschlusses eines neuen Tarifvertrags scheiterten an den Forderungen der Arbeitgeber. Diese verlangten, daß die Arbeiter einer Verlängerung einer Arbeitszeit zustimmen sollten; dazu lehnten sie die Gewährung von Ferien ab. Sie verlangten größere Spannung zwischen den Hilfsarbeiterlöhnen und den Löhnen der Facharbeiter. Für Lehrlinge und Poliere lehnten sie ebenfalls eine tarifliche Regelung ab. Die Arbeiterorganisationen stellten jetzt den Antrag, daß ein Bezirkstarifvertrag abgschlossen werden sollte, der die genannten Fragen regelt und der zugleich eine Regelung der Lohnfrage herbeiführt. Die zu diesem Zweck auf Montag, 8. Juni, anberaumten Verhandlungen scheiterten, da die Arbeitgeber wiederum eine tarifvertragliche Regelung der genannten Fragen ablehnten und auch Zugeständnisse in der Lohnfrage nicht machen wollten.

Die Bauarbieter werden jetzt in Versammlungen zu dem Verhalten der Arbeitgeber Stellung nehmen. Es ist zu erwarten,daß es in vielen Orten zum Streik kommen wird. In ganz Baden wird sonach ein Kampf entbrennen, der das Wirtschaftsleben erheblich treffen wird. Die Schuld für diesen Kampf und seine Folgen trifft die Arbeitgeber.

b) Aufruf des Deutschen Baugewerksbundes und des Zentralverbandes Christlicher Bauarbeiter, sich von wilden Streiks zu distanzieren, Juni 1925

Staatsarchiv Freiburg, LRA Lörrach, G 929.

An alle Bauarbeiter in Ober- und Mittelbaden!

Werte Kollegen! Am Montag, den 18. Juni wurde in Karlsruhe im Arbeitsministerium mit Vertretern des Arbeitgeberbundes für das Baugewerbe verhandelt und eine Vereinbarung getroffen, die dahin geht, daß für die erste und zweite Juniwoche der [Lohn] für Facharbeiter 37,80 Mark beträgt. Für die dritte Woche 47,00 Mark und für die vierte Juniwoche 55,00 Mark.*

Noch während die Verhandlungen in Karlsruhe stattfanden, legten in Leopoldshöhe die Bauarbeiter die Arbeit nieder, ohne daß sie zunächst wußten weshalb. Erst später wurden neue Forderungen aufgestellt, die über die Sätze der Vereinbarung hinausgehen. Dieser Streik verstößt gegen alle gewerkschaftlichen Regeln und kann nach den Satzungen der Verbände nicht anerkannt werden.

Das bedeutet für die Streikenden, daß sie Unterstützung aus Mitteln der Organisationen nicht erhalten können. Die Führer dieses Streikes wissen das, und von den Gewerkschaftsvertretern ist in Versammlungen vor dem Streik dies mitgeteilt worden. Die Führer sehen ihren Putsch zusammenbrechen und sehen sich nun nach Hilfe um. Sie schicken Sendboten nach anderen badischen Orten und suchen dort die Bauarbeiter mit allen Mitteln der Beredsamkeit zur Einstellung der Arbeit zu bewegen. So fand gestern abend eine Versammlung der Bauarbeiter in Freiburg statt. Nicht weniger als 12 Sendboten der Streikenden in Leopoldshöhe und Lörrach redeten auf die Freiburger Bauarbeiter ein und suchten sie mit allen Mitteln der Redekunst zum Streik zu bringen. Die Freiburger Bauarbeiter ließen die Leute schwätzen und stimmten dann mit überwältigender Mehrheit gegen den Streik.

An der Spitze der Streikbewegung stehen Unionisten, Syndikalisten und Kommunisten. Diese werden in den nächsten Tagen noch alles versuchen, um die Bauarbeiter in anderen Orten Badens zur Niederlegung der Arbeit zu bewegen. Inzwischen haben die Führer der Gewerkschaften sich um Verhandlungen mit dem Arbeitgeberbund für das Baugewerbe bemüht und erreicht, daß bereits am Montag wieder verhandelt wird. Wir warnen deshalb alle Bauarbeiter, den Lockungen der Sendboten von Leopoldshöhe und Lörrach zu folgen.

Die Gewerkschaften werden keinen Streik unterstützen, der nicht satzungsgemäß beschlossen wird. Die Macher des Streiks in Leopoldshöhe

---

* In der Vorlage ist die Kommatrennung bei den Ziffern irrtümlich unterblieben.

und Lörrach werden Arbeiterverrat schreien und in ihrer Art auf die Führer der Gewerkschaften schimpfen. Das hält die verantwortlichen Führer nicht ab, den Bauarbeitern die Wahrheit zu sagen und sie vor Schaden zu bewahren. Den Streikenden in Leopoldshöhe und Lörrach raten wir dringend, die Arbeit wieder aufzunehmen und sich dadurch vor weiteren Lohnverlusten zu schützen. Die Leidtragenden bei diesem Streik sind in erster Linie die Frauen und Kinder der Streikenden, die durch den Lohnverlust um so mehr hungern müssen, und dann die Streikenden selbst, die den Hungerriemen ebenfalls enger schnallen müssen.

Bauarbeiter in Ober- und Mittelbaden! Haltet gewerkschaftliche Disziplin und folgt nicht den Lockungen unverantwortlicher Leute!

Deutscher Baugewerksbund, Bezirksverband Karlsruhe,
i.A.: R. Horter.
Zentralverband Christlicher Bauarbeiter Deutschlands,
i.A.: F. Heurich.

c) Aufruf des Deutschen Arbeitgeberbundes für das Baugewerbe an Behörden, Genossenschaften, Bauherren und Architekten, das Baugewerbe im Arbeitskampf zu unterstützen

Staatsarchiv Freiburg, LRA Lörrach, G 929.

Streik und Aussperrung im badischen Baugewerbe

Zur Aufklärung, an die staatlichen und städtischen Behörden, an die Siedlungs- und Baugenossenschaften, an die industriellen und privaten Bauherren, an die Herren Architekten und Bauleitungen!

Durch die vom 9. Juni ab in allen größeren Orten des badischen Landes aufgetretenen Streiks der Bauarbeiter, Gipser und Zimmerleute, welche von den Gewerkschaften ohne Aufrufung der staatlichen Schlichtungsinstanzen durchgeführt und planvoll beabsichtigt waren, ist dem badischen Baugewerbe infolge seines Widerstandes gegen die maßlosen Forderungen der Bauarbeiterschaft der Abwehrkampf aufgezwungen worden.

Nachdem die Gewerkschaften jede Gelegenheit ergreifen, den Streik zu verlängern, indem sie die bei dem bestehenden Facharbeitermangel sehr aufnahmefähigen kleineren Orte, das Land und einige größeren Städte nicht in den Arbeitskampf einbeziehen, nachdem weiterhin die Wiederaufnahme der Arbeit durch die zahlreichen Arbeitswilligen infolge Drohung,

Belästigung und Terror verhindert wird, haben sich die Arbeitgeber des badischen Baugewerbes nach ernsten und eingehenden Beratungen veranlaßt gesehen, die Stillegung sämtlicher Bau- und Arbeitsstellen in Baden durch Aussperrung auf Mittwoch, den 1. Juli 1925 zu Arbeitsschluß durchzuführen. Das Baugewerbe führt den Kampf nicht aus eigensüchtigen Gründen, sondern im Interesse von Wirtschaft und Öffentlichkeit, vornehmlich auch zur Ermöglichung der Weiterführung des öffentlichen und privaten Wohnungsprogramms.

Die Lohnregelung vom 16. April ab baute sich auf dem Vorschlag des Reichsarbeitsministeriums auf, indem die alten Löhne der Facharbeiter an dem genannten Termin um 15%, am 4. Juni um insgesamt 19% gegenüber den alten Sätzen erhöht wurden. Damit erhielten die Facharbeiter 1,07 Mark in Mittel- und Oberbaden, 1,10 Mark in Unterbaden, jeweils Ortsklasse I. Für die Gipser wurde ein Zuschlag von 0,10 Mark bezahlt. Für die Löhne der Hilfsarbeiter wurde arbeitgeberseits nur eine teilweise Erhöhung zugestanden, indem die Spannung zwischen gelernten und ungelernten Arbeitern auf 20% festgesetzt wurde. Nachdem diese Regelung 6 Wochen bestand, wurde eine neue Erhöhung der Löhne für Facharbeiter um 12%, für Hilfsarbeiter um über 30%, rückwirkend auf 15. Mai verlangt.

Gleichzeitig wurde die Bewilligung sämtlicher strittigen Punkte des Reichstarifvertrages, wie achtstündige Arbeitszeit, Verbot der allgemeinen Akkordarbeit, tarifliche Regelung der Lehrlingsverhältnisse, Mitbestimmungsrecht bei den Polierverhandlungen, Zubilligung von Ferien, Bezahlung der Fahrzeit auf der Bahn als Arbeitszeit, Bezahlung von Krankheitstagen etc., welche einer zentralen Regelung vorbehalten sind, gefordert.

Die Arbeitgeber konnten bei grundsätzlicher Bereitwilligkeit zum Abschlusse eines Bezirkstarifvertrages auf diese Forderungen, welche von den Gewerkschaften in den Vordergrund gestellt wurden und zur Erdrosselung des Baugewerbes führen, ebensowenig eingehen, wie auf eine neue inflationistische Lohnerhöhung, die von der Gegenseite nicht einmal ernstlich zu begründen versucht wurde.

Das Baugewerbe hat seine ernste und aufrichtigste Bereitwilligkeit zur Beilegung der Differenzen auf gesetzmäßigem Weg durch sofortige Anrufung des badischen Landesschlichters nach Scheitern der freien Verhandlungen gezeigt. Die Arbeitnehmer traten, ohne weiteres abzuwarten, vom nächsten Tag an in Streik, während der Schlichter die Behandlung der bestehenden Streitpunkte vorläufig nicht als gegeben erachtete.

Schweren Herzens, aber mit einmütiger Entschlossenheit hat das badische Baugewerbe den ihm aufgezwungenen Kampf aufgenommen, um ihn für die Allgemeinheit zu führen. Wir bitten alle in Frage kommenden Kreise, in dem bestehenden Arbeitskonflikt das Baugewerbe verständnisvoll zu unterstützen, zum mindesten aber eine streng neutrale Einstellung an den Tag zu legen. Die Neutralität wird dadurch verwirklicht, daß die Bauauftraggeber bei Stillegung der Bauten keine Schwierigkeiten machen, in die gesetzmäßig gegebene Verlängeung der Fertigstellungsfristen um die

Dauer des Arbeitskampfes einwilligen, keine Arbeiten an Außenseiter vergeben, Arbeiten nichtorganisierter Unternehmer ebenfalls stillegen und keine ausgesperrten und streikende Arbeiter an ihren Baustellen dulden.

Der Abwehrkampf des Baugewerbes hat in der breiten Öffentlichkeit weiteste Sympatie gefunden. Insbesonders haben sich aber auch die dem Bund Deutscher Architekten angeschlossenen Architekten und die wichtigsten Wirtschaftsfaktoren mit dem Baugewerbe solidarisch erklärt. Wer glaubt, die von uns geforderte strikte Neutralität nicht innehalten und unserer Aufforderung nicht nachkommen zu können, bitten wir um schriftliche Äußerung an uns.

d) Stellungnahme des Arbeitgeberverbandes für das Baugewerbe zum Arbeitskampf, 6. Juli 1925

Oberländer Bote vom 6. Juli 1925.

In allen größeren Orten von Mittel- und Oberbaden sind die Bauarbeiter in Streik getreten. Da die weitesten Kreise durch Stillegung jeder Bautätigkeit und dadurch eintretende Verzögerung in der Fertigstellung der Bauten von der im Gang befindlichen Arbeiterbewegung mit an erster Stelle betroffen werden, hat die Öffentlichkeit ein berechtigtes Interesse daran, die Umstände, unter welchen der Streik begonnen wurde, seine Ziele und die etwaige Auswirkung auf das Wirtschaftsleben kennenzulernen.

Wie bereits durch Zeitungsnotiz bekannt sein dürfte, sind die zwischen den Arbeitgeber- und Arbeitnehmerorganisationen des Baugewerbes am 8. Juni in Karlsruhe geführten freien Verhandlungen gescheitert.

Der Grund für die Ergebnislosigkeit der Verhandlungen lag in den maßlosen Forderungen der Arbeiterschaft. Sie umfaßten teils eine Neuregelung der Arbeitsbedingungen, teils Forderungen auf Erhöhung der Löhne.

Für den gelernten Maurer wurde vom 16. April ab aufgrund eines Vermittlungsvorschlages des Reichsarbeitsministeriums in Mittel- und Oberbaden 1,04, in Unterbaden 1,07 Mark pro Stunde gezahlt. Für den Hilfsarbeiter war arbeitgeberseits der Lohn auf 0,83 bzw. 0,86 Mark festgesetzt worden. Diese Löhne, welche für den Facharbeiter eine Erhöhung von über 14 Prozent gegenüber den alten Löhnen bedeuteten, waren arbeitgeberseits seinerzeit nur unter den allergrößten Bedenken bewilligt worden und sind nur unter dem Gesichtspunkt zu verstehen, daß der Arbeitsfriede unter allen Umständen erhalten und die im öffentlichen Interesse liegende Bautätigkeit nicht gestört werden sollte.

Mit dem 4. Juni trat gemäß dem Vermittlungsvorschlag des Reichsarbeitsministeriums eine neue Erhöhung um 3 Pfennig ein, so daß nunmehr gegenüber den Löhnen der ersten Aprilhälfte eine Steigerung von insgesamt 19 Prozent vorlag.

Die den Karlsruher Verhandlungen zugrunde liegenden Lohnforderungen betrugen 1,20 für den Maurer und 1,08 Mark für den Hilfsarbeiter. Für eine neue Lohnsteigerung im Baugewerbe kann keine wirtschaftlich gebotene Notwendigkeit und Berechtigung geltend gemacht werden. Die Arbeitnehmerorganisationen haben auch keinen ernstlichen Versuch gemacht, diese wirtschaftlich unfaßbaren Forderungen zu begründen. Gegenüber einem Vorkriegslohn von 0,45 bis 0,63 Mark haben die Bauarbeiter am 4. Juni bereits 1,07 Mark pro Stunde erreicht. Die Erhöhung gegenüber dem Friedensstundenlohn beträgt also 70 bis 137 Prozent, ein Ergebnis, das wohl bei keiner anderen Arbeitergruppe gefunden wird.

Die Lebenshaltung hat sich derartig gestaltet, daß innerhalb längerer Zeiträume unbedingt von einer Stabilität gesprochen werden kann. Tatsache ist, daß, nachdem erst am 16. April und 4. Juni Lohnerhöhungen von insgesamt 19 Prozent eingetreten sind, kein wirtschaftlich berechtigter Grund vorlag, eine neue Steigerung von 12 Prozent eintreten zu lassen.

Die Lohnforderung mußte im Interesse von Wirtschaft und Öffentlichkeit abgelehnt werden. Bei der engen Verbindung von Baugewerbe und Industrie wäre die Auswirkung auf ein allgemeines Ankurbeln der Lohnwelle unausbleiblich. Damit würden wir rettungslos in der Richtung der Inflation treiben. Aber auch die Frage der Verteuerung der Baukosten kann bei der Beurteilung nicht ausgeschaltet werden. Der Lohn des Bauarbeiters hat sich von 0,58 zu Beginn des Jahres 1924 auf 1,07 Mark am 4. Juni, also um 84 Prozent gesteigert. Neue Lohnerhöhungen, die zur Zeit keine wirtschaftliche Berechtigung haben, bedeuten nicht nur eine Verteuerung des sehr erheblichen Produktionsfaktors Arbeit, sondern auch durch die Auswirkung auf das allgemeine Lohnniveau eine weitere Erhöhung der Baustoffpreise. Als Folge würde sich eine neue Verteuerung des Bauens ergeben. Damit wäre eine weitere Einschränkung der so dringend notwendigen Bautätigkeit und der Behebung der Wohnungsnot gegeben, die im allgemeinen öffentlichen Interesse vermieden werden muß.

Die weiteren Forderungen beliefen sich auf Abschluß eines Bezirkstarifvertrages. Die Arbeitgeberseite wäre zu dem Abschluß eines solchen grundsätzlich bereit gewesen, jedoch unter Ausschaltung derjenigen Fragen, die der Regelung durch zentralen Reichstarifvertrag vorbehalten sind. Die Hauptstreitpunkte liegen in der Lehrlings-, Polier- und Ferienfrage.

Die Gewerkschaften verlangen die Aufnahme der Lehrlinge in den Tarifvertrag, während nach § 13 a der staatlich genehmigten Vorschriften zur Regelung des Lehrlingswesens den Handwerkskammern die Festsetzung der Lehrlingsentschädigung obliegt. Hinsichtlich der Poliere, mit welchen ein allgemein verbindlich erklärter Tarifvertrag vorliegt, verlangen die Gewerkschaften Mitwirkung bei den Verhandlungen über Lohn und Arbeitsbedingungen.

Daß sich das Baugewerbe auf die sehr durchsichtigen Bestrebungen der Gewerkschaften, auch das Aufsichtspersonal und die Lehrlinge in ihre Einflußsphäre und ihren Machtkreis einzubeziehen, nicht einläßt, dürfte auch bei oberflächlicher Würdigung klar sein.

In der Ferienfrage, die für Arbeiter großer Produktionszweige in bejahendem Sinne gelöst ist, liegen im Baugewerbe besondere Gesichtspunkte vor. Der Bauarbeiter ist Saisonarbeiter. Nach den Behauptungen der Gewerkschaften muß er jährlich 10 bis 12 Wochen mit der Arbeit aussetzen. Mit Rücksicht auf den Saisoncharakter werden im Baugewerbe auch höhere Löhne bezahlt, so daß hiermit die Zeit der Arbeitsruhe mitvergütet wird. Da der Bauarbeiter nach Lage der tatsächlichen Verhältnisse die umfassendste Ferienregelung aufweist, können neben den in dem Saisoncharakter begründeten Ferien weitere Zugeständnisse nicht gemacht werden.

Die Arbeitgeber haben direkt im Anschluß an die gescheiterten freien Verhandlungen den staatlichen Schlichter zur Beilegung der bestehenden Differenzen angerufen. Trotzdem hat man auf Arbeitnehmerseite in Pforzheim und Achern-Erlenbad bereits am Dienstag den Streik proklamiert. In der Zwischenzeit sind alle bedeutenden Orte von Mittel- und Oberbaden gefolgt.

Man hat auf Arbeitnehmerseite den Kampf gewollt. Diese Tatsache geht auch aus den inzwischen für Unterbaden geführten, ebenfalls gescheiterten Verhandlungen hervor, wo arbeitnehmerseits gefordert wurde, daß der 13seitige Vertragsentwurf und eine Lohnforderung von 1,25 für Facharbeiter und 1,12 Mark für Hilfsarbeiter in Dauerverhandlungen bis zum nächsten Mittag unter Dach und Fach gebracht werden müßte.

Bei der vorliegenden Arbeitsbewegung handelt es sich um einen krassen Interessenkampf der Bauarbeiter. Das Baugewerbe befindet sich in Berücksichtigung des allgemeinen Wohles von Öffentlichkeit und Wirtschaft in der unvermeidlichen Abwehrstellung, weil es nicht die Verantwortung übernehmen kann, dazu beizutragen, ohne die wirtschaftlich gebotenen und erforderlichen Voraussetzungen die schon an sich hoch gewordenen Baupreise durch neue Lohnerhöhungen und Bewilligung der geforderten tarifvertraglichen Zugeständnisse zu erhöhen und in das gesamte Lohnniveau und in die Wirtschaft neue Verwirrung hineinzutragen. Der Bauarbeiter mit 1,07 Mark Stundenlohn, der um rund 50 Prozent über dem Durchschnitt der Industriearbeiter mit seinem Lohn liegt, hat die Voraussetzungen zu einem auskömmlichen Unterhalt. Wo der Wunsch zu einer Steigerung des Einkommens besteht, kann er durch Mehrarbeit verwirklicht werden. Damit wäre auch die Möglichkeit geboten, in gewissem Umfange auf die Zuziehung ausländischer Bauarbeiter zu verzichten, die nach den Ausführungen Seilers in der Gewerkschaftszeitung, Nr. 20, zur Behebung des Facharbeitermangels im Baugewerbe nicht entbehrt werden können.

Wenn das Baugewerbe die unerhörten Forderungen der Bauarbeiter im allgemeinen Interesse der Wirtschaft abgelehnt hat, so darf andererseits die Erwartung ausgesprochen werden, daß das Baugewerbe in seiner

Abwehrstellung allseitige Unterstützung erfährt. Zum allermindesten ist strikte Neutralität erforderlich, die dadurch verwirklicht wird, daß die Behörden, Genossenschaften, Bauvereine, Industrielle und Private, ihre Architekten und Bauleitungen ihre Baustellen an den Orten, in welchen gestreikt wird oder auf welche sich der Arbeitskampf noch ausdehnt, unter allen Umständen stillegen und keine Streikenden einstellen. Das Baugewerbe ist nicht aus eigenem privatwirtschaftlichem Interesse in die Abwehrstellung eingetreten, sondern in erster Linie für die Bauherren und aus allgemeinen volkswirtschaftlichen Erfordernissen heraus.

e) Bericht im »Oberbadischen Volksblatt« über den Schiedsspruch für das gesamte deutsche Baugewerbe mit der Festlegung der Spitzenlöhne für die einzelnen Bezirke, 14. August 1925

Oberbadisches Volksblatt vom 15. August 1925.

Das im Reichsarbeitsministerium zusammengetretene Schiedsgericht fällte gestern mittag für das Baugewerbe einen Schiedsspruch, der für Facharbeiter und Hilfsarbeiter und Tiefbauarbeiter folgende Spitzenlöhne in den einzelnen Bezirken festsetzt: Berlin 1,20, 0,92 und 0,74 Mark; Provinz Sachsen, Anhalt und Magdeburg 1,03, 0,90 und 0,73 Mark; Halle a. S. 1,01, 0,88 und 0,72 Mark; Freistaat Sachsen 1,10, 0,92 und 0,88 Mark; Mecklenburg 0,95, 0,82 und 0,67 Mark; Kassel 1,05, 0,85 und 0,85 Mark; Unterbaden 1,13, 0,89 und 0,89 Mark; Oberbaden 1,10, 0,85 und 0,85 Mark.

Soweit in den Ortsklassen noch Streik ist, bleibt die Verständigung den betreffenden Parteien überlassen. Diese Vereinbarung wurde bis 30. November 1925 beschlossen. Nach beiderseitiger Annahmeerklärung haben die beteiligten Parteien alle Kampfmaßnahmen spätestens bis zum 24. August aufzuheben. Beiderseitiger Maßregelungen dürfen nicht stattfinden. Die Erklärungsfrist läuft bis zum 19. August, nachmittags, 4 Uhr.

f) Schreiben des Deutschen Arbeitgeberbundes für das Baugewerbe, Bezirk Lörrach, an seine Mitglieder, die Behörden, Architekten und Bauherren, die Aussperrungen weiterhin zu unterstützen, 18. August 1925

Staatsarchiv Freiburg, LRA Lörrach, G 929.

In Berlin vor dem Reichsarbeitsministerium wurde nach mehrtätigen Verhandlungen für Baden ein Schiedsspruch gefällt des Inhalts, daß der Lohn des Facharbeiters um 3 Pf., also von bisher 1,07 M auf jetzt 1,10 M erhöht wird, der Hilfsarbeiterlohn dagegen unverändert 0,85 M wie bisher beträgt. Die Erklärungsfrist läuft bis zum 19. August, nachmittags, 4 Uhr.

Unsere gestern in Baden-Baden stattgehabte außerordentliche Hauptversammlung des Landesverbandes hat diesen Schiedsspruch einstimmig angenommen. Außer für Baden ist aber auch zugleich für Berlin, Provinz Sachsen, Anhalt, Freistaat Sachsen, Kassel und Magdeburg ein Schiedsspruch ergangen. Das Reichsarbeitsministerium verlangt nun aber Annahme oder Ablehnung des Schiedsspruches in seiner Gesamtheit, also auch für die eben genannten bestreikten Tarifgebiete. Wir sind daher auch der Gesamtheit gegenüber solidarisch verpflichtet.

Von der Arbeitnehmerseite wird, wie wir hören, voraussichtlich dieser Schiedsspruch abgelehnt werden. Wir weisen deshalb ausdrücklich darauf hin, daß die Arbeit unter gar keinen Umständen vorher aufgenommen werden darf, bis der Spruch in Berlin für verbindlich erklärt worden ist. Die Entscheidung hierüber muß in den allernächsten Tagen fallen. Eine voreilige Aufnahme der Arbeit müßte die schwersten Konsequenzen nach sich ziehen.

Unbedingtes Durchhalten ist oberste Pflicht! An die Titularbehörden und Bauherrschaften sowie insbesondere an deren Herren Architekten und Bauleitungen ergeht hiermit wiederholt das dringende Ersuchen, den Unternehmern in ihrem schweren Kampfe insofern nicht hinderlich zu sein, daß sie mit der Wiederaufnahme der Arbeiten vor Abschluß des ganzen Tarifkampfes drängen. Wir machen nochmals auf die ganze Schwere der Verantwortung aufmerksam und weisen zum Schluß darauf hin, daß in dieser letzten Stunde eventuell alles auf dem Spiele steht.

g) Bericht des »Oberländer Boten« über die Einigung im Baugewerbe, 28. August 1925

Oberländer Bote vom 29. August 1925.

Der Reichsverband des deutschen Tiefbaugewerbes teilt mit: Die im Reichsarbeitsministerium am gestrigen Nachmittag eingeleiteten Verhandlungen zwecks Erklärung der Verbindlichkeit des am 14. August gefällten Schiedsspruches habe nach außerordentlich schwierigen, während der ganzen Nacht durchgeführten Verhandlungen am heutigen Vormittag zu einer Einigung geführt. Hierdurch wird die angekündigte Generalaussperrung aufgehoben.

Leider muß festgestellt werden, daß diese Einigung durch die Arbeitgeberverbände des Hoch- und Betonbaugewerbes mit schweren Opfern erkauft wurde. Nicht nur die Facharbeiterlöhne in den strittigen Gebieten wurden erhöht, sondern auch die Löhne der Hilfsarbeiter erfuhren teilweise eine Erhöhung um 5 Pfennig pro Stunde. Lediglich der Reichsverband des deutschen Tiefbaugewerbes e.V. hat, was die Tiefbauarbeiter anlangt, jede Lohnerhöhung abgelehnt. Für die Tiefbauarbeiter ist deshalb in den strittigen Gebieten eine tarifliche Vereinbarung nicht zustande gekommen. Diese Tatsache dürfte jedoch keinerlei Schwierigkeiten nach sich ziehen.

Entschließung des 12. Kongresses des ADGB in Breslau zur Wirtschaftspolitik

Protokoll der Verhandlungen des 12. Kongresses der Gewerkschaften Deutschlands, Berlin 1925, S. 36 ff.

Die Gewerkschaften und die Wirtschaft

I. Die privatkapitalistische Entwicklung der Weltwirtschaft hat seit Beendigung des Weltkrieges gewaltige Fortschritte gemacht. In den alten Industrieländern ist der Zusammenschluß großer Wirtschaftszweige zu mächtigen Konzerngebilden vollzogen worden. In anderen Ländern sind ganze Industrien neu entstanden mit dem Ziel, die Wirtschaft des eigenen Landes möglichst unabhängig zu machen von den Wechselfällen der Weltwirtschaft. Selbst jene Staaten Europas und der überseeischen Erdteile, die vor dem Kriege fast reine Agrarwirtschaft trieben oder noch im Anfangsstadium ihrer industriellen Entwicklung standen, haben während und nach dem Kriege einen bedeutenden industriellen Aufschwung genommen. Begünstigt wurde dieser Entwicklungsgang durch die Errungenschaften der technischen Wissenschaft und die Anwendung der wissenschaftlichen Betriebslehre. In einer Anzahl Industriezweige der Weltwirtschaft wird jetzt das vielfache der Vorkriegszeit erzeugt. Infolge dieser Entwicklung haben sich auf den Absatzmärkten der Welt tiefgreifende Veränderungen vollzogen, die dem Welthandel schwierige Aufgaben stellen und neue Bahnen weisen.

Einher mit dieser Entwicklung schreitet infolge der schutzzöllnerischen Wirtschaftspolitik der herrschenden Klassen in allen Ländern eine mehr oder weniger starke Verteuerung des Aufwandes für die Lebenshaltung und dadurch eine Verringerung der Kaufkraft der großen besitzlosen Verbrauchermassen. Mit dem Sinken der Kaufkraft des größten Volksteils entschwindet aber die Aufnahmefähigkeit des eigenen Inlandsmarktes. So geraten Gütererzeugung und Güteraustausch der Welt durch Verschiebungen und Abriegelungen der einstigen Absatzgebiete und ferner infolge des Niederganges der Inlandsmärkte in Stockungen; Wirtschaftskrisen werden Dauerzustand, Arbeitslosigkeit, Not und Elend der werktätigen Bevölkerung sind die Folgen.

Obwohl diese Entwicklung nicht in allen Ländern den gleichen Wirkungsgrad aufweist, ist doch die große allgemeine Linie überall dieselbe. Die Weltwirtschaftslage spitzt sich zu. Das privatkapitalistische Arbeits- und Wirtschaftssystem befindet sich in einer unheilbaren, aus seinem inneren Widerspruch entstandenen Situation. Es beschleunigt das Tempo seiner geschichtsnotwendigen Umgestaltung im Sinne der Gemeinwirtschaft, der handelspolitischen Freiheit und der internationalen Rohstoff- und Arbeitsverteilung.

Das deutsche Unternehmertum steht der gekennzeichneten weltwirtschaftlichen Entwicklung mit ihren völlig veränderten Weltmarktverhältnissen zur Zeit ratlos gegenüber. Die große Mehrheit der Unternehmer hat in den Jahren des Währungsverfalls, da deutsche Erzeugnisse mühelos in der Welt Absatz fanden, die technische Vervollkommnung ihrer Werke und den Ausbau der Betriebsorganisation schwer vernachlässigt. Infolgedessen ist das Problem der Rationalisierung der Arbeit, auf der die Erfolge der anderen Länder, besonders Amerikas, beruhen, in Deutschland und seiner Wirtschaft ungelöst geblieben. Hinzu kommt, daß die immer noch fortbestehende starke Übersetzung des Zwischenhandels große Teile des Produktionsertrages aufzehrt und die Warenpreise noch mehr verteuert. Deshalb begegnen deutsche Waren auf dem Weltmarkt wie im eigenen Lande der siegreichen ausländischen Konkurrenz.

In diese Lage sucht das Unternehmertum durch Schutzzölle, Kartelle und Konzerne für sich auf dem Inlandsmarkt eine Monopolstellung zu schaffen, um die deutschen Preise über die Weltmarktpreise hinaustreiben zu können. Andererseits strebt es zur Wiedererlangung der Konkurrenzfähigkeit auf dem Weltmarkte danach, die Löhne und Gehälter der Arbeiter und Angestellten auf einen im Vergleich mit den Auslandslöhnen unerhört niedrigen Stand festzulegen.

Der 12. Kongreß der Gewerkschaften Deutschlands wendet sich mit aller Entschiedenheit gegen die Bestrebungen, die einen hohen Mangel an Einsicht und Verantwortungsgefühl bei den Unternehmern beweisen. Nicht niedrige Löhne und lange Arbeitszeit in Verbindung mit technischer Rückständigkeit, sondern hohe Löhne, kurze Arbeitszeit, rationelle Produktionsmethoden und Organisation der Wirtschaft geben Gewähr für den wirtschaftlichen Aufstieg und die Wettbewerbsfähigkeit Deutschlands auf dem Weltmarkt. Alle Versuche, den deutschen Markt von der Auslandskonkurrenz abzuschließen und die Löhne der deutschen Arbeiter auf ihren gegenwärtigen niedrigen Stand zu binden, sind durch entsprechende Gegenmaßnahmen zu bekämpfen.

II. Zur Erfüllung der Aufgaben, die den deutschen Erwerbswirtschaften aus der gegenwärtigen Wirtschaftslage erwachsen, erachtet der Kongreß die tätige Mitwirkung der Arbeiter und ihrer Gewerkschaften für unerläßlich. Nur durch die Demokratisierung der Wirtschaft neben umfassender Rationalisierung der Arbeit durch betriebsorganisatorische und technische Maßnahmen kann die Lösug der wirtschaftlichen Probleme erfolgen.

Die Gewerkschaften haben seither schon durch die Erkämpfung der tariflichen Regelung der Lohn- und Arbeitsbedingungen den Weg zur Demokratisierung der Wirtschaft erfolgreich beschritten. Denn durch den Tarifvertrag ist der Absolutismus des Unternehmers im Betriebe gebrochen worden. Die Tarifverträge müssen durch den Kampf weiter vervollkommnet und verbessert werden.

Der Kongreß ruft deshalb die gesamte Arbeiterschaft Deutschlands auf, durch Stärkung der Gewerkschaften die Voraussetzung für die weitere Durchführung der Wirtschaftsdemokratie zu schaffen. Er verpflichtet die angeschlossenen Gewerkschaftsverbände, ihre zentralen, bezirklichen und örtlichen Organe und alle Mitglieder zu intensiver wirtschafts- und sozialpolitischer Tätigkeit in allen in Betracht kommenden Körperschaften des Reiches, der Länder und der Gemeinden; zu energischer Förderung der Arbeiterkonsumgenossenschaften und der konsumgenossenschaftlichen Eigenproduktion sowie aller freien, der Kontrolle der organisierten Arbeiterschaft unterstehenden gemeinwirtschaftlich arbeitenden Erwerbswirtschaften; zu planmäßiger Weiterentwicklung der gewerkschaftlichen Bildungseinrichtungen, deren Zweck die intellektuelle Vorbereitung der Arbeiterschaft für die kommende Wirtschaftsdemokratie ist.

Der Kongreß fordert vom Reiche, von den Ländern und den Gemeinden:

1. Volle Durchführung der Anerkennung der Gewerkschaften, die als Sachwalter der Arbeitskraft innerhalb der Wirtschaft gleichberechtigt mit den Unternehmern an dem Wirtschaftsaufbau und der Wirtschaftsführung entsprechend dem Wortlaut und Geist des Artikels 165 der Reichsverfassung zu beteiligen sind.

2. Schleunige Umgestaltung des Vorläufigen Wirtschaftsrats zu einem wirklichen und organisch aufgebauten Wirtschaftsparlament; schleunige Errichtung von Bezirkswirtschaftsräten entsprechend dem Artikel 165 der Reichsverfassung.

3. Schleunige Errichtung paritätisch von Unternehmern und Arbeitern verwalteter Wirtschaftskammern für Industrie, Handel und Verkehr, Handwerk und Landwirtschaft.

4. Errichtung von Selbstverwaltungskörpern nach Artikel 156 der Reichsverfassung für alle Industrien mit zweckmäßiger Gliederung nach Bezirken und Branchen.

5. Einführung einer regelmäßig durchzuführenden Produktionsstatistik sowie wissenschaftlicher Untersuchungen der Wirtschaft und ihrer Zusammenhänge, insbesondere auch über die Ursachen der Wirtschaftskrise. Die Gewerkschaften sind an diesen Aufgaben zu beteiligen.

6. Ermöglichung der Teilnahme von Arbeitern an höheren Bildungsanstalten zum Zwecke der Vermittlung der Wirtschaftswissenschaft in Theorie und Praxis. Subventionierung der von den Gewerkschaften geschaffenen Bildungsstätten.

7. Erhaltung und Mehrung der im Besitz von Reich, Ländern und Gemeinden befindlichen Wirtschaftsbetriebe; systematische Steigerung der Versorgung der Bevölkerung in wichtigen Bedarfsartikeln mit Hilfe solcher öffentlichen, gemeinwirtschaftlich arbeitenden Betriebe.

8. Förderung und Unterstützung freier, auf dem Prinzip der Selbstver-

waltung aufgebauter gemeinwirtschaftlich arbeitender Erwerbswirtschaften.

9. Planmäßige Unterstützung der Konsumgenossenschaften, insbesondere durch Förderung konsumgenossenschaftlicher Eigenproduktion.

10. Eine unter Mitwirkung der Gewerkschaften planmäßig durchgeführte Schulung und Unterrichtung aller Arbeiter und Arbeiterinnen der Betriebe, besonders der Betriebsräte, über Organisation und Technik der einzelnen Betriebsabteilungen und über die Zusammenhänge der Abteilungen eines Betriebes untereinander, über den Zusammenhang der Betriebe im Rahmen des Konzerns, über etwa bestehende Verbindungen und Zusammenhänge des Konzerns mit anderen Konzernen und über deren Zweck und Nutzen, über Konventionen, Kartelle, Syndikate oder ähnliche Gebilde, ihren Zweck und Inhalt und ihr Wirken.

11. Erweiterung des Mitbestimmungsrechtes der Betriebsräte.

Indem der Kongreß diese Forderungen erhebt, betont er ausdrücklich, daß die von der Verfassung versprochene gerechte Wirtschaftsordnung und die verheißene Mitwirkung der Arbeiter und Angestellten an der Wirtschaftsführung eine grundsätzliche Neugestaltung der Wirtschaftsordnung voraussetzt, welche die in der kapitalistischen Tauschwirtschaft in viele Einzelwirtschaften zersplitterten Wirtschaftskräfte einheitlich zusammenfaßt und damit eine Wirtschaftsführung in dem von den Gewerkschaften erstrebten Sinne überhaupt erst ermöglicht.

Der Kongreß erklärt, daß die Führung der deutschen Arbeiterschaft in allen Fragen der Wirtschaft bei den gewerkschaftlichen Organisationen liegen muß. Der ADGB ist das Gemeinschaftsorgan der deutschen Gewerkschaften, dem die einheitliche Vertretung der Gesamtinteressen der Arbeiterschaft obliegt, die gleichbedeutend sind mit den Interessen des großen Teiles des deutschen Volkes. Der Kongreß ruft die Arbeiterschaft auf zum Kampf um die Demokratisierung der Wirtschaft, die zur Gemeinwirtschaft geführt werden muß, zur praktischen Mitwirkung an den Aufgaben des demokratischen Staates und der demokratischen Gemeinden, zum Kampf um die Erringung maßgebenden Einflusses auf Gesetzgebung und Verwaltung im Zusammenwirken mit der politischen Vertretung der deutschen Arbeiterklasse. Die politische und die wirtschaftliche Freiheit sind die Voraussetzung für die Entfaltung der kulturellen Kräfte der Arbeiterschaft.

Die Rationalisierungskrise in der deutschen Wirtschaft

a) Bericht der Leitung des 9. Bezirks (Stuttgart) des DMV über die Krise

DMV-Jahrbuch 1926, Bezirk Stuttgart, S. 1f.

Das Jahr 1926 war im Bezirk in bezug auf die Wirtschaftslage das schlimmste, welches wir wohl jemals zu verzeichnen hatten. Die Wirtschaftskrise, die im August 1925 in unserem Bezirk einsetzte, verschärfte sich von Monat zu Monat, um dann ab August 1926 im Beharrungszustand zu bleiben. Von dem Silberstreifen am wirtschaftlichen Horizont, den einzelne Wirtschaftsführer im Januar 1926 feststellten, war in unserem Bezirk nichts zu spüren.

Parallel mit der Verschlechterung der Wirtschaftslage stieg die Zahl der arbeitslosen Kollegen und Kurzarbeiter, stieg die Zahl der stillgelegten Betriebe. Im Januar 1926 waren nach einer von uns aufgenommenen Statistik von den Mitgliedern 19,32 Prozent arbeitslos, daneben hatten wir rund 40 Prozent Kurzarbeiter. Diese Zahlen stiegen bis zum Juli auf 25,8 Prozent arbeitslose Kollegen und 48 Prozent Kurzarbeiter. Von diesem Zeitpunkt ab war ein Nachlassen der Arbeitslosen und der Kurzarbeiter zu verzeichnen. Aber trotzdem hatten wir im Oktober noch nahezu so viel Arbeitslose und so viel Kurzarbeiter wie im Januar 1926, so daß nur in ganz bedingter Form von einer Besserung gesprochen werden kann. Wir möchten feststellen, daß die Zahl der Arbeitslosen und Kurzarbeiter in unserem Bezirk über dem Reichsdurchschnitt liegt. Das liegt an der Eigenart der Industrie in unserem Bezirk.

Zu den am schärfsten von der Wirtschaftskrise betroffenen Industrien gehören die Automobilindustrie und die damit verbundenen Hilfsindustrien. Weiter die Waggonindustrie, die Gold- und Silberindustrie und die Uhrenindustrie. Man kann wohl nicht behaupten, daß sich die Krise für das Unternehmertum genauso ungünstig ausgewirkt hat. Durch die Umstellung und die Rationalisierung ist es möglich gewesen, mit viel weniger Arbeitskräften die Produktionsmengen wesentlich zu steigern. Die Rationalisierung, die wir durchaus nicht bekämpfen, hat aber doch mit dazu beigetragen, daß das Heer der Arbeitslosen vergrößert respektive nicht geringer wurde, daß die Arbeiterschaft die ganze Ungunst der Wirtschaft und auch die Kosten für die Umstellung zu tragen hatte.

Geht nicht Hand in Hand mit der Rationalisierung eine Verkürzung der Arbeitszeit, eine Erhöhung der Löhne und damit die Stärkung der Kaufkraft, wird die Rationalisierung zum Fluch für die Arbeiterschaft und letzten Endes auch für die Unternehmer selbst.

Im Oktober 1925 hatte die Regierung ihre Preissenkungsaktion angekündigt. Sie hat damit erreicht, daß eine Lohnerhöhung von diesem Zeitpunkt an nicht mehr möglich wurde, da die Schlichtungsstellen, um die Preissenkungsaktion nicht zu stören, jede Erhöhung der Löhne ablehnten. Eine Senkung der Preise ist nicht erreicht.

Wie stark die Wirtschaftskrise sich in unserem Bezirk auswirkte, zeigt die Zahl der Beschäftigten in der Metallindustrie. Es seien hier nur einige Verwaltungen unseres Bezirks herausgegriffen. So waren zum Beispiel in Stuttgart am 1. August 1925 in den hauptsächlichsten Betrieben der Metallindustrie rund 37000 Arbeiter beschäftigt. Am 1. Oktober in den gleichen Betrieben nur noch 21000. In Reutlingen im Jahre 1925 2933, am Schluß des Jahres 1926 nur noch 2428. In Karlsruhe Anfang 1925 in 68 Betrieben der Metallindustrie 16115, Ende 1926 in den gleichen Betrieben nur noch 12992. In fast allen übrigen Verwaltungen ist dasselbe zu verzeichnen.

Im Herbst des Berichtsjahres setzte auch in unserem Bezirk eine Besserung der Konjunktur ein. Statt nun aber durch Einstellung von Arbeitskräften die Zahl der Arbeitslosen zu verkürzen, wurde durch eine Verlängerung der Arbeitszeit durch Überstunden in ungemessener Zahl versucht, die anfallenden Arbeiten zu bewältigen.

Wie bei jeder Wirtschaftskrise hat auch diesmal wieder das Unternehmertum versucht, die ganze Ungunst der Verhältnisse auf die Arbeiterschaft abzuwälzen. Auf der einen Seite geschah dies durch Akkordabzüge, denen nicht immer der nötige Widerstand entgegengesetzt wurde oder nicht entgegengesetzt werden konnte, auf der anderen Seite ging man in brutalster Form zum Lohnabbau über.

b) Vorschläge des Zentralverbandes christlicher Textilarbeiter Deutschlands zur Vermeidung von Arbeitslosigkeit und Betriebsstillegungen in der Textilindustrie, 19. Januar 1926

Staatsarchiv Freiburg, LRA Emmendingen, Nr. 206.

I. Verhütung weiterer Arbeitslosigkeit durch Beschaffung vermehrter Arbeitsgelegenheit

1. Die Beschaffungsstellen der Reichswehr, Reichseisenbahnen, Reichspost, die Leitungen der Landes- wie der kommunalen Kranken-, Fürsorge-, Erziehungs-, Gefangenen- und sonstigen Anstalten sind anzuhalten, ihre Aufträge zur Bedarfsdeckung an Textilien für das nächste Rechnungsjahr unverzüglich zu vergeben. Bei der Verteilung großer Aufträge seitens der

Reichsstellen ist Rücksicht zu nehmen auf den Umfang der Arbeitslosigkeit in den einzelnen Textilbezirken. Die notwendigen Mittel sind bereitzustellen.

2. Die produktive Erwerbslosenunterstützung ist in der Weise umzugestalten, daß durchaus zuverlässigen und sonst leistungsfähigen Exportfirmen, die nachweislich zu Betriebsstillegungen oder umfangreichen Arbeiterentlassungen gezwungen sind, die sonst zur Erwerbslosenunterstützung ihrer Arbeiter aufzuwendenden Mittel unter entsprechenden Bedingungen und scharfer Kontrolle zur Ausführung von Exportaufträgen zur Verfügung gestellt werden.

Die Finanzierung der vorstehend vorgeschlagenen Maßnahmen erfordert keine wesentlich größeren Aufwendungen als die Unterstützung der sonst der Arbeitslosigkeit anheimfallenden Textilarbeiter. Nicht nur dem Interesse der deutschen Textilwirtschaft und ihrer Arbeiterschaft würde durch Beschaffung vermehrter Arbeitsgelegenheit gedient sein. Die vorübergehende Hergabe verhältnismäßig beschränkter Mittel für notwendige Kredite und Zuschüsse auch an zuverlässige deutsche Exportfirmen dürfte zunächst die Wettbewerbsfähigkeit auf dem Weltmarkte gegenüber den durch geringere Produktionskosten infolge starker Geldentwertung, niedriger Zinssätze, übermäßig hoher Schutzzölle und sonstiger Vorteile begünstigten Auslandskonkurrenten und die notwendige Erhaltung der bisherigen Absatzgebiete ermöglichen, sie wird jedoch nach Überwindung der derzeitigen Schwierigkeiten zu einer steten Steigerung des Exports und damit zur Verbesserung unserer Handelsbilanz und dem Wohle der ganzen deutschen Volkswirtschaft dienen.

Ferner ist zu berücksichtigen, daß Notstandsarbeiten im Freien im allgemeinen wenig produktiv sind und die Textilarbeiter sich durchweg zu solchen Arbeiten nicht eignen. Auch aus diesem Grunde ist es vorteilhafter und wirtschaftlicher, die produktive Erwerbslosenfürsorge für die Textilarbeiterschaft in die Betriebe zu verlegen.

II. Hintanhaltung unnötiger Betriebsstillegungen

1. Um nicht unbedingt notwendige Betriebsstillegungen und Massenentlassungen zu verhindern, sind die zuständigen Stellen anzuweisen, alle Stillegungsanträge durch Einsichtnahme in die Geschäftsbücher, Vernehmung von Angestellten und Arbeitern und durch Abgabe eidesstattlicher Versicherungen seitens der Betriebsleitungen auf das genaueste zu prüfen. Nur wenn die gänzliche Unmöglichkeit der Weiterbeschäftigung zweifelsfrei feststeht, ist solchen Anträgen stattzugeben.

2. Bei allen Verhandlungen über Betriebseinschränkungen ist darauf hinzuwirken, daß möglichst keine Entlassungen, sondern nur Werksbeurlaubungen stattfinden.

3. Um eine gleichmäßige Verteilung der durch die Absatzkrise heraufbe-

schworenen Gefahren und Lasten für Unternehmer und Arbeiter zu erreichen, ist die Arbeitszeit auf 48 Wochenstunden zu beschränken.

4. Für dazu geeignete Branchen sollte durch Beschluß der Unternehmerverbände und Gewerkschaften die Arbeitszeit weiter auf das notwendigste Maß verkürzt werden, wie dies z. B. in einigen englischen Textilbranchen stets in Krisenzeiten geschieht.

5. Die bei einer Anzahl Firmen festzustellende Unsitte, von einem Arbeiter eine Maschinenzahl bedienen zu lassen, die den Arbeiter überanstrengt und den übrigen Firmen die Konkurrenzfähigkeit unnötig erschwert, ist zu beseitigen.

Die Unternehmerverbände dürften nicht nur ihre Aufgabe darin erblicken, die gemeinsamen Interessen ihrer Mitgliedschaft gegenüber Abnehmern, Lieferanten und Regierungsstellen wahrzunehmen, ihre vornehmste Aufgabe sollte vielmehr sein, im Einvernehmen mit den Textilarbeiterverbänden alle geeigneten Schritte zu unternehmen, um vermehrte Arbeitsgelegenheit zu schaffen und die unvermeidlichen Krisenlasten gleichmäßiger zu verteilen. Es ist ein ungerechter und unhaltbarer Zustand, daß eine Anzahl Firmen ihre Arbeiter durch fortgesetzte Überarbeit und Bedienung einer übermäßig hohen Maschinenzahl überanstrengt, wobei die Akkordlöhne teils weit unter den sonst üblichen Durchschnittssatz gedrückt werden, während die Mehrzahl der Betriebe in der gleichen Branche Massenentlassungen vornehmen muß.

III. Ausbau und Erhöhung der Erwerbslosenunterstützung

Bis zur Verabschiedung eines Arbeitslosenversicherungsgesetzes – die baldigst erfolgen muß – ist vor allem notwendig:

1. Die Unterstützungssätze angemessen zu erhöhen.

2. In die Erwerbslosenunterstützung jene Gruppen von erwerbslosen Arbeitern einzubeziehen, die zur Zeit vom Unterstützungsbezuge ausgeschlossen sind, insbesondere sind auch die Werksbeurlaubten zu berücksichtigen.

3. Die Kurzarbeiterunterstützung einzuführen.

Die Initiative zum Volksentscheid über die Fürstenenteignung

a) Gemeinsamer Gesetzentwurf der SPD, der KPD und des Ausschusses für Fürstenenteignung, 25. Januar 1926

Deutscher Reichsanzeiger und Preußischer Staatsanzeiger, Nr. 39, 16. Februar 1926.

Der Reichstag hat auf Volksbegehren das folgende Gesetz beschlossen, das mit Zustimmung des Reichsrats hiermit verkündet wird:

Aufgrund des Artikels 153 der Reichsverfassung wird bestimmt:

Artikel I

Das gesamt Vermögen der Fürsten, die bis zur Staatsumwälzung im Jahre 1918 in einem der deutschen Länder regiert haben, sowie das gesamte Vermögen der Fürstenhäuser, ihrer Familien und Familienangehörigen werden zum Wohle der Allgemeinheit ohne Entschädigung enteignet. Das enteignete Vermögen wird Eigentum des Landes, in dem das betreffende Fürstenhaus bis zu seiner Absetzung oder Abdankung regiert hat.

Artikel II

Das enteignete Vermögen wird verwendet zugunsten
a. der Erwerbslosen;
b. der Kriegsbeschädigten und Kriegshinterbliebenen;
c. der Sozial- und Kleinrentner;
d. der bedürftigen Opfer der Inflation;
e. der Landarbeiter, Kleinpächter und Kleinbauern durch Schaffung von Siedlungsland auf dem enteigneten Landbesitz.

Die Schlösser, Wohnhäuser und sonstigen Gebäude werden für allgemeine Wohlfahrts-, Kultur- und Erziehungszwecke, insbesondere zur Errichtung von Genesungs- und Versorgungsheimen für Kriegsbeschädigte, Kriegshinterbliebene, Sozial- und Kleinrentner sowie von Kinderheimen und Erziehungsanstalten verwendet.

Artikel III

Alle Verfügungen – einschließlich der hypothekarischen Belastungen und Eintragungen –, die mit Bezug auf die nach diesem Gesetz enteigneten Vermögen oder ihre Bestandteile nach dem 1. November 1918 durch Urteil, Vergleich, Vertrag oder auf sonstige Weise getroffen wurden, sind nichtig.

Artikel IV

Die Ausführungsbestimmungen zu diesem Gesetz werden durch ein Reichsgesetz festgelegt, das innerhalb dreier Monate nach amtlicher Feststellung des Abstimmungsergebnisses zu erlassen ist. Dieses Reichsgesetz hat insbesondere die näheren Bestimmungen zur Ausführung des Artikels II dieses Gesetzes über die Verwendung der enteigneten Fürstenvermögen durch die Länder zu treffen.

Sozialdemokratische Partei Deutschlands,
Otto Wels.
Zentralkomitee der Kommunistischen Partei Deutschlands,
Ernst Thälmann.
Ausschuß für Fürstenenteignung,
Dr. Kuczynski.

b) Aufruf der SPD zum Volksentscheid, 26. Mai 1926

Volkswacht vom 26. Mai 1926.

Auf die Schanzen!

Sonntag, den 20. Juni findet die Abstimmung über den Gesetzentwurf zur Fürstenenteignung statt. Die Sozialdemokratische Partei fordert in diesem Gesetzentwurf die entschädigungslose Enteignung der Fürsten.

Der Reichstag hat den Gesetzentwurf abgelehnt. Schuld daran sind die bürgerlichen Parteien, die die Mehrheit im Deutschen Reichstag bilden. Das deutsche Volk hungert und darbt, ehemalige Fürsten schlemmen und prassen und sind ständige Besucher der teuersten Luxusbäder. Ihnen ist das deutsche Volk schnuppe, das persönliche »Ich« alles. Sie gehören mit zu den Hintermännern der Putschisten. Sie sind die Totengräber der Republik.

Weit über drei Milliarden Mark und sonstige Werte verlangen diese skrupellosen Menschen von Deutschland. Sie verlangen das in einer Zeit, wo nahezu zwei Millionen Deutsche arbeitslos sind, Millionen Arbeiterkinder kein Hemd auf dem Körper haben und Hunger leiden. Tausende von Kleinrentnern sind auf Almosen angewiesen, weil sie durch den durch die Fürsten heraufbeschworenen Krieg und die darauf folgende Inflation alles verloren haben. Die Bewilligung der von den ehemaligen Fürsten geforderten und von den Bürgerlichen protegierten Forderungen bedeutet neues Elend für das Volk, neue Steuern für die breiten Massen. Die Angehörigen des Landbundes, der Deutschnationalen und der deutschen Volkspartei denken nicht daran, zu den Lasten beizutragen. Das deutsche Volk hat es in der Hand, sein Schicksal zu gestalten.

Der 20. Juni ist der Entscheidungstag. Bis zu diesem Tage gibt es kein Ruhen und Rasten. Jede Stunde muß zur Aufklärung und zur Herbeiführung von Geldern genutzt werden. Auf die Schanzen!

81 **28. Juli 1929**

Aufruf der Kommunistischen Partei und der Kommunistischen Jugend Badens zur Beteiligung am internationalen kommunistischen Grenztreffen in Rheinfelden

GLA Karlsruhe, 372, 1943/40, Nr. 172.

Arbeitsbrüder! Arbeitsschwestern!

Kein Tag vergeht, an dem nicht von den Kapitalisten und ihrer Koalitionsregierung ein neuer Angriff auf das arbeitende Volk verübt wird. Durch Schiedssprüche werden die Hungerlöhne auf Jahre hinaus festgelegt. Durch die neuen Zölle werden Brot, Fleisch, Butter, Eier, Gemüse und alle Lebensmittel erneut ungeheuerlich verteuert. SPD-Wissell hat einen neuen Erlaß zum Abbau der Krisenfürsorge herausgegeben, gleichzeitig bereitet er den Abbau der Arbeitslosenversicherung vor.

Warum das alles? Warum dieser rücksichtslose Angriff des Kapitals unter sozialdemokratischer Regierung? Warum der Vormarsch der Reaktion auf allen Gebieten? Warum die Ermordung von 31 unbewaffneten Männern und Frauen durch die Zörgiebel-Polizei? Warum das Verbot des RFB? Warum die Drohung der Sozialfaschisten Severing, Grzesinski, Wels mit Ausnahmezustand, Artikel 48 und Diktatur? Warum die rücksichtslosen Spaltungsmaßnahmen der reformistischen Bonzen gegen die revolutionäre Opposition in den Arbeiterorganisationen?

Arbeitsbrüder, Arbeitsschwestern! Macht die Augen auf und erkennt: Die Generaloffensive gegen die Arbeiterklasse, das ist ein Teil der Kriegsvorbereitungen des Weltkapitals gegen das Weltproletariat, der imperialistischen Mächte gegen den einzigen Arbeiterstaat, die Sowjetunion.

Die Kapitalisten der ganzen Welt ringen verzweifelt um neue Absatzmärkte für die durch die Rationalisierung gesteigerten Warenmassen. Das Sechstel der Erde, wo die Sowjets der Arbeiter und Bauern herrschen, ist der kapitalistischen Ausbeutung verschlossen. Ein Interventionskrieg der Imperialisten unter der Oberleitung des Völkerbundes soll mit Gewalt das Sowjetland der kapitalistischen Ausbeutung unterwerfen.

Die Reformisten, die die Revolution hassen wie die Sünde, die in gut bezahlten Staats- und Kommunalposten die soziale Frage für sich gelöst haben, sind die eifrigsten Helfer der Kapitalisten, die Wegbereiter des imperialistischen Krieges und der faschistischen Diktatur.

Darum werden Hunderte von Millionen für die Panzerkreuzerserie bereitgestellt, aber 5 Millionen für Kinderspeisung abgelehnt. Darum hat sich die SPD auf dem Magdeburger Parteitag in ihrem Wehrprogramm zur Politik von 1914, zur Verteidigung des kapitalistischen Vaterlandes bekannt. Darum hetzen die SPD-Zeitungen Tag für Tag in der gemeinsten Weise gegen den Bolschewismus. Darum bezahlt Zörgiebel weißgardistische Dokumentenfälscher. Die arbeitenden Massen aber wollen nicht länger widerstandslos alle Schandtaten der kapitalistischen und sozialfaschistischen Kriegstreiber dulden, sie wollen sich nicht noch einmal wehrlos in ein neues Völkermorden zu Ehren des Profits hineinhetzen lassen. Die Arbeiter kennen nur einen gerechten Krieg, den Krieg aller Ausgebeuteten gegen die Ausbeuter.

Arbeiter Oberbadens und der Schweiz! Im gegenwärtigen Moment gilt es einen entschlossenen Kampf gegen den Angriff der imperialistischen Kriegstreiber auf die Sowjetunion zu führen. Bekundet Eure internationale Solidarität in einem gewaltigen Aufmarsche beim Grenztreffen in Rheinfelden am 28. Juni, vormittags, ½11 Uhr. Erscheint in Massen!

Entschließung des Landesparteitages der badischen SPD in Offenburg zum Kampf gegen den Faschismus

Volksfreund vom 19. Mai 1930.

Die hemmungslosen, jeder sachlichen Grundlage entbehrenden Kampfmethoden der Nationalsozialisten führen zu einer beispiellosen Verwilderung des politischen Tageskampfes. Sie dienen dem unerhörtesten Volksbetrug und haben zum Ziel, die Vorherrschaft der Kapitalistenklasse zu festigen und die Arbeiterklasse bewußt in ihrem Befreiungskampf zu hemmen.

Die furchtbare Not, die Krieg und Inflation in weite Kreise unseres Volkes getragen hat, ist der Nährboden nationalsozialistischer Agitationsdemagogie. Die Überwindung dieser Notlage stellt an das politische Verantwortungsbewußtsein der Sozialdemokratie die höchsten Anforderungen. Getragen von diesem Bewußtsein, ist die Sozialdemokratie entschlossen, in allen öffentlichen Körperschaften, Reich, Staat und Gemeinde ihren politischen Einfluß zu stärken, um in sachlicher Arbeit die am deutschen Volkskörper durch Krieg und Inflation geschlagenen Wunden zu heilen.

Die Sozialdemokratie steht gerade deshalb, weil sie in diesem Kampf unter Überwindung großer Widerstände in den letzten Jahren erfolgreich für die Arbeiterklasse in Reich, Staat und Gemeinde tätig gewesen ist, im Brennpunkt des politischen Tageskampfes. Sie wird unbeirrt aller Angriffe auf dem beschrittenen Weg sich weiter mit aller Entschiedenheit für die Interessen des arbeitendes Volkes einsetzen.

Der Parteitag ruft die gesamte Arbeiterklasse in Stadt und Land zu schärfstem Kampf auf gegen die üble Agitationsdemagogie der Nationalsozialisten.

Programmatische Äußerungen des Kommunistischen Jugendverbandes Freiburg zu seinen Zielen

Rote Jugend, Stadtzeitung für Freiburg, hrsg. vom KJVD Freiburg, Nr. 1, 13. Juli 1931.

Was ist und was will der Kommunistische Jugendverband?

Ihr werdet sicher alle schon einmal von den Jungkommunisten gehört haben, sei es, daß sie zu einer Versammlung aufriefen, sei es, daß sie ihre Zeitung »Die Junge Garde« verkauften oder im Kampf um die Straße, wo sie für die Interessen der Jungarbeiterschaft demonstrierten, blutig geschlagen oder verhaftet wurden. Warum demonstrieren diese Jungkommunisten, weshalb verbreiten sie in täglichem zähem Kampf ihre Zeitungen und Flugblätter, warum sprechen sie in Hunderten von Versammlungen in ganz Deutschland trotz Verbots und Unterdrückung, weshalb befinden sich viele von ihnen und solche, die mit ihnen kämpften, in den Gefängnissen der ach so freien deutschen, der freiesten Republik der Welt, als politische Gefangene?

Um all diese Fragen zu beantworten, müssen wir ein wenig weiter ausholen und uns erst einmal die Lage des jungen Arbeiters, der jungen Arbeiterin ansehen. Ein jeder würde uns auslachen, wenn wir ihm erzählen würden: »Heute ist es so, daß jeder Jugendliche in der Lehre anständig behandelt wird, d. h. daß der Meister ja darauf achtet, daß er nicht über 8 Stunden arbeitet, damit der Lehrling auch Zeit und Muße für Sport und geistige Schulung hat. Überstunden werden nicht geschoben, damit nicht andere Arbeitskräfte brach liegen. Und wenn einer arbeitslos ist, dann bekommt er soviel Unterstützung, daß er anständig wohnen und leben kann.« Nun - lacht ihr nicht?! »Die Jugendlichen haben doch das Recht, ihre Interessen vor dem Meister, Unternehmer, auf den Stempelstellen, und in den Schulen zu vertreten. Die Lehrlinge und Jungarbeiter können doch für ihre Sache gegen Lohnabbau und Unterstützungsraub streiken.« Nein - nein, träumt nicht! Das dürfen wir alles nicht! Im Gegenteil: wir sind das billigste Ausbeutungsobjekt! Aus unsern jungen Knochen kann für billigste Entlohnung viel mehr Profit herausgeschunden werden als aus einem älteren Arbeiter. Daß aber die heutigen Zustände, die für den größten Teil der werktätigen Jugend nicht mehr menschenwürdig sind, geändert werden, dafür kämpft der Kommunistische Jugendverband nicht nur in Deutschland, sondern in allen andern kapitalistischen Ländern unter der roten Fahne der großen Führer des Proletariats: Lenin und Liebknecht. In unermüdlicher Arbeit versucht er seine Mitglieder zu schulen in den Fragen des politischen und wirtschaftlichen Lebens und damit Lenins Ruf zu befolgen: lernen, lernen und nochmals lernen! Dadurch gewinnen die Jugendgenossen die Waffen, mit denen sie gegen das verruchte kapitalistische System ankämpfen können. Sie lernen im Kampf – dadurch soll jeder einzelne Jungkommunist ein Führer der arbeitenden Jugend werden, damit er sie in überzeugender Diskussion, mit Zeitungen, Broschüren etc. aufklären kann und ihnen ihre Lage aufzeigt. So wird der Kommunistische Jugendverband der Führer der Jungarbeiterschaft in allen kleinen und großen Kämpfen. Er allein kämpft ernstlich für ihre Interessen.

Und so rufen wir allen Jungarbeitern und -arbeiterinnen zu: Reiht Euch ein in die Front der kämpfenden roten Jugend, helft auch ihr mit, den Kapitalismus zu stürzen und einen sozialistischen Staat aufzubauen. Geht mit uns den gleichen Weg wie die russische Jugend. Sie ist heute gemeinsam mit den erwachsenen Arbeitern Herr über die Fabriken, die Schächte, über das Land, sie ist der mutigste Stoßtrupp, der in zähem ausdauerndem Kampf begeistert an dem Aufbau des Rätestaates der Arbeiter und Bauern arbeitet. Die Arbeit soll nicht wie heute eine Schande, etwas Erniedrigendes, sondern der wahre Lebensinhalt einer befreiten Menschheit sein, wie sie es heute schon in der Sowjetunion geworden ist. So stellt sich der Kommunistische Jugendverband mitten hinein in den politischen Kampf, als einzige Jugendorganisation, die die Interessen der werktätigen Jugend vertritt. Wir wollen einen Teil unserer Tagesforderungen nennen:

1. Für 6-Stundentag bei vollem Lohnausgleich.
2. Zahlung der Erwerbslosenunterstützung durch Beseitigung der erlassenen Notverordnung.
3. Jugendvertrauensleute in Betrieben und Stempelstellen.
4. Gegen Faschismus, Arbeitsdienstpflicht, Zwangsverschickung und Polizeisozialismus.
5. Gleicher Lohn für gleiche Arbeit, Verbot jeglicher Nachtarbeit.
6. Verbot jeder Arbeit, die nicht zur Lehrlingsarbeit gehört. Die Berufsschulstunden sollen innerhalb der Arbeitszeit liegen und bezahlt werden.
7. Weg mit allen Ausnahmeverordnungen, Verbot der Prügel- und Karzerstrafe!

Das große Ziel aber ist die Befreiung der Arbeiterklasse, die Errichtung eines Sowjetdeutschland, einer Sowjetweltunion! Kommt zu uns – kämpft mit uns für dieses große Ziel!

Aufruf des Roten Frontkämpferbundes an Polizeibeamte, sich dem Kampf für ein Sowjet-Deutschland anzuschließen

Staatsarchiv Freiburg, Staatsanwaltschaft Freiburg, Zugang 1970/13, aus lfd. Nr. 31, Jahrgang 1931. - Dieses Flugblatt wurde im Sommer 1931 in die Briefkästen verschiedener Freiburger Polizeibeamten geworfen.

Proletarier im Waffenrock!

Vor einigen Tagen stellte in einer Polizeischule ein Lehrer die Frage: »Warum muß der Polizist seine ganze Kraft und sein Leben für die Erhaltung des bestehenden Staates einsetzen?« Man erzählt, daß er die Antwort erhalten habe: »Das frage ich mich auch, Herr Oberst!«

Diese Antwort ist bezeichnend für die Stimmung in weiten Kreisen der Beamtenschaft. Es wird dem Polizisten immer weniger klar, warum er für ein System eintreten soll, das einzig noch dafür da ist, um einigen längst bankrotten, sogenannten »Wirtschaftsführern« die Fortführung der Ausbeutung der Mehrzahl des Volkes zu sichern. Die deutschen und internationalen Profithyänen, die sich so national gebärden, wälzen in diesen Tagen der schwersten kapitalistischen Weltkrise ihre eigenen Schwierigkeiten auf die Massen der Werktätigen, der Arbeiter und kleinen Bauern, der Mittelständler und unteren Beamten, ab. Sie sind dazu in der Lage, weil sie den staatlichen Rechtsapparat beherrschen, weil Ihr, Polizeibeamte, noch immer Euere Hand dazu bietet, die Ausgebeuteten, wenn sie es wagen zu protestieren, mit blutigen Gewaltmitteln niederzuschlagen.

Ihr müßt Euch aber darüber klar werden, daß ein Volk, wie das deutsche, sich nicht mit »Gummiknüppeln und härteren Waffen« (wie sich Herr Severing ausdrückte), auf die Lebensstufe von Kolonialnegern wird herabdrücken lassen. Die Verzweiflung der Erwerbslosen, der hungernden Mittelständler, der vom Gerichtsvollzieher bedrohten Bauern, der ihres Gehalts beraubten Beamten wächst. Die Kampfstimmung steigert sich, je offensichtlicher der Bankrott der Unterdrücker wird! Immer klarer wird es, daß Sozialdemokraten und Nationalsozialisten die Helfershelfer der Unternehmer und internationalen Finanzkapitalisten sind, daß sie den einzigen Zweck haben, Verwirrung in die Reihen zu tragen. In diesem gewaltigen Ringen, das in diesem Winter entweder den Sieg des Kommunismus oder den Abstieg in faschistische Barbarei bringen muß, steht die Frage: Wo stehst Du, Polizist? Wirst Du auch zukünftig Deine eigenen Klassengenossen im Interesse einer kleinen Ausbeuterclique zusammenknüppeln? Prolet im Waffenrock, verweigere Deinen feudalen Offizieren die Gefolgschaft und tritt an die Seite Deiner Klasse! Es gibt nur eine Rettung aus Hunger,

Not und Verelendung für alle Werktätigen, auch für die unteren Beamten: Sowjet-Deutschland! Polizisten! Wir reichen Euch die Bruderhand!

Rot-Front!

85 Oktober 1931

Stellungnahme der KPD Freiburg zur Politik der SPD im Kampf gegen den drohenden Faschismus

Die Flammen der Revolution, Stadtzeitung für Freiburg, Nr. 2, Oktober 1931.

Die SPD hindert nicht die Faschisierung, sondern bahnt dem Faschismus den Weg. Ist das so?

Zunächst einige Tatsachen: Am 1. Mai 1929 wurden in den Straßen Berlins 33 Arbeiter von der Polizei der Sozialdemokraten Severing und Grzesinski erschossen, weil sie es sich nicht nehmen ließen, an diesem Tage zu demonstrieren. Drei Tage später verbot Severing den Roten Frontkämpferbund. Die modernen nationalsozialistischen SA-Banden sind nicht verboten. Das Verbot des Stahlhelm in Rheinland-Westfalen wurde von der Preußenregierung aufgehoben. Das Republikschutzgesetz, das nur gegen die Kommunisten angewandt wird, wurde von Severing durchgepeitscht. Ebenso wurde die Pressenotverordnung - durch die dauernd kommunistischen Zeitungen verboten werden - von der Preußenregierung angeregt. Kommunistische Versammlungen werden aufgelöst. Die Demonstrationsfreiheit ist aufgehoben usw. So sieht es im sozialdemokratischen Preußen aus.

Aus diesen Tatsachen heraus - die sich schon beliebig erweitern lassen - hatte die Kommunistische Partei die Führung des Volksentscheides zwecks Auflösung des Landtages in Preußen übernommen und den Volksentscheid zu einem roten gemacht. Hat die KPD - wie die SPD-Presse heulte - dem Faschismus geholfen? Nein, der nationalen Opposition war es dabei ungemütlich geworden. Herr Hugenberg hat den Volksentscheid sabotiert. Die Herren Hugenberg und Hitler kämpfen nicht gegen die Politik der Preußenregierung, sondern sie kämpfen einzig und alleine deshalb gegen diese, weil sie die Ministersessel und Futterkrippen für sich erobern wollen. Die Politik Frick in Thüringen und Franzens in Braunschweig* hat sich

* Wilhelm Frick (NSDAP), Innenminister in Thüringen; Anton Franzen (NSDAP), Innenminister in Braunschweig.

von der Politik Braun und Severing kaum unterschieden. - Trotzdem der Volksentscheid scheiterte, weil die Stimmenzahl, die zur Landtagsauflösung notwendig ist, nicht aufgebracht wurde, hat die Preußenregierung keinen Sieg errungen. Sieger benehmen sich nicht so, wie es die herrschende Klasse nach dem Volksentscheid getan hat. Die tollsten Sachen, wie kommunistische Terrorgruppen und dergleichen mehr, wurden in der bürgerlichen Presse geschildert. Eine Mordhetze, wie man sie seit 1919 nicht mehr kannte - der die besten des Proletariats zum Opfer fielen -, wurde entfaltet. Die Bourgeoisie fordert das Parteiverbot. Sie werden immer danach trachten, die Partei des Proletariats zu verbieten.

Aber trotz Mordhetze, Internierung und Verbotsandrohungen stürmen wir weiter für ein Sowjet-Deutschland!

86 **November 1931**

Aufruf der Revolutionären Gewerkschaftsopposition (RGO) Freiburg an die Kollegen in den Freiburger Betrieben zum Kampf gegen den Faschismus

Streik, die Antwort auf Lohnraub. Korrespondenz für Betriebszeitungsredakteure der RGO Freiburg, November 1931, S. 3f.

Betriebszeitungsredakteure vor die Front!
Schafft die Vorbereitung zum Streik!

Eine neue Lohnraubwelle geht über Deutschland. Die Unternehmeroffensive des brutalen Lohnraubs nimmt ihren Fortgang. In Berlin und im Ruhrgebiet hat der Lohnraub bereits eingesetzt. Heftige Abwehrkämpfe der Arbeiter werden geführt. Die Revolutionäre Gewerkschaftsopposition steht an vorderster Front. Seit September 30 Streiks unter Führung der RGO siegreich beendet.

Im Bezirk Baden/Pfalz setzt die Lohnraubwelle ebenfalls ein. In fast allen Industriezweigen werden die Lohntarife gekündigt: In der Metall-, Textil-, Chemieindustrie, in der Leder- und Bauindustrie und bei den Gemeindearbeitern. Der Abwehrkampf der Arbeiter muß auf breitester Front gebildet werden; die Voraussetzung dazu haben wir zu schaffen. Die Losung: Streik, darf keine Losung mehr sein, sondern muß Wirklichkeit werden - muß Streik in der Tat werden. Unsere Aufgabe ist es, diese Streiks gut zu organisieren und vorzubereiten.

Ein wichtiges Mittel in der Vorbereitung und Organisierung der Streiks ist die Betriebszeitung. Sie hat aufzuzeigen, die Zustände und Ereignisse im Betrieb, zum bevorstehenden Lohnraub im Betrieb Stellung zu nehmen und im Zusammenhang damit die reformistischen, christlichen und faschistischen Handlangerdienste in der Unterstützung der Durchführung des Lohnraubes der Unternehmer als Feinde des Proletariats zu entlarven. Im Gegensatz dazu, Propagierung und Aufzeigung des einzigen richtigen Weges: Streik als Antwort auf den Lohnraub. Diese Aufgabe hat als revolutionäres Sprachrohr des Betriebs die Betriebszeitung; deshalb in jedem Betrieb, da wo Lohnkonflikte bestehen, sofort Schaffung von Betriebszeitungen.

Der Sozialismus als einziger Ausweg!

Das Volk hungert. Es leidet unerträglich noch kaum überbietbare Not. Doch das ungeheuerlichste ist, daß diese Not herrscht, um den Luxus einer Handvoll Menschen zu sichern. Das Volk hungert, man raubt ihm den Lohn, man kürzt oder streicht die nur noch geringfügigen Unterstützungen, man zwingt ihm immer neue Steuern auf – und wenn die Massen fragen: »Warum?«, so antworten ihnen die Soldschreiber des Kapitals: »Damit wir billiger produzieren können!« – Und dann lagern die Güter unverkäuflich in Lagerräumen und Fabriken.

Noch mehr Betriebe werden geschlossen; das Getreide türmt sich in den Scheunen, es verfault, wird vernichtet; Güter werden verbrannt. Und schließlich nimmt der Absatz weiter ab, dann beginnt die Welle von neuem: Lohnabbau, Unterstützungsraub, neue Steuern. Und jeder Arbeiter, jeder Schaffende erkennt, daß das Ganze sinnlos ist, daß er hilft, sein eigenes Grab zu schaufeln.

Hier gibt es nur einen einzigen Ausweg – die Dinge mit der Wurzel ausrotten, das System beseitigen. Schärfster Kampf gegen die Sozialdemokratie; ihre Führung erweist sich als die stärkste Stütze des verfaulenden Kapitalismus in der Arbeiterschaft; ihre Führer und die reformistischen Gewerkschaften verteidigen diesen Kapitalismus leidenschaftlicher als die Herren des Systems, weil sie wissen, daß mit seinem Zusammenbruch auch ihr Schicksal besiegelt ist. Wer noch verteidigt so wütend den Kapitalismus als diese Wels, Tarnow, Naphtali und Konsorten? Wer predigt stärker jenen abgrundtiefen Haß gegen das Land, das den Sozialismus aufgebaut, gegen die Sowjetunion?

Die SPD, ihren Einfluß bei den Arbeitern ausnützend, konnte noch die Wirtschaftskämpfe teilweise verhindern, kämpfenden Arbeitern in den Rücken fallen, die Stoßkraft des Proletariats abschwächen. Dadurch und durch ihre Tolerierungs- und Notverordnungspolitik hilft und ermöglicht sie der herrschenden Klasse, zur faschistischen Diktatur zu kommen.

Die andere Stütze der Bourgeoisie, die Nazis, diese Knechte des Finanzkapitals, die mit nationalen und sozialen Phrasen Massen von Mittelstand, Angestellten und Beamten irregeführt haben, versuchen mit blutigem Terror gegen die Arbeiter, der faschistischen Diktatur den Weg zu ebnen.

Darum: verstärkter Massenkampf gegen die beiden Stützen der drohenden offenen faschistischen Diktatur. Verschärfter Kampf dem Lohnraub und der systematischen Aushungerung der Arbeiterklasse. Kampfbündnis der Betriebsarbeiter mit den Erwerbslosen. Sichert gemeinsam mit den werktätigen Bauern und städtischen Mittelschichten eure Existenz. Dazu schafft Kampfausschüsse als proletarische Einheitsorgane.

Der revolutionäre Gegenstoß muß die Pläne der Machthaber vernichten und den Werktätigen den Sieg garantieren. Nur ein Ausweg bleibt offen: Sieg des Sozialismus!

87 **12./13. November 1931**

Aufruf der KPD Emmendingen an die werktätige Bevölkerung Emmendingens, sich dem Kampf für ein Sowjet-Deutschland anzuschließen

Staatsarchiv Freiburg, Staatsanwaltschaft Freiburg, Zugang 1970/13, aus lfd. Nr. 31, Jahrgang 1931. – Dieses Flugblatt wurde in der Nacht vom 12. auf 13. November in Emmendingen verteilt und u. a. auch am Hoftor des dortigen Arbeitsamts angeschlagen.

An die werktätige Bevölkerung von Emmendingen!

Klassengenossen! Seit einigen Wochen geht durch die gesamte bürgerliche Presse eine wüste sich ständig widersprechende Hetzkampagne gegen die Kommunistische Partei und Sowjet-Rußland: Karl-Liebknecht-Haus geschlossen!, Kommunistische Waffenlager entdeckt!, Furchtbares Eisenbahnattentat durch Kommunisten ausgeführt! – Was soll diese Lügenkampagne? Im Karl-Liebknecht-Haus wurde nicht ein verrosteter Revolver gefunden, nicht einmal eine leere Patronenhülse. Ebenso verhält es sich mit allen anderen Waffenlagern, sie wurden entdeckt in den Hirnen bürgerlicher Schreiberlinge. Der Eisenbahn-Attentäter Matuschka war kein Kommunist, sondern ein weißgardistischer Offizier aus dem nationalfaschistischen Lager. Was will man mit diesen Lügen?

Deutschland eilt mit Riesenschritten der Katastrophe zu. Im Februar endet das Basler Stillhalteabkommen. Was dann? Brüning rief verzweifelt im Reichstag, es gibt keinen Finanzminister in der ganzen Welt, der in der heutigen Situation auch nur für einen Monat den Etat vorausbestimmen kann. Eisiges Schweigen aller. Darauf der Ruf der Kommunisten: Jawohl, in Sowjet-Rußland! Brüning erklärte weiter in seiner Rede, es gibt keine Patentlösung, um aus dieser Weltwirtschaftskrise herauszukommen. Die

Antwort der Kommunisten: Jawohl, Sturz des Kapitalismus, Aufbau eines Sowjet-Deutschlands.

Auf seiten der Kapitalisten und Regierung Ausweglosigkeit, auf seiten der Kommunisten die feste Zuversicht auf die Kraft des Proletariats, die eine Welt schmieden wird, die für jeden Arbeit, Brot, Freiheit schafft.

Aber nicht nur die Lügenkampagne führt man gegen uns ins Feld, sondern die Klassenjustiz wird eingesetzt, um den bankerotten Kapitalismus zu retten. Die besten Funktionäre der Partei wandern in die Gefängnisse und Zuchthäuser der deutschen Republik. Nachdem 12 Genossen in Freiburg verhaftet wurden, hat man auch in Emmendingen gehaussucht und seit Montag unseren Genossen Heiland in Haft behalten. Welche Verbrechen hat er begangen?

Genosse Heiland hat als 2. Vorsitzender des Erwerbslosenausschusses unermüdlich die Interessen der Erwerbslosen vertreten, er war stets ein eifriger Agitator und Werber für die Kommunistische Partei. Trotz aller Notverordnung hat er nicht gegen bestehende Gesetze verstoßen. Selbst die plötzlich vorgenommene Haussuchung ergab kein Belastungsmaterial, und trotzdem wurde er in Haft behalten. So will man die einzige Partei, die in der Lage ist, alle Hungernden und Ausgebeuteten zur Freiheit zu führen, zertrümmern und zerschlagen.

Klassengenossen! Kämpft mit uns! Hundertfach muß der Ruf erschallen: Heraus mit dem Genossen Heiland aus den Kerkermauern! Eure beste Antwort aber ist: Werdet Mitstreiter für ein Sowjet-Deutschland!

Tätigkeitsbericht des Landesvorstands der Sozialdemokratischen Partei Badens auf dem Landesparteitag in Offenburg (Auszug)

Jörg Schadt (Hrsg.): Im Dienst der Republik. Die Tätigkeitsberichte des Landesvorstandes der Sozialdemokratischen Partei Badens 1914-1932, Stuttgart 1977, S. 194.

Im weiteren bespricht Genosse Reinbold* organisatorische Fragen. Unter anderem verweist er dabei auch auf die sogenannten Einheitsfrontbestrebungen der Kommunisten. Ohne ein Wort der Verhandlung wäre die Einheitsfront automatisch hergestellt, wenn die andere Seite nur ihr Schimpfen auf die Sozialdemokratie einstellen möchte. Aber den Kommunisten ist es ja gar nicht um die Einheitsfront zu tun. Wir werden unsere Organisation nicht zerreißen lassen. Wer unsere einheitliche Linie verläßt, stellt sich außerhalb unserer Organisation. Für eine Einheitsfront sind unsere obersten Parteiinstanzen zuständig. Es muß politische Sauberkeit in unseren Reihen herrschen. Das Gift der Spaltpilze darf nicht zur Wirkung kommen.

Zum Schluß beschäftigt sich der Redner mit der organisatorischen Durchführung des kommenden Wahlkampfes. Wir müssen dem Niveau, auf das der Gegner das politische Leben herabgedrückt hat, Rechnung tragen. Größte Aktivität ist nötig. Die Initiative der Massen muß dem Gegner entgegengesetzt werden. Wir werden diesen Wahlkampf mit suggestiven und krassen Methoden führen, die sozialdemokratischen Massen werden selber die Träger unserer Aktivität in diesem gewaltigen Wahlkampf sein. Unser Gruß auf der Straße wird die aufgereckte Faust sein, unser Kampfesruf lautet: Freiheit! Wir müssen Bekenntnismut haben.

Der Front des Hakenkreuzes ist die Front der drei Pfeile der Eisernen Front entgegenzustellen.

Wir ziehen in den Wahlkampf mit der heiligen Begeisterung, die uns von jeher beseelt. Wir kämpfen unter dem Ruf: Freiheit!

* Landesvorsitzender der SPD Baden.

Bericht von Reinhold Zumtobel*, Redakteur der sozialdemokratischen »Volkswacht« (Freiburg), über die Terrortaktik der NSDAP in Freiburg (Auszug)

Reinhold Zumtobel: Vom Gemeindebub zum Ehrenbürger, Schopfheim o. J., S. 118-120.

In Freiburg trat das Hakenkreuz zunächst in kleineren, militärisch aufgezogenen Haufen hervor; Werbeumzüge wurden veranstaltet, wüste Kriegslieder gesungen und dem Marxismus Tod und Verderben angedroht. An die Stelle der Radaupolitik des Linksbolschewismus war die Radaupolitik des Rechtsbolschewismus getreten. In ihrem Blatt, das sich erfrechte, den Namen »Der Alemanne« zu führen, wurden die führenden Genossen der »Marxisten« täglich mit Schmutz beworfen. Da ich auf sehr sichtbarem exponiertem Posten der Marxisten stand, war die Dreckschleuder in der Regel auf mich persönlich gerichtet. Ich war bei den Nazis einer der verhaßtesten Feinde der Hitlerjungen. Anonyme Drohbriefe jeder Art, mit Androhung von Prügeln und der Ankündigung des Aufhängens - der Tod im Gasofen war noch nicht »Mode« -, bildeten lange in der Redaktion zusätzlich das Frühstück. ...

Zum Schutz von Leben und Eigentum leistete uns das Reichsbanner Schwarz-Rot-Gold wertvolle Dienste. Auch bei den damals üblichen Saalschlachten, den Vormanövern für den Bürgerkrieg, versalzte das Reichsbanner, dem Sozialdemokraten, Zentrümler demokratischer Richtung und Demokraten angehörten, manchem stuhlbeinschwingenden Hakenkreuzler die Siegesfreude. Auf die Führer des Reichsbanners, Rechtsanwalt Fehrenbach und Geometer J. Kopp, hatten wir bestes Vertrauen. Unterführer war Heinrich Seeger, der beim großen Luftangriff am 27. November 1944 mit seiner Frau in der Kandelstraße ums Leben kam. Mein Vertrauen zum Reichsbanner war auf dem Leipziger Parteitag der Sozialdemokratie, an dem ich als Delegierter von Freiburg teilnahm, bedeutend gestiegen. Dort veranstaltete das Reichsbanner einen gewaltigen Aufmarsch. In Zugkolonnen marschierten die Kameraden des Reichsbanners durch die Straßen unter dem Feldgeschrei: »Hitler verrecke!« Das war nicht gemünzt für schwache Nerven, aber im Vergleich zu dem, was das Hitlerregime dem deutschen Volke brachte, ein psychologisch verständlicher Ausdruck des Zorns und der Erbitterung. Die wiederholt zu jener Zeit stattgefundenen Reichstagswahlen brachten der Hitlerpartei einen immer größeren Zulauf aus den Reihen der politisch indifferenten und denkfaulen Kreise des Bürgertums.

* Mitte März 1933 wurde Reinhold Zumtobel mit über 20 weiteren sozialdemokratischen Funktionären in »Schutzhaft« genommen.

Umsonst schrieben wir in der Volkswacht immer wieder: »Wer Hitler wählt, wählt den Krieg!« ...

Bis auf zwei waren auch schon alle sozialistischen Zeitungen im Reich verboten. Eine der beiden noch nicht verbotenen Zeitungen war unsere »Volkswacht«. Wir waren uns aber darüber klar, daß auch für diese die letzte Stunde bald schlagen würde. Für den 17. März 1933 hatte die Freiburger Nazipartei eine große Vernichtungsaktion organisiert. Bei allen bekannteren Genossen und Gewerkschaftlern wurde an diesem Lenzmorgen »gehaussucht«. So auch in dem Volkswachtgebäude. Als ich um halb 5 Uhr die Haustüre aufschloß, blitzte mir die Pickelhaube eines Polizeibeamten entgegen. Der Polizist, dem unser wackerer Hausmeister die Türe geöffnet hatte, machte große Augen. Wo ich herkomme, wollte er wissen. Von zu Hause, sagte ich, worauf er meinte, ja bei mir sei doch Haussuchung. Bei meinem Weggang hatte ich noch nichts davon bemerkt. Die uniformierten Schutzleute waren zum großen Teil Parteifreunde von uns und die ihnen zugemutete Rolle führten sie ungern und lässig aus. Die zur Unterstützung mitgehenden SS-Leute kamen sich in ihrer neuen Rolle als Exekutivbeamte des Dritten Reiches offenbar selber noch recht komisch vor. Ein lustiges Beispiel ihrer großen Kenntnis vom tödlichen Marxismus gaben die SS-Brüder übrigens in meinem Redaktionszimmer. Dort hing über der Tür eine große Tafel mit dem gut getroffenen photographischen Bildnis von Karl Marx. Wer das sei, fragen die Herren Marxistentöter. Genosse Scherl gab schnell die Antwort: »Das ist der Großvater vom Zumtombel!« - das Bild mit »meinem Großvater« blieb verschont, es existiert heute noch.

Die haussuchenden Polizeibeamten konnten und wollten nichts Belastendes finden und waren froh und amüsierten sich, als ich ihnen einen Arm voll Agitationsbroschüren übergab, auf deren Titelblatt ein wilder Naziagitator sein Maul bis an die Ohren aufgerissen hatte und die Zähne fletschte.

Die letzte Ausgabe der »Volkswacht« wurde also unter Polizeiaufsicht fertiggestellt. Alle Belegschaftsmitglieder, ehrend sei es erwähnt, harrten in treuer Pflichterfüllung aus bis zur letzten Minute.

Anhang

Verzeichnis der Dokumente

Kapitel I

Von der Herausbildung der organisierten Arbeiterbewegung bis zum Fall des Sozialistengesetzes, 27. Mai 1832 - 30. September 1890

Kapitel II

Vom Fall des Sozialistengesetzes bis zur Novemberrevolution, 30. September 1890 - 9. November 1918

Kapitel III

Von der Novemberrevolution bis zur Errichtung der faschistischen Diktatur, 9. November 1918 - 30. Januar 1933

73	1922	Juni / Juli	Der Proteststreik in Lörrach gegen die Ermordung des Außenministers Walther Rathenau a) Entschließung einer Protestkundgebung der Arbeiterschaft Lörrachs, 27. Juni 1922 b) Aufruf des Lörracher Gewerkschaftskartells, des AfA-Bundes, der SPD und KPD zur Kundgebung und zum Streik, 4. Juli 1922 c) Kommentar des »Oberländer Boten« zum Mord und zum Proteststreik, mit einer Stellungnahme der christlichen Gewerkschaftsverbände zum Streik, 4. Juli 1922 d) Entschließung der Arbeitgeberverbände, der bürgerlichen Parteien und der christlichen Gewerkschaften Lörrachs und Umgebung zum Proteststreik, 12. Juli 1922	463
74	1923	September / Oktober	Die Proteste gegen die Teuerung und der Kampf um entsprechende Lohnerhöhungen a) Bericht des Bezirksamts Lörrach über eine Demonstration, 14. September 1923 b) Verpflichtung der Arbeitgeber Lörrachs zur Auszahlung einer Lohnzulage mit wöchentlicher Anpassung an den Wertverlust, 14. September 1923 c) Bericht des Badischen Innenministeriums über Demonstrationen in Lahr, 14. September 1923 d) Schreiben des Deutschen Eisenbahnerverbandes, Ortsverwaltung Lörrach-Basel, an das Bezirksamt Lörrach betreffend die Anpassung der Eisenbahnerlöhne an die Löhne in der Industrie, 15. September 1923 e) Vereinbarung zwischen den Arbeitgebern des Wiesentals und dem Verband der Fabrikarbeiter Deutschlands, Bezirk Oberrhein, und dem Christlichen Textilarbeiterverband, Bezirk Baden, zur Zahlung eines Inflationsausgleichs, 17. September 1923 f) Vereinbarung zwischen den Vertretern der Arbeitnehmerschaft und der Industrie	467

Zeittafel

Kapitel I
Von der Herausbildung der organisierten Arbeiterbewegung bis zum Fall des Sozialistengesetzes

Juli 1830	In der Juli-Revolution bricht das Volk von Paris die Herrschaft des Feudaladels und verhilft der Finanzbourgeoisie zur Macht. Frankreich wird konstitutionelle Monarchie.
27. Mai 1832	Hambacher Fest. 30 000 Demokraten fordern ein vereintes Deutschland und bürgerliche Grundrechte.
1. Januar 1834	Die Verträge über den Deutschen Zollverein treten in Kraft. Sie bedeuten zollfreien Handel für 18 deutsche Staaten.
4.-6. Juni 1844	Aufstand der schlesischen Weber.
1847	Mißernte, Teuerung, Handelskrise in Europa.
12. September 1847	Erste Offenburger Volksversammlung. Die badischen Demokraten treten erstmals mit einem Programm vor die Öffentlichkeit, das radikal-demokratische Forderungen enthält (»Offenburger Programm«).
Januar 1848	Mit Aufständen in Italien beginnt die bürgerlich-demokratische Revolution. Sie erfaßt große Teile Europas (Paris 22.2., Wien 13.3.) und erreicht Ende Februar/Anfang März auch die deutschen Staaten.
Februar 1848	Das »Kommunistische Manifest« von Karl Marx und Friedrich Engels erscheint in London.
22.-27. Februar 1848	In der Februar-Revolution stürzen die Pariser Arbeiter, Kleinbürger und Studenten die vom Finanzbürgertum beherrschte Juli-Monarchie und proklamieren die Zweite Republik. An der »Provisorischen Regierung« sind neben Arbeitern auch kleinbürgerliche Sozialisten beteiligt. Animiert durch die Ereignisse in Frankreich werden in Baden in zahlreichen Volksversammlungen revolutionäre Forderungen nach Bürgerrechten erhoben.
1./2. März 1848	Sturmpetition in Karlsruhe. Die Großherzoglich Badische Regierung stimmt auf Druck einer großen Volksversammlung den von Mannheim ausgehenden Reformforderungen zu (u. a. Pressefreiheit, Einberufung eines deutschen Parlaments).
19. März 1848	Zweite Offenburger Volksversammlung. Beginn einer weiteren Versammlungswelle in Baden.
31. März - 3. April 1848	In Frankfurt tritt das Vorparlament zusammen; Struves sozial-revolutionäres Programm wird abgelehnt.
13.-20. April 1848	»Heckerzug« in Südbaden. Erste bewaffnete Volkserhebung in Baden, die gewaltsam niedergeschlagen wird. Mit

	der Besetzung Badens durch Regierungstruppen wird die Ruhe im Land wiederhergestellt.
18. April 1848	Ausrufung der Republik in Offenburg. Durch den Druck heranrückenden Militärs wird die Republik jedoch keine 24 Stunden alt.
24. April 1848	Verhängung des Kriegszustandes über das badische Gebiet südlich der Linie Lahr - Haslach - Hausach.
18. Mai 1848	Eröffnung der Deutschen Nationalversammlung in Frankfurt a. M.
22.-26. Juni 1848	Im Juni-Aufstand lehnen sich die Pariser Arbeiter gegen die Unterdrückungsmaßnahmen der inzwischen vom Großbürgertum beherrschten Regierung auf. Die blutige Niederschlagung des Aufstandes stellt auch für die Revolution in den anderen europäischen Staaten eine entscheidende Schwächung dar.
22. Juli 1848	Verordnung zur Auflösung aller demokratischen Vereine in Baden.
23. August - 3. September 1848	Auf der Tagung eines gesamtdeutschen Arbeiterkongresses in Berlin wird die Organisation »Arbeiterverbrüderung« gegründet (Stefan Born).
21. September 1848	Mit der Ausrufung der Zweiten Republik durch Struve in Lörrach beginnt die zweite Volkserhebung in Baden. Sie wird am 24. September militärisch niedergeschlagen.
26. Dezember 1848	Versammlung von demokratisch gesinnten Bürgern in Renchen. Von dieser von Amand Goegg einberufenen Versammlung gehen die ersten Impulse aus, in Südbaden eine neue, demokratische Vereinsorganisation aufzubauen.
27. Dezember 1848	Proklamation der Grundrechte des Deutschen Volkes durch die Nationalversammlung in Frankfurt a. M.
8. Januar 1849	Auch in Baden werden die »Grundrechte« verkündet.
28. März 1849	Die Nationalversammlung in Frankfurt verabschiedet eine Reichsverfassung.
3. April 1849	Der preußische König lehnt die ihm angetragene Kaiserkrone und die Reichsverfassung ab. Er löst damit die »Reichsverfassungskampagne« aus, in der sich antifeudale Kräfte für demokratische Rechte einsetzen.
Anfang Mai 1849	Loslösung der Pfalz von Bayern und Beginn des Volksaufstandes in der Pfalz.
11. Mai 1849	Mit der Meuterei der Soldaten in Rastatt beginnt die dritte Volkserhebung in Baden, die badische Revolution.
13. Mai 1849	Dritte Offenburger Volksversammlung. Sie verabschiedet ein demokratisches Programm und beauftragt einen regierenden Landesausschuß mit seiner Durchsetzung.
30. Mai 1849	Schlacht bei Heppenheim. Niederlage der badischen Revolutionstruppen.
1. Juni 1849	Der Landesausschuß in Karlsruhe wird aufgelöst und eine provisorische Regierung eingesetzt.
12.-18. Juni 1849	Zerschlagung der pfälzischen Revolutionsarmee durch preußische und Regierungstruppen. Besetzung der Pfalz

	durch preußische Truppen. Rund 8 000 Mann der pfälzischen Revolutionsarmee retten sich über den Rhein.
21. Juni 1849	Die Schlacht von Waghäusel endet mit der Niederlage der Revolutionstruppen.
27.-29. Juni 1849	Kämpfe an der Murg. Nach der Einnahme Gernsbachs durch Regierungstruppen kann die Front der Revolutionsarmee am 9. Juni nicht mehr gehalten werden. Es setzt eine Massenflucht nach Süden und in die Festung Rastatt ein, die von preußischen und Regierungstruppen eingeschlossen wird.
23. Juli 1849	Mit dem Fall der Festung Rastatt ist das Ende der bürgerlichen badischen Revolution besiegelt. Die preußischen Besatzer nehmen blutige Rache. In den folgenden Jahren wandern über 80 000 Menschen, das sind 6 Prozent der badischen Bevölkerung, aufgrund politischer Unterdrückung und wirtschaftlicher Not aus Baden aus.
12. Juni 1850	Das Zentralkomitee der »Arbeiterverbrüderung« löst sich auf, um dem drohenden Verbot zuvorzukommen.
1851	Freiburger Fabrikarbeiter gründen einen Kranken-, Alters- und Sterbekassenverein.
Anfang 1852	In den deutschen Ländern werden die »Grundrechte des deutschen Volkes« wieder aufgehoben.
4. Oktober 1852	Beginn des Kölner Kommunisten-Prozesses.
13. Juli 1854	Der Deutsche Bundestag verpflichtet alle deutschen Staaten zum Verbot der noch bestehenden Arbeitervereine.
Juli / November 1860	Gründung von Arbeiterbildungsvereinen in Konstanz und Neustadt/Schwarzwald.
17. Februar 1861	Gründung eines Arbeiterbildungsvereins in Freiburg.
Februar / Oktober 1862	Gründung von Arbeiterbildungsvereinen in Lörrach und Waldshut.
1862	Allgemeine Amnestie für die Verurteilten von 1849. Die letzten badischen politischen Gefangenen kommen frei und viele Emigranten, unter ihnen Amand Goegg, kehren zurück.
Februar 1863	Gründung eines Arbeiterbildungsvereins in Lahr.
23. Mai 1863	Ferdinand Lassalle gründet in Leipzig den »Allgemeinen Deutschen Arbeiterverein« (ADAV)
7./8. Juni 1863	Unter dem Einfluß des Liberalen Schulze-Delitzsch wird der Vereinstag deutscher Arbeitervereine (VDAV) gegründet. Die in Südbaden bereits bestehenden Arbeiterbildungsvereine schließen sich im Oktober 1863 dem VDAV an.
21. August 1864	Erste Gauversammlung der oberbadischen Arbeiterbildungsvereine in Müllheim.
28. September 1864	Gründung der Internationalen Arbeiter-Assoziation (I. Internationale) unter Mitwirkung von Karl Marx. Die IAA fördert die Gründung von Gewerksgenossenschaften.
1867	4. Vereinstag des VDAV. August Bebel wird Vorsitzender.
1868	5. Vereinstag der Deutschen Arbeitervereine. August Bebel schlägt mit Unterstützung des Leipziger Verbandes ein an die IAA angelehntes Programm vor.

Juli 1868	Zweite Gauversammlung der oberbadischen Arbeiterbildungsvereine in Freiburg.
Sommer 1868	Gründung eines Lörracher Zweigvereins der IAA.
18. Februar 1869	Erste große Agitationswelle des ADAV in Baden (die dadurch entstandenen Mitgliedschaften in Freiburg, Konstanz, Lörrach und Heidelberg zerfallen während des deutsch-französischen Krieges).
18. Mai 1869	Gründung des Verbandes der deutschen Gewerkvereine (Hirsch-Duncker) in Berlin.
Juni 1869	Streik der Bauschreiner und Zimmerleute in Freiburg.
7.-9. August 1869	Eisenacher Kongreß; Konstituierung der Sozialdemokratischen Arbeiterpartei (SDAP).
14.-16. August 1869	Gründung der Internationalen Metallarbeiter Gewerksgenossenschaft in Nürnberg.
22. August 1869	Gauverbandstag der badischen Arbeiterbildungsvereine in Freiburg.
28.-30. November 1869	Metallarbeiterkongreß in Braunschweig. Gründung der Internationalen Metallarbeiterschaft mit Sitz in Hannover als Zusammenschluß der Allgemeinen Deutschen Metallarbeiterschaft mit der Internationalen Metallarbeiter-Gewerksgenossenschaft.
1869 / 1870	Der Lörracher Zweigverein der IAA tritt zur SDAP über.
19. Juli 1870	Frankreich erklärt Preußen den Krieg.
21. Juli 1870	Bebel und Liebknecht enthalten sich im Norddeutschen Reichstag bei der Abstimmung über die Kriegskredite der Stimme.
28. November 1870	Die Sozialdemokraten stimmen im Norddeutschen Reichstag gegen die Bewilligung der Kriegskredite.
18. März - 28. Mai 1871	Kommune von Paris; August Bebel bekennt sich am 28. Mai 1871 im Reichstag zur Pariser Kommune.
9. Mai 1873	»Wiener Börsenkrach«. Erste weltweite Wirtschaftskrise, von der auch Deutschland betroffen wird (»Gründerkrise«).
22.-27. Mai 1875	Vereinigung der SDAP und des ADAV zur Sozialistischen Arbeiterpartei (SAPD) in Gotha.
17. April 1876	Erste Delegiertenkonferenz der badischen und pfälzischen Sozialdemokraten nach dem Gothaer Vereinigungskongreß in Neustadt/W.
1876 / 1877	Die SAPD kann sich in Lörrach festigen, weitere kleine SAPD-Stützpunkte können in Lahr und Freiburg aufgebaut werden.
10. Januar 1877	Die SAPD kandidiert in Baden-Baden erstmals bei den Reichstagswahlen. Sie erhält 14 Stimmen, das waren 0,9 Prozent.
1877	Gründung einer Filiale des »Bundes der Tischler und verwandter Berufsgenossen Deutschlands« in Lahr
11. Mai / 2. Juni 1878	Attentate auf Kaiser Wilhelm I.
Juli 1878	Auflösung der SAPD-Gruppe in Freiburg.
21. Oktober 1878	Das Sozialistengesetz tritt in Kraft.
28. September 1879	Auf Initiative von Bebel und Liebknecht erscheint in

	Zürich die erste Ausgabe der Wochenzeitung »Der Sozialdemokrat«. Er wird in den folgenden Jahren über das geheime Verteilernetz der »Roten Feldpost« unter großem Einsatz auch von Offenburger Sozialdemokraten in das Deutsche Reich geschmuggelt und verteilt.
14. April 1881	Die erste Nummer des »Volksfreund«, einer sozialdemokratischen Zeitung, erscheint. Sie wird zunächst in Offenburg, ab 1899 in Karlsruhe hergestellt und ist das wichtigste Organ der Arbeiterbewegung in Mittelbaden.
22. September 1883	Gründung des Fachvereins der Schreiner in Freiburg.
7. Juni 1884	Gründung des Fachvereins der Gipser in Freiburg (24 Gründungsmitglieder).
3. September 1884	Gründung des sozialdemokratischen Freiburger Arbeiterwahlvereins.
25.-27. Dezember 1884	Gründungskongreß der Vereinigung der Metallarbeiter Deutschlands mit Sitz in Mannheim.
9. August 1885	Gründung des Fachvereins der Steinhauer in Freiburg.
Januar / Februar 1887	Das Arbeiterwahlkomitee Offenburg ruft zur Wahl des sozialdemokratischen Kandidaten Adolf Geck bei den Reichstagswahlen auf.
16. Februar 1887	Verbot des Arbeiterwahlvereins Freiburg.
November 1888	Großer Sozialistenprozeß in Freiburg.
Juni 1889	Verbot des Arbeiterwahlvereins Offenburg und Umgebung.
14.-20. Juli 1889	Gründungskongreß der II. Internationale in Paris. Beschluß über eine große Manifestation für den Achtstundentag am 1. Mai. Die badische Delegation bestand aus den Offenburgern Adolf Geck, Karl Lehmann, Theodor Zenker und Georg Monsch sowie Theodor Lutz aus Baden-Baden.
27. Oktober 1889	»Badischer Arbeitertag« in Offenburg, Gründungsversammlung der badischen sozialdemokratischen Landesorganisation.
15. Dezember 1889	Gründung des Fachvereins der Weber und Spinner Offenburgs.
1. Mai 1890	Noch in der Illegalität unter dem Sozialistengesetz findet in Offenburg eine Versammlung zum 1. Mai statt.
26. Mai 1890	Allgemeiner Deutscher Metallarbeiter-Kongreß in Weimar. Beschluß, eine allgemeine Metallarbeiter-Union aufzubauen.
23. Juli 1890	Gründung des Fachvereins der Bürsten- und Pinselmacher Todtnaus und Schönaus.
30. September 1890	Letzter Tag unter dem Sozialistengesetz.

Kapitel II
Vom Fall des Sozialistengesetzes bis zur Novemberrevolution

Oktober 1890	Parteitag der Sozialdemokraten in Halle. Die Partei nennt sich jetzt Sozialdemokratische Partei Deutschlands (SPD).
17. November 1890	Gründung der Generalkommission der Gewerkschaften Deutschlands.
November 1890	Gründung eines Metallarbeiterfachverbandes in Freiburg.
23. November 1890	Landesparteitag der badischen Sozialdemokratie in Offenburg.
1.-6. Juni 1891	Gründung des Deutschen Metallarbeiter-Verbandes (DMV) in Frankfurt a. M.
1891	Erstmals ziehen Sozialdemokraten in den badischen Landtag ein (Dreesbach und Rüdt).
Oktober 1891	Der Parteitag der Sozialdemokratischen Partei in Erfurt verabschiedet das »Erfurter Programm«.
8. November 1891	Konferenz der Metallarbeiter für Baden, Pfalz und Elsaß-Lothringen in Offenburg.
6. Oktober 1894	Gründung der DMV Verwaltungsstelle Offenburg.
20. November 1899	Ablehnung der »Zuchthausvorlage« im Deutschen Reichstag, die harte Strafen bei Streiks vorsah.
3. Dezember 1901	Die Großherzogliche Generaldirektion der Badischen Staatseisenbahnen erläßt Bestimmungen für die Einrichtung eines Arbeiterausschusses für die auf der Station Freiburg beschäftigten Arbeiter.
August 1904	Mit einem Streik können die Gipser aus Freiburg und Emmendingen den Zehnstundentag durchsetzen.
9. Januar 1905	Beginn der bürgerlich-demokratischen Revolution in Rußland.
1905	Gründung von Arbeiterjugendvereinen in Freiburg und Offenburg.
21. Juni 1905	Den Freiburger Maurern gelingt es, einen Tarifvertrag für das Maurergewerbe der Stadt Freiburg abzuschließen, den ersten Tarifvertrag im südbadischen Raum.
23.-29. September 1906	Der Parteitag der SPD in Mannheim beschließt, daß Massenstreiks nur mit Zustimmung der Generalkommission der Gewerkschaften beschlossen werden können.
18. April - 12. September 1907	Verhandlungen zwischen dem DMV-Bezirk Stuttgart und dem Verband der Metallindustriellen Badens, der Pfalz und angrenzender Industriebetriebe mit dem Ziel, die Wochenarbeitszeit bei vollem Lohnausgleich von 59 auf 57 Stunden zu verkürzen.
15. Mai 1907	Die Zimmerleute in Offenburg können ihre Arbeitsbedingungen durch Abschluß eines Tarifvertrags vereinheitlichen.
Mai / Juni 1907	Die Offenburger Maurer streiken um höhere Löhne und können am 6. Juni einen für das Baugewerbe in Offenburg gültigen Tarifvertrag abschließen.

.2. August 1908	Zustimmung der sozialdemokratischen Fraktion im badischen Landtag zum Budget, entgegen der Resolution des Lübecker Parteitags der SPD.
28. Juni 1914	Attentat auf den österreichischen Thronfolger in Sarajewo, woraus sich die sogenannte »Juli-Krise« entwickelt.
Ende Juli 1914	Massenkundgebungen in zahlreichen Städten des Deutschen Reiches gegen den drohenden Weltkrieg. Eine geplante Demonstration in Karlsruhe findet nicht mehr statt. Sie wird von den Ereignissen überholt.
1. August 1914	Das Deutsche Reich erklärt Rußland den Krieg.
2. August 1914	Eine Konferenz der Verbandsvorstände der Gewerkschaften beschließt die Aussetzung von Streiks für die Dauer des Krieges (»Burgfrieden«).
4. August 1914	Völkerrechtswidriger Überfall Deutschlands auf das neutrale Belgien. Die sozialdemokratische Fraktion des Reichtags billigt einstimmig die Kriegskredite.
9. Juni 1915	172 Sozialdemokraten und Gewerkschafter fordern in einem Schreiben an den Vorstand und die Reichstagsfraktion der SPD die Beendigung der Burgfriedenspolitik.
Oktober 1915	Die Leitung des 9. Bezirks (Stuttgart) des DMV fordert von den Militärbehörden, sich für eine bessere Lebensmittelversorgung einzusetzen.
März 1916	Gründung der sozialdemokratischen Arbeitsgemeinschaft Offenburg, die im April 1917 zur Unabhängigen Sozialdemokratischen Partei Deutschlands (USPD) übertritt.
1. Oktober 1916	Für die Metallindustrie in Baden wird ein Kriegsausschuß gebildet, in dem Unternehmer und Gewerkschaften paritätisch vertreten sind. Er soll bei Streitigkeiten zwischen Arbeitern und Unternehmern schlichten.
5. Dezember 1916	Gesetz über den vaterländischen Hilfsdienst, das den Arbeitszwang für Männer zwischen 16 und 60 Jahren einführt und die freie Wahl des Arbeitsplatzes abschafft.
10. März 1917	Beginn der Februarrevolution (25. Februar nach dem alten Kalender) in Rußland. Das zaristische Regime wird beseitigt.
April 1917	Reichsweite Streikbewegung vor allem in der Rüstungsindustrie für Frieden und Brot.
6.-9. April 1917	Gründungskongreß der Unabhängigen Sozialdemokratischen Partei (USPD) in Gotha.
7. November 1917	Beginn der Oktoberrevolution (26. Oktober nach dem alten Kalender) in Rußland.
28. Januar – 4. Februar 1918	Massenstreiks gegen Hunger und Krieg im gesamten Deutschen Reich.
3. Oktober 1918	Prinz Max von Baden wird neuer Reichskanzler. Erstmals ist neben der Fortschrittlichen Volkspartei und dem Zentrum auch die SPD an der Regierung beteiligt.
28. Oktober 1918	Matrosen der Kriegsmarine in Kiel widersetzen sich dem Befehl zum Auslaufen.

3. November 1918	Die meuternden Matrosen gründen im Gewerkschaftshaus in Kiel einen Soldatenrat. Am 4. November entsteht ein Arbeiter- und Soldatenrat.
8. November 1918	Unbewaffnete Demonstration des (nichtbadischen) Bataillons 171 und Bildung eines Soldatenrats in Lahr.

Kapitel III
Von der Novemberrevolution bis zur Errichtung der faschistischen Diktatur

9. November 1918	Revolution in Berlin, Ausrufung der Republik in Berlin und Stuttgart.
9.–12. November 1918	Bildung von Soldaten- und Arbeiterräten in Offenburg, Freiburg, Kehl, Waldkirch, Lörrach, Müllheim und Oberkirch. In den folgenden Tagen werden in fast allen anderen südbadischen Städten ebenfalls Arbeiter- und Soldatenräte gebildet.
10. November 1918	Bildung der Regierung Ebert (»Rat der Volksbeauftragten«) in Berlin. Bildung der »Badischen Vorläufigen Volksregierung« aus Vertretern aller Parteien mit Billigung des Großherzogs. Beteiligt sind 5 Mitglieder der MSPD, 2 Mitglieder der USPD, 2 Mitglieder des Zentrums, 1 Mitglied der Fortschrittlichen Volkspartei und ein Mitglied der Nationalliberalen Partei.
11. November 1918	Waffenstillstand.
12. November 1918	Verkündung des Achtstundentages durch die Regierung Ebert. Aufhebung des Hilfsdienstgesetzes unter Beibehaltung des Schlichtungswesens.
14. November 1918	Verzicht von Großherzog Friedrich II. auf die Regierungsgewalt und Erklärung Badens zur freien Volksrepublik.
15. November 1918	Bildung der Zentralarbeitsgemeinschaft zwischen Unternehmern und Gewerkschaften (ZAG).
22. November 1918	Die Landesversammlung der Arbeiter- und Soldatenräte in Mannheim erklärt sich zum Vorparlament der »Freien Volksrepublik Baden«, dem die vorläufige Volksregierung verantwortlich ist. Ein elfköpfiger Landesausschuß leitet die Geschäfte. Endgültiger Thronverzicht des Großherzogs.
16.–21. Dezember 1918	Erster Kongreß der Arbeiter- und Soldatenräte Deutschlands in Berlin. Er beschließt die Durchführung von Wahlen zu einer Nationalversammlung.
28. Dezember 1918	Austritt der USPD aus der Regierung Ebert.
30. Dezember 1918 – 1. Januar 1919	Gründungskongreß der Kommunistischen Partei Deutschlands (KPD).
5. Januar 1919	Wahl zur »Badischen Nationalversammlung«. Die SPD erhält 32,1 Prozent der Stimmen und liegt damit hinter dem Zentrum mit 36,6 Prozent.

9. Januar 1919	Versuch der Spartakusgruppe, in Stuttgart einen Aufstand auszulösen. Zahlreiche Spartakisten werden verhaftet.
11. Januar 1919	Aufruf der Badischen Vorläufigen Volksregierung zur Bildung eines badischen Volksheeres auf der Grundlage von Freiwilligenbataillonen.
15. Januar 1919	Ermordung von Rosa Luxemburg und Karl Liebknecht in Berlin. Terror gegen die Arbeiterbewegung im Gefolge der Januarkämpfe (5.-12. Januar).
19. Januar 1919	Die Wahlen zur Nationalversammlung bringen auf Reichsebene eine bürgerliche Mehrheit.
6. Februar 1919	Konstituierung der Nationalversammlung in Weimar, sie nimmt am 31. Juli 1919 die Weimarer Verfassung an.
27. Februar - 11. April 1919	Streik in der Lederfabrik Kramer/Hag in Kandern. Wie in vielen südbadischen Betrieben müssen die Kollegen die gesetzlich vorgeschriebene Herabsetzung der Arbeitszeit auf 8 Stunden erkämpfen.
5./6. März 1919	Große Protestversammlung gegen die Hungersnot in Lörrach, in deren Verlauf auf den Bürgermeister geschossen wird.
31. März - 8. April 1919	Generalstreik in Württemberg gegen das Erstarken reaktionärer Kräfte. Für Württemberg wird vom 1.-11. April der Belagerungszustand verhängt.
13. April 1919	Errichtung der bayerischen Räterepublik.
29./30. April 1919	Heidelberger Abkommen, geschlossen zwischen dem 8. und 9. Bezirk des DMV und den süddeutschen Metallindustriellen über Lohn und Arbeitszeit (46-Stunden-Woche).
1. Mai 1919	In vielen Städten Südbadens finden große Feiern zum 1. Mai statt, der in Baden mittlerweile zum gesetzlichen Feiertag erklärt ist.
1.-4. Mai 1919	Von Reichstruppen und Freikorps wird unter Beteiligung württembergischer Truppen und Studentenbanden die bayerische Räterepublik blutig niedergeschlagen.
4. Juni 1919	Große Protestdemonstrationen gegen die Lebensmittelknappheit in Offenburg. Solche Protestveranstaltungen finden in den folgenden Monaten in vielen südbadischen Städten statt.
28. Juni 1919	Unterzeichnung des Friedensvertrags von Versailles, der Deutschland unter anderem zur Zahlung von Reparationen verpflichtet.
30. Juni - 5. Juli 1919	10. Kongreß der Gewerkschaften Deutschlands in Nürnberg, auf dem der »Allgemeine Deutsche Gewerkschaftsbund« (ADGB) gegründet wird.
18. August 1919	Die Landesversammlung der badischen Arbeiterräte beschließt die Auflösung der Räte nach Inkrafttreten des Betriebsrätegesetzes.
13.-23. Oktober 1919	14. ordentliche Generalversammlung des DMV in Stuttgart. Die Versammlung verurteilt die Politik des Vorstandes während des Weltkrieges und wählt den Sprecher der Opposition, Robert Dißmann, zum neuen Vorsitzenden.

13. Januar 1920	»Blutiger Dienstag«. Militär schießt in die Massendemonstration gegen das Betriebsrätegesetz vor dem Reichstag. 42 Arbeiter werden getötet, 105 verwundet. Das Betriebsrätegesetz wird am 4. Februar verabschiedet.
1. März 1920	Protestkundgebung der Arbeiterschaft vor dem Rathaus in Rastatt gegen die Kürzung der Brot- und Mehlrationen.
13.-23. März 1920	Reichsweiter Generalstreik gegen den reaktionären Kapp-Lüttwitz-Putsch. Der Putsch bricht am 17. März zusammen. Trotz der Fortsetzung des Generalstreiks können die Gewerkschaften ihre damit verbundenen Forderungen nicht durchsetzen.
2.-8. April 1920	Reichswehreinheiten zerschlagen die »Rote Ruhrarmee«, die sich gegen die Putschisten gebildet hatte.
12.-17. Oktober 1920	Parteitag der USPD in Halle. Die Mehrheit stimmt für die Vereinigung mit der KPD, die Minderheit schließt sich 1922 der SPD an.
22. April- 9. Juni 1921	Großer oberbadischer Textilarbeiterstreik. Die Textilarbeiter können sich mit ihren Forderungen nicht durchsetzen.
31. August/ 1. September 1921	Große Protestkundgebungen der Arbeiterschaft in Lörrach, Freiburg, Offenburg und weiteren Städten Südbadens anläßlich der Ermordung des Reichsfinanzministers Matthias Erzberger durch Angehörige einer rechtsradikalen Organisation. Die Versammelten fordern von der Reichs- und der Landesregierung, entschieden gegen die Feinde der Republik vorzugehen.
6. Februar 1922	Streik der Eisenbahner in Rastatt gegen die Aushöhlung des Arbeitszeitgesetzes, vor allem gegen die Ausweitung der Arbeitszeit auf 15 Stunden täglich.
31. März- 26. Mai 1922	Streiks in der süddeutschen Metallindustrie gegen die Ar-beitszeitverlängerung von 46 auf 48 Stunden pro Woche. In Südbaden wird nicht gestreikt.
16. Mai 1922	Der Verband der Metallindustriellen Mittelbadens fordert seine Mitglieder auf, ab 2. Juni alle Beschäftigten auszusperren, um die tariflich festgelegte 46-Stunden-Woche zu beseitigen. Ehe es zur Aussperrung kommt, vereinbart der DMV mit den Unternehmern die Rückkehr zur 48-Stunden-Woche.
24. Juni 1922	Ermordung des Reichsaußenministers Walther Rathenau.
27. Juni 1922	Große Protestkundgebung der Arbeiterschaft in Lörrach gegen die Ermordung von Walther Rathenau.
4. Juli 1922	Generalstreik und Demonstration zur Rettung der Republik in Lörrach.
31. Oktober 1922	Errichtung der faschistischen Diktatur in Italien.
11. Januar 1923	Besetzung des Ruhrgebiets durch französische Truppen. Sie dauert bis August 1925.
4. Februar- 18. August 1923	Besetzung von Offenburg, Appenweier, Windschläg und Ortenberg durch französische Truppen.
September- November 1923	Arbeitslose erreichen durch mehrere Demonstrationen in Rastatt und Baden-Baden die Auszahlung eines einmaligen Zuschusses.

Oktober 1923	Unter Bruch der Weimarer Verfassung läßt die Reichsregierung in Sachsen Militär einmarschieren und setzt die von Sozialdemokraten und Kommunisten gebildete Koalitionsregierung ab. Derselbe Vorgang wiederholt sich in Thüringen.
30. Oktober 1923	Reichsarbeitsminister Brauns (Zentrum) verfügt mit der Schlichtungsverordnung die Zwangsschlichtung.
8./9. November 1923	Der Putsch der Hitler-Faschisten in München scheitert.
20. November 1923	63 Notverordnungen bestimmen unter anderem die Senkung der Löhne, Kürzung der Renten und die Aufhebung des bis dahin gesetzlich verankerten Achtstundentags.
31. Mai 1924	Die KPD gründet in Halle (Saale) den »Roten Frontkämpferbund« (RFB).
Januar 1924	Der ADGB verläßt die Zentralarbeitsgemeinschaft.
22. Februar 1924	Gründung des »Reichsbanners Schwarz-Rot-Gold«.
1. Mai 1924	In den südbadischen Betrieben kann die Arbeitsruhe für die Maifeiern nicht mehr durchgesetzt werden. Die Veranstaltungen finden nach Feierabend statt.
1924	In Offenburg richten sich die freien Gewerkschaften ihr erstes Gewerkschaftshaus ein.
26. April 1925	Der ehemalige Generalfeldmarschall Paul von Hindenburg wird nach dem Tod Eberts zum Reichspräsidenten gewählt.
20. Juni 1926	Volksentscheid über die entschädigungslose Enteignung der Fürsten. Trotz breiter Mobilisierung wird die erforderliche Stimmenzahl nicht erreicht.
20. Mai 1928	Die SPD erringt bei der Reichstagswahl unter der Losung »Für Kinderspeisung - Gegen den Panzerkreuzer« einen großen Sieg und stellt in der Regierung mit Hermann Müller den Kanzler. Wenig später beschließt das Kabinett dennoch den Bau des ersten Panzerkreuzers.
21. August 1928	In Lörrach findet unter Führung der dort starken KPD eine Demonstration gegen den Panzerkreuzerbau statt.
30. Dezember 1928	Gründung der Kommunistischen Partei-Opposition (KPO) in Berlin.
24. Oktober 1929	»Schwarzer Freitag« an der New Yorker Börse. Der Börsenkrach ist Ausdruck der seit 1928 andauernden Krise und verschärft diese.
6. März 1930	Wie in ganz Deutschland findet in Lörrach ein von der KPD organisierter großer Hungermarsch der Arbeitslosen statt.
27. März 1930	Nach dem Rücktritt des Kabinetts Müller (SPD) wird Heinrich Brüning (Zentrum) zum Reichskanzler berufen. Er regiert mit Hilfe von Notverordnungen nach Artikel 48 der Weimarer Verfassung. Beginnend mit der Kürzung der Gehälter im öffentlichen Dienst findet ein rücksichtsloser Lohn- und Sozialabbau statt.
13. Mai 1930	Verbot des Roten Frontkämpferbundes in Baden.
14. September 1930	In der Reichstagswahl kann die NSDAP die Zahl ihrer Abgeordneten von 12 auf 107 erhöhen, während die SPD

	schwere Verluste zugunsten der KPD hinnehmen muß. Die Faschisten bilden jetzt nach der SPD die zweitstärkste Fraktion im Reichstag.
4. Oktober 1931	Gründungskonferenz der Sozialistischen Arbeiterpartei (SAP) in Berlin.
11. Oktober 1931	Gründung der »Harzburger Front«, ein Bündnis von NSDAP, Deutschnationalen, Wirtschaftsverbänden, dem Reichslandbund und dem »Stahlhelm«.
1. Juni 1932	Bildung des reaktionären Kabinetts von Papen.
20. Juli 1932	Staatsstreich der Reichsregierung gegen die sozialdemokratische Regierung Preußens (»Preußenschlag«).
2. Dezember 1932	Bildung des Kabinetts von Schleicher.

Tabellen

Tabelle 1:

Stimmanteile der Arbeiterparteien bei den Reichstagswahlen in Baden und dem Deutschen Reich, 1871 - 1933 (in Prozent)

	Baden			Deutsches Reich		
	SPD	USPD	KPD	SPD	USPD	KPD
3. 3. 1871	-	-	-	3,2	-	-
10. 1. 1874	1,5	-	-	6,9	-	-
10. 1. 1877	1,5	-	-	9,1	-	-
30. 7. 1878	2,0	-	-	7,6	-	-
27. 10. 1881	2,3	-	-	6,1	-	-
28. 10. 1884	5,3	-	-	9,7	-	-
21. 2. 1887	4,8	-	-	10,1	-	-
20. 2. 1890	11,4	-	-	19,7	-	-
15. 6. 1893	14,1	-	-	23,3	-	-
16. 6. 1898	19,0	-	-	27,2	-	-
16. 6. 1903	21,9	-	-	31,7	-	-
25. 1. 1907	23,9	-	-	28,9	-	-
12. 1. 1912	28,3	-	-	34,8	-	-
19. 1. 1919[1]	34,8	-	-	37,9	7,6	-
6. 6. 1920	20,1	10,9	1,5	21,6	18,8	1,7
4. 5. 1924	15,2	-	10,1	20,5	-	12,6
7. 12. 1924	19,9	-	6,5	26,0	-	9,0
20. 5. 1928	22,5	-	7,4	29,8	-	10,6
14. 9. 1930	17,9	-	9,6	24,5	-	13,1
31. 7. 1932	13,6	-	11,3	21,6	-	14,6
6. 1. 1932	12,9	-	14,2	20,4	-	16,9
5. 3. 1933	11,9	-	9,8	18,3	-	12,3

[1] Wahl zur Nationalversammlung.

Quelle: Statistisches Jahrbuch für das Deutsche Reich lfd.

Tabelle 2

Stimmanteile der Arbeiterparteien bei den Reichstagswahlen in Baden und dem Deutschen Reich, 1871 - 1933 (in absoluten Zahlen)

	Baden			Deutsches Reich		
	SPD	USPD	KPD	SPD	USPD	KPD
3. 3.1871	-	-	-	124952	-	-
10. 1.1874	3516	-	-	351670	-	-
10. 1.1877	3593	-	-	493288	-	-
30. 7.1878	4500	-	-	437158	-	-
27.10.1881	4700	-	-	311961	-	-
28.10.1884	11027	-	-	549990	-	-
21. 2.1887	13088	-	-	763128	-	-
20. 2.1890	30094	-	-	1427298	-	-
15. 6.1893	37559	-	-	1786738	-	-
16. 6.1898	50329	-	-	2107076	-	-
16. 6.1903	72300	-	-	3010771	-	-
25. 1.1907	93386	-	-	3259029	-	-
12. 1.1912	117154	-	-	4250399	-	-
19. 1.1919[1]	366824	-	-	11509048	2317290	-
6. 6.1920	190298	102965	14471	6104398	5046813	441793
4. 5.1924	142801	-	95564	6008713	-	3693139
7.12.1924	198593	-	64952	7880963	-	2708345
20. 5.1928	204346	-	66828	9151059	-	3264793
14. 9.1930	210549	-	112975	8575699	-	4590160
31. 7.1932	172474	-	142543	7959712	-	5282626
6.11.1932	154383	-	169137	7250752	-	6080162
5. 3.1933	164965	-	134771	7181633	-	4848058

[1] Wahl zur Nationalversammlung.

Quelle: Statistisches Jahrbuch für das Deutsche Reich lfd.

Tabelle 3

Die Ergebnisse des Volksbegehrens und des Volksentscheides »Enteignung der Fürstenvermögen« im Stimmkreis 32 (Baden), gegliedert nach Oberämtern bzw. Amtsbezirken, 20. Juni 1926

Verwaltungsbezirk	Bevölkerung am 16. Juni 1926	Zahl der gültigen Eintragungen für das Volksbegehren	Ergebnis des Volksentscheides			
			Beteiligung		Ja-Stimmen	
			absolut	in Prozent	absolut	in Prozent
Landesk.-Bez. Konstanz						
Donaueschingen	39713	5721	7062	29,1	6522	26,9
Engen	22778	5538	6939	49,7	6402	45,8
Konstanz	76711	18917	24526	50,3	22999	47,2
Meßkirch	14888	2688	2891	33,1	2657	30,4
Pfullendorf	10568	1469	1647	26,2	1539	24,5
Säckingen	25235	7620	8678	57,0	8126	53,3
Stockach	19526	5685	6341	53,2	5891	49,4
Überlingen	29575	8835	8411	46,9	7924	44,1
Villingen	48469	9696	10816	37,0	9933	34,0
Waldshut	50045	12802	13483	45,1	12381	41,4
Landesk.-Bez. Freiburg						
Emmendingen	59785	7113	9066	25,2	8542	23,7
Freiburg	134494	24363	29660	34,5	27668	32,2
Kehl	31555	5755	6278	25,7	5940	24,3
Lahr	62934	9682	11591	29,3	10749	27,2
Lörrach	54466	14477	15972	43,7	15205	41,6
Müllheim	21620	3065	4404	31,9	4151	30,0
Neustadt	27241	5142	6642	38,9	5989	35,1
Oberkirch	20485	3562	4635	37,9	4417	36,1
Offenburg	67596	13693	17712	45,5	16770	43,0
Schopfheim	42824	9489	10138	37,9	9344	34,9
Staufen	20829	5351	5210	40,7	4850	37,9
Waldkirch	24721	4503	5164	32,2	4750	29,6
Wolfach	31448	6355	6635	35,1	6216	32,9
Landesk.-Bez. Karlsruhe						
Bretten	26849	3299	4223	25,9	3959	24,3
Bruchsal	82749	15172	19990	41,1	18919	38,9
Bühl	68777	9977	12712	30,9	11954	29,1
Ettlingen	33913	8582	8986	45,1	8408	42,2
Karlsruhe	222049	49307	62665	42,6	59027	40,1
Pforzheim	121202	22151	27057	35,5	24817	32,5
Rastatt	112114	19132	25784	36,7	24266	34,5

Tabelle 3 (Fortsetzung)

Die Ergebnisse des Volksbegehrens und des Volksentscheides »Enteignung der Fürstenvermögen« im Stimmkreis 32 (Baden), gegliedert nach Oberämtern bzw. Amtsbezirken, 20. Juni 1926

Verwaltungsbezirk	Bevölkerung am 16. Juni 1926	Zahl der gültigen Eintragungen für das Volksbegehren	Ergebnis des Volksentscheides			
			Beteiligung		Ja-Stimmen	
			absolut	in Prozent	absolut	in Prozent
Landesk.-Bez. Mannheim						
Adelsheim	19651	3092	3422	28,7	3202	26,8
Buchen	27978	7518	5344	32,9	4863	29,9
Heidelberg	132795	31784	36781	42,6	34303	39,7
Mannheim	319710	101485	114713	57,7	109166	54,9
Mosbach	40566	7554	7718	32,4	7253	30,4
Sinsheim	45411	6394	6729	24,1	6293	22,5
Tauberbischofsheim	39430	5665	6726	29,0	6310	27,3
Weinheim	32686	9814	8671	43,1	8159	40,6
Wertheim	18829	1333	1868	16,3	1765	15,4
Wiesloch	30247	6458	7182	43,3	6788	40,9
Gesamtsumme	2312462	500238	584447	40,5	548417	38,0

Quelle: Statistisches Reichsamt (Bearb.): Volksbegehren und Volksentscheid »Enteignung der Fürstenvermögen«, Berlin 1926.

Tabelle 4

Mitgliederzahl und Frauenanteil der Gewerkschaften in Baden, 1902-1911

Jahre	Generalkommision der Gewerkschaften Deutschlands, Sitz Berlin, vereinigte freie Gewerkschaften		Verband der deutschen Gewerkvereine (Hirsch-Duncker) Sitz Berlin		Gesamtverband der christlichen Gewerkschaften Deutschlands, Sitz Köln	
	Gesamt	Davon Frauen	Gesamt	Davon Frauen	Gesamt	Davon Frauen
1902	13530	149	3870	209	1973	283
1903	17614	183	4086	232	1952	299
1904	24107	388	3888	313	3216	610
1905	37079	756	3828	314	5636	1015
1906	58582	3353	3957	490	9765	2741
1907	58517	3439	3481	433	9958	2677
1908	53490	4339	3392	425	8330	1846
1909	51314	4461	3730	575	7027	-*
1910	58220	5516	3981	776	9080	3107
1911	61297	4943	4160	900	10117	3020

* Keine Angabe.

Quelle: Statistisches Jahrbuch für das Großherzogtum Baden, 40. Jg., 1913, S. 142.

Tabelle 5

Mitgliederzahl des Verbandes badischer Arbeiterfortbildungsvereine und der Arbeitervereine innerhalb der Kirchen, 1902 - 1911

Jahre	Verband badischer Arbeiter-fortbildungs-vereine, Sitz Lahr		Konfessionelle Arbeiterverbände: Diözesanverband der katholischen Arbeiter-vereine der Erzdiözese Freiburg, Sitz Freiburg (Unterverband des Verbands katholischer Arbeitervereine Süddeutschlands, Sitz München)		Diözesanverband der katholischen Arbeiterinnenvereine der Erzdiözese Freiburg, Sitz Freiburg (Unterverband des Verbands süd-deutscher katholischer Arbeiterinnenvereine, Sitz München)		Diözesanverband der katholischen Dienstbotenvereine der Erzdiözese Freiburg, Sitz Freiburg (Unterverband des Verbands, katholischer Dienstbotenvereine Süddeutschlands, Sitz München)		Verband katholischer Gesellen-vereine der Erzdiözese Freiburg, Sitz Freiburg (Unterverband des Zentralverbands katholischer Gesellen-vereine Deutschlands, Sitz Köln a. Rh.)		Badischer Landes-verband evangelischer Arbeiter-vereine, Sitz Freiburg (Unterverband des Gesamtverbands evangelischer Arbeitervereine Deutschlands, Sitz Mönchen-gladbach)		Verband der evangelischen Arbeiterinnen-vereine Deutschlands, Sitz Hannover	
	Ver-eine	Mitglieder	Ver-eine	Mitglieder	Ver-eine	Mitglieder (weiblich)	Ver-eine	Mitglieder (weiblich)	Ver-eine	Mitglieder	Ver-eine	Mitglieder	Ver-eine	Mitglieder
1902	37	6066	125	17199					48	7880	27	3666		
1903	39	6503	135	18401					50	8004	29	4216		
1904	39	6617	139	19241					50	8299	29	3895		
1905	41	6629	145	20749					50	8468	31	3994		
1906	42	7040	149	21143	6	837			53	8781	31	4125		
1907	44	6933	156	21328	11	1710			54	8588	36	4301		
1908	46	7330	154	21674	16	2088	9	2320	55	8193	36	4389		
1909	47	6859	152	21106	16	2195	15	2978	57	8176	31	2888	1	135
1910	47	7419	156	21754	18	2513	15	2997	62	8866	30	2940	1	132
1911	47	7770	155	21882	18	2600	18	3720	62	8866	30	2915	1	160

Quelle: Statistisches Jahrbuch für das Großherzogtum Baden, 40. Jg. 1913, S. 141.

Tabelle 6

Die gewerkschaftlich organisierten Arbeiter und Arbeiterinnen im Großherzogtum Baden nach Branchen, 1911

Branchen bzw. Berufsarten	Mitglieder							
	Über-haupt	Davon weib-liche	Davon entfallen auf					
			freie Gewerkschaften		Gewerkvereine (Hirsch-Duncker)		christlich Gewerkschaften	
			Über-haupt	Davon weibliche	Über-haupt	Davon weibliche	Über-haupt	Davon weibliche
Land- und Forstwirtschaft, Gärtnerei	246	-	220	-	-	-	26	-
Industrie der Steine und Erden	2268	13	1780	13	98	-	390	-
Metallverarbeitung und Maschinenindustrie	23284	1936	20426	1643	1111	23	1747	270
Textilindustrie	3133	1535	1436	551	10	4	1687	980
Papierindustrie (Buchbinder)	908	333	908	333	-	-	-	-
Lederindustrie	1022	9	1022	9	-	-	-	-
Industrie der Holz- und Schnitzstoffe	5042	13	4148	7	73	-	821	6
Industrie der Nahrungs- und Genußmittel	9564	3776	4714	1247	1795	813	3055	1716
Bekleidungsgewerbe	2210	70	1489	34	417	35	304	1
Reinigungsgewerbe (Friseure)	59	-	59	-	-	-	-	-
Baugewerbe	11741	6	10886	-	50	6	805	-
Polygraphische Gewerbe	3088	187	2798	176	96	-	194	11
Gewerbliche und Industriearbeiter ohne nähere Bezeichnung der Erwerbstätigkeit	5834	452	5324	433	510	19	-	-
Handelsgewerbe (ohne die kaufmännischen Berufe) und Verkehrsgewerbe	3424	389	3424	389	-	-	-	-
Gast- und Schankwirtschaft	257	7	257	7	-	-	-	-
Staats- und Gemeindearbeiter (auch Krankenpfleger, Verkehrs-, Hilfs- und sonstige Industriearbeiter)	3452	95	2364	59	-	-	1088	36
Hausangestellte	42	42	42	42	-	-	-	-
Gesamt	75574	8863	61297	4943	4160	900	10117	3020

Quelle: Statistisches Jahrbuch für das Großherzogtum Baden, Jg. 40, 1913, S. 150.

Tabelle 7

Mitgliederzahl der Verwaltungsstellen des DMV in Baden, 1903-1932

	1903	1904	1905	1906	1907	1908	1909	1910	1911	1912
Achern	-	-	-	-	-	-	-	-	-	13
Baden-Baden[2]	22	38	28	26	18	14	18	38	29	-
Bretten[1]	-	18	18	-	-	-	-	-	-	-
Bruchsal[1]	33	28	22	-	-	-	-	-	-	-
Bühl	-	-	-	-	-	-	-	-	-	-
Durlach[1]	919	1 143	703	-	-	-	-	-	-	-
Eisenbach	-	-	-	-	-	-	-	-	-	-
Emmendingen	25	20	24	26	23	-	-	-	-	-
Falkau	-	-	-	-	-	-	-	-	-	-
Freiburg im Breisgau	126	139	141	186	318	301	272	300	340	412
Furtwangen	46	110	78	189	195	156	150	160	113	95
Gaggenau	59	50	55	83	-	-	-	-	-	-
Gütenbach	-	-	-	-	21	-	-	-	-	-
Gutach	-	-	-	-	-	-	-	-	-	-
Haslach	-	-	-	-	-	-	-	-	-	-
Hausach	-	-	-	-	-	-	-	-	-	-
Heidelberg	193	175	200	543	-	-	-	-	-	-
Hornberg	-	-	-	-	-	-	-	-	-	-
Karlsruhe	680	938	1 397	3 325	3 628	3 089	3 015	4 117	3 555	3 835
Kehl	-	-	-	-	-	-	-	-	-	-
Konstanz	51	70	80	86	86	62	65	74	97	110
Lahr	-	-	-	-	36	16	27	30	33	29
Lenzkirch	-	-	-	44	5	-	-	-	-	-
Lörrach	36	22	48	70	81	120	103	101	91	93
Mannheim	1 953	2 362	2 306	5 742	6 852	6 497	5 570	6 319	7 684	8 141
Neckarelz	-	-	-	-	-	26	11	-	-	-
Neustadt im Schwarzwald	-	-	20	34	20	21	-	-	-	-
Oberkirch	-	-	-	-	-	-	-	-	-	-
Offenburg	25	19	21	12	41	60	19	36	45	43
Pforzheim	517	662	864	7 240	6 872	8 539	7 364	8 938	7 224	6 630
Radolfzell	23	29	35	45	39	49	33	74	46	107
Rastatt[1]	23	35	41	-	-	-	-	-	-	-
Renchen	-	-	-	-	-	-	-	-	-	-
St. Georgen	-	-	23	110	58	51	29	60	70	37
Schönach	-	-	-	-	-	-	-	-	-	-
Singen	50	92	84	109	103	107	149	165	189	331
Todtnau	-	-	-	-	-	-	-	-	-	-
Triberg	87	122	129	251	91	89	113	132	114	130
Villingen	27	34	59	125	128	91	91	89	87	71
Vöhrenbach	-	-	-	-	-	-	-	-	-	-
Waldshut	-	18	20	14	28	37	22	28	35	22
Weinheim	32	30	45	110	104	110	83	-	-	-
Worms	-	83	90	108	126	113	138	-	-	-
Wutöschingen	-	-	-	-	-	-	-	-	-	-
Zusammen	4 927	6 237	6 531	18 478	18 873	19 548	17 272	20 661	19 752	20 099

[1] Die Verwaltungen Bretten, Bruchsal, Durlach und Rastatt wurden 1906 mit Karlsruhe verschmolzen.
[2] Baden-Baden wurde am 1. Okt. 1912 an Karlsruhe angeschlossen.

Tabelle 7 (Fortsetzung)

Mitgliederzahl der Verwaltungsstellen des DMV in Baden, 1903-1932

	1913	1914	1915	1916	1917	1918	1919	1920	1921	1922
Achern	12	6	4	4	3	5	169	184	185	271
Baden-Baden[2]	-	-	-	-	-	-	-	-	-	-
Bretten[1]	-	-	-	-	-	-	-	-	-	-
Bruchsal[1]	-	-	-	-	-	-	-	-	-	-
Bühl	-	-	-	-	-	-	-	85	146	235
Durlach[1]	-	-	-	-	-	-	-	-	-	-
Eisenbach	-	-	-	-	-	-	-	70	69	78
Emmendingen	-	-	-	-	-	-	-	319	304	269
Falkau	-	-	-	-	-	-	-	-	188	238
Freiburg im Breisgau	422	188	79	77	101	418	2244	2181	2346	2623
Furtwangen	103	60	54	57	76	261	830	803	809	938
Gaggenau	-	-	-	-	-	-	-	-	-	-
Gütenbach	-	-	-	-	-	-	128	130	149	183
Gutach	-	-	-	-	-	-	-	-	-	110
Haslach	-	-	-	-	-	-	198	188	200	272
Hausach	-	-	-	-	-	-	-	-	-	-
Heidelberg	-	-	-	-	-	-	-	-	-	-
Hornberg	-	-	-	-	-	-	205	272	287	320
Karlsruhe	4057	1777	1004	1122	2940	5208	13614	16256	16745	21811
Kehl	-	-	-	-	-	-	420	433	356	281
Konstanz	88	24	13	13	143	194	454	741	583	642
Lahr	30	7	2	4	3	14	352	361	513	750
Lenzkirch	-	-	-	-	-	-	-	-	-	-
Lörrach	103	70	25	14	16	24	844	900	1100	1200
Mannheim	8405	4190	3327	4025	6690	10282	19513	21704	21191	23494
Neckarelz	-	-	-	-	-	-	-	-	-	-
Neustadt im Schwarzwald	-	-	-	-	-	-	242	211	185	327
Oberkirch	-	-	-	-	-	82	164	191	162	186
Offenburg	40	10	6	23	74	-	187	165	243	305
Pforzheim	6336	3691	2036	1803	2333	5038	22420	23653	21898	22657
Radolfzell[3]	-	-	-	-	-	-	-	-	-	-
Rastatt	-	-	-	-	-	-	-	-	-	-
Renchen	-	-	-	-	-	36	58	135	165	200
St. Georgen	52	29	20	14	51	238	1010	951	1032	1071
Schönach	-	-	-	-	-	-	-	83	64	101
Singen	397	126	46	51	230	559	2361	2434	2521	2600
Todtnau	-	-	-	-	-	-	129	154	138	165
Triberg	92	63	27	38	48	82	532	501	543	540
Villingen	65	41	24	29	38	298	1156	1400	1394	1954
Vöhrenbach	-	-	-	-	-	-	-	72	111	137
Waldshut[3]	-	-	-	-	-	-	500	390	252	393
Weinheim	-	-	-	-	-	-	-	-	-	-
Worms	-	-	-	-	-	-	-	-	-	-
Wutöschingen	-	-	-	-	-	-	-	-	-	-
Zusammen	20202	10282	6667	7274	12746	22739	67733	75201	74068	84535

[3] Radolfzell und Waldshut wurden 1913 mit der Verwaltungsstelle Singen vereinigt.

Tabelle 7 (Fortsetzung)

Mitgliederzahl der Verwaltungsstellen des DMV in Baden, 1903-1932

	1923	1924	1925	1926	1927	1928	1929	1930	1931	1932
Achern	148	34	35	25	115	77	86	76	65	55
Baden-Baden	-	-	-	-	-	-	-	-	-	-
Bretten[1]	-	-	-	-	-	-	-	-	-	-
Bruchsal[1]	-	-	-	-	-	-	-	-	-	-
Bühl[5]	150	34	46	-	-	-	-	-	-	-
Durlach	-	-	-	-	-	-	-	-	-	-
Eisenbach	72	40	36	25	10	10	8	8	7	6
Emmendingen	211	-	-	-	-	-	-	-	-	-
Falkau	218	183	185	158	117	109	94	80	69	64
Freiburg im Breisgau	941	1 027	900	900	1 158	1 338	1 234	984	485	
Furtwangen	930	506	601	687	663	690	600	550	422	272
Gaggenau	-	-	-	-	-	-	-	-	-	-
Gütenbach[4]	170	125	128	-	-	-	-	-	-	-
Gutach	110	30	40	14	15	32	23	24	-	-
Haslach	194	168	192	56	116	103	45	-	-	-
Hausach[10]	82	-	-	-	-	-	-	-	-	-
Heidelberg	-	-	-	-	-	-	-	-	-	-
Hornberg	289	232	231	121	229	285	285	238	135	106
Karlsruhe	15 003	5 455	6 818	5 350	7 345	9 245	9 274	8 529	7 079	5 620
Kehl	264	104	99	49	97	88	98	90	83	63
Konstanz	385	159	201	136	173	212	206	202	174	145
Lahr[9]	515	301	272	136	278	-	-	-	-	-
Lenzkirch	-	-	-	-	-	-	-	-	-	-
Lörrach	800	440	451	362	401	468	476	560	409	250
Mannheim	16 085	10 280	10 593	7 974	10 198	11 495	11 726	11 045	8 496	6 506
Neckarelz	-	-	-	-	-	-	-	-	-	-
Neustadt im Schwarzwald	99	112	131	68	64	96	76	58	33	9
Oberkirch	57	-	-	-	-	-	-	-	-	-
Offenburg	160	42	50	33	81	493	413	406	245	246
Pforzheim	12 096	4 695	6 630	4 919	4 600	5 618	5 500	5 346	4 350	3 440
Radolfzell[3]	-	-	-	-	-	-	-	-	-	-
Rastatt	-	-	-	-	-	-	-	-	-	-
Renchen[6]	250	69	40	-	-	-	-	-	-	-
St. Georgen	882	349	395	343	310	401	425	369	293	228
Schonach[7]	73	72	-	-	-	-	-	-	-	-
Singen	1 770	520	764	410	614	945	1 204	1 352	766	553
Todtnau	175	100	104	57	76	52	37	34	28	17
Triberg	592	250	275	261	304	364	304	299	262	208
Villingen	1 815	1 009	1 050	746	764	913	865	908	761	588
Vöhrenbach[4]	135	118	108	-	-	-	-	-	-	-
Waldshut[3]	273	116	158	157	140	230	205	155	160	56
Weinheim	-	-	-	-	-	-	-	-	-	-
Worms	-	-	-	-	-	-	-	-	-	-
Wutöschingen[8]	175	19	-	-	-	-	-	-	-	-
Zusammen	55 119	26 529	30 533	22 987	27 865	33 264	33 184	31 627	24 821	18 917

[4] Gütenbach und Vöhrenbach wurden 1925 an Furtwangen angeschlossen.
[5] Bühl wurde 1926 an Lahr angeschlossen.
[6] Renchen wurde 1926 an Achern angeschlossen.
[7] Schonach wurde 1925 an Triberg angeschlossen.
[8] 1925 wurde Wutöschingen an Waldshut angeschlossen.
[9] 1928 wurde Lahr an Offenburg angeschlossen.
[10] 1929 wurde Hausach an Offenburg angeschlossen.

Quellen: Jahr- und Handbuch des Deutschen Metallarbeiter-Verbandes (1903–1925); Geschäftsberichte des 9. Bezirks (Stuttgart) des Deutschen Metallarbeiter-Verbandes (1926–1932).

Tabelle 8

Die Arbeitskämpfe in Baden, 1903-1912

Jahre	Beendete Streiks und Aussperrungen	Betroffene Betriebe	In den betroffenen Betrieben beschäftigte Arbeiter		Höchstzahl der während der Dauer des Streiks bzw. der Aussperrung				Fälle, in denen die Forderungen betrafen			Die Streiks bzw. Aussperrungen hatten Erfolg		
					gleichzeitig streikenden bzw. ausgesperrten Arbeiter			gezwungen feiernden Arbeiter						
			überhaupt	davon Personen unter 21 Jahren	überhaupt	davon: Personen unter 21 Jahren	davon: mit Verletzung des Arbeitsvertrages		den Arbeitslohn	die Arbeitszeit	andere Gegenstände	vollen	teilweisen	keinen
	Streiks													
1903	24	73	10 322	2 267	2 968	425	1 966	17	25	9	22	4	7	13
1904	36	189	8 228	1 792	3 127	462	384	79	41	11	26	4	17	15
1905	64	471	9 444	1 453	6 008	861	1 446	69	70	32	77	16	27	21
1906	122	639	19 435	3 592	12 817	2 385	6 666	1 742	132	55	91	22	64	36
1907	94	362	9 694	1 494	4 936	721	1 476	144	91	27	43	20	47	27
1908	49	154	8 810	1 215	3 163	500	944	49	35	14	29	1	23	25
1909	44	334	7 084	1 091	2 776	290	546	44	45	23	22	8	20	16
1910	33	190	3 884	646	1 466	345	540	6	34	15	15	4	13	16
1911	51	723	24 810	4 927	4 588	714	634	7 147	50	19	27	9	29	13
1912	70	167	10 270	2 134	3 398	490	827	566	78	19	35	18	31	21
	Aussperrungen													
1903	-	-	-	-	-	-	-	-	-	-	-	-	-	-
1904	-	-	-	-	-	-	-	-	-	-	-	-	-	-
1905	3	40	231	12	193	12	15	1	1	-	4	-	3	-
1906	7	65	2 408	413	1 556	233	39	23	1	1	6	3	4	-
1907	8	64	2 231	291	884	147	12	28	1	-	7	7	1	-
1908	12	206	3 961	697	2 681	533	8	7	11	8	8	4	8	-
1909	-	-	-	-	-	-	-	-	-	-	-	-	-	-
1910	26	282	6 783	856	4 754	594	4	138	21	13	24	4	22	-
1911	5	433	20 566	4 143	8 999	1 129	-	7 104	4	3	4	2	3	-
1912	11	91	1 558	266	828	49	129	102	11	5	16	1	9	1

Quelle: Statistisches Jahrbuch für das Großherzogtum Baden Jg. 40, 1913, S. 156.

Tabelle 9

Tarifabschlüsse in Baden, 1905-1913

Jahr	Kollektivverträge	Einzelverträge	Verträge zusammen
1905	21	6	27
1906	45	21	66
1907	17	15	32
1908	13	4	17
1909	18	2	20
1910	10	8	18
1911	20	22	42
1912	14	15	29
1913	31	33	64

Quelle: Wolfgang Bocks: Die badische Fabrikinspektion. Arbeiterschutz, Arbeitsverhältnisse und Arbeiterbewegung in Baden 1879 bis 1913, Feiburg 1978, S. 524.

Tabelle 10

Durchschnittspreise für Lebensmittel und Brennmaterial in Baden (in Mark bzw. Pfennig), 1903-1912

a) Konstanz

Jahre	100 kg Kartoffeln	1 Kilogramm: Mehl Nr. 1: Weizenmehl	Roggenmehl	Brot, gangb. Sorte	Fleisch: Ochsenfleisch	Rindfleisch	Schweinefleisch: Frisch	Gedörrt	Speck, geräuchert	Schweineschmalz	Butter: Tafelbutter	Landbutter	10 Stück Eier: Trinkeier	Kisteneier	1 Liter Milch	1 Kilogramm: Bohnen	Erbsen	Linsen	Kaffee, gebrannt	1 Liter Erdöl	1 Ster Brennholz: Buchenholz	Fichtenholz	Forlenholz	100 Kilogramm Kohlen usw. (beim Einkauf in Mengen von mindestens 1500 kg): Nußkohlen I	Nußkohlen II	Anthrazit	Koks
	M	Pf	Pf	Pf	M	M	M	M	M	M	M	M	Pf	Pf	Pf	Pf	Pf	Pf	M	Pf	M	M	M	M	M	M	M
1903	7,37	36	32	26,0	1,52	1,43	1,54	2,27	2,27	1,58	·	2,01	71		16	40	43	62	3,45	24	11,84	10,29	10,25	3,56	3,55	4,60	3,55
1904	7,79	36	32	26,0	1,55	1,47	1,52	2,01	2,24	1,47	·	1,95	72		16	40	44	·60	3,50	24	12,27	10,84	10,56	3,59	3,58	4,60	3,58
1905	7,61	36	32	27,5	1,61	1,53	1,64	2,13	2,51	1,65	·	2,08	76		16	40	48	65	2,80	24	12,99	11,49	10,03	3,69	3,68	4,59	3,70
1906	7,77	42	32	28,0	1,67	1,57	1,81	2,41	2,58	1,80	·	2,14	78		17	44	49	82	2,79	24	13,48	11,60	10,74	3,80	3,77	4,61	3,86
1907	8,31	41	34	29,7	1,71	1,66	1,70	2,20	2,38	1,75	·	2,05	80		18	48	50	89	2,80	24	14,28	12,32	12,20	4,03	4,00	4,83	4,32
1908	6,77	40	36	32,0	1,68	1,63	1,67	2,04	2,23	1,65	2,50	2,13	80		18	44	51	74	2,80	24	14,50	12,50	12,50	4,17	4,14	4,93	4,30
1909	7,68	41	37	33,7	1,70	1,64	1,84	2,26	2,40	1,86	2,54	2,18	86		18	44	56	63	2,86	24	14,50	12,50	12,50	4,12	4,12	4,92	4,13
1910	8,97	40	36	30,8	1,77	1,72	1,86	2,42	2,42	2,00	2,74	2,42	83		19	44	55	48	3,00	24	14,50	12,50	12,50	4,04	4,04	4,85	4,05
1911	9,84	40	36	30,0	1,87	1,83	1,80	2,39	2,40	1,88	2,79	2,45	83		20	46	56	52	3,00	24	14,50	12,50	12,50	3,87	3,87	4,80	3,87
1912	9,35	40	36	30,0	1,93	1,89	1,95	2,41	2,53	1,94	2,85	2,54	101/83		21	50	56	60	3,55	24	14,50	12,50	12,50	3,82	3,82	4,82	3,90
Durchschnitt 1903–12	8,15	39	34	29,4	1,70	1,64	1,73	2,25	2,40	1,76	2,68	2,20	88		18	44	51	66	3,06	24	13,74	11,90	11,63	3,87	3,86	4,76	3,93

Quelle: Statistisches Jahrbuch für das Großherzogtum Baden, Jg. 40, S. 211.

b) Villingen

Jahre	100 kg Kartoffeln	1 Kilogramm: Mehl Nr. 1: Weizenmehl	1 Kilogramm: Mehl Nr. 1: Roggenmehl	1 Kilogramm: Brot, gangb. Sorte	1 Kilogramm: Fleisch: Ochsenfleisch	1 Kilogramm: Fleisch: Rindfleisch	1 Kilogramm: Fleisch: Schweinefleisch: Frisch	1 Kilogramm: Fleisch: Schweinefleisch: Gedörrt	1 Kilogramm: Speck, geräuchert	1 Kilogramm: Schweineschmalz	1 Kilogramm: Butter: Tafelbutter	1 Kilogramm: Butter: Landbutter	10 Stück Eier: Trinkeier	10 Stück Eier: Kisteneier	1 Liter Milch	1 Kilogramm: Bohnen	1 Kilogramm: Erbsen	1 Kilogramm: Linsen	1 Kilogramm: Kaffee, gebrannt	1 Liter Erdöl	1 Ster Brennholz: Buchenholz	1 Ster Brennholz: Fichtenholz	1 Ster Brennholz: Forlenholz	100 Kilogramm Kohlen usw. (beim Einkauf in Mengen von mindestens 1500 kg): Nußkohlen I	Nußkohlen II	Anthrazit	Koks
	M	Pf	Pf	Pf	M	M	M	M	M	M	M	M	Pf	Pf	Pf	Pf	Pf	Pf	M	Pf	M	M	M	M	M	M	M
1903	6,30	38	36	27,0	1,40	1,40	1,47	1,96	1,98	1,80	·	1,78	67		16	39	43	55	2,66	19	10,00	8,13	7,15	3,20	3,20	4,06	3,28
1904	6,68	36	32	27,0	1,37	1,37	1,41	1,97	1,95	1,68	·	1,89	70		16	38	38	54	2,86	20	10,50	8,00	7,09	3,24	3,24	4,09	3,37
1905	6,08	39	33	27,0	1,42	1,42	1,49	2,05	2,06	1,65	·	1,99	71		17	42	39	53	2,80	20	11,53	8,35	7,22	3,34	3,29	4,15	3,36
1906	6,35	40	34	27,0	1,55	1,55	1,70	2,20	2,36	1,80	·	2,09	73		18	45	41	52	2,80	20	11,93	8,50	7,81	3,24	3,25	4,04	3,33
1907	7,07	41	38	26,1	1,60	1,60	1,66	2,23	2,40	1,75	·	1,98	78		18	42	43	60	2,84	20	11,79	9,01	8,33	3,47	3,56	4,32	3,43
1908	5,51	44	41	27,0	1,60	1,60	1,63	2,40	2,40	1,60	2,51	2,03	76		20	44	44	69	2,80	22	11,58	8,97	8,52	3,76	3,80	4,40	3,40
1909	6,34	45	42	29,4	1,60	1,60	1,71	2,30	2,35	1,77	2,74	2,06	81		20	39	42	60	3,10	19	11,68	8,58	7,83	3,59	3,61	4,44	3,29
1910	8,39	48	44	30,5	1,70	1,70	1,79	2,40	2,40	2,00	2,77	2,44	77		20	38	43	48	3,00	19	12,25	8,50	7,63	3,55	3,55	4,40	3,28
1911	9,36	44	37	27,0	1,80	1,80	1,76	2,40	2,62	1,85	2,96	2,44	80		20	44	48	42	3,55	20	11,80	8,67	8,35	3,52	3,48	4,46	3,43
1912	7,90	45	40	26,5	1,90	1,90	1,87	2,40	2,56	1,89	2,94	2,53	86/75		20	42	49	54	3,71	23	11,89	8,50	8,50	3,40	3,32	4,39	3,18
Durchschnitt 1903–12	7,00	42	38	27,5	1,59	1,59	1,65	2,23	2,31	1,78	2,78	2,12	76		19	41	43	55	3,01	20	11,50	8,52	7,84	3,43	3,43	4,28	3,34

Quelle: Statistisches Jahrbuch für das Großherzogtum Baden, Jg. 40, S. 211.

c) Waldshut

Jahre	100 kg Kartoffeln	1 Kilogramm											10 Stück Eier		1 Liter Milch	1 Kilogramm				1 Liter Erdöl	1 Ster Brennholz			100 Kilogramm Kohlen usw. (beim Einkauf in Mengen von mindestens 1500 kg)			
		Mehl Nr. 1		Brot, gangb. Sorte	Fleisch				Speck, geräuchert	Schweineschmalz	Butter													Nuß-kohlen		Anthrazit	Koks
		Weizenmehl	Roggenmehl		Ochsenfleisch	Rindfleisch	Schweinefleisch Frisch	Schweinefleisch Gedörrt			Tafelbutter	Landbutter	Trinkeier	Kisteneier		Bohnen	Erbsen	Linsen	Kaffee, gebrannt		Buchenholz	Fichtenholz	Forlenholz	I	II		
	M	Pf	Pf	Pf	M	M	M	M	M	M	M	M	Pf	Pf	Pf	Pf	Pf	Pf	M	Pf	M	M	M	M	M	M	M
1903	5,85	40	30	27,0	1,40	1,40	1,40	1,80	2,00	1,77	·	1,82	75		18	40	40	50	2,40	22	10,00	8,00	7,98	3,80	3,20	4,60	3,80
1904	5,83	40	30	27,2	1,46	1,46	1,43	1,81	2,00	1,61	·	1,81	77		18	40	40	50	2,40	22	10,00	8,00	8,00	3,80	3,20	4,60	3,80
1905	6,10	40	30	28,0	1,52	1,52	1,57	1,89	2,02	1,60	·	1,94	81		18	40	40	50	2,40	21	10,04	8,00	8,00	4,00	3,40	4,60	4,00
1906	6,07	40	30	28,0	1,55	1,55	1,68	2,22	2,19	1,64	·	2,02	83		18	40	40	52	2,40	19	11,16	8,00	8,00	4,00	3,40	4,60	4,00
1907	6,40	41	37	28,3	1,56	1,56	1,56	2,27	2,01	1,65	·	2,02	86		19	40	48	80	2,40	20	12,08	9,06	9,06	4,03	3,47	4,67	4,07
1908	6,20	44	40	33,0	1,50	1,50	1,52	2,20	2,17	1,50	2,48	2,17	83		20	40	40	44	2,40	20	11,33	9,50	9,79	3,60	3,96	4,80	4,15
1909	6,32	44	40	33,3	1,58	1,58	1,68	2,34	2,19	1,58	2,41	2,03	90		20	40	45	52	2,54	20	10,52	9,50	10,00	4,15	3,57	4,80	4,15
1910	7,71	44	39	30,8	1,67	1,65	1,74	2,38	2,30	1,84	3,17	2,29	92		20	41	50	50	2,80	22	10,50	8,29	9,09	4,15	3,84	4,79	4,08
1911	8,53	40	36	34,0	1,78	1,78	1,81	2,30	2,34	1,80	3,01	2,31	95		20	44	48	48	3,00	22	10,97	8,08	8,59	4,00	3,80	4,77	-
1912	7,75	44	30	34,1	1,82	1,82	1,84	2,43	2,56	1,80	3,20	2,40	97/86		20	47	50	60	3,18	22	11,00	8,00	8,34	4,20	-	4,84	-
Durchschnitt 1903–12	6,68	42	34	30,4	1,58	1,58	1,62	2,16	2,28	1,68	2,85	2,08	86		19	41	44	54	2,59	21	10,76	8,44	8,69	3,97	3,54	4,71	4,01

Quelle: Statistisches Jahrbuch für das Großherzogtum Baden, Jg. 40, S. 211.

d) Freiburg

Jahre	100 kg Kartoffeln	1 Kilogramm											10 Stück Eier		1 Liter Milch	1 Kilogramm				1 Liter Erdöl	1 Ster Brennholz			100 Kilogramm Kohlen usw. (beim Einkauf in Mengen von mindestens 1500 kg)			
		Mehl Nr. 1		Brot, gangb. Sorte	Fleisch				Speck, geräuchert	Schweineschmalz	Butter					Bohnen	Erbsen	Linsen	Kaffee, gebrannt		Buchenholz	Fichtenholz	Forlenholz	Nuß-kohlen		Anthrazit	Koks
		Weizenmehl	Roggenmehl		Ochsenfleisch	Rindfleisch	Schweinefleisch Frisch	Schweinefleisch Gedörrt			Tafelbutter	Landbutter	Trinkeier	Kisteneier										I	II		
	M	Pf	Pf	Pf	M	M	M	M	M	M	M	M	Pf	Pf	Pf	Pf	Pf	Pf	M	Pf	M	M	M	M	M	M	M
1903	5,21	42	32	25,3	1,50	1,40	1,53	2,02	2,07	1,80	·	2,08	70		18	40	40	50	2,80	22	10,81	8,31	-	3,00	2,90	3,70	3,00
1904	5,86	42	32	25,3	1,54	1,45	1,54	2,00	2,00	1,80	·	2,06	70		18	40	40	50	2,80	22	10,67	8,00	-	3,07	3,00	3,74	3,00
1905	5,40	42	32	25,6	1,58	1,50	1,70	2,05	2,12	1,80	·	2,21	76		19	42	39	56	2,80	20	11,02	8,46	-	3,33	3,33	3,95	2,97
1906	5,48	44	36	28,0	1,65	1,57	1,76	2,00	2,33	1,82	·	2,32	76		20	50	45	100	2,80	20	11,10	8,60	-	3,25	3,21	4,08	2,90
1907	6,09	45	37	29,3	1,67	1,59	1,72	1,89	2,44	1,83	·	2,24	79		20	50	48	100	2,80	20	11,50	9,38	-	3,50	3,30	4,43	3,15
1908	5,76	48	40	32,0	1,65	1,56	1,63	1,88	2,28	1,70	2,79	2,26	76		22	40	50	100	2,80	20	11,50	10,00	-	3,68	3,48	4,50	3,40
1909	6,14	48	40	33,0	1,69	1,52	1,80	2,06	2,27	1,70	2,79	2,34	84		22	43	49	65	3,00	20	11,50	10,00	-	3,80	3,60	4,50	3,40
1910	7,39	46	39	30,7	1,75	1,64	1,80	2,15	2,37	1,91	2,86	2,52	83		22	46	48	56	3,24	20	10,90	9,06	-	3,82	3,62	4,41	3,06
1911	8,95	44	38	30,0	1,86	1,79	1,75	2,06	2,38	1,99	2,84	2,55	93		22	47	51	61	3,25	20	11,38	8,50	-	3,90	3,70	4,50	2,60
1912	8,71	44	41	30,0	1,89	1,82	1,80	2,20	2,43	2,00	2,92	2,59	103/79		22	44	47	54	3,40	20	11,67	8,33	-	3,55	3,65	4,51	3,26
Durchschnitt 1903–12	6,50	45	37	28,9	1,68	1,58	1,70	2,03	2,27	1,84	2,84	2,32	81		21	44	46	69	2,97	20	11,21	8,86	-	3,49	3,38	4,23	3,07

Quelle: Statistisches Jahrbuch für das Großherzogtum Baden, Jg. 40, S. 211.

e) Lörrach

Jahre	1 Kilogramm												10 Stück Eier			1 Kilogramm					1 Ster Brennholz			100 Kilogramm Kohlen usw. (beim Einkauf in Mengen von mindestens 1500 kg)			
		Mehl Nr. 1			Fleisch						Butter													Nußkohlen			
							Schweinefleisch																				
	100 kg Kartoffeln	Weizenmehl	Roggenmehl	Brot, gangb. Sorte	Ochsenfleisch	Rindfleisch	Frisch	Gedörrt	Speck, geräuchert	Schweineschmalz	Tafelbutter	Landbutter	Trinkeier	Kisteneier	1 Liter Milch	Bohnen	Erbsen	Linsen	Kaffee, gebrannt	1 Liter Erdöl	Buchenholz	Fichtenholz	Forlenholz	I	II	Anthrazit	Koks
	M	Pf	Pf	Pf	M	M	M	M	M	M	M	M	Pf	Pf	Pf	Pf	Pf	Pf	M	Pf	M	M	M	M	M	M	M
1903	6,14	36	–	27,0	1,44	1,34	1,51	2,10	2,03	1,47	·	2,26	87		20	38	38	46	2,90	21	12,14	9,40	–	–	3,60	4,40	2,80
1904	6,89	36	–	27,0	1,50	1,40	1,50	2,10	2,10	1,40	·	2,22	86		20	38	37	50	2,80	20	12,71	8,86	–	–	3,60	4,40	2,80
1905	6,30	36	–	27,0	1,55	1,45	1,58	2,14	2,14	1,42	·	2,27	93		20	36	36	50	2,80	20	13,00	8,51	–	–	3,60	4,40	2,80
1906	6,74	36	–	27,0	1,60	1,50	1,69	2,19	2,19	1,44	·	2,38	94		20	36	36	50	2,80	20	12,72	8,51	–	–	3,60	4,40	2,80
1907	6,60	39	–	30,2	1,60	1,50	1,58	2,12	2,12	1,48	·	2,34	92		20	41	38	56	2,80	19	12,08	8,48	–	4,57	3,87	4,52	2,94
1908	6,00	41	–	33,2	1,60	1,50	1,59	2,12	2,12	1,56	2,62	2,35	95		20	43	41	58	2,73	20	12,02	8,91	–	4,57	4,20	4,57	3,11
1909	7,72	44	44	34,9	1,60	1,50	1,72	2,20	2,20	1,61	2,62	2,42	105		20	48	48	50	2,48	21	12,21	8,99	–	3,64	3,34	4,58	3,19
1910	8,55	44	42	32,5	1,69	1,59	1,80	2,27	2,27	1,80	2,89	2,67	102		22	48	48	50	2,60	20	12,15	8,59	–	3,60	3,29	4,59	3,23
1911	9,09	44	42	32,7	1,83	1,75	1,80	2,29	2,29	1,79	2,88	2,68	98		22	49	49	51	2,77	20	12,00	8,51	–	3,60	3,30	4,60	3,20
1912	8,53	44	41	32,8	1,89	1,77	1,91	2,36	2,36	1,80	2,89	2,69	107/88		22	47	47	50	2,80	20	11,95	8,24	–	3,44	3,51	4,62	3,20
Durchschnitt 1903–12	7,26	40	42	30,4	1,63	1,53	1,67	2,19	2,18	1,58	2,78	2,43	95		21	42	42	51	2,75	20	12,30	8,70	–	3,90	3,59	4,51	3,01

Quelle: Statistisches Jahrbuch für das Großherzogtum Baden, Jg. 40, S. 212.

f) Offenburg

Jahre	100 kg Kartoffeln	1 Kilogramm: Mehl Nr. 1		1 Kilogramm	1 Kilogramm: Fleisch				1 Kilogramm	1 Kilogramm	1 Kilogramm: Butter		10 Stück Eier		1 Liter Milch	1 Kilogramm				1 Liter Erdöl	1 Ster Brennholz			100 Kilogramm Kohlen usw. (beim Einkauf in Mengen von mindestens 1500 kg): Nußkohlen		100 Kilogramm Kohlen usw.	
		Weizenmehl	Roggenmehl	Brot, gangb. Sorte	Ochsenfleisch	Rindfleisch	Schweinefleisch: Frisch	Schweinefleisch: Gedörrt	Speck, geräuchert	Schweineschmalz	Tafelbutter	Landbutter	Trinkeier	Kisteneier		Bohnen	Erbsen	Linsen	Kaffee, gebrannt		Buchenholz	Fichtenholz	Forlenholz	I	II	Anthrazit	Koks
	M	Pf	Pf	Pf	M	M	M	M	M	M	M	M	Pf	Pf	Pf	Pf	Pf	Pf	M	Pf	M	M	M	M	M	M	M
1903	7,12	40	26	26,7	1,48	1,40	1,43	2,08	2,08	1,70	·	2,01	77		22	29	32	35	2,80	20	11,10	10,05	8,55	2,79	–	4,00	2,65
1904	7,58	40	26	26,7	1,51	1,42	1,40	2,00	2,00	1,61	·	1,97	78		22	30	33	34	2,80	20	11,00	10,00	8,50	2,60	–	4,00	2,60
1905	7,50	40	26	26,7	1,55	1,47	1,53	2,06	1,88	1,66	·	2,17	84		22	41	39	49	2,80	20	11,00	10,00	8,50	2,98	–	3,91	2,60
1906	6,41	40	36	27,1	1,61	1,57	1,70	2,51	2,50	1,83	·	2,28	81		19	44	40	69	2,99	18	11,00	10,00	9,48	3,20	3,00	3,94	2,85
1907	7,15	40	38	29,5	1,72	1,60	1,58	2,40	2,40	1,84	·	2,16	85		19	36	37	72	3,03	18	11,19	10,06	9,63	3,23	3,05	4,04	3,18
1908	6,66	41	38	30,6	1,72	1,60	1,63	2,40	2,40	1,80	2,80	2,28	87		20	34	40	58	3,20	20	12,50	10,50	10,50	3,40	3,40	4,30	3,00
1909	6,90	41	38	30,7	1,72	1,58	1,75	2,37	2,37	1,88	2,80	2,40	92		20	31	40	40	3,20	20	12,79	9,92	9,92	3,17	3,17	4,13	3,00
1910	7,95	40	38	28,2	1,77	1,66	1,80	2,50	2,50	2,00	2,95	2,44	89		22	32	42	40	3,33	20	13,00	9,50	9,50	2,94	2,94	4,00	3,00
1911	9,42	40	38	28,2	1,85	1,74	1,72	2,40	2,40	1,84	3,08	2,51	92		23	38	44	44	3,37	19	13,10	9,50	9,50	3,00	3,00	4,10	2,79
1912	8,33	40	38	29,4	1,94	1,84	1,88	2,40	2,40	1,96	3,20	2,53	96/76		24	45	48	50	3,23	19	12,08	9,50	9,50	2,88	2,88	3,90	2,60
Durchschnitt 1903–12	7,50	40	34	28,4	1,69	1,59	1,64	2,31	2,29	1,81	2,97	2,28	85		21	36	40	49	3,08	19	11,88	9,90	9,36	3,02	3,06	4,03	2,83

Quelle: Statistisches Jahrbuch für das Großherzogtum Baden, Jg. 40, S. 212.

g) Baden-Baden

Jahre	100 kg Kartoffeln	1 Kilogramm: Mehl Nr. 1: Weizenmehl	Mehl Nr. 1: Roggenmehl	Brot, gangb. Sorte	Fleisch: Ochsenfleisch	Fleisch: Rindfleisch	Fleisch: Schweinefleisch: Frisch	Schweinefleisch: Gedörrt	Speck, geräuchert	Schweineschmalz	Butter: Tafelbutter	Butter: Landbutter	10 Stück Eier: Trinkeier	10 Stück Eier: Kisteneier	1 Liter Milch	1 Kilogramm: Bohnen	Erbsen	Linsen	Kaffee, gebrannt	1 Liter Erdöl	1 Ster Brennholz: Buchenholz	Fichtenholz	Forlenholz	100 Kilogramm Kohlen usw. (beim Einkauf in Mengen von mindestens 1500 kg): Nußkohlen I	Nußkohlen II	Anthrazit	Koks
	M	Pf	Pf	Pf	M	M	M	M	M	M	M	M	Pf	Pf	Pf	Pf	Pf	Pf	M	Pf	M	M	M	M	M	M	M
1903	5,23	50	43	31,8	1,53	1,42	1,58	2,34	2,20	1,95	·	2,28	79		18	40	40	70	3,14	22	12,19	9,95	10,00	3,07	2,99	4,60	2,51
1904	5,28	50	44	32,0	1,62	1,49	1,48	2,21	2,04	1,83	·	2,28	81		18	40	40	60	3,01	22	12,00	9,67	9,91	3,18	3,11	4,65	2,50
1905	5,08	50	44	32,0	1,65	1,55	1,66	2,23	2,02	1,80	·	2,41	87		18	40	40	65	3,00	22	12,00	9,00	10,00	3,19	3,21	4,61	2,48
1906	5,07	48	40	32,0	1,79	1,65	1,88	2,33	2,21	1,98	·	2,56	93		19	42	41	82	3,00	21	13,74	10,22	10,01	3,26	3,26	4,84	2,37
1907	5,81	50	40	30,4	1,85	1,75	1,70	2,30	2,20	2,00	·	2,52	98		20	42	42	82	3,00	22	14,00	10,50	10,00	3,47	3,26	4,87	2,25
1908	6,08	52	42	33,0	1,81	1,71	1,75	2,22	2,03	1,83	2,92	2,40	101		20	47	46	88	3,00	23	14,00	10,50	10,00	3,47	3,28	5,00	2,57
1909	6,31	50	38	36,0	1,80	1,70	1,88	2,25	2,21	1,99	2,88	2,54	92		22	45	47	73	3,15	23	14,25	11,38	10,00	3,28	3,21	4,95	2,77
1910	6,58	48	37	36,0	1,85	1,75	1,93	2,40	2,40	2,00	2,89	2,70	91		22	47	49	61	3,21	22	14,00	10,48	-	3,20	3,20	4,70	2,71
1911	8,59	48	40	35,6	1,94	1,85	1,72	2,16	2,16	1,97	3,02	2,76	93		23	48	48	54	3,51	22	13,04	10,45	-	3,20	3,20	4,40	2,40
1912	8,32	47	36	37,1	1,90	1,87	1,88	2,16	2,16	1,80	3,02	2,81	101/79		24	49	50	64	3,34	22	13,00	10,28	11,00	3,46	3,46	4,87	2,67
Durchschnitt 1903–12	6,24	49	40	33,6	1,77	1,67	1,75	2,26	2,16	1,92	2,95	2,53	90		20	44	44	70	3,14	22	13,22	10,24	10,12	3,28	3,22	4,75	2,52

Quelle: Statistisches Jahrbuch für das Großherzogtum Baden, Jg. 40, S. 212.

h) Rastatt

Jahre	100 kg Kartoffeln	1 Kilogramm											10 Stück Eier		1 Liter Milch	1 Kilogramm				1 Liter Erdöl	1 Ster Brennholz			100 Kilogramm Kohlen usw. (beim Einkauf in Mengen von mindestens 1500 kg)			
		Mehl Nr. 1		Brot, gangb. Sorte	Fleisch				Speck, geräuchert	Schweineschmalz	Butter													Nuß-kohlen		Anthrazit	Koks
		Weizenmehl	Roggenmehl		Ochsenfleisch	Rindfleisch	Schweinefleisch Frisch	Schweinefleisch Gedörrt			Tafelbutter	Landbutter	Trinkeier	Kisteneier		Bohnen	Erbsen	Linsen	Kaffee, gebrannt		Buchenholz	Fichtenholz	Forlenholz	I	II		
	M	Pf	Pf	Pf	M	M	M	M	M	M	M	M	Pf	Pf	Pf	Pf	Pf	Pf	M	Pf	M	M	M	M	M	M	M
1903	5,34	40	32	26,0	1,44	1,36	1,41	2,10	2,20	1,80	·	2,20	78		17	40	40	54	2,60	20	11,40	7,79	-	-	2,61	3,89	2,25
1904	5,08	40	32	26,0	1,44	1,36	1,36	2,10	2,15	1,70	·	2,16	82		17	40	40	54	2,60	20	10,69	7,12	-	-	2,57	4,00	2,09
1905	5,47	40	32	26,2	1,44	1,40	1,51	2,10	2,11	1,67	·	2,36	87		17	40	40	57	2,60	18	11,17	8,32	-	-	2,83	4,40	2,16
1906	5,14	44	36	27,1	1,52	1,52	1,71	2,15	2,18	2,03	·	2,47	88		18	45	40	81	2,64	18	12,00	9,04	-	-	2,70	4,17	2,25
1907	6,01	41	33	28,3	1,58	1,58	1,48	1,98	1,98	1,97	·	2,35	93		19	45	40	85	2,80	19	12,00	9,63	-	-	2,87	4,23	2,49
1908	5,47	41	36	34,5	1,50	1,50	1,48	1,91	1,91	1,83	2,75	2,40	93		20	42	43	71	2,80	20	12,03	9,33	-	-	2,98	4,48	2,60
1909	5,80	42	38	30,8	1,52	1,52	1,69	2,01	2,01	1,91	2,80	2,52	96		20	42	46	51	2,86	20	12,16	9,30	-	-	2,87	4,42	2,57
1910	6,63	38	36	29,8	1,58	1,58	1,80	2,20	2,20	2,00	2,94	2,59	93		20	40	48	42	3,00	20	12,00	9,41	-	-	2,78	4,39	1,93
1911	8,58	36	30	29,0	1,66	1,66	1,72	2,04	2,04	2,00	3,07	2,75	100		21	45	47	44	3,15	19	12,15	9,15	-	-	2,66	4,43	2,16
1912	8,06	36	30	29,0	1,75	1,75	1,84	2,12	2,12	2,08	3,12	2,81	105/79		22	48	48	58	3,37	21	11,72	9,24	-	-	2,69	4,57	1,90
Durchschnitt 1903–12	6,16	40	34	28,7	1,54	1,52	1,60	2,07	2,09	1,90	2,94	2,46	90		19	43	43	60	2,84	20	11,73	8,83	-	-	2,76	4,30	2,24

Quelle: Statistisches Jahrbuch für das Großherzogtum Baden, Jg. 40, S. 212.

i) Bruchsal

Jahre	100 kg Kartoffeln	1 Kilogramm: Mehl Nr. 1: Weizenmehl	Roggenmehl	Brot, gangb. Sorte	Fleisch: Ochsenfleisch	Rindfleisch	Schweinefleisch: Frisch	Gedörrt	Speck, geräuchert	Schweineschmalz	Butter: Tafelbutter	Landbutter	10 Stück Eier: Trinkeier	Kisteneier	1 Liter Milch	1 Kilogramm: Bohnen	Erbsen	Linsen	Kaffee, gebrannt	1 Liter Erdöl	1 Ster Brennholz: Buchenholz	Fichtenholz	Forlenholz	100 Kilogramm Kohlen usw. (beim Einkauf in Mengen von mindestens 1500 kg): Nußkohlen I	Nußkohlen II	Anthrazit	Koks
	M	Pf	Pf	Pf	M	M	M	M	M	M	M	M	Pf	Pf	Pf	Pf	Pf	Pf	M	Pf	M	M	M	M	M	M	M
1903	5,05	36	26	26,0	1,52	1,44	1,48	1,85	1,84	1,85	·	2,50	80		18	36	36	41	3,41	20	15,01	12,00	11,10	2,44	2,26	3,75	2,04
1904	5,00	36	26	26,0	1,54	1,48	1,44	1,80	1,80	1,80	·	2,40	79		18	31	29	32	2,62	21	15,49	12,00	12,00	2,58	2,30	3,80	2,40
1905	5,00	36	26	26,0	1,56	1,52	1,57	1,87	1,87	1,87	·	2,55	79		19	39	32	47	2,60	20	15,50	12,00	11,96	2,50	2,30	3,80	2,40
1906	5,00	36	26	26,0	1,69	1,62	1,73	2,00	2,00	2,00	·	2,73	73		20	40	34	65	2,60	20	15,50	12,00	12,00	2,64	2,37	3,80	2,40
1907	5,00	37	28	27,6	1,74	1,70	1,60	1,95	1,95	1,89	·	2,60	82		20	40	40	58	2,60	21	15,50	12,00	12,00	2,93	2,77	3,93	2,53
1908	5,43	36	32	31,5	1,68	1,64	1,67	2,00	2,00	1,83	2,81	2,63	85		20	40	41	58	2,60	20	15,50	12,00	12,00	2,89	2,89	3,96	3,32
1909	5,71	37	32	31,3	1,68	1,62	1,80	2,00	2,00	2,00	2,90	2,66	82		20	40	44	47	2,60	20	14,88	11,08	11,08	2,88	2,88	3,88	2,50
1910	6,85	36	28	29,5	1,75	1,69	1,84	2,06	2,06	2,09	2,93	2,71	81		20	40	44	37	2,60	20	14,00	11,00	11,00	3,00	3,00	4,00	2,40
1911	8,60	35	27	28,0	1,83	1,79	1,80	2,00	2,00	2,00	3,02	2,83	83		22	41	46	40	2,81	20	14,00	11,00	11,00	3,00	3,00	4,00	2,40
1912	7,63	38	30	28,3	1,94	1,90	1,93	2,08	2,08	2,08	3,18	3,03	96/77		22	44	44	48	3,02	20	14,00	11,00	11,00	3,00	3,00	4,00	2,40
Durchschnitt 1903–12	5,93	36	28	28,0	1,69	1,64	1,69	1,96	1,96	1,94	2,97	2,66	82		20	39	39	47	2,75	20	14,94	11,61	11,51	2,79	2,68	3,89	2,48

Quelle: Statistisches Jahrbuch für das Großherzogtum Baden, Jg. 40, S. 213.

j) Karlsruhe

Jahre	100 kg Kartoffeln	1 Kilogramm: Mehl Nr. 1: Weizenmehl	Mehl Nr. 1: Roggenmehl	Brot, gangb. Sorte	Fleisch: Ochsenfleisch	Fleisch: Rindfleisch	Schweinefleisch: Frisch	Schweinefleisch: Gedörrt	Speck, geräuchert	Schweineschmalz	Butter: Tafelbutter	Butter: Landbutter	10 Stück Eier: Trinkeier	10 Stück Eier: Kisteneier	1 Liter Milch	1 Kilogramm: Bohnen	Erbsen	Linsen	Kaffee, gebrannt	1 Liter Erdöl	1 Ster Brennholz: Buchenholz	Fichtenholz	Forlenholz	100 Kilogramm Kohlen usw. (beim Einkauf in Mengen von mindestens 1500 kg): Nußkohlen I	Nußkohlen II	Anthrazit	Koks
	M	Pf	Pf	Pf	M	M	M	M	M	M	M	M	Pf	Pf	Pf	Pf	Pf	Pf	M	Pf	M	M	M	M	M	M	M
1903	5,30	40	34	28,6	1,43	1,35	1,42	1,80	2,40	1,84	·	2,20	61		18	37	37	42	3,40	20	13,00	10,25	10,25	2,60	2,50	3,80	2,42
1904	5,80	40	34	28,6	1,44	1,35	1,36	1,80	2,40	1,80	·	2,20	60		18	37	36	41	3,40	20	13,00	10,25	10,25	2,66	2,61	3,75	2,66
1905	6,24	40	34	28,7	1,52	1,44	1,60	1,88	2,40	1,84	·	2,30	67		19	38	37	49	3,30	18	13,81	11,42	11,42	2,74	2,74	3,78	2,78
1906	6,54	40	34	30,1	1,65	1,57	1,76	2,00	2,40	2,00	·	2,45	71		20	40	38	72	2,74	16	15,54	12,00	12,00	2,80	2,80	3,75	2,74
1907	6,46	43	36	32,2	1,72	1,64	1,58	2,00	2,40	1,80	·	2,48	70		20	40	38	76	2,84	17	15,00	12,30	12,31	3,18	3,12	4,17	2,89
1908	6,17	47	42	32,9	1,72	1,64	1,55	2,03	2,27	1,72	2,68	2,37	69		20	41	43	67	2,90	20	15,00	12,50	12,50	3,44	3,38	4,44	2,99
1909	6,27	46	40	33,9	1,64	1,56	1,63	2,12	2,24	1,85	2,76	2,45	79		20	41	44	50	3,05	20	15,00	12,50	12,50	3,27	3,27	4,29	3,00
1910	7,16	39	34	32,9	1,73	1,65	1,65	2,24	2,31	1,90	2,80	2,54	73		22	39	43	41	3,29	20	15,67	12,43	12,43	3,07	3,07	4,13	3,39
1911	8,77	39	33	31,4	1,86	1,79	1,60	2,05	2,21	1,98	2,92	2,66	78		23	42	45	44	3,53	20	14,44	11,74	11,74	2,93	2,85	3,96	2,50
1912	8,28	40	34	31,7	1,88	1,82	1,76	2,17	2,33	1,97	3,09	2,73	101/83		24	44	47	51	3,60	20	14,04	11,97	11,97	3,02	3,02	4,15	2,48
Durchschnitt 1903–12	6,70	41	36	31,1	1,66	1,58	1,59	2,01	2,34	1,87	2,85	2,44	74		20	40	41	53	3,21	19	14,45	11,74	11,74	2,97	2,94	4,02	2,79

Quelle: Statistisches Jahrbuch für das Großherzogtum Baden, Jg. 40, S. 213.

k) Pforzheim

Jahre		1 Kilogramm											10 Stück Eier			1 Kilogramm					1 Ster Brennholz			100 Kilogramm Kohlen usw. (beim Einkauf in Mengen von mindestens 1500 kg)			
		Mehl Nr. 1			Fleisch						Butter													Nuß-kohlen			
							Schweine-fleisch																				
	100 kg Kartoffeln	Weizenmehl	Roggenmehl	Brot, gangb. Sorte	Ochsenfleisch	Rindfleisch	Frisch	Gedörrt	Speck, geräuchert	Schweineschmalz	Tafelbutter	Landbutter	Trinkeier	Kisteneier	1 Liter Milch	Bohnen	Erbsen	Linsen	Kaffee, gebrannt	1 Liter Erdöl	Buchenholz	Fichtenholz	Forlenholz	I	II	Anthrazit	Koks
	M	Pf	Pf	Pf	M	M	M	M	M	M	M	M	Pf	Pf	Pf	Pf	Pf	Pf	M	Pf	M	M	M	M	M	M	M
1903	5,72	32	30	23,0	1,47	1,39	1,47	2,14	2,40	1,66	·	2,37	73		20	34	38	45	3,45	20	11,82	8,46	-	2,45	2,45	3,35	2,55
1904	6,25	32	30	21,8	1,52	1,44	1,42	2,04	2,28	1,60	·	2,35	71		20	34	38	45	3,50	20	12,00	10,02	-	2,47	2,47	2,98	2,56
1905	6,06	33	31	23,3	1,56	1,48	1,57	2,09	2,34	1,65	·	2,48	75		20	34	38	45	3,07	20	12,00	10,00	-	2,88	2,70	4,18	2,98
1906	6,45	40	36	25,0	1,66	1,58	1,74	2,28	2,40	1,73	·	2,57	82		20	34	38	47	3,07	20	12,00	10,00	-	2,90	2,70	4,20	3,00
1907	7,35	41	37	25,7	1,74	1,66	1,57	2,22	2,34	1,71	·	2,56	79		20	41	41	76	3,10	20	13,30	10,39	-	3,11	2,70	4,35	3,10
1908	6,51	44	40	30,0	1,68	1,60	1,58	2,10	2,20	1,60	2,77	2,47	79		20	46	45	80	3,20	22	14,54	11,00	-	3,18	-	4,39	3,26
1909	6,89	46	42	32,1	1,68	1,60	1,73	2,10	2,22	1,81	2,80	2,51	84		20	46	50	76	3,30	22	14,50	11,00	-	3,09	-	4,34	3,28
1910	8,37	46	42	34,3	1,74	1,69	1,74	2,21	2,34	2,00	2,86	2,65	78		21	46	50	48	3,45	22	15,17	11,00	-	2,97	-	4,23	2,98
1911	9,77	43	39	30,7	1,82	1,74	1,64	2,40	2,40	1,92	3,01	2,80	81		23	44	47	45	3,74	21	15,50	11,00	-	3,05	2,95	4,20	2,83
1912	7,87	42	38	30,0	1,86	1,86	1,74	2,44	2,44	1,88	3,10	2,89	103/77		24	44	46	44	3,80	21	15,50	11,00	-	3,04	3,04	4,44	2,90
Durchschnitt 1903–12	7,12	40	37	27,6	1,67	1,60	1,62	2,20	2,34	1,76	2,91	2,57	80		21	40	43	55	3,37	21	13,63	10,39	-	2,91	2,72	4,07	2,94

Quelle: Statistisches Jahrbuch für das Großherzogtum Baden, Jg. 40, S. 213.

l) Mannheim

Jahre	100 kg Kartoffeln	1 Kilogramm												10 Stück Eier		1 Liter Milch	1 Kilogramm				1 Liter Erdöl	1 Ster Brennholz			100 Kilogramm Kohlen usw. (beim Einkauf in Mengen von mindestens 1500 kg)			
		Mehl Nr. 1		Brot, gangb. Sorte	Fleisch				Speck, geräuchert	Schweineschmalz	Butter														Nußkohlen		Anthrazit	Koks
		Weizenmehl	Roggenmehl		Ochsenfleisch	Rindfleisch	Schweinefleisch Frisch	Schweinefleisch Gedörrt			Tafelbutter	Landbutter	Trinkeier	Kisteneier		Bohnen	Erbsen	Linsen	Kaffee, gebrannt		Buchenholz	Fichtenholz	Forlenholz	I	II		
	M	Pf	Pf	Pf	M	M	M	M	M	M	M	M	Pf	Pf	Pf	Pf	Pf	Pf	M	Pf	M	M	M	M	M	M	M
1903	7,79	40	32	24,0	1,50	1,40	1,47	1,65	2,00	1,60	·	2,40	75		20	31	36	50	2,80	20	12,82	10,47	10,00	2,30	2,30	3,60	2,40
1904	8,19	40	32	24,0	1,50	1,43	1,36	1,60	2,00	1,23	·	2,40	73		20	36	36	50	2,80	20	12,72	10,01	10,00	2,39	2,39	3,90	2,50
1905	8,67	42	32	24,1	1,56	1,48	1,61	1,83	2,00	1,50	·	2,47	81		20	38	35	50	2,40	20	13,00	12,00	10,00	2,50	2,50	4,30	3,00
1906	8,16	44	34	25,0	1,65	1,58	1,83	2,08	2,19	1,73	·	2,60	88		22	47	37	63	2,40	20	13,00	12,02	10,00	2,53	2,50	4,14	3,00
1907	8,69	45	37	26,7	1,79	1,69	1,55	1,86	1,89	1,60	·	2,60	82		22	48	40	80	2,40	20	13,00	12,00	10,00	2,71	2,66	3,76	3,14
1908	8,50	48	42	27,0	1,77	1,58	1,58	1,75	1,91	1,57	2,79	2,59	74		22	38	44	63	2,60	20	13,46	11,06	10,86	2,80	2,71	4,01	3,38
1909	8,64	50	43	29,4	1,75	1,57	1,74	1,89	2,00	1,67	2,80	2,43	75		22	37	47	36	2,64	20	13,99	11,00	11,00	2,78	2,70	3,96	3,06
1910	8,87	49	41	30,0	1,79	1,63	1,75	1,95	1,95	1,75	2,95	2,60	74		22	40	48	50	2,80	20	14,00	11,00	11,00	2,74	2,64	3,78	2,90
1911	10,47	44	40	30,5	1,84	1,74	1,63	1,85	1,86	1,64	3,06	2,66	75		23	41	48	54	3,05	18	14,00	11,00	11,00	2,65	2,55	3,69	2,81
1912	9,92	45	41	31,6	1,94	1,88	1,82	2,05	2,05	1,74	3,11	2,77	113/76		24	40	47	50	3,59	18	14,00	11,00	11,00	2,61	2,51	3,90	2,80
Durchschnitt 1903–12	8,79	45	37	27,2	1,71	1,60	1,63	1,85	1,99	1,60	2,94	2,55	81		22	40	42	55	2,75	20	13,40	11,16	10,49	2,60	2,55	3,90	2,90

Quelle: Statistisches Jahrbuch für das Großherzogtum Baden, Jg. 40, S. 213.

m) Heidelberg

Jahre	100 kg Kartoffeln	1 Kilogramm: Mehl Nr. 1: Weizenmehl	Mehl Nr. 1: Roggenmehl	Brot, gangb. Sorte	Fleisch: Ochsenfleisch	Fleisch: Rindfleisch	Fleisch: Schweinefleisch: Frisch	Fleisch: Schweinefleisch: Gedörrt	Speck, geräuchert	Schweineschmalz	Butter: Tafelbutter	Butter: Landbutter	10 Stück Eier: Trinkeier	10 Stück Eier: Kisteneier	1 Liter Milch	1 Kilogramm: Bohnen	Erbsen	Linsen	Kaffee, gebrannt	1 Liter Erdöl	1 Ster Brennholz: Buchenholz	Fichtenholz	Forlenholz	100 Kilogramm Kohlen usw. (beim Einkauf in Mengen von mindestens 1500 kg): Nußkohlen I	Nußkohlen II	Anthrazit	Koks
	M	Pf	Pf	Pf	M	M	M	M	M	M	M	M	Pf	Pf	Pf	Pf	Pf	Pf	M	Pf	M	M	M	M	M	M	M
1903	5,90	40	34	25,0	1,47	1,43	1,59	1,79	1,99	1,79	·	2,06	67		20	36	36	60	3,40	20	13,00	-	10,50	2,26	2,16	3,67	2,70
1904	6,21	40	34	25,0	1,48	1,44	1,48	1,65	1,81	1,61	·	2,13	67		20	36	36	60	3,40	22	13,00	-	10,50	2,36	2,28	3,67	2,63
1905	6,38	40	34	25,0	1,52	1,47	1,66	1,86	1,93	1,72	·	2,18	69		20	36	36	60	3,40	22	14,76	-	12,73	2,81	2,71	4,22	3,51
1906	6,01	40	34	25,0	1,71	1,63	1,78	2,00	2,02	1,97	·	2,26	66		21	39	37	72	3,40	18	15,61	-	13,61	2,76	2,68	4,56	3,55
1907	7,08	41	36	26,6	1,68	1,60	1,58	1,89	1,90	1,80	·	2,13	68		22	40	40	78	3,51	19	16,00	-	14,00	3,02	3,02	4,64	3,57
1908	6,81	44	40	30,0	1,68	1,60	1,65	1,84	1,84	1,90	2,74	2,29	79		22	42	40	57	2,80	20	16,36	-	14,00	3,10	3,10	4,20	3,80
1909	7,02	44	40	30,0	1,68	1,60	1,79	1,94	1,94	1,90	2,82	2,30	82		22	44	47	63	2,87	20	16,50	-	13,63	2,98	2,98	4,01	3,61
1910	7,84	44	37	28,5	1,77	1,70	1,79	1,92	1,93	1,94	2,91	2,47	80		23	47	48	59	3,11	20	15,56	-	12,56	2,89	2,89	3,97	3,58
1911	9,94	44	36	28,0	1,87	1,80	1,63	1,83	1,99	1,84	3,05	2,77	85		23	47	46	64	3,33	18	15,21	-	12,21	2,77	2,76	3,97	3,21
1912	8,80	44	36	27,9	1,97	1,90	1,83	2,13	2,13	1,97	3,20	2,65	96/82		24	48	50	62	3,76	20	14,60	-	11,60	2,87	2,83	4,07	2,91
Durchschnitt 1903–12	7,20	42	36	27,1	1,68	1,62	1,68	1,89	1,95	1,84	2,94	2,32	76		22	42	42	64	3,30	20	15,06	-	12,53	2,78	2,74	4,10	3,31

Quelle: Statistisches Jahrbuch für das Großherzogtum Baden, Jg. 40, S. 214.

n) Mosbach

Jahre	100 kg Kartoffeln	1 Kilogramm: Mehl Nr. 1: Weizenmehl	Roggenmehl	Brot, gangb. Sorte	Fleisch: Ochsenfleisch	Rindfleisch	Schweinefleisch: Frisch	Gedörrt	Speck, geräuchert	Schweineschmalz	Butter: Tafelbutter	Landbutter	10 Stück Eier: Trinkeier	Kisteneier	1 Liter Milch	1 Kilogramm: Bohnen	Erbsen	Linsen	Kaffee, gebrannt	1 Liter Erdöl	1 Ster Brennholz: Buchenholz	Fichtenholz	Forlenholz	100 Kilogramm Kohlen usw. (beim Einkauf in Mengen von mindestens 1500 kg): Nußkohlen I	Nußkohlen II	Anthrazit	Koks
	M	Pf	Pf	Pf	M	M	M	M	M	M	M	M	Pf	Pf	Pf	Pf	Pf	Pf	M	Pf	M	M	M	M	M	M	M
1903	5,10	36	28	22,0	-	1,39	1,33	2,00	2,00	1,77	·	2,03	68		16	40	44	43	2,41	21	13,23	11,95	11,95	2,50	2,50	3,60	2,46
1904	5,32	35	28	22,0	-	1,40	1,40	2,00	2,00	1,69	·	2,05	70		16	41	41	43	2,40	22	12,45	11,50	11,50	2,56	2,56	3,67	2,45
1905	5,45	36	30	22,8	-	1,41	1,46	2,00	2,00	1,78	·	2,29	74		16	44	44	52	2,40	21	12,50	11,50	11,50	2,70	2,70	3,90	2,50
1906	5,58	36	30	23,0	-	1,54	1,67	2,35	2,36	2,02	·	2,36	75		18	44	44	65	2,40	21	12,50	11,50	11,50	2,70	2,70	3,90	2,50
1907	6,39	39	34	24,5	-	1,60	1,50	2,20	2,20	1,98	·	2,27	78		18	44	50	87	2,40	21	12,50	11,51	11,51	2,85	2,85	3,92	2,61
1908	5,58	40	36	27,0	-	1,60	1,51	2,20	2,20	1,99	2,77	2,41	77		18	44	51	74	2,40	22	12,48	11,50	11,48	3,09	3,09	4,21	3,03
1909	5,86	43	38	26,8	-	1,52	1,66	2,28	2,28	2,00	2,84	2,56	79		18	48	59	58	2,49	22	12,46	11,52	11,52	3,00	3,00	4,02	2,80
1910	7,06	42	35	25,8	-	1,59	1,68	2,24	2,24	2,04	2,94	2,71	78		18	48	60	50	2,63	22	10,91	10,22	10,20	2,99	2,99	3,96	2,80
1911	8,99	40	33	25,0	-	1,67	1,64	2,29	2,29	2,34	3,08	2,90	84		19	41	60	52	3,04	20	9,45	8,88	8,88	2,88	2,88	3,98	3,00
1912	7,53	41	36	25,0	-	1,82	1,81	2,48	2,47	2,54	3,21	2,92	92/84		20	49	60	50	3,21	21	9,45	8,95	8,95	2,89	2,89	3,99	3,00
Durchschnitt 1903–12	6,29	39	33	24,4	-	1,55	1,57	2,20	2,20	2,02	2,97	2,45	78		17	44	51	57	2,58	21	11,79	10,90	10,90	2,82	2,82	3,92	2,78

Quelle: Statistisches Jahrbuch für das Großherzogtum Baden, Jg. 40, S. 214.

Tabelle 11

Die durchschnittlichen Jahreslöhne der Landarbeiterinnen und Landarbeiter in Baden, 1912

a) Landeskommissär-Bezirk Konstanz

Amtsbezirke	Gemein-den	für einen Knecht							für eine Magd					
		unter 250 M	250 bis ausschl. 300 M	300 bis ausschl. 350 M	350 bis ausschl. 400 M	400 bis ausschl. 450 M	450 bis ausschl. 500 M	500 M und mehr	unter 200 M	200 bis ausschl. 250 M	250 bis ausschl. 300 M	300 bis ausschl. 350 M	350 bis ausschl. 400 M	400 M und mehr
Bonndorf	44	-	6	16	14	5	-	2	1	9	21	12	1	-
Donaueschingen	42	-	1	10	20	8	2	1	1	14	24	3		-
Engen	43	1	-	4	14	12	10	1	2	3	21	11	6	-
Konstanz	42	-	4	12	9	8	5	4	3	11	13	11	3	1
Meßkirch	31	-	1	16	11	2	1	-	-	12	164	4	1	-
Pfullendorf	19	-	3	7	4	4	1	-	-	4	6	5	4	-
Säckingen	30	-	2	8	10	5	3	-	-	7	14	9	-	-
St. Blasien	17	-	-	7	6	3	1	-	-	1	12	3	1	-
Stockach	35	1	3	6	13	9	3	-	2	4	13	16	-	-
Triberg	16	1	4	4	4	2	1	-	6	7	2	1	-	-
Überlingen	52	2	8	16	20	4	-	1	4	20	16	11	-	-
Villingen	34	-	3	5	12	7	4	2	3	7	16	-		2
Waldshut	76	-	4	22	34	12	1	3	-	16	34	22	2	2
Summe	481	5	39	133	171	81	32	14	22	115	206	114	18	5

Quelle: Statistisches Jahrbuch für das Großherzogtum Baden, Jg. 40, 1913, S. 211

b) Landeskommissär-Bezirk Freiburg

Amtsbezirke	Gemeinden	für einen Knecht							für eine Magd					
		unter 250 M	250 bis ausschl. 300 M	300 bis ausschl. 350 M	350 bis ausschl. 400 M	400 bis ausschl. 450 M	450 bis ausschl. 500 M	500 M und mehr	unter 200 M	200 bis ausschl. 250 M	250 bis ausschl. 300 M	300 bis ausschl. 350 M	350 bis ausschl. 400 M	400 M und mehr
Breisach	21	1	6	11	3	-	-	-	4	9	7	1	-	-
Emmendingen	38	1	5	12	15	4	1	-	4	14	16	4	-	-
Ettenheim	16	-	-	3	8	4	-	-	-	2	11	2	-	-
Freiburg	49	10	15	18	4	-	-	1	19	20	8	1	-	-
Kehl	29	-	-	7	17	3	1	-	-	18	10	-	-	-
Lahr	27	-	2	7	14	3	1	-	1	13	10	3	-	-
Lörrach	42	-	4	13	15	8	-	1	2	22	15	2	-	-
Müllheim	32	-	2	13	10	5	-	1	-	13	13	4	-	1
Neustadt	30	-	2	9	10	7	1	-	3	10	12	4	1	-
Oberkirch	21	-	7	5	6	1	1	1	6	8	4	2	1	-
Offenburg	39	2	7	18	9	1	-	-	6	16	16	-	-	-
Schönau	26	-	3	5	12	5	1	-	3	8	13	2	-	-
Schopfheim	28	-	2	12	8	3	1	2	-	8	18	2	-	-
Staufen	26	1	1	8	9	7	-	-	2	5	14	5	-	-
Waldkirch	26	1	5	10	7	3	-	-	2	11	6	7	-	-
Wolfach	24	-	5	6	9	2	1	-	4	6	14	-	-	-
Summe	474	16	66	157	156	56	8	6	56	183	187	39	2	1

Quelle: Statistisches Jahrbuch für das Großherzogtum Baden, Jg. 40, 1913, S. 211

c) Landeskommissär-Bezirk Karlsruhe

Amtsbezirke	Gemeinden	für einen Knecht							für eine Magd					
		unter 250 M	250 bis ausschl. 300 M	300 bis ausschl. 350 M	350 bis ausschl. 400 M	400 bis ausschl. 450 M	450 bis ausschl. 500 M	500 M und mehr	unter 200 M	200 bis ausschl. 250 M	250 bis ausschl. 300 M	300 bis ausschl. 350 M	350 bis ausschl. 400 M	400 M und mehr
Achern	18	-	-	4	9	2	3	-	-	8	9	-	1	-
Baden-Baden	7	-	-	2	5	-	-	-	-	5	2	-	-	-
Bretten	23	-	2	9	6	3	1	-	5	9	5	1	-	-
Bruchsal	30	-	3	10	11	5	1	-	4	14	10	1	1	-
Bühl	30	-	-	2	10	11	4	2	-	8	16	3	1	1
Durlach	22	-	-	3	12	2	3	2	-	7	10	4	1	-
Ettlingen	19	2	2	6	1	3	-	-	5	9	2	-	-	-
Karlsruhe	19	-	3	5	8	2	1	-	4	13	1	1	-	-
Pforzheim	32	-	1	11	13	4	2	-	1	12	13	3	1	-
Rastatt	46	-	2	9	16	9	2	3	6	25	7	-	1	2
Summe	246	2	13	61	91	41	17	7	25	110	75	13	6	3

Quelle: Statistisches Jahrbuch für das Großherzogtum Baden, Jg. 40, 1913, S. 211

d) Landeskommissär-Bezirk Mannheim

Amtsbezirke	Gemeinden	für einen Knecht							für eine Magd					
		unter 250 M	250 bis ausschl. 300 M	300 bis ausschl. 350 M	350 bis ausschl. 400 M	400 bis ausschl. 450 M	450 bis ausschl. 500 M	500 M und mehr	unter 200 M	200 bis ausschl. 250 M	250 bis ausschl. 300 M	300 bis ausschl. 350 M	350 bis ausschl. 400 M	400 M und mehr
Adelsheim	25	-	5	9	9	1	-	1	5	13	-	-		1
Borberg	32	-	6	16	8	2	-	-	4	25	3	-	-	-
Buchen	49	-	3	13	22	10	1	-	3	27	15	4	-	-
Eberbach	26	-	1	11	13	1	-	-	-	17	7	1	-	-
Eppingen	15	-	1	3	7	3	1	-	3	7	2	2	-	-
Heidelberg	37	-	2	11	11	8	4	1	4	15	12	6	-	-
Mannheim	10	-	-	-	4	3	3	-	-	4	3	3	-	-
Mosbach	46	-	2	8	28	8	-	-	1	23	18	4	-	-
Schwetzingen	11	-	1	4	3	2	1	-	1	3	5	2	-	-
Sinsheim	37	-	1	6	21	7	2	-	2	14	18	3	-	-
Tauberbischofsheim	44	-	5	16	19	2	2	-	7	18	17	2	-	-
Weinheim	15	-	-	2	7	4	2	-	-	3	8	3	1	-
Wertheim	32	-	3	11	10	4	2	-	6	17	7	2	-	-
Wiesloch	15	-	1	6	5	1	1	-	2	8	4	-	-	-
Summe	394	-	31	116	167	56	19	2	38	194	125	32	1	1
Großherzogtum	1595	23	149	467	585	234	76	29	141	602	593	198	27	10

Quelle: Statistisches Jahrbuch für das Großherzogtum Baden, Jg. 40, 1913, S. 211

Abkürzungsverzeichnis

ADGB	Allgemeiner Deutscher Gewerkschaftsbund
A. u. S.-Rat	Arbeiter- und Soldatenrat
ADAV	Allgemeiner Deutscher Arbeiterverein
AfA	Arbeitsgemeinschaft freier Angestelltenverbände
AOK	Arbeiterortskommitee
BGB	Bürgerliches Gesetzbuch
BGBl.	Bundesgesetzblatt
BRG	Betriebsrätegesetz
Cie.	Compagnie
d. J.	des/dieses Jahres
d. M.	des/dieses Monats
DGB	Deutscher Gewerkschaftsbund [Dachverband der christlichen Gewerkschaften in der Weimarer Republik]
DMV	Deutscher Metallarbeiter-Verband
DMZ	Deutsche Metallarbeiter-Zeitung
Dok.	Dokument
DVP	Deutsche Volkspartei
GLA	Generallandesarchiv
GO	Gewerbeordnung
IAA	Internationale Arbeiterassoziation
i. Br.	im Breisgau
IK	Internationale Korrespondenz
KJVD	Kommunistischer Jugendverband Deutschlands
KPD	Kommunistische Partei Deutschlands
M	Mark
MdL	Mitglied des Landtags
MSPD	Mehrheitssozialdemokratische Partei Deutschlands
NSDAP	Nationalsozialistische Deutsche Arbeiterpartei
Orgesch	Organisation Escherich
Pf	Pfennig
RFB	Roter Frontkämpferbund
RGO	Revolutionäre Gewerkschaftsopposition
RM	Reichsmark
RStG	Reichsstrafgesetzbuch

SA	Sturm-Abteilung (NSDAP)
SAP	Sozialistische Arbeiterpartei
Schupo	Schutzpolizei
SDAP	Sozialdemokratische Arbeiterpartei
SPD	Sozialdemokratische Partei Deutschlands
SS	Schutzstaffel (NSDAP)
StGB	Strafgesetzbuch
USP, USPD	Unabhängige Sozialdemokratische Partei Deutschlands
v. J.	vorigen Jahres
v. M.	vorigen Monats
VDAV	Verein Deutscher Arbeiter Vereine
VSPD	Vereinigte Sozialdemokratische Partei Deutschlands
ZAG	Zentralarbeitsgemeinschaft

Personen- und Firmenregister

Ortsregister

Sachregister

Aus der Geschichte lernen

Die Verwaltungsstellen der IG Metall dokumentieren ihre Geschichte

Liste der lieferbaren Titel

Aachen: Norbert Ortmanns/Karl-Georg Zinn, Ein Gespenst geht um - Rationalisierung. Die kapitalistische Anwendung der Technik am Beispiel Aachen (Fotoband erstellt in Zusammenarbeit mit der Gruppe Arbeiterfotografie), Kösching: 3 K-Verlag 1985, 87 Seiten, Großformat, DM 28,-

Augsburg: Angelika Thomas (Bearb.), Und über sich keinen Herrn. Arbeiterbewegung in Augsburg 1848-1954, Augsburg: AV-Verlag 1988, 3 Bde. im Schuber zusammen, 1225 Seiten, DM 48,-

Dortmund: Der Freiheit eine Straße, Dortmund 1945, Kösching: 3 K-Verlag 1985, 116 Seiten, DM 14,-

Frankenthal: Michael Ebenau/Alfred Kuffler (Bearb.), Es gilt den Kampf, Dokumente zur Geschichte der Arbeiterbewegung in Frankenthal 1832-1949, Kösching: 3 K-Verlag 1984, 321 Seiten, DM 24,80

Frankfurt: Hans Pleitgen (Bearb.), Auf einen Blick. Vom 8. Agitationsbezirk des Deutschen Metallarbeiter-Verbandes zum Bezirk Frankfurt/Main der Industriegewerkschaft Metall. Ein Überblick über die Geschichte und die Politik der Metallgewerkschaften im Bezirk Frankfurt/Main in Zahlen und Fakten, Frankfurt 1989, 134 Seiten, DM 23,-

Gaggenau: Jürgen Groß (Bearb.), Vorwärts und nicht vergessen, Dokumente zur Geschichte der Arbeiterbewegung in Gaggenau, Rastatt und Baden-Baden 1832-1984, Gaggenau: IG Metall 1988, 586 Seiten, DM 49,-

Geislingen a. d. Steige: Helga Braun (Bearb.), Die eigene Kraft erkennen, Dokumente zur Geschichte der Arbeiterbewegung in Geislingen 1783-1963, Kösching: 3 K-Verlag 1986, ca. 500 Seiten, DM 29,80

Gießen: Siegfried Krupke/Antje Tewes. »... und Einigkeit ist Macht«, Dokumente zur Geschichte der Arbeiterbewegung in Gießen, Gießen: Anabas-Verlag 1985, 400 Seiten, DM 29,80

Hannover: Peter Schulz (Bearb.), Nicht die Zeit, um auszuruhen. Dokumente und Bilder zur hannoverschen Arbeiterbewegung, Hannover: Buchdruckwerkstätten Hannover 1991, 643 Seiten, DM 64,-

Heidelberg: Peter Merz (Bearb.), Damit nichts bleibt wie es ist, Dokumente zur Geschichte der Arbeiterbewegung in Heidelberg 1845-1949, Kösching: 3 K-Verlag 1986, 366 Seiten, DM 23,-

Ingolstadt: Wolfgang Windisch (Bearb.), Der Bayernstreik 1954, am Beispiel der IG Metall-Verwaltungsstelle Ingolstadt, Dokumente seiner Geschichte, Kösching: 3 K-Verlag 1984, 203 Seiten, DM 19,80

Landshut: Hildegard Ziegler-Schultes (Bearb.), Entweder-Oder!, Arbeiterbewegung in Landshut 1848-1949, Kösching: 3 K-Verlag, 556 Seiten in zwei Teilbänden, DM 36,- (pro Bd. DM 18,-)

Lübeck: Ingrid Bounin (Bearb.), Heraus zum Kampf, Dokumente zur Geschichte der Arbeiterbewegung in Lübeck 1966-1948, ca. 400 Seiten, DM 29,80

Mannheim: Wolfgang Brach/Fritjoff Kleff (Bearb.), Säumt keine Minute!, Dokumente zur Geschichte der Arbeiterbewegung in Mannheim 1848-1949, Mannheim: Edition Quadrat 1986, 683 Seiten, DM 78,-

Neunkirchen: Michael Ebenau (Hrsg.), Feiheit für das Volk, Dokumente zur Geschichte der Arbeiterbewegung in Neunkirchen 1848-1961, Neunkirchen: Selbstverlag der Verwaltungsstelle 1990, 421 Seiten, DM 26,80

Nürnberg: Elfi Müller (Bearb.), Organisiert Euch! 1890-1918, (Das rote Nürnberg, Bd. III), Kösching: 3 K-Verlag 1984, 296 Seiten, DM 14,80

Judith Pákh (Bearb.), Revolution und Konterrevolution, 1918-1933, (Das rote Nürnberg, Bd. IV), Kösching: 3 K-Verlag 1985, 302 Seiten, DM 14,80

Harald Hauptmann (Bearb.), Trotz alledem! 1933-1945, (Das rote Nürnberg, Bd. V), Kösching: 3 K-Verlag 1985, 283 Seiten, DM 14,80

»Das rote Nürnberg« ist auf sechs Bände geplant und erscheint zugleich in der Reihe »Quellen und Forschungen zur Geschichte der Stadt Nürnberg«.

Reutlingen: Paul Landmesser/Peter Päßler (Bearb.), Wir lernen im Vorwärtsgehen! Dokumente zur Geschichte der Arbeiterbewegung in Reutlingen 1844-1949, Heilbronn: Distel Verlag 1990, 643 Seiten, DM 38,-

Stuttgart: Peter Scherer/Peter Schaaf (Bearb.), Dokumente zur Geschichte der Arbeiterbewegung in Württemberg und Baden 1848-1949, Stuttgart: Konrad Theiss Verlag 1984, 724 Seiten, DM 25,-

Michael Schwemmle (Bearb.), Vor Sonnenuntergang, Dokumente zur Geschichte der Arbeiterbewegung in Stuttgart 1929-1933, Hamburg: VSA 1990, 397 Seiten, DM 64,-

Südbaden: Anna Merklin (Bearb.), Brot ist Freiheit, Freiheit Brot, Dokumente zur Geschichte der Arbeiterbewegung in Südbaden 1832-1952, Heilbronn: Distel Verlag 1991, 2 Bde. im Schuber zusammen, 984 Seiten, DM 68,-

Wetzlar: Klaus Lohnstein/Dieter Gündisch (Bearb.), Damit die nicht machen, was sie wollen, Dokumente zur Geschichte der Arbeiterbewegung in Wetzlar 1889-1945, 312 Seiten, DM 21,80

Witich Roßmann (Bearb.), Panzerrohre zu Pflugscharen, Zwangsarbeit, Wiederaufbau, Sozialisierung, Wetzlar 1939-1956, Marburg: VAG 1987, 400 Seiten, DM 29,80

Demnächst erscheinen in derselben Reihe Dokumentenbände über Frankfurt a.M., Köln, Völklingen, Karlsruhe, Pforzheim, Neustadt a.d. Weinstraße und Nürnberg.